经纬度·原典系列

资治通鉴

全本全注全译

第九册

晋纪

［宋］司马光　编著

张大可　韩兆琦　等　注译

浙江人民出版社

浙江省版权局著作权合同登记章
图字:11-2023-344号

图书在版编目（CIP）数据

资治通鉴全本全注全译. 第九册 / （宋）司马光编著 ；张大可等注译. -- 杭州 : 浙江人民出版社, 2024. 10（2025. 6重印）.
ISBN 978-7-213-11674-2

Ⅰ. K204. 3

中国国家版本馆CIP数据核字第202421Y2J0号

资治通鉴全本全注全译　第九册

ZIZHI TONGJIAN QUANBEN QUANZHU QUANYI

［宋］司马光　编著　　张大可　韩兆琦　等　注译

出版发行：浙江人民出版社（杭州市环城北路177号　邮编　310006）
市场部电话：（0571）85061682　85176516
选题策划：胡俊生
项目统筹：潘海林　魏　力
责任编辑：方　程　王子佳
营销编辑：顾　颖
责任校对：何培玉　马　玉
责任印务：程　琳　幸天骄
封面设计：北京之江文化传媒有限公司
电脑制版：北京之江文化传媒有限公司
印　　刷：浙江新华数码印务有限公司
开　　本：710毫米×1000毫米　1/16　　印　　张：41.25
字　　数：807千字　　插　　页：4
版　　次：2024年10月第1版　　印　　次：2025年6月第2次印刷
书　　号：ISBN 978-7-213-11674-2
定　　价：124.00元

目　录

卷第九十三　晋纪十五

起阏逢涒滩（甲申，公元三二四年），尽强圉大渊献（丁亥，公元三二七年），凡四年。

【题解】

本卷写晋明帝太宁二年（公元三二四年）至晋成帝咸和二年（公元三二七年）共四年间的东晋及各国大事。主要写了王敦病笃，决心临死前篡位为帝，派王含率钱凤、邓岳、周抚等进攻建康，晋明帝决心讨伐王敦，以王导、温峤、卞敦、应詹、郗鉴、庾亮、卞壸等分别为将，又召江北的苏峻、刘遐、王邃、祖约、陶瞻等入援京师；写了王敦病死，叛军分别被朝廷军剿灭，王敦被戮尸示众，王含、王应、沈充等相继被杀；写了东晋的司州刺史李矩、颍川太守郭默等先后失败身死，东晋的司州、豫州、徐州、兖州全都被后赵占领，后赵与东晋从此以淮河为界；写了东晋名臣陶侃重为荆州刺史的种种政绩，以及陶侃兢兢业业，勤于职守，黜斥清谈、严教部下的种种动人故事；写了晋明帝司马绍病死，五岁的皇太子司

【原文】

肃宗明皇帝下

太宁二年（甲申，公元三二四年）

春，正月，王敦诬周嵩、周莚①与李脱②谋为不轨，收嵩、莚于军中杀之。遣参军贺鸾就沈充于吴③，尽杀周札诸兄子④，进兵袭会稽⑤。札拒战而死。

后赵将兵都尉石瞻寇下邳、彭城⑥，取东莞、东海⑦。刘遐退保泗口⑧。

司州刺史石生⑨击赵河南太守尹平于新安⑩，斩之，掠五千余户而归。自是二赵构隙⑪，日相攻掠，河东、弘农⑫之间，民不聊生矣。

石生寇许、颍⑬，俘获万计。攻郭诵于阳翟⑭。诵与战，大破之，

马衍即位，朝政大权被外戚庾亮所掌控；写了历阳内史苏峻与豫州刺史祖约都自以为功大而不满庾亮、轻视朝廷，庾亮解除苏峻兵权，调其入朝任职，苏峻遂联络豫州刺史祖约一道起兵反抗朝廷，宣城内史桓彝起兵勤王，被苏峻打败，朝廷又形势危急；写了后赵将领石虎大破前赵，擒王岳、杀呼延谟，刘曜亲征，也被石虎打败；写了石勒为其太子石弘在邺城建造宫殿，而对驻兵邺城多年的大将石虎削减兵权、迫令搬迁，引起石虎强烈不满，为日后石虎的政变夺权埋下伏笔；写了凉州刺史张茂去世，世子张骏继位为凉州牧，张骏攻掠前赵的秦州，结果被前赵击败，凉州丢失了河南之地；写了段末柸的继承人段牙被段疾陆眷的孙子段辽所杀，段辽的势力日益强大，西接渔阳，东界辽水，有骑兵军队数万等。

【语译】

肃宗明皇帝下

太宁二年（甲申，公元三二四年）

春季，正月，东晋王敦诬陷周嵩、周莚与道士李脱阴谋叛乱，而将周嵩、周莚逮捕起来，在军营中将他们杀死。王敦派担任参军的贺鸾前往沈充的镇所吴兴，令沈充把周札的侄子全部杀死，然后发兵袭击镇守会稽的周札。周札率众抵抗，不胜而死。

后赵将兵都尉石瞻率众进犯东晋的下邳、彭城，占领了东莞、东海。晋兖州刺史刘遐撤退到泗口。

后赵司州刺史石生袭击前赵河南太守尹平所在的新安，将尹平斩首，劫掠了五千多户居民而后撤回。从此以后，前赵与后赵结怨，每天互相攻打，战火不息，河东、弘农一带，老百姓痛苦不堪，已经没法维持生活。

后赵将兵都尉石生入侵东晋的许昌、颍川，俘虏了将近一万人。继而攻打镇守阳翟的扬武将军郭诵。郭诵与石生交战，将石生打得大败，石生退入康城坚守。

生退守康城[15]。后赵汲郡[16]内史石聪闻生败，驰救之，进攻司州刺史李矩[17]、颍川太守郭默，皆破之。

成主雄后任氏无子，有妾子十余人，雄立其兄荡之子班为太子，使任后母之[18]。群臣请立诸子[19]，雄曰："吾兄，先帝之嫡统[20]，有奇材大功，事垂克[21]而早世，朕常悼之。且班仁孝好学，必能负荷先烈[22]。"太傅骧[23]、司徒王达谏曰："先王立嗣必子者，所以明定分[24]，而防篡夺也。宋宣公[25]、吴馀祭[26]，足以观矣！"雄不听。骧退而流涕曰："乱自此始矣！"班为人谦恭下士，动遵礼法[27]，雄每有大议[28]，辄令豫[29]之。

夏，五月甲申[30]，张茂疾病，执世子骏[31]手泣曰："吾家世以孝友忠顺著称，今虽天下大乱，汝奉承之，不可失也。"且下令曰："吾官非王命[32]，苟以集事[33]，岂敢荣之[34]！死之日，当以白帢[35]入棺，勿以朝服敛。"是日薨。愍帝使者史淑在姑臧[36]，左长史氾祎、右长史马谟等使淑拜骏大将军、凉州牧、西平公，赦其境内。前赵主曜遣使赠茂太宰，谥曰成烈王，拜骏上大将军、凉州牧、凉王。

王敦疾甚，矫诏拜王应[37]为武卫将军以自副[38]，以王含为骠骑大将军、开府仪同三司。钱凤谓敦曰："脱有不讳[39]，便当以后事付应[40]邪？"敦曰："非常之事[41]，非常人所能为[42]。且应年少，岂堪大事！我死之后，莫若释兵散众，归身朝廷[43]，保全门户，上计也。退还武昌，收兵自守，贡献不废[44]，中计也。及吾尚存[45]，悉众而下，万一侥幸[46]，下计也。"凤谓其党曰："公之下计，乃上策也。"遂与沈充定谋，俟[47]敦死，即作乱。又以宿卫尚多，奏令三番休二[48]。

初，帝亲任中书令温峤[49]。敦恶之，请峤为左司马[50]。峤乃缪为勤敬[51]，综其府事[52]，时[53]进密谋以附其欲[54]。深结钱凤，为之声誉[55]，每

后赵担任汲郡内史的石聪听到石生被郭诵打败的消息，火速赶来救援，他率军攻打东晋司州刺史李矩、颍川太守郭默，李矩、郭默都被石聪打败。

成主李雄的皇后任氏没有为李雄生儿子，而妾所生的儿子倒有十多个，李雄立自己哥哥李荡的儿子李班为太子，让任皇后以母亲的身份进行抚养。群臣都请求李雄从自己的儿子中选择一个立为太子，李雄说："我的哥哥李荡，是先帝李特的嫡子，有奇才，而且立有大功，眼看大业就要成功的时候，却过早地离开了人世，我常常悼念他。再说，李班仁厚孝敬，又很好学，一定能继承先人的功业。"担任太傅的李骧、司徒王达都劝谏说："古代的君主，继承人一定从自己的儿子中挑选，就是为了使他们明确各自的身份，防止篡位夺权的事情发生。从宋宣公、吴余祭的例子，就完全可以引为教训了！"李雄没有听从他们的意见。太傅李骧退朝之后痛哭流涕地说："成国的内乱恐怕就要因此开始了！"李班为人谦和恭敬，礼贤下士，一举一动都遵循礼法，李雄每次商议重大事情都让李班参与。

夏季，五月十四日甲申，凉州牧、西平公张茂病重，他拉着世子张骏的手流着泪说："我家世世代代都以孝敬尊长、友爱兄弟、忠于皇室而著称，现在虽然是天下大乱，你也要坚守这个准则，不要丢失。"张茂下令说："我的职位不是晋朝皇帝任命，而是自封的，只不过是为了成就事业才不得不如此，岂敢以这种爵位、职务为荣！我死之后，给我换上平民戴的白帽，不要穿着现在的官服入殓。"当天，张茂去世。晋愍帝的使者史淑还在姑臧，担任左长史的氾祎、右长史的马谟等请史淑代表朝廷拜张骏为大将军、凉州牧、西平公，在凉州境内实行大赦。前赵主刘曜派使者追赠张茂为太宰，谥号为成烈王，任命张骏为上大将军、凉州牧、凉王。

东晋大将军王敦病势沉重，他假传圣旨封王应为武卫将军，充当自己的助手，任命王含为骠骑大将军、开府仪同三司。钱凤对王敦说："假如突然有不可讳言的事情发生，是否就将后事托付给武卫将军王应啊？"王敦说："要干非同寻常的大事情，不是平常的人所能干得了的。再说武卫将军王应年纪还小，岂能担当得起干如此大事的重任！我死之后，不如把兵众全部解散，让他主动地去向朝廷认罪，以保全家门，这是上策；退回武昌，将军队集结起来实行武装割据，按时向朝廷贡献方物，不要间断，这是中策；趁我现在还活着，率领所有部众东下建康，以争取万分之一的成功，这是下策。"钱凤对他的党羽说："大将军王敦所说的下策，在我看来乃是上策。"于是与沈充谋划好，等到王敦一死，立即起兵谋反。又认为为皇帝担任宿卫的人员太多，遂奏请将宿卫人员分作三班轮流值勤，一班值勤，两班休息。

当初，晋明帝司马绍亲自任命温峤为中书令。王敦大为厌恶，就聘请温峤到自己的大将军府担任左司马。温峤到任后，装成很勤勉于政事、对王敦毕恭毕敬的样子，把大将军府的事务管了起来，不时地向王敦进献一些密谋以顺从他的愿望。还特别用心思地去结交钱凤，为钱凤抬高声誉，常常说："钱世仪可是才学满腹，光彩

曰[56]:“钱世仪精神满腹[57]。”峤素有藻鉴[58]之名，凤甚悦，深与峤结好。会丹杨尹[59]缺，峤言于敦曰:“京尹咽喉之地，公宜自选其才，恐朝廷用人，或不尽理[60]。”敦然之，问峤“谁可者?”峤曰:“愚谓无如钱凤。”凤亦推峤。峤伪辞之，敦不听。六月，表峤为丹杨尹，且使觇伺朝廷[61]。峤恐既去而钱凤于后间止[62]之，因[63]敦饯别，峤起行酒[64]，至凤，凤未及饮，峤伪醉，以手版击凤帻坠[65]，作色[66]曰:“钱凤何人，温太真行酒而敢不饮!”敦以为醉，两释之[67]。峤临去，与敦别，涕泗横流，出阁复入者再三[68]。行后，凤谓敦曰:“峤于朝廷甚密，而与庾亮深交，未可信也。”敦曰:“太真昨醉，小加声色[69]，何得便尔相谗[70]!”峤至建康，尽以敦逆谋告帝，请先为之备，又与庾亮共画讨敦之谋。敦闻之，大怒曰:“吾乃为小物[71]所欺!”与司徒导书曰:“太真别来几日，作如此事。当募人生致之[72]，自拔其舌。”

帝将讨敦，以问光禄勋应詹，詹劝成[73]之，帝意遂决。丁卯[74]，加司徒导大都督、领扬州刺史，以温峤都督东安北部[75]诸军事，与右将军卞敦守石头，应詹为护军将军、都督前锋及朱雀桥南[76]诸军事，郗鉴行卫将军[77]、都督从驾诸军事，庾亮领左卫将军，以吏部尚书卞壸行中军将军。郗鉴以为军号无益事实，固辞不受，请召临淮太守苏峻、兖州刺史刘遐同讨敦[78]。诏征峻、遐及徐州刺史王邃、豫州刺史祖约、广陵太守陶瞻等入卫京师。帝屯于中堂[79]。

司徒导闻敦疾笃[80]，帅子弟为敦发哀[81]。众以为敦信死，咸有奋志[82]。于是尚书腾诏下敦府[83]，列敦罪恶曰:“敦辄立兄息[84]以自承代，未有宰相继体[85]而不由王命者也。顽凶相奖[86]，无所顾忌，志骋凶丑，

照人。”温峤一向在明于知人、善于品评人物方面享有很高的声望，钱凤见温峤给自己的评价很高，心里非常高兴，也就实心实意地与温峤交好。恰巧遇上丹杨尹出缺，温峤就向王敦建议说：“京兆尹所管辖的地面可是咽喉要地，您应该亲自选拔有才能的人担此重任，恐怕朝廷选用的人不符合我们的愿望。”王敦认为温峤说得有道理，就询问他“你认为谁适合担当此任？”温峤回答：“我认为没有人比钱凤更合适的了。”钱凤也反过来向王敦推荐温峤。温峤假装推辞，王敦没有听从。六月，王敦上表请求任命温峤为丹杨尹，并派温峤为自己窥视朝廷的一切行动。温峤担心自己一旦起身，钱凤便会在王敦面前进谗言进行阻止，遂借着王敦为自己饯行的机会，起身为众人敬酒，当他来到钱凤面前敬酒时，钱凤没有来得及喝，温峤假装醉酒的样子，用手中所持的手版把钱凤戴的头巾敲落到地上，显出十分生气的神情说：“钱凤算什么东西，我温太真给你敬酒，你竟敢不喝！”王敦以为温峤是喝醉了酒，就将双方劝开了。温峤临去上任，与王敦告别的时候，泪流满面，几次走出内室的门又走了回来，依依难舍之情难以描述。温峤走后，钱凤果然对王敦说：“温峤与朝廷的关系非常密切，与庾亮又有很深的交情，此人不可信赖。”王敦说：“温峤昨天是喝醉了，言语之间稍微有些失礼，怎么能如此说他的坏话！”温峤到达建康，把王敦企图谋反的阴谋全都告诉了晋明帝司马绍，请求晋明帝做好防范的准备。又与庾亮共同商议如何讨伐王敦事宜。王敦得知消息，不禁大怒说：“我竟然被这样一个小人物欺骗！”他写信给司徒王导说：“温峤与我分别才几天，就做出这样的事情。我要悬赏活捉此人，亲自拔掉他的舌头。”

晋明帝准备讨伐王敦，他征求光禄勋应詹的意见，应詹极力赞成，晋明帝决心遂定。六月二十七日丁卯，晋明帝司马绍加授司徒王导为大都督，兼任扬州刺史，任命温峤统领秦淮河北诸军事，与担任右将军的卞敦一起守卫石头城；任命应詹为护军将军，统领前锋军队以及朱雀桥南诸军事；任命郗鉴代理卫将军之职，统领为皇帝担任护驾任务的军队；任命庾亮为左卫将军，任命担任吏部尚书的卞壸为代理中军将军。郗鉴认为皇帝任命自己为代理卫将军这样的将军头衔并没有什么实际意义，所以坚决辞让，没有接受，请求皇帝将担任临淮太守的苏峻和担任兖州刺史的刘遐召回，让他们共同参与讨伐王敦。晋明帝司马绍于是下诏征调担任临淮太守的苏峻、担任兖州刺史的刘遐、担任徐州刺史的王邃、担任豫州刺史的祖约、担任广陵太守的陶瞻等入卫京师。晋明帝司马绍离开皇宫，驻扎于设在宣阳门外的中堂。

担任司徒、大都督、兼任扬州刺史的王导听到王敦已经病势沉重的消息，便发布了王敦已死的消息，率领王氏子弟为王敦办理丧事。众人认为王敦真的已死，于是全都精神振奋，有了战斗的勇气。此时，尚书府把晋明帝司马绍的诏书飞快地下达到王敦的大将军府，一条一条地列举王敦的罪恶，说：“王敦竟敢擅自任命自己过继的儿子王应接替自己的职务，从来就没有继任宰相不是由皇帝任命的先例。一群顽劣凶恶之徒互相扶助，无所顾忌，妄想着自己凶恶丑陋的狼子野心能够得逞，

以窥神器[87]。天不长奸[88]，敦以陨毙[89]，凤承凶宄[90]，弥复煽逆[91]。今遣司徒导等虎旅三万，十道并进，平西将军邃[92]等精锐三万，水陆齐势[93]，朕亲统诸军，讨凤之罪。有能杀凤送首[94]，封五千户侯。诸文武为敦所授用[95]者，一无所问[96]，无或猜嫌[97]，以取诛灭。敦之将士，从敦弥年[98]，违离[99]家室，朕甚愍[100]之。其单丁[101]在军，皆遣归家，终身不调[102]。其余皆与假三年，休讫还台[103]，当与宿卫[104]同例三番[105]。"

敦见诏甚怒，而病转笃，不能自将。将举兵伐京师，使记室郭璞筮[106]之。璞曰："无成。"敦素疑璞助温峤、庾亮，及闻卦凶，乃问璞曰："卿更筮吾寿几何？"璞曰："思向卦[107]，明公起事，必祸不久。若住武昌，寿不可测[108]。"敦大怒曰："卿寿几何？"曰："命尽今日日中[109]。"敦乃收璞斩之。

敦使钱凤及冠军将军邓岳、前将军周抚等帅众向京师。王含谓敦曰："此乃家事[110]，吾当自行。"于是以含为元帅。凤等问曰："事克之日[111]，天子云何[112]？"敦曰："尚未南郊，何得称天子[113]！便尽卿兵势，保护东海王及裴妃[114]而已。"乃上疏以诛奸臣温峤等为名。秋，七月壬申朔[115]，王含等水陆五万奄至[116]江宁南岸[117]，人情恟惧[118]。温峤移屯水北[119]，烧朱雀桁[120]，以挫其锋[121]。含等不得渡。帝欲亲将兵击之，闻桥已绝，大怒。峤曰："今宿卫寡弱，征兵未至，若贼豕突[122]，危及社稷，宗庙[123]且恐不保，何爱一桥乎！"

司徒导遗含书曰："近承[124]大将军困笃，或云已有不讳。寻[125]知钱凤大严[126]，欲肆奸逆。谓兄当抑制不逞[127]，还藩武昌[128]，今乃与犬羊俱下[129]。兄之此举，谓可得如大将军昔年之事[130]乎？昔者佞臣[131]乱朝，人

阴谋篡夺皇位。上天不会助长奸佞，王敦已经死亡，钱凤继续为非作歹，变本加厉地煽动叛乱。现在派遣司徒王导等率领雄虎之师三万，分兵十路，同时进发，平西将军王邃等率领精锐三万人，水路、陆路齐头并进，朕亲自统帅众军，讨伐钱凤的罪行。有人杀死钱凤，并将他的首级送来，就封他为五千户侯爵。凡是接受过王敦的任命，曾经为王敦所用的文武官员，一律不予追究，不要对朝廷心存猜忌，怀疑朝廷秋后算账而不肯脱离王敦阵营，以招致诛杀灭族的灾祸。王敦属下的将士，跟从王敦长年在外，离乡背井、抛下了自己的妻子儿女，朕非常同情他们。凡是家中只有一个男丁的，如果是在军队当中，都要遣送回家，终其一生不再征调其服兵役。其他人全都给假三年，休假期满再回来为朝廷效力，与在京城担任警卫皇宫任务的部队一样，享受三班轮流执勤的待遇。"

王敦看到晋明帝的诏书，怒不可遏，病情更加沉重，已经不能亲自起来指挥军队。但他还是准备起兵攻打京师，他让担任记室的郭璞用蓍草为他的起兵之事能否成功进行占卜。郭璞占卜之后说："事情不会成功。"王敦一向怀疑郭璞暗中帮助温峤、庾亮，所以当他得到"不能成功"的凶卦之后，就问郭璞说："你再占卜一下我的寿命还有多少？"郭璞说："根据刚才的卦象推断，如果您起兵东下，灾祸不久就会降临。如果住在武昌按兵不动，您的寿命长得很。"王敦大怒说："那你算算自己的寿命还有多少？"郭璞说："今天日中就是我寿命终结的时候。"王敦将郭璞关押起来，而后斩首。

王敦让钱凤和冠军将军邓岳、前将军周抚等率领军队直指京师建康。王含对王敦说："这是我们王家自己的事情，我应当亲自前往。"于是王敦任命王含为元帅。钱凤等请示王敦说："事情成功之后，怎么处置司马氏的皇帝？"王敦答复说："司马绍还没有到南郊举行过祭祀天地的典礼，怎么能称他为天子呢！你就尽你的最大力量，保护好东海王司马冲和裴妃就可以了。"于是王敦便上疏给朝廷，名义是请求诛杀温峤等奸臣。秋季，七月壬申朔，王含等人率领水路陆路五万大军突然到达秦淮河南岸，使得当地人心惶恐不安。温峤把秦淮河南岸的部队调到秦淮河北岸驻扎，然后烧毁了朱雀桥，以挫伤王含军队进攻的锋芒。王含等无法渡过秦淮河。晋明帝司马绍想亲自率领军队攻打叛军，听说温峤已经烧毁了朱雀桥，不禁大怒。温峤解释说："现在朝廷的宿卫部队数量少，力量弱，所征调前来增援的部队还没有赶到，如果此时叛军像受到攻击的猪一样不顾一切横冲直撞地杀进皇城，将颠覆国家社稷，皇家的宗庙恐怕都保不住，陛下怎么还吝惜一座朱雀桥呢！"

担任司徒的王导写信给王含说："近来，我听说大将军病情严重，甚至有人说大将军已经去世。不久又得知钱凤大规模地调兵遣将，想使自己的奸谋叛逆得逞。我估计兄长会对其加以抑制，不使他的阴谋得逞，让他把军队带回武昌驻扎，想不到你竟然与这帮狗羊一样的畜生一起东下。兄长如此举动，认为可能像永昌元年大将军你攻打石头城时的情形一样吗？当年是因为刁协、刘隗那样的奸巧谗佞之臣扰乱

怀不宁㉜，如导之徒，心思外济㉝。今则不然，大将军来屯于湖㉞，渐失人心，君子危怖㉟，百姓劳弊㊱。临终之日，委重安期㊲，安期断乳几日㊳？又于时望㊴，便可袭宰相之迹邪㊵？自开辟㊶以来，颇有㊷宰相以孺子为之者乎？诸有耳者，皆知将为禅代㊸，非人臣之事也。先帝中兴㊹，遗爱在民，圣主㊺聪明，德洽㊻朝野。兄乃欲妄萌逆节㊼，凡在人臣，谁不愤叹！导门[1]小大㊽受国厚恩，今日之事，明目张胆㊾为六军之首㊿，宁为忠臣而死，不为无赖(151)而生矣！”含不答。

或以为“王含、钱凤众力百倍，苑城(152)小而不固，宜及军势未成(153)，大驾(154)自出拒战”。郗鉴曰：“群逆纵逸(155)，势不可当，可以谋屈(156)，难以力竞(157)。且含等号令不一，抄盗相寻(158)，吏民惩(159)往年暴掠，皆人自为守。乘(160)逆顺之势(161)，何忧不克！且贼无经略远图(162)，惟恃豕突一战，旷日持久，必启(163)义士之心，令智力得展。今以此弱力敌彼强寇，决胜负于一朝(164)，定成败于呼吸(165)，万一蹉跌(166)，虽有申胥之徒(167)，义存投袂(168)，何补于既往哉！”帝乃止。

帝帅诸军出屯南皇堂(169)。癸酉(170)夜，募壮士，遣将军段秀、中军司马曹浑等帅甲卒千人渡水，掩(171)其未备。平旦(172)，战于越城(173)，大破之，斩其前锋将何康。秀，匹磾之弟也。

敦闻含败，大怒曰：“我兄，老婢(174)耳！门户衰，世事去矣！”顾谓参军吕宝曰：“我当力行(175)。”因作势而起，困乏(176)，复卧，乃谓其舅(177)少府羊鉴及王应曰：“我死，应便即位，先立朝廷百官，然后营葬事(178)。”敦寻卒，应秘不发丧，裹尸以席，蜡涂其外(179)，埋于厅事(180)中，

朝纲，人心不安，即使像我这样的人，心里都盼望着能有外力来加以解救。现在的情形则完全不一样了，大将军从武昌来到于湖驻防，已经逐渐失去民心，正人君子都感到惊恐不安，百姓劳苦疲困。而大将军在临终之时，竟然把一切权力都交付给了王应，王应断奶才几天？再说，就其现有的声望而言，就能够承继宰相的职务吗？自从开天辟地以来，可曾有过任用小孩子为宰相的吗？凡是有耳朵的人，都知道将要有人用强制禅让的方式篡取皇帝之位，这不是人臣应该做的事情。先帝司马睿在江东建立政权，使国家获得中兴，他的仁爱仍然遗留在人民的心中，如今的圣明君主司马绍，聪明智慧，他的恩泽遍及朝野。兄长狂妄地产生了篡夺皇位、改变臣节的念头，凡是为人臣者，谁不为此愤恨叹息！我王导一门不论男女老幼，全都深受国家厚恩，面对你今天的所作所为，我大张旗鼓、态度鲜明地要保卫皇帝，并充当讨伐叛逆的六军先锋，我宁愿做一个忠臣而死，而绝不做那种无信仰、无立场、随风摇摆的人而苟活在人世上！”王含没有答复。

有人认为，“王含、钱凤的军事实力超过朝廷军队的一百倍，而作为建康屏障的苑城既小又不坚固，最好趁叛军阵势还没有摆开之际，皇帝御驾亲征进行抵抗”。郗鉴说：“这帮逆贼骄纵疯狂，势头正盛，不可阻挡，只能以智谋取胜，而不能凭借武力对抗取胜。再说，王含等人号令并不统一，劫掠、盗窃的事情不断发生，不论官吏还是百姓，他们往年全都吃过那场凶暴、掠夺的苦头，现在人人愿意加强防守，以求保护自己。利用我们是正义的，而他们却是非正义的这种客观形势，何必发愁不能取得胜利！再说，这群逆贼无论是在政治上，还是在军事上都没有深谋远虑，他们像一群发疯的猪一样，只想通过快速一战获取胜利；时日久了，那些正义之士的忠君爱国之心必将被激发出来，而后展示出他们的智慧和力量。如果用现在这样弱小的力量抵抗势力强大的逆贼，还想在一个早晨，通过一场战斗决出胜负，在一呼一吸这样极短的时间之内定出输赢，万一失败，即使有像申包胥那样的报国之士，为了正义拂袖而起，英勇救国，恐怕也难以挽回以往的败局！”晋明帝这才作罢。

晋明帝司马绍率军离开中堂进驻南皇堂。九月初四日癸酉夜间，募集勇敢强壮的士卒，派将军段秀、中军司马曹浑等率领着一千名全副武装的精壮士卒向南渡过秦淮河，在叛军毫无戒备的情况下突然发动袭击。黎明时分，在越城与叛军展开激战，将叛军打得大败，其前锋将领何康被斩首。段秀，是段匹磾的弟弟。

王敦听到王含战败的消息，大怒说：“我哥哥王含简直就是一个老废物！王氏家门衰败，大势已去！”他回头对担任参军的吕宝说：“我就是支撑着身体也要出征。”他勉强挣扎着坐起来，却因体力不支，又躺下了，就对他的舅子、担任少府的羊鉴和他的继子王应说：“我死了之后，就宣布王应登基称帝，先设立朝廷，备齐文武百官，然后再为我办理丧事。”不久王敦去世，王应将王敦去世的消息隐瞒起来，没有对外发布消息，他派人用席子把王敦的尸体包裹起来，外面涂上蜡，埋在厅堂中，

与诸葛瑶等日夜纵酒淫乐。

帝使吴兴沈桢说沈充，许以为司空。充曰："三司[181]具瞻之重[182]，岂吾所任！币厚言甘[183]，古人所畏[184]也。且丈夫共事，终始当同，岂可中道改易，人谁容我乎！"遂举兵趣建康[185]。宗正卿虞潭[186]以疾归会稽，闻之，起兵余姚[187]以讨充。帝以潭领会稽内史。前安东将军刘超、宣城内史锺雅皆起兵以讨充，义兴[188]人周蹇杀王敦所署太守刘芳，平西将军祖约逐敦所署淮南太守任台。

沈充帅众万余人与王含军合。司马顾飏说充曰："今举大事，而天子已扼其咽喉，锋摧气沮，相持日久，必致祸败。今若决破栅塘[189]，因湖水以灌京邑[190]，乘水势，纵舟师以攻之，此上策也。藉[191]初至之锐，并东西军[192]之力，十道俱进，众寡过倍[193]，理必摧陷，中策也。转祸为福，召钱凤计事，因斩之以降，下策也。"充皆不能用。飏逃归于吴。

丁亥[194]，刘遐、苏峻等帅精卒万人至，帝夜见，劳之，赐将士各有差[195]。沈充、钱凤欲因北军[196]初到疲困，击之。乙未[197]夜，充、凤从竹格渚[198]渡淮[199]，护军将军应詹、建威将军赵胤等拒战不利。充、凤至宣阳门[200]，拔栅[201]，将战，刘遐、苏峻自南塘[202]横击[203]，大破之，赴水死者三千人。遐又破沈充于青溪[204]。寻阳太守周光[205]闻敦举兵，帅千余人来赴[206]。既至，求见敦，王应辞以疾。光退曰："今我远来而不得见，公其死乎？"遽见其兄抚曰："王公已死，兄何为与钱凤作贼！"众皆愕然。

丙申[207]，王含等烧营夜遁[208]。丁酉[209]，帝还宫。大赦，惟敦党不原[210]。命庾亮督苏峻等追沈充于吴兴，温峤督刘遐等追王含、钱凤于江宁，分命诸将追其党与。刘遐军人颇纵虏掠，峤责之曰："天道助顺，

然后与诸葛瑶等日夜饮酒寻欢作乐。

晋明帝司马绍派吴兴人沈桢去劝说沈充，答应任命沈充为司空。沈充说："大司马、司空、司徒，这三公是全国上下共同瞻仰、尊敬的人物，岂是我有资格担当的！封赏丰厚，言辞动听，古人都知道这里面一定有阴谋而感到畏惧。再说，大丈夫与人共事，应该始终如一，怎么能中途变卦，那样的话，还有谁敢容纳我呢！"沈充仍旧起兵杀向建康。担任宗正卿的虞潭因为有病请假回到会稽，他听到沈充起兵谋反的消息，就在余姚聚众起兵讨伐沈充。晋明帝司马绍任命虞潭为代理会稽内史。以前曾任安东将军的刘超、宣城内史的锺雅也都起兵讨伐沈充，义兴人周蹇杀死王敦所任命的义兴太守刘芳，平西将军祖约驱逐了王敦所任命的淮南太守任台。

沈充率领手下的一万多人与王含的军队会合。担任司马的顾飏向沈充建议说："现在起兵举事，而天子的军队已经占领了咽喉要地，我们的锐气受挫，相持的时间一长，必然会招来灾祸和失败。如果掘开玄武湖的堤防，把湖水灌入建康城，我们凭借水势，用舰船水军攻打建康，这是上策；凭借大军刚刚抵达的锐气，将东部沈充的军队与西部王含、钱凤的军队合在一起，然后兵分十路，同时进兵，凭借我们兵力多过朝廷军队数量一倍的优势，按照常理，必定能够摧垮朝廷军，这是中策；为了转祸为福，将钱凤召来商议军情，趁其无备将他斩首向朝廷投降，这是下策。"而沈充全都不予采纳。顾飏知道沈充必败无疑，遂逃回吴郡。

九月十八日丁亥，兖州刺史刘遐、临淮太守苏峻等率领着一万名精锐到达建康，晋明帝司马绍连夜接见，亲自慰劳他们，按照不同级别分别进行了赏赐。沈充、钱凤想趁刘遐、苏峻这两支北方军队刚刚赶来，正是人困马乏的时候攻打他们，便在二十六日乙未夜间，沈充、钱凤率军从竹格渚渡过秦淮河，担任护军将军的应詹、担任建威将军的赵胤等率军进行抵抗，然而没能有效地阻止叛军的进攻。沈充、钱凤冲到了宣阳门，他们拆除了朝廷军用作防御的寨栅，准备再次发动进攻，被从南塘冲杀过来的刘遐、苏峻军拦腰截击，打得大败，叛军中被迫跳入秦淮河中被水淹死的有三千人。刘遐在青溪再次打败沈充。寻阳太守周光听到王敦起兵谋乱的消息，立即率领一千多人赶来为王敦助阵。他到达王敦的大本营，求见王敦，王敦的继子王应以王敦有病为由拒绝了周光。周光退出以后说："如今我远道而来却不能见王敦一面，王敦大概死了吧?"他立即找到自己的兄长周抚说："王敦已经死了，哥哥你为什么还要与钱凤一起做逆贼!"众人一听都大吃一惊。

九月二十七日丙申，王含等放火烧毁大营连夜逃走。二十八日丁酉，晋明帝司马绍回到皇宫。发布大赦令，只有王敦的党羽不在赦免的范围之内。晋明帝命令左卫将军庾亮统领临淮太守苏峻等人前往吴兴追杀沈充，命令温峤统领兖州刺史刘遐等前往江宁追杀王含、钱凤，又分别下令给其他将领分头剿杀他们的党羽。兖州刺史刘遐统领的军士军纪松懈，有人趁机劫掠，温峤责备刘遐说："上天帮助忠顺，所

故王含剿绝[211]，岂可因乱[212]为乱也！”暹惶恐拜谢。

王含欲奔荆州[213]，王应曰：“不如江州[214]。”含曰：“大将军平素与江州云何，而欲归之？”应曰：“此乃所以宜归也。江州当人[215]强盛时，能立同异[216]，此非常人所及。今睹困厄，必有愍恻[217]之心。荆州守文[218]，岂能意外行事[219]邪！”含不从，遂奔荆州。王舒遣军迎之，沈[220]含父子于江。王彬闻应当来，密具舟以待之，不至，深以为恨[221]。钱凤走至阖庐洲[222]，周光斩之，诣阙自赎[223]。沈充走失道，误入故将吴儒家。儒诱充内重壁中[224]，因笑谓充曰：“三千户侯矣[225]！”充曰：“尔以义存我，我家必厚报汝。若以利杀我[226]，我死，汝族灭矣！”儒遂杀之，传首建康，敦党悉平。充子劲当坐诛[227]，乡人钱举匿[228]之，得免。其后，劲竟灭吴氏[229]。

有司发王敦瘗[230]，出尸，焚其衣冠，跽而斩之[231]，与沈充首同悬于南桁[232]。郗鉴言于帝曰：“前朝[233]诛杨骏[234]等，皆先极官刑[235]，后听私殡[236]。臣以为王诛[237]加于上，私义[238]行于下，宜听敦家收葬，于义为弘[239]。”帝许之。司徒导等皆以讨敦功受封赏。

周抚与邓岳俱亡，周光欲资给[240]其兄而取岳。抚怒曰：“我与伯山[241]同亡，何不先斩我！”会岳至，抚出门遥谓之曰：“何不速去！今骨肉尚欲相危，况他人乎！”岳回舟而走，与抚共入西阳蛮[242]中。明年，诏原敦党[243]，抚、岳出首[244]，得免死禁锢[245]。

故吴内史张茂妻陆氏倾家产[246]帅茂部曲[247]为先登以讨沈充，报其夫仇[248]。充败，陆氏诣阙上书，为茂谢不克之责[249]。诏赠[250]茂太仆[251]。

以逆贼王含等才被剿灭，你怎么放纵你的部下趁着战乱而作乱呢！”刘遐受到责备，心中惶恐，赶紧向温峤承认自己的错误。

王含想要投奔荆州刺史王舒，他儿子王应说：“不如前往江州投奔江州刺史王彬。”王含说：“大将军王敦一向与江州刺史王彬关系紧张，你怎么还要去投奔他？”王应说：“这就是投奔他的理由。江州刺史王彬在大将军势力极强极盛的时候，能够站在不同立场，发表不同意见，这不是一般人能够比得上的。如今看到我们遭遇到如此的困难危险，一定会产生怜悯同情之心而对我们加以保全。而荆州刺史王舒是一个谨慎守法之人，怎么可能做出破格的事情而放过我们呢！”王含没有采纳王应的意见，遂前往荆州投奔荆州刺史王舒。王舒派军队将王含、王应捉住，沉入江中淹死。江州刺史王彬听说王应有可能前来投奔，就秘密准备好船只在江边等候，却一直没有等到。王彬为此深感遗憾。钱凤逃到阖庐洲，被寻阳太守周光斩首，周光带着钱凤的首级前往皇宫门口向皇帝请求将功赎罪。沈充逃走途中迷失了道路，误入旧部下吴儒的家中。吴儒将沈充骗入夹壁墙中，便笑着对沈充说：“三千户侯到手了！”沈充说：“如果你看在过去曾经是我部下的情分上救我一命，我家人一定会用厚礼报答你。如果你为了得到三千户侯的封赏而杀死我，我死了，你的家族将会遭遇灭族之灾！”吴儒把沈充杀死，将他的首级递送到建康，王敦的党羽全部被剿平。沈充的儿子沈劲受到牵连被判死刑，同乡的钱举将他隐藏起来，才保全性命。后来，沈劲为了报杀父之仇，竟将吴儒的族人全部屠杀。

平叛的人将王敦的坟墓挖开，把王敦的尸体刨出来，把他身上的衣服、帽子扒下来烧毁，把他的尸体戳成一种跪着的姿势，而后将其斩首，把他的首级连同沈充的首级一同悬挂在朱雀桥上示众。郗鉴向晋明帝司马绍建议说：“前朝晋惠帝时期诛灭权臣杨骏等，都是先执行国法的惩治，然后允许其家属收葬。我认为现在朝廷已经按照国法制裁了王敦等，下面也应该顾及私人之间的情义，准许他们的亲友将其收葬，从道理上来讲更为合适。”晋明帝批准了郗鉴的奏请。司徒王导等人都因为讨伐王敦有功而受到封赏。

周抚与邓岳一同逃亡，寻阳太守周光想逮捕邓岳送交朝廷，为自己的哥哥周抚赎罪。周抚大怒说：“我与邓岳一起逃亡，你何不先杀掉我！”此时正巧邓岳到来，周抚走出门外，老远地就招呼邓岳说：“还不快逃！如今我们骨肉之间还要谋害，何况是外人呢！”邓岳急忙掉转船头，与周抚一起逃入西阳郡的少数民族中。第二年，晋明帝下诏赦免王敦的党羽，周抚、邓岳出来自首，得以免除死罪，但终身被剥夺了做官的资格。

已故吴国内史张茂的妻子陆氏拿出全部家产，率领着张茂的旧部下，充当先锋讨伐沈充，为自己的丈夫报仇。沈充败亡之后，陆氏亲自前往皇宫门口上疏，为已故的丈夫张茂没能遏制住贼寇肆虐、没能为国家守住郡邑尽到责任向皇帝请罪。晋明帝下诏追赠张茂为太仆。

有司[252]奏:“王彬等敦之亲族，皆当除名[253]。”诏曰:“司徒导以大义灭亲，犹将百世宥之[254]，况彬等皆公之近亲[255]乎!”悉无所问。

有诏:“王敦纲纪[256]除名，参佐[257]禁锢。”温峤上疏曰:“王敦刚愎不仁，忍[258]行杀戮，朝廷所不能制，骨肉所不能谏。处其朝[259]者，恒惧危亡[260]。故人士结舌[261]，道路以目[262]，诚[263]贤人君子道穷数尽[264]，遵养时晦[265]之辰也。原其私心[266]，岂遑晏处[267]？如陆玩、刘胤、郭璞之徒常与臣言，备知之[268]矣。必其赞导凶悖[269]，自当正以典刑[270]。如其枉陷奸党[271]，谓宜施之宽贷[272]。臣以玩等之诚，闻于圣听[273]，当受同贼之责[274]。苟默而不言，实负其心[275]，惟陛下仁圣裁之[276]。”郗鉴以为先王立君臣之教[277]，贵于伏节死义[278]。王敦佐吏，虽多逼迫，然进[279]不能止其逆谋，退[280]不能脱身远遁，准之前训[281]，宜加义责[282]。帝卒从峤议。

冬，十月，以司徒导为太保、领司徒[283]，加殊礼[284]。西阳王羕领太尉，应詹为江州刺史[285]，刘遐为徐州刺史，代王邃镇淮阴，苏峻为历阳内史，加庾亮护军将军，温峤前将军。导固辞不受。应詹至江州，吏民未安，詹抚而怀之[286]，莫不悦服。

十二月，凉州将辛晏据枹罕[287]，不服，张骏将讨之。从事刘庆谏曰:“霸王之师，必须天时人事相得[288]，然后乃起。辛晏凶狂安忍[289]，其亡可必[290]，奈何以饥年大举[291]，盛寒[292]攻城乎?”骏乃止。

骏遣参军王骘聘于赵[293]，赵主曜谓之曰:“贵州款诚和好[294]，卿能保之乎[295]?”骘曰:“不能。”侍中徐邈曰:“君来结好，而云不能保，何也?”骘曰:“齐桓贯泽之盟[296]，忧心兢兢[297]，诸侯不召自至。葵丘之

群臣奏请晋明帝说："江州刺史王彬等人是王敦的近族，请除去他们的名籍，取消他们的官职和待遇。"晋明帝司马绍下诏说："司徒王导能够大义灭亲，即使其身后一百代的子孙犯了罪还要宽宥，何况王彬等都是王导的近亲呢！"所以一无所问。

晋明帝司马绍下诏："王敦手下的主要僚佐如主簿、别驾、长史等一律免官，王敦的僚属终身不准做官。"温峤上疏说："王敦刚愎自用，性情凶暴不仁，他随意杀人，毫不怜悯，朝廷控制不了他，骨肉亲人也劝阻不了他。在他手下任职的官员，经常处在危险和死亡的恐惧之中。所以人们都不敢说话，即使是朋友在路上相遇，也只能用目光打一下招呼而不敢交谈，那时确实是贤人君子的穷途末路，不得不韬光养晦以待时机之时也。探究他们的本意，哪里是甘心如此？像陆玩、刘胤、郭璞之辈就经常跟我诉说他们内心的痛苦，所以我深刻地了解他们和王敦不是一路人。如果是真心赞成、帮助，甚至诱导王敦谋逆的人，自然应当绳之以法。对于那些不明真相而陷入叛逆集团的人，我认为应该宽大处理，予以赦免。我把陆玩等人对朝廷的忠诚，已经向皇帝奏明，恐怕要因此而被人指责是站在逆贼的立场。但是，如果让我保持沉默，不把他们的真实想法说出来，实在是违背了我做人的良心，请陛下秉持仁慈圣明之心对此做出判断。"郗鉴认为古代圣王创立了君臣之间的关系准则，重点在于倡导臣子要为保持臣节、为维护正义而死。王敦的左右僚属，虽然大多数是出于被迫，他们在为王敦担任僚属时却不能制止王敦的阴谋叛乱，又不能辞官以摆脱王敦集团而远走高飞。按照上面所说的准则来衡量这些人，理应受到严厉的谴责。晋明帝司马绍最终还是采纳了温峤的建议。

冬季，十月，晋明帝司马绍任命司徒王导为太保兼任司徒，并加授特殊的礼遇。任命西阳王司马羕兼任主管全国军事的太尉；任命应詹为江州刺史，以取代王彬；调任刘遐为徐州刺史，接替王邃坐镇淮阴；任命苏峻为历阳内史，加授庾亮为护军将军，温峤为前将军。王导坚决推辞，没有接受皇帝新的任命。江州刺史应詹到达江州任所，由于大乱之后，无论官吏、百姓都还没有安定下来，应詹就安抚他们、关心他们、施恩惠予他们，因此没有人不对他心悦诚服的。

十二月，凉州将领辛晏据守枹罕，不服从王命，凉州牧、西平公张骏准备前去讨伐辛晏。担任从事的刘庆劝谏说："即使自己的兵力很强大，但要采取霸主那样的征伐行动，也必须等待天时和人心等各种条件具备，然后才能起兵。辛晏为人凶恶狂暴，杀人不眨眼，他的灭亡是一定的，为什么偏偏选择现在这种饥荒年景发动战争、在这严寒的冬季攻打坚固的城池呢？"张骏接受了刘庆的意见没有出兵。

凉州牧、西平公张骏派遣参军王骘为使者前往前赵进行友好访问，前赵主刘曜对王骘说："你们凉州与我们赵国的这种诚挚友好关系，你能保证长久如此吗？"王骘回答说："我保证不了。"前赵担任侍中的徐邈说："先生代表凉州前来与我们赵国结好，却说不能保证长久和好，这是为什么呢？"王骘回答说："齐桓公在贯泽与诸侯结盟的时候，谦虚谨慎、忧心忡忡，所以那些诸侯不用邀请就主动前来会盟。到了

会[298]，振而矜之[299]，叛者九国[300]。赵国之化[301]，常如今日，可也。若政教陵迟[302]，尚未能察迩者之变[303]，况鄙州乎！”曜曰：“此凉州之君子也，择使可谓得人矣！”厚礼而遣之。

是岁，代王贺傉[304]始亲国政，以诸部多未服，乃筑城于东木根山[305]，徙居之。

【段旨】

以上为第一段，写晋明帝太宁二年（公元三二四年）一年间的大事。主要写了王敦因为忌恨周氏家族强盛，先杀了周嵩、周莚，又发兵攻打会稽，把向他们献出建康城门的周札也杀死在战场，以见其内部矛盾之激烈；写了王敦病笃，决心临死前篡位为帝，派王含为元帅，率钱凤、邓岳、周抚等进攻建康；写了司徒王导诈称王敦已死，率族人为王敦发丧，以鼓舞朝廷士气；写了晋明帝决心讨伐王敦，以王导、温峤、卞敦、应詹、郗鉴、庾亮、卞壸等分别为将，又召江北的苏峻、刘遐、王邃、祖约、陶瞻等入援京师，讨伐王敦的阵容空前强大；写了王敦病死，叛军分别被朝廷军剿灭，王敦被戮尸示众，王含、王应被王舒所杀，沈充被吴儒所杀；写了王敦叛乱平息后，朝廷对王氏家族的处理，称王导为大义灭亲，加官进爵，对王彬、王舒等一律不问，对王敦的僚佐，除罪大恶极者外，也都予以宽贷；写了后赵司州刺史石生攻杀前赵河南太守尹平，二赵自此构隙，日相攻掠；写了后赵将领石生、石聪进犯东晋的许昌、颍川，大败东晋的司州刺史李矩、颍川太守郭默；写了成主李雄因为没有嫡子，就立自己兄长李荡的儿子李班为太子，为后来李雄的庶子谋杀李班埋下伏笔。写了凉州刺史张茂去世，世子张骏继位为凉州牧、西平公等。

【注释】

①周嵩、周莚：周嵩是晋初名将周浚之子，周顗之弟，狷直果侠，恃才傲物，不屈于王敦。传见《晋书》卷六十一。周莚是周处之孙，周靖之子，周札之侄，王敦造反，周札开门应敦，周莚则矢志效忠于朝廷。传见《晋书》卷五十八。②李脱：当时以妖术惑众的匪类。③就沈充于吴：到吴兴沈充处借用其势力以杀人。吴郡、吴兴、会稽三郡本一吴郡而分为三，称“三吴”。时沈充驻兵于吴兴（今浙江湖州）。④周札诸兄子：周札之兄有周玘、周靖二人。周玘有子周勰，周靖有子周懋、周莚、周赞、周缙。⑤袭会

葵丘会盟的时候，齐桓公摆出一副高高在上、谁也比不上我的傲慢样子，立即就有九个国家叛离。赵国的政治状况、社会风气如果能够一直保持现在的样子，永远和好是可以的。如果赵国的政治败坏、风气堕落，那就连赵国内部的危机都察觉不到，更何况我们凉州了！”赵主刘曜说：“这是凉州的正人君子，凉州选择他充当使者算是选对人了！”于是赠送给王骘丰厚的礼物，然后打发王骘返回凉州。

这一年，鲜卑拓跋部落首领代王贺傉开始亲自处理政务，因为当时还有很多部落没有臣服，所以就在东木根山修筑城池，城池修好之后，便迁到新城。

稽：会稽是晋郡名，郡治山阴县（今浙江绍兴）。周札当时任会稽内史，驻兵会稽。周札献都城于王敦，王敦今又袭取之，是由于周氏家族的势力太大，一门五人为侯，故欲灭之。事见《晋书》卷五十八。⑥下邳、彭城：都是晋代诸侯国名，下邳的都城在今江苏邳州南，彭城的都城即今江苏徐州。⑦东莞、东海：晋之二郡名，东莞的郡治即今山东莒县，东海的郡治郯县在今山东郯城北。⑧刘遐退保泗口：泗口在今江苏淮安市淮阴区西南，因在古泗水注入淮水之口而得名，是古代淮北通往江南的要冲。刘遐当时为晋将，任兖州刺史。传见《晋书》卷八十一。⑨石生：石勒的部将，当时任后赵的司州刺史。⑩新安：晋县名，县治在今河南渑池东二十五里，当时被前赵占有。⑪构隙：结怨；发生矛盾。⑫河东、弘农：二郡名，河东郡的郡治安邑（今山西夏县西北之禹王城），弘农郡的郡治即今河南灵宝东北之故函谷关。两郡地处前赵与后赵的交界处。⑬许、颍：许昌、颍阴，晋之二县名，许昌县的县治在今河南许昌东，颍阴即今许昌。⑭阳翟：晋县名，县治在今河南禹州。时晋将郭诵驻兵于此。⑮康城：古城名，在今禹州西北三十里，夏少康的故邑。⑯汲郡：晋郡名，郡治在今河南卫辉西。⑰李矩：在中原地区坚持抗战的晋朝名将，当时任司州刺史。⑱母之：做李班的母亲。⑲请立诸子：请封立李雄的诸子为王。⑳先帝之嫡统：意谓其兄李荡是他们的父亲李特正妻所生的长子。㉑垂克：垂成、将要成功。垂，将近、将及。㉒负荷先烈：继承先人的业绩。㉓太傅骧：李骧，李特的弟弟，李雄的叔叔。㉔明定分：明确各自的身份，使长幼尊卑各有所安，不生非分之心。㉕宋宣公：名力，春秋时宋国国君。宣公病，把君位让给弟弟和，而废太子与夷。弟和立，为穆公。穆公病，不忘宣公让位之恩，复立宣公子与夷，为殇公。穆公子冯与左师勃出居郑国。后来宋大夫华督杀死殇公，又迎立公子冯，为庄公。事见《左传》隐公三年、桓公二年及《史记·宋微子世家》。㉖吴馀祭：吴王寿梦的次子，春秋时吴国国君。寿梦有四个儿子，为诸樊、馀祭、馀眜、季札。寿梦想立季札，季札最小，辞让不受。便令诸樊摄位，并约定兄死弟及，最终传位于季札。等馀眜死，季札出走，国人立馀眜子僚为吴王。诸樊之子阖闾认为自己是嫡长，当立，遂派

专诸刺杀王僚自立。事见《史记·吴太伯世家》。㉗动遵礼法：一切举动都严格遵守礼法。动，动不动地，即一切举动。㉘大议：商量重大问题；有重大决策。㉙豫：通“与”，参加。㉚五月甲申：五月十四。㉛世子骏：张骏，张茂兄张寔之子。㉜官非王命：官职非晋朝皇帝所封，是张氏自称的。㉝苟以集事：只不过是为了成就事业。集，完成。㉞岂敢荣之：岂敢以这种爵位、职务为荣。㉟白帢：古代未仕者戴的白帽。张茂认为自己的官非王命，所以用白帢为装裹。㊱姑臧：张茂的都城，即今甘肃武威。长安沦陷时，史淑正奉愍帝之命出使凉州，无所归，故留在姑臧。由于张氏过去的官职是出于自立，所以下文氾祎、马谟让史淑代表晋王室封张骏官职，以正其名。㊲王应：王敦兄王含之子，王敦无子，养以为继承人。㊳自副：充当自己的助手。副，佐、辅助。武卫将军是亲兵的统领，为其作警卫。㊴脱有不讳：如果突然有不可讳言的事情发生，婉指王敦病死。脱，突然、倘若。不讳，婉指对方的死。㊵付应：托付给王应。㊶非常之事：指谋反篡位之事。㊷非常人所能为：不是平常人所干得了的。㊸归身朝廷：指自动地去向朝廷请罪。㊹贡献不废：向朝廷进贡不绝，意即向朝廷称臣。㊺及吾尚存：趁我还活着。㊻万一侥幸：争取万分之一的篡位成功。侥幸，隐指篡位称帝。㊼俟：等候。㊽三番休二：把皇帝身边的警卫人员分成三班，一班值勤，两班休假。番，轮流、更替。㊾温峤：字太真，东晋的名臣，原为刘琨的部下，因为刘琨捧表到建康劝进，遂受司马睿宠用，明帝继位后，温峤为侍中，为皇帝所倚任。传见《晋书》卷六十七。㊿为左司马：为王敦军府的左司马，目的是消除皇帝身边的得力人才。51缪为勤敬：假装对王敦殷勤恭敬。缪，通“谬”，假装。52综其府事：把王敦军府的事情管了起来。综，管理。53时：不时地。54附其欲：顺从他的愿望。55为之声誉：为钱凤抬高声誉。56每曰：常常说；总是说。57钱世仪精神满腹：世仪是钱凤的字。精神满腹，意即才学满腹，光彩照人。58藻鉴：品藻鉴察，即品评鉴定的意思。评价人的品德叫“藻”，评价人的美丑、风度叫“鉴”。魏晋南朝，品评人物成为当时文人的时尚。59丹杨尹：东晋朝廷所在郡的行政长官，犹如后代的首都市长。丹杨，晋郡名，郡治建康，即今江苏南京。60不尽理：不符合我们的愿望。61觇伺朝廷：窥视朝廷的一举一动。62间止：乘机劝阻。间，乘间隙。63因：乘机；借机。64行酒：敬酒。65以手版击凤帻坠：用手版打掉了钱凤的帽子。手版，即“笏”，古代官吏上朝时所执，备记事用。帻，头巾。66作色：变脸色，指生气。67两释之：对双方都劝解作罢。68出阁复入者再三：故作难舍之状。阁，内室的门。69小加声色：说话稍稍有些无礼。70何得便尔相谗：怎么能这样地说人家坏话。〖按〗温峤此举乃学西汉袁盎之所为。见《史记·袁盎晁错列传》。71小物：小人。72生致之：活捉他。73劝成：鼓励他一定要这样做。劝，赞成、鼓励。74丁卯：六月二十七。75东安北部：指秦淮河以北。秦淮河水流经建康城中，西北入长江。76朱雀桥南：指秦淮河以南。朱雀桥，即朱雀桁，朱雀门外秦淮河上桥名。明代在其故址建“镇淮桥”，民俗称“南门里桥”，在今南京中华门内。77行卫将军：代理卫将军之职。官阶高而所代理的职务低称行。卫将军，统领皇帝卫队的长官。⑱请召临淮太守苏峻、兖州刺史刘遐同讨敦：胡三省注曰，“夫理顺者难恃，势弱则不支。以敦、凤同恶相济，率大众以犯阙，虽众公忠赤，若只以台中见兵拒之，是复周、戴石头之事，微郗鉴建请而召刘遐、苏峻，殆矣！”⑲中堂：地名，在建康宣阳门外。⑳疾笃：病势沉重。㉑为敦发哀：发布王敦已死的消息，为王敦办丧事。王导为王敦发哀，目的是使晋军将士误认为王敦已死，从而鼓舞士气。㉒咸有奋志：都有了战斗勇气。㉓腾诏下敦府：把皇帝的诏书下达到王敦的军府。腾，飞快地传送。㉔兄息：兄子。指王敦兄王含之子王应。息，儿子。㉕宰相继体：宰相的继承人。㉖顽凶相奖：恶人相互扶助。顽凶，指恶人。奖，援助。㉗窥神器：偷看国家政权，意即图谋篡位。㉘天不长奸：老天爷不助长恶人的凶焰。长，助长、帮助。㉙敦以陨毙：王敦已经死亡。以，同“已”。㉚凤承凶宄：钱凤继续为非作歹。自内为乱叫奸，自外为乱叫宄。㉛弥复煽逆：更加严重地煽动叛乱。㉜平西将军邃：王邃，王敦族人。讨伐王敦的将领很多，帝诏单举王氏而言，欲以刺激王敦，使其速死，与前面说的“敦以陨毙”云云用意相同。㉝水陆齐势：水陆并进。㉞有能杀凤送首：胡三省注曰，“《考异》曰:《晋春秋》此诏在王导为敦发丧前，故云‘有能斩送敦首，封万户侯，赏布万匹。’按此诏云‘敦以殒毙’，是称敦已死也，不应复购敦首”。今从《敦传》作“有能杀凤送首”。㉟为敦所授用：接受过王敦的任职，曾经为王敦所用。㊱一无所问：一概不加追究。㊲猜嫌：怀疑，因怀疑朝廷算旧账而不脱离王敦阵营。㊳从敦弥年：跟随王敦长年在外。弥，满。㊴违离：背离。㊵愍：同情；怜悯。㊶单丁：没有兄弟的男孩。㊷不调：不再征调服兵役。㊸休讫还台：假满后回到朝廷为国所用。㊹宿卫：在京城警卫皇宫的部队。㊺同例三番：享受三班轮流值勤的待遇。㊻筮：用蓍草占吉凶。㊼思向卦：根据刚才那一卦的情形推断。㊽寿不可测：意即长得很。㊾日中：中午。㊿此乃家事：这是我们家庭中的大事，意即要出皇帝。⑪事克之日：意即攻下京城，推翻了晋王朝。⑫天子云何：对司马氏的皇帝如何处置。⑬尚未南郊二句：南郊，指帝王在都城的南郊祭天，这是汉代以来历代皇帝每年都要做的“大事”之一。王敦认为晋明帝尚未举行南郊之礼，所以不能称“天子”。⑭东海王及裴妃：东海王指晋元帝第三子司马冲。元帝以司马冲奉东海王司马越之后。司马越是当年“八王之乱”的八王之一，是司马懿弟司马馗之孙，晋惠帝时封东海王。永嘉初年，司马越任王敦为扬州刺史，加以信任，对王敦有恩，故王敦此时欲有所报。旧事见《晋书》卷五十九。裴妃，司马越的遗孀。⑮七月壬申朔：此处叙事有误，七月朔辛未，壬申应为七月初二。⑯奄至：忽然到达。奄，忽然。⑰江宁南岸：江宁县的秦淮河南岸。江宁县治在今江苏南京市江宁区。胡三省注曰：“武帝太康二年，分秣陵立临江县，二年，更名江宁。南岸，即秦淮南岸也。《考异》曰:《敦传》及《晋春秋》皆云‘三万’，今从《明帝纪》。”⑱恟惧：恐惧。恟，忧恐。⑲移屯水北：温峤本都督秦淮河以北诸军，此时又将秦淮河以南之军移屯河北。⑳朱雀桁：朱雀桥。桁，通“航”，浮桥。㉑挫其锋：挫

伤其进攻的锋芒。⑫豕突：对进攻者的蔑称，以言其犹如受到攻击的猪不顾一切地横冲直撞。⑬宗庙：帝王的祖庙，这里代指国家。⑭承：侍候；参问。参问起居叫参承。这里意即听说。⑮寻：接着；不久。⑯大严：大规模地调兵遣将。严，戒严、军事动员。⑰谓兄当抑制不逞：原来我估计你会抑制钱凤，使他不能胡来。谓，原以为。不逞，心怀不满的行为。⑱还藩武昌：把军队带回到武昌驻扎。藩，屏障，这里是戍卫的意思。⑲与犬羊俱下：跟着恶人们一道进犯京师。犬羊，对钱凤等叛军的蔑称。⑳可得如大将军昔年之事：指元帝永昌元年，王敦攻克石头城，又退回了武昌之事。㉑佞臣：奸巧谄谀之臣，指刁协、刘隗等。㉒人怀不宁：人心不安。㉓心思外济：心里盼着能有外头的人来加以解救。济，搭救。㉔于湖：古地名，在今安徽当涂南三十八里。从上年起王敦自武昌移兵屯驻于此。㉕危怖：恐惧不安。危，畏惧。㉖劳弊：劳苦疲困。㉗委重安期：把一切权力都托付给了王应。王应字安期。㉘断乳几日：极言王应年纪之小，不能管事。㉙于时望：从其现有的名望上说。㉚便可袭宰相之迹邪：就能够承袭宰相之职吗。袭，承继。迹，职务、事业。㉛开辟：开天辟地。㉜颇有：可曾有过。颇，些许。㉝将为禅代：将要有人用强制禅让的方式篡取皇帝之位，如曹丕篡汉、司马炎篡魏之举。曹丕称帝时三十四岁，司马炎三十岁，均是王导所称的孺子。㉞先帝中兴：指晋元帝司马睿建立东晋政权。㉟圣主：指晋明帝司马绍。㊱德洽：恩德遍及。㊲妄萌逆节：妄想篡夺皇位。萌，产生。㊳小大：犹言大大小小。㊴明目张胆：意即亮明态度，表明决心。㊵为六军之首：意即冲锋在前。㊶无赖：无所信赖，即无立场、无信仰，随风飘摆的人。㊷苑城：即“台城”，当时的朝廷所在地，在今江苏南京玄武湖边。㊸军势未成：阵势尚未摆开，尚未列好。㊹大驾：指皇帝司马绍。㊺纵逸：骄纵疯狂。㊻以谋屈：犹言以智取。屈，挫败。㊼力竞：用武力与之争逐。㊽抄盗相寻：抢劫、偷盗接连不断。相寻，相继、接连。㊾惩：吃过……苦头；接受过……教训。㊿乘：利用。⑯逆顺之势：指正义与非正义的客观形势。⑯经略远图：犹深谋远虑。经略，指政治上、军事上的经营规划。⑯启：诱发；使……兴起。⑯一朝：一个早晨所进行的一场战斗。⑯呼吸：犹一呼一吸，极言时间之短。⑯蹉跌：失足，此言失败。⑯申胥之徒：像申胥一样的报国志士。申胥即申包胥，是春秋时楚国大夫。楚昭王十年（公元前五〇六年），吴国大将伍子胥攻破楚国，申胥至秦国求救，在秦庭痛哭七天七夜，终于使秦哀公出兵救楚，打败吴军。事详《左传》定公四年。⑯义存投袂：能见义兴起，英勇救国。投袂，甩袖，形容由于愤怒而迅速做出反应。《左传》宣公十四年记载楚国人申舟被宋人杀死，楚庄王听说，“投袂而起”。袂，袖子。⑯南皇堂：地名。⑰癸酉：九月初四。⑰掩：突然袭击。⑰平旦：天刚亮；黎明。⑰越城：在秦淮河南。⑰老婢：老废物，软弱无能的老年婢女。⑰力行：勉强出征。力，勉强。⑰困乏：浑身无力。胡三省注曰：“气不能充体为困，力不能举身为乏。”⑰舅：此指妻子的兄弟。⑰营葬事：筹办丧事。⑰蜡涂其外：防止尸体臭味泄漏。⑱斤事：斤堂。⑱三司：即“三公”，指大司马、司徒、司空。⑱具瞻之重：是全国上下共同瞻仰、尊敬的人物。具瞻，全国瞩目。《诗经·节南山》："赫赫师尹，民具尔瞻。"⑱³ 币厚言甘：礼送得多，话说得甜。币，礼品。⑱⁴ 古人所畏：古人都知道这里边有阴谋。《左传》僖公十年："币重而言甘，诱我也。"⑱⁵ 趣建康：杀向建康。趣，同"趋"，奔向、杀向。⑱⁶ 宗正卿虞潭：东晋王朝的忠臣，先曾为宗正卿，此时任吴兴太守。传见《晋书》卷七十六。宗正卿，官名，掌管皇室亲族的事务。⑱⁷ 余姚：晋县名，县治即今浙江余姚，上属会稽郡。⑱⁸ 义兴：晋郡名，晋惠帝永兴元年，分吴兴之阳羡、丹杨之永世立义兴郡。⑱⁹ 栅塘：有栅栏围护的水塘，此指玄武湖。在建康城北，今南京城东北玄武门外。⑲⁰ 京邑：指建康城。⑲¹ 藉：凭借；靠着。⑲² 东西军：沈充自吴兴（今浙江湖州）起兵，为东军；王含、钱凤自于湖起兵，为西军。⑲³ 众寡过倍：王含、沈充之军众超过朝廷军的一倍。⑲⁴ 丁亥：九月十八。⑲⁵ 各有差：按等级赏赐的多少各有不同。差，等级。⑲⁶ 北军：指刘遐、苏峻的北来之军。⑲⁷ 乙未：九月二十六日。⑲⁸ 竹格渚：地名，在今南京城南。⑲⁹ 渡淮：渡过秦淮河。胡三省注曰："秦淮在今建康上元县南三里。秦始皇时，望气者言金陵有天子气，使凿山为渎以断地脉，故曰秦淮。或云：'淮水发源屈曲，不类人工。'"⑳⁰ 宣阳门：建康外城的南门。建康外城皆用篱笆环绕，各城门均以西晋都城洛阳城门命名。⑳¹ 拔栅：拆除篱笆。⑳² 南塘：秦淮河南侧的堤岸。东晋在建康建都后，自秦淮河入江口起沿淮筑堤。塘，即堤。⑳³ 横击：拦腰截击。⑳⁴ 青溪：水名，在今南京东。起源于钟山西南，为三国吴主孙权为泄玄武湖水而凿。青溪水屈曲穿过南京市区入秦淮河，今湮。⑳⁵ 寻阳太守周光：寻阳是晋郡名，郡治在今湖北黄梅西南。胡三省注曰："沈约曰：'寻阳，本县名，因水名县，水南注江，汉属庐江郡；惠帝永兴元年，分庐江、武昌立寻阳郡，治柴桑县。'"周光是周访之子，周抚之弟。十一岁时王敦即让他做宁远将军、寻阳太守。传附《晋书》卷五十八《周访传》。⑳⁶ 来赴：来投，来为王敦助阵。⑳⁷ 丙申：九月二十七。⑳⁸ 遁：逃走。⑳⁹ 丁酉：九月二十八。㉑⁰ 不原：不赦免。㉑¹ 剿绝：被消灭。㉑² 因乱：趁着战乱。因，乘机。㉑³ 荆州：当时王舒任荆州刺史。㉑⁴ 江州：当时王彬任江州刺史。㉑⁵ 人：指王敦。㉑⁶ 能立同异：能站在不同立场，发表不同意见。指元帝永昌元年王彬哭周顗、数王敦罪状和谏止王敦为逆等事。㉑⁷ 愍恻：可怜、同情。㉑⁸ 守文：遵守法度，这里是指维护晋室而言。文，法度。㉑⁹ 意外行事：做破格的事情，指放过王含。㉒⁰ 沈：同"沉"。㉒¹ 恨：憾，遗憾。㉒² 阖庐洲：江心的小岛名，在今江苏南京北长江中。㉒³ 诣阙自赎：到朝廷请罪。阙，皇宫门前的双阙，代指皇帝所居之处。㉒⁴ 内重壁中：把他藏在了厚厚的夹墙里。内，"纳"的本字。重壁，夹墙。㉒⁵ 三千户侯矣：三千户侯的封赏到我手啦。当时朝廷悬赏：斩钱凤的人封五千户侯，斩沈充的人封三千户侯。㉒⁶ 以利杀我：指为封三千户侯而杀沈充。㉒⁷ 当坐诛：当受牵连被杀、坐，连坐，因……而获罪。㉒⁸ 匿：隐藏；掩护。㉒⁹ 劲竟灭吴氏：此处表现了作者对沈充的同情，和对吴儒的讥讽，与《史记》之讥讽郦寄"卖友"相同，后人多有议论。㉓⁰ 发王敦瘗：把王敦的坟墓挖开。发，刨、挖掘。瘗，埋藏，这里即坟墓。㉓¹ 跽而斩之：把他的尸体摆成一种跪着的姿势，而后将其斩首。跽，长跪，双膝着地，上身挺直。㉜南桁：即朱雀桥。㉝前朝：指西晋惠帝朝。㉞杨骏：西晋时期的权臣，其女为晋武帝的皇后，武帝死，惠帝初立时掌握朝政，权倾一时，后来被惠帝皇后贾氏及楚王司马玮所杀。传见《晋书》卷四十。㉟先极官刑：先受国法的惩治。㊱后听私殡：其后允许家属收葬。听，听任。私殡，私人收殓。杨骏被诛后，无人敢收尸，只有太傅舍人阎纂殡殓了他。㊲王诛：国法的惩罚。㊳私义：私情，私人之间的情义。㊴于义为弘：从道理上说更为合适。㊵资给：提供钱财。〖按〗这里指周光想逮捕邓岳交给朝廷，以赎其兄周抚之罪。㊶伯山：邓岳的字。㊷西阳蛮：指西阳郡里的少数民族，西阳郡的郡治在今湖北黄冈东。㊸诏原敦党：对王敦的党羽宣告宽赦。原，宽恕。㊹出首：出来自首。㊺禁锢：指不准其为官，犹今言永不录用。㊻倾家产：拿出全部家产。㊼帅茂部曲：率领着张茂的部下。㊽夫仇：谓元帝永昌元年（公元三二二年），沈充攻下吴国，杀内史张茂。㊾谢不克之责：对张茂没能遏止寇虐，为国家守住郡邑而表示歉意。不克，未能完成任务。㊿赠：追任。(251)太仆：朝官名，主管皇帝的车马和马政。(252)有司：有关部门，这里指主管司法、负责弹劾的官员。(253)除名：除去名籍，取消其原有的官职、待遇。(254)百世宥之：为褒奖某个功臣，使其身后一百代的犯罪子孙都能得以赦免。说书唱戏有所谓“誓书铁券”“免死金牌”等就是这个意思。百世，百代。宥，宽赦、赦免。(255)公之近亲：王彬、王舒皆王敦之弟、王导的堂兄弟，故称“近亲”。(256)王敦纲纪：王敦手下的主要僚佐，如主簿、别驾、长史等职。纲纪，犹今所谓骨干。(257)参佐：僚属；部下。受宠信的程度与纲纪略同。(258)忍：残忍。《新书·道术》：“恻隐怜人谓之慈，反慈为忍。”(259)处其朝：工作在王敦的部下。朝，府、军部。(260)恒惧危亡：经常处于生死的边缘。(261)结舌：不敢说话。(262)道路以目：路途相遇只以目示意，不敢说话。(263)诚：确实；实在是。(264)道穷数尽：穷途末路，无法生活。数，气数、命运。(265)遵养时晦：指辞官退隐以待时。《诗·酌》：“于铄王师，遵养时晦。”时晦，指黑暗残暴的政治环境。(266)原其私心：推究一下王敦僚属们的本心。原，推求其最初的想法。(267)岂遑晏处：哪一个能消消停停地待着。遑，有时间、来得及。晏处，安闲地待着。(268)备知之：深刻地了解他们和王敦不是一路人。备，详细、深入。(269)必其赞导凶悖：如果是真心赞成帮助王敦的人。赞导，帮助引导。(270)正以典刑：犹言绳之以法。正，执行。(271)枉陷奸党：不明实情地陷入叛逆集团。枉，违背心意。(272)宽贷：宽恕；赦免。(273)闻于圣听：已经向皇帝奏明过。

【原文】

三年（乙酉，公元三二五年）

春，二月，张骏承(306)元帝凶问(307)，大临(308)三日。会黄龙见嘉泉(309)，

闻，让人知道，特指让上面的人知道。㉗④当受同贼之责：理应被人说我是站在逆贼的立场。同贼，指为陆玩等辩护。㉗⑤苟默而不言二句：如果让我闭上嘴不说话，那是违背我的良心的。㉗⑥惟陛下仁圣裁之：请您秉持仁圣之心对此做出判断。㉗⑦君臣之教：君臣之间的关系准则。教，道理。㉗⑧贵于伏节死义：重点在倡导做臣子的要为坚守节义而死。㉗⑨进：指在位为王敦做僚属。㉘⓪退：指辞官离开王敦集团。㉘①准之前训：用上面所说的准则来衡量这些人。㉘②宜加义责：理应受到严厉的谴责。义，君臣大义，实即严厉的意思。㉘③领司徒：兼任司徒之职。领，兼任。㉘④殊礼：特殊的礼遇。如“剑履上殿”“入朝不趋”“赞拜不名”等。㉘⑤应詹为江州刺史：以取代王彬。㉘⑥抚而怀之：安抚并关心施惠。㉘⑦枹罕：晋县名，县治在今甘肃临夏西南。㉘⑧必须天时人事相得：意谓即使自己的兵力很强大，但还一定要等天时、人心等各种条件的齐备。㉘⑨安忍：安于残忍而不以为意，也就是现在所说的残忍。胡三省注曰：“杀人而心不矜恻，颜不颦蹙者为忍，忍而安之，则其必亡矣。”㉙⓪其亡可必：其很快灭亡是肯定的。必，肯定、必然。㉙①饥年大举：在这灾荒年头发动战争。㉙②盛寒：严寒。㉙③聘于赵：到刘聪政权进行友好访问。聘，国与国间的友好出使。㉙④款诚和好：诚挚、友好。㉙⑤卿能保之乎：您能够保证长久如此吗。㉙⑥齐桓贯泽之盟：齐桓公在贯泽与诸侯盟会的时候。㉙⑦忧心兢兢：谦虚谨慎的样子。齐桓公谦虚谨慎会诸侯于贯泽事，见《左传》僖公二年。㉙⑧葵丘之会：齐桓公在葵丘（今河南民权东北）与诸侯会盟。㉙⑨振而矜之：傲慢、矜夸。㉚⓪叛者九国：具体所指不详。《公羊传》僖公九年有所谓：“九年，九月戊辰，诸侯盟于葵丘。桓之盟不日，此何以日？危之也。何危尔？贯泽之会，桓公有忧中国之心，不召而至者，江人、黄人也；葵丘之会，桓公震而矜之，叛者九国。震之者何？犹曰振振然。矜之者何？犹曰莫若我也。”㉚①化：政治状况、社会风气。㉚②陵迟：衰败。㉚③迩者之变：指赵国内部的危机。迩，近。㉚④代王贺傉：鲜卑拓跋部的首领，拓跋猗㐌之子，国内由其母惟氏掌权。㉚⑤东木根山：在今内蒙古兴和西北。

【校记】

［1］导门：据章钰校，此二字下，甲十一行本、乙十一行本皆有“户”字，张瑛《通鉴校勘记》同。

【语译】

三年（乙酉，公元三二五年）

春季，二月，凉州牧、西平公张骏才接到晋元帝司马睿去世的消息，他立即为晋元帝设立灵堂进行哀悼，亲自守灵，哀哭三天。恰巧嘉泉县出现黄龙，担任长史

汜祎等请改年㉚，以章休祥㉛，骏不许。辛晏以枹罕降㉜，骏复收河南之地㉝。

赠㉞故谯王承[2]、甘卓、戴渊、周颛、虞望、郭璞、王澄等官。周札故吏为札讼冤㉟，尚书下壸议以为："札守石头，开门延寇㊱，不当赠谥。"司徒导以为："往年之事，敦奸逆未彰㊲，自臣等有识以上，皆所未悟，与札无异。既悟其奸，札便以身许国㊳，寻取枭夷㊴，臣谓宜与周、戴同例㊵。"郗鉴以为："周、戴死节，周札延寇，事异赏均㊶，何以劝沮㊷？如司徒议，谓往年有识以上皆与札无异，则谯王、周、戴皆应受责㊸，何赠谥之有？今三臣既褒，则札宜受贬明矣！"导曰："札与谯王、周、戴，虽所见有异同，皆人臣之节也。"鉴曰："敦之逆谋，履霜日久㊹，缘札开门㊺，令王师不振㊻。若敦前者之举㊼，义同桓、文㊽，则先帝㊾可为幽、厉邪㊿？"然卒用导议，赠札卫尉。

后赵王勒加宇文乞得归(331)官爵，使之击慕容廆(332)。廆遣世子皝、索头、段国共击之，以辽东相裴嶷为右翼，慕容仁为左翼。乞得归据浇水(333)以拒皝，遣兄子悉拔雄拒仁。仁击悉拔雄，斩之，乘胜与皝攻乞得归，大破之，乞得归弃军走。皝、仁进入其国城(334)，使轻兵追乞得归，过其国三百余里而还，尽获其国重器(335)，畜产以百万计，民之降附者数万。

三月，段末柸卒，弟牙立。

戊辰(336)，立皇子衍(337)为太子，大赦。

赵主曜立皇后刘氏。

北羌王盆句除附于赵，后赵将石佗自雁门出上郡(338)袭之，俘三千余落(339)，获牛、马、羊百余万而归。赵主曜遣中山王岳追之，曜屯于富平(340)为岳声援。岳与石佗战于河滨(341)，斩之，后赵兵死者六千余人，岳悉收所虏而归。

的汜祎等便请求张骏更改年号，以显示这个帝王受到了上天的表彰，张骏不同意。据守枹罕的辛晏献出枹罕向凉州张骏投降，张骏又收复了黄河以南故地。

东晋追赠谯王司马承、甘卓、戴渊、周颛、虞望、郭璞以及王澄等人的官爵。会稽内史周札的旧部下出面为周札申诉冤屈，担任尚书的卞壸发表意见说："周札负责为朝廷镇守石头城，却打开城门接纳叛贼入城，所以不应当给他追赠谥号。"担任司徒的王导却认为："当年发生那样的事情，是因为王敦的叛逆行迹还没有明显地暴露出来，包括我在内的有识之士，都没有意识到王敦的阴谋，与周札没有什么区别。后来一旦发现王敦阴谋叛乱，周札便以身报国，不久就被杀害了，我认为周札应该与周颛、戴渊等同等对待。"郗鉴认为："周颛、戴渊是为皇家效忠而死，而周札打开城门接纳叛逆的贼寇，事情的性质是不一样的，如果享受的奖赏相同，那么将来还如何鼓励那些为国尽忠之士，怎么罢黜斥逐邪恶叛逆？如果像司徒王导所说，认为往年有识之士对王敦的认识都与周札无异，那么谯王司马承、周颛、戴渊都举义讨伐王敦，是否应该受到责罚，还有什么理由给他们追赠谥号呢？现在谯王司马承、周颛、戴渊三人已经受到褒奖，那么周札就应该受到贬谪，这是再明显不过的了！"王导说："周札与谯王、周颛、戴渊虽然对问题的看法有所不同，但都保持了作为人臣的品节。"郗鉴说："王敦企图谋反蓄谋已久，其行迹早已显现，就是因为周札打开石头城门，将叛军放进城来，才使朝廷的军队遭到失败。如果说王敦前次进攻建康的正义性像齐桓公、晋文公两个春秋霸主一样，那么先帝司马睿岂不就是周幽王、周厉王那样的昏君了？"然而，晋明帝司马绍最终还是采纳了王导的意见，追赠周札为卫尉。

后赵主石勒加封鲜卑宇文部落首领乞得归官爵，让他攻打慕容廆。慕容廆派自己的世子慕容皝以及索头、段国共同抗击宇文乞得归，他任用辽东相裴嶷充当右翼，任用慕容仁充当左翼。宇文乞得归据守浇水抵抗慕容皝，他派自己的侄子悉拔雄抵抗慕容仁。慕容仁攻打悉拔雄，将悉拔雄斩首，乘胜与世子慕容皝一起攻打乞得归，将乞得归打得大败，乞得归抛下军队逃走。慕容皝、慕容仁进入宇文乞得归的都城，又派轻骑兵追赶乞得归，追出乞得归辖境三百多里才回来，缴获了宇文部落所有的贵重物品、宝器，缴获的牲畜就有百万头左右，归降的百姓有数万人。

三月，东晋所封的辽西公段末柸去世，他的弟弟段牙继承了他的爵位。

初二日戊辰，晋明帝司马绍立皇子司马衍为皇太子，在境内实行大赦。

前赵主刘曜册封刘氏为皇后。

北羌王盆句除归附于前赵，后赵将领石佗率军从雁门出兵，穿过上郡去攻打北羌王盆句除，俘获了三千多落羌民，缴获的牛、马、羊有百余万头，凯旋。前赵主刘曜派遣中山王刘岳随后追杀，刘曜亲自率军驻扎于富平，作为声援。刘岳与后赵将石佗在黄河之滨展开激战，刘岳斩杀了石佗，后赵的士兵被杀死了六千多人，刘岳夺回了被石佗掠走的全部人口、马、牛、羊等凯旋。

杨难敌袭仇池[342]，克之，执田崧，立之于前[343]。左右令崧拜，崧瞋目叱之[344]曰："氐狗[345]，安有天子牧伯[346]而向贼拜乎！"难敌字谓之[347]曰："子岱[348]，吾当与子共定大业。子忠于刘氏，岂不能忠于我乎[349]？"崧厉色大言[350]曰："贼氐，汝本奴才，何谓大业！我宁为赵鬼，不为汝臣！"顾排一人[351]，夺其剑，前刺难敌，不中。难敌杀之。

都尉鲁潜[352]以许昌叛，降于后赵。

夏，四月，后赵将石瞻攻兖州刺史檀斌于邹山[353]，杀之。

后赵西夷中郎将王腾杀并州[354]刺史崔琨[355]、上党[356]内史王昚[357]，据并州降赵。

五月，以陶侃为征西大将军，都督荆、湘、雍、梁四州诸军事，荆州刺史，荆州士女相庆[358]。侃性聪敏恭勤[359]，终日敛膝危坐[360]，军府众事，检摄无遗[361]，未尝少闲[362]。常语人曰："大禹[363]圣人，乃惜寸阴[364]，至于众人，当惜分阴[365]，岂可但逸游荒醉[366]，生无益于时，死无闻于后，是自弃[367]也！"诸参佐或以谈戏废事[368]者，命取其酒器、蒱博之具[369]，悉投之于江，将吏则加鞭扑[370]，曰："樗蒱者，牧猪奴戏耳！老、庄[371]浮华，非先王之法言[372]，不益实用[373]。君子当正其威仪[374]，何有蓬头跣足[375]自谓宏达[376]邪！"有奉馈[377]者，必问其所由[378]。若力作所致[379]，虽微必喜，慰赐参倍[380]。若非理得之[381]，则切厉诃辱[382]，还其所馈[383]。尝出游，见人持一把未熟稻，侃问："用此何为？"人云："行道所见，聊取之耳[384]。"侃大怒曰："汝既不佃[385]，而戏贼人稻[386]！"执而鞭之。是以百姓勤于农作，家给人足。尝造船，其木屑竹头[387]，侃皆令籍而掌之[388]，人咸[389]不解所以[390]。后正会[391]，积雪始晴，听事[392]前余雪犹湿，乃以木

氐王杨难敌率军袭击被前赵占领的仇池，很快便攻克了仇池，活捉了前赵镇南大将军、益州刺史田崧，他强迫田崧站在自己的面前。左右的侍从逼迫田崧向杨难敌跪拜，田崧怒目而视，大骂杨难敌说:“老氐狗，哪有天子的封疆大吏向贼人跪拜的道理!”杨难敌叫着田崧的字说:“子岱，我要与你共同创立大业。你效忠于刘氏，难道就不能效忠于我杨难敌吗?”田崧面色严厉，大声地说:“贼氐，你不过是个奴才，说什么创立大业！我宁愿做赵国的鬼，也不会做你的臣!”说完，转身打倒了杨难敌的一个侍从，夺下他手中的剑，向杨难敌刺去，可惜没有刺中。杨难敌遂将田崧杀死。

东晋担任都尉的鲁潜在许昌叛变，投降了后赵。

夏季，四月，后赵将领石瞻率军攻打东晋兖州刺史檀斌的刺史府所在地邹山，将檀斌杀死。

后赵担任西夷中郎将的王腾杀死了并州刺史崔琨、上党内史王眘，献出并州，投降了前赵。

五月，东晋任命陶侃为征西大将军，都督荆、湘、雍、梁四州诸军事，荆州刺史，荆州百姓得知陶侃来任荆州刺史，无论男女老幼，全都互相奔走庆贺。陶侃生性聪明敏捷，谦恭勤勉，一天到晚地盘腿端坐在府衙里，对军事、行政的各项事务，都亲自批阅整理，认真检查得滴水不漏，丝毫不敢有所懈怠，从没听说过他有闲暇的时候。陶侃经常对人说:“大禹是一个圣人，还那么珍惜一寸长的光阴，至于一般人，就应该珍惜光阴，怎么能把时间浪费在游赏打猎、饮酒作乐上，活着的时候对社会没有贡献，死后与草木同朽，没有人会知道他的名字，岂不是自己扼杀了自己!”他的部下中如果是文职官吏因为清谈游戏而耽误了公事，陶侃就命人将他们饮酒的酒器、赌博的工具取来，全部扔到长江里去，如果是武职官员，就用鞭子、棍棒进行抽打，对他们说:“赌博，那是放猪奴们玩的游戏！老子、庄子的思想学说崇尚浮华，不是古代圣明君主所制定的符合礼法的言论，对实际工作没有好处。正人君子都应该端正自己的仪容举止，怎么能蓬头垢面、赤着两足，却还自认为是潇洒脱俗呢!”有人向他进献礼物，他一定要问清来源。如果是通过自己的劳动所得，即使礼物很微薄，他也十分喜欢，慰劳赏赐的东西都会超过原价的三倍。如果是通过不正当途径所得，就会严厉地进行呵斥、责骂，把送来的东西退回去。有一次出游，他看见一个人手里拿着一把未成熟的稻子，陶侃问他:“你拿这个做什么用?”那人回答说:“走路的时候看见了，就随手揪了一把。”陶侃大怒，说:“你自己不到农田里耕作，却当作儿戏一样损害人家的稻子!”遂把那人绑起来用鞭子狠抽了一通。所以在他管辖区域内的百姓都非常勤奋地耕种，家家温饱，人人富足。陶侃曾经建造船只，剩余的边角废料，陶侃都让人登记下来好好保存，人们都不理解他为什么这样做。后来正月初一，陶侃接见群僚，正赶上雪后放晴，积雪融化，厅堂前的残雪融化后地上一

屑布地[393]。及桓温伐蜀[394]，又以侃所贮竹头作丁装船[395]。其综理微密[396]，皆此类也。

后赵将石生屯洛阳，寇掠河南[397]，司州[398]刺史李矩、颍川[399]太守郭默军数败，又乏食，乃遣使附于赵[400]。赵主曜使中山王岳将兵万五千人趣孟津[401]，镇东将军呼延谟帅荆、司[402]之众自崤、渑[403]而东，欲会矩、默共攻石生。岳克孟津、石梁二戍[404]，斩获五千余级，进围石生于金墉[405]。后赵中山公虎帅步骑四万入自成皋关[406]，与岳战于洛西[407]，岳兵败，中流矢[408]，退保石梁。虎作堑栅环之[409]，遏绝内外[410]。岳众饥甚，杀马食之。虎又击呼延谟，斩之。曜自将兵救岳，虎帅骑三万逆战[411]。赵前军将军刘黑击虎将石聪于八特阪[412]，大破之。曜屯于金谷[413]，夜，军中无故大惊，士卒奔溃，乃退屯渑池。夜，又惊溃，遂归长安。

六月，虎拔石梁，禽岳及其将佐八十余人，氐、羌三千余人，皆送襄国，坑[414]其士卒九千人。遂攻王腾于并州，执腾，杀之，坑其士卒七千余人。曜还长安，素服[415]郊次[416]，哭七日乃入城，因愤恚[417]成疾。郭默复为石聪所败，弃妻子[418]，南奔建康。李矩将士阴谋叛降后赵，矩不能讨，亦帅众南归。众皆道亡，惟郭诵等百余人随之。卒于鲁阳[419]。矩长史崔宣帅其余众二千降于后赵。于是司、豫、徐、兖之地，率皆入于后赵，以淮为境[420]矣。

赵主曜以永安王胤为大司马、大单于，徙封南阳王，置单于台于渭城[421]，其左、右贤王以下，皆以胡、羯、鲜卑、氐、羌豪桀[422]为之。

秋，七月辛未[423]，以尚书令郗鉴为车骑将军，都督徐、兖、青三州诸军事，兖州刺史，镇广陵[424]。

闰月[425]，以尚书左仆射荀崧[3]为光禄大夫[426]、录尚书事，尚书邓攸为左仆射。

右卫将军虞胤，元敬皇后[427]之弟也，与左卫将军南顿王宗[428]俱为

片泥泞，他就令人把收存的锯末铺在地上。等到安西将军桓温讨伐蜀地的成国，又用陶侃所储存的竹头当作造船的钉子使用。诸如此类之事，陶侃处理得精微细密。

后赵将领石生屯驻在洛阳，他不时地率军进犯晋国的河南地区，晋司州刺史李矩、颍川太守郭默与石生交战，屡次失败，加上军中缺乏足够的粮食，于是派使者归附于前赵刘曜。前赵主刘曜派中山王刘岳率领一万五千名士卒赶赴孟津，镇东将军呼延谟率领着荆州、司州的部众穿过崤山、渑池向东进发，准备与晋司州刺史李矩、颍川太守郭默会合后共同攻打后赵的石生。前赵中山王刘岳攻克了孟津、石梁两个军事据点，斩杀了五千多人，进而将石生围困在金墉城中。后赵中山公石虎率领四万名步兵骑兵，从成皋关杀进来，与前赵刘岳在洛水之西展开激战，刘岳兵败，身上还被无端飞来的乱箭射中，只得退入石梁戍坚守。后赵中山公石虎把石梁戍团团围住，在四周挖掘壕沟、构筑栅栏，断绝了刘岳与外界的联系。刘岳的兵众饥饿难耐，将战马全都宰杀吃掉了。石虎又攻打呼延谟，将呼延谟斩首。前赵主刘曜亲自率军前来救援刘岳，后赵石虎率领三万名骑兵迎战刘曜。前赵前军将军刘黑在八特阪攻打石虎的部将、汲郡内史石聪，大败石聪。前赵主刘曜屯驻金谷，夜间，军队突然无缘无故地惊乱起来，士卒四处奔逃，刘曜无奈只得退回渑池屯扎。当天夜里，军中再次惊乱溃散，刘曜遂返回都城长安。

六月，后赵中山公石虎攻下石梁戍，擒获了前赵中山王刘岳及其将佐八十多人，氐人、羌人三千多人，全都送回后赵的都城襄国，将刘岳的九千名士卒全部活埋。然后乘胜攻打占据并州叛变的将领王腾，将王腾擒获，杀掉，又将王腾属下的士卒七千多人全部坑杀。前赵主刘曜返回都城长安，他身穿白色丧服驻扎在长安郊外，哭吊阵亡的将士，七天后才进入长安城，竟然因为过度愤怒与怨恨而病倒。晋颍川太守郭默再次被后赵的石聪打败，遂抛弃妻小，向南投奔建康。晋司州刺史李矩手下的将士阴谋叛变投降后赵，李矩无力阻止，也率领自己的亲信部众南归。途中不少人逃亡，只有郭诵等一百多人跟随。李矩走到鲁阳逝世。在李矩手下担任长史的崔宣率领残部二千人投降了后赵。于是晋国的司州、豫州、徐州、兖州，全部归入后赵的版图，后赵与东晋以淮河作为分界线。

前赵主刘曜任命永安王刘胤为大司马、大单于，改封南阳王，在渭城设置单于台，左贤王、右贤王以下职位，都由胡人、羯人、鲜卑人、氐人、羌人中的豪族酋长担任。

秋季，七月初七日辛未，东晋任命尚书令郗鉴为车骑将军，都督徐州、兖州、青州诸军事，兖州刺史，镇所设在广陵。

闰八月，东晋任命担任尚书左仆射的荀崧为光禄大夫、录尚书事，提升担任尚书的邓攸为左仆射。

担任右卫将军的虞胤，是元敬皇后的弟弟，他与担任左卫将军的南顿王司马宗

帝所亲任，典禁兵[429]，直殿内[430]，多聚勇士以为羽翼。王导、庾亮皆忌[431]之，颇以为言[432]。帝待之愈厚，宫门管钥[433]，皆以委[434]之。帝寝疾[435]，亮夜有所表[436]，从宗求钥[437]，宗不与，叱亮使曰："此汝家门户邪!"亮益忿之。及帝疾笃，不欲见人，群臣无得进者。亮疑宗、胤及宗兄西阳王羕有异谋[438]，排闼[439]入升御床[440]，见帝流涕，言羕与宗等谋废大臣，自求辅政，请黜[441]之。帝不纳[442]。壬午[443]，帝引太宰羕[444]、司徒导、尚书令卞壶、车骑将军郗鉴、护军将军庾亮、领军将军陆晔[445]、丹杨尹温峤，并受遗诏辅太子，更[446]入殿将兵直宿[447]。复拜壶右将军，亮中书令，晔录尚书事。丁亥[448]，降遗诏。戊子[449]，帝崩[450]。帝明敏有机断[451]，故能以弱制强[452]，诛翦逆臣[453]，克复大业。

己丑[454]，太子即皇帝位，生五年矣。群臣进玺[455]，司徒导以疾不至，卞壶正色于朝曰："王公岂社稷之臣邪！大行在殡[456]，嗣皇未立[457]，宁是人臣辞疾之时也[458]！"导闻之，舆疾[459]而至。大赦，增文武位二等[460]，尊庾后[461]为皇太后。

群臣以帝幼冲[462]，奏请太后依汉和熹皇后故事[463]。太后辞让数四[464]，乃从之。秋，九月癸卯[465]，太后临朝称制[466]。以司徒导录尚书事，与中书令庾亮、尚书令卞壶参辅朝政，然事之大要[467]，皆决于亮。加郗鉴车骑大将军，陆晔左光禄大夫，皆开府仪同三司。以南顿王宗为骠骑将军，虞胤为大宗正。

尚书[468]召乐广之子谟[469]为郡中正[470]，庾珉族人怡为廷尉评[471]，谟、怡各称父命不就[472]。卞壶奏曰："人非无父而生，职非无事而立；有父必有命，居职[473]必有悔[474]。有家各私其子[475]，则为王者无民[476]，君臣之

都深受晋明帝司马绍的宠爱与信任，负责统领担负皇宫警戒任务的皇帝亲兵，在宫殿内值勤，他们招募了许多勇士作为自己的党羽。王导、庾亮对虞胤和司马宗都很忌恨，经常拿此事对皇帝说。晋明帝对待虞胤、司马宗却愈加厚爱，就连皇宫大门的钥匙都交给他们掌管。晋明帝司马绍卧病在床，夜间，庾亮有紧要事情需要奏明晋明帝，就派人向司马宗索要皇宫大门的钥匙，司马宗不仅不给，还斥责庾亮的使者说："你以为这是你们自己的家门，想进就进！"庾亮越发愤怒。等到晋明帝司马绍病势沉重，不想见人，群臣没有人能够进入皇宫。庾亮怀疑司马宗、虞胤以及司马宗的哥哥西阳王司马羕有叛逆的图谋，就不等批准，硬将宫中的小门推开，强行进入晋明帝的寝室，径直走到晋明帝的卧榻旁边，对着晋明帝痛哭流涕，并指控西阳王司马羕与左卫将军、南顿王司马宗等人阴谋驱逐朝中大臣，由他们自己辅佐朝政，请求晋明帝废黜司马羕、司马宗等。晋明帝不予采纳。闰八月十九日壬午，晋明帝司马绍躺在病床上召见了太宰司马羕、司徒王导、尚书令卞壶、车骑将军郗鉴、护军将军庾亮、领军将军陆晔、丹杨尹温峤，他们数人同时接受皇帝遗诏辅佐皇太子，夜间轮流入宫值勤。又任命卞壶为右将军，庾亮为中书令，陆晔为录尚书事。二十四日丁亥，颁布皇帝遗诏。二十五日戊子，晋明帝司马绍驾崩。晋明帝司马绍聪明慧敏，机警而有决断，所以虽然在与王氏家族的力量对比上处于弱势，仍能克强制胜，取得平定王敦叛逆的胜利，复兴大业。

闰八月二十六日己丑，皇太子司马衍即皇帝位，皇太子当时只有五岁。群臣向小皇帝进献皇帝玺印的时候，司徒王导因为有病没有参加这个盛大的典礼，担任尚书令、右将军的卞壶在朝会上神情严肃地抨击王导说："王导哪里算得上国家的忠臣！已故的皇帝还没有安葬，该接班的小皇帝还没有登基即位，这难道是大臣请病假的时候吗！"王导听到消息，立即带病登车，赶来参加朝会。司马衍即位之后，大赦天下，文武官员每人各增爵位二级，尊奉庾皇后为皇太后。

群臣因为皇帝年纪太小，就请皇太后庾氏依照东汉和熹皇后的先例，以母后的身份临朝称制，代替小皇帝行使政权。庾太后再三推辞，最后还是依从了群臣的意见。秋季，九月十一日癸卯，庾太后开始登上金銮宝殿行使皇帝职权。任命司徒王导为录尚书事，与担任中书令的庾亮、担任尚书令的卞壶共同参与辅佐朝政，然而重大事情的决策都取决于中书令庾亮。加授郗鉴为车骑大将军，加授陆晔为左光禄大夫，都开府仪同三司。任命南顿王司马宗为骠骑将军，虞胤为管理皇族事务的大宗正。

尚书省征召乐广的儿子乐谟担任郡中正，征召庾珉的族人庾怡为掌管平决诏狱的廷尉评。乐谟和庾怡都以不符合父亲的遗愿为借口而不肯前去赴任。尚书令卞壶向朝廷奏报说："每个人都是有父亲才能出生，每个官职都是有事而设立；有父亲就会有命令，担任职务，都会有招灾惹祸的担忧。假如每个家庭都把自己的儿子当作私家的财产而不承担臣民的义务，那么作为国君就没有可以供自己差遣的人，臣民

道废矣。乐广、庾珉，受宠圣世[477]，身非己有[478]，况及后嗣[479]而可专哉[480]！所居之职，若顺夫群心[481]，则战戍者之父母，皆当命子以不处也[482]。”谟、怡不得已，各就职。

辛丑[483]，葬明帝于武平陵。

冬，十一月癸巳朔[484]，日有食之。

慕容廆与段氏方睦，为段牙谋，使之徙都。牙从之，即去令支[485]，国人不乐。段疾陆眷之孙辽欲夺其位，以徙都为牙罪。十二月，帅国人攻牙，杀之，自立。段氏自务勿尘以来，日益强盛，其地西接渔阳[486]，东界辽水[487]，所统胡、晋三万余户，控弦[488]四五万骑。

荆州刺史陶侃以宁州刺史王坚不能御寇，是岁，表零陵太守南阳尹奉为宁州刺史以代之。先是，王逊在宁州，蛮酋梁水太守爨量[489]、益州太守李逖皆叛附于成，逊讨之不能克。奉至州，重募[490]徼外夷[491]刺爨量，杀之，谕降李逖[492]，州境遂安。

代王贺傉卒，弟纥那立。

【段旨】

以上为第二段，写晋明帝太宁三年（公元三二五年）一年间的大事。主要写了东晋王朝追赠褒奖王敦之乱中被害的死难者谯王司马承以及甘卓、戴渊、周颉等人，而王导竟提出把开城门揖盗入石头城的周札也列入应褒奖之列，王导是别有用心的，而晋明帝居然采纳了王导的意见，可见东晋皇帝的软弱性；写了东晋的司州刺史李矩、颍川太守郭默等先后失败身死，于是东晋的司州、豫州、徐州、兖州全都被后赵占领；后赵与东晋从此遂以淮河为界，东晋的疆域日蹙；写了东晋名臣陶侃重为荆州刺史的种种政绩，与陶侃兢兢业业、勤于职守、黜斥清谈、严教部下的种种动人故事；与陶侃表举尹奉为宁州刺史，尹奉到任后平息叛乱，使宁州重得安宁；写了晋明帝司马绍病死，五岁的皇太子司马衍即位，皇太后庾氏临朝称制，朝政大权被外戚庾亮所掌控；写了后赵将领石虎大破前赵，擒王岳、杀呼延谟，刘曜亲征，也被石虎打败，又破杀后赵的叛将王腾，重新夺回

必须服从君主的关系就没有办法确立。乐广、庾珉都曾经在朝廷为官，受到先皇的宠爱，他们都把自己献给了国家，何况是他们的后代，怎么能说不干就不干呢！如果顺应众人那种只为自己子孙考虑的私心，恐怕那些当兵打仗的差事，没有哪个父母愿意让自己的孩子去干。”乐谟、庾怡迫不得已，只得各自前去赴任。

辛丑日，将晋明帝司马绍安葬在武平陵。

冬季，十一月初一日癸巳，发生日食。

慕容廆此时与辽西公段牙关系十分友好，他为段牙出谋，让段牙迁都。段牙听从了慕容廆的建议，遂放弃了都城令支，而国人都不愿意迁都。段疾陆眷的孙子段辽想夺取段牙的爵位，就把迁都作为段牙的罪状。十二月，率领国人攻击段牙，将段牙杀死，接管了政权。段氏自段务勿尘以来，势力一天比一天强大起来，辖区西部到渔阳，东部以辽水为界，管辖下的胡人、汉人有三万多户，能够拉弓射箭的骑兵有四五万人。

东晋荆州刺史陶侃因为宁州刺史王坚没有抵御敌寇入侵的能力，这一年，他上表给朝廷，推荐担任零陵太守的南阳人尹奉接替王坚担任宁州刺史。先前，王坚的父亲王逊在宁州担任刺史的时候，担任梁水太守的蛮人酋长爨量、益州太守李逖都背叛了东晋而归降了成国，王逊对他们进行讨伐，但都没有取胜。尹奉到宁州刺史任上以后，就用重金招募境外的夷人杀手刺杀爨量，成功地将爨量除掉，又劝说李逖回归东晋，宁州境内遂安定下来。

代王拓跋贺傉逝世，他的弟弟拓跋纥那即位为代王。

并州、上党等地；此外还写了继承段末柸的段牙因为迁都之事遭到国人的反对，被段疾陆眷的孙子段辽所杀，段辽自立，势力日益强大，西接渔阳，东界辽水，有骑兵军队四五万人等。

【注释】

㉚⑥承：接到。㉚⑦凶问：死讯。晋元帝司马睿逝世已经二年三个月，但关山难越，中间又隔着许多割据政权，故而此时才知消息。孤悬数千里之外，凉州张氏几代人对晋王朝忠心不改。㉚⑧临：哭吊。㉚⑨黄龙见嘉泉：嘉泉在今甘肃古浪北。见，同“现”。所谓“黄龙”云云自然是张氏所耍的小手段。㉛⓪改年：即改元，改换年号。古代新帝王登基，或遇重大国事，或获符瑞，往往改元以资纪念。凉州自晋愍帝建兴二年，张寔开始有自己的年号；现在是张骏太元二年。㉛①以章休祥：以显示这个帝王受到了上天的表彰。休祥，吉祥，上天所降的祥瑞。㉛②辛晏以枹罕降：辛晏于上年据枹罕自立，现又归降于张

氏。⑬河南之地：指今甘肃黄河以南地区。枹罕县在今甘肃临夏西南，在黄河南。⑭赠：追赠。以下诸人皆在王敦之乱中被杀害者。⑮为札讼冤：王敦忌周氏宗强，杀周札及其兄子四人，故周氏故吏为其讼冤。讼，替人辩冤。⑯开门延寇：指晋元帝永昌元年，王敦进攻建康，来到石头城，派杜弘为先锋，攻打石头城，周札没有抵抗，就开门接纳杜弘进了城。延，引、迎。⑰未彰：尚未明显暴露。⑱许国：为国效死。许，给予。⑲寻取枭夷：很快地就被杀害了。枭，被砍头并将首级悬挂示众。夷，灭、灭门。⑳同例：同等对待。〖按〗王导并非伏节死义之士，周札又是矜险好利的小人，开门延寇，有目共睹，是非自明。王导言此，名为周札伸张，实为自己开脱罪责。㉑赏均：受同样的奖赏。均，等、一样。㉒劝沮：鼓励为善者与黜斥为恶者。《荀子·君子》："是以为善者劝，为不善者沮。"劝，鼓励。沮，黜止。㉓皆应受责：因为他们举义讨伐王敦。㉔履霜日久：形迹早有表现。《易·坤·初六》："履霜坚冰至。"意思是秋天行于霜上而知严冬即将到来。此处用来比喻王敦反叛，蓄谋已久，形迹早有表现。㉕缘札开门：正是由于周札的开门揖盗。㉖不振：指失败。振，振奋。㉗敦前者之举：指永昌元年王敦进占石头城之事。㉘义同桓、文：其行动之正义性如同齐桓公和晋文公。二人皆打着尊王攘夷、屏藩周室的旗号征伐作乱的诸侯。㉙先帝：谓晋元帝。㉚可为幽、厉邪：难道可以说是周幽王和周厉王吗。周厉王与周幽王是西周末年的两个昏暴之君。㉛宇文乞得归：鲜卑宇文部首领，名乞得归。㉜使之击慕容廆：后赵攻打慕容廆，起因于明帝太宁元年，后赵遣使结好于慕容廆，慕容廆将后赵使者捕送建康，因此与后赵结怨。㉝浇水：一名"浇落水"，即今内蒙古之锡拉木伦河。㉞国城：宇文乞得归的都城，即今辽宁朝阳。㉟重器：宝器；国宝。㊱戊辰：三月初二。㊲皇子衍：司马衍，明帝之子，即日后的晋成帝。㊳自雁门出上郡：雁门郡的郡治广武，在今山西代县西南古城。上郡的郡治肤施，在今陕西榆林东南，当时为北羌王盆句除部落的聚居地。㊴落：少数民族的聚居点，如同今之自然村。㊵富平：晋县名，县治在今陕西富平西南。㊶河滨：黄河之滨。㊷仇池：晋郡名，郡治洛谷城，即今甘肃成县西北。㊸立之于前：让田崧站在杨难敌面前。立，使之站立。㊹瞋目叱之：瞪着眼睛大骂杨难敌。㊺氐狗：杨难敌是氐族人，故田崧如此骂。㊻天子牧伯：天子的封疆大吏。天子，指前赵的首领刘曜。牧伯，汉代以后对州刺史的尊称，有如古代的诸侯方伯（霸主）。时田崧为前赵所封的镇南大将军、益州刺史。㊼字谓之：对田崧称其字，表示敬重。㊽子岱：田崧，字子岱。㊾岂不能忠于我乎：难道就不能改忠于我吗。㊿厉色大言：面色严厉地大声说。(351)顾排一人：转身打倒了一个杨氏的士兵。(352)都尉鲁潜：晋朝的都尉鲁潜。都尉的级别相当于校尉。(353)邹山：也称峄山，在今山东邹城东南。(354)并州：晋代的并州辖境在今山西汾水中游地区，石勒占据并州，置刺史，州治上党。(355)崔琨：后赵的并州刺史。(356)上党：晋郡名，郡治潞县，在今山西黎城南古城，当时属于后赵。(357)王眘：后赵上党内史。胡三省注曰："王眘，章武人，初起兵，扰勒渤海、河间诸郡，后归于勒，使守上党。"(358)荆州士女相庆：因陶侃前曾任荆州刺史，有惠政于民，故人喜其来。㉟⑨恭勤：恭敬勤勉。㊱⓪敛膝危坐：严肃恭敬地端坐。敛膝，盘腿。危坐，挺直身子。㊱①检摄无遗：认真检查得滴水不漏。检摄，检查管理。㊱②未尝少闲：丝毫不敢有所怠慢。少闲，一点休息、空闲。㊱③大禹：夏朝的开国帝王，以治平洪水有功，受舜禅让为帝。事迹详见《史记·夏本纪》。㊱④乃惜寸阴：相传大禹特别珍惜时间，《淮南子》有所谓“禹不贵尺璧而贵寸阴”。阴，指日影、光阴。寸阴，极言短暂的一点时间。俗语有所谓“一寸光阴一寸金”，即由此而来。㊱⑤至于众人二句：众人，一般人、平常人。分阴，比“寸阴”更少的时间。一分是一寸的十分之一。㊱⑥但逸游荒醉：只顾吃喝玩乐。逸游，指玩赏打猎。荒醉，指迷乱于酒色。㊱⑦自弃：自杀，自己把自己弃市。㊱⑧以谈戏废事：因清谈、游戏而耽误工作。清谈即侈谈老庄、佛教、楚辞等，是晋代官僚、士人的一种时尚。㊱⑨蒱博之具：赌博的用具。蒱博，古代博戏的一种，也叫“樗蒲”“樗蒱”，相当于后世的掷骰子。胡三省注曰：“晋人多好樗蒱，以五木掷之，其采有黑犊，有雉，有卢；得卢者胜。”㊲⓪鞭扑：以鞭子、棍棒抽打。㊲①老、庄：指老子和庄子的思想学说。㊲②法言：指儒家所讲的合乎礼法的言论。㊲③不益实用：对实际工作没有用处。㊲④正其威仪：端正自己的行为举止。威仪，神态仪表。㊲⑤蓬头跣足：头发散乱、鞋帽不整。〖按〗蓬头、光脚，甚至裸衣露体，是当时认为的一种放达，如刘伶、阮咸、胡毋辅之等就是这类人的代表，见《世说新语·任诞》。㊲⑥宏达：放达；不拘小节。㊲⑦奉馈：赠送礼物。馈，进献、赠送。㊲⑧所由：是从哪里来的。㊲⑨力作所致：凭劳动所得。㊳⓪慰赐参倍：给他三倍的奖励。㊳①非理得之：非正当途径所得。㊳②切厉诃辱：严厉地训斥、责骂。㊳③还其所馈：把他送来的东西退回去。㊳④聊取之耳：随便地揪了一把。聊，姑且、随便。㊳⑤不佃：不种田。㊳⑥戏贼人稻：拿损害人家的稻子当儿戏。贼，害、损坏。㊳⑦木屑竹头：剩余的边角废料，如锯末、刨花之类。㊳⑧籍而掌之：登记后保存起来。籍，登记。掌，收藏。㊳⑨咸：都。㊴⓪不解所以：不明白为何这么做。㊴①正会：正月初一长官会见群僚的聚会。㊴②听事：厅堂，官府的升堂理事之处。㊴③布地：铺在湿地上。布，铺。㊴④桓温伐蜀：事在后文的晋穆帝永和二年。桓温，桓彝之子，晋明帝的女婿。传见《晋书》卷九十八。㊴⑤作丁装船：用作造船用的钉子。丁，同“钉”。㊴⑥综理微密：工作做得细致精密。㊴⑦河南：郡名，郡治即今洛阳。㊴⑧司州：司州的州治洛阳，在今河南洛阳城东三十里。河南郡上属司州管辖。㊴⑨颍川：郡名，郡治许昌，在今河南许昌东。颍川郡当时也属司州管辖。㊵⓪附于赵：归附于刘曜。㊵①趣孟津：趣，奔赴。孟津，也写作“盟津”，在今河南孟州南。㊵②荆、司：晋之二州名，当时荆州仍属晋，司州之地多入后赵。荆、司之众指从司州和荆州流落到关中的军民。胡三省注：“或曰：刘聪以洛阳为荆州。此所谓荆、司，皆晋司州之众也。”㊵③崤、渑：崤山、渑池。崤山在今河南洛宁西北，西接三门峡市陕州区界，东接渑池县界。为关中通往中原的必经之地。渑池县的县治即今河南洛宁西之西蠡城。㊵④孟津、石梁二戍：戍，军事防守据点。孟津的据点在今河南洛阳市孟津区旧孟津城东黄河南岸。

石梁的据点在今河南洛阳东北魏晋洛阳故城东的洛水北岸。㊵金墉：小城名，在今河南洛阳东北魏晋洛阳故城的西北角。㊶入自成皋关：从成皋关杀过来。成皋关又名“虎牢关”，在今河南荥阳西北的大邳山上。㊷洛西：洛水之西。㊸中流矢：被无端飞来的乱箭射中。㊹作堑栅环之：挖壕沟、修篱笆墙把他围困起来。㊺遏绝内外：断绝了他与外面的联系。遏，断绝。㊻逆战：迎战。㊼八特阪：地名，在今河南新安东。㊽金谷：山谷名，在今河南洛阳西北。金谷水源出太白原，自新安东南流经金谷涧注瀍河。㊾坑：活埋。㊿素服：穿白色的丧服，表示对阵亡者的哀悼。郊次：驻扎在郊外，表示无颜回京。次，住宿。愤恚：愤怒、怨恨。妻子：妻与子。鲁阳：晋县名，县治即今河南鲁山。以淮为境：指晋王与后赵石勒政权以淮河为分界线。渭城：城名，即秦孝公所都之咸阳。汉高祖于此置新城县，武帝改称渭城，东汉并入长安县。故城在今陕西咸阳东北二十二里。豪桀：有本事、有威望的人物。辛未：七月初七。广陵：晋广陵郡的郡治所在地，在今江苏扬州西北的蜀冈上。闰月：这里应为闰八月。地球绕太阳公转一周的时间是三百六十五天五时四十八分四十六秒。农历把一年定为三百五十四天或三百五十五天，所余的时间约每三年积累一个月，加在一年里。农历三年一闰，五年两闰，十九年七闰，每逢闰年所加的这一个月叫闰月。闰月加在某月之后就称闰某月。光禄大夫：秦郎中令的属官有中大夫，汉武帝改为光禄大夫，掌顾问应对，属光禄勋。魏晋以后无定员，皆为加官及褒赠之官。元敬皇后：晋元帝为琅邪王时的虞妃，早死。元帝登基后，追谥为敬皇后。元帝死后，从元帝谥为元敬。南顿王宗：司马宗，汝南王司马亮之子。典禁兵：统领皇帝的亲兵，负责宫廷的警卫。直殿内：在宫殿内值勤。直，通“值”，值勤。忌：嫉恨。颇以为言：经常拿这件事对皇帝说。管钥：钥匙。委：交给；托付。寝疾：病卧在床。有所表：有事要奏明皇上。从宗求钥：向司马宗要钥匙。有异谋：有叛逆的图谋。排闼：硬是推门而入。闼，这里即指宫门。入升御床：一直走到皇帝的卧榻旁边。黜：废免。不纳：不接受。壬午：闰八月十九。太宰羕：西阳王司马羕，此时官拜太宰。领军将军陆晔：按晋制，领军将军位在护军将军之上，庾亮为明帝皇后兄，以外戚的身份受遗诏辅政，故先书庾亮，后书陆晔。更：轮流。直宿：在宫中夜间值勤。丁亥：闰八月二十四。戊子：闰八月二十五。帝崩：司马绍死时年二十七岁。有机断：机警有决断。以弱制强：是指平定王敦谋叛之事。由于王氏家族势力强大，把持朝政大权，将相岳牧皆出其门，王敦又蓄谋已久，故司马氏皇室明显处于弱势，但最后仍然取得平定叛乱的胜利。诛翦逆臣：消灭了王敦、王含、沈充、钱凤等。己丑：闰八月二十六。进玺：进献皇帝玉玺。大行在殡：已故的皇帝尚未下葬。殡，停灵待葬。嗣皇未立：该接班的小皇帝尚未登基。宁是人臣辞疾之时也：这难道是当臣子的请病假的时候吗。宁，岂、难道。459舆疾：抱病登车。460增文武位二等：文武官员各提高爵位二级。461庾后：明帝的皇后，庾亮之妹。462幼冲：幼小。463依汉和熹皇后故事：指母后临朝称制，代小皇帝行使政权。汉和熹皇后，是汉和帝刘肇的皇后，刘秀功臣邓禹的孙女。和帝死后，其子殇帝刘隆生仅百日，邓后便以皇太后的身份临朝称制。刘隆立九个月死，邓太后又立安帝刘祜，称制终身。死后谥和熹。事详《后汉书·皇后纪》与本书《汉纪》四十。464数四：再三；多次。465九月癸卯：疑与后面的"辛丑"错置。辛丑，九月初九。466临朝称制：登殿行使皇帝权力。自秦始皇以来皇帝的命令称作"制"。467大要：主要；关键性的问题。468尚书：指尚书省，其主官即尚书令卞壸。469乐广之子谟：乐谟。乐广是西晋时期善清谈而又有操守的名士，八王之乱中以忧死。传见《晋书》卷四十三。470郡中正：乐广是南阳郡人，此郡当指南阳郡。三国魏晋南北朝时，各州、郡均置中正官，负责考察本州、本郡人才的品德，排出等级，供朝廷任用。471廷尉评：廷尉的属官，掌管平决诏狱，也可简称"廷平""廷评"。472称父命不就：以不合父亲的遗愿为借口，不肯就职。称，声言。473居职：任职。474必有悔：有忧虑；担心招来灾难。475各私其子：都把儿子作为私家财产而不承担臣民的义务。476王者无民：作为天子而没有供自己差遣的人。477受宠圣世：指在西晋为官。478身非己有：意即把自己献身给了国家。乐广在八王之乱中，坚持正义，做了一些很有危险的事，最后竟以忧死。479后嗣：指乐谟、虞怡。480而可专哉：能说不干就不干吗。专，自以为是、想怎么干就怎么干。481顺夫群心：顺应那种只为自己子孙考虑的私心。482则战戍者之父母二句：那些当兵打仗的差事，没有哪个父母愿意让他们的孩子去干。胡三省注曰："言人莫不恶死，若各顺其心，则有战戍之事，为父母者皆不欲使其子就死地也。"不处，不居、不去。483辛丑：疑当为"癸卯"。癸卯即九月十一。484十一月癸巳朔：十一月初一是癸巳日。485去令支：放弃都城令支。去，离开。令支，现在的河北迁安一带。段牙将都城迁往何处，史书没有说明。486渔阳：晋郡名，郡治在今北京市密云区西南。487辽水：即今辽河，自内蒙古流入吉林，南折入辽宁，至营口入渤海。488控弦：拉弓，引申以称骑兵。489梁水太守爨量：梁水郡的太守，姓爨名量。490重募：用重金招募。491徼外夷：边境线外的少数民族。徼，边境上所立的栅栏、界墙之类。492谕降李逖：劝说李逖又投降回来。

【校记】

［2］氶：原误作"承"。上文作"氶"，今据校正。［3］崧：原误作"松"。据章钰校，甲十一行本、乙十一行本、孔天胤本皆作"崧"，与《晋书》卷七十五《荀崧传》合，今据校正。

【原文】

显宗成皇帝[493]上之上

咸和元年（丙戌，公元三二六年）

春，二月，大赦，改元。

赵以汝南王咸为太尉、录尚书事，光禄大夫刘绥为大司徒，卜泰为大司空。刘后疾病，赵主曜问所欲言。刘氏泣曰："妾幼鞠于叔父昶[494]，愿陛下贵之。叔父皑之女芳有德色，愿以备后宫[495]。"言终而卒。曜以昶为侍中、大司徒、录尚书事，立芳为皇后，寻又以昶为太保。

三月，后赵主勒夜微行[496]，检察诸营卫[497]，赍金帛[498]以赂门者，求出[499]。永昌门候[500]王假欲收捕之。从者至，乃止。旦，召假，以为振忠都尉[501]，爵关内侯[502]。勒召记室参军[503]徐光，光醉，不至，黜为牙门[504]。光侍直[505]，有愠色[506]。勒怒，并其妻子囚之。

夏，四月，后赵将石生寇汝南[507]，执内史祖济。

六月癸亥[508]，泉陵公刘遐卒。癸酉[509]，以车骑大将军郗鉴领徐州刺史，征虏将军郭默为北中郎将、监淮北诸军事，领遐部曲。遐子肇尚幼，遐妹夫田防及故将史迭等不乐他属，共以肇袭遐故位而叛。临淮太守刘矫掩袭遐营[510]，斩防等。遐妻，邵续女也，骁果[511]有父风。遐尝为后赵所围，妻单将数骑，拔遐[512]出于万众之中。及田防等欲作乱，遐妻止之，不从，乃密起火，烧甲仗都尽，故防等卒败。诏以肇袭遐爵。

司徒导称疾不朝，而私送郗鉴。卞壸奏导亏法从私，无大臣之节，请免官。虽事寝[513]不行，举朝惮之。壸俭素廉洁，裁断切直[514]，当官干实[515]，性不弘裕[516]，不肯苟同时好[517]，故为诸名士所少[518]。阮孚谓之曰："卿常无闲泰[519]，如含瓦石，不亦劳乎？"壸曰："诸君子以道德恢弘[520]，

【语译】

显宗成皇帝上之上

咸和元年（丙戌，公元三二六年）

春季，二月，东晋实行大赦，改年号为咸和元年。

前赵任命汝南王刘咸为太尉、录尚书事，任命光禄大夫刘绥为大司徒，任命卜泰为大司空。前赵主刘曜的皇后刘氏病危，赵主刘曜询问她有什么话要说。刘皇后哭泣着说："我从小就受到叔父刘昶的养育之恩，希望陛下能赐给他富贵。叔父刘皑的女儿刘芳不仅有美丽的容貌，而且有才有德，希望把她接入后宫以补充后妃位子的空缺。"说完就溘然而逝。前赵主刘曜遵照刘皇后的遗言，任命刘昶为侍中、大司徒、录尚书事，册封刘芳为皇后，不久又任命刘昶为太保。

三月，后赵主石勒在夜间便装出行，检查各营门的守卫情况，他还拿出金帛贿赂守门的人，请求放自己出行。在永昌门担任守卫官的王假不仅拒绝接受他的贿赂，还想把他抓起来。恰好此时石勒的随从赶到，才没有动手。天亮之后，石勒召见王假，任命王假为振忠都尉，并封他为关内侯爵位。石勒又召见担任记室参军的徐光，徐光喝醉了酒，没有来，石勒就把他降职为守卫牙门的小官。徐光在值班的时候，脸上露出愤愤不平的神色。石勒非常生气，就把徐光连同他的妻小全都囚禁起来。

夏季，四月，后赵将领石生率军进犯东晋的汝南郡，俘虏了汝南内史祖济。

六月初五日癸亥，泉陵公刘遐去世。十五日癸酉，朝廷任命车骑大将军郗鉴兼任徐州刺史，征虏将军郭默为北中郎将、监淮北诸军事，接管刘遐的部众。刘遐的儿子刘肇年纪还很小，刘遐的妹夫田防以及刘遐的旧将史迭等人不乐意归属他人，于是他们共同推举刘肇接替刘遐的职位而起兵叛乱。担任临淮太守的刘矫突然袭击了刘遐的大营，将田防等斩首。刘遐的妻子，是邵续的女儿，英勇果敢，有其老父的遗风。刘遐曾经被后赵的军队包围，刘遐的妻子便单枪匹马率领着几名骑兵，从万众之中救出刘遐。等到刘遐的妹夫田防等人准备作乱时，刘遐的妻子阻止，他们不听，刘遐的妻子就偷偷地放了一把火，把武器铠甲焚烧殆尽，所以田防等人终于失败。朝廷下诏让刘遐的儿子刘肇继承刘遐的爵位。

东晋司徒王导称说有病没有参加早朝，却私下里为郗鉴送行。卞壶上奏司徒王导破坏法令而培植私人恩德，没有大臣的节操，请免除他的官职。卞壶奏请的事情虽然被朝廷搁置起来，没有获得批准，但满朝文武大臣都因此对卞壶心存敬畏。卞壶一向生活俭朴，廉洁奉公，处理事务直截了当，当什么官就认真地干好什么事，然而性情不够宽宏、和顺，不肯苟且地随波逐流，所以经常遭到当时诸名士的诟病和诽谤。阮孚曾经对他说："你整天忙忙碌碌没有一点闲暇安泰的时候，嘴里就像含着瓦片石头，你不觉得太辛苦了吗？"卞壶回答说："你们这些君子全都以道德宽宏大

风流相尚[521]，执鄙吝[522]者，非壶而谁！”时贵游子弟[523]多慕王澄、谢鲲[524]为放达，壶厉色于朝曰：“悖礼[525]伤教[526]，罪莫大焉。中朝倾覆[527]，实由于此。”欲奏推之[528]。王导、庾亮不听，乃止。

成人[529]讨越嶲斯叟[530]，破之。

秋，七月癸丑[531]，观阳烈侯应詹[532]卒。

初，王导辅政，以宽和得众。及庾亮用事，任法裁物[533]，颇失人心。豫州刺史祖约自以名辈[534]不后郗、卞[535]，而不豫顾命[536]，又望开府[537]复不得，及诸表请[538]多不见许[539]，遂怀怨望[540]。及遗诏褒进[541]大臣，又不及约与陶侃二人，皆疑庾亮删之[542]。历阳内史苏峻有功于国[543]，威望渐著[544]，有锐卒万人，器械甚精，朝廷以江外寄之[545]。而峻颇怀骄溢[546]，有轻朝廷之志，招纳亡命[547]，众力日多，皆仰食县官[548]，运漕相属[549]，稍不如意，辄肆忿言。亮既疑峻、约[550]，又畏侃之得众[551]，八月，以丹杨尹温峤为都督江州诸军事、江州刺史，镇武昌，尚书仆射王舒为会稽内史，以广声援[552]。又修石头[553]以备之。

丹杨尹阮孚以太后临朝，政出舅族[554]，谓所亲曰：“今江东创业尚浅[555]，主幼时艰，庾亮年少[556]，德信未孚[557]。以吾观之，乱将作矣。”遂求出为广州刺史。孚，咸[558]之子也。

冬，十月，立帝母弟岳为吴王。

南顿王宗自以失职怨望[559]，又素与苏峻善，庾亮欲诛之，宗亦欲废执政[560]。御史中丞锺雅劾宗谋反[561]，亮使右卫将军赵胤收之。宗以兵拒战，为胤所杀，贬其族为马氏[562]，三子绰、超、演，皆废为庶人[563]。免

量、举止潇洒风流互相推崇、攀比，那些被你们认为是俗事鄙事的，除去我卞壸还会有谁去做呢!”当时那些还没有走上仕途的贵族子弟大多羡慕王澄、谢鲲，认为他们才算得上摆脱世俗、豁达大度，卞壸在朝堂上严厉地批评说:“违背儒家所提倡的纲常礼法，损害儒家的名教，没有比这罪恶再大的了。西晋政权所以灭亡，就是因为这个原因造成的。”卞壸准备就这个问题奏明皇帝，追究其罪责。司徒王导、中书令庾亮都不同意，卞壸只好作罢。

成国人讨伐越嶲斯叟，大破斯叟军。

秋季，七月二十五日癸丑，东晋观阳烈侯应詹去世。

当初，司徒王导辅佐朝政的时候，以为政宽大和顺而得到众人的拥护。等到护军将军、中书令庾亮执政的时候，一律严格按照法律条文裁决事务，很失人心。担任豫州刺史的祖约，自以为名望和资历都不在郗鉴、卞壸之下，却没有被先皇临终任命为托孤辅政的大臣，又希望得到开府仪同三司的待遇而得不到，加上多次上表奏请的事情有很多不被批准，遂心怀怨恨。等到晋明帝在遗诏中嘉奖和提拔大臣的时候，又没有提及祖约与陶侃，所以祖约与陶侃都怀疑是庾亮从皇帝的遗诏中把两人的名字删去了。担任历阳内史的苏峻因为在平定钱凤、沈充的叛乱中有功，威望越来越显著，他拥有一万名精兵，武器装备也很精良，朝廷把长江下游以北地区的事务托付给苏峻掌管。而苏峻逐渐骄傲自满起来，根本不把朝廷放在眼里，他招纳那些因犯罪而逃亡在外的人，人数和力量一天比一天增多增强，所有的开支又都仰仗朝廷，为他运送粮食的船只接连不断，而稍微有些不顺他的心意，怨愤的话就随口而出。中书令庾亮既疑心历阳内史苏峻、豫州刺史祖约不忠于朝廷，又惧怕荆州刺史陶侃得到百姓的拥护，于是，八月，任命丹杨尹温峤为都督江州诸军事、江州刺史，坐镇武昌，尚书仆射王舒为会稽内史，以此扩大声援。又对石头城进行加宽加厚，以增强对苏峻等的防范作用。

丹杨尹阮孚因为庾太后临朝称制，政权都掌握在皇帝司马衍的舅舅庾亮的手中，遂对自己最亲近的人说:“现在晋国在江东建立政权的时间还不长，主上又很年幼，时局艰难，而庾亮年纪尚轻，他的道德、威望还没有建立起来，因此不能被臣民所信服。凭借我的观察，内乱又要爆发了。”遂请求出任广州刺史。阮孚，是阮咸的儿子。

冬季，十月，东晋封晋成帝司马衍的同母弟司马岳为吴王。

东晋南顿王司马宗因为失去了左卫将军的职位而心怀怨望，又一向与历阳内史苏峻关系友善，中书令庾亮就想将南顿王司马宗除掉，司马宗也想废掉执掌权柄的中书令庾亮。担任御史中丞的锺雅遂弹劾南顿王司马宗谋反，庾亮借机派右卫将军赵胤逮捕司马宗。司马宗率军抵抗，被赵胤杀死。庾亮将司马宗这一支派从皇族的谱系中除去，剥夺了他们姓司马的资格，而强迫其改姓马，司马宗的三个儿子司马

太宰西阳王羕[564]，降封弋阳县王[565]，大宗正虞胤左迁[566]桂阳太守。宗，宗室近属[567]，羕，先帝保傅[568]，亮一旦翦黜[569]，由是愈失远近之心[570]。宗党卞阐亡奔苏峻，亮符峻送阐[571]，峻保匿[572]不与。宗之死也，帝不之知。久之，帝问亮曰："常日白头公[573]何在？"亮对以谋反伏诛。帝泣曰："舅言人作贼便杀之，人言舅作贼当如何？"亮惧，变色。

赵将黄秀等寇酂[574]，顺阳太守魏该帅众奔襄阳。

后赵王勒用程遐之谋营邺宫[575]，使世子弘镇邺，配禁兵万人，车骑[576]所统五十四营悉配之，以骁骑将军领门臣祭酒王阳[577]专统六夷[578]以辅之。中山公虎自以功多，无去邺之意[579]。及修三台[580]，迁其家室，虎由是怨程遐[581]。

十一月，后赵石聪攻寿春[582]。祖约屡表[583]请救，朝廷不为出兵。聪遂进[4]寇浚遒[584]、阜陵[585]，杀掠五千余人。建康大震，诏加司徒导大司马、假黄钺、都督中外诸军事以御之，军于江宁[586]。苏峻遣其将韩晃击石聪，走之[587]；导解大司马[588]。朝议又欲作涂塘[589]以遏胡寇，祖约曰："是弃我也[590]！"益怀愤恚[591]。

十二月，济岷[592]太守刘闿等杀下邳内史夏侯嘉，以下邳叛降于后赵。石瞻[593]攻河南太守王瞻[5]于邾[594]，拔之。彭城内史刘续复据兰陵[595]石城[596]，石瞻攻拔之。

后赵王勒以牙门将[597]王波为记室参军，典定九流[598]，始立秀、孝试经[599]之制。

张骏畏赵人之逼，是岁，徙陇西、南安民二千余家于姑臧；又遣使修好于成[600]，以书劝成主雄去尊号[601]，称藩于晋[602]。雄复书曰："吾过

绰、司马超、司马演全都被贬为平民。西阳王司马羕也受到牵连，不仅被免去太宰职务，还被从西阳郡王降级为弋阳县王，将担任大宗正的虞胤贬职为桂阳太守。司马宗是皇帝司马衍的近支，司马羕是先帝司马睿的师傅，庾亮一下子就把司马宗杀掉、把司马羕贬逐，因此越加失掉远近人心。司马宗的党羽卞阐逃奔到了历阳内史苏峻处，庾亮下达公文给苏峻，要苏峻将卞阐送回建康，苏峻将卞阐秘密保护起来就是不送。关于南顿王司马宗之死，晋成帝司马衍一点也不知晓。过了很久，有一次，晋成帝问庾亮说："当日那个白头发的老公公在哪里？"庾亮就把司马宗准备谋反而被杀的情状告诉了晋成帝司马衍。晋成帝哭着说："舅舅说别人做贼，就把人杀死了，要是有人说舅舅做贼，应当怎么处理呢？"庾亮听了晋成帝这番话，心中非常恐惧，吓得脸色都变了。

前赵将领黄秀等率军进犯东晋的酂县，顺阳太守魏该率领部众逃往襄阳。

后赵王石勒采纳右长史程遐的建议在邺城营造宫殿，派世子石弘在邺城镇守，并为世子配备了一万名禁兵，就连车骑将军所统领的五十四营兵力也全部调拨给世子，又任命担任骁骑将军兼任门臣祭酒的王阳专门统领由各少数民族组成的军队辅佐世子石弘。中山公石虎认为自己为国家建立了很多功勋，因此不打算离开邺城。等到石勒派人整修三台的时候，便令石虎将家眷迁出，石虎因此深恨程遐。

十一月，后赵汲郡内史石聪率军攻打东晋的寿春。镇守寿春的豫州刺史祖约屡次上表给朝廷请求派兵增援，朝廷却不肯出兵相救。石聪遂进而东下攻掠逡遒、阜陵，屠杀及劫掠了五千多人。都城建康大为震动，于是下诏加授司徒王导为大司马，并授予他代表皇权的铜钺，令他都督中外诸军事，以抵御后赵石聪的侵略，王导将大营设在江宁。历阳内史苏峻派遣部将韩晃攻打石聪，将石聪赶走；司徒王导遂辞掉了临时大司马职务。朝廷经过议论，准备截断涂河水，使上游泛滥，形成大面积的淹没区，用以阻遏胡人的南下入侵，豫州刺史祖约说："这是抛弃我了！"心中遂更加愤恨。

十二月，东晋济岷太守刘闿等杀死了下邳内史夏侯嘉，在下邳叛变，投降了后赵。后赵将兵都尉石瞻攻打东晋河南太守王瞻所据守的邾城，将邾城攻克。东晋彭城内史刘续又据守兰陵石城，石瞻将兰陵石城攻破。

后赵王石勒任命担任牙门将的王波为记室参军，负责制定划分全国士人为九等的等级标准，开始执行让各州郡选送到朝廷来的秀才、孝廉考试儒家经典的取士制度。

凉州牧、西平公张骏畏惧前赵的逼迫，这一年，便将陇西、南安的两千多户居民迁徙到都城姑臧；又派使者前往成都与李雄建立的成国政权建立友好同盟，他写信劝说成主李雄取消自己称帝称王的名号，向东晋皇帝称臣，做东晋的藩属国。成主李雄在写给张骏的回信中说："我错误地接受了士大夫的推戴而称帝，但我本身并

为士大夫所推[603]，然本无心于帝王，思[604]为晋室元功[605]之臣，扫除氛埃[606]。而晋室陵迟[607]，德声不振，引领[608]东望，有年月矣。会获来贶[609]，情在暗至[610]，有何已已[611]。”自是聘使相继[612]。

【段旨】

以上为第三段，写晋成帝咸和元年（公元三二六年）一年间的大事。主要写了东晋王朝的庾亮以太后之兄专权，南顿王司马宗因怨恨失职，与苏峻勾结欲废庾亮，遂被庾亮诬以谋反，派兵逮捕，司马宗举兵抵抗而被杀，其兄司马羕也因牵连被降为弋阳县王；写了陶侃因在荆州得人心、受拥护而被庾亮畏忌；写了豫州刺史祖约自以功大位高因不得朝廷重用而怨恨庾亮，又因朝廷欲修作涂塘而对晋王朝更加失望；写了历阳内史苏峻因平定钱凤、沈充的叛变有功，而骄傲自满，轻视朝廷，庾亮为防备祖约、苏峻谋反，而调兵遣将并增修石头城；写了卞壸的为官清正，敢于直言，对司徒王导称病不朝却去私下送友，以及对浮华“名士”阮孚的言行进行痛斥；写了后赵石勒为其太子石弘在邺城建造宫殿，而对驻兵邺城多年的大将石虎削减兵权、迫令搬迁，引起石虎强烈不满，为石虎日后的政变夺权埋下伏笔；写了后赵也实行九品中正制，用儒家经典考试秀才、孝廉，以及凉州张骏结好成主李雄，以忠于东晋相互勉励等。

【注释】

㊾③显宗成皇帝：名衍，字世根，晋明帝司马绍的长子，公元三二五至三四二年在位。事详《晋书》卷七《成帝纪》。《谥法》曰：“安民立政曰成。”[494]鞠于叔父昶：受到叔父刘昶的养育。鞠，抚养。[495]以备后宫：以补充后妃位子的空缺。备，补充。[496]微行：便装出行。[497]诸营卫：各处的军事与保卫部门。营卫，营房、卫所。[498]赍金帛：把钱财送给人，意即打点、行贿。金帛，金钱与丝织物，这里即指钱财。[499]求出：请求通过。[500]永昌门候：守卫永昌门的军官。候，军候，校尉属下的军官。[501]振忠都尉：级别同于校尉，振忠是该职务的名号。[502]爵关内侯：关内侯比列侯低一等，只有侯爵而没有封地。[503]记室参军：将军手下的书记兼参谋。[504]黜为牙门：降职为守卫牙门的小吏。牙门，军帐前立大旗为标志的营门。牙，一种旗帜的名称。[505]侍直：站在门口值班。[506]愠色：怒容。[507]汝南：晋郡名，郡治原在今河南平舆北，东晋移治悬瓠城，即今河南汝南。[508]癸亥：六月初五。[509]癸酉：六月十五。[510]刘矫掩袭遐营：刘遐原来屯驻泗口，在临淮、下邳之间，故临淮太守刘矫得以掩袭其营。掩袭，突然袭击。[511]骁果：骁勇果敢。[512]拔遐：救出刘遐。[513]事寝：事情被朝廷压下不提。[514]裁断切直：处理事务

没有要称帝的心思，我只想成为为东晋立有大功的功臣，为皇室扫除割据北方的少数民族政权，平定叛乱。然而晋室势力衰微，恩德声望也振作不起来，我伸长脖子向东方远望，已经有一段日子了。正好此时接到你的来信，我为晋室立功的愿望正与你的来信暗合，我对你的感激之情将永无止息。”从此，双方派遣的友好使节往来不断。

直截了当。515 当官干实：做什么官就认真地干什么事，也就是名副其实。516 不弘裕：不宽宏、不随和，即今所谓不好说话。517 不肯苟同时好：不随波逐流；不同流合污。518 所少：所诟病；所诽谤。胡三省注曰：“重之曰多，轻之曰少。”519 闲泰：闲暇安适。520 道德恢弘：这里实指当时“名士”们的夸夸其谈，大而无当。521 风流相尚：以为官不干事而相互攀比。522 执鄙吝：坚持干那些被你们视为“庸俗”的工作。鄙吝，庸俗。523 贵游子弟：没有官职的贵族子弟。524 王澄、谢鲲：当时两个所谓“名士”的代表。王澄是王衍之弟，以吃喝玩乐，居高官而不管事闻名，最后被王敦所杀。事见《晋书》卷四十三。谢鲲本为王敦的僚属，能给王敦提些意见，有所规谏，但不被采纳，平时以纵酒高谈为务，优哉游哉。传见《晋书》卷四十九。525 悖礼：违反儒家所倡导的纲常礼法。526 伤教：有损于儒家的名教。527 中朝倾覆：西晋王朝之所以灭亡。528 欲奏推之：准备奏明皇帝，追问其罪责。推，追究。529 成人：成都的李雄政权。530 讨越嶲斯叟：讨斯叟事始于上卷明帝太宁元年：“是岁，越嶲斯叟攻成将任回，成主雄遣征南将军费黑讨之。”531 七月癸丑：七月二十五。532 观阳烈侯应詹：应詹是晋王朝的忠臣，在平定王敦的叛乱中有功，观阳侯是其封爵，烈是谥号。传见《晋书》卷七十。533 任法裁物：以法治人。裁，处理。物，人。534 名辈：名望和资历。辈，辈分。这里指年龄、资历。胡三省注曰：“名为一时所称，辈以年齿为等。”535 不后郗、卞：不在郗鉴、卞壸之下。536 不豫顾命：没被先帝临终任命为托孤大臣。豫，参与、加入。顾命，临终任命。537 开府：即开府仪同三司，当时朝廷赐予大臣的一种特殊宠遇。按晋制，四征（征南、征北、征西、征东将军）、四镇（镇南、镇北、镇东、镇西将军）大将军方可开府，祖约当时为平西将军，所以不能开府。开府，指建立办事机构，自己聘任僚属。538 诸表请：指向皇帝上表提出各种请求。539 多不见许：很多不被照准。540 怨望：怨恨。541 褒进：嘉奖提拔，此指明帝死前降遗诏加封卞壸、庾亮、陆晔一事。542 疑庾亮删之：怀疑是庾亮从皇帝的遗诏上把祖约、陶侃的名字删掉了。543 有功于国：指平息沈充、钱凤之乱。544 渐著：渐渐显露出头角。545 以江外寄之：把长江以北的事务托付给苏峻管。当时苏峻驻兵历阳，即今安徽和县，地处长江的西北方。546 骄溢：骄傲自满。547 亡命：亡命之徒；因犯罪而逃亡在外的人。548 仰食县官：一切都由朝廷供养。县官，指天子，也用以称朝廷、国家。549 运漕相属：运送粮食的船只接连不断。漕，以船运送物资。属，连接不断。550 疑峻、约：怀

疑苏峻、祖约很快造反。551得众：得人心；受百姓拥护。552广声援：广树地方势力以为自己的援兵。553修石头：加宽加厚地修筑石头城，以加强首都的防卫能力。554政出舅族：政权掌握在皇帝司马衍的舅父庾亮的手中。舅族，庾氏家族。555今江东创业尚浅：指东晋在江东建立朝廷的时间不长。从晋元帝建武元年到晋成帝咸和元年还不满十年。556庾亮年少：当时庾亮三十八岁。557德信未孚：道德与威信都还不被臣民所信服。558咸：阮咸，魏末的“竹林七贤”之一，也是晋朝的名士。传附《晋书》卷四十九《阮籍传》。559失职怨望：因未得到想要的职务而心怀不满。晋明帝在世的时候，宠信右卫将军虞胤和左卫将军司马宗，让他们典禁兵、直殿内，就连宫门管钥都委托他们掌管。晋明帝去世以后，庾亮掌权，改命司马宗为骠骑将军，所以司马宗认为自己失职而心怀怨望。560废执政：即废庾亮。561劾宗谋反：弹劾司马宗阴谋反叛朝廷。劾，指控。562贬其族为马氏：剥夺其家族姓“司马”的资格，改姓为马。族，指司马宗这一支派。563皆废为庶人：都降为平民百姓。564西阳王羕：司马宗之兄司马羕。565降封弋阳县王：由原来的西阳郡王降为弋阳县王。弋阳县在今河南潢川西。566左迁：降职。古制，左迁为降，右迁为升。567宗二句：司马宗是皇帝司马衍的近亲，都是司马懿的后代。568羕二句：司马羕在元帝时曾任太保。569一旦翦黜：一下子就杀的杀、废的废。570失远近之心：庾亮的行为对宗室和官员均有触动，故失远近人心。571符峻送阐：命令苏峻把卞阐送回朝廷。符，朝廷用来传达命令和调动军队的凭证，这里用如动词，即下命令。572保匿：隐藏。573白头公：白头发的老头。574酂：晋县名，县治在今湖北老河口市西北，晋时为顺阳郡郡治。575营邺宫：在邺县建筑宫殿。邺县在今河北临漳西南的邺城镇。576车骑：指石虎，当时任车骑将军，驻兵邺城。577骁骑将军领门臣祭酒王阳：王阳任骁骑将军，同时兼任门臣祭酒。578六夷：指除汉人以外的其他北方少数民族，这里指六夷之兵。579无去邺之意：不打算离开邺城。石虎自为魏郡太守以来，一直镇邺三台。现在后赵以邺为都，造邺宫，石虎作为诸侯，必须离开。580及修三台：曹操曾在邺城西北立铜雀、金虎、冰井三台，其址在今河北临漳西南三台村。此处原亦为石虎所居，现石勒派人整修三台，故而令石虎的家属搬迁。581怨程遐：怨程遐帮石勒出此计以削减石虎之权。582寿春：晋

【原文】

二年（丁亥，公元三二七年）

春，正月，朱提[613]太守杨术与成将罗恒战于台登[614]，兵败，术死。

夏，五月甲申朔[615]，日有食之。

赵武卫将军刘朗帅骑三万袭杨难敌于仇池[616]，弗克，掠三千余户而归。

县名，当时为淮南郡的郡治所在地，即今安徽寿县。当时祖约镇寿春。583 屡表：屡次上表。584 逡道：晋县名，县治在今安徽肥东县东。585 阜陵：晋县名，县治在今安徽全椒东十五里。二县均属淮南郡。其地距建康近在咫尺。586 江宁：晋县名，县治即今江苏南京市江宁区西南六十里之江宁街道。587 走之：将石聪赶跑。588 导解大司马：王导辞掉了临时授予的大司马职务。589 作涂塘：即截断涂河水，使上游泛滥，形成大面积的淹没区，用以阻止后赵军队南下入侵。涂河即滁河，涂塘在江苏六合。三国吴赤乌十三年（公元二五〇年），曾作堂邑（城在今南京市六合区北）涂塘以淹北道，阻止魏兵入侵。590 是弃我也：作涂塘，则寿春被隔于涂塘之外，故镇守寿春的祖约说是"弃我也"。591 愤恚：愤怒、怨恨。592 济岷：胡三省注曰，"《晋志》曰：或云，魏平蜀，徙其豪将家于济河北，为济岷郡。《太康地志》无此郡，未详"。593 石瞻：后赵将领。594 郕：古城名，在今山东邹城东南二十六里。595 兰陵：晋县名，县治即今山东兰陵县西南的兰陵镇。596 石城：山名，在兰陵县境。597 牙门将：为主帅守卫军门，负责警卫的将军。598 典定九流：划分全国士人的等级。魏晋实行九品中正制，将全国士人分为九个等级，称九品，现在后赵也学这一套。599 秀、孝试经：让各州郡选送到朝廷来的"秀才""孝廉"们考试儒家的经典，以定优劣。600 修好于成：与成都的李雄政权建立友好同盟。601 去尊号：取消自己称帝称王的名号。602 称藩于晋：向晋王朝称臣。藩，属国。603 过为士大夫所推：不合适地接受了群臣的推戴。过，曲、不合适。604 思：想要。605 元功：大功。606 扫除氛埃：意即平定战乱。氛埃，以喻北方众多的少数民族政权。607 陵迟：衰微。608 引领：伸长脖子。609 会获来贶：正好在这时接到了你的来信。获，接到。贶，赐予，指来信。610 情在暗至：我为晋室立功的愿望正同你的来书暗合。611 有何已已：我对你的感谢之情将永无止息。已已，停止、终结。612 聘使相继：友好的使者往来不绝。

【校记】

［4］进：原无此字。据章钰校，甲十一行本、乙十一行本皆有此字，今据补。［5］瞻：严衍《通鉴补》改作"羡"，当是。

【语译】

二年（丁亥，公元三二七年）

春季，正月，东晋朱提郡太守杨术与成国将领罗恒在台登县交战，晋兵失败，杨术战死。

夏季，五月初一日甲申，发生日食。

前赵武卫将军刘朗率领三万名骑兵袭击氐王杨难敌所占据的仇池，虽然没有攻克，但掠走了三千多户居民。

张骏闻赵兵为后赵所败，乃去赵官爵，复称晋大将军、凉州牧，遣武威太守窦涛、金城太守张阆、武兴太守辛岩、扬烈将军宋辑等帅众数万，东[6]会韩璞攻掠赵秦州诸郡。赵南阳王胤将兵击之，屯狄道[617]。枹罕[618]护军辛晏告急，秋，骏使韩璞、辛岩救之。璞进度沃干岭[619]。岩欲速战，璞曰："夏末以来，日星数有变，不可轻动。且曜与石勒相攻，胤必不能久与我相守[620]也。"与胤夹洮[621]相持七十余日。冬，十月，璞遣辛岩督运[622]于金城[623]，胤闻之，曰："韩璞之众，十倍于吾，吾粮不多，难以持久。今虏分兵运粮，天授我也。若败辛岩，璞等自溃。"乃帅骑三千袭岩于沃干岭，败之，遂前逼璞营，璞众大溃。胤乘胜追奔，济河[624]，攻拔令居[625]，斩首二万级，进据振武[626]，河西大骇。张阆、辛晏帅其众数万降赵，骏遂失河南之地[627]。

庾亮以苏峻在历阳，终为祸乱，欲下诏征之[628]。访于司徒导，导曰："峻猜险[629]，必不奉诏，不若且苞容[630]之。"亮言于朝曰："峻狼子野心[631]，终必为乱。今日征之，纵不顺命，为祸犹浅。若复经年，不可复制，犹七国之于汉[632]也。"朝臣无敢难[633]者，独光禄大夫卞壸争之曰："峻拥强兵，逼近京邑，路不终朝[634]，一旦有变，易为蹉跌[635]，宜深思之。"亮不从。壸知必败，与温峤书曰："元规召峻意定，此国之大事。峻已出狂意[636]而召之，是更速其祸[637]也，必纵毒蠚以向朝廷[638]。朝廷威力虽盛，不知果可擒不？王公亦同此情[639]。吾与之争甚恳切，不能如之何[640]。本出足下[641]以为外援，而今更恨足下在外，不得相与共谏止之，或当相从[642]耳。"峤亦累书[643]止亮，举朝以为不可，亮皆不听。

峻闻之，遣司马何仍诣亮[644]曰："讨贼外任[645]，远近惟命[646]。至于内

凉州牧、西平公张骏听到前赵的军队被后赵打败的消息，就把前赵所加封的官职和爵号全部去掉，还称自己为东晋大将军、凉州牧，他派遣武威太守窦涛、金城太守张阆、武兴太守辛岩、扬烈将军宋辑等率领数万军队，向东去会合韩璞将军攻掠前赵所管辖的秦州诸郡。前赵南阳王刘胤率军反击，将军队屯扎在狄道。凉州枹罕护军辛晏向大将军、凉州牧张骏请求支援，秋季，张骏派遣韩璞、辛岩率军救援枹罕护军辛晏。韩璞率军越过沃干岭。辛岩想与赵军速战速决，韩璞说："自从夏季末期以来，天上的太阳星辰多次发生变化，我们不能轻率地采取行动。再说刘曜的军队与石勒的军队互相攻打，刘胤一定不会在此地与我们打持久战。"韩璞的军队与刘胤的军队隔着洮水相持了七十多天。冬季，十月，韩璞派辛岩前往金城督运粮草，刘胤得知消息说："韩璞的军队数量是我们的十倍，我方的粮食不多，难以坚持长久。如今韩璞分出部队去运粮食，这真是上天赐给我们的大好机会。如果我们打败运送粮食的辛岩，韩璞等就会不战自溃。"刘胤于是亲自率领三千名骑兵在沃干岭袭击辛岩，将辛岩打败，于是乘胜向前逼近韩璞的营寨，韩璞手下的兵众立即溃不成军。刘胤乘胜追击逃亡的军队，渡过黄河，一鼓作气攻下了令居，斩首两万级，紧接着又占领了振武，凉州境内人人震恐。金城太守张阆、枹罕护军辛晏率领属下的数万人投降了前赵，张骏遂丢失了黄河以南的领土。

东晋中书令庾亮认为历阳内史苏峻驻守历阳，终将引发祸乱，就准备以皇帝的名义下诏将苏峻征调到朝廷任职。庾亮就此事征询司徒王导的意见，王导回答说："苏峻性情猜忌，为人阴险，肯定不会奉诏回建康，不如暂且包容他。"庾亮在朝廷中宣称说："苏峻像豺狼之子一样不可驯服，终究会犯上作乱。现在征调他回朝廷，纵使他违抗诏令，所造成的灾难还小。如果再这样容忍下去，过几年之后，朝廷将无法控制他，将会像西汉景帝时期的七国之乱一样。"朝臣之中没有人敢提反对意见，只有担任光禄大夫的卞壸对他劝谏说："苏峻拥有强大的军事实力，历阳的地理位置又逼近京师，从历阳到建康用不了一个早上就可以到达，一旦他叛变，朝廷很可能因为措手不及而失败，对此应该深思熟虑。"庾亮没有听从卞壸的意见。卞壸知道庾亮必然失败，就写信给江州刺史温峤，卞壸在信中说："中书令庾亮征调苏峻回朝廷的决心非常坚定，这是关系国家兴衰的大事。苏峻疯狂谋反的心态已经显露出来，而现在征召他回朝廷，是在加速这场灾难的到来，苏峻必然会将他的毒刺指向朝廷。朝廷的威力虽然比较强盛，但不知最终能否将苏峻擒获？司徒王导也是这种看法。我向庾亮劝谏得非常恳切，却无论如何也无法使他改变主意。当初让阁下出任地方官是为了做外援，现在反而后悔阁下在外，不能与我一同劝阻庾亮，如果阁下在朝廷的话，庾亮或许能听从我们的意见也未可知。"温峤也连续发信劝阻庾亮，满朝的官员都认为不可以这样做，而庾亮全都不听。

历阳内史苏峻听到朝廷要征调他的消息，就派遣手下担任司马的何仍到庾亮那里去转达自己的意见，苏峻说："如果朝廷派我出去讨伐叛逆，不论是远是近，只要

辅[647]，实非所堪[648]。”亮不许。召北中郎将郭默为后将军、领屯骑校尉，司徒右长史庾冰为吴国内史，皆将兵以备峻。冰，亮之弟也。于是下优诏[649]征峻为大司农，加散骑常侍，位特进[650]，以弟逸代领部曲[651]。峻上表曰：“昔明皇帝亲执臣手，使臣北讨胡寇。今中原未靖[652]，臣何敢即安[653]！乞补[654]青州[655]界一荒郡，以展鹰犬之用[656]。”复不许。峻严装[657]将赴召，犹豫未决。参军任让谓峻曰：“将军求处荒郡而不见许，事势如此，恐无生路，不如勒兵自守[658]。”阜陵令匡术亦劝峻反，峻遂不应命。

温峤闻之，即欲帅众下卫建康[659]，三吴[660]亦欲起义兵。亮并不听，而报峤书曰：“吾忧西陲[661]，过于历阳，足下无过雷池一步[662]也。”朝廷遣使谕峻[663]，峻曰：“台下[664]云我欲反，岂得活邪！我宁山头望廷尉，不能廷尉望山头[665]。往者国家危如累卵[666]，非我不济[667]。狡兔既死，猎犬宜烹[668]，但当死报造谋者耳[669]！”

峻知祖约怨朝廷，乃遣参军徐会推崇[670]约，请共讨庾亮。约大喜，其从子智、衍并劝成之[671]。谯国内史桓宣谓智曰：“本以强胡未灭，将勠力[672]讨之。使君[673]若欲为雄霸，何不助国讨峻，则威名自举。今乃与峻俱反，此安得久乎！”智不从。宣诣约请见。约知其欲谏，拒而不内[674]。宣遂绝约，不与之同[675]。十一月，约遣兄子沛内史涣[676]、女婿淮南太守许柳以兵会峻。逖妻[677]，柳之姊也，固谏不从。诏复以卞壸为尚书令、领右卫将军，以郐稽[678][7]内史王舒行扬州刺史事，吴兴太守虞潭督三吴等诸郡军事。

尚书左丞孔坦、司徒司马丹杨陶回[679]言于王导，请“及峻未至，急断阜陵[680]，守江西当利诸口[681]，彼少我众，一战决矣。若峻未来，可

你下令我都服从。至于调往朝廷担任辅佐之臣，实在不是我所能胜任的。”庾亮没有批准苏峻的要求。他任命担任北中郎将的郭默为后将军、兼屯骑校尉，任命担任司徒右长史的庾冰为吴国内史，全都率军防范苏峻。庾冰，是庾亮的弟弟。布置妥当之后，又下达充满好言慰勉的诏书给苏峻，征调苏峻回朝担任大司农，加授散骑常侍，并授予他朝会时位次仅在三公之下的“位特进”，让苏峻的弟弟苏逸接替苏峻统领他的部下。苏峻上疏给朝廷说：“过去，明皇帝曾经亲自拉着我的手，命我向北讨伐胡寇。如今中原的贼寇还没有肃清，我怎么敢到安逸的地方来享福！恳请朝廷把我调到青州地界的一个荒僻郡中，让我能够施展我的才能，像鹰犬那样供朝廷驱使。”庾亮仍然不同意。苏峻遂整备行装准备接受朝廷的诏命，然而又于心不甘，拿不定主意。在他手下担任参军的任让对苏峻说：“将军您向朝廷请求调到一个荒僻偏远的郡都不被批准，事情到了现在这种地步，恐怕已经没有了您的生路，不如集结部队坚守历阳以保护自己。”担任阜陵令的匡术也劝说苏峻谋反，苏峻于是拒绝接受庾亮征调的命令。

江州刺史温峤听到苏峻不肯奉诏的消息，就准备率领部众顺江而下保卫京师建康，吴兴太守虞潭、吴国内史庾冰、会稽内史王舒也都准备起兵勤王。庾亮一律谢绝，他在回复给温峤的信中说：“我担忧西部边界的荆州刺史陶侃，超过了担忧历阳内史苏峻，阁下千万不要越过雷池一步。”朝廷派使者去向苏峻解释，苏峻对使者说：“朝廷硬说我要谋反，我难道还有活路吗！我宁愿在山头观看廷尉审理犯人，也不愿变成被廷尉审理的犯人而后再仰望山头。过去在王敦作乱之时，国家危如累卵，没有我叛乱就不会平息。狡兔已经死光了，抓捕狡兔的猎犬就只有被烹杀的份儿，现在我就是豁出性命以惩治那个阴谋陷害我的人!”

苏峻知道豫州刺史祖约也怨恨朝廷，于是就派遣担任参军的徐会去晋见祖约，对祖约大加吹捧，请求祖约共同起兵讨伐庾亮。祖约非常高兴，祖约的侄子祖智、祖衍也都怂恿他这么做。担任谯国内史的桓宣对祖智说：“本来以为占据中原的强大胡人还没有被消灭，我们将会同心协力讨伐胡人。豫州刺史如果想要称霸天下，何不帮助朝廷讨伐苏峻，那时威望名声自然就建立起来了。现在反而要与苏峻一同谋反，这怎能长久得了呢!”祖智没有听从桓宣的劝告。桓宣就直接去求见豫州刺史祖约。祖约知道桓宣是来劝阻自己，因此拒而不见。桓宣遂与祖约断绝关系，不与祖约采取一致行动。十一月，祖约派遣自己的侄子沛国内史祖涣、女婿淮南太守许柳率领军队与苏峻会合。已故豫州刺史祖逖的妻子，是许柳的姐姐，她极力劝阻许柳，但许柳不听。朝廷又下诏，任命卞壶为尚书令、兼任右卫将军，任命郃稽内史王舒为代理扬州刺史，任命吴兴太守虞潭督三吴等郡诸军事。

担任尚书左丞的孔坦、担任司徒司马的丹杨人陶回都来向司徒王导建议，请“趁苏峻叛军没有到达之前，赶紧扼守住阜陵县，派兵把守住当利等各个渡口，苏峻的军队就过不了长江，他们的人少，我们的人多，一次会战就可以决定胜负。如果

往逼其城[682]。今不先往，峻必先至，峻至则人心危骇[683]，难与战矣。此时不可失也"。导然之。庾亮不从。十二月辛亥[684]，苏峻使其将韩晃、张健等袭陷姑孰[685]，取盐米，亮方悔之。

壬子[686]，彭城王雄[687]、章武王休[688]叛奔峻。雄，释之子也。

庚申[689]，京师戒严，假庾亮节[690]，都督征讨诸军事。以左卫将军赵胤为历阳太守，使左将军司马流将兵据慈湖[691]以拒峻。以前射声校尉刘超为左卫将军，侍中褚翜[692]典征讨军事。亮使弟翼以白衣[693]领数百人备[694]石头。

丙寅[695]，徙琅邪王昱[696]为会稽王，吴王岳[697]为琅邪王。

宣城内史桓彝[698]欲起兵以赴朝廷，其长史裨惠以郡兵寡弱，山民易扰[699]，谓宜且按甲以待之。彝厉色曰："'见无礼于其君者，若鹰鹯之逐鸟雀[700]。'今社稷危逼，义无宴安[701]！"辛未[702]，彝进屯芜湖。韩晃击破之，因进攻宣城，彝退保广德[703]，晃大掠诸县而还。徐州刺史郗鉴欲帅所领赴难[704]，诏以北寇[705]不许。

是岁，后赵中山公虎击代王纥那[706]，战于句注陉北[707]。纥那兵败，徙都大宁[708]以避之。

代王郁律之子翳槐居于其舅贺兰部，纥那遣使求[709]之，贺兰大人蔼头拥护[710]不遣。纥那与宇文部共击蔼头，不克。

【段旨】

以上为第四段，写晋成帝咸和二年（公元三二七年）一年间的大事。写了东晋权臣庾亮担心历阳内史苏峻为乱，坚持将其解除兵权，调入朝廷，苏峻拒不应命，联络豫州刺史祖约一道起兵与朝廷对抗，并攻克姑孰，夺取了晋王朝积存在姑孰的盐、米，彭城王司马雄、章武王司马休叛变投靠苏峻，宣城内史桓彝起兵

苏峻还没有出兵，可以派兵前往攻打历阳城。现在如果不抢先采取行动，苏峻必定赶在朝廷之前，率先抵达建康，一旦苏峻的军队兵临城下，人心恐惧，就难以抵抗了。这个时机不可以错过”。王导认为他们说得很对。庾亮不同意。十二月初一日，苏峻派他手下的将领韩晃、张健等率军攻陷了姑孰，夺取了积存在那里的食盐、稻米，庾亮这才感到后悔。

十二月初二，彭城王司马雄、章武王司马休叛变投奔了苏峻。司马雄，是司马释的儿子。

初十，京师建康施行戒严，朝廷授予庾亮代表至高无上权力的旌节，任命他为都督征讨诸军事。任命左卫将军赵胤为历阳太守，派担任左将军的司马流率领军队据守慈湖以抵御苏峻军队的进攻。任命担任前射声校尉的刘超为左卫将军，任命担任侍中的褚翜主管有关征讨方面的各种军事。庾亮又派他的弟弟庾翼以平民的身份率领几百人守卫石头城。

十六日丙寅，东晋改封琅邪王司马昱为会稽王，改封吴王司马岳为琅邪王。

担任宣城内史的桓彝想要起兵赶赴朝廷守卫京师，他手下的长史裨惠认为宣城郡的兵员少力量弱，宣城郡西南的山越之民很容易作乱，因此建议桓彝暂且按兵不动，看看局势变化再说。桓彝神情严肃地说：“‘看见有人对自己的君主无礼，就要像鹰鹯追逐鸟雀一样立即扑上去。’现在国家危急、形势紧迫，我绝对没有在此追求安闲逸乐的道理！”十二月二十一日辛未，桓彝率军进驻芜湖。苏峻的部将韩晃率军攻打桓彝，将桓彝打败，并趁势进攻宣城，桓彝撤退到广德，韩晃纵兵在宣城郡各县大肆抢掠，然后撤走。担任徐州刺史的郗鉴准备率领自己的部众奔赴国难，朝廷下诏，命他防范北方的贼寇，不允许他回卫京师。

这一年，后赵中山公石虎率军攻打代王拓跋纥那，双方战于句注山的山口之北。拓跋纥那战败，遂将都城迁徙到大宁，以躲避后赵的侵扰。

代王拓跋郁律的儿子拓跋翳槐居住在他舅舅所属的贺兰部落，拓跋纥那派使者到贺兰部落索要拓跋翳槐，贺兰部落首领蔼头将拓跋翳槐保护起来，没有把他交给拓跋纥那。拓跋纥那便联合宇文部落共同攻打蔼头，但没有取胜。

勤王，进攻芜湖，被苏峻打败，朝廷形势危急；写了凉州张骏去掉前赵所封官职，并派遣将领攻掠前赵的秦州，结果被前赵击败，凉州丢失了河南之地；写了后赵石虎攻击代王拓跋纥那，纥那战败，迁都于大宁；拓跋纥那联合宇文部落攻打贺兰部落，被贺兰部落打败等。

【注释】

⑬ 朱提：晋郡名，郡治即今云南昭通。⑭ 台登：晋县名，县治在今四川西昌北。⑮ 五月甲申朔：五月初一是甲申日。⑯ 仇池：晋县名，在今甘肃成县西。⑰ 狄道：晋县名，县治即今甘肃临洮。⑱ 枹罕：晋县名，在今甘肃临夏西北。⑲ 沃干岭：山名，一名“沃干阪”，在今甘肃兰州西南。⑳ 相守：相持不战。㉑ 洮：洮河，流经今甘肃东南部，北流入黄河。㉒ 督运：督运粮草。㉓ 金城：今兰州。㉔ 济河：渡过黄河。㉕ 令居：晋县名，县治在今甘肃永登西北。㉖ 振武：古城名，在今甘肃永登西北。㉗ 河南之地：今甘肃之黄河以南地区。㉘ 征之：调他到朝廷任职。征，调。㉙ 猜险：猜忌阴险。㉚ 苞容：同“包容”，包含、容忍。㉛ 狼子野心：谓豺狼之子不可驯服。《左传》宣公四年，楚令尹子文曰：“谚曰：‘狼子野心’，是乃狼也，其可畜乎？”㉜ 七国之于汉：汉景帝时，吴楚等七国反形已现，晁错力主削弱诸侯势力，认为今削之亦反，不削亦反，削之，反速而危害小；不削，反虽迟，而危害大。庾亮引此事以比当前局势。㉝ 难：反对，提不同意见。㉞ 路不终朝：历阳（今安徽和县）与建康只一江之隔，用不了一个早上即可到达。终朝，一个早晨。㉟ 易为蹉跌：容易造成失败。蹉跌，摔跤，比喻失败。㊱ 已出狂意：其疯狂想造反的心思已经显露。㊲ 速其祸：加速灾难的到来。㊳ 纵毒蠚以向朝廷：将一群马蜂放向朝廷。㊴ 王公亦同此情：王导也和我的看法一样。㊵ 不能如之何：对他没办法。如之何，如何、奈何。㊶ 本出足下：当初把你派到外头。出，派出。㊷ 或当相从：意思是（如果有温峤共同谏止）庾亮或许能听从。㊸ 累书：连续发信。㊹ 诣亮：到庾亮处。㊺ 讨贼外任：如果朝廷派我出去讨伐叛逆，实指任命为地方上的州刺史。㊻ 远近惟命：派我去哪里都可以。惟命，唯命是听。㊼ 内辅：在朝内为辅佐之臣。㊽ 实非所堪：实在是非我所能担任。堪，能。㊾ 优诏：充满好言慰勉的诏书。㊿ 位特进：朝廷对某个权臣特加荣宠的待遇，朝会时的位置仅在三公之下。位，班次。特进，官名，凡诸侯功德优盛，朝廷所敬畏者，赐位特进，位在三公下。但一般多为加官。⑤① 以弟逸代领部曲：让苏峻的弟弟苏逸接替他统领苏峻的部下。部曲，古代军队的编制名，一个将军统领若干部，部的长官称校尉；一部之下有若干曲，曲的长官称军候。部曲，通常即称部下、部属。⑤② 未靖：未平；未安定。⑤③ 即安：到安逸的地方来享福。⑤④ 乞补：恳请让我去担当。补，补那里的空缺。⑤⑤ 青州：晋州名，州治临淄，在今山东淄博市临淄区。辖齐国、济南、乐安、城阳、东莱、长广六郡、国。此时皆为后赵占有。⑤⑥ 鹰犬之用：谦称自己的能力。畋猎中用鹰和犬追逐猎物。⑤⑦ 严装：整装，收拾行装。⑤⑧ 勒兵自守：利用军队以保卫自己。⑤⑨ 下卫建康：顺江而下以保卫京城。温峤当时为江州刺史，镇武昌（今湖北鄂州），从武昌东至建康是顺江而下。⑥⓪ 三吴：指吴国、吴兴、会稽三郡。时庾冰为吴国内史，王舒为会稽内史，虞潭为吴兴太守。⑥① 西陲：西部边境，此处指陶侃所在的荆州。当时陶侃任荆州刺史，镇江陵。⑥② 无过雷池一步：意即不要向东移动一

步。雷池，即古之大雷水，今名杨溪河。源出湖北黄梅界，经安徽宿松，至望江县西南积而为池，称“雷池”。再东流经望江县南，至华阳镇注入长江。⑥63谕峻：向苏峻解释，这里有“警告”的意思。⑥64台下：指朝廷官员。⑥65我宁山头望廷尉二句：我宁可先发制人，而不能为人所制。山头，苏峻自喻。廷尉，国家的最高司法官，掌刑狱。⑥66往者国家危如累卵：指王敦作乱之时。⑥67非我不济：没有我叛乱不能平息。济，成功。⑥68狡兔既死二句：比喻敌人消灭了，功臣也就要受到诛戮。⑥69但当死报造谋者耳：现在我就是要豁出死以惩治那个阴谋害人的人。死报，以死报复。造谋者，指庾亮。⑥70推崇：推重，这里即吹捧，给人戴高帽。⑥71劝成之：怂恿他就这么做。⑥72勠力：合力；并力。⑥73使君：对州郡长官的尊称，此称祖约。⑥74不内：不让他进屋。内，同“纳”。⑥75不与之同：不跟他合作。胡三省注曰：“约于是赴历阳，宣将其众营于马头山。”⑥76沛内史涣：祖涣，时为沛国内史。⑥77逖妻：祖逖的妻子，祖约之嫂。⑥78郐稽：国名，即“会稽”。《晋书·王舒传》曰：“时征苏峻，王导欲出舒为外援，授会稽内史。舒以父名会，辞。朝议以字同音异，于礼无嫌。舒复陈音虽异而字同，求改他郡，于是改‘会’字为‘郐’。”⑥79司徒司马丹杨陶回：丹杨人陶回，当时任司徒王导的司马官。⑥80急断阜陵：赶紧扼守阜陵县。阜陵县的县治在今安徽全椒东。其县有麻湖，派兵把守阜陵，可以阻止苏峻兵渡江。⑥81江西当利诸口：长江西侧的当利等各个渡口。当利，即“当利浦”，在今安徽和县东南。口，渡口。胡三省注曰：“阜陵有麻湖之阻，守当利诸口，则峻兵不得渡江。”⑥82往逼其城：前往攻打历阳县城。逼，靠近。⑥83危骇：恐惧。⑥84十二月辛亥：十二月初一。⑥85姑孰：即今安徽当涂，东晋时置城戍守，囤积盐米。⑥86壬子：十二月初二。⑥87彭城王雄：司马雄，是司马释的儿子。司马释是司马懿之弟司马权的儿子。⑥88章武王休：司马休，是义阳王司马望的孙子。⑥89庚申：十二月初十。⑥90假庾亮节：授予庾亮旌节，使其有至高无上的权力。⑥91慈湖：在今安徽马鞍山市东北长江南岸。⑥92褚翜：字谋远，太傅褚裒的从兄。王敦谋逆，翜遣将领三百人从戴若思出军赴难。成帝初为左卫将军、侍中。传见《晋书》卷七十七。⑥93白衣：古代未仕者穿白衣，庾翼没有官职，以平民的身份领兵防守石头城。⑥94备：警备；防守。⑥95丙寅：十二月十六。⑥96琅邪王昱：司马昱，晋元帝司马睿的小儿子。⑥97吴王岳：晋成帝司马衍之弟，明帝司马绍之子。⑥98宣城内史桓彝：桓彝是东晋名臣，此时任宣城内史。传见《晋书》卷七十四。宣城是晋郡名，郡治宛陵，在今安徽南陵东。⑥99山民易扰：山越之民容易作乱。山民，即山越之民，当时南方的少数民族，魏晋时一支居住在宣城郡西南。胡三省注曰：“宣城之西南，山越居之，自吴以来屡为寇乱。”⑦00见无礼于其君者二句：语出《左传》文公十八年，鲁大夫臧文仲曰：“见有礼于其君者，事之，如孝子之养父母也；见无礼于其君者，诛之，如鹰鹯之逐鸟雀也。”鹯，一种食肉猛禽。桓彝引此，表明自己疾恶如仇。⑦01义无宴安：绝没有再追求安逸的道理。⑦02辛未：十二月二十一。⑦03广德：晋县名，县治在今安徽广德西南。⑦04赴难：奔赴国难。⑦05以北寇：因为有北方的敌人需要防备。北寇，主要指后赵。⑯代王纥那：拓跋纥那，代王拓跋贺傉之弟。⑰句注陉北：句注山的山口之北。句注山即雁门山，又名“陉岭”“西陉山”，在今山西代县西北二十五里。陉，山脉的中断处。⑱大宁：古城名，故址在今河北张家口市宣化区西北。西晋于上谷郡析置广宁郡，治所下洛县，即今河北涿鹿。广宁县并入下洛县，广宁县故城亦称大宁城，纥那曾都此。⑲求：索要。元帝大兴四年，拓跋猗㐌妻惟氏杀猗㐌兄子代王拓跋郁律，而立其子贺傉。郁律子翳槐及槐弟什翼犍流亡。所以纥那欲诛杀翳槐。⑳拥护：保护。

【校记】

［6］东：原无此字。据章钰校，甲十一行本有此字，今据补。［7］郐稽：据章钰校，乙十一行本作“会稽”。

【研析】

本卷写晋明帝太宁二年（公元三二四年）至晋成帝咸和二年（公元三二七年）共四年间的各国大事。值得注意的大约有以下几点。

第一，王敦乱党兵败，王含、王应往投荆州刺史王舒，被王舒趁势捉住，沉之于江。但凡有善善恶恶之心者皆对此会心称快；而刘孝标、魏征等人称王舒之罪甚于郦况（郦寄字况），意谓郦况卖友，犹见讥于司马迁；更何况王含乃王舒之胞兄，王应乃王舒之从子耶？周勃与吕禄之间本无是非之分，后人因周勃成事，遂称诸吕为“作乱”，事实原不如此。郦况以朋友之交诱骗吕禄交出将印，招致吕氏家族被灭，单从道德而言，的确令人感到有“缺憾”，故司马迁写《史记》引入了当时的“郦况卖友”之说。但王含不然，公开伙同王敦起兵造反，图谋篡位，罪恶昭彰；王舒身为晋朝臣子，享受晋朝的富贵尊荣，理应有为国除贼之义。袁了凡对此评论说：“天下之恶一也，恶于宋而保于卫犹且不可，况天下一晋，江州荆州岂无君之国？含、应失败，不南走越北走胡，翻身见投，将共再举王敦事耶？郦寄大计卖友，何云见讥？周公大义灭亲，当相取正；刘魏谬评，为乱贼树党，违于《春秋》之义也。”这种态度是正确的。

第二，当东晋王朝平定王敦之乱，对被王敦乱党所害的谯王司马承以及甘卓、戴渊、周𫖮等人进行追赠的时候，王导竟提出把开城门迎接王敦入石头城的周札也列入应褒奖之列，而晋明帝居然采纳了王导的意见，这简直是天大的滑稽。王夫之《读通鉴论》对此评论说：“王敦称兵犯阙，王导荏苒而无所匡正；周𫖮、戴渊之死，导实与闻，其获疚于名教也，无可饰也。故自言曰：‘如导之徒，心思外济。’盖刘隗、刁协不择顺逆，逞其私志，欲族诛王氏，而导势迫于家门之陨获，不容已于诡随，此亦情之可原而弗容隐饰以欺天下者也。及敦死而其党伏诛，谯王承、戴渊、周𫖮以死事褒赠，岂非导悔过自反以谢周、戴于地下之日乎？而导犹且狎开门延寇之周札，违卞壶、郗鉴之谠议，而曰‘札与谯王、周、戴见有异同，皆人臣之节’。导若曰札可尽人臣之节，则吾之于节亦未失也。假札以文己之过，而导乃终绝于君子之涂矣。”这话说得相当严厉，深合千载下读史者之心，千载以来王导被称作“江左夷吾”，徒闻其功，而无人举摘其罪，于世道人心岂有益哉！

第三，关于卞壶其人。卞壶在晋明帝时任尚书令，见王导称病不朝，却去给朋友送别，遂上表予以弹奏；见当时朝野士大夫崇尚清谈，为官而不干实事，颓放纵酒，以浮华相尚，卞壶严厉批判他们的“悖理伤教”，说他们都是一群国家、社会的罪人，要上表请求皇帝好好地惩治他们。像卞壶这样的人在当时的朝廷里是鹤立鸡群，百里无一，而且是处处碰壁，别说“用武之地”，连个“立足之地”也难得找到。王夫之对于卞壶的为人行事分析说：“卞令忠贞之士，朝廷之望也，以收人心、易风俗而安社稷，则未之敢许。晋之败，败于上下纵弛，名黄老而实惟贪冒淫逸之是崇，王衍、谢鲲固无辞其责矣。乃江左初立，胡寇外逼，叛臣内讧，人士之心，习于放佚而惮于拘维，未易一旦革也。……王敦之反，刁协、刘隗之操切激之；苏峻之反，庾亮之任法激之；障狂澜而堙之，鲧绩之所以弗成也。……故卞令厉色立朝以警群臣之荡佚，不可无也；而任之以统驭六宇，厝社稷之安，定百官司之志，则固未可也。”改革是难事，操之过急就要翻车；但苟且因循，就会让这个政权一天天地烂下去，直到最后垮台。卞壶一类的政治家始终未能在晋朝一展身手，晋王朝的腐朽政治与腐败的社会风气，遂伴随着宋、齐、梁、陈一个个小王朝的篡夺取代，持续地腐烂，直到被北方的少数民族所消灭。

第四，本卷写了晋明帝司马绍的死，卒年二十七岁。《晋书》本纪称他：“明后岐嶷，军书接要。莽首晨悬，董脐昏燎。厥德不回，余风可劭。”王夫之说他：“折大疑者，处之以信；奠大危者，予之以安。天假明帝以年，以之收北方离合不定之人心，而乘冉闵之乱，摧枯折槁，以复衣冠礼乐之中夏，知其无难也。帝早没而不可为矣，悲夫！”都给予了极高的赞许，大概是由于东晋王朝的皇帝除了司马绍再也没有第二个可以稍加赞赏了吧！

卷第九十四　晋纪十六

起著雍困敦（戊子，公元三二八年），尽重光单阏（辛卯，公元三三一年），凡四年。

【题解】

本卷写了晋成帝咸和三年（公元三二八年）至咸和六年共四年间的东晋及各国大事。主要写了苏峻、祖约起兵进攻建康，庾亮无能，卞壸战死，京城失陷，苏峻迁晋成帝于石头城，控制朝廷；写了庾亮逃依江州刺史温峤，与温峤起兵于江州，请陶侃为盟主，号召天下讨贼，郗鉴在东方组织勤王军，进援朝廷；写了陶侃、温峤等与苏峻军初战不利，后来引兵转攻石头，苏峻酒醉轻出，被勤王军所杀；勤王军又破祖约于历阳，祖约率众数百人逃奔石勒；接着勤王军攻破石头城，苏峻之子苏逸被杀，部将张健率众东逃，被郗鉴击斩，叛乱平定；写了朝廷论平乱之功，重赏陶侃、郗鉴、温峤诸人，处置了一批乱党与变节降叛的人。庾亮被贬任豫州都督、豫州刺史；写了江州刺史温峤病逝，以刘胤继任，刘胤“矜

【原文】

显宗成皇帝上之下

咸和三年（戊子，公元三二八年）

春，正月，温峤入救建康，军于寻阳①。

韩晃②袭司马流于慈湖。流素懦怯，将战，食炙③不知口处④，兵败而死。

丁未⑤，苏峻帅祖涣、许柳等众二万人，济自横江⑥，登牛渚⑦，军于陵口⑧。台兵⑨御之，屡败。二月庚戌⑩，峻至蒋陵⑪覆舟山⑫。陶回谓庾亮曰："峻知石头有重戍⑬，不敢直下，必向小丹杨⑭南道步来。宜伏兵邀⑮之，可一战擒也。"亮不从。峻果自小丹杨来，迷失道，夜行，无复部分⑯。亮闻，乃悔之。

豪日甚，专务商贾”，激起郭默作乱，刘胤被杀。陶侃、庾亮等起兵讨郭默，郭默的部将擒郭默出降，郭默乱平，朝廷又让陶侃兼任江州刺史；写了前赵主刘曜大破后赵石虎于河东，进而围攻洛阳，被后赵主石勒大破于洛阳城西，刘曜兵败被俘，刘曜的太子刘熙率众西保上邽；前赵的刘胤又率众东攻长安，后赵将石虎大破于长安城西，并乘胜西破上邽，俘刘熙、刘胤等杀之，前赵宣告灭亡；写了石勒即皇帝位，大封诸子与群僚，石勒之侄石虎因自己未得大单于之位而恨石勒之子石宏，为石虎日后作乱埋下伏笔；此外还写了慕容廆向东晋请求为燕王，凉州张骏对石勒时而对立、时而称臣，以及西部吐谷浑的建国，与蒲洪、姚弋仲的出世；等等。

【语译】

显宗成皇帝上之下

咸和三年（戊子，公元三二八年）

春季，正月，东晋都督江州诸军事的温峤率军从武昌东下救援京师建康，在寻阳扎下营寨。

苏峻的部将韩晃率军攻打驻守在慈湖的左将军司马流。司马流一向胆小怯懦，将要与韩晃交战之时，由于过度紧张恐惧，吃烤肉竟然找不到嘴的位置，与韩晃战，兵败身亡。

正月二十八日丁未，苏峻率领祖涣、许柳等部众二万人，从横江浦渡过长江，翻过牛渚山，将军队驻扎在陵口。朝廷军队进行抵抗，却屡战屡败。二月初一日庚戌，苏峻的军队抵达蒋山的丘陵覆舟山。陶回对庾亮说：“苏峻知道石头城有重兵把守，因此不敢直接攻打，他必然绕道小丹杨，从南面来攻。我们应该在途中布下埋伏进行阻击，可以一战将苏峻擒获。”庾亮没有采纳陶回的建议。苏峻果然从小丹杨方向杀来，却因为迷失道路，又是在夜间行军，队形散乱，失去控制。庾亮得知消息，这才为没有听取陶回的建议而深感后悔。

朝士以京邑危逼，多遣家人入东[17]避难，左卫将军刘超独迁妻孥[18]入居宫内。

诏以卞壸都督大桁东[19]诸军事，与侍中锺雅帅郭默、赵胤等军及峻战于西陵[20]。壸等大败，死伤以千数。丙辰[21]，峻攻青溪栅[22]。卞壸率诸军拒击，不能禁。峻因[23]风纵火烧台省[24]及诸营寺署[25]，一时荡尽[26]。壸背痈[27]新愈，创[28]犹未合，力疾[29]帅左右苦战而死。二子眕、盱随父后，亦赴敌[30]而死。其母抚尸哭曰："父为忠臣，子为孝子，夫何恨乎[31]！"

丹杨尹羊曼勒兵[32]守云龙门[33]，与黄门侍郎周导、庐江太守陶瞻[34]皆战死。庾亮帅众将陈于宣阳门[35]内，未及成列，士众皆弃甲走[36]，亮与弟怿、条、翼及郭默、赵胤俱奔寻阳[37]。将行，顾谓锺雅曰："后事[38]深以相委[39]。"雅曰："栋折榱崩[40]，谁之咎[41]也！"亮曰："今日之事，不容复言。"亮乘小船，乱兵相剥掠[42]。亮左右射贼，误中柁工，应弦而倒，船上咸[43]失色欲散。亮不动，徐[44]曰："此手何可使着贼[45]！"众乃安。

峻兵入台城[46]，司徒导谓侍中褚翜[47]曰："至尊[48]当御正殿[49]，君可启[50]令速出。"翜即入上阁[51]，躬[52]自抱帝登太极前殿[53]，导及光禄大夫陆晔、荀崧、尚书张闿共登御床拥卫[54]帝。以刘超为右卫将军[55]，使与锺雅、褚翜侍立左右，太常孔愉朝服守宗庙[56]。时百官奔散，殿省萧然[57]。峻兵既入，叱褚翜令下。翜正立不动，呵之曰："苏冠军[58]来觐[59]至尊，军人[60]岂得侵逼[61]！"由是峻兵不敢上殿，突入后宫[62]，宫人[63]及太后左右侍人皆见掠夺[64]。峻兵驱役[65]百官，光禄勋王彬等皆被捶挞[66]，令负担[67]登蒋山。裸剥士女[68]，皆以坏席苫草[69]自鄣[70]，无草者坐地以土自覆[71]。哀号之声，震动内外。

初，姑孰[72]既陷，尚书左丞孔坦[73]谓人曰："观峻之势，必破台

朝中官员因为京师建康受到苏峻叛军的逼迫，情势危急，就有许多人将家眷送到建康以东的郡县避难，只有担任左卫将军的刘超把自己的妻子儿女移入皇宫居住。

朝廷下诏任命卞壸都督大桁东诸军事，卞壶与担任侍中的锺雅率领着郭默、赵胤等部与苏峻叛军在西陵展开大战。卞壶等被苏峻军打得大败，死伤了一千多人。二月初七日丙辰，苏峻率军攻打青溪栅寨。卞壶率领诸军进行抵抗，仍然不能取胜。苏峻借助风势在上方纵火，将朝廷各行政官署顷刻间全部烧成了灰烬。卞壶当时背上的痈疮刚要痊愈，伤口还没有愈合，勉强支撑着病体率领左右与叛军苦战，力尽被杀而死。他的两个儿子卞昣、卞盱紧随在自己父亲的身后，也都奋勇杀敌，战死沙场。母亲抚摸着两个儿子的尸体痛哭说："父亲是忠臣，儿子是孝子，我还有什么遗憾!"

丹杨尹羊曼率军守护着皇宫的云龙门，他与担任黄门侍郎的周导、担任庐江太守的陶瞻全都战死。庾亮率领众将在宣阳门内布置战阵，还没等站好队列，士兵就都扔下武器铠甲一哄而散，庾亮与自己的弟弟庾怿、庾条、庾翼以及郭默、赵胤等全都逃离建康，去投奔镇守寻阳的温峤。庾亮临行前，回顾锺雅说："我们走后，这里的事情就全都委托给你了。"锺雅说："把事情弄到现在这种土崩瓦解的地步，是谁的责任!"庾亮回答说："今天的情势，已经容不得细说了。"庾亮登上一条小船，乱兵涌上来互相抢夺。庾亮用箭左右射贼，慌乱中却误射中舵手，舵手应弦而倒，船上的人全都大惊失色，想各自逃命。庾亮稳坐不动，慢条斯理地说："这只手如何让它能射中贼人!"众人这才安静下来。

苏峻的叛军已经攻入建康城的内城，担任司徒的王导对担任侍中的褚翜说："皇上应该坐在朝廷的正殿上，先生可以奏明皇上迅速出来。"褚翜立即进宫，亲自抱着小皇帝司马衍登上太极前殿，王导以及担任光禄大夫的陆晔、荀崧及担任尚书的张闿共同坐在御床上围护着小皇帝。任命刘超为右卫将军，让他与锺雅、褚翜侍立在皇帝左右，担任太常的孔愉身穿朝服守卫着宗庙。当时满朝的文武百官已经逃散，宫廷里一片凄清寂静。苏峻的叛军进入皇宫，呵斥侍中褚翜，让他从太极殿上下来。褚翜端端正正地站在那里一动也不动，大声呵斥说："苏冠军前来朝见皇上，一般的士兵焉得逼近圣驾!"因为褚翜的呵斥，苏峻的军队才没敢冲上太极殿，但立即冲入后宫，宫女以及皇太后身边的侍女都遭到乱军的抢夺劫掠。苏峻的叛军把文武官员当作奴仆一样，驱使他们从事各种劳役，担任光禄勋的王彬等人都遭到木棍、皮鞭的捶打，被人逼迫着背着重物、挑着重担攀登蒋山。叛军还将成年男女的衣服全部扒光，被剥光了衣服的男男女女全都用破席子、编苫用的茅草等来遮挡自己赤裸的身体，实在找不到东西的就坐在地上，用泥土把自己盖起来。哀哭号叫之声震动了建康城内城外。

当初，姑孰被苏峻叛军攻陷之后，担任尚书左丞的孔坦对人说："看苏峻的架

城。自非[74]战士，不须戎服[75]。”及台城陷，戎服者多死，白衣者无他[76]。

时官[77]有布二十万匹，金银五千斤，钱亿万，绢数万匹，他物称是[78]。峻尽费[79]之，太官[80]惟有烧余米数石以供御膳[81]。

或[82]谓锺雅曰：“君性亮直[83]，必不容于[84]寇仇，盍早为之计[85]？”雅曰：“国乱不能匡[86]，君危不能济[87]，各遁逃以求免[88]，何以为臣[89]？”

丁巳[90]，峻称诏[91]大赦，惟庾亮兄弟不在原例[92]。以王导有德望[93]，犹使以本官[94]居己之右[95]。祖约为侍中、太尉、尚书令，峻自为骠骑将军、录尚书事，许柳为丹杨尹，马雄为左卫将军，祖涣为骁骑将军。弋阳王羕诣峻，称述峻功，峻复以羕为西阳王、太宰、录尚书事。

峻遣兵攻吴国内史庾冰[96]，冰不能御[97]，弃郡奔会稽，至浙江[98]，峻购[99]之甚急。吴铃下卒[100]引冰入船，以蘧蒢[101]覆之，吟啸[102]鼓枻[103]，溯流[104]而去。每逢逻所[105]，辄以杖叩船，曰：“何处觅庾冰？庾冰正在此！”人以为醉，不疑之，冰仅免[106]。峻以侍中蔡谟为吴国内史。

温峤闻建康不守，号恸[107]，人有候之者[108]，悲哭相对。庾亮至寻阳宣太后诏，以峤为骠骑将军、开府仪同三司，又加徐州刺史郗鉴司空。峤曰：“今日当以灭贼为急，未有功而先拜官，将何以示天下？”遂不受。峤素重亮[109]，亮虽奔败，峤愈推奉之[110]，分兵给亮。

后赵大赦，改元太和。

三月丙子[111]，庾太后以忧崩。

苏峻南屯于湖[112]。

夏，四月，后赵将石堪攻宛[113]，南阳太守王国降之，遂进攻祖约军于淮上。约将陈光起兵攻约，约左右阎秃貌类约，光谓为约而擒之，约逾垣[114]获免。光奔后赵。

壬申[115]，葬明穆皇后[116]于武平陵。

势，必定要攻破台城。如果不是武装人员，就不要穿军服。”等到台城陷落之时，穿军服的大都被杀死，而穿平民衣服的都没有受到伤害。

当时国库中还储存有二十万匹布，五千斤金银，数以亿万计的钱币，数万匹绸缎，其他物品的数量与此大体相当。苏峻一下子就全部挥霍光了，御膳房里只有烧剩下的数石米供应皇帝的膳食。

有人对锺雅说:“先生的性情忠诚耿直，必定不被贼寇所容，何不早做打算?”锺雅说:“国家混乱不能匡正，国君有了危难不能救助，各自逃遁以求自己免死，凭什么做大臣?”

二月初八日丁巳，苏峻宣称奉小皇帝司马衍的诏令，在全国实行大赦，只有庾亮兄弟不在赦免的范围之内。因为王导素来德高望重，苏峻仍然让他担任原来的职务，位次排在自己之上。祖约担任侍中、太尉、尚书令，苏峻自己担任骠骑将军、录尚书事，任命许柳为丹杨尹，任命马雄为左卫将军，祖涣为骁骑将军。弋阳县王司马羕前往晋见苏峻，大肆称赞苏峻的功德，苏峻于是又恢复司马羕西阳郡王的爵位，任命他为太宰、录尚书事。

苏峻派遣军队攻打吴国内史庾冰，庾冰抵抗不住，就丢弃了郡城逃往会稽，在他抵达浙江时，苏峻悬赏缉拿庾冰，情势很是紧急。庾冰的侍从就把庾冰带到一条小船上，用芦苇编织的席子将庾冰盖住，然后一面唱着歌、吹着口哨，一面划动船桨，逆流而上。每逢遇到津渡处的巡逻哨所，侍从就用棍子敲打着船帮，说:“你们到哪里去找寻庾冰? 庾冰在我这里!”人们都以为他喝醉了，并不怀疑他，庾冰因此才逃出一命。苏峻任命担任侍中的蔡谟为吴国内史。

温峤听到京师建康已经陷入苏峻之手的消息，哀声痛哭，有来探访温峤的人也忍不住与他相对哭泣。庾亮到达寻阳后宣称皇太后诏命，任命江州刺史温峤为骠骑将军、开府仪同三司，又加授徐州刺史郗鉴为司空。温峤说:“如今应以消灭叛军为首要任务，还没有立功就先升官，将如何向天下人交代?”遂不肯接受庾亮的任命。温峤一向敬重庾亮，庾亮虽然是失败之后前来投奔，温峤更加表现出对庾亮的拥戴，并将自己的军队分一部分给庾亮率领。

后赵实行大赦，改年号为太和。

三月丙子日，皇太后庾氏因为忧愁过度而死。

苏峻将军队驻扎在于湖。

夏季，四月，后赵将领石堪攻打东晋的宛城，东晋南阳太守王国投降了后赵，石堪遂乘胜进攻驻扎在淮河上游的祖约军。祖约的部将陈光起兵攻打祖约，祖约的侍从阎秃相貌很像祖约，陈光错把阎秃当作祖约擒获，祖约跳墙逃跑，得免于难。陈光投奔了后赵。

四月二十四日壬申，东晋将明穆皇后庾氏安葬在武平陵。

庾亮、温峤将起兵讨苏峻，而道路断绝，不知建康声闻⑪。会南阳范汪至寻阳，言“峻政令不壹⑱，贪暴纵横⑲，灭亡已兆⑳，虽强易弱。朝廷有倒悬㉑之急，宜时进讨㉒”。峤深纳㉓之。亮辟㉔汪参护军事㉕。

亮、峤互相推为盟主，峤从弟充㉖曰：“陶征西㉗位重兵强，宜共推之㉘。”峤乃遣督护王愆期诣荆州，邀陶侃与之同赴国难。侃犹以不豫顾命㉙为恨，答曰：“吾疆埸[1]外将㉚，不敢越局㉛。”峤屡说，不能回㉜，乃顺侃意，遣使谓之曰：“仁公且守㉝，仆㉞当先下㉟。”使者去已二日㊱，平南参军㊲荥阳毛宝别使还㊳，闻之，说峤曰：“凡举大事，当与天下共之。师克在和㊴，不宜异同㊵。假令可疑㊶，犹当外示不觉㊷，况自为携贰邪㊸！宜急追信改书㊹，言必应俱进㊺。若不及前信㊻，当更遣使㊼。”峤意悟，即追使者改书。侃果许之，遣督护龚登帅兵诣峤。峤有众七千，于是列上尚书㊽，陈祖约、苏峻罪状，移告征镇㊾，洒泣登舟㊿。

陶侃复追龚登还。峤遗侃书曰：“夫军有进而无退，可增而不可减。近已移檄远近(151)，言于盟府(152)，刻后月半(153)大举(154)，诸郡军并在路次(155)，惟须(156)仁公军至，便齐进耳。仁公今召军还，疑惑远近，成败之由(157)，将在于此。仆才轻任重，实凭仁公笃爱(158)，远禀成规(159)。至于首启戎行(160)，不敢有辞(161)，仆与仁公，如首尾相卫，唇齿相依也。恐或者(162)不达高旨(163)，将谓仁公缓于讨贼(164)，此声难追(165)。仆与仁公并受方岳之任(166)，安危休戚，理既同之(167)。且自顷之顾(168)，绸缪往来(169)，情深义重，一旦有急(170)，亦望仁公悉众见救(171)，况社稷之难(172)乎！今日之忧，岂惟仆一州(173)，文武莫不翘企(174)。假令此州不守(175)，约、峻树置官长(176)于

庾亮、温峤准备起兵讨伐苏峻，由于交通断绝，不知道建康方面的消息。正巧南阳人范汪来到寻阳，说“苏峻政治紊乱，号令不统一，而且贪婪凶暴、肆意横行、无所忌惮，灭亡的征兆已经显露出来，虽然看似强大，但很容易削弱。朝廷方面处境极端困苦危急，就像一个人被头朝下倒挂在那里一样，随时都有生命危险，应该实时进兵讨伐苏峻”。温峤全部采纳了范汪的建议。庾亮聘用范汪为参护军事。

庾亮、温峤互相推举对方为盟主，温峤的堂弟温充建议说："征西将军陶侃地位显要、兵力强盛，应该共同推举他为盟主。"温峤遂派遣担任督护的王愆期前往荆州，邀请陶侃与温峤、庾亮等共赴国难。陶侃此时还在为晋明帝临终前没有把自己列入顾命大臣之事而耿耿于怀，便答复说："我只是一个镇守边境的朝外之臣，不敢超越权限去管其他的事情。"温峤屡次派人劝说，也不能使陶侃回心转意，于是只好顺着陶侃的意思，派使者对陶侃说："仁公暂且镇守荆州，我等应当先率军东下建康讨伐苏峻。"派出的使者已经走了两天，担任平南参军的荥阳人毛宝从别处出使回来，听到温峤派使者的消息，就立即劝说温峤："凡是要完成一件大事，就应当让天下人共同参与。军队作战能够获取胜利，主要靠的是内部的互相团结，同一个阵营里的人应该勠力同心、不分彼此。即使彼此之间有所怀疑，表面上还应当装出毫无察觉的样子，何况现在是我们自己先做出一副互不信任的样子呢！应该赶紧追回使者，改变书信的内容，就说我们一定要共同出兵东进。如果追不回前一个使者，就应该重新派遣一位使者。"温峤顿时醒悟，立即派人追赶使者修改了书信的内容。陶侃果然应许共同出兵讨伐苏峻，派遣担任督护的龚登率军前往温峤处听候调遣。温峤此时兵众只有七千人，于是以陶侃为盟主，庾亮、温峤都一同列名上报朝廷，列数祖约、苏峻的条条罪状，发布檄文，通告各镇各征将军，然后流着眼泪登上舰船。

义军盟主陶侃又派人将督护龚登追回。温峤写信给陶侃说："军事行动只能前进不能后退，军队数量只能增加不能减少。近来已经通告全国，详细情况已经报告给盟主的军府，约定好下月十五日大军东下讨贼，各郡的勤王部队都已经踏上征途，只等您的军队一到，便一齐出发。您现在将军队召回，将使远近各郡心生疑惑，这关系到征讨苏峻叛军的成败。我本人能力薄弱，责任重大，实际上完全仰仗您的厚爱，长期遵从我们既定的行动计划。至于充作先锋率先出兵，在前方开辟道路，我没有二话，我与您之间，就如同首尾，需要互相守卫，如同嘴唇与牙齿，唇亡则齿寒。生怕不明真相的人不理解您的用心，将会抨击您懈怠于讨贼，这样的坏名声一旦传播出去就很难挽回。我与您既然都被朝廷委任为大州刺史，理应共同担负起国家安危休戚的责任。况且自不久前承蒙您答应共同讨贼以来，我们之间交往密切，情深义重，江州一旦发生危难，还盼望盟主率领全部军队给予援救，何况现在是国家遭遇危难呢！今天的忧患，岂止是我管辖下的一个江州而已，满朝的文武官员无不伸长脖子、踮起脚跟期盼着您前去解救。假如江州被苏峻的叛军攻破，祖约、苏

此，荆楚[177]西逼强胡[178]，东接逆贼[179]，因之以饥馑[180]，将来之危，乃当甚于此州之今日[181]也。仁公进[182]当为大晋之忠臣，参桓、文之功[183]，退[184]当以慈父之情，雪爱子之痛[185]。今约、峻凶逆无道，痛感天地，人心齐一[186]，咸皆切齿。今之进讨，若以石投卵耳。苟复召兵还，是为败于几成[187]也。愿深察所陈[188]。”王愆期谓侃曰：“苏峻，豺狼也，如得遂志[189]，四海虽广，公宁有[190]容足之地[191]乎！”侃深感悟，即戎服登舟。瞻丧[192]至不临[193]，昼夜兼道而进。

郗鉴在广陵[194]，城孤粮少，逼近胡寇[195]，人无固志[196]。得诏书[197]即流涕誓众[198]，入赴国难，将士争奋[199]。遣将军夏侯长等间行[200]谓温峤曰：“或闻贼欲挟天子[201]东入会稽，当先立营垒，屯据要害[202]，既防其越逸[203]，又断贼粮运，然后清野坚壁[204]以待贼。贼攻城不拔，野无所掠，东道[205]既断，粮运自绝，必自溃矣。”峤深以为然。

五月，陶侃率众至寻阳。议者咸谓侃欲诛庾亮以谢天下[206]。亮甚惧，用温峤计，诣侃拜谢[207]。侃惊，止之曰：“庾元规乃[208]拜陶士行邪？”亮引咎自责[209]，风止[210]可观。侃不觉释然[211]，曰：“君侯修石头以拟老子[212]，今日反见求邪[213]！”即与之谈宴终日，遂与亮、峤同趣[214]建康。戎卒四万，旌旗七百余里，钲鼓[215]之声，震于远近。

苏峻闻西方兵起，用参军贾宁计，自姑孰还据石头，分兵以拒侃等。

乙未[216]，峻逼迁帝于石头，司徒导固争，不从。帝哀泣升车，宫中恸哭。时天大雨，道路泥泞，刘超、锺雅步侍左右。峻给马，不肯乘，而悲哀慷慨。峻闻而恶[217]之，然未敢杀也。以其亲信许方等补司

峻改派他们的党羽来任江州刺史，到那时，则您管辖下的荆州，西部受到前赵刘曜、后赵石勒的威胁，东部与叛逆之贼祖约、苏峻为邻，如果再遇到荒年，荆州将来的危险程度，应当比我们江州今天的处境更为艰危。您进兵征讨叛贼自然是大晋的忠臣，其功劳将与齐桓公、晋文公鼎足而三。退一步说，你也应当以慈父的爱心，念及爱子被杀的沉痛，为自己的儿子报仇雪恨。现在祖约、苏峻凶暴无道，犯上作乱，天地同感悲痛，民心同一，无不咬牙切齿。今天进军讨伐逆贼，就像用石头去投掷鸡蛋一样容易。如果现在将军队召回，是在即将成功之时，自己制造失败。请您仔细考虑我说的话。”王愆期对陶侃说：“苏峻，是豺狼一样的人物，如果让他得志，四海虽然广大，难道还会有您的立足之地吗！”陶侃深受感动而觉悟，立即穿上军装登舟启程。儿子陶瞻的灵柩此时运抵荆州，陶侃也顾不上哭吊，便昼夜兼程东进。

东晋车骑将军、徐州刺史郗鉴镇守广陵，城垣孤悬，粮秣短缺，北面逼近强大的后赵，人心浮动，没有久留之心。接到温峤等起兵勤王的通告，立即痛哭流涕地集结部队，誓师南下讨贼，奔赴国难，众将士个个奋勇争先。郗鉴派将军夏侯长等从小路隐秘而行来见温峤，对温峤说：“听说乱臣贼子苏峻准备挟持天子向东逃往会稽，应当抢在苏峻采取行动之前，在建康通往会稽的险要之处屯扎军队严密防守，既能防范苏峻等越境逃逸，又能截断逆贼的运粮通道，然后转移人口、物资，使敌人无所获取，然后严阵以待。贼人攻打城池不能取胜，在野外又没有什么东西可以抢掠，东部的通道被截断之后，粮食运不过来，叛军没有粮食必然不攻自败。”温峤认为夏侯长说得很有道理。

五月，陶侃率军到达寻阳。当时议论纷纷，都认为陶侃要诛杀庾亮，以告慰天下人对庾亮的怨恨。庾亮非常恐惧，他采用温峤的计策，亲自前往陶侃军中请罪。陶侃看到庾亮前来谢罪，非常吃惊，赶紧阻止他说：“庾元规怎么居然拜起我陶士行来了？”庾亮承认苏峻等谋反是自己的过失所造成，并痛切地自我责备，风度举止都很合宜。陶侃对庾亮的怨恨，不知不觉间便消除了，他对庾亮说：“你修筑石头城用来防范我，没想到今天反倒来求助于我！”他与庾亮纵情谈论，宴饮了一整天，遂与庾亮、温峤联军东下，直赴京师建康。全副武装的军队四万，旌旗连绵七百多里，钲鼓之声震动远近。

苏峻听到西方陶侃、温峤、庾亮等起兵勤王的消息，遂采用参军贾宁的计策，从姑孰回到石头城据守，并分出兵力抵抗陶侃等军队的进攻。

五月十八日乙未，苏峻强行将皇帝司马衍迁往石头城，担任司徒的王导极力劝阻，苏峻就是不听。皇帝司马衍哭泣着登上车子，皇宫之中一片哭声。当时正下着大雨，道路泥泞，右卫将军刘超、侍中锺雅步行随侍在皇帝左右，苏峻拨给他们马匹，他们拒绝骑乘，心中悲哀沉痛，慷慨激昂地谴责起苏峻来。苏峻听到后非常怨恨，然而也没敢杀死他们。苏峻任命自己的亲信许方等人充当司马督、殿中监，对

马督[218]、殿中监[219]，外托宿卫[220]，内实防御超等。峻以仓屋[221]为帝宫，日[222]来帝前肆丑言[223]。刘超、锺雅与右光禄大夫荀崧、金紫光禄大夫华恒、尚书荀邃、侍中丁潭侍从不离帝侧。时饥馑米贵，峻问遗[224]，超一无所受。缱绻朝夕[225]，臣节[226]愈恭。虽居幽厄[227]之中，超犹启帝[228]，授[229]《孝经》《论语》。

峻使左光禄大夫陆晔守留台[230]，逼迫居民，尽聚之后苑，使匡术守苑城[231]。

尚书左丞孔坦奔陶侃，侃以为长史。

初，苏峻遣尚书张闿权督东军[232]，司徒导密令以太后诏谕[233]三吴吏士，使起义兵救天子。会稽内史王舒以庾冰行奋武将军，使将兵一万，西渡浙江。于是吴兴太守虞潭、吴国内史蔡谟、前义兴太守顾众等皆举兵应之。潭母孙氏谓潭曰："汝当舍生取义，勿以吾老为累[234]。"尽遣其家僮从军，鬻其环珮[235]，以为军资。谟以庾冰当还旧任[236]，即去郡[237]以让冰。

苏峻闻东方兵起，遣其将管商、张健、弘徽等拒之。虞潭等与战，互有胜负，未能得前。

陶侃、温峤军于茄子浦[238]。峤以南兵[239]习水[240]，苏峻兵便步[241]，令将士有上岸者死。会峻送米万斛[242]馈祖约[243]，约遣司马[244]桓抚等迎之。毛宝帅千人为峤前锋，告其众曰："兵法'军令有所不从[245]'，岂可视贼可击，不上岸击之邪！"乃擅[246]往袭抚，悉[247]获其米，斩获万计。约由是饥乏。峤表[248]宝为庐江[249]太守。

陶侃表王舒监[250]浙东[251]军事，虞潭监浙西[252]军事，郗鉴都督扬州八郡诸军事，令舒、潭皆受鉴节度[253]。鉴帅众渡江，与侃等会于茄子浦，雍州[254]刺史魏该亦以兵会之。

丙辰[255]，侃等舟师直指石头，至于蔡洲[256]。侃屯查浦[257]，峤屯沙门

外宣称是为了加强宫廷宿卫保护皇帝，实际上是为了防范刘超等。苏峻把仓库作为皇帝的宫室，每天都到皇帝面前肆无忌惮地口出恶言。右卫将军刘超、侍中锺雅、右光禄大夫荀崧、金紫光禄大夫华恒、尚书荀邃、侍中丁潭都一直侍奉在皇帝司马衍身边，寸步不离皇帝左右。因为当时正闹饥荒，粮米很贵，苏峻馈赠粮米给刘超，刘超一无所受。他从早到晚殷勤陪伴在皇帝左右，臣属的规矩与礼数越加恭敬。虽然是在幽禁困厄之中，刘超仍然开导皇帝，坚持为皇帝讲授《孝经》《论语》。

苏峻让担任左光禄大夫的陆晔负责看守建康朝廷，逼迫居民全部聚集到宫城的后苑，令部将匡术据守苑城。

担任尚书左丞的孔坦投奔了陶侃，陶侃任命孔坦为长史。

当初，苏峻派遣担任尚书的张闿暂时负责统领京师建康以东的军队，担任司徒的王导秘密下令给吴兴、吴郡、会稽三地的军民，宣称奉皇太后遗诏，号召他们起兵勤王，营救灾难中的天子司马衍。担任会稽郡内史的王舒任命庾冰为代理奋武将军，派他率领一万人，向西渡过钱塘江。于是在吴兴担任太守的虞潭、在吴国担任内史的蔡谟、曾经担任过义兴太守的顾众等全都起兵响应王导的号召。虞潭的母亲孙氏对虞潭说："你应当为维护正义而敢于舍弃生命，不要因为我年事已高而拖累了你。"她把家里所有的男仆全都送去参军，又把自己的钗环首饰卖掉充作军费。蔡谟以为应当让庾冰官复旧职，遂离开吴国内史的职位，把吴国内史的职位归还给庾冰。

苏峻听到东部三吴地区的义军群起讨伐的消息，就派遣手下的将领管商、张健、弘徽等率军抵抗勤王的义军。吴兴太守虞潭等率军与苏峻的叛军交战，双方互有胜负，都无法顺利向前推进。

陶侃与温峤等将军队驻扎在茄子浦。温峤认为自己南方的士兵熟习水战，而苏峻所率领的江北士卒习惯于在陆地上徒步作战，便下了死命令：将士中有上岸者处死。恰好此时苏峻运送一万斛米给驻守寿春的祖约，祖约派手下担任司马的桓抚等率军前来接收。温峤的部将毛宝率领一千人担任先锋，毛宝对自己的下属说："兵法说'军令有时可以不服从'，看到有打败贼寇的机会，怎么能只为遵守军令就不上岸攻打呢！"遂自作主张率领属下登陆袭击桓抚，把苏峻送与祖约的一万斛米全部缴获，杀死、俘获了上万人。祖约军中因此缺粮，部众忍饥挨饿。温峤上表奏请朝廷任命毛宝为庐江太守。

陶侃上表举荐会稽内史王舒任监浙东军事，举荐吴兴太守虞潭为监浙西军事，举荐车骑将军、徐州刺史郗鉴为都督扬州八郡诸军事，令王舒、虞潭接受郗鉴的指挥调遣。郗鉴率军渡过长江，与陶侃、温峤等会师于茄子浦，担任雍州刺史的魏该也率军抵达茄子浦与众人相会。

闰五月初九日丙辰，陶侃等勤王水军径直向石头城进发，抵达蔡洲。陶侃屯扎

浦[258]。峻登烽火楼，望见士众之盛，有惧色，谓左右曰：“吾本知温峤能得众[259]也。”

庾亮遣督护王彰击峻党张曜，反为所败，亮送节传[260]以谢侃[261]。侃答曰：“古人三败[262]，君侯始二[263]。当今事急，不宜数尔[264]。”亮司马陈郡殷融诣侃谢曰：“将军为此[265]，非融等所裁[266]。”王彰至曰：“彰自为之[267]，将军不知也。”侃曰：“昔殷融为君子，王彰为小人[268]。今王彰为君子，殷融为小人。”

宣城内史桓彝闻京城不守，慷慨流涕，进屯泾县[269]。时州郡多遣使降苏峻，裨惠复劝彝宜且与通使[270]，以纾[271]交至之祸[272]。彝曰：“吾受国厚恩，义在致死[273]，焉能忍耻与逆臣通问[274]！如其不济[275]，此则命也。”彝遣将军俞纵守兰石[276]，峻遣其将韩晃攻之。纵将败，左右劝纵退军。纵曰：“吾受桓侯厚恩，当以死报。吾之不可负[277]桓侯，犹桓侯之不负国也。”遂力战[278]而死。晃进军攻彝，六月，城陷，执彝杀之。

诸军初至石头，即欲决战。陶侃曰：“贼众方盛[279]，难与争锋，当以岁月、智计破之[280]。”既而[281]屡战无功，监军部将[282]李根请筑白石垒[283]，侃从之。夜筑垒，至晓而成。闻峻军严声[284]，诸将咸惧其来攻。孔坦曰：“不然。若峻攻垒，必须东北风急，令我水军不得往救。今天清静[285]，贼必不来。所以严者，必遣军出江乘[286]，掠京口[287]以东矣。”已而果然。侃使庾亮以二千人守白石[288]。峻帅步骑万余四面攻之，不克。

王舒、虞潭等数与峻兵战，不利。孔坦曰：“本不须召郗公，遂使东门[289]无限[290]。今宜遣还，虽晚，犹胜不也[291]。”侃乃令鉴与后将军郭默还据京口，立大业[292]、曲阿[293]、庱亭[294]三垒以分峻之兵势，使郭默守大业。

壬辰[295]，魏该卒。

在查浦，温峤屯扎在沙门浦。苏峻登上烽火楼，看见勤王义军军威盛大，脸上露出了恐惧的神色，他对身边的人说："我本来就知道温峤能够得到国人的拥护。"

庾亮派遣担任督护的王彰率军攻打苏峻的党羽张曜，王彰反而被张曜击败，庾亮把皇帝赐予自己的符节传送给陶侃，向陶侃承认败军之罪。陶侃答复说："古代鲁国的曹沫曾经三次打了败仗，你不过才两次。如今军事形势紧急，你不要屡屡做出这种请罪的样子。"在庾亮属下担任司马的陈郡人殷融前往晋见陶侃，就王彰战败一事推卸责任说："这些错误都是庾亮个人造成的，不是我们僚属的意见。"打了败仗的王彰到陶侃面前为庾亮开脱说："是我自己擅自出战而导致的失败，庾亮将军并不知情。"陶侃评价说："过去殷融是君子，王彰是小人。现在王彰是君子，殷融是小人。"

担任宣城内史的桓彝听到京师建康已经落入苏峻的掌控之中的消息后，万分感慨，禁不住痛哭流涕，遂从广德进军到泾县。当时许多州郡都派使者归降了苏峻，桓彝属下的长史裨惠再次劝说桓彝应该暂且与苏峻互通信使，以求缓解被投靠苏峻的州郡从四面八方围攻的灾祸。桓彝说："我深受国家厚恩，大义所在，应该为国效忠而死，怎能忍受与逆贼通使的耻辱！如果我讨伐逆贼失败，那只能归结为命该如此。"桓彝派将军俞纵守卫兰石，苏峻派属下将领韩晃率军攻打俞纵。俞纵眼看就要战败，左右都劝他赶紧撤军。俞纵说："我受桓侯厚恩，应当以死相报。我之不辜负桓侯，就如同桓侯不辜负国家一样。"遂拼死而战直到战死。韩晃乘胜攻打桓彝，六月，桓彝所据守的泾县被韩晃攻破，韩晃擒获了宣城内史桓彝，并将桓彝杀害。

诸路勤王义军刚挺进到石头城，将领们就想与苏峻叛军决战。义军盟主陶侃说："贼寇的士气正旺盛，很难在战场上与他争个胜负，应当等待有利时机，用计谋战胜他。"接下来的一系列会战都无功而返，郗鉴的部将李根请求兴筑白石垒，陶侃批准了他的请求。李根遂在夜间率众修筑白石垒，到天亮时已经修建完毕。听到苏峻军中紧急集合的声音，诸将都以为苏峻即将率军前来攻打，心中都很害怕。孔坦说："不会的。苏峻如果率军来攻打白石垒，必然选在东北风刮得很紧的时候，使我们的水军无法逆风赴援。今天风清浪静，贼人肯定不会前来攻打。他们所以击鼓整队，必定是派遣军队从江乘出击，到京口以东地区进行劫掠。"后来证明，事情果然像孔坦所说的那样。陶侃派庾亮率领二千人守卫白石垒。苏峻率领步兵、骑兵总计一万多人从四面攻打白石垒，没有攻克。

会稽内史王舒、吴兴太守虞潭等多次率军与苏峻的叛军交战，形势都很不利。孔坦说："原本不该把车骑将军、徐州刺史郗鉴召来，遂使建康以东地区防守空虚。现在应该赶紧派郗鉴返回原地，虽然已经晚了一步，但总比不回的好。"陶侃遂令郗鉴与后将军郭默率军返回京口据守，他们在大业、曲阿、庱亭三地修筑起军事营垒以分散苏峻的兵力，令郭默防守大业垒。

六月十五日壬辰，雍州刺史魏该去世。

祖约遣祖涣、桓抚袭湓口[296]。陶侃闻之，将自击之。毛宝曰："义军恃公[297]，公不可动，宝请讨之。"侃从之。涣、抚过皖[298]，因攻谯国内史桓宣。宝往救之，为涣、抚所败。箭贯宝髀彻鞍[299]，宝使人蹋鞍拔箭[300]，血流满靴。还击涣、抚，破走之，宣乃得出，归于温峤。宝进攻祖约军于东关[301]，拔合肥戍[302]。会峤召之，复归石头。

祖约诸将阴[303]与后赵通谋，许为内应。后赵将石聪、石堪引兵济淮[304]，攻寿春[305]。秋，七月，约众溃，奔历阳[306]，聪等虏寿春二万余户而归。

后赵中山公虎帅众四万自轵关[307]西入[308]，击赵河东[309]，应之者五十余县，遂进攻蒲阪[310]。赵主曜遣河间王述[311]发氐、羌之众屯秦州，以备张骏、杨难敌，自将中外精锐水陆诸军以救蒲阪，自卫关[312]北济。虎惧，引退。曜追之，八月，及于高候[313]。与虎战，大破之，斩石瞻，枕尸[314]二百余里，收其资仗[315]亿计。虎奔朝歌[316]。曜济自大阳[317]，攻石生于金墉[318]，决千金堨[319]以灌之。分遣诸将攻汲郡[320]、河内[321]，后赵荥阳太守尹矩、野王太守张进等皆降之。襄国大震。

张骏治兵，欲乘虚袭长安，理曹郎中[322]索询谏曰："刘曜虽东征，其子胤守长安，未易轻[323]也。借使小有所获，彼若释[324]东方之图[325]，还与我校[326]，祸难之期[327]，未可量[328]也。"骏乃止。

苏峻腹心路永、匡术、贾宁闻祖约败，恐事不济，劝峻尽诛司徒导等诸大臣，更树腹心[329]。峻雅敬导[330]，不许，永等更贰于峻[331]。导使参军袁耽潜诱[332]永使归顺[333]，九月戊申[334]，导携二子与永皆奔白石[335]。耽，涣之曾孙也。

陶侃、温峤等与苏峻久相持不决，峻分遣诸将东西攻掠，所向多

祖约派部将祖涣、桓抚袭击湓口。陶侃听到消息，就准备亲自率军前去阻击。已经是庐江太守的毛宝劝阻说："起兵勤王的义军全仰仗您的领导指挥，您不能动，我请求担当此次讨伐祖涣、桓抚的任务。"陶侃批准了毛宝的请求。祖涣、桓抚经过皖县的时候，顺势攻击屯驻在皖县马头山的谯国内史桓宣。毛宝率军赶往皖县救援桓宣，被祖涣、桓抚打败。流矢穿透毛宝的大腿又射进了马鞍，毛宝让人用脚踏住马鞍将射入大腿的箭拔出，鲜血流满了长靴。毛宝带伤反击，将祖涣、桓抚打败，祖涣、桓抚逃走，桓宣才得以解围而出，投奔温峤。毛宝继续率军攻打由祖约军把守的东关，进而又攻克了苏峻在合肥防守的营垒。适逢温峤召他回军，毛宝又返回石头城。

祖约的部将背叛了祖约，他们暗中与后赵联络，答应为后赵做内应。后赵将领石聪、石堪率军渡过淮水，攻打祖约所据守的寿春。秋季，七月，祖约的部众被打得溃不成军，祖约逃往历阳，石聪等掳掠了寿春两万多户而后返回后赵。

后赵中山公石虎率领四万人马从轵关向西进入前赵境内，攻打前赵的河东郡，起兵响应后赵石虎的有五十多个县，石虎遂乘胜进攻蒲阪。前赵主刘曜派河间王刘述征调氐族、羌族的兵众屯驻在秦州防范凉州刺史张骏以及氐王杨难敌，自己则亲自率领朝廷及地方的水陆精兵救援蒲阪，从卫关向北渡过黄河。后赵中山公石虎心里很恐惧，就撤军而回。刘曜率军追赶石虎，八月，追赶到高候时将石虎追上。前赵军与石虎所率领的后赵军展开激战，前赵军大败后赵石虎军，斩杀了石瞻，杀死的敌军尸体横七竖八互相枕卧，连绵二百多里，缴获的物资、器械数以亿计。后赵石虎逃往朝歌。前赵主刘曜从大阳向南渡过黄河，攻打守卫金墉城的石生，他掘开千金堨，把洛水灌入金墉城中。同时派遣将领分别攻打后赵管辖之下的汲郡、河内郡，后赵荥阳太守尹矩、野王太守张进全都投降了前赵。后赵的都城襄国大为震动。

凉州刺史、西平公张骏集结军队，想趁前赵主刘曜出兵在外、国内防守空虚的机会攻打前赵的都城长安，担任理曹郎中的索询劝阻说："前赵主刘曜虽然御驾东征，他的儿子刘胤留守长安，长安不是轻易就能攻取的。即使我们小有所获，刘曜如果放弃了东方攻打后赵的军事行动，率军返回与我军较量，给我们造成的灾难之大，是无法估量的。"张骏于是放弃了攻打前赵的念头。

苏峻的心腹路永、匡术、贾宁听到祖约失败的消息，担心谋反之事不能成功，就劝说苏峻把朝中以司徒王导为首的诸多大臣全部诛杀，另行安置自己的心腹在朝廷各部门任职。苏峻一向敬重王导，因此没有采纳他们的意见，路永等遂与苏峻怀有二心。王导借机派担任参军的袁耽暗中劝导路永归顺拥护朝廷的军队，九月初三日戊申，司徒王导携带着自己的两个儿子与路永一同逃往白石垒投奔庾亮。袁耽，是袁涣的曾孙。

陶侃、温峤等勤王义军与苏峻的叛军相持已久，却不能取得决定性的胜利，而

捷，人情恟惧[336]，朝士[337]之奔西军[338]者皆曰：“峻狡黠[339]，有胆决[340]，其徒骁勇，所向无敌。若天讨有罪，则峻终灭亡。止以人事[341]言之，未易除也。”温峤怒曰：“诸君怯懦，乃更誉贼[342]！”及累战[343]不胜，峤亦惮[344]之。

峤军食尽，贷[345]于陶侃。侃怒曰：“使君前云不忧[346]无良将及兵食，惟欲得老仆为主[347]耳。今数战皆北[348]，良将安在！荆州接胡、蜀二虏[349]，当备不虞[350]。若复无食，仆便欲西归[351]，更思良算，徐来殄贼[352]，不为晚也。”峤曰：“凡师克在和，古之善教也。光武之济昆阳[353]，曹公之拔官渡[354]，以寡敌众，杖义[355]故也。峻、约小竖[356]，凶逆滔天，何忧不灭！峻骤胜[357]而骄，自谓无前[358]，今挑之战，可一鼓而擒[359]也。奈何舍垂立之功[360]，设进退之计[361]乎！且天子幽逼[362]，社稷危殆[363]，乃四海臣子肝脑涂地[364]之日。峤等与公并受国恩，事若克济[365]，则臣主同祚[366]；如其不捷，当灰身[367]以谢先帝[368]耳。今之事势，义无旋踵[369]，譬如骑虎，安可中下哉[370]！公若违众独返，人心必沮[371]。沮众败事，义旗将回指于公[372]矣！”毛宝言于峤曰：“下官能留陶公。”乃往说侃曰：“公本应镇芜湖，为南北势援[373]。前既已下[374]，势不可还。且军政[375]‘有进无退’，非直[376]整齐三军，示众必死[377]而已，亦谓退无所据[378]，终至灭亡。往者杜弢[379]非不强盛，公竟灭之，何至于峻独不可破邪？贼亦畏死，非皆勇健，公可试与宝兵，使上岸断贼资粮。若宝不立效[380]，然后公去[381]，人心不恨[382]矣！”侃然之，加宝督护而遣之。竟陵太守李阳说侃曰：“今大事若不济[383]，公虽有粟，安得而食诸[384]？”侃乃分米五万石以饷[385]峤军。毛宝烧峻句容、湖孰[386]积聚[387]，峻军乏食，侃遂留不去。

张健、韩晃等急攻大业，垒中乏水，人饮粪汁。郭默惧，潜[388]突

苏峻派遣的将领向东西方攻击劫掠，却攻无不胜，因此人心惶恐，那些投奔沿江西来义军的朝廷官员都说：“苏峻狡猾诡诈，有胆略有决断，他的部众骁勇善战，所向无敌。如果上天讨伐有罪的苏峻，那么苏峻迟早会灭亡。如果只依人的力量来说，恐怕不容易将他除掉。”温峤发怒说：“你们这些人胆小如鼠，竟敢在这里夸赞叛逆之人！”等经过多次交战，义军都不能取胜之后，温峤对苏峻也有些惧怕。

温峤军中的粮食已经吃完，便向陶侃借贷粮食。陶侃很生气地说：“你以前曾经说过，不愁没有良将，也不愁军队没有粮草，只需要我老夫答应做义军的盟主就行了。如今与苏峻叛军交战多次，全都败北，良将在哪里！荆州北接前赵、后赵，西接李成，我的粮食储备是用来防备突发事件的。如果军队再没有粮食，我就要撤军返回西部的荆州，再想别的办法，慢慢地等待时机再来消灭叛贼，也为时不晚。”温峤说：“凡是能够打胜仗的军队，其内部一定要和睦，这是古人给我们的最好教训。汉光武帝刘秀在昆阳打败王莽，曹操之攻占官渡大破袁绍，都是以少胜多，这是因为他们都是为了正义而战的缘故。苏峻、祖约不过是小丑而已，他们罪恶滔天，何必担忧灭不了他们！苏峻屡次获胜之后，便开始骄傲起来，自认为天下无敌，现在设法激他出来与我们交战，可以一鼓作气将他擒获。为什么要舍弃即将到手的功劳，而做出退兵的决定呢！况且，天子被苏峻拘禁、逼迫，国家面临灭亡的危险，正是四海之内做臣子的竭忠尽力、以死报效国家的时候。我等与阁下全都深受国家厚恩，勤王讨贼之事如果能够成功，则臣子与皇上一同享福；如果失败，就应当为国捐躯以向先帝请罪。事态发展到今天，我们已经没有退路，就如同骑在老虎背上，还能中途跳下来吗！阁下如果违背众人的期望单独返回，军心一定会瓦解。军心瓦解就要败坏大事，勤王义军的大旗恐怕都将掉转方向而讨伐阁下了！”庐江太守毛宝对温峤说：“我能留住陶侃。”于是就前往陶侃大营劝说陶侃，毛宝说：“您作为盟主本来应该坐镇芜湖，为江南、江北两方面的义军做声援。而先前您既然已经率军东下，形势上也不允许您再返回去。而且军法上说得很清楚，‘军队一旦采取行动，就只能前进不能后退’，不仅仅是为了告诉众人只能勇往直前、不能做生还的打算，也是因为一旦后退，就再也收不住、难以再组织抵抗了，最终必然导致灭亡。以前杜弢的势力并不是不强大，而阁下竟然将他消灭，为何到了苏峻，就独独认为他强不可破呢？贼寇也怕死，并不都是强悍勇健之人，阁下不妨拨给我一部分军队，让我上岸去断绝叛贼的物资粮秣供应。如果我不能立刻见效，打败苏峻，那时您再撤军而去，人们心里也就不再留有遗憾了！”陶侃同意毛宝的意见，便加授毛宝为督护，打发他回去。担任竟陵太守的李阳劝谏陶侃说：“现在讨伐苏峻叛军的事情如果不能成功，您就是有再多的粮食，怎么能吃得上？”陶侃这才分出五万石米送给温峤的军队。毛宝率军焚烧了苏峻积存在句容、湖孰的各种军用生活物资，苏峻军中开始缺粮，陶侃遂留下来不再坚持返回西部。

苏峻的部将张健、韩晃等率军向大业垒发起猛攻，大业垒中饮水断绝，垒中的

围出外，留兵守之。郗鉴在京口，军士闻之皆失色。参军曹纳曰："大业，京口之捍蔽[389]也。一旦不守，则贼兵径至[390]，不可当也。请还广陵，以俟后举[391]。"鉴大会僚佐[392]，责纳曰："吾受先帝顾托[393]之重，正复[394]捐躯九泉，不足报塞[395]。今强寇在近，众心危逼[396]。君腹心之佐，而生长异端[397]，当何以帅先义众[398]，镇壹三军[399]邪！"将斩之，久乃得释。

陶侃将救大业，长史殷羡曰："吾兵不习步战[400]，救大业而不捷，则大事去矣。不如急攻石头[401]，则大业自解。"侃从之。羡，融之兄也。庚午[402]，侃督水军向石头。庾亮、温峤、赵胤帅步兵万人从白石南上[403]，欲挑战。峻将八千人逆战[404]，遣其子硕及其将匡孝分兵先薄[405]赵胤军，败之。峻方劳其将士，乘醉望见胤走[406]，曰："孝能破贼，我更不如邪？"因舍其众，与数骑北下[407]突陈[408]，不得入。将回趋白木陂[409]，马踬[410]。侃部将彭世、李千等投之以矛，峻坠马，斩首，脔割[411]之，焚其骨，三军皆称万岁，余众大溃。峻司马任让等共立峻弟逸为主，闭城自守。温峤乃立行台[412]，布告远近，凡故吏二千石以下皆令赴台[413]，于是至者云集。韩晃闻峻死，引兵趣石头。管商、弘徽攻虔亭垒，督护李闳、轻车长史滕含击破之。含，脩之孙也。商走诣庾亮降，余众皆归张健。

冬，十一月，后赵王勒欲自将救洛阳，僚佐程遐等固谏曰："刘曜悬军[414]千里，势不支久。大王不宜亲动，动无万全[415]。"勒大怒，按剑叱遐等出，乃赦徐光[416]，召而谓之曰："刘曜乘一战之胜，围守洛阳，庸人之情[417]皆谓其锋不可当。曜带甲十万，攻一城[418]而百日不克，师老卒怠[419]。以我初锐[420]击之，可一战而擒也。若洛阳不守，曜必送死

守军渴得连尿水都喝了。守军将领郭默害怕了，便偷偷地突出包围，只留下士卒守卫大业垒。车骑将军、徐州刺史郗鉴率军屯驻在京口，军士听到大业垒守将郭默潜逃的消息后都大惊失色。担任参军的曹纳对郗鉴说：“大业垒是捍卫京口的屏障。大业垒一旦失守，贼兵就会径直冲到我们面前，其势不可阻挡。请率军撤回广陵，等到时机有利的时候再来。”郗鉴将所有僚属都招集起来，当众责备曹纳说：“我接受先帝临终托付辅佐幼主的重任，即使为国捐躯、死在九泉之下，也不足以报答先帝的厚恩。如今强大的贼寇近在咫尺，众人之心惶恐不安。你是我的心腹僚佐，竟然会有这种与众不同的想法，还怎么为诸路义军做出表率，稳定、统一三军的思想呢！”就要将曹纳斩首，过了很久才将曹纳释放。

陶侃准备亲自率军救援大业垒，担任长史的殷羡说：“我们南方士卒不熟悉步战，万一救援大业不能成功，则大事去矣。不如加紧攻打驻守石头城的苏峻，张健、韩晃必然撤军来救，大业垒的围困自然解除。”陶侃采纳了殷羡的建议。殷羡，是殷融的哥哥。七月二十四日庚午，陶侃亲自指挥水军攻打石头城。庾亮、温峤、赵胤率领一万名步兵从白石垒以南向石头城进军，准备迎战苏峻。苏峻亲自率领八千人迎战，同时派自己的儿子苏硕以及部将匡孝率领一支部队率先进逼赵胤军，将赵胤打败。苏峻正在慰劳他的将士，醉眼蒙眬望见赵胤率军逃走，遂说：“匡孝能打败贼寇，我反倒不如他吗？”于是丢下众人，只带几名骑兵从北向南冲击庾亮、温峤的军阵，但无法冲入。他便准备折回白木陂，座下的战马突然被绊倒。陶侃的部将彭世、李千等立即将手中的铁矛投向苏峻，苏峻跌落马下，义军蜂拥而上将苏峻的人头砍下来，将他的肉剁成碎块，并焚烧了他的尸骨，三军上下齐声欢呼“万岁”，苏峻余部大溃。苏峻的司马任让等共同拥戴苏峻的弟弟苏逸为盟主，他们关闭了石头城门，严密防守。温峤遂组建起一个行使朝廷之权的政府机构行台，向远近发布文告，令旧有的俸禄在二千石以下的官员，都要到行台报到，于是前来报到的人风云而至。苏峻的部将韩晃听到苏峻已死的消息，立即解除对大业垒的包围，率军赶赴石头城。苏峻的另外两名部将管商、弘徽攻打庱亭垒，被义军中担任督护的李闳、担任轻车长史的滕含击败。滕含，是滕脩的孙子。管商跑到庾亮那里投降，他的余部则都归附了张健。

冬季，十一月，后赵王石勒准备亲自统兵救援洛阳，他的僚佐程遐等人坚决劝阻说：“刘曜亲统大军远离自己的本土千里之外，势必不能坚持很久。大王您不应该亲自出动，如果亲自出动，恐怕难保万无一失。”石勒听了非常生气，他手按宝剑将程遐等呵斥出去，遂将徐光释放出来，随后召见他说：“刘曜凭借着一次战役的胜利，就围困了洛阳，一般人都认为无法阻挡刘曜的进攻锋芒。刘曜率领着十万军队，攻打一座孤立无援的洛阳城，一百天都没有攻克，他的军队已经疲惫不堪，士气懈怠，用我们刚刚投入战斗的士气旺盛的军队去攻打，可以一战而将其擒获。如果洛阳失

冀州[421]，自河已北[422]，席卷而来，吾事去矣。程遐等不欲吾行，卿以为何如?”对曰:“刘曜乘高候之势[423]，不能进临襄国[424]，更守金墉[425]，此其无能为[426]可知也。以大王威略临之，彼必望旗奔败。平定天下，在今一举，不可失也。”勒笑曰:“光言是也。”乃使内外戒严[427]，有谏者斩。命石堪、石聪及豫州刺史桃豹等各统见众[428]会荥阳[429]，中山公虎进据石门[430]，勒自统步骑四万趣金墉，济自大堨[431]。

勒谓徐光曰:“曜盛兵[432]成皋关[433]，上策也；阻洛水[434]，其次也；坐守洛阳，此成擒[435]耳。”十二月乙亥[436]，后赵诸军集于成皋，步卒六万，骑二万七千。勒见赵无守兵，大喜，举手指天复加额[437]曰:“天也!”卷甲[438]衔枚[439]，诡道[440]兼行[441]，出于巩、訾之间[442]。

赵主曜专与嬖臣[443]饮博[444]，不抚[445]士卒，左右或谏[446]，曜怒，以为妖言，斩之。闻勒已济河，始议增荥阳戍，杜黄马关[447]。俄而[448]洛水候者[449]与后赵前锋交战，擒羯[450]送之。曜问:“大胡[451]自来邪[452]?其众几何[453]?”羯曰:“王自来，军势甚盛。”曜色变，使摄[454]金墉之围，陈于洛西[455]，众十余万，南北十余里。勒望见，益喜。谓左右曰:“可以贺我矣!”勒帅步骑四万入洛阳城。

己卯[456]，中山公虎引步卒三万自城北而西，攻赵中军，石堪、石聪等各以精骑八千自城西而北，击赵前锋，大战于西阳门[457]。勒躬贯甲胄[458]，出自阊阖门[459]，夹击之。曜少而嗜酒，末年尤甚。将战，饮酒数斗。常乘赤马[460]无故跼顿[461]，乃乘小马。比出[462]，复饮酒斗余。至西阳门，挥陈就平[463]。石堪因而乘之[464]，赵兵大溃。曜昏醉退走，马陷石

守，刘曜必定亲率大军攻入我们的冀州，带着黄河以北的所有军队，像卷草席一样而来，我们的大业就全部丧失了。程遐等人都不愿意让我统兵前去，你以为如何?”徐光回答说:“刘曜凭借着高候大败石虎的有利势头，不能一鼓作气进逼我们的都城襄国，反而在那里攻打金墉城，仅凭这一点，就知道他不可能有什么大的作为。以大王的威望和谋略率军与他对抗，对方看见大王的旗帜就会逃跑。平定天下在此一举，这个机会不能错过。”石勒笑着说:“徐光说得对。”于是将朝廷以及地方的军队一律紧急动员起来，有人胆敢劝阻，一律斩首。下令石堪、石聪以及担任豫州刺史的桃豹等人各自率领手下现有人马前往荥阳会师，中山公石虎进驻石门防守，石勒则亲统四万名步兵骑兵奔赴金墉城，从大堨渡过黄河。

石勒对徐光说:“刘曜如果设重兵把守成皋关，这是上策；如果是沿着洛水构筑防线，这是中策；如果是坐守洛阳，就是等着被我们擒获了。”十二月初一日乙亥，后赵各路军马全部汇集于成皋，总计步兵六万人，骑兵二万七千人。石勒看见前赵主刘曜并没有在成皋关设重兵防守，心中大喜，他举起手来指了指上天，然后把手放在额头上说:“真乃是天意也!”石勒下令军士卷起铠甲背在背上，为了防止喧哗，士兵口中都横衔着小棍，沿着隐秘的小路加速行进，从巩县、訾城之间穿越而过直赴洛阳。

前赵主刘曜每天只是与自己宠幸的臣子饮酒博弈，不关心、体恤士卒，身边一旦有人劝谏，刘曜就发怒，认为是妖言惑众，立即将其斩首。他听说石勒已经渡过黄河，才开始商议增加荥阳守军和堵住黄马关。不久，洛水边担任瞭望、侦察任务的巡逻兵与后赵的前锋部队交战，将擒获的石勒部队中的一个羯族士兵押送到刘曜面前。刘曜审问那个羯人俘虏说:“是你们的大头领亲自率军前来的吗?总共有多少人马?”那个羯人俘虏回答说:“我们大王亲自统兵前来，军势十分盛大。”刘曜一听，立马改变了神色，赶紧下令撤回包围金墉城的部队，在洛水以西布阵防守，部众十多万人，南北连营十余里。石勒看见刘曜如此布阵，心中更加欢喜。他对自己身边的人说:“你们可以向我表示祝贺了!”石勒率领四万名步兵、骑兵进入洛阳城。

十二月初五日己卯，后赵中山公石虎率领三万名步兵从洛阳城北向西挺进，攻打前赵的中军，石堪、石聪等各自率领精锐骑兵八千人从洛阳城西向北挺进，攻打前赵的前锋部队，双方大战于洛阳城西最南端的西阳门。石勒身穿铠甲、戴着头盔，率军从洛阳城西最北端的阊阖门杀出，与石堪、石聪等对前赵军进行南北夹击。前赵主刘曜自幼喜欢饮酒，到了晚年，嗜酒更加厉害。准备作战时，先要喝几斗酒。他平常所骑的那匹红马突然无缘无故地抬不起头，刘曜只得改乘一匹小马。等到即将出战的时候，又喝了一斗多酒。刘曜来到洛阳城的西阳门，指挥部众退到平川布阵。后赵将领石堪趁前赵军布阵之机对前赵军发起攻击，前赵军一下子便溃不成军。刘曜此时还处在昏昏沉沉的醉酒状态，便听任小马向后退走，马腿突然陷入了以石

渠[465]，坠于冰上，被疮[466]十余，通中者三[467]，为堪所执。勒遂大破赵兵，斩首五万余级。

下令曰：“所欲擒者一人耳，今已获之，其敕将士[468]抑锋止锐[469]，纵[470]其归命[471]之路。”

曜见勒曰：“石王，颇忆[472]重门之盟[473]否？”勒使徐光谓之曰：“今日之事，天使其然，复云何邪！”乙酉[474]，勒班师，使征东将军石邃将兵卫送曜。邃，虎之子也。曜疮甚，载以马舆[475]，使医李永与同载。己亥[476]，至襄国，舍[477]曜于永丰小城[478]，给其妓妾[479]，严兵围守。遣刘岳、刘震等[480]从男女[481]盛服以见之[482]，曜曰：“吾谓卿等久为灰土[483]，石王仁厚，乃全宥至今[484]邪！我杀石佗[485]，愧之多矣！今日之祸，自其分[486]耳。”留宴终日而去。勒使曜与其太子熙书，谕令速降，曜但敕熙与诸大臣“匡维社稷[487]，勿以吾易意[488]也”。勒见而恶之。久之，乃杀曜。

是岁，成汉献王骧[489]卒，其子征东将军寿以丧[490]还成都。成主雄以李玝为征北将军、梁州刺史，代寿屯晋寿[491]。

【段旨】

以上为第一段，写晋成帝咸和三年（公元三二八年）一年间的大事。主要写了苏峻、祖约叛乱，起兵进攻建康，庾亮无能，京城失陷，卞壸战死，庾亮逃依温峤；写了苏峻迁晋成帝于石头城，控制朝廷，纵兵掠夺宫省；写了温峤起兵于江州，力请陶侃为盟主，号召天下讨贼，陶侃几经动摇后，乃出兵东下；写了郗鉴等人在东方组织勤王军，进援朝廷，温峤部将毛宝大破祖约，拔取合肥，祖约勾结后赵入侵抄掠；写了勤王军与苏峻会战，勤王军屡败，陶侃又动摇欲退，多亏温峤晓之以大义，毛宝出兵烧叛军积聚，勤王军的军心始定；写了陶侃、温峤、庾亮等引兵转攻石头，苏峻酒醉轻出，被勤王军所杀，勤王军兵威大振，进而收复建康，苏峻余党固守石头城；写了前赵主刘曜大破后赵石虎于河东，进而

为岸的河沟当中，刘曜一下子摔落在坚冰之上，身上十多处受伤，伤及内脏的就有三处，遂被后赵将领石堪擒获。后赵王石勒大败前赵主刘曜的军队，斩杀了五万多人。

石勒下令说：“所要擒获的只是刘曜一人而已，现在已经将刘曜擒获，传令各将士收起武器停止追杀，给他们放开一条逃生之路。”

前赵主刘曜看见后赵王石勒，刘曜说：“石王，你还记不记得我们在重门的盟誓?”石勒派徐光对刘曜说：“今天这种局面，是上天安排的，还有什么可说的呢!”十二月十一日乙酉，石勒班师回到襄国，派征东将军石邃率兵一路押送刘曜。石邃，是中山公石虎的儿子。刘曜的伤势很严重，石邃就让刘曜躺在两马之间的担架上，让医生李永与他同乘一辆车。二十五日己亥，到达后赵的都城襄国，石勒将刘曜安置在永丰小城内，拨给他一些歌舞女和使女，派兵严加守卫。又令之前被俘虏的刘岳、刘震等带着一群僚属与警卫，衣冠楚楚地前来叩见刘曜，刘曜说：“我以为你们都早已死去多时了，石王为人仁慈宽厚，竟然宽宥你们，让你们活到现在！我却杀死了石佗，相比之下真是使我太惭愧了！今天落到这种地步，都是自己应得的报应。”刘曜留他们宴饮了一整天，才让他们离去。石勒让刘曜写信给他的太子刘熙，要刘熙赶紧向后赵投降，刘曜在信中只是告谕刘熙与诸位大臣要“治理好国家，不要因为我被俘的缘故而改变主意”。石勒看了刘曜写给太子刘熙的书信，心里非常厌恶。过了很久，还是把刘曜杀死了。

这一年，成国汉献王李骧去世，他的儿子征东将军李寿因为护持李骧的丧车而回到成都。成主李雄任命李玝为征北将军、梁州刺史，代替李寿镇守晋寿。

围攻洛阳；后赵主石勒亲率军大破刘曜于洛阳城西，刘曜醉酒应战，马倒被俘，最后被石勒所杀，从此前赵濒临灭亡等。

【注释】

①寻阳：晋郡名，郡治在今湖北黄梅西南。②韩晃：苏峻的部将。③食炙：吃肉。炙，烧烤的肉。④不知口处：不知嘴在哪里。⑤丁未：正月二十八。⑥济自横江：从横江浦渡过长江。横江浦在今安徽和县东南，为长江北岸的渡口。与江南的采石隔江相对。⑦牛渚：山名，山北为采石儿，在今安徽马鞍山市西南，为长江南岸的重要渡口。⑧陵口：陵石戍，在今安徽当涂东北长江南岸牛渚山东北，为江滨戍守处。⑨台兵：朝廷军。东晋时称朝廷禁省为台。⑩庚戌：二月初一。⑪蒋陵：蒋山的丘陵。蒋山在今江苏南京中山门外，古名“金陵山”，又名“钟山”，亦名“北山”。三国吴孙权避祖

讳，改“钟山”为“蒋山”。晋元帝渡江时，望山上有紫气，又改名“紫金山”。⑫覆舟山：在南京太平门内，北临玄武湖，与钟山形断而脉连，以山形如覆舟，故名“覆舟山”。又名“玄武山”“龙舟山”“小九华山”。⑬重戍：重兵把守。⑭小丹杨：城名，当时的丹阳县治。为区别于丹阳郡（治所在建康台城西，即今南京城内鼓楼一带），故名“小丹杨”。即今安徽当涂东北的小丹阳，与江苏南京市江宁区接界。⑮邀：阻击。⑯无复部分：军队乱套，无法指挥。部分，指挥。⑰入东：退到京城以东，指建康以东的吴郡、会稽郡等地。⑱妻孥：妻子、儿女。⑲大桁东：秦淮河以东。大桁，亦作“大航”，即朱雀桥。在秦淮河的众多浮桥中，以此浮桥最大，故称“大航”。⑳西陵：在今江苏南京城南。㉑丙辰：二月初七。㉒青溪栅：青溪上的栅栏。青溪，水名，三国吴赤乌四年（公元二四一年），在建业城东南凿东渠，称青溪。其源出今南京钟山西南麓，屈曲穿入城内，注入秦淮河。六朝时为首都漕运要道，溪上置栅，为防守要地。五代以后渐湮废。㉓因：趁势。㉔台省：“三台五省”的简称。汉代尚书为中台，御史为宪台，谒者为外台，合称“三台”。晋以尚书、中书、门下、秘书、集书为“五省”。这里“台省”泛指朝廷各行政官署。㉕寺署：犹“官署”。寺，自秦以宦者任外廷之职，其官舍通称为“寺”，如大理寺、太常寺等。自汉以后，三公所居谓之府，九卿所居谓之寺。㉖一时荡尽：顷刻间全部烧光。㉗背痈：背上所生的痈。痈是一种恶性脓疮，也称疽。㉘创：伤口。㉙力疾：勉强支撑病体。㉚赴敌：奔击敌人。㉛夫何恨乎：这样还有什么遗憾呢。夫，发语词。恨，遗憾、不满足。㉜勒兵：统兵。㉝云龙门：建康台城第二重宫墙的东门。下文说羊曼战死云龙门，说明苏峻兵已从东面攻入建康城内。㉞陶瞻：陶侃之子。㉟宣阳门：建康城南面正南门。〖按〗苏峻兵已从城东面济青溪，攻建康东门入城，又从城内杀至城南面的宣阳门，使庾亮腹背受敌，故亮军未及成列便弃甲而逃。㊱弃甲走：丢下兵器铠甲逃跑。㊲奔寻阳：往依温峤。㊳后事：指庾亮离开建康以后的朝廷军政大事。㊴深以相委：全部委托。㊵栋折榱崩：比喻朝廷军队土崩瓦解。栋，房屋的正梁。榱，房椽。㊶谁之咎：谁的责任。㊷剥掠：剥取其衣，抢夺其物。㊸咸：皆；都。㊹徐：缓慢；从容。㊺此手何可使着贼：这只手怎么让它能射中敌人。故意做出一种漫不经心、自我解嘲的样子。着，围棋称下子为着，这里指射箭。㊻台城：一名“苑城”，东晋时谓朝廷禁省为台，故改称“台城”，实为建康城内城。故址在今南京玄武湖南侧。㊼褚翜：褚裒之侄，先为左将军，此时任侍中。传见《晋书》卷七十七。㊽至尊：指晋成帝。㊾当御正殿：应当坐在朝廷的正殿上。御，用，这里指端坐。㊿启：奏明。51上阁：指太极殿的东、西房。据《舆地纪胜》卷十七《建筑·历代宫苑殿阁制度》引《文昌杂录》说：“东晋太极殿有东、西阁，天子开以听政，其名始于此。”52躬：亲自。53太极前殿：建康皇宫的正殿。54拥卫：围护。55右卫将军：汉文帝初置卫将军一职，总领京城兵马。以后与骠骑将军、车骑将军皆开府，不独掌禁兵，且与闻政务。晋武帝改为中卫，又分左右卫，虽也掌兵，已远不如汉时重要。56朝服守宗庙：宗庙、社稷为立国之本，在此危难之时，孔愉身穿朝服守卫宗庙，即表示其严肃与卫国的决心。㊼殿省萧然：宫廷里一片凄清寂静。殿省，指设在皇宫内的官署。萧然，萧条冷落的样子。㊽苏冠军：以敬称苏峻，苏峻由于讨沈充有功，晋升为冠军将军。㊾觐：朝见；拜见。㊿军人：一般士兵。61 岂得侵逼：焉能逼近圣驾。62 突入后宫：闯入宫中的妃嫔所居之处。63 宫人：宫女的通称。64 皆见掠夺：都遭到了苏峻士兵的抢夺。见，被。65 驱役：驱使从事各种劳役。66 捶挞：用棍子、鞭子痛打。捶，棒打。挞，鞭打。67 负担：背驮肩挑重物。68 裸剥士女：扒光成年男女的衣服。69 苫草：编苫用的茅草。苫，用茅草编成的覆盖物。70 自鄣：以遮蔽自己。鄣，通“障”，这里是遮挡的意思。71 自覆：把自己盖起来。72 姑孰：晋县名，即今安徽当涂。73 孔坦：孔愉之子，东晋的直正之臣。传见《晋书》卷七十七。74 自非：若非；如果不是。75 戎服：军服，这里指穿军服。76 白衣者无他：平民服装者无害。白衣，当时以指平民之服。77 官：官府，此指朝廷国库。78 他物称是：其他物品的数量也与上述财物成比例。称是，比例相当。79 费：糜费；挥霍。80 太官：掌管皇帝饮食宴会的部门，其长官有令、有丞。81 以供御膳：以供皇帝饮食。82 或：有人。83 亮直：忠诚、耿直。84 不容于：不被……所容。85 盍早为之计：何不早做打算。盍，何不。86 匡：匡正；扶正。87 济：救助。88 求免：求得自己免于灾难。89 何以为臣：凭什么做大臣。以，用、凭。90 丁巳：二月初八。91 称诏：借皇帝的名义颁布命令。称，声言。92 不在原例：不在赦免范围。原，原谅、赦免。93 有德望：有德行、有名望。94 本官：原任的官职，王导原任司徒。95 居己之右：指使位次排在自己之上。右，古人以右为尊。96 庾冰：庾亮之弟，时为吴国内史，吴国的都城即今江苏苏州。97 御：抵挡。98 浙江：今浙江的钱塘江，古代亦名“之江”，由于水流多曲折，故名“浙江”。水自富春县（今浙江杭州市富阳区）以下称“富春江”，自钱塘县（今杭州）以下称“钱塘江”。99 购：悬赏缉捕。100 吴铃下卒：指庾冰的侍从、门卒。由于在铃阁之下，有情况便掣铃呼叫，故名。101 蘧蒢：又作“籧篨”，用苇或竹编的粗席。102 吟啸：唱歌、吹口哨，形容闲暇无事的样子。103 鼓枻：划动船桨。枻，楫、短桨。104 溯流：逆流而上。105 逻所：津渡处的巡逻哨所。106 仅免：幸免于难。仅，才，极言其惊险、侥幸。107 号恸：哀声痛哭。因朝廷沦陷，皇帝落入贼手。108 人有候之者：有来探访温峤的人。候，探访。109 重亮：敬重庾亮。110 愈推奉之：更加表现出对庾亮的拥戴。111 三月丙子：三月朔己卯，无丙子日。丙子，二月二十七。当是。112 南屯于湖：移兵向南驻扎在于湖。于湖，在今安徽当涂南三十八里，王敦叛乱时也驻兵于此。113 宛：晋县名，县治即今河南南阳。114 逾垣：跳墙。115 壬申：四月二十四。116 明穆皇后：庾太后，庾亮之妹，谥明穆。117 声闻：音讯；消息。118 不一：不统一；不一致。119 纵横：肆意横行，无所忌惮。120 灭亡已兆：灭亡的迹象已经显示。121 倒悬：头向下脚向上地倒挂，比喻处境极端困苦危急。122 宜时进讨：应立即进兵讨伐叛逆。时，立即。123 深纳：认真采纳；全部采纳。124 辟：聘任。125 参护军事：参与商讨军中大计，即任参谋之职。⑫从弟充：温充，温峤的堂弟。⑫陶征西：指陶侃，当时为征西大将军，都督荆、湘、雍、梁四州军事，控制长江上游地区。⑫宜共推之：应该推任他为义军盟主。⑫不豫顾命：当年明帝死时没被任为顾命大臣。豫，参与、参加。⑬疆埸外将：镇守边疆的朝外之臣。⑬不敢越局：不敢超越权限。局，棋盘，这里指权限。陶侃为外将，干预内政便是越局。⑬不能回：不能改变陶侃的心思。⑬仁公且守：你暂且镇守荆湘。汉、魏、晋时称呼宰辅、岳牧为明公。今温峤称陶侃为仁公，是取天下归仁之意，表示晋各征镇都推崇陶侃。⑬仆：自谦之辞。⑬先下：先引军东下建康。⑬使者去已二日：温峤派去陶侃处的使者已经走了两天。去，离开，指离开温峤。⑬平南参军：温峤的参谋，当时温峤为平南将军。⑬别使还：到别处出使回来。⑬师克在和：军队之所以能打败敌人，关键在于内部和睦。和，和睦、团结。⑭不宜异同：同一个阵营里的人应该勠力同心、不分彼此。⑭假令可疑：即使彼此之间有怀疑。⑭外示不觉：表面上仍须对人装作并未察觉。⑭自为携贰邪：自己做出一副互不信任的样子呢。携贰，犹言离心、互不信任。⑭追信改书：追回使者，修改文书。追信，追回使者。信，使者。⑭言必应俱进：说我们一定要共同出兵。⑭不及前信：追不上已经派出的使者。⑭更遣使：重新派一个使者。⑭列上尚书：以陶侃为盟主，庾亮、温峤都一同列名上报朝廷。尚书，即尚书省，在西汉为少府属官，掌管章奏文书；东汉政务皆归尚书。魏晋以后，尚书省的主管官尚书令事实上即为宰相。在这里“尚书”即指朝廷。⑭移告征镇：发表檄文，通告于各征各镇将军。魏晋以来，有四征、四镇八将军，位在杂号将军之上。这里以“征镇”代称各地区的军政长官。⑮洒泣登舟：流着眼泪登上战船。⑮移檄远近：犹言通告全国。⑮言于盟府：已经写信告诉了你。盟府，指盟军首脑陶侃的军府。温峤、庾亮推陶侃为盟主，故称其府为盟府。⑮刻后月半：约定好下月十五。⑮大举：举行大规模的行动，指大军东下讨贼。⑮并在路次：都在进军的路上。次，行军住宿的处所。⑮惟须：就在专门等着。须，等候。⑮成败之由：犹言成败的关键。由，原因。⑮笃爱：厚爱，指陶侃答应出兵。⑮远禀成规：长期遵从我们定好的行动计划。禀，接受、奉行。⑯首启戎行：率先出兵，在前方开路。启，开路。戎行，前进的大军。⑯不敢有辞：犹今言“没有二话”。⑯或者：不明真相的人。或，通“惑”。⑯不达高旨：不了解你的心思。⑯缓于讨贼：对讨贼义举不积极。⑯此声难追：这种名声一旦传出去，就很难再洗白清楚。难追，难以挽回。⑯方岳之任：指同为大州刺史，相当于古代一方诸侯。方岳，一方的诸侯之长。⑯安危休戚二句：成败苦乐，理当共同承受。⑯自顷之顾：自不久前承蒙您的下顾，指答应共同讨贼。⑯绸缪往来：关系紧密地相互往来。⑰一旦有急：言江州一旦遇到麻烦。⑰悉众见救：谓出动全部军队，给予救援。⑰社稷之难：指苏峻颠覆朝廷。⑰岂惟仆一州：岂止是我一个江州的威胁。⑰文武莫不翘企：满朝文武没有一个不盼着您给予解决。翘企，翘首举踵，形容盼望之急切。企，踮起脚跟。⑰此州不守：指温峤镇守的江州被苏峻所灭。⑰树置官长：改派他的党羽来任刺史。⑰荆楚：那时你陶侃的荆州。由于荆州是楚国最早的疆域，故称荆州为“荆楚”。⑰⑧西逼强胡：西边受刘曜、石勒的威胁。⑰⑨东接逆贼：东与祖约、苏峻相邻近。⑱⓪因之以饥馑：接着再要闹上点灾荒。饥馑，《尔雅·释天》：“谷不熟为饥，蔬不熟为馑。”这里代指荒年。⑱①此州之今日：今天我们江州的处境。⑱②进：往大处说。⑱③参桓、文之功：与齐桓公、晋文公鼎足而三。参，同“三”。⑱④退：往小处说。⑱⑤雪爱子之痛：为自己的儿子报仇。陶侃的儿子陶瞻已经被苏峻所杀。⑱⑥人心齐一：人心相同。⑱⑦几成：眼看就要成功。⑱⑧深察所陈：仔细考虑我说的话。⑱⑨遂志：得志；按着他的意思办。⑲⓪宁有：岂有；难道还会有。⑲①容足之地：立足之地。⑲②瞻丧：儿子陶瞻的遗体。⑲③不临：顾不上去哭吊。⑲④广陵：晋郡名，郡治射阳，在今江苏宝应东北的射阳湖镇。郗鉴时为徐州刺史，镇广陵。⑲⑤胡寇：指后赵。⑲⑥固志：久留之心。⑲⑦诏书：庾亮、温峤等以皇帝名义发出的号召讨伐苏峻的文书。⑲⑧誓众：带众宣誓讨贼。⑲⑨争奋：争先赴敌。奋，发扬、振作。⑳⓪间行：潜行；抄小路隐秘而行。⑳①挟天子：挟持着晋成帝。⑳②屯据要害：屯扎据守住军事要冲。⑳③越逸：越境逃跑。越，逾越。逸，逃亡。⑳④清野坚壁：转移人口、物资，使敌人无所获取；加固壁垒，使敌人不易攻击。⑳⑤东道：建康与吴郡、会稽一带的通道。⑳⑥以谢天下：以告慰天下人对庾亮的怨恨。谢，告慰、致歉。⑳⑦拜谢：请罪。⑳⑧乃：竟；居然。⑳⑨引咎自责：承认有罪，承担责任。㉑⓪风止：风度举止。㉑①释然：怨气消除的样子。㉑②以拟老子：以对付我。拟，对付、对准。老子，自称之词，意同“老夫”，与骂人自尊者不同。㉑③反见求邪：反而来求到我了。㉑④趣：同“趋”，奔赴。㉑⑤钲鼓：古代行军、作战时用的两种乐器。击钲则退，击鼓则进。可以节制行止，又可以助威、壮声势。㉑⑥乙未：五月十八。㉑⑦恶：讨厌；怨恨。㉑⑧司马督：官名，掌宫廷宿卫。㉑⑨殿中监：官名，掌宫廷张设及亲近供御之事。㉒⓪外托宿卫：对外说为了保卫皇帝。㉒①仓屋：仓库。㉒②日：每天。㉒③肆丑言：任意地说恶毒的话。肆，无所忌惮。㉒④问遗：馈赠。㉒⑤缱绻朝夕：从早到晚地整天侍候在皇帝身边。缱绻，恭谨而尽心尽意的样子。㉒⑥臣节：做臣子的规矩与礼数。㉒⑦幽厄：拘禁；囚禁。㉒⑧启帝：开导皇帝。㉒⑨授：教；传授。㉓⓪守留台：看守旧时的朝廷办公之处。苏峻逼迫成帝及朝廷官员从台城迁往石头城，故称朝廷留在台城的守堆人员为“留台”。㉓①苑城：台城。㉓②权督东军：暂时监管东部地区的军队。㉓③谕：告；通告。㉓④为累：为累赘；为妨碍。㉓⑤鬻其环珮：卖掉了自己的钗环首饰与各种佩戴之物。㉓⑥旧任：庾冰本为吴国内史。二月，苏峻遣兵攻吴国，冰弃郡奔会稽。峻遂任侍中蔡谟为吴国内史。㉓⑦去郡：离开吴国内史的职位。㉓⑧茄子浦：地名，在今江苏南京西南。㉓⑨南兵：指陶侃、温峤之兵。㉔⓪习水：水性好，这里指善于水上作战。㉔①便步：善于在陆地上徒步作战。便，利于、以……为利。㉔②斛：古代的容量单位，十斗为一斛。㉔③馈祖约：给祖约运送粮食。馈，送、供应。㉔④司马：军中的司法官。㉔⑤军令有所不从：语见《史记·孙子吴起列传》，原文作“将在中外，君命有所不受”。《孙子兵法》也有类似的意思。㉔⑥擅：擅自；自作主张。㉔⑦悉：全；全部。㉔⑧表：上表向皇帝推荐，请皇帝照准。古代大臣写给皇帝的文书分章、奏、表、驳议四种。表多用于陈述衷情、提出建议等。㉔⑨庐江：晋郡名，郡治在今安徽舒城。㉕⓪监：监察、督促，实际就指统领。㉕①浙东：指今浙江钱塘江以东地区。㉕②浙西：指今浙江钱塘江以西地区。㉕③节度：节制、调度，亦即受其指挥。㉕④雍州：晋州名，东晋时的雍州侨治襄阳，即今湖北襄阳。㉕⑤丙辰：闰五月初九。㉕⑥蔡洲：地名，在今江苏南京西南。原为长江中的沙洲，今已与陆地连接。㉕⑦查浦：在今江苏南京西长江南岸的秦淮河入江口。㉕⑧沙门浦：在今江苏南京西。㉕⑨得众：得众心；受国人拥护。㉖⓪节传：旌节、符传，皇帝赐予出征大臣用来行使权力的信物。庾亮把自己手中的节传送给陶侃，是表示自己承认无能，愿意让贤。㉖①谢侃：向陶侃承认败军之罪，请求处治。㉖②古人三败：《史记·刺客列传》载鲁人曹沫为鲁将，同齐国人作战，三败北，后来齐桓公与鲁庄公在柯盟约，曹沫执匕首劫齐桓公，迫使他交还了鲁国三战所失去的土地。㉖③君侯始二：指庾亮兵败台城及派王彰击张曜失败二事。㉖④数尔：屡屡做出这种请罪的样子。数，屡屡。尔，如此。㉖⑤将军为此：这些错误都是庾亮个人造成的。将军，指庾亮。㉖⑥非融等所裁：不是我们僚属的意见。裁，断、决定。这里是殷融在陶侃面前推卸责任。㉖⑦彰自为之：自己承担责任，为庾亮开脱。㉖⑧昔殷融为君子二句：过去“殷融为君子，王彰为小人”事实不详。㉖⑨泾县：晋县名，县治在今安徽泾县西。㉗⓪且与通使：姑且和苏峻互通信使，以表现降服之意。㉗①纾：缓解。㉗②交至之祸：一个接一个的灾难。交至，并至、齐来。此时州郡多降苏峻，已对桓彝形成合围之势。㉗③致死：犹效死、捐躯，儒家有所谓“君子临危致命”，即此之谓。㉗④通问：通消息，表问候之意。问，闻、消息。㉗⑤不济：不成功，指举义反苏峻失败。㉗⑥兰石：古城名，在前面所说的泾县东北。㉗⑦负：辜负；对不起。㉗⑧力战：拼死战斗。力，尽一切能力。㉗⑨方盛：士气正旺盛。方，正当。㉘⓪当以岁月智计破之：应当等待时机，用智谋打败他。岁月，时间，这里指恰当时机。㉘①既而：后来。㉘②监军部将：郗鉴军中的部将。胡三省认为当时同盟诸将无监军事者，李根当是郗鉴军部将，前史已逸“郗”字，后人遂改“鉴”为“监”。㉘③白石垒：本名“白石陂”，又名“白下城”，因在其地筑垒，故名“白石垒”。在今南京北。㉘④严声：军队紧急集合的声音。严，集合、整队。㉘⑤清静：风清水静。㉘⑥江乘：晋县名，县治在今江苏句容北六十里，是长江下游重要渡口、江防要地。㉘⑦京口：古城名，即今江苏镇江市，是长江下游的军事重镇，建康的东大门。㉘⑧白石：即上文所说的白石垒。㉘⑨东门：以喻建康以东的军事要冲。㉙⓪无限：失去了守门的军队。限，门槛，以喻守门的军队。郗鉴率王舒、虞潭等东路军向西到茄子浦与陶侃、庾亮、温峤的西路军会合，使得京口等地空虚，等于为苏峻向东逃窜打开了门户。㉙①犹胜不也：也比不让他们回去强。不，同“否”。㉙②大业：地名，在今江苏丹阳北。㉙③曲阿：晋县名，县治即今江苏丹阳。㉙④庱亭：地名，在今江苏丹阳东南。㉙⑤壬辰：六月十五。㉙⑥湓口：也叫“湓浦口”，湓水（今名龙开河）入长江之口，在今江西九江西北。㉙⑦恃公：都靠着您。恃，倚仗。㉘皖：晋县名，县治即今安徽潜山。当时谯国内史桓宣驻扎在皖县的马头山。㉙贯宝髀彻鞍：穿透了毛宝的大腿，又穿透了毛宝的马鞍。彻，穿、透过。㉚蹋鞍拔箭：用脚蹬着马鞍，用手拔毛宝腿上的箭。㉛东关：关隘名，在今安徽巢湖市东南。㉜拔合肥戍：攻克了苏峻在合肥的据点。合肥县治在今安徽合肥北，当时苏峻在这里驻兵把守。戍，这里指防守的据点。㉝阴：暗中。㉞济淮：渡过淮水。㉟寿春：晋县名，即今安徽寿县。㊱历阳：即今安徽和县。㊲轵关：关隘名，是太行八陉的第一陉，军事要冲，在今河南济源西北。㊳西入：向西进入今山西的西南部地区。㊴赵河东：刘曜政权管辖的河东郡，郡治安邑，在今山西夏县西北的禹王城。㊵蒲阪：晋县名，县治即今山西永济西南的蒲州镇。㊶河间王述：河间王刘述，刘曜的部将。㊷卫关：黄河渡口名，亦称“铜关”，在今河南卫辉南。㊸高候：即“高候原”，在今山西闻喜北。㊹枕尸：杀得敌人尸体纵横相枕而卧。㊺资仗：财物和兵器。㊻朝歌：晋县名，县治在今河南淇县东北。㊼济自大阳：从大阳向南渡过黄河。大阳，渡口名，在大阳县境，即今山西平陆南的茅津渡。㊽金墉：洛阳城的小城名，在今河南洛阳东北。㊾千金堨：堤堰名，一名“千金堰”，在今河南洛阳东北。㊿汲郡：晋郡名，郡治在今河南卫辉西南。㉑河内：晋郡名，郡治野王县，即今河南沁阳。㉒理曹郎中：官名，张氏所置，掌刑狱。㉓未易轻：不能对他太轻视。㉔释：放弃。㉕东方之图：指向后赵进攻的打算。㉖还与我校：回来和我们较量。㉗祸难之期：将给我们造成的灾难之大。㉘未可量：不堪设想。量，估计。㉙更树腹心：重新组织一群死党。㉚雅敬导：平素一向敬重王导。㉛更贰于峻：又背叛了苏峻。贰，怀有二心。㉜潜诱：暗中劝导。㉝归顺：归顺拥护朝廷的军队。㉞九月戊申：九月初三。㉟奔白石：当时庾亮率军驻于白石垒。㊱恟惧：震动恐惧。恟，忧恐。㊲朝士：朝中官员。㊳西军：指陶侃、温峤等沿江西来的军队。㊴狡黠：狡猾诡诈。㊵有胆决：勇敢而果断。㊶人事：人为；人的力量。㊷乃更誉贼：竟然夸赞叛逆者。㊸累战：屡战；连战。㊹惮：害怕。㊺贷：借。㊻不忧：不担心。㊼惟欲得老仆为主：只差让我来当主帅。仆，陶侃谦称自己。㊽皆北：全都失败。㊾接胡、蜀二虏：指北接前赵、后赵，西接成国。㊿备不虞：防备意外的情况，这里是托词。不虞，意想不到。㉑西归：撤兵返回荆州去。㉒徐来殄贼：慢慢地等机会再来消灭逆贼。殄，消灭。㉓光武之济昆阳：刘秀之所以能在昆阳打败王莽。昆阳是汉县名，县治即今河南叶县。汉淮阳王更始元年（公元二三年），光武帝刘秀曾在此以三千士兵大破王莽数十万大军，是我国历史上著名的以寡胜众的战役。㉔曹公之拔官渡：曹操之所以能在官渡大破袁绍。官渡是渡口名，在今河南中牟东北。汉献帝建安五年（公元二〇〇年）春，曹操大破袁绍军于此，这也是我国历史上以弱胜强的著名战役。㉕杖义：主持正义；站在正义的一方。杖，同“仗”。㉖小竖：小丑；小奴才。对人的鄙称。㉗骤胜：连续取得了一些胜利。骤，屡。㉘无前：即“无敌”。㉙一鼓而擒：古代作战，击鼓进军。这里指擂第一通鼓时，便可活捉敌方主将，取得胜利。㊱垂立之功：马上就要到手的功劳。㊱设进退之计：打退兵的主意。设，立、采取。进退，这里实际就指撤兵。㊲幽逼：被苏峻所拘禁、逼迫。㊳危殆：危险。㊴肝脑涂地：为……而尽忠效死。㊵克济：能够成功。㊶臣主同祚：臣子与君主一同享福。祚，福。㊷灰身：殒身；捐躯。㊸以谢先帝：以此向先帝交差、请罪。㊹义无旋踵：绝对没有转身退回的道理。旋踵，回身。㊺安可中下哉：还能够中途跳下来吗。㊻沮：丧气；瓦解。㊼义旗将回指于公：一切正义的军队都将转而讨伐你。回，掉转。指，指向。㊽为南北势援：为江南、江北两方面的义军做声援。芜湖在历阳和建康上游，且相距不远，随时可以增援。意思是说如果当初你不亲自参战也是可以的。这是退一步地说话。㊾前既已下：可是您既然已经下来参战了。㊿军政：军法；军法上说得清楚。(376)非直：不仅仅是为了。(377)示众必死：告诉士兵只有勇往直前、不做生还的打算。(378)退无所据：只要向后一退，就再也收不住，难以再组织抵抗了。据，停脚点、防守点。(379)往者杜弢：当年被您消灭的流民头领杜弢。杜弢强盛横行一时，最后被陶侃消灭事，见《晋书》卷六十六。(380)立效：立刻见效，指战胜苏峻。(381)然后公去：那时您再撤兵而去。(382)不恨：不再留有遗憾。(383)大事若不济：指被苏峻打败。(384)安得而食诸：你还怎么吃得上呢。意思是你的粮食不也是保不住吗，怎么就不能借给温峤呢。(385)饷：供应粮食。(386)句容、湖孰：二县名，句容即今江苏句容，湖孰县治即今江苏南京市江宁区湖熟街道。(387)积聚：指作战与生活所需要的各种物资。(388)潜：秘密。(389)捍蔽：犹屏藩、屏障。(390)径至：一直来到我们跟前。径，直往。(391)以俟后举：等以后有机会再来。(392)僚佐：部下；僚属。(393)顾托：临终托付辅佐幼主。(394)正复：即使。(395)不足报塞：也报答不了。报塞，报答、回报。(396)危逼：畏惧不安。(397)生长异端：产生与众不同的想法。(398)帅先义众：为义军大众起带头作用。帅先，领先。(399)镇壹三军：安慰、统一全军的思想意志。(400)不习步战：大业垒在今江苏丹阳北，镇江市南，不在江边，故需步战，此陶侃水军之所短。(401)石头：即石头城，在今江苏南京西清凉山，靠近长江，当时苏峻屯兵于此。(402)庚午：七月二十四。(403)从白石南上：自白石垒以南朝北向石头城进军。(404)逆战：迎战。(405)先薄：率先进逼。薄，逼近。(406)胤走：赵胤逃跑。(407)北下：从北向南。(408)突陈：攻击庾亮、温峤的军阵。陈，同“阵”。(409)白木陂：地名，在今江苏南京西北。(410)马踬：马被绊倒。(411)脔割：分割；碎割。脔，切成小块的肉。(412)行台：朝廷的派出机构，以行使朝廷之权。东汉以后，朝廷政务由三公改归台阁（尚书），所以习称朝廷为“台”。晋以后，朝官称“台官”，军称“台军”，在地方代表朝廷行尚书省事的机构则称“行台”。(413)赴台：实即投到温峤部下。(414)悬军：远离根据地而深入敌境的军队。(415)动无万全：一动就难免出问题。(416)赦徐光：徐光原是石勒的参军，因醉酒误事又不肯认错，前被石勒下狱。(417)庸人之情：平常人的看法。情，看法、见识。(418)攻一城：指攻洛阳。(419)师老卒怠：军队疲惫，士兵松懈。老，疲惫。怠，懒散。(420)初锐：刚刚投入战斗的士气旺盛的部队。(421)送死冀州：必然乘胜进攻我们的冀州。当时后赵都襄国（今河北邢台），在冀州境内。(422)自河已北：刘曜带着黄河以北的所有军队。已，通“以”。㊸乘高候之势：趁着在高候打败石虎的势头。㊹不能进临襄国：不能趁势进攻我们的都城襄国。临，至、到达。㊺更守金墉：还在那里围攻洛阳。守，围困。金墉，洛阳大城中的小城，这里即指洛阳。㊻无能为：不能干什么大事情。㊼内外戒严：国都与各地方的军队一律紧急动员。㊽见众：现有人马。见，同“现”。㊾会荥阳：在荥阳与石勒的大军会师。荥阳是自古以来的军事重地，即今河南郑州西北的古荥镇。㊿石门：古地名，在当时的荥阳以北。431 大堨：堤堰名，在今河南滑县西南的古黄河畔，距延津不远。432 盛兵：重兵，这里的意思是把重兵驻扎在……。433 成皋关：即成皋城，在今河南荥阳西北的汜水镇西北，自古为戍守要地。434 阻洛水：依靠洛水构筑防线。阻，恃、凭借。洛水源出今陕西洛南县西北的华山南麓，东流入河南，经卢氏、洛阳，至巩县的洛口注入黄河。435 成擒：现成的俘虏。436 十二月乙亥：十二月初一。437 指天复加额：先指天又把手放在额头，意思是老天爷真是保佑我。438 卷甲：脱下铠甲背负以行，以图轻快。439 衔枚：口衔小横棍儿。枚，形如筷子，行军时令士兵衔在口中，以防喧哗。440 诡道：别道；隐秘的小道。441 兼行：加倍赶路。442 出于巩、訾之间：经由巩县与訾城之间的小路直扑洛阳。当时巩县的县治在今河南巩县西南，訾城在今巩县西南。443 嬖臣：宠幸之臣，通常指男宠。444 饮博：饮酒博弈。博弈是古代的一种棋戏，也可以用于赌博。445 不抚：不关心；不管理。446 或谏：有人提出劝谏。447 杜黄马关：堵住黄马关。杜，堵住、守好。黄马关在今河南荥阳汜水镇西的黄河南岸。448 俄而：过了一会儿。449 洛水候者：在洛水边放哨的侦察骑兵。450 擒羯：捉到了一个石勒部队的羯族士兵。451 大胡：以称石勒。“胡”是对北方少数民族的统称，石勒是羯族头领，故刘曜称之为大胡。452 自来邪：是他亲自来了吗。453 其众几何：共有多少人马。454 摄：收拢，这里指撤除。455 洛西：洛水以西。456 己卯：十二月初五。457 西阳门：即宣阳门，洛阳城西面南头第一门。458 躬贯甲胄：亲自披甲戴盔。贯，穿戴。459 阊阖门：洛阳城西面北头的城门。460 常乘赤马：平常所骑的那匹红马。461 无故跼顿：无缘无故地抬不起头来，类似痉挛。跼，弯曲。462 比出：临到要出战的时候。比，及、临到。463 挥陈就平：指挥军阵退到平川上。就，趋向。464 乘之：乘机发起进攻。465 石渠：以石为岸的河沟。466 被疮：受伤。疮，通“创”，创伤。467 通中者三：有三处伤及内脏。中，内脏。468 敕将士：命令全军官兵。469 抑锋止锐：收起武器停止追杀。470 纵：放；放开。471 归命：逃生。472 颇忆：还记得……吗。颇，有点，表示不多的意思。473 重门之盟：此盟当指怀帝永嘉四年（公元三一〇年），刘曜与石勒同围河内之事。重门，城名，在今河南辉县西北。474 乙酉：十二月十一。475 马舆：两马相并做成的担架。舆，此处指担架。476 己亥：十二月二十五。477 舍：使……住在。478 永丰小城：在当时襄国大城的区域内。479 妓妾：泛指侍候其生活的女子。妓，歌舞女。妾，婢女。480 刘岳、刘震等：原为刘曜的部将，后来改投石勒。481 从男女：带着一群僚属与警卫人员。482 盛服以见之：目的是向刘曜炫耀他们目前的生活之优越。盛服，盛装、衣冠楚楚。⑬久为灰土：已死多时。⑭全宥至今：宽饶你们，让你们活到今天。宥，饶恕。⑮石佗：石勒的部将，被刘曜所俘杀害。⑯自其分：都是自己应得的。分，本分，这里是“应该”的意思。⑰匡维社稷：治理好国家。匡，扶持。维，维系、保全。⑱勿以吾易意：不要因为我被俘而改变主意。⑲献王骧：李骧，李特之弟，李雄之叔。献字是谥。⑳以丧：护持着丧车。㉑晋寿：晋县名，县治在今四川广元西南。当时在李成政权境内。

【原文】

四年（己丑，公元三二九年）

春，正月，光禄[2]大夫陆晔㉒及弟尚书左仆射玩说匡术㉓，以苑城㉔附于西军㉕。百官皆赴之㉖，推晔督宫城军事。陶侃命毛宝守南城㉗，邓岳守西城㉘。

右卫将军刘超、侍中锺雅与建康令管旆等谋奉帝出赴西军㉙。事泄，苏逸使其将平原任让㉚将兵入宫收㉛超、雅。帝抱持㉜悲泣曰：“还我侍中、右卫！”让夺而杀之。初，让少无行，太常华恒为本州大中正㉝，黜其品㉞。及让为苏峻将，乘势多所诛杀，见恒辄恭敬㉟，不敢纵暴。及锺、刘之死，苏逸欲并杀恒，让尽心救卫，恒乃得免。

冠军将军赵胤遣部将甘苗击祖约于历阳。戊辰㊱，约夜帅左右数百人奔后赵，其将牵腾率众出降。

苏逸、苏硕、韩晃并力攻台城，焚太极东堂㊲及秘阁㊳。毛宝登城，射杀数十人。晃谓宝曰：“君名勇果㊴，何不出斗？”宝曰：“君名健将，何不入斗？”晃笑而退。

赵太子熙闻赵主曜被擒，大惧，与南阳王胤谋西保秦州。尚书胡勋曰：“今虽丧君，境土尚完，将士不叛，且当并力拒之，力不能拒，走未晚也。”胤怒，以为沮众㊵，斩之，遂帅百官奔上邽㊶。诸征、

【校记】

［1］埸：原误作“场”。据章钰校，甲十一行本作“埸”，尚不误，今据校正。

【语译】

四年（己丑，公元三二九年）

春季，正月，东晋担任光禄大夫的陆晔与他的弟弟、担任尚书左仆射的陆玩说服了守卫苑城的苏峻部将匡术，匡术献出苑城，向西来的勤王义军陶侃、温峤等投降。文武百官全都前来投奔陆晔等人，推举陆晔统领皇宫中各种军事。陶侃命庐江太守毛宝守卫苑城的南城，命邓岳守卫苑城的西城。

右卫将军刘超、侍中锺雅与担任建康令的管旆等谋划带着晋成帝司马衍离开石头城，投奔已经占领苑城的西来勤王义军。机密泄露，苏逸派手下将领平原人任让率兵入宫收捕刘超、锺雅。晋成帝司马衍抱住刘超、锺雅二人悲伤地哭泣着说：“把侍中锺雅还给我，把右卫将军刘超还给我！”任让强行把刘超、锺雅从晋成帝的手中拖走，随后将二人杀死。当初，任让年少时就品行恶劣，担任太常的华恒在家乡平原郡担任大中正，他曾因为任让品行不好而将其贬退。等到任让成了苏峻的部将，他凭借着苏峻的势力诛杀了很多人，唯独见到华恒却总是恭恭敬敬，不敢对他放纵施暴。等到锺雅、刘超一死，苏逸就要杀掉华恒，任让对华恒尽心营救保护，华恒才免于一死。

东晋担任冠军将军的赵胤派遣自己的部将甘苗率军攻打祖约所据守的历阳。正月二十五日戊辰，祖约趁黑夜率领自己身边的数百名亲信逃出历阳城投奔了后赵，祖约的部将牵腾率众出城投降。

苏逸、苏硕、韩晃合力猛攻进入建康的内城，他们焚烧了太极殿的东堂以及皇家的藏书楼。庐江太守毛宝登上皇城，射死了数十人。韩晃对毛宝说：“你有勇敢果断之名，为何不出城来与我决斗？”毛宝说：“你有勇敢善战之名，为何不进城来与我决斗？”韩晃大笑着撤军而去。

前赵皇太子刘熙听到自己的父亲刘曜被后赵擒获的消息，非常恐惧，便与南阳王刘胤商议准备向西撤退到秦州。担任尚书的胡勋说：“现在我们虽然失去了国君，但国土仍然完整无缺，全军将士没有背叛，目前应当齐心合力抵抗后赵，抵抗不住，再走也不晚。”刘胤大怒，认为胡勋在扰乱军心，便将胡勋斩首，然后率领文武百官逃往上邽。各征、镇的守将也都扔下自己所管辖、守卫的城池跟随刘胤逃往上邽，

镇[512]亦皆弃所守从之，关中大乱。将军蒋英、辛恕拥众数十万据长安，遣使降于后赵。后赵遣石生帅洛阳之众赴之。

二月丙戌[513]，诸军攻石头。建威长史滕含击苏逸，大破之。苏硕帅骁勇[514]数百渡淮[515]而战，温峤击斩之。韩晃等惧，以其众就张健于曲阿，门隘[516]不得出，更相蹈藉[517]，死者万数。西军获苏逸，斩之。滕含部将曹据抱帝奔温峤船，群臣见帝，顿首号泣请罪。杀西阳王羕，并其二子播、充、孙崧及彭城王雄。陶侃与任让有旧，为请其死[518]。帝曰："是杀吾侍中、右卫者，不可赦也！"乃杀之。司徒导入石头，令取故节[519]。陶侃笑曰："苏武节似不如是[520]。"导有惭色。丁亥[521]，大赦。

张健疑弘徽等贰于己[522]，皆杀之，帅舟师自延陵[523]将入吴兴[524]。乙未[525]，扬烈将军王允之[526]与战，大破之，获男女万余口。健复与韩晃、马雄等轻军[3]西趋故鄣[527]。郗鉴遣参军李闳追之，及于平陵山[528]，皆斩之。

是时宫阙灰烬，以建平园为宫。温峤欲迁都豫章[529]，三吴之豪请都会稽[530]，二论纷纭未决。司徒导曰："孙仲谋、刘玄德[531]俱言'建康王者之宅'。古之帝王，不必以丰俭移都[532]。苟[533]务本节用[534]，何忧凋弊[535]！若农事不修[536]，则乐土为墟[537]矣。且北寇游魂[538]，伺我之隙[539]，一旦示弱，窜[540]于蛮越[541]，求之望实[542]，惧非良计。今特宜[543]镇之以静，群情自安。"由是不复徙都。以褚翜[544]为丹杨尹。时兵火之后，民物凋残，翜收集散亡，京邑遂安。

壬寅[545]，以湘州并荆州[546]。

三月壬子[547]，论平苏峻功，以陶侃为侍中、太尉，封长沙郡公，加都督交、广、宁州诸军事，郗鉴为侍中、司空、南昌县公，温峤为骠骑将军、开府仪同三司，加散骑常侍、始安郡公，陆晔进爵江陵公，自余赐爵侯、伯、子、男者甚众。卞壸及二子眕、盱、桓彝、刘超、

关中地区陷入一片混乱。将军蒋英、辛恕拥有数十万兵众占据着都城长安，他们派遣使者投降了后赵。后赵立即派石生率领洛阳的守军赶赴长安。

二月十三日丙戌，东晋各路勤王义军并力攻打苏逸占据的石头城。担任建威长史的滕含攻打苏逸，大败苏逸军。苏硕率领数百名勇敢敏捷的士卒，渡过秦淮河前来迎战，温峤率军将其打败，将苏硕斩首。韩晃等心生恐惧，便率领自己的部众前往曲阿投奔张健，部众都争先恐后急于逃命，由于城门狭窄，因拥挤、践踏而死的数以万计。西部勤王义军擒获了苏逸，将苏逸斩首。滕含的部将曹据抱着晋成帝司马衍逃到了温峤的船上，群臣看见晋成帝，全都跪下给他磕头，哭着向他请罪。将西阳王司马羕杀死，连同杀掉他的两个儿子司马播、司马充，孙子司马崧以及彭城王司马雄。陶侃与任让有故交，所以请求赦免他的死罪。晋成帝司马衍说："是他杀死了我的侍中锺雅和右卫将军刘超，此人不能赦免！"遂将任让杀死。司徒王导进入石头城，让人帮他把前此丢失的旌节找来。陶侃笑着说："人家苏武对待自己的符节似乎不是这个样子的。"王导满脸惭愧。十四日丁亥，实行大赦。

苏峻的部将张健怀疑弘徽等对自己怀有二心，便把他们全都杀死，然后率领舰船水师从延陵出发准备进入吴兴。二月二十二日乙未，扬烈将军王允之与张健交战，大败张健，擒获了男女一万多口。张健又与韩晃、马雄等让军队轻装西赴故鄣县。徐州刺史郗鉴派手下参军李闳率军追杀他们，追到平陵山，将张健、韩晃、马雄全部斩杀。

此时的建康皇宫已经化作了一片灰烬，暂且将建平园作为皇宫。温峤建议将都城迁往豫章，而三吴的豪族都请求迁往会稽，两种意见相持不下，都有人赞同也都有人反对，意见无法统一。司徒王导说："吴国大帝孙权、蜀汉昭烈帝刘备都曾经说过'建康是帝王之家'。古代的帝王，不会因为物质条件的好坏而迁移都城。如果能够以农勤俭节约，何必担忧目前的衰败、萧条状况不能改变呢！如果荒废了农业，即使是乐土也会变成废墟。况且北方的贼寇像游荡的鬼魂一样窥测着我们的可乘之机，一旦我们表现出胆怯与懦弱，将都城迁往豫章或是会稽，从其名望与实际两方面考虑，恐怕迁都不是什么好主意。眼下只要采取稳定不变的政策，人心自然安定下来。"由于王导的这番话，所以迁都的话题便不再提起。任命褚翜为丹杨尹。当时由于遭受战乱之后，民生凋敝，物资极度匮乏，褚翜召集逃亡在外的难民返回建康，京师逐渐安定下来。

二月二十九日壬寅，将湘州并入荆州。

三月初十日壬子，朝廷评议击败苏峻叛乱的功劳，论功行赏，任命陶侃为侍中、太尉，封长沙郡公，加授都督交、广、宁州诸军事，郗鉴为侍中、司空、南昌县公，温峤为骠骑将军、开府仪同三司，加授散骑常侍、始安郡公，陆晔进爵为江陵公，其他有功之臣接受赏赐被封为侯、伯、子、男爵位的还有很多。阵亡的卞壸与他的两个儿子卞眕、卞盱，以及桓彝、刘超、锺雅、羊曼、陶瞻，全都追授封赠和谥号。

锺雅、羊曼、陶瞻皆加赠谥。路永、匡术、贾宁皆苏峻之党也，峻未败，永等去峻归朝廷，王导欲赏以官爵。温峤曰："永等皆峻之腹心，首为乱阶[548]，罪莫大焉。晚虽改悟，未足以赎前罪，得全首领[549]，为幸多矣，岂可复褒宠之哉！"导乃止。

陶侃以江陵偏远，移镇巴陵[550]。

朝议欲留温峤辅政。峤以王导先帝所任[551]，固辞还藩[552]。又以京邑荒残，资用不给[553]，乃留资蓄[554]，具器用[555]，而后旋于武昌[556]。

帝之出石头也，庾亮见帝，稽颡[557]哽咽。诏亮与大臣俱升御座[558]。明日，亮复泥首[559]谢罪，乞骸骨[560]，欲阖门[561]投窜山海[562]。帝遣尚书、侍中手诏[563]慰喻[564]，曰："此社稷之难，非舅之责也。"亮上疏自陈："祖约、苏峻纵肆凶逆，罪由臣发，寸斩[565]屠戮，不足以谢七庙之灵[566]，塞四海之责[567]。朝廷复何理[568]齿臣于人次[569]，臣亦何颜[570]自次于人理[571]！愿陛下虽垂宽宥[572]，全其首领，犹宜弃之，任其自存自没[573]，则天下粗知劝戒之纲[574]矣！"优诏[575]不许。亮又欲遁逃山海，自暨阳[576]东出，诏有司录夺[577]舟船。亮乃求外镇[578]自效[579]，出为都督豫州、扬州之江西、宣城诸军事，豫州刺史，领宣城内史，镇芜湖。

陶侃、温峤之讨苏峻也，移檄征、镇，使各引兵入援。湘州刺史益阳侯卞敦拥兵不赴[580]，又不给[581]军粮，遣督护将数百人随大军而已，朝野[582]莫不怪叹[583]。及峻平，陶侃奏敦沮军[584]顾望[585]，不赴国难，请槛车[586]收付廷尉[587]。王导以丧乱之后[588]，宜加宽宥，转[589]敦安南将军、广州刺史。病不赴[590]，征为光禄大夫、领少府[591]。敦忧愧而卒，追赠本官[592]，加散骑常侍，谥曰敬。

而路永、匡术、贾宁，都曾经是苏峻的党羽，苏峻没有败亡之时，路永等离开苏峻归附了朝廷，王导想封官爵给他们。温峤说："路永等人都是苏峻的心腹之人，首先挑起祸乱，属于罪大恶极。后来虽然醒悟改过，却不足以赎回他们以前的罪过，能够保住项上的人头，就已经很幸运了，怎能再褒奖他们呢!"王导才不再言语。

陶侃因为江陵地理位置比较偏僻，距离京师建康比较遥远，便将镇所向东迁到了巴陵。

朝廷官员都主张让温峤留在京师辅佐朝政。温峤因为司徒王导是先帝当年确定的顾命大臣，所以坚决推辞留在京师，请求仍回江州刺史任所。温峤看到京师荒废残破，资用匮乏，便将自己军中的一些生活物资都留给朝廷，并给朝廷提供了各种器物、用具，然后返回武昌。

晋成帝司马衍离开石头城的时候，庾亮朝见晋成帝，他磕头至地，声音哽咽。晋成帝司马衍下诏让庾亮与诸大臣一同坐在皇帝身边。第二天，庾亮又把泥涂抹在自己的头上，向皇帝请罪，并请求辞官为民，自己准备带着全家躲到遥远荒僻的山沟海边以赎罪。晋成帝派尚书、侍中拿着自己亲手书写的诏书去安慰劝解庾亮说："这是国家的灾难，罪责不在舅舅身上。"庾亮上疏给晋成帝司马衍陈述自己的罪责说："祖约、苏峻肆意行凶，一切罪过都是由于我处置不当造成的，就是把我一寸一寸地斩断，也不足以向皇家的列祖列宗请罪、填平天下人对我的怨恨。朝廷还有什么理由把我当作人看待，我又还有什么脸面跟其他人站在一起！希望陛下即使对我宽大，赦免了我的罪责，保全了我的性命，还是应该抛弃我，任凭我自生自灭，通过对我的惩罚而使天下人大致了解什么事情应该做、什么事情是不应该做的了!"晋成帝下了一道好言慰藉的诏书，没有批准庾亮的请求。庾亮又准备自行逃入深山或是海边，他从暨阳向东出发，晋成帝下诏给有关部门，让他们没收庾亮的船只。庾亮便请求将自己外放到地方任职，以为国家效力，于是任命庾亮为都督豫州、扬州之江西、宣城诸军事，豫州刺史，兼任宣城内史，镇所设在芜湖。

陶侃、温峤等起兵讨伐苏峻时，发布文告给各征、镇的军政长官，号召他们起兵勤王，平定苏峻叛乱，入援京师。担任湘州刺史的益阳侯卞敦手下拥有重兵却不肯赴援，也不为勤王义军提供军粮，只派一个督护率领着几百人跟随着勤王大军，不论朝廷还是民间对卞敦如此行为无不感到惊奇和叹惋。等到苏峻叛乱被平息后，陶侃上奏朝廷，指控卞敦拥兵不赴国难，面对叛军横行肆虐采取左右观望的态度，坐观成败，请求朝廷抓捕卞敦用槛车把他送往廷尉府接受审理。司徒王导认为，目前正值国家大乱之后，对有罪之人政策应该放宽，能饶恕的且饶恕，于是改任卞敦为安南将军、广州刺史。卞敦推说有病没有去赴任，于是朝廷又征召其为光禄大夫，兼任少府。卞敦终因忧虑羞愧而死，朝廷仍以原任职务湘州刺史称呼他，加授他为散骑常侍，谥号为敬。

臣光曰[593]:“庾亮以外戚辅政[594]，首发祸机[595]，国破君危，窜身苟免[596]。卞敦位列方镇，兵粮俱足，朝廷颠覆，坐观胜负。人臣之罪，孰大于此？既不能明正典刑[597]，又以宠禄报之[598]，晋室无政[599]，亦可知矣！任是责者[600]，岂非王导乎！”

徙高密王纮[601]为彭城王。纮，雄之弟也。

夏，四月乙未[602]，始安忠武公温峤卒，葬于豫章。朝廷欲为之造大墓于元、明二帝陵之北，太尉侃上表曰：“峤忠诚著于圣世[603]，勋义感于人神，使[604]亡而有知[605]，岂乐今日劳费之事！愿陛下慈恩，停其移葬。”诏从之。

以平南军司刘胤[606]为江州刺史。陶侃、郗鉴皆言胤非方伯[607]才，司徒导不从。或谓导子悦曰：“今大难之后，纪纲[608]弛顿[609]，自江陵[610]至于建康，三千余里，流民万计，布在江州[611]。江州，国之南藩[612]，要害之地，而胤以忲侈[613]之性，卧而对之[614]，不有外变，必有内患矣。”悦曰：“此温平南之意[615]也。”

秋，八月，赵南阳王胤帅众数万自上邽趣长安，陇东、武都、安定、新平、北地、扶风、始平诸郡戎、夏[616]，皆起兵应之。胤军于仲桥[617]，石生婴城自守[618]，后赵中山公虎帅骑二万救之。九月，虎大破赵兵于义渠[619]，胤奔还上邽。虎乘胜追击，枕尸千里。上邽溃，虎执赵太子熙、南阳王胤及其将王公卿校以下三千余人，皆杀之。徙其台省文武[620]、关东流民、秦雍大族[621]九千余人于襄国，又坑五郡屠各[622]五千余人于洛阳。进攻集木且羌[623]于河西，克之，俘获数万，秦、陇悉平。氐王蒲洪[624]、羌酋姚弋仲[625]俱降于虎，虎表洪监六夷军事，弋仲为六夷左都督。徙氐、羌十五万落于司、冀州。

司马光说："庾亮以外戚的身份辅佐朝政，由于他坚持要把苏峻调进京师而引发了苏峻叛乱，致使国家破败，君主陷入危险的境地，而庾亮却贪图苟活，自己拔腿逃出京城。卞敦位居封疆大吏，兵精粮足，朝廷遭遇覆亡的危险，却无动于衷、坐观成败。人臣的罪责，还有比这更大的吗？已经没有按照国法对他们公开进行处置，反要赏赐给他们优厚的俸禄作为对他们的回报，东晋朝廷没有公正严格的政治制度，由此可想而知了！负此责任的，难道不应该是王导吗！"

改封高密王司马纮为彭城王。司马纮，是司马雄的弟弟。

夏季，四月二十三日乙未，始安忠武公温峤去世，安葬在豫章。朝廷想在晋元帝、晋明帝二人陵墓的北边为温峤建造一座大墓，担任太尉的陶侃上疏给朝廷说："温峤对国家社稷的忠诚闻名于当世，他的功勋和节义使人神为之感动，假使温峤死后有知，难道他会乐意看到今天朝廷为他而劳民伤财吗！希望仁慈的陛下开恩，停止将温峤的尸骨从豫章迁葬到皇陵之北的计划。"晋成帝下诏表示听从陶侃的建议。

东晋任命平南将军刘胤为江州刺史。太尉陶侃、司空郗鉴都说刘胤没有担任州刺史的能力，但司徒王导没有采纳陶侃、郗鉴的意见，坚持任命刘胤为江州刺史。有人对王导的儿子王悦说："如今正是国家大乱之后，国家法度松弛、纲纪不振，从江陵到建康三千多里，流离失所的难民数以万计，全都散布在江州一带。江州，是国家的南部屏障，是要害之地，而刘胤以他奢侈、浮华的个性，面对这种局面，只会躺在那里享清福，即使灾难不从外部产生，也必定会从内部产生。"王悦解释说："这都是平南将军温峤的主意。"

秋季，八月，前赵南阳王刘胤率领数万人众从上邽出发攻打已经被后赵占领的都城长安，陇东郡、武都郡、安定郡、新平郡、北地郡、扶风郡、始平郡的胡人和汉人全都起兵响应刘胤。刘胤将军队驻扎在仲桥，后赵卫将军石生率兵固守长安城，后赵中山公石虎率领二万名骑兵赶来救援。九月，石虎在义渠大败前赵军，前赵南阳王刘胤逃回上邽。石虎乘胜追击，前赵军的尸体横七竖八地躺满了道路，连绵一千里。上邽完全崩溃，石虎擒获了前赵太子刘熙、南阳王刘胤以及前赵的将军、亲王、公爵等以下三千多人，将他们全部杀死；并把前赵朝廷的文武官员、关东流民、秦州、雍州一带的名门望族总计九千多人强行迁移到后赵的都城襄国，又在洛阳坑杀了分布在五个郡里的匈奴屠各部落的五千多人。接着他又攻打居住在河西地区的羌族集木且部落，将其完全征服，俘虏了数万人，将秦、陇一带全部平定。氐族首领蒲洪、羌族首领姚弋仲全都投降了石虎，石虎上表给朝廷举荐氐族首领蒲洪为监六夷军事，举荐羌族首领姚弋仲为六夷左都督。将氐人、羌人中的十五万落迁移到后赵辖境之内的司州、冀州。

初，陇西鲜卑乞伏述延[626]居于苑川[627]，侵并邻部，士马强盛。及赵亡，述延惧，迁于麦田[628]。述延卒，子傉大寒立。傉大寒卒，子司繁立。

江州刺史刘胤矜豪[629]日甚，专务商贩[630]，殖财[631]百万，纵酒耽乐[632]，不恤政事。冬，十二月，诏征后将军郭默为右军将军[633]。默乐为边将，不愿宿卫，以情诉于胤[634]。胤曰："此非小人之所及[635]也。"默将赴召，求资于胤[636]，胤不与，默由是怨胤。胤长史张满等素轻默，或倮露[637]见之，默常切齿[638]。腊日[639]，胤饷默豚酒[640]，默对信[641]投之水中。会有司奏："今朝廷空竭[642]，百官无禄[643]，惟资江州运漕[644]。而胤商旅继路[645]，以私废公，请免胤官。"书下，胤不即归罪[646]，方自申理[647]。侨人盖肫[648]掠人女为妻，张满使还其家[649]。肫不从，而谓郭默曰："刘江州[650]不受免[651]，密有异图[652]，与张满等日夜计议，惟忌郭侯一人[653]，欲先除之[654]。"默以为然，帅其徒候旦门开[655]袭胤。胤将吏欲拒默，默呵之曰："我被诏[656]有所讨，动者诛三族！"遂入至内寝[657]，牵胤下，斩之。出，取胤僚佐张满等，诬以大逆[658]，悉斩之。传[659]胤首于京师，诈作诏书[660]，宣示内外[661]。掠胤女及诸妾并金宝还船[662]，初云下都[663]，既而停胤故府[664]。招引谯国内史桓宣[665]，宣固守不从。

是岁，贺兰部及诸大人共立拓拔翳槐[666]为代王，代王纥那奔宇文部。翳槐遣其弟什翼犍[667]质于赵[668]以请和。

河南王吐延雄勇多猜忌，羌酋姜聪刺之。吐延不抽剑[669]，召其将纥拔埿，使辅其子叶延，保于白兰[670]，抽剑而死。叶延孝而好学，以为礼公孙之子得以王父字为氏[671]，乃自号其国曰吐谷浑[672]。

当初，陇西鲜卑人乞伏部落首领乞伏述延居住在苑川，他不断地侵略吞并邻近的其他部落，力量逐渐强大起来。看到前赵被后赵消灭，乞伏述延感到了恐惧，遂率领自己的部众迁居于麦田。乞伏述延去世，他的儿子傉大寒继位。傉大寒去世，傉大寒的儿子司繁继位。

东晋江州刺史刘胤骄傲狂放一天比一天严重，他把全部心思都用在了经商贩运上，赚取了上百万的钱财，每天沉溺于饮酒声乐之中，不顾及政务。冬季，十二月，朝廷下诏征调后将军郭默为右军将军。郭默愿意担任边疆防卫任务的后将军，不愿意回到朝廷担任掌管京城宿卫的右军将军，他把自己的真实想法告诉了江州刺史刘胤。刘胤对郭默说："这不是我这等小人物能办到的事情。"郭默遂准备奉诏回京赴右军将军任，他向刘胤求借盘缠，刘胤不给，郭默因此怨恨刘胤。刘胤的长史张满等人一向看不起郭默，有时竟然赤身露体地会见郭默，郭默常常恨得咬牙切齿。腊月八日，刘胤将猪肉、酒等馈赠给郭默，郭默当着送酒肉的使者的面就把猪肉和酒扔到水里去。恰巧此时有关部门奏请朝廷说："如今国家的国库中空无所有，百官发不出薪俸，一切全都仰仗江州漕运。而刘胤私人的商船络绎不绝，因个人私利而妨碍了公务，请朝廷免去刘胤江州刺史之职。"朝廷的诏书已经下达，刘胤没有立即奉诏返回朝廷认罪自首，正在为自己进行申辩。旅居江州的盖肫强抢别人的女儿为妻，刘胤的长史张满让盖肫把抢来的女子放回家。盖肫不听从，反而跑到郭默那里挑拨说："刘胤不接受朝廷免官的命令，大概是图谋造反，他与张满等日夜商议，就惧怕郭将军你一个人，所以准备先把你除掉。"郭默也认为盖肫说得有道理，于是便率领自己的部众等候天亮时州府的大门一开便冲进江州刺史府攻击刘胤。刘胤属下的将吏还想抗拒郭默，郭默大声呵斥他们说："我奉诏讨伐刘胤，谁敢妄动，诛灭三族!"于是进入刘胤的寝室，把刘胤从床上拉下来。砍下脑袋。从刺史府出来以后又逮捕了刘胤的僚属张满等，给他们戴上谋逆的罪名，将他们全部斩首。郭默派人用驿车将刘胤的首级传送到京师，同时还伪造了一封皇帝的诏书，让府内府外的人看。郭默抢劫了刘胤的女儿、诸小妾以及刘胤府中的所有金银财宝，然后回到自己的船上，最初说是要去京师建康，后来就在刘胤的府衙中住了下来。他招引谯国内史桓宣，桓宣坚决不听命于他。

这一年，贺兰部落以及各头领共同拥戴拓跋翳槐为代王，代王拓跋纥那逃奔到宇文部落。代王拓跋翳槐将自己的弟弟拓跋什翼犍送到后赵为人质，请求与后赵和解。

河南王慕容吐延身材魁梧、有勇力，但性好猜忌，羌族的部落首领姜聪行刺他。吐延被刺中之后，没有立即拔出刺入体内的剑，他把部将纥扢埿招来，让他辅佐自己的儿子叶延，撤退到白兰山据守，嘱托完毕之后抽剑而死。慕容叶延性情孝顺又喜好读书，他认为诸侯孙子的儿子，可以用祖父的字作为自己家族的姓氏，于是把自己的国家定名为吐谷浑。

【段旨】

以上为第二段，写晋成帝咸和四年（公元三二九年）一年间的大事。主要写了陶侃、温峤的勤王军与苏峻余党继续作战，勤王军破祖约于历阳，祖约率众数百人北逃往投后赵；写了苏逸等率军攻台城，毛宝英勇战斗，情景感人；写了勤王军攻破石头城，苏逸被杀，张健率众东逃，被郗鉴击斩，叛乱平定；写了朝廷论平苏峻功，重赏陶侃、郗鉴、温峤诸人，处置了一批乱党与变节降叛的人；写了庾亮请求处置，朝廷让之再三，始任其为豫州刺史、豫州都督等职；写了温峤回任江州刺史，不久病逝；刘胤继任江州刺史，"矜豪日甚，专务商贩"，以致激起郭默作乱，刘胤被杀；写了刘曜的太子刘熙等人率众西保上邽，其部将以长安投降后赵；写了前赵的刘胤率众东攻长安，石生婴城固守，后赵将石虎大破刘胤于长安城西，并乘胜西破上邽，俘刘熙、刘胤等杀之，前赵遂被彻底消灭；此外还写了西部吐谷浑的建国，与蒲洪、姚弋仲的出世等。

【注释】

㊾陆晔：晋明帝的顾命大臣。传见《晋书》卷七十七。㊿匡术：苏峻的部将。苏峻逼迫成帝及百官迁往石头城，命匡术镇守苑城。(494)苑城：即建康城，因是宫苑所在，故称苑城。(495)附于西军：归附陶侃、温峤的西来勤王大军。(496)皆赴之：都来投奔陆晔等人。(497)南城：指苑城的南城，即大司马门、阊阖门一侧的苑城南部。(498)西城：指苑城的西城，即西掖门一侧的苑城西部。(499)出赴西军：出石头城往投陶侃、温峤的大军。当时苑城已为西军所有，而成帝所居的石头城仍在苏逸的控制之中。(500)平原任让：平原国人姓任名让。平原国在今山东平原县西南。(501)收：逮捕。(502)抱持：抱住刘超、锺雅。(503)大中正：官名，魏晋时州郡均设中正官，掌品评人物，选拔人才。(504)黜其品：由于其品行不好而贬退之。黜，贬斥、废免。(505)辄恭敬：却总是恭恭敬敬。(506)戊辰：正月二十五。(507)太极东堂：太极殿的东屋。(508)秘阁：宫禁中的藏书之处，也称"秘馆""秘府"。(509)君名勇果：您素有勇果之名。(510)沮众：涣散军心。沮，分散、瓦解。(511)上邽：晋县名，即今甘肃天水市。(512)诸征、镇：四征与四镇。四征是征东、征西、征南、征北四将军；四镇是镇东、镇西、镇南、镇北四将军。(513)二月丙戌：二月十三。(514)骁勇：勇敢敏捷。这里指勇捷之士。(515)渡淮：渡过秦淮河。(516)门隘：城门的门口太狭窄。(517)更相蹈藉：相互践踏。(518)请其死：请求免其死罪。(519)令取故节：让人帮他把前时丢失的旌节找来。王导讨伐王敦时曾假节，成帝咸和三年九月初三，王导从石头城逃往白石时将节遗弃。(520)苏武节似不如是：人家苏武对待自己的旌节似乎不是这样的。苏武是西汉时人，以中郎将的身份持节出使匈奴被扣留。匈奴为逼他投降，将他流放到北海（今俄罗斯贝加尔湖）边牧羊。他牧羊时始终手执汉节，年深日久，以致节毛尽落，十九年后终于回

到汉王朝。传附《汉书》卷五十四。㉑丁亥：二月十四。㉒贰于己：对自己有二心，即离心离德。㉓延陵：晋县名，县治即今江苏丹阳西南三十五里的延陵镇。㉔吴兴：晋郡名，郡治乌程，即今浙江湖州南的下箬城遗址。㉕乙未：二月二十二。㉖王允之：王舒之子。㉗故鄣：晋县名，县治在今浙江安吉北的安城镇西北。㉘平陵山：山名，在今江苏溧阳西北三十五里。㉙豫章：晋郡名，郡治即今南昌。㉚会稽：晋郡名，郡治即今浙江绍兴。㉛孙仲谋、刘玄德：孙仲谋即孙权，三国时吴国的皇帝；刘玄德即刘备，三国时蜀国的皇帝。㉜不必以丰俭移都：不因为城市的繁华与衰落而改换都城。㉝苟：只要。㉞务本节用：发展农业，节省开支。本，指农业。㉟凋弊：衰败；萧条。㊱不修：不整治；不发展。㊲乐土为墟：乐土也会变成废墟。㊳北寇游魂：对前赵、后赵的游骑和哨兵的蔑称。游魂，游荡的鬼魂。㊴伺我之隙：窥测我们的可乘之机。㊵窜：逃；逃到。㊶蛮越：南方边远地区少数民族的泛称，这里指豫章、会稽等地。㊷求之望实：从其名望与实际两方面考虑。㊸特宜：只要；只需。㊹褚翜：晋成帝身边的忠义之士。事见《晋书》卷七十七。㊺壬寅：二月二十九。㊻以湘州并荆州：目的是扩大陶侃的军事势力范围。㊼三月壬子：三月初十。㊽首为乱阶：带头搞起祸乱。㊾得全首领：能够保其活命。㊿移镇巴陵：将其指挥部向东迁到巴陵，目的是离建康近一些。巴陵县治即今湖南岳阳。551先帝所任：是晋明帝当年确定的顾命大臣。552固辞还藩：坚决请求回江州刺史任。藩，地方方面长官的驻地。温峤本为江州刺史，其驻地在今江西九江西南。553不给：不充足；供应不上。554留资蓄：把自己军中的一些生活物资都留下来。555具器用：给朝廷提供各方面的用场。具，安排、提供。556旋于武昌：撤兵回归武昌。武昌是晋郡名，郡治即今湖北鄂州市鄂城区，当时属于江州。557稽颡：磕头至地，表示有罪。颡，额。558俱升御座：都坐到皇帝身边。559泥首：犹言囚首，以泥涂首自辱，表示服罪。560乞骸骨：请求辞官回家为民的谦虚说法。561阖门：全家。562投窜山海：住到偏僻荒远的地方去。山海，山沟海边。563手诏：持皇帝亲自写的诏书。564慰喻：用好话慰解。565寸斩：把犯人一寸一寸地斩断。566不足以谢七庙之灵：也没法向列祖列宗请罪。古代皇帝的宗庙都供奉七代神主，此时晋朝的七庙指司马昭、司马炎、司马衷、司马炽、司马邺、司马睿、司马绍七帝的灵牌。567塞四海之责：填平天下人对我的愤怒。责，同"债"，这里指怨怒。568复何理：还有什么理由。569齿臣于人次：把我当作人。齿，列。次，次序、行列。570何颜：有何面目。571自次于人理：把自己当作人。自次，自己排列。人理，人伦、人类。572垂宽宥：对我加以宽恕。垂，这里是谦辞，下赐。宥，宽赦。573任其自存自没：随他自生自灭，意即不再施恩关照。574粗知劝戒之纲：通过对我的惩治以让人们知道应该做什么和不该做什么。粗知，大致了解。劝诫，应该做与不能做。劝，鼓励。戒，禁止。纲，准则。575优诏：好言慰解的诏书。576暨阳：晋县名，县治在今江苏江阴东南。577录夺：没收。578求外镇：请求到外头任地方官。579自效：以为朝廷效力。580拥兵不赴：按兵不动。不赴，不参加。581不给：不提供。582朝野：朝廷与民间。583 怪叹：惊奇叹息。584 沮军：拥兵不赴国难。沮，此处意思同“阻”，把持、凭借。585 顾望：左右观望，坐观成败。586 槛车：押解犯人用的有栅栏的车。587 收付廷尉：押解到廷尉受审。收，拘捕交付。廷尉是官名，掌全国刑狱。陶侃是勤王大军的盟主，湘州又已并入荆州，卞敦此时已成了陶侃的部下，故有权解决他的问题。588 丧乱之后：人心尚未安定。589 转：改任。590 病不赴：推说有病，不去上任。591 领少府：兼任少府之职。少府是九卿一级的大官名，掌管皇宫中的生活日用，为皇帝的私家理财。592 追赠本官：仍以湘州刺史相称。593 臣光曰：司马光写《资治通鉴》，每遇到他所关心的问题，便以“臣光曰”的形式发表议论。594 以外戚辅政：以成帝之舅的身份操纵朝廷大权。595 首发祸机：由于他坚持调苏峻进京，引发了苏峻的造反。596 窜身苟免：他却一个人贪图苟活，逃出京城。597 明正典刑：依法公开处置。典刑，常刑。司马光认为对庾亮、卞敦都该处死。598 又以宠禄报之：指任庾亮为豫州刺史，任卞敦为广州刺史、少府等。宠禄，优厚的俸禄。这里指官位和谥号。599 无政：没有公正严格的政治制度。600 任是责者：对此应该负责任的人。601 高密王纮：司马纮，司马懿之弟司马馗的后代。传见《晋书》卷三十七。602 四月乙未：四月二十三。603 著于圣世：闻名于当代。圣世，指晋成帝当政之时。604 使：假如。605 亡而有知：犹今所谓“地下有灵”。606 刘胤：温峤的部将。传见《晋书》卷八十一。607 方伯：一方诸侯之长，在晋代指具有军政大权的州刺史。608 纪纲：朝廷法度。609 弛顿：松懈废止，不能贯彻实行。610 江陵：晋县名，即今湖北江陵，当时为荆州的州治所在地。611 布在江州：散布在江州境内。612 南藩：南侧的屏障。613 忲侈：奢侈；浮华。614 卧而对之：不干正事地面对这种局面。卧，不问政事。615 此温平南之意：这是温峤生前的安排。温峤生前任平南将军，称官号而不称名，这是古代对人的一种尊敬。616 戎、夏：少数民族人与汉族人。617 仲桥：郑国渠上的桥名，因在仲山，故称“仲桥”，在今陕西泾阳西北。618 婴城自守：在长安城内坚守城池。婴城，环城。619 义渠：秦、汉时代的县名，在今甘肃庆阳西南。620 台省文武：其朝廷的文武官员。台、省，都是当时朝廷官署的名称。621 秦雍大族：秦州、雍州一带的名门望族。622 五郡屠各：五个郡里的屠各人。屠各是匈奴族的一个部落名，是汉代以来南匈奴中最显贵的一支，前赵的刘渊、刘聪就是出身于这个部落。623 集木且羌：当时的羌族部落之一，居住在今甘肃、青海的黄河以西地区。624 蒲洪：当时的氐族头领，日后前秦政权的奠基者。传见《晋书》卷一百十二。625 姚弋仲：当时的羌族头领，日后后秦政权的奠基者。传见《晋书》卷一百十六。626 乞伏述延：鲜卑族乞伏部落的首领，名叫述延。627 苑川：古城名，在今甘肃榆中东北。有东西二城，相距七里，西城即西秦乞伏干归所都。628 麦田：古城名，在今甘肃靖远东北。其地有无孤山，述延自苑川城迁此。629 矜豪：骄傲狂放。630 专务商贩：一脑门子的心思都放在做买卖上。631 殖财：赚钱。殖，生。632 耽乐：沉溺于声色。633 右军将军：朝官名，掌管京城的守卫。魏明帝时有左军；晋武帝时，又先后置前军、右军及后军，此四军均为禁卫军。郭默自从平定苏峻之乱后，已回到寻阳，这时又被征返京。㉞以情诉于胤：把自己的心思告诉刘胤。㉟此非小人之所及：这不是我所能办到的。当时的文武之士都自称“小人”。㊱求资于胤：向刘胤求借盘缠。资，这里指路费。㊲倮露：赤身露体。倮，同“裸”。据《晋书》卷六十三《郭默传》，此事发生在郭默被征平苏峻，路宿寻阳时。㊳切齿：紧咬牙齿，形容极端痛恨刘胤、张满等人。㊴腊日：今之腊八节，古代年终祭祀百神之日。夏历称十二月为腊月，即由此而来。南朝梁宗懔《荆楚岁时记》云：“十二月八日为腊日。”㊵饷默豚酒：送酒肉给郭默。饷，招待，这里指送。豚，小猪。㊶对信：当着送豚酒来人的面。信，使者、来人。㊷空竭：穷得一无所有。㊸无禄：发不出薪俸。禄，相当于现在的工资。㊹惟资江州运漕：就靠着江州运送物资支援朝廷。资，凭借、依赖。漕，水道运送物资。㊺胤商旅继路：刘胤的私人商船络绎不绝。㊻不即归罪：没有及时地到朝廷认罪自首。㊼方自申理：正在为自己进行申辩。㊽侨人盖肫：一个名叫盖肫的寄居在江州的北方人。东晋南北朝时称流亡江南的北方人为侨人。㊾使还其家：让盖肫把抢来的女子还给人家。㊿刘江州：指刘胤。651不受免：不接受免官的命令，指不离开江州。652密有异图：大概是图谋造反。653惟忌郭侯一人：就是防着郭侯爷您一个人。忌，畏惧、防备。654欲先除之：想在起事前除掉你。655候旦门开：等候天亮刘胤的府门打开。656被诏：奉诏；奉皇帝旨意。657内寝：卧室。658大逆：指谋反。659传：驿车，这里是指用驿车递送。660诈作诏书：伪造了一份皇帝的命令。661宣示内外：让府里府外的人看。662还船：回到自己的船上。663下都：去都城建康。664停胤故府：在刘胤的衙门里住了下来。665桓宣：此时桓宣屯兵于武昌。666拓拔翳槐：拓跋郁律的长子，庙号烈皇帝。传见《魏书》卷一。拓拔，也作“拓跋”。667什翼犍：拓跋郁律的次子，拓跋翳槐之弟，庙号昭成皇帝。668质于赵：到后赵去做人质。赵，应指后赵的石勒政权，此时前赵已被石勒所灭。669不抽剑：中剑后不立抽，人可暂时不死，以交办后事。670保于白兰：退却并坚守白兰山。白兰山即今青海黄河源西北的布尔汗布达山，是羌人所居地。东晋后属于吐谷浑。671公孙之子得以王父字为氏：诸侯孙子的儿子，可以用他爷爷的“字”当作自己的“氏”。《左传》隐公八年载，鲁众仲曰：“天子建德，因生以赐姓，胙之土而命之氏。诸侯以字为谥，因以为族。……公命以字为展氏。”杜预注云：“诸侯之子称公子，公子之子称公孙，公孙之子以王父字为氏。”古代姓、氏有别，氏是姓的分支，用以区别子孙所自出。秦汉以后姓、氏始混而不分。672吐谷浑：吐延之父，是慕容廆的庶长兄。由于同慕容廆不和，率部西迁阴山。永嘉乱后，又越过陇山西迁，定居白兰山。传见《晋书》卷九十七。

【校记】

［2］禄：原作“陆”，当是刻工致误。据章钰校，甲十一行本、乙十一行本、孔天胤本作“禄”，皆不误，今据改。［3］轻军：原无此二字。据章钰校，乙十一行本有此二字，张敦仁《通鉴刊本识误》同，今据补。

【原文】

五年（庚寅，公元三三〇年）

春，正月，刘胤首至建康。司徒导以郭默骁勇难制，己亥[673]，大赦，枭胤首[674]于大航[675]，以默为江州刺史。太尉侃闻之，投袂[676]起曰："此必诈[677]也！"即将兵讨之。默遣使送妓妾及绢[678]，并写中诏[679]呈侃。参佐多谏曰："默不被诏[680]，岂敢为此！若欲进军，宜待诏报[681]。"侃厉色[682]曰："国家[683]年幼，诏令不出胸怀[684]。刘胤为朝廷所礼[685]，虽方任非才[686]，何缘[687]猥加极刑[688]！郭默恃勇，所在[689]贪暴，以大难新除，禁网宽简[690]，欲因际会[691]骋其从横[692]耳！"发使上表言状[693]，且与导书曰："郭默杀方州即用为方州[694]，害宰相便为宰相乎！"导乃收胤首[695]，答侃书曰："默据上流之势[696]，加有船舰成资[697]，故苞含隐忍[698]，使有其地[699]，朝廷得以潜严[700]。俟足下军到[701]，风发相赴[702]，岂非遵养时晦[703]以定大事者邪！"侃笑曰："是乃遵养时贼也[704]！"

豫州刺史庾亮亦请讨默。诏加亮征讨都督，帅步骑二万往与侃会[705]。

西阳太守邓岳、武昌太守刘诩皆疑桓宣与默同[706]，豫州西曹[707]王随曰："宣尚不附祖约[708]，岂肯同郭默邪！"岳、诩遣随诣宣观之，随说宣曰："明府[709]心虽不尔[710]，无以自明，惟有以贤子付随[711]耳！"宣乃遣其子戎与随俱迎陶侃。侃辟戎为掾[712]，上宣[713]为武昌太守。

二月，后赵群臣请后赵王勒即皇帝位，勒乃称大赵天王，行皇帝事[714]。立妃刘氏为王后，世子弘为太子。以其子宏为骠骑大将军、都督中外诸军事、大单于，封秦王，斌为左卫将军，封太原王，恢为辅国将军，封南阳王。以中山公虎为太尉、尚书令，进爵为王，虎子邃为冀州刺史，封齐王，宣为左将军，挺为侍中，封梁王。又封石生为河东王，石堪为彭城王。以左长史郭敖为尚书左仆射，右长史程遐为右仆射、领吏部尚书，左司马夔安、右司马郭殷、从事中郎李凤、前郎

【语译】

五年（庚寅，公元三三〇年）

春季，正月，江州刺史刘胤的首级被送到京师建康。担任司徒的王导认为右军将军郭默骁勇善战，很难控制，便于初一日己亥，实行大赦，将刘胤的首级悬挂在朱雀航示众，同时任命郭默为江州刺史。担任太尉的陶侃听到这个消息气得甩袖而起，说："其中必定有诈！"想立即率军讨伐郭默。郭默赶紧派使者把妓妾、绢给陶侃送去，并将朝廷任命他为江州刺史的诏书抄写了一份呈送给陶侃。陶侃的僚佐都劝谏陶侃说："郭默如果没有朝廷的诏书，他敢这样做吗！如果一定要进军讨伐，也应该先奏请朝廷，等待朝廷诏书的批准。"陶侃严厉地说："国君年幼，诏令也不是出自皇帝的本意。刘胤一向被朝廷所敬重，虽然不是封疆大吏的材料，怎么能够胡乱地对他滥用极刑，将其杀死！郭默仗着自己的勇猛善战，所到之处贪婪残暴，因为国家大乱刚刚平定，国家法律松弛，就想借着这个机会肆意横行不法吗！"遂派使者前往朝廷，上表说明情况，并且写信给司徒王导说："郭默杀死了江州刺史，朝廷就任命他为江州刺史，如果他杀死了宰相，难道就任命他为宰相吗！"王导赶紧把刘胤的首级收殓起来，然后回信给陶侃说："郭默占据着长江上游的有利形势，再加上拥有强大的船舰和现成的军用物资，所以朝廷不得不忍气吞声，让他暂时在那块地方待着，使朝廷得以有时间秘密地调集部队、积蓄力量。等到阁下的大军一到，朝廷大军将会风驰电掣般地杀过去，这难道不算是遵养时晦以成就大事吗！"陶侃看了王导的回信，笑着说："你这是在姑息养奸！"

担任豫州刺史的庾亮也请求讨伐郭默。朝廷下诏加授庾亮为征讨都督，率领步兵、骑兵二万人前往与陶侃会合。

担任西阳太守的邓岳、担任武昌太守的刘诩都怀疑谯国内史桓宣与郭默互相勾结，在豫州刺史庾亮手下担任西曹的王随说："桓宣连祖约都不肯依附，怎么肯与郭默同谋呢！"邓岳、刘诩于是派王随到桓宣那里观察桓宣的动静，王随劝说桓宣说："你的内心虽然不是如此，但没有什么可以证明自己，只有一个办法，就是让你的儿子跟我走！"桓宣遂派自己的儿子桓戎跟王随一起去迎接陶侃。陶侃聘用桓戎为自己的僚属，上表举荐桓宣为武昌太守。

二月，后赵群臣请求后赵王石勒即皇帝位，石勒于是自称为大赵天王，代行皇帝职权。立妃子刘氏为王后，世子石弘为太子。任命儿子石宏为骠骑大将军、都督中外诸军事、大单于，封为秦王，石斌为左卫将军，封为太原王，石恢为辅国将军，封为南阳王。任命中山公石虎为太尉、尚书令，进爵为王，石虎的儿子石邃为冀州刺史，封为齐王，石虎的另一个儿子石宣为左将军，石挺为侍中，封为梁王。又封石生为河东王，封石堪为彭城王。任命担任左长史的郭敖为尚书左仆射，担任右长史的程遐为右仆射、兼任吏部尚书，担任左司马的夔安、担任右司马的郭殷、担任

中令裴宪皆为尚书，参军事徐光为中书令、领秘书监，自余文武，封拜各有差[715]。

中山王虎怒，私谓齐王邃曰："主上自都襄国以来，端拱[716]仰成[717]，以吾身当矢石[718]二十余年，南擒刘岳[719]，北走索头[720]，东平齐、鲁[721]，西定秦、雍[722]，克[723]十有三州。成大赵之业者，我也，大单于当以授我[724]。今乃以与黄吻婢儿[725]，念之令人气塞[726]，不能寝食！待主上晏驾[727]之后，不足复留种[728]也。"

程遐言于勒曰："天下粗定[729]，当显明逆顺[730]，故汉高祖赦季布[731]，斩丁公[732]。大王自起兵以来，见忠于其君者辄褒之[733]，背叛不臣者辄诛之，此天下所以归盛德[734]也。今祖约犹存，臣窃惑之[735]。"安西将军姚弋仲亦以为言。勒乃收约，并其亲属中外[736]百余人悉诛之，妻妾儿女分赐诸胡[737]。

初，祖逖有胡奴曰王安，逖甚爱之。在雍丘[738]，谓安曰："石勒是汝种类[739]，吾亦无在尔一人[740]。"厚资送[741]而遣之。安以勇干[742]，仕赵为左卫将军。及约之诛，安叹曰："岂可使祖士稚[743]无后乎！"乃往就市观刑。逖庶子道重[744]，始十岁，安窃取以归，匿[745]之，变服为沙门[746]。及石氏亡，道重复归江南。

郭默欲南据豫章，会太尉侃兵至，默出战不利，入城固守，聚米为垒[747]，以示有余[748]。侃筑土山临之[749]。三月，庾亮兵至湓口[750]，诸军大集。夏，五月乙卯[751]，默将宋侯缚默父子出降。侃斩默于军门，传首建康，同党死者四十人。诏以侃都督江州[752]，领刺史[753]，以邓岳督交、广诸军事，领广州刺史。侃还巴陵，因移镇武昌[754]。庾亮还芜湖，辞爵赏不受。

赵将刘征帅众数千，浮海抄[755]东南诸县，杀南沙都尉许儒。

从事中郎的李凤、前郎中令裴宪，全都为尚书，任命担任参军事的徐光为中书令、兼任秘书监，其余文武官员，按照原来任职的不同等级都有不同程度的提升。

后赵中山王石虎非常生气，他私下里对齐王石邃说："主上自从建都襄国以来，便端坐在国主的宝座上拱着手，仰着头，等待成功，而我则用自己的身体冒着敌人射来的利箭和投来的石块奋勇向前，共有二十多年，向南擒获了前赵的中山王刘岳，向北打跑了索头，向东打败了东晋的徐龛、曹嶷，夺取了齐鲁的大片土地，向西平定了秦州的刘胤、雍州的蒲洪和姚弋仲，攻占了十三个州。成就大赵功业的是我，大单于的职位应该授予我。今天竟然将大单于授予了奴婢生养的黄口小儿石宏，每当想到这些，我就心里堵得慌，睡不好觉、吃不下饭！等到主上死去，我连个种也不值得给他留下。"

后赵担任右仆射的程遐对大赵天王石勒说："现在天下已经大体平定，应该明确什么样的人该奖赏、什么样的人该惩罚，当年汉高祖刘邦赦免了忠于项羽的季布，杀死了放走刘邦的项羽部将丁公。大王您自起兵以来，见到忠于自己君主的就总是褒奖他，对背叛自己主人的不忠之臣就一定杀死他，这就是天下人愿意归附您这位有盛德的君主的原因。现在您却还让晋国的叛臣祖约好端端地活着，我对此深感疑惑不解。"担任安西将军的姚弋仲也表示了同样的看法。石勒于是逮捕了祖约，连同他的内外亲属总计一百多人全部杀死，他的妻妾、儿女则分别赏赐给了羯族的有功人员。

当初，祖逖有一个胡人奴仆名叫王安，祖逖很宠爱他。在雍丘的时候，祖逖对王安说："石勒与你是同一个民族，我也不在乎有没有你这样一个人。"遂送给他好多财物而后让他投奔石勒。王安因为作战勇敢、有才干，在后赵做官做到了左卫将军。等到祖约被杀，王安慨叹地说："怎能让祖逖断绝了后代子孙呢！"于是就亲自到刑场观看行刑。祖逖的庶子祖道重，刚刚十岁，王安便偷偷地把他救出来，带回家中藏匿起来，让他改换服饰，打扮成一个和尚的样子。等到石氏灭亡之后，祖道重返回了江南。

东晋江州刺史郭默准备从寻阳向南攻占豫章，正遇太尉陶侃率领大军赶到，郭默出兵与陶侃交战，没有取胜，遂进入寻阳城中坚守，他用米袋子堆积成防御工事，向陶侃显示城中粮食充足，用来固守绰绰有余。陶侃就令军士在城外筑起土山，居高临下俯瞰城中。三月，庾亮率军抵达湓口，讨伐郭默的诸路大军云集。夏季，五月十九日乙卯，郭默的部将宋侯捆绑了郭默父子出城投降。陶侃在军门将郭默斩首，将郭默的首级送往京师建康，郭默的同党被杀死了四十人。朝廷下诏，任命陶侃都督江州，兼任江州刺史，任命邓岳督交、广诸军事，兼任广州刺史。陶侃返回巴陵，不久又将荆、江两州治所迁移到武昌。庾亮返回自己的治所芜湖，他对朝廷授予的官爵和奖赏全部推掉，一点也没有接受。

后赵将领刘征率领数千名部众乘坐战船渡过大海，劫掠了东晋东南沿海的各郡县，杀死了南沙县都尉许儒。

张骏因前赵之亡，复收河南地，至于狄道[756]，置五屯护军[757]，与赵分境[758]。六月，赵遣鸿胪[759]孟毅拜骏征西大将军、凉州牧，加九锡[760]。骏耻为之臣，不受，留毅不遣[761]。

初，丁零[762]翟斌[763]世居康居[764]，后徙中国，至是入朝于赵，赵以斌为句町王。

赵群臣固请正尊号[765]。秋，九月，赵王勒即皇帝位，大赦，改元建平。文武封进各有差。立其妻刘氏为皇后，太子弘为皇太子。

弘好属文[766]，亲敬儒素[767]，勒谓徐光曰："大雅[768]愔愔[769]，殊不似[770]将家子。"光曰："汉祖[771]以马上取天下，孝文[772]以玄默守之[773]，圣人之后，必有胜残去杀[774]者，天之道也[775]。"勒甚悦。光因说曰："皇太子仁孝温恭，中山王雄暴多诈，陛下一旦不讳[776]，臣恐社稷非太子所有也。宜渐夺中山王权，使太子早参朝政。"勒心然[777]之，而未能从。

赵荆州监军郭敬寇襄阳[778]，南中郎将周抚监沔北[779]军事，屯襄阳。赵主勒以驿书[780]敕敬[781]退屯樊城[782]，使之偃藏[783]旗帜，寂若无人。曰："彼若使人观察，则告之曰：'汝宜自爱坚守，后七八日，大骑[784]将至，相策[785]，不复得走[786]矣。'"敬使人浴马于津[787]，周而复始[788]，昼夜不绝。侦者还以告周抚。抚以为赵兵大至[789]，惧，奔武昌。敬入襄阳，中州[790]流民悉降于赵。魏该弟遐帅其部众自石城[791]降敬。敬毁襄阳城，迁其民于沔北，城樊城[792]以戍之。赵以敬为荆州刺史。周抚坐免官[793]。

休屠王羌[794]叛赵，赵河东王生[795]击破之，羌奔凉州。西平公骏惧，遣孟毅还，使其长史马诜称臣入贡于赵。

更造新宫[796]。

凉州刺史张骏趁前赵被灭亡的时机，又收复了河南地区，将边界拓展到狄道，并设立了武街、石门、侯和、漒川、甘松五处屯兵据点进行戍守，每处设一名护军统领，与后赵接壤。六月，后赵派遣担任鸿胪的孟毅前往凉州拜张骏为征西大将军、凉州牧，加九锡。张骏把做后赵的臣属当作一种耻辱，因此拒不接受，并且扣留了孟毅，不放他返回襄国。

当初，丁零部落酋长翟斌世代居住在康居国，后来迁徙到中原地区，现在到后赵的都城襄国来朝觐后赵王石勒，石勒封翟斌为句町王。

后赵群臣坚决请求石勒正式使用皇帝称号。秋季，九月，后赵石勒即位为皇帝，大赦天下，改年号为“建平”。文武百官按照不同级别全都封官进爵。石勒封自己的妻子刘氏为皇后，立太子石弘为皇太子。

后赵皇太子刘弘喜爱读书写文章，对儒家学者既亲近又敬重，石勒对担任中书令秘书监的徐光说：“刘弘安闲和悦的样子，特别不像将门的孩子。”徐光说：“汉高祖刘邦在战马上夺得天下，汉文帝刘恒用清静无为来保有天下，圣人的后代中，必定会有使残暴之人不再为恶，使刑罚废置无用的子孙出现，这是天道运行的规律。”石勒听了徐光的话很高兴。徐光趁机对石勒说：“皇太子仁慈孝顺、温和谦恭，中山王石虎凶暴诡诈，陛下一旦升天，我担心国家社稷恐怕将不属于太子所有。应该逐渐地削夺中山王的权力，让皇太子早些参与朝政。”石勒心里认为徐光说得很对，但没有付诸实行。

后赵担任荆州监军的郭敬率军进犯东晋的襄阳郡，东晋南中郎将周抚负责统领沔北军事，驻扎在襄阳。后赵皇帝石勒通过驿站传递书信给郭敬，命令郭敬率军退到樊城屯扎，让他把所有旗帜都收藏起来，显示出一片寂静无人的样子。石勒指示说：“对方如果派人来侦察，就告诉他们说：‘你们要爱惜自己，努力坚守你们的城池，再过七八天，我们的大队人马就要到达，与我们互相策应，到那时你们就是想跑也跑不了了。’”郭敬让士卒在汉水渡口轮番清洗战马，洗完一批走一批，这批走了，刚才走的又回来继续清洗，就这样循环往复，白天黑夜从不间断。侦察人员回去告诉了周抚。周抚以为后赵的大队人马已经到来，大为恐惧，遂放弃了襄阳逃往武昌。郭敬兵不血刃就顺利地占领了襄阳，中州的流民全都投降了后赵。东晋雍州刺史魏该的弟弟魏遐率领自己的部众从石城投降了郭敬。郭敬毁坏了襄阳城，将襄阳的百姓迁移到沔水以北，加修樊城城墙，派军队驻守。后赵任命郭敬为荆州刺史。中郎将周抚因为遇敌怯懦、弃地南逃而犯罪，被免官。

匈奴休屠部落头领名叫羌的背叛了后赵，后赵河东王石生率军将他打败，羌逃奔凉州。凉州刺史、西平公张骏很害怕，就打发孟毅返回后赵，同时派遣属下担任长史的马诜为使者向后赵称臣、贡献物产。

东晋朝廷在建康重新建造宫殿。

甲辰[797]，徙乐成王钦为河间王，封彭城王纮子俊为高密王。

冬，十月，成大将军寿[798]督征南将军费黑等攻巴东、建平[799]，拔之，巴东太守杨谦、监军毌丘奥[800]退保宜都[801]。

六年（辛卯，公元三三一年）

春，正月，赵刘征复寇娄县[802]，掠武进[803]，郗鉴击却之。

三月壬戌朔[804]，日有食之。

夏，赵主勒如邺[805]，将营新宫。廷尉上党续咸苦谏，勒怒，欲斩之。中书令徐光曰："咸言不可用，亦当容之，奈何一旦以直言斩列卿乎！"勒叹曰："为人君，不得自专如是乎[806]！匹夫家赀满百匹[807]，犹欲市宅[808]，况富有四海乎！此宫终当营之，且敕停作[809]，以成吾直臣之气[810]。"因赐咸绢百匹，稻百斛[811]。又诏公卿以下岁举贤良方正[812]，仍令举人[813]得更相荐引[814]，以广求贤之路。起明堂[815]、辟雍[816]、灵台[817]于襄国城西。

秋，七月，成大将军寿攻阴平、武都[818]，杨难敌降之。

九月，赵主勒复营邺宫。以洛阳为南都，置行台[819]。

冬，蒸祭[820]太庙[821]，诏归胙[822]于司徒导，且命无下拜[823]，导辞疾[824]不敢当。初，帝即位冲幼[825]，每见导必拜，与导手诏则云"惶恐言"，中书作诏则曰"敬问"。有司议："元会日[826]，帝应敬导不[827]？"博士郭熙、杜援议，以为："礼无拜臣之文，谓宜除敬[828]。"侍中冯怀议，以为："天子临辟雍[829]，拜三老[830]，况先帝师傅[831]，谓宜尽敬[832]。"侍中荀奕议，以为："三朝之首[833]，宜明君臣之体[834]，则不应敬。若他日小会，自可尽礼[835]。"诏从之。奕，组之子也。

九月初十日甲辰，东晋改封乐成王司马钦为河间王，封彭城王司马纮的儿子司马俊为高密王。

冬季，十月，成国大将军李寿统领征南将军费黑等攻克了东晋管辖之下的巴东郡、建平郡，巴东郡太守杨谦、监军毌丘奥退往宜都坚守。

六年（辛卯，公元三三一年）

春季，正月，后赵将领刘征再次进犯东晋的娄县，劫掠了武进县，东晋郗鉴率军打退了后赵刘征的入侵。

三月初一日壬戌，发生日食。

夏季，后赵皇帝石勒前往邺城，准备在邺城营造新宫室。担任廷尉的上党人续咸苦苦劝阻，石勒发了怒，就要将续咸斩首。担任中书令的徐光说："即使续咸的意见不值得采纳，也应当宽容他，怎能因为一句直言不中听，就把位列公卿的大臣杀死呢！"石勒叹息着说："作为一个国君，难道就连这么一点主也做不了吗！平常的老百姓如果家里有一百匹绸缎的资产，尚且想买一座大宅院，何况是富有四海的皇帝呢！这个皇宫终将营造，但现在还得下令将工程停下来，以给我那敢于直言劝谏的臣属撑腰打气。"于是赏赐给续咸一百匹绢，一百斛稻谷。石勒又下诏让公卿以下的官员每年向朝廷举荐一个贤良、方正的人才，仍然允许被举荐的人可以互相介绍、推荐，以开拓求贤之路。在襄国城西修建供帝王宣明圣教的明堂、国家为贵族子弟设立的大学辟雍，以及观测天象的灵台。

秋季，七月，成国大将军李寿攻取了杨难敌管辖之下的阴平、武都二郡，杨难敌向李寿投降。

九月，后赵皇帝石勒又在邺城营造宫室，把洛阳作为南都，在南都设立朝廷的派出机构。

冬季，东晋在皇家太庙举行一年一度的冬季祭祀大典，晋成帝下诏将祭祀后撤下来的胙肉赏赐给司徒王导，并且命他不要为此向皇帝下跪答谢，司徒王导推说有病没有接受这种大礼。当初，晋成帝司马衍即位时年纪尚幼，每次看见王导一定跪拜，写给王导的亲笔诏书，开头总是写着"惶恐言"，由中书代为撰写的下达给王导的诏书也总是写上"敬问"二字。有关部门商议："皇帝在正月初一会见群臣那天，要不要给王导行礼？"担任博士的郭熙、杜援都认为："在礼仪上没有君拜臣的文字规定，皇帝对王导的特出礼敬应该废除。"担任侍中的冯怀认为："天子驾临学府举行典礼的时候，还要遵照规定向三老行礼，何况王导是先帝的师傅，所以皇帝应该以跪拜的方式表示对王导的特殊礼敬。"担任侍中的荀奕认为："元旦是三朝之首，时间特殊，在这一天，首先要明确君臣之间的大礼，皇帝不应该给王导下拜。如果是其他日子的朝会，皇帝自然可以用跪拜礼表达对王导的特殊礼敬。"皇帝下诏表示采用荀奕的意见。荀奕，是荀组的儿子。

慕容廆遣使与太尉陶侃笺[836]，劝以兴兵北伐，共清中原。僚属[837]宋该等共议，以“廆立功一隅[838]，位卑任重，等差无别[839]，不足以镇华夷[840]，宜表请进廆官爵”。参军韩恒驳曰：“夫立功者患信义不著[841]，不患名位不高。桓、文[842]有匡复之功[843]，不先求礼命[844]以令诸侯[845]。宜缮甲兵[846]，除群凶[847]，功成之后，九锡自至。比于邀君[848]以求宠，不亦荣乎！”廆不悦，出恒为新昌令[849]。于是东夷校尉封抽[850]等疏上侃府，请封廆为燕王，行大将军事。侃复书曰：“夫功成进爵，古之成制[851]也。车骑[852]虽未能为官摧勒[853]，然忠义竭诚[854]，今腾笺上听[855]，可不迟速[856]，当在天台[857]也。”

【段旨】

以上为第三段，写晋成帝五年（公元三三〇年）、六年共两年间的大事。主要写了王导屈服于郭默，将刘胤枭首示众，并欲任郭默为江州刺史，而被陶侃所驳斥；写了陶侃、庾亮等起兵讨郭默，郭默的部将擒郭默出降，郭默被陶侃所斩，郭默乱平，朝廷让陶侃兼任江州刺史；写了晋成帝祭祀后致胙于王导，朝廷讨论晋成帝应对王导尽何等礼数，以见王导地位之特殊；写了石勒即皇帝位，大封诸子与群僚，石勒之侄石虎因自己未得大单于之位而恨石勒之子石宏，阴图日后作乱；写了石勒的太子石弘喜文好儒，徐光建议石勒削石虎之权以防日后生乱，石勒未从；写了石勒修建邺宫，下令公卿举荐贤良方正，以广进贤之路；写了石勒的部将寇荆州，晋之守将周抚怯懦南逃被削职；此外还有慕容廆向东晋王朝请求为燕王，凉州张骏对石勒时而对立、时而称臣等。

【注释】

⑹⑺³己亥：正月初一。

(673)己亥：正月初一。(674)枭胤首：把刘胤的人头挂在高竿示众。(675)大航：即“朱雀航”，也称“朱雀桥”。(676)投袂：甩袖形容吃惊、生气的样子。(677)必诈：一定是欺骗。陶侃不相信朝廷会以郭默为江州刺史，认为这是郭默假传圣旨，欺骗世人。(678)绢：一种薄而坚韧的丝织品，当时可以当作金钱购买东西。(679)写中诏：抄了一份朝廷下达的诏书。写，模仿、照抄。中诏，朝廷下的诏书。(680)不被诏：如果没有接到诏书。被，接到。(681)待诏报：等待朝廷诏书的答复。(682)厉色：面色严厉。(683)国家：这里指皇帝。(684)不出胸怀：不是出自他的内心。(685)所礼：所礼遇；所看重。(686)虽方任非才：虽然没有独当

慕容廆派使者送信给东晋太尉陶侃，劝说陶侃起兵北伐，共同肃清中原。慕容廆的僚属宋该等共同议论此事，认为“慕容廆在东北的一个角落建立了大功，地位卑微任务重大，在等级上与朝廷的其他臣僚没有什么差别，不足以镇抚东北地区的汉人和其他少数民族，应该上表给朝廷，请求晋升慕容廆的官职和爵位”。担任参军的韩恒反驳说：“建立功勋的人所担忧的应该是信义不能使人信服，而不应担心名声小、官位不高。齐桓公、晋文公有匡扶周天子、恢复国家正常秩序之功，并没有先向周天子要官、要权，而后再向诸侯发号施令，让诸侯听从自己。现在应该做的是修缮好我们军队的铠甲和兵器，消灭那些背叛朝廷、肆意横行的邪恶势力，等到大功告成之后，加授‘九锡’的恩宠就会自然而至。比起请求皇帝以求得恩宠，不是更光荣吗!”慕容廆得到这样的结果很不高兴，便将韩恒外放去做新昌县令。于是担任东夷校尉的封抽等上疏给太尉府，请求封慕容廆为燕王，行使大将军职权。太尉陶侃回信答复说：“大功告成之日加官进爵，这是自古以来就有的制度。车骑将军慕容廆虽然还没有为皇帝摧毁后赵石勒，然而对朝廷的忠义之心出于至诚，现在我已经将你们的意思转奏给皇帝，成与不成、是迟是速，都由朝廷说了算。”

一面的才干，这里指任刺史一职。⑥⑧⑦何缘：怎么能够。⑥⑧⑧猥加极刑：胡乱地将其杀死。猥，曲，胡乱地。⑥⑧⑨所在：所到之处；处处。⑥⑨⓪禁网宽简：国家的法令松弛。⑥⑨①欲因际会：想趁着这个时机。⑥⑨②骋其从横：恣意地胡作非为。⑥⑨③上表言状：给朝廷上书说明情况。⑥⑨④杀方州即用为方州：杀了州刺史就用他做州刺史。方州，担当一方之任的州刺史。⑥⑨⑤收胤首：把示众的刘胤的人头收起来。⑥⑨⑥据上流之势：占据着建康上游的有利地势。上流，上游。江州治武昌（湖北鄂州市鄂城区），对建康说是处于长江上游。⑥⑨⑦成资：现成的军用物资。⑥⑨⑧苞含隐忍：忍气吞声。苞，通“包”。⑥⑨⑨使有其地：让他先在那个地方待着。有，占有。其地，指江州。⑦⓪⓪潜严：秘密地调集军队、积蓄力量。⑦⓪①俟足下军到：以等待您的大军的到来。⑦⓪②风发相赴：那时再雷厉风行地杀过去。风发，如风之起，形容迅猛。⑦⓪③遵养时晦：在条件不利时暂且隐忍，以图日后之大有作为。《诗·酌》：“于铄王师，遵养时晦。”郑玄《笺》云：“于美乎文王之用师，率殷之叛国以事纣，养是阇昧之君，以老其恶。”遵，循、顺着。时，通“是”，此。晦，黑暗。⑦⓪④是乃遵养时贼也：你这是在供养逆贼。⑦⓪⑤往与侃会：前往与陶侃会师。⑦⓪⑥与默同：与郭默同心，指互相勾结。⑦⓪⑦西曹：官名，公府及州郡的佐吏。⑦⓪⑧不附祖约：当年祖约叛乱时，邀桓宣前去，桓宣不应。附，依附、投靠。⑦⓪⑨明府：也称“府君”，汉魏以来对太守、刺史的敬称。桓宣为谯国内史，相当于太守，故称之为“明府”。⑦①⓪心虽不尔：您的内心虽然不是这样，指不依附郭默。⑦①①以贤子付随：让你的儿子跟我走。⑦①②辟戎为掾：聘

用桓戎做自己的僚属。掾，部下属吏的通称。⑬上宣：建议朝廷任命桓宣为……。⑭行皇帝事：代行皇帝的职权。行，代理，表示谦让。⑮各有差：都轻重不同地受到了封赏。⑯端拱：端坐拱手，形容清闲无事的样子，古代用以称帝王的无为而治。⑰仰成：仰首等待成功，意即坐享其成。⑱当矢石：冒着箭与石块奋勇向前。古代作战，发矢抛石以打击敌人。⑲刘岳：原是前赵刘曜的部将，被石虎所擒，遂降石勒。⑳北走索头：向北打跑了索头。走，打跑。索头，鲜卑政权慕容廆的儿子。㉑东平齐、鲁：指打败曹嶷、徐龛等晋将，夺得今山东大片地区。㉒西定秦、雍：指打败刘胤、刘熙，平定今陕西、甘肃等大片地区。㉓克：攻克；占有。㉔大单于当以授我：当以大单于之任授我。大单于，原是匈奴族的最高君长，至前赵、后赵政权时，其最高君长改称皇帝，总统胡汉，这时的"大单于"即变为只是北方少数民族的君长。㉕黄吻婢儿：黄吻以喻其幼小，雏鸟始生时嘴黄，常用来比喻幼童。婢儿，婢女所生之子，犹今言"丫头养的"，用来骂人。这里"黄吻婢儿"指石宏。㉖气塞：气闷；憋气。㉗晏驾：宫车晚出，隐指帝王的死亡。㉘不足复留种：要把他们杀得一个不留。不足，不值得、没必要。㉙粗定：大略平定。㉚显明逆顺：明确什么样的人该赏，什么样的人该罚。逆，背叛、不忠。顺，顺从、忠诚。㉛高祖赦季布：季布原是项羽的部将，多次围困刘邦。刘邦灭项羽后，用千金重赏追捕季布。游侠朱家托刘邦的部将夏侯婴，以"臣各为主"的理由为季布说情，刘邦赦免了季布，后来官至中郎将、河东太守。㉜斩丁公：丁公也是项羽的部将，奉命追击刘邦，在追得刘邦没法逃时，刘邦向丁公求情，丁公放走了他。到刘邦灭项羽后，丁公去向刘邦求赏时，刘邦以丁公"为项王臣不忠"的罪名，杀了丁公。以上二事皆见《史记·季布栾布列传》。㉝辄褒之：总是表扬他。㉞归盛德：归附你这位有盛德的君主。㉟臣窃惑之：我不明白为什么要留着他。窃，私下，谦辞。㊱亲属中外：男主人系统的亲属称中，女主人系统的亲属称外。㊲诸胡：这里指羯族人。古代对北方少数民族称胡。㊳雍丘：今河南杞县。㊴是汝种类：和你是同一个民族。㊵无在尔一人：犹今言"不在乎有没有你这一个人"。㊶厚资送：赠送他许多财物。㊷勇干：勇敢干练。㊸祖士稚：祖逖，字士稚，祖逖是祖约之兄，故其家属亦在祖约身边。㊹逖庶子道重：祖逖姬妾所生的儿子，名叫道重。㊺匿：藏。㊻变服为沙门：改变服饰，打扮成一个和尚的样子。沙门，梵语室罗摩拏的音译，是勤息，勤修善法、止息恶行的意思。这里用来指僧徒、和尚。㊼聚米为垒：用米袋垒成防御工事。㊽以示有余：以显示他的粮食多。㊾筑土山临之：筑成高高的土山，居高临下。㊿湓口：又名"湓浦口"，是湓水入长江之口，在今江西九江西北。751乙卯：五月十九。752都督江州：都督江州诸军事。753领刺史：兼任江州刺史。754移镇武昌：把他的军府移到武昌，今湖北鄂州市鄂城区。755抄：掠夺；抢劫。756狄道：晋县名，县治在今甘肃临洮西南。757五屯护军：军官名，五屯指武街、石门、侯和、漒川、甘松五个屯兵据点。758与赵分境：与赵国的分界线。759鸿胪：朝官名，掌朝贺庆吊中的赞导相礼。鸿，声。胪，传。传声赞导宾客行礼，故称鸿胪。⑺⑹⑼九锡：朝廷授予大臣的九种特殊礼遇，包括剑履上殿、赞拜不名、纳陛以登等。761 留毅不遣：扣留下刘毅，不让他返回赵国。762 丁零：古代北方少数民族名，亦作“丁令”“丁灵”。汉时为匈奴属国，游牧于我国北部和西北部广大地区。公元四、五世纪，又称铁勒、高车、回纥、回鹘。763 翟斌：丁零部族首领。764 康居：古西域城国名，约在今哈萨克斯坦巴尔喀什湖和咸海之间地区。765 正尊号：正式地使用皇帝称号。正，正式。石勒此前称“行皇帝事”。766 属文：写文章。属，连缀。767 儒素：儒者的品德操行，这里代指儒者。768 大雅：太子石弘字大雅。769 愔愔：安闲和悦的样子。770 殊不似：特别不像。771 汉祖：指汉高祖刘邦。772 孝文：指汉孝文帝刘恒，刘邦之子。773 以玄默守之：以清静无为守天下。玄默，沉默少言的样子。774 胜残去杀：《论语·子路》载孔子曰：“善人为邦百年，亦可以胜残去杀矣。”胜残，能使残暴之人不为恶。去杀，废除杀人的刑法。775 天之道也：真正圣明天子的行为。776 不讳：对“死”的委婉说法。777 心然：内心里赞同，认为对。778 寇襄阳：进犯襄阳郡。襄阳郡在今湖北东北部，郡治即今襄阳。779 沔北：汉水以北，现在汉水古称沔水。780 驿书：通过驿站传递的文书。781 敕敔：命令郭敔。782 樊城：今襄樊的汉水以北地区，南临汉水，与襄阳隔水相望，自古为兵家必争之地。公元一九五〇年樊城与襄阳合为襄樊。783 偃藏：收藏。784 大骑：大队人马。785 相策：相互策应；接应。786 不复得走：那时你们就逃不掉啦。787 浴马于津：在汉水渡口给马洗澡。津，渡口，这里指汉水边上。788 周而复始：指轮番洗马，不间断，以此表示石勒大兵已到，人马极多。789 大至：大举前来。790 中州：古豫州地处九州中间，称为中州，这里泛指东晋梁州东部，豫州西部及荆州北部一带，即黄河中游以南地区。791 石城：晋县名，即今湖北钟祥。792 城樊城：修筑樊城的城墙。793 坐免官：因其怯懦弃地南逃而被罢官。坐，因……而获罪。794 休屠王羌：匈奴休屠部落的头领名“羌”，在此之前归附于石勒。795 河东王生：石生，石勒的部将，被封为河东王。796 更造新宫：主语是东晋王朝。797 甲辰：九月初十。798 大将军寿：李寿，李骧之子，成王李雄的堂兄弟，任大将军之职。799 巴东、建平：晋之二郡名。巴东郡的郡治鱼复县，即今重庆奉节东的白帝城；建平郡的郡治巫县，在今重庆巫山县东。800 毌丘奥：姓毌丘，名奥。801 宜都：晋县名，县治夷道，在今湖北宜都西北。802 娄县：晋县名，县治在今江苏昆山市东北。803 武进：晋县名，县治在今江苏常州市武进区西北七十里。804 三月壬戌朔：三月初一是壬戌日。805 如邺：到达邺城。邺城在今河北临漳西南。806 不得自专如是乎：竟连这么一点主也做不了吗。807 匹夫家赀满百匹：平民人家有一百匹帛的家当。赀，通“资”，钱财。808 犹欲市宅：尚且想买一栋大房子。市，买。809 且敕停作：但现在还是下令停下来。810 以成吾直臣之气：目的是要给直言敢谏的大臣撑腰打气。811 百斛：一百石。斛是古代容量单位，十斗为一斛。一斛也叫一石。812 岁举贤良方正：每年向朝廷推荐一个有德行、正直敢言的人。贤良方正，是地方官向朝廷推荐人才的科目名，自汉代始立，历代因之。813 举人：被推荐的人，即“贤良方正”。814 得更相荐引：可以互相介绍、推荐。815 明堂：古代帝王宣明政教的场所，凡朝会、祭祀、庆赏、选士、教学、养老等大典，均在明堂举行。⑯辟雍：帝王为贵族子弟设立的大学，取四周有水，形如璧环为名。⑰灵台：帝王观测天象的场所，始立于西周。⑱阴平、武都：晋之二郡名，阴平郡的郡治即今甘肃文县，武都郡的郡治在今甘肃成县西北。当时归杨难敌的势力管辖。⑲行台：朝廷的派出机构。⑳蒸祭：祭祀的一种。蒸，通“烝”，冬祭。㉑太庙：皇帝的祖庙。㉒归胙：把上供用的祭肉送给某某人，以表示对他的特别尊崇。归，通“馈”，赠送。胙，祭祀用的肉。㉓且命无下拜：而且还让他不要为此向皇帝答谢叩拜。这是效仿春秋时期周天子赏赐齐桓公所采用的做法。事见《左传》与《史记·齐太公世家》。㉔辞疾：推说有病不能接受这种大礼。㉕冲幼：年龄幼小。冲，幼弱。㉖元会日：皇帝在正月初一会见群臣。㉗帝应敬导不：皇帝应该向王导行礼吗。不，同“否”。㉘宜除敬：应该废除这种皇帝对臣子的行礼。㉙临辟雍：到辟雍举行典礼的时候。㉚拜三老：有对三老行礼的规矩。三老，“三老五更”的省称。相传古代天子敬老，设三老、五更各一人，养于辟雍，尊事三老，兄事五更，示天下以孝悌。㉛先帝师傅：指王导。晋元帝死前曾遗诏王导辅佐明帝司马绍。㉜宜尽敬：应该充分表示礼敬。㉝三朝之首：元会的首要任务。三朝，即指“元会”。正月是一年的开头，初一是一月的开头，早晨是一天的开头。所以正月初一的早晨称作“三朝”。㉞宜明君臣之体：首先要明确君臣之间的大礼，即君为臣纲。㉟尽礼：充分表达对王导的尊敬。㊱笺：古代的一种文体名称，即写给上级官僚或尊长者的书信。㊲僚属：指慕容廆的僚属。㊳立功一隅：在东北地区一方土地上立了大功。隅，一方、一角。㊴等差无别：与其他一般的地方长官没有差别。等差，等级次序。㊵不足以镇华夷：难以镇抚东北一方的汉族与少数民族的人。㊶患信义不著：担心的是信义不能令人心服。患，担心、忧虑。不著，不显。㊷桓、文：齐桓公、晋文公。㊸匡复之功：扶助周天子，恢复国家的正常秩序。匡，纠正、辅助。㊹不先求礼命：不首先伸手向朝廷要官要权。礼命，尊崇与任命。㊺以令诸侯：以对诸侯发号施令，作威作福。㊻缮甲兵：修整好我们军队的铠甲和兵器。㊼除群凶：消灭那些背叛朝廷、肆意横行的邪恶势力。㊽邀君：向朝廷要这要那。㊾新昌令：新昌县的县令。新昌县的县治在今辽宁海城东北的向阳寨。㊿封抽：姓封名抽，慕容廆的僚属。(851)成制：已有的制度。(852)车骑：敬称慕容廆，慕容廆当时被晋王朝任为车骑将军。(853)为官摧勒：为朝廷消灭石勒。官，指国家、朝廷。(854)忠义竭诚：忠义为国，尽心尽力。(855)腾笺上听：已把你们的上书呈报皇帝。腾，快速转达。上听，让皇帝知道。(856)可不迟速：犹言成与不成、办得快还是慢。可不，同“可否”。(857)当在天台：都由朝廷说了算。

【研析】

本卷写了晋成帝咸和三年（公元三二八年）至咸和六年共四年间的各国大事。其中值得议论的有以下几点。

第一，苏峻造反起于庾亮的专权和庾亮坚持解除苏峻的兵权并调苏峻到朝廷任职，而苏峻起兵后，庾亮又只身逃出京城往依温峤，置朝廷与皇帝于不顾，因此很多人都认为庾亮大逆不道，司马光以之与湘州刺史卞敦相提并论，说他们“人臣之罪，孰大于此？既不能明正典刑，又以宠禄报之，晋室无政，亦可知矣”。卞敦身为朝廷的方面大员，拥兵观望，不赴朝廷之难，自然应该受到严惩，但庾亮之罪有点像是汉代的晁错，应该进行全面分析。清代王夫之《读通鉴论》说：“庾亮征苏峻而激之反，天下怨之，固不能辞其咎矣，虽然，其志有可原者也。亮受辅政之命而不自擅也，尊王导于己上，而引郗鉴、卞壸、温峤以共济艰难，窦武之所不逮，非直异于梁冀、杨峻而已也……亮以卫国无术而任罪，司马温公乃欲明正典刑以穷其罪，则何以处夫延王敦杀周、戴以逼天子之王导乎？温峤，人杰也，亮败窜而峤敬之不衰，必有以矣；峻虽反，主虽危，而终平大难者，郗鉴、温峤也；以死殉国者，卞壸也，皆亮所引与同卫社稷者也。抑权臣、扶幼主，亮与诸君子有同心，特谋大而智小、志正而术疏耳。”当陶侃引兵东下，庾亮亲往拜见，众人皆以为陶侃必当诛庾亮以谢天下，而庾亮舍身归罪不辞；日后郭默作乱于江州，王导又欲向之妥协，而庾亮能率师会合陶侃，共诛大逆，此亦深有可人之意者，非苟且而已也。

第二，在平定苏峻之乱中，起关键作用的人是温峤、郗鉴，陶侃是被温峤千方百计拉进来的。温峤、庾亮决定起兵后，力请陶侃为盟主，陶侃犹豫再三始派督护龚登率军而至；当勤王大军即将开拔东下时，陶侃又派人追龚登率兵回去；当温峤剀切深至地晓之以理后，陶侃始戎服登舟；当勤王军与苏峻作战屡屡失利时，温峤向陶侃借粮，陶侃不借，而且又说“荆州接胡、蜀二虏，当备不虞。若复无食，仆便欲西归，更思良算，徐来殄贼，不为晚也”。简直如同《西游记》中的猪八戒，遇到一点困难就想散伙回高老庄。陶侃这些表现有其深远的客观原因，陶侃对当时的朝廷，对王导、庾亮、温峤等人心怀疑虑、离心离德是可以理解的。早在元帝时，陶侃在荆、湘一带破杜弢、杜曾有大功，接续刘弘为荆州刺史，而朝廷则视陶侃为异己，改任陶侃到广州，另派他们的嫡系王廙为荆州刺史。直到王敦造反被讨平后，陶侃才又回到荆州任职。晋明帝临死前任命顾命大臣，王导、郗鉴、庾亮、温峤、卞壸、陆晔都在其内，独独没有陶侃。甚至庾亮擅权，派兵屯驻四方时，庾亮派温峤为江州刺史，目的就是防着陶侃。当苏峻的叛乱已经箭在弦上，温峤请求入卫京城时，庾亮说：“吾忧西陲，过于历阳，足下无过雷池一步也。”他们把陶侃看得比苏峻、祖约还要可怕。对于这群人，你说陶侃怎么可能轻易与他们推心置腹地通力合作呢？直到对付郭默的叛乱时，陶侃才首举义旗，痛斥王导，把问题解决得干净利落，令人心旷神怡。

第三，王导在王敦造反时的个人表现以及王导建议给向王敦献出石头城的朝廷叛逆周札以褒奖的咄咄怪事，在上卷已经提及。而在这一卷里王导又为苏峻造反时，在湘州拥兵观望，不随勤王军东下，又不向勤王军供应粮草的卞敦进行辩护，当有人提出给予严惩时，王导将其调任广州刺史，又改为光禄大夫领少府；当郭默叛乱，杀江州刺史刘胤时，王导又将刘胤的人头示众，并欲任郭默为江州刺史，以致被陶侃所质问曰："郭默杀方州即用为方州，害宰相便为宰相乎！"并斥责王导的这种所谓"遵养时晦"实际是"遵养时贼"。司马光说王导："卞敦位列方镇，兵粮俱足，朝廷颠覆，坐观胜负。人臣之罪，孰大于此？既不能明正典刑，又以宠禄报之，晋室无政，亦可知矣！任是责者，岂非王导乎！"而就是这么一个人，居然名并日月，连皇帝见了他都要起来行礼，这不是怪事吗？

第四，本卷写了前赵主刘曜被石勒所擒，前赵也旋即被石勒所灭，历史写刘曜以往的活动是比较详细的，刘曜的人格也有不少精彩的令人赞赏之处；但写到其兵败国灭，却只匆匆几行字就结束了，简单得令人无法寻绎其失败的根本原因，只看到了一些偶然的现象，这是令人遗憾的。

卷第九十五　晋纪十七

起玄黓执徐（壬辰，公元三三二年），尽强圉作噩（丁酉，公元三三七年），凡六年。

【题解】

本卷写晋成帝咸和七年（公元三三二年）至咸康三年（公元三三七年）共六年间的东晋及各国大事。主要写了赵主石勒的僚属程遐、徐光劝石勒提防石虎，石勒不听；写了石勒病死，石虎先杀程遐、徐光，又杀石堪与石勒的皇后刘氏，控制太子石弘；石勒的部将石生、石朗起兵讨石虎，石生的部将郭权先破石虎军，终因石生无能被石虎打败，石虎废石弘之帝位，不久又将他及石宏、皇后程氏等杀掉，自称居摄赵天王；写了石虎迁都邺城，大治宫室，又在襄国大造太武殿，穷奢极侈；石虎又极度尊礼"大和尚"佛图澄，引致国内"争造寺庙，削发出家"；石虎又自立为大赵天王，荒耽酒色，喜怒无常，与其太子石邃的矛盾加深，终致石虎杀石邃而改立石宣；写了棘城的慕容廆卒，其子慕容皝嗣位，慕容皝之弟慕容仁占领辽东地区自立，慕容皝用高诩之谋，踏冰渡海讨平慕容仁，又大破段辽

【原文】

显宗成皇帝中之上

咸和七年（壬辰，公元三三二年）

春，正月辛未①，大赦。

赵主勒大飨②群臣，谓徐光曰："朕可方③自古何等主④？"对曰："陛下神武谋略过于汉高⑤，后世无可比者。"勒笑曰："人岂不自知！卿言太过。朕若遇汉高祖，当北面事之⑥，与韩、彭比肩⑦。若遇光武⑧，当并驱中原⑨，未知鹿死谁手⑩。大丈夫行事，宜礌礌落落⑪，如日月皎然⑫，终不效⑬曹孟德⑭、司马仲达⑮，欺人孤儿寡妇，狐媚⑯以取天下也。"群臣皆顿首称万岁。

勒虽不学⑰，好使诸生⑱读书而听之，时以其意⑲论古今得失，

与宇文氏之众，慕容皝备置百官，自称燕王；写了凉州张骏政权的境内渐平，勤修诸政，民富兵强，被称为贤君，西域的焉耆、于阗等国都到姑臧朝贺称臣，张骏也有兼并秦、雍二州之志；写了成将李寿进攻宁州，宁州刺史降成，李雄遂尽有南中之地，李寿又一度夺得梁州；其后成主李雄病死，养子李班继位，雄子李越袭杀李班，拥立雄子李期，李期的政局混乱，成国开始衰败；写了陶侃晚年以满盈自惧，辞官还居封地，死于归途之中；写了晋成帝已加元服，仍委政于王导，礼拜王导，侍中孔坦劝谏晋成帝，遂被王导黜逐；王导、庾亮分别聘用爱好清谈的王濛、王述以及殷浩等人，彼此以清谈煽动，社会成风，朝廷虽立太学、招生员，而士大夫习尚老子和庄子，儒学始终不振；而石虎因南游而临江，几十名骑兵哨探至历阳，历阳太守袁耽虚报军情，竟引起东晋的紧急动员、调兵遣将，一片腐败盲目不堪。

【语译】

显宗成皇帝中之上

咸和七年（壬辰，公元三三二年）

春季，正月十五日辛未，东晋实行大赦。

后赵皇帝石勒设盛宴款待文武百官，对担任中书令的徐光说：“我可以和古代哪一位帝王相比？”徐光回答说：“陛下的英明睿智、勇武韬略超过了汉高祖刘邦，刘邦以后的帝王没有人能比得上陛下。”石勒笑着说：“我岂能没有自知之明！你的评价太过头了。如果遇到汉高祖，我甘愿面朝北方，尊奉他为君主，我只能与韩信、彭越之流站在同一个行列。如果遇到东汉光武帝刘秀，我将会与他在中原争个高下，最后还不知道会鹿死谁手、谁能争得帝位。男子汉大丈夫做事情，就应当光明正大、磊磊落落，就像太阳和月亮一样光明皎洁，无论如何不能像曹操、司马懿那样欺凌人家的孤儿寡妇，像狐狸一样用奸诈狡猾的手段去蛊惑人心、夺取天下。”文武群臣全都俯伏在地上一边磕头一边呼喊万岁。

后赵皇帝石勒虽然没有上过学读过书，但喜欢让那些儒生读书给自己听，还不

闻者莫不悦服[20]。尝[21]使人读《汉书》[22]，闻郦食其[23]劝立六国后，惊曰："此法当失[24]，何以遂得天下[25]？"及闻留侯谏[26]，乃曰："赖有此耳[27]！"

郭敬之退戍[28]樊城也，晋人复取襄阳。夏，四月，敬复攻拔之，留戍[29]而归。

赵右仆射程遐言于赵主勒曰："中山王[30]勇悍权略，群臣莫及，观其志，自陛下之外，视之蔑如[31]。加以残贼[32]安忍[33]，久为将帅，威振内外。其诸子年长，皆典兵权[34]。陛下在，自当无他[35]，恐非少主之臣[36]也。宜早除之，以便大计[37]。"勒曰："今天下未安，大雅[38]冲幼[39]，宜得强辅[40]。中山王骨肉至亲[41]，有佐命之功[42]，方当委以伊、霍之任[43]，何至如卿所言！卿正恐不得擅[44]帝舅之权[45]耳。吾亦当参卿顾命[46]，勿过忧也。"遐泣曰："臣所虑者公家[47]，陛下乃以私计拒之[48]，忠言何自而入[49]乎！中山王虽为皇太后[50]所养[51]，非陛下天属[52]，虽有微功，陛下酬[53]其父子恩荣亦足矣。而其志愿无极[54]，岂将来有益者乎[55]！若不除之，臣见宗庙不血食[56]矣。"勒不听。

遐退，告徐光，光曰："中山王常切齿于吾二人，恐非但危国，亦将为家祸也。"他日，光承间[57]言于勒曰："今国家无事，而陛下神色若有不怡[58]，何也？"勒曰："吴、蜀[59]未平，吾恐后世不以吾为受命之王[60]也。"光曰："魏承汉运[61]，刘备虽兴于蜀[62]，汉岂得为不亡乎[63]？孙权在吴，犹今之李氏[64]也。陛下苞括二都[65]，平荡八州[66]，帝王之统不在陛下，当复[67]在谁？且陛下不忧腹心之疾，而更忧四支[68]乎！中山王藉[69]陛下威略[70]，所向辄克[71]，而天下皆言其英武亚于陛下[72]。且其

时地根据自己的理解来评论古今政治上的成功与失败，听闻的人无不感到心悦诚服。他曾经让人给他读《汉书》，当听到郦食其劝说汉高祖刘邦封六国后裔为王的时候，便吃惊地说："这种做法应当是错误的，如果执行必然会失败，可后来刘邦怎么竟然夺取天下了呢？"等听到后面留侯张良劝阻汉高祖不要这样做的时候，石勒恍然大悟地说："幸亏有了张良的劝阻！"

后赵荆州刺史郭敬在撤退到樊城坚守之后，东晋又攻取了襄阳。夏季，四月，郭敬再次攻克襄阳，留下一支防守军队，然后回到樊城。

后赵右仆射程遐提醒后赵皇帝石勒说："中山王石虎勇敢强悍，有权术有谋略，满朝大臣中没有人能赶得上他，我观察他的志向，除陛下以外，他不把任何人放在眼里。加上他凶狠残忍，长期执掌兵权，威名震动国内外。他的几个儿子也都长大成人，并且都手握兵权。陛下在世的时候，自然不会有其他变故，但此人恐怕不是为幼主尽忠效力的臣子。应该早点将他除掉，以稳定国家社稷。"石勒说："如今天下还没有完全安定下来，太子大雅年纪幼小，应该有强有力的大臣来辅佐他。中山王石虎是我的骨肉至亲，有辅佐我创立大业的功劳，我正要把伊尹、霍光那样的重任托付给他，他何至于做出像你所说的那样的事情来！你大概是担心你这个皇帝舅舅不能独揽朝政罢了。我会让你参与到顾命大臣的行列之中，你不用过分担忧。"程遐流着泪说："我所担忧的是国家、社稷的大事，陛下竟然从我是为了自己的私利的角度来猜疑我、拒绝我的忠谏，忠心耿耿的话还怎么能让陛下听得到呢！中山王石虎虽然是皇太后所收养，然而并非陛下有血缘关系的直系亲属，虽然建立了微小的功劳，而陛下用恩宠荣耀酬答他们父子的也足够了。然而他的欲望是没有限度的，岂是将来对国家有益的人呢！如果不及早把他除掉，我将会看到皇家宗庙再也没有人祭祀的情景了。"石勒仍然听不进去。

程遐辞别皇帝石勒，便将自己的想法告诉了中书令徐光，徐光说："中山王石虎经常对我们二人恨得咬牙切齿，恐怕他不但会危害国家，也将给我们的家族带来灭族之祸。"有一天，徐光抓住一个机会又对后赵皇帝石勒说："如今国家太平无事，而陛下的神色看起来好像有些不高兴，是什么原因呢？"石勒回答说："吴地的晋国、蜀地的成国都没有平定，我担心后世之人会不承认我是受命于天、统一天下的正统君主。"徐光说："曹魏承接了汉代的国运，昭烈皇帝刘备虽然在蜀地建立起蜀汉政权，怎能因此就说汉朝没有灭亡呢？孙权在吴地建立政权，就如同现在的李氏在蜀地建立成国。陛下已经占领了长安、洛阳两个都城，平定了冀州、幽州、并州、兖州、青州、豫州、司州、雍州八个州，帝王正统不属于陛下，还能属于谁？陛下不忧虑自己的心腹之患，反倒忧虑起四肢上的小患来了！中山王石虎凭借着陛下的威名和谋略，大军所向，攻无不克，而天下人都说中山王的英明勇武仅次于陛下，除了陛下再也没有人能和他相比了。而且他与生俱来的天资禀性就不仁慈，是个见利忘义

资性[73]不仁，见利忘义，父子并据权位，势倾王室[74]，而耿耿[75]常有不满之心。近于东宫侍宴[76]，有轻皇太子之色。臣恐陛下万年之后[77]，不可复制[78]也。”勒默然，始命太子省可[79]尚书奏事，且以中常侍严震参综可否[80]，惟征伐断斩大事[81]乃呈之[82]。于是严震之权过于主相[83]，中山王虎之门可设雀罗[84]矣。虎愈怏怏[85]不悦。

秋，赵郭敬南掠江西[86]，太尉侃遣其子平西参军斌及南中郎将桓宣乘虚攻樊城，悉俘其众。敬旋救樊[87]，宣与战于涅水[88]，破之，皆得其所掠。侃兄子臻及竟陵太守李阳攻新野，拔之。敬惧，遁去，宣、阳[1]遂拔襄阳。

侃使宣镇襄阳。宣招怀[89]初附[90]，简刑罚，略威仪[91]，劝课农桑[92]，或载锄耒于轺轩[93]，亲帅民芸获[94]。在襄阳十余年，赵人再攻之[95]。宣以寡弱拒守，赵人不能胜。时人以为亚[96]于祖逖、周访。

成大将军寿[97]寇宁州[98]，以其征东将军费黑为前锋，出广汉[99]，镇南将军任回出越嶲[100]，以分宁州之兵。

冬，十月，寿、黑至朱提[101]，朱提太守董炳城守[102]，宁州刺史尹奉遣建宁[103]太守霍彪引兵助之。寿欲逆拒彪，黑曰：“城中食少，宜纵彪入城[104]，共消其谷[105]，何为拒之？”寿从之。城久不下，寿欲急攻之。黑曰：“南中[106]险阻难服，当以日月制之[107]。待其智勇俱困，然后取之。溷牢之物[108]，何足汲汲[109]也！”寿不从。攻果不利，乃悉以军事任黑[110]。

十一月壬子朔[111]，进太尉侃为大将军，剑履上殿，入朝不趋，赞拜不名[112]，侃固辞不受。

十二月庚戌[113]，帝迁于新宫。

是岁，凉州僚属劝张骏称凉王，领秦、凉二州牧，置公卿百官如

的人，他们父子全都手握权柄、占据高位，势力比皇家还要大，而又心怀不满。近来在东宫陪同皇太子饮宴，就流露出轻视皇太子的神色。我担心陛下一旦百年之后，不再有人能够控制得了他。”石勒沉默不语，此后，石勒开始令皇太子石弘审阅批示尚书省的奏章，并且让担任中常侍的严震参与决定国家大事，唯有出兵打仗以及斩杀大臣等事才呈报给皇帝石勒决定。于是中常侍严震的权力超过了朝廷的辅佐大臣，中山王石虎的门前冷清得可以架网捕鸟了。石虎因此更加不满，总是满脸一副很不高兴的样子。

秋季，后赵的荆州刺史郭敬率军向南劫掠东晋长江以西地区，东晋太尉陶侃派遣自己担任平西参军的儿子陶斌以及担任南中郎将的桓宣率军乘虚而入，攻打郭敬的老窝樊城，将其部众全部擒获。郭敬立即回军援救樊城，南中郎将桓宣率军与郭敬在涅水展开激战，打败郭敬，将郭敬从江西劫掠的东西全部夺回。陶侃哥哥的儿子陶臻以及担任竟陵太守的李阳率军攻克了新野。郭敬心生畏惧，撤军逃走，桓宣、李阳趁机攻占了襄阳。

陶侃派桓宣镇守襄阳。桓宣召集安抚那些刚刚从后赵前来归附的人，他减轻刑罚，省简官员的仪仗和随从，鼓励和督促发展农业生产，有时他就在自己乘坐的车子上带上锄、耒等农具，亲自率领农民在田间除草收割。他在襄阳任职十多年，后赵曾经多次派军队攻打襄阳。桓宣率领孤弱的兵力进行防守，后赵的军队竟然无法取胜。当时的人都认为，桓宣仅次于祖逖和周访。

成国大将军李寿率领军队进犯东晋的宁州，他任命属下的征东将军费黑担任前部先锋，率军从广汉出发；镇南将军任回从越嶲出发，用以分散宁州的兵力。

冬季，十月，李寿、费黑率军抵达晋国的朱提郡，朱提郡太守董炳据城坚守，宁州刺史尹奉派建宁太守霍彪率军前往助战。李寿想率军迎战霍彪，费黑说：“朱提城中储备的粮食很少，应该放霍彪进入朱提城，让他们共同消耗城中原本就不多的粮食，何必迎战他将他拦截在城外呢？”李寿采纳了费黑的意见。李寿等长时间攻不下朱提城，李寿就想对朱提城发动更猛烈的攻击。费黑说：“南中地区地势险要，难以征服，应当打持久战来制服他们。等到他们的智慧和勇气全部陷入困境的时候再攻取。养在猪圈里的猪、围栏里的牲畜是跑不了的，哪里值得急成这个样子！”李寿没有听从。攻打朱提城，果然没有取胜，于是，李寿便将全部军事指挥权委托给了费黑。

十一月初一日壬子，东晋晋升太尉陶侃为大将军，晋见皇帝时可以身带佩剑、穿着靴子上殿，入朝时不必行小碎步之礼，参见皇帝时，司仪不用通报名字。陶侃坚决辞让，没有接受这一特殊的奖赏。

十二月二十九日庚戌，晋成帝司马衍迁入新宫。

这一年，凉州刺史、西平公张骏的僚属全都劝说张骏称凉王，兼任秦州、凉州

魏武、晋文故事[114]。骏曰："此非人臣所宜言也。敢言此者，罪不赦!"然境内皆称之为王。骏立次子重华为世子[115]。

八年（癸巳，公元三三三年）

春，正月，成大将军李寿拔朱提，董炳、霍彪皆降，寿威震南中。

丙子[116]，赵主勒遣使来修好[117]，诏[118]焚其币[119]。

三月，宁州刺史尹奉降于成，成尽有南中之地。大赦。以大将军寿领宁州[120]。

夏，五月甲寅[121]，辽东武宣公慕容廆卒。六月，世子皝以平北将军行平州刺史[122]，督摄部内[123]，赦系囚[124]。以长史裴开为军谘祭酒，郎中令高诩为玄菟[125]太守。皝以带方[126]太守王诞为左长史，诞以辽东[127]太守阳骛为才[128]而让之，皝从之，以诞为右长史。

赵主勒寝疾[129]，中山王虎入侍禁中，矫诏[130]群臣亲戚皆不得入，疾之增损，外无知者。又矫诏召[131]秦王宏[132]、彭城王堪[133]还襄国。勒疾小瘳[134]，见宏，惊曰："吾使王处藩镇[135]，正备今日[136]，有召王者邪？将自来邪[137]？有召者，当按诛[138]之!"虎惧曰："秦王思慕[139]，暂还耳，今遣之[140]。"仍留不遣。数日，复问之，虎曰："受诏即遣，今已半道矣。"广阿[141]有蝗，虎密使其子冀州刺史邃帅骑三千游于蝗所[142]。

秋，七月，勒疾笃[143]，遗命曰："大雅兄弟[144]，宜善相保[145]。司马氏[146]，汝曹之前车[147]也。中山王宜深思周、霍[148]，勿为将来口实[149]。"戊辰[150]，勒卒。中山王虎劫太子弘使临轩[151]，收右光禄大夫程遐、中书令徐光，下廷尉[152]，召邃使将兵入宿卫[153]，文武皆奔散。弘大惧，自陈劣弱，让位于虎。虎曰："君终，太子立，礼之常也。"弘涕泣固让。虎

二州州牧，设置文武百官，像当年魏武帝曹操、晋文帝司马昭先称王后称帝的故事。张骏说："这不是作为人臣所应该说的话。谁敢再提起此事，罪在不赦！"然而在凉州境内全都称张骏为王。张骏立次子张重华为世子。

八年（癸巳，公元三三三年）

春季，正月，成国大将军李寿攻克了东晋的朱提郡，朱提郡太守董炳、建宁太守霍彪全都投降了成国，李寿的威名震动了整个南中地区。

二十六日丙子，后赵皇帝石勒派遣使者前往晋国，希望继续维持双方的友好关系，晋成帝下诏将后赵使者所带来的礼品全部焚毁。

三月，宁州刺史尹奉投降了成国，成国占有了整个南中之地。成国实行大赦。任命大将军李寿兼任宁州刺史。

夏季，五月初六日甲寅，辽东武宣公慕容廆去世。六月，世子慕容皝以平北将军的身份兼任平州刺史，监督统领辖区内的一切事务，赦免了监狱内所关押的囚犯，任命担任长史的裴开为军谘祭酒，任命郎中令高诩为玄菟郡太守。慕容皝任命担任带方太守的王诞为左长史，王诞认为担任辽东太守的阳骛更有才干，因此将左长史的职位辞让给阳骛，慕容皝采纳了王诞的意见，任命阳骛为左长史，另行任命王诞为右长史。

后赵皇帝石勒病重，中山王石虎到石勒的寝殿侍奉，他假传皇帝的诏令，所有朝廷大臣以及皇亲国戚都不准入宫，石勒的病情是加重还是减轻，外界没有一个人知道。又以皇帝的名义下诏将秦王石宏、彭城王石堪召回都城襄国。石勒的病情稍有好转，睁眼看见了秦王石宏，非常吃惊地说："我让你待在藩镇，就是为了防备像今天这样的非常时刻，是有人将你召回来的吗？还是你自己主动回来的呢？如果有人召你回来，就要将他查出来处死！"石虎恐惧地说："秦王石宏思念陛下，暂时回来看看，我马上就让他回去。"但仍将石宏扣留在襄国，不放他回藩镇。过了几天，石勒又问起秦王石宏是否已经返回藩镇，石虎骗石勒说："接受陛下诏命的当天就让秦王回去了，他现在已经在途中。"广阿县发生蝗灾，石虎秘密派自己的儿子冀州刺史石邃率领三千名骑兵在灾区巡查。

秋季，七月，后赵皇帝石勒病情加重，他在遗诏中说："大雅兄弟，彼此之间应该好好地友爱互助。司马氏家族内部的互相争斗、仇杀，就是你们的前车之鉴。中山王石虎应该好好学习周公、霍光辅佐幼主的做法，不要成为被后人嘲笑、唾骂的谈资。"二十一日戊辰，后赵皇帝石勒驾崩。中山王石虎劫持着皇太子石弘登上金殿坐在殿前的平台上，强迫其下令逮捕担任右光禄大夫的程遐、担任中书令的徐光，交给廷尉处置，又将自己的儿子冀州刺史石邃招来，让他率兵入宫担任警卫，满朝的文武官员全都四散逃命。皇太子石弘非常恐惧，便对石虎述说自己才能低劣，希望将皇位让给他。石虎说："皇帝驾崩，皇太子即位，这是礼法的规定。"石弘痛哭流涕，

怒曰："若不堪重任[154]，天下自有大义，何足豫论[155]！"弘乃即位，大赦。杀程遐、徐光。夜，以勒丧[156]潜瘗山谷[157]，莫知其处。己卯[158]，备仪卫[159]，虚葬于高平陵，谥曰明帝，庙号高祖。

赵将石聪及谯郡太守彭彪各遣使来降。聪本晋人，冒姓石氏。朝廷遣督护乔球将兵救之，未至[160]，聪等为虎所诛。

慕容皝遣长史勃海王济[161]等来告丧。

八月，赵主弘以中山王虎为丞相、魏王、大单于，加九锡，以魏郡等十三郡为国[162]，总摄百揆[163]。虎赦其境内，立妻郑氏为魏王后，子邃为魏太子，加使持节[164]、侍中、都督中外诸军事、大将军、录尚书事，次子宣为使持节、车骑大将军、冀州刺史，封河间王，韬[165]为前锋将军、司隶校尉，封乐安王，遵[166]封齐王，鉴[167]封代王，苞[168]封乐平王。徙太原王[2]斌[169]为章武王。勒文武旧臣，皆补散任[170]。虎之府寮[171]亲党[3]，悉署[172]台省要职。以镇军将军夔安[173]领左仆射，尚书郭殷为右仆射。更命太子宫曰崇训宫，太后刘氏以下皆徙居之。选勒宫人[174]及车马、服玩之美者皆入丞相府。

宇文乞得归[175]为其东部大人[176]逸豆归所逐，走死于外。慕容皝引兵讨之，军于广安[177]。逸豆归惧而请和，遂筑榆阴[178]、安晋[179]二城而还。

成建宁、牂柯[180]二郡来降，李寿复击取之。

赵刘太后谓彭城王堪曰："先帝甫晏驾[181]，丞相遽相陵藉[182]如此。帝祚[183]之亡，殆不复久[184]，王将若之何[185]？"堪曰："先帝旧臣，皆被疏斥，军旅不复由人[186]，宫省之内[187]，无可为者[188]。臣请奔兖州[189]，挟[190]南阳王恢[191]为盟主，据廪丘[192]，宣太后诏于牧、守、征、镇[193]，使各举兵以诛暴逆，庶几[194]犹有济[195]也。"刘氏曰："事急矣，当速为之！"九月，堪微服[196]轻骑袭兖州，不克[197]，南奔谯城[198]。丞相虎遣其将郭太追之，获堪于城父[199]，送襄国，炙[200]而杀之。征[201]南阳王恢还襄国。刘氏谋泄，虎废[202]而杀之，尊弘母程氏为皇太后。堪本田氏子[203]，数有功，赵

坚持要让位给石虎。石虎愤怒地说："你有没有担当皇帝的能力，天下自然有公论，何必过早地说这些话！"石弘这才即位，大赦天下，处决了右光禄大夫程遐、中书令徐光。夜间，石虎将石勒的尸首秘密地埋葬在一条山沟里，没有人知道具体的位置。八月初二日己卯，在盛大的仪仗和护卫下，把一口空棺材埋葬在高平陵，给石勒的谥号是明帝，庙号高祖。

后赵将领石聪以及谯郡太守彭彪，分别派遣使者前往建康请求投降。石聪原本是晋朝人，假冒姓石。东晋朝廷派遣担任督护的乔球率兵前往救援石聪，救兵还没有赶到，石聪等就被石虎杀害了。

慕容皝派遣属下长史勃海人王济等来到京师建康报告慕容廆逝世的消息。

八月，后赵皇帝石弘任命中山王石虎为丞相、魏王、大单于，加九锡，将魏郡等十三个郡划分出来为石虎建立魏国，都城邺县，石虎总揽后赵的一切军国大权。石虎在自己的魏国境内实行大赦，立自己的妻子郑氏为魏王后，儿子石邃为魏太子，加授使持节、侍中、都督中外诸军事、大将军、录尚书事；二儿子石宣为使持节、车骑大将军、冀州刺史，封为河间王；三儿子石韬为前锋将军、司隶校尉，封为乐安王；四儿子石遵为齐王；五儿子石鉴为代王；六儿子石苞为乐平王。改封太原王石斌为章武王。石勒所任命的文武旧臣，全都改任为没有实权的闲散官职。石虎的僚属和亲党，全部被任命为朝廷的要职。任命镇军将军夔安兼任左仆射，尚书郭殷为右仆射。将太子宫改名为崇训宫，自太后刘氏以下全都迁居崇训宫。石虎从石勒的宫女、车马、服饰、珍玩中挑选出最好的全都搬入自己的丞相府。

鲜卑族宇文部落酋长宇文乞得归被自己辖区内东部地区的一个贵族首领名叫逸豆归的所驱逐，流亡在外而死。慕容皝率兵讨伐逸豆归，将军队驻扎在广安。逸豆归因为惧怕而请求讲和，慕容皝遂修筑了榆阴、安晋二城而后返回。

成国建宁、牂柯二郡来向东晋投降，被成国大将军李寿击败，将二郡夺回。

后赵刘太后对彭城王石堪说："先帝才刚刚去世，丞相石虎遂欺凌、蹂躏我们到如此地步。距离国家灭亡、皇位丢失，恐怕没有多少时间了，大王有什么办法可以解救?"石堪说："先帝的旧臣，全都被疏远、排斥，军队已经完全不再听我们指挥，无论是皇宫之内还是朝廷之中，也没有可与共谋大事的人。我想逃奔兖州，挟持南阳王石恢为盟主，以廪丘为根据地，宣布皇太后的诏命，号召镇守各地的州刺史、郡太守，以及四征、四镇的军政长官起兵讨伐凶暴叛逆，恐怕只有这样才或许有成功的可能。"刘太后说："情势已经很紧急了，应当赶紧行动！"九月，彭城王石堪换上平民的服装率领着少量的轻骑兵袭击兖州，没有攻克，便向南逃奔谯城。丞相石虎派遣自己的部将郭太率兵追赶，追到城父时将石堪抓获，送往襄国，用火烧死。将南阳王石恢召回襄国。刘太后的密谋被泄露，石虎遂废掉刘太后，并将其杀死，然后尊奉石弘的生母程氏为皇太后。彭城王石堪原本是田姓人家的儿子，因为

主勒养以为子。刘氏有胆略，勒每与之参决军事，佐勒建功业，有吕后[204]之风，而不妒忌更过之。

赵河东王生镇关中，石朗镇洛阳，冬，十月，生、朗皆举兵以讨丞相虎。生自称秦州刺史，遣使来降。氐帅蒲洪自称雍州刺史，西附张骏[205]。

虎留太子邃守襄国，将步骑七万攻朗于金墉[206]。金墉溃，获朗，刖而斩之[207]。进向长安，以梁王挺[208]为前锋大都督。生遣将军郭权帅鲜卑涉璝[209]众二万为前锋以拒之，生将大军继发，军于蒲阪[210]。权与挺战于潼关[211]，大破之，挺及丞相左长史刘隗皆死，虎还奔渑池，枕尸[212]三百余里。鲜卑潜与虎通谋，反击生。生不知挺已死，惧，单骑奔长安，权收余众退屯渭汭[213]。生遂弃长安，匿于鸡头山[214]。将军蒋英据长安拒守，虎进兵击英，斩之。生麾下[215]斩生以降，权奔陇右[216]。

虎分命诸将屯汧、陇[217]，遣将军麻秋讨蒲洪。洪帅户二万降于虎，虎迎拜洪光烈将军、护氐校尉。洪至长安，说虎徙关中豪杰及氐、羌以实东方[218]，曰："诸氐皆洪家部曲[219]，洪帅以从[220]，谁敢违者！"虎从之，徙秦、雍[221]民及氐、羌十余万户于关东[222]。以洪为龙骧将军、流民都督，使居枋头[223]。以羌帅姚弋仲为奋武将军、西羌大都督，使帅其众数万徙居清河[224]之滠头[225]。

虎还襄国，大赦。赵主弘命虎建魏台[226]，一如魏武王辅汉[227]故事。

慕容皝初嗣位，用法严峻，国人多不自安。主簿皇甫真切谏[228]，不听。

皝庶兄建威将军翰、母弟征虏将军仁有勇略，屡立战功，得士心，季弟[229]昭有才艺，皆有宠于廆，皝忌之。翰叹曰："吾受事[230]于先公，不敢不尽力。幸赖先公之灵，所向有功。此乃天赞[231]吾国，非人力也。

多次立功，后赵皇帝石勒便收养他做自己的儿子。刘太后有胆识、有谋略，石勒经常让她参与军事决策，她辅佐石勒建立功业，有吕后的风范，而在不妒忌方面，更超过吕后。

后赵河东王石生镇守关中，石朗镇守洛阳，冬季，十月，石生、石朗全都起兵讨伐丞相石虎。石生自称秦州刺史，派遣使者前来建康请求投降。氐人首领蒲洪自称雍州刺史，向西归附了凉州刺史、西平公张骏。

后赵丞相、魏王石虎留下太子石邃守卫襄国，亲自率领七万名步兵、骑兵前往金墉城攻打石朗。金墉城陷落，石虎擒获了石朗，他先砍下石朗的双脚，然后将石朗斩首。石虎乘胜挺进长安，任命梁王石挺为前锋大都督。河东王石生派遣将军郭权率领鲜卑酋长涉璝的部众二万人担任前锋抵御石虎的进攻，石生亲率大军随后进发，将军队驻扎在蒲阪。郭权与石挺在潼关交战，大败石挺军，石挺以及担任丞相左长史的刘隗全都战死，石虎撤军逃奔渑池，战死者的尸体互相枕藉，绵延三百多里。不料鲜卑人却暗中与石虎勾结，反过来攻打河东王石生。石生不知道郭权已经在前方打了胜仗，并将石挺杀死，看到鲜卑倒戈，心中恐惧，便丢下大队人马，单人独骑逃入长安城。郭权聚集残余部众退守渭水入黄河之处。石生忽然莫名其妙地又放弃长安，藏匿到了鸡头山中。石生的部将蒋英据守长安城抵御石虎的进攻，石虎下令进兵攻打长安，长安陷落，蒋英被斩首。石生的部下将石生斩首向石虎投降，郭权逃往陇右。

后赵丞相石虎命令诸将屯守汧水、陇山，派遣将军麻秋讨伐蒲洪。蒲洪率领二万户向石虎投降，石虎迎接蒲洪投降的时候便任命他为光烈将军、护氐校尉。蒲洪来到长安后，就劝说石虎，让他把关中的豪杰以及氐人、羌人迁徙到东方，以充实函谷关以东地区的人口，蒲洪说："那些氐人都是我家的部属，我率领他们投归于赵，谁敢违抗!"石虎听从了蒲洪的建议，将秦州、雍州的汉人以及氐人、羌人十多万户强迫迁移到函谷关以东。任命蒲洪为龙骧将军、流民都督，让他居住在枋头。任命羌人首领姚弋仲为奋武将军、西羌大都督，让他率领自己的数万名部众迁居到清河的滠头。

后赵丞相、魏王石虎返回襄国，实行大赦。后赵皇帝石弘令石虎设立魏国朝廷，一切都仿照当年魏武王曹操辅佐东汉末年汉献帝时期的前例。

慕容皝即位之初，执法严厉苛刻，辖区内的不少官民都感到不安。担任主簿的皇甫真恳切地进行劝谏，慕容皝都不肯接受。

慕容皝的庶兄担任建威将军的慕容翰、慕容皝的同母弟担任征虏将军的慕容仁都是有勇有谋的人，他们屡立战功，很得人心，最小的弟弟慕容昭有才智有能力，这些人都很受慕容廆的宠爱，慕容皝因此而忌恨他们。慕容翰叹息说："我接受了先公授予的职权，不敢不尽心竭力。幸亏靠了先公神灵的保佑，大军所到之处都能获取成功。这乃是上天在帮助我们的部落，而不是靠我们自己的努力。有人认为这都

而人谓吾之所办[232]，以为雄才难制[233]，吾岂可坐而待祸邪！”乃与其子出奔段氏[234]。段辽素闻其才，冀收其用[235]，甚爱重之。

仁自平郭[236]来奔丧，谓昭曰：“吾等素骄[237]，多无礼于嗣君[238]。嗣君刚严[239]，无罪犹可畏，况有罪乎！”昭曰：“吾辈皆体正嫡[240]，于国有分[241]。兄素得士心，我在内未为所疑，伺[242]其间隙[243]，除之不难。兄趣[244]举兵以来，我为内应。事成之日，与我辽东[245]。男子举事，不克则死[246]，不能效建威偷生异域[247]也。”仁曰：“善！”遂还平郭。闰月[248]，仁举兵而西。

或以仁、昭之谋告皝，皝未之信，遣使按验[249]。仁兵已至黄水[250]，知事露，杀使者，还据平郭。皝赐昭死。遣军祭酒封奕慰抚辽东，以高诩为广武将军，将兵五千，与庶弟建武将军幼、稚、广威将军军、宁远将军汗、司马辽东佟寿[251]共讨仁，与仁战于汶城[252]北，皝兵大败，幼、稚、军皆为仁所获。寿尝为仁司马，遂降于仁。前大农[253]孙机等举辽东城[254]以应仁。封奕不得入[255]，与汗俱还。东夷校尉[256]封抽、护军平原乙逸[257]、辽东相太原韩矫皆弃城走，于是仁尽有辽东之地。段辽及鲜卑诸部皆与仁遥相应援[258]。皝追思皇甫真之言，以真为平州别驾[259]。

十二月，郭权据上邽，遣使来降[260]，京兆、新平、扶风、冯翊、北地皆应之。

初，张骏欲假道于成[261]，以通表建康，成主雄不许。骏乃遣治中从事张淳称藩于成[262]以假道，雄伪许之，将使盗覆诸东峡[263]，蜀人桥赞密以告淳。淳谓雄曰：“寡君[264]使小臣行无迹之地[265]，万里通诚[266]于建康者，以陛下[267]嘉尚忠义[268]，能成人之美[269]故也。若欲杀臣者，当斩之都市，宣示众目[270]曰：‘凉州不忘旧德[271]，通使琅邪[272]，主圣臣明[273]，发觉

是我能办事，认为我有雄才大略而难以控制，我岂能坐在这里等待大祸临头呢!”于是便与自己的儿子一起投奔了段氏部落。段氏部落酋长段辽早就听说过慕容翰的才能，希望日后能得到他的报效，因此很爱护他、敬重他。

征虏将军慕容仁从辽东郡的治所平郭赶回棘城奔父亲慕容廆之丧，他对慕容昭说:“我们一向骄纵傲慢，曾经多次冒犯嗣君慕容皝。嗣君刚毅严厉，没有罪过尚且惧怕他，何况是有罪呢!”慕容昭说:“我们全都是父亲的嫡子，在这个国家也有我们该得的一份。哥哥你一向深得民心，我在内部还没有受到他的怀疑，抓住机会除掉他并不是难事。你赶快起兵来攻棘城，我给你做内应。事情成功之后，你把辽东给我。男人起事，不成功则宁可战死，绝不能像建威将军慕容翰那样逃到异国他乡苟且偷生。”慕容仁说:“行!”于是返回自己辽东郡的治所平郭。闰十月，征虏将军慕容仁起兵西进准备攻击棘城。

有人把慕容仁、慕容昭的阴谋告诉了慕容皝，慕容皝还不相信，他派使者前去调查。慕容仁已经率军到达黄水，当他得知事情已经泄露，便杀死了慕容皝的使者，然后返回平郭据守。慕容皝赐慕容昭自杀而死，派遣担任祭酒的封奕前往辽东进行安慰宣抚，任命高诩为广武将军，率领五千人马，与庶弟建武将军慕容幼、慕容稚、广威将军慕容军、宁远将军慕容汗，以及担任司马的辽东人佟寿共同前往辽东讨伐慕容仁，与慕容仁在汶城以北开战。慕容皝的军队大败，慕容幼、慕容稚都被慕容仁擒获。佟寿曾经在慕容仁手下担任过司马，遂投降了慕容仁。前任大司农孙机等献出辽东城响应慕容仁。封奕没能进入辽东郡，只得与慕容汗等一起返回。担任东夷校尉的封抽、担任辽东护军都尉的平原人乙逸、担任辽东相的太原人韩矫全都弃城逃走，于是慕容仁占领了辽东郡全境。段氏部落酋长段辽以及鲜卑诸部落全都与慕容仁互相呼应救援。慕容皝想起皇甫真曾经说过的话，便任命皇甫真为平州别驾。

十二月，部将郭权占据了上邽，他派遣使者向东晋投降，京兆、新平、扶风、冯翊、北地等全都起兵响应。

当初，凉州刺史、西平公张骏想借道成国前往东晋的都城建康呈递表章，成主李雄不借。张骏便派遣担任治中从事的张淳前往成国，请求做成国的属国，归属的条件就是成国允许凉州的使者通过成国前往建康，成主李雄表面上答应了张淳提出的条件，暗中却准备指使强盗在东峡制造翻船事故把凉州的使者淹死在三峡的长江中，蜀地人桥赞偷偷地将这个阴谋告诉了张淳。张淳于是对李雄说:“我的君主派我这个地位卑微的小官员，经过荒无人烟的地方，不远万里，把自己的一片忠诚之心向建康朝廷禀告，是因为陛下是一个赞美、尊重有忠心、讲义气的人，能够成人之美，允许我们通过蜀地到达建康，向皇帝表明忠心。如果陛下想要将我杀死，就应当将我绑缚到闹市中斩首示众，当众发布说:‘凉州君主不忘朝廷旧日的恩德，派遣使者前往江东晋见皇帝，凉州称得上有圣明的君主和贤能的臣僚，但这事被我们发

杀之[274]。’如此则义声[275]远播，天下畏威[276]。今使盗杀之江中，威刑不显[277]，何足以示天下[278]乎!”雄大惊曰:“安有此邪[279]!”

司隶校尉景骞言于雄曰:“张淳，壮士，请留之[280]。”雄曰:“壮士安肯留?且试以卿意观之[281]。”骞谓淳曰:“卿体丰大[282]，天热，可且遣下吏[283]，小住须凉[284]。”淳曰:“寡君以皇舆播越[285]，梓宫未返[286]，生民涂炭[287]，莫之振救[288]，故遣淳通诚上都[289]。所论事重，非下吏所能传。使下吏可了[290]，则淳亦不来矣。虽火山汤海[291]，犹将赴之，岂寒暑之足惮[292]哉!”雄谓淳曰:“贵主英名盖世，土险兵强，何不亦称帝自娱[293]一方?”淳曰:“寡君祖考[294]以来，世笃忠贞[295]，以仇耻未雪，枕戈待旦[296]，何自娱之有[297]!”雄甚惭，曰:“我之祖考本亦晋臣，遭天下大乱，与六郡之民[298]避难此州，为众所推，遂有今日。琅邪[299]若能中兴大晋于中国者，亦当帅众辅之。”厚为淳礼而遣之。淳卒[300]致命于建康[301]。

长安之失守[302]也，敦煌计吏耿访[303]自汉中入江东，屡上书请遣大使[304]慰抚凉州。朝廷以访守[305]治书御史[306][4]，拜张骏镇西大将军，选陇西贾陵等十二人配之[307]。访至梁州[308]，道不通，以诏书付贾陵，诈为贾客[309]以达之[310]。是岁[311]，陵始至凉州，骏遣部曲督[312]王丰等报谢[313]。

【段旨】

以上为第一段，写晋成帝咸和七年（公元三三二年）至咸和八年共两年间的大事。主要写了赵主石勒评价自己与听人为之读书的一些故事；写了程遐、徐光劝石勒提防石虎，石勒令太子省可尚书奏事；写了赵主石勒病死，石虎控制太子石弘，杀程遐、徐光，与石勒的皇后刘氏，掌管起中外一切权力；写了石勒的部将石生、石朗起兵讨石虎，石生的部将郭权大破石虎军，但因石生无能终被石虎

现了，决定将他们的使者杀死。’这样的话，陛下的好名声将远播四方，天下之人都会惧怕陛下的威势；现在却派强盗将我等杀死在长江之中，陛下的威力不能显示于天下，陛下又怎么向天下人炫耀呢！”李雄非常吃惊地说：“怎么会有这种事！”

成国的司隶校尉景骞对成主李雄说：“张淳是一个壮士，请将他留在我们这里，让他为我们效力。”李雄说：“既然是壮士，又怎么可能留得下来？你不妨先以你的名义前去试探一下，看看他的反应。”于是景骞对张淳说：“你身高体胖，目前天气炎热，你可暂且派随行的小吏先走，你在这里小住几日等天气凉爽了再走。”张淳回答说：“我们君主念及朝廷与皇帝颠沛流离，怀帝、愍帝两位先皇的灵柩还没有迎回安葬，沦陷区的百姓生活在水深火热之中，没有人出来进行拯救，所以才派遣我将一番诚意向建康的皇帝报告。所要陈述的都是重要之事，不是下级官吏所能胜任的。如果下级官吏能够胜任此重任，那我也就不用来了。即使面前是着火的高山、滚烫得如同开水般的大海，我也要前往，难道天气的冷热还能令我畏惧不前吗！”李雄对张淳说：“你的主人张骏英名盖世，境内地形险要、兵强马壮，何不自己称帝于一方以享受清福？”张淳回答说：“我的君主自从祖父张轨以来，世世代代都对朝廷忠贞不贰，因为国仇未报耻辱未雪，每天都是头枕兵器等待天明，哪里有时间自娱自乐呢！”李雄听了张淳的一番话，感到非常惭愧，李雄说：“我的祖先本来也是晋朝的臣属，因为遭遇天下大乱，才与秦州六郡的民众逃避战乱来到益州，被众人推举，遂有了今天的局面。琅邪王的子孙如果能够在中原使晋朝中兴，我也要率领我的部众去辅佐他。”就为张淳准备了一份厚礼，送张淳上路。张淳不辱使命，终于把张骏对朝廷的一分诚心向东晋王朝做了表白。

长安失守的时候，敦煌郡派出的上计吏耿访取道汉中来到江东，他屡次上疏给建康朝廷，请求派遣大使前往慰问凉州。朝廷便任命耿访为代理治书御史，前往凉州提升张骏为镇西大将军，挑选了陇西人贾陵等十二人作为耿访的随行人员，随同耿访前往凉州。耿访等人到达梁州，因为道路不通，便将诏书交付给贾陵，让贾陵扮成商人，将皇帝的诏书送往凉州。直到咸和八年，贾陵才到达凉州，张骏派担任部曲督的王丰等前往建康答谢朝廷。

打败，郭权引兵逾陇，遣使归命于晋，秦州诸郡多应之；写了辽东地区的慕容廆卒，其子慕容皝嗣位，用法严峻，国人多不自安，其庶兄慕容翰出逃以附段氏，胞弟慕容仁起兵讨伐慕容皝，各地纷起响应，迅即占领辽东地区；写了成将李寿进攻宁州，攻取朱提郡，宁州刺史降成，李雄遂尽有南中之地；写了凉州张骏派部下张淳请通过成国地区以通使建康，李雄不许，张淳说服李雄，终得完成任务等。

【注释】

①正月辛未：正月十五。②大飨：举行盛大宴会以招待……。③方：比拟；与……相比。④何等主：什么样的帝王。主，人主、帝王。⑤过于汉高：比汉高祖刘邦强。⑥北面事之：意即给他做臣子。旧时帝王临朝，都是面朝南而坐，群臣面向北而朝。⑦与韩、彭比肩：与韩信、彭越站在同一个行列。韩信、彭越都是刘邦部下的名将，在破项羽的过程中功勋巨大，韩信先后被封为齐王、楚王，彭越被封为梁王。事见《史记》的《淮阴侯列传》《魏豹彭越列传》。比肩，并肩，以喻才能、地位相等。⑧光武：指光武帝刘秀，东汉的开国皇帝。事迹见《后汉书·光武纪》。⑨并驱中原：在田野上奔驰较量。⑩未知鹿死谁手：不知谁能获得帝位。鹿，"禄"的谐音，以比喻皇帝之位。蒯通说话有所谓"秦失其鹿，天下共逐之，于是高材疾足者先得焉"。见《史记·淮阴侯列传》。⑪礌礌落落：做事光明正大。礌，通"磊"。⑫皎然：光明的样子。⑬终不效：无论如何不能像……那样。效，仿照、学习。⑭曹孟德：曹操，字孟德，东汉末年的大军阀，挟持汉献帝为傀儡，以号令天下，最后由其子曹丕篡夺了汉朝的政权，改国号曰"魏"。⑮司马仲达：司马懿，字仲达，曹魏政权的大权臣，以种种手段杀光了忠于曹氏的势力，最后由其孙司马炎篡夺了曹魏的政权，改国号曰"晋"。⑯狐媚：用狐狸一般的狡猾手段，善以媚态惑人。⑰不学：没有上过学，没有文化。⑱诸生：众儒生。⑲时以其意：时常能按照他的理解。⑳悦服：心悦诚服。㉑尝：曾经。㉒汉书："前四史"中的第二部，作者班固，共写了自刘邦建国，到王莽篡位的二百多年的西汉王朝的历史。是历代正史中被评价很高的一部历史书。㉓郦食其：刘邦部下的谋士与外事活动家。公元前二〇四年，刘邦被项羽围困于荥阳（今河南荥阳东北）时，郦食其曾劝说刘邦分封六国后代，使其回去各自为战，以削弱项羽。后未及实行，即被张良劝止。事见《史记·留侯世家》。㉔此法当失：如此法得行，必遭失败。㉕何以遂得天下：刘邦后来又是如何取得天下的。㉖及闻留侯谏：后来听到张良劝刘邦不要这么做的"八不可"。张良字子房，刘邦部下的首席谋士。当郦食其劝说刘邦分封六国子弟后，刘邦正欲实行，张良为刘邦分析了郦食其所出主意的荒谬，刘邦立即收回成命。传见《史记·留侯世家》。㉗赖有此耳：幸亏有张良这套言论。㉘戍：驻守；防守。㉙留戍：留下一支防守部队。㉚中山王：指石虎，被石勒封为中山王。㉛视之蔑如：视之若无；把谁也不看在眼里。蔑如，蔑然、小到没有的样子。㉜残贼：凶狠暴戾。《孟子·梁惠王下》："贼仁者谓之贼，贼义者谓之残，残贼之人，谓之一夫。"㉝安忍：残忍；视残忍以为常。㉞典兵权：掌管军队。㉟自当无他：自然不会有其他变故。㊱恐非少主之臣：恐怕不是能为你儿子尽忠效力的臣子。少主，未来的小皇帝，指太子刘弘。㊲以便大计：以对国家社稷有利。㊳大雅：指太子石弘，字大雅。㊴冲幼：年纪幼小。冲，幼弱。㊵强辅：强有力的辅佐大臣。㊶骨肉至亲：石虎是石勒之侄，与石弘是堂兄弟。㊷佐命之功：辅佐石

勒成为皇帝的功勋。古代帝王建立王朝，自谓承天受命，故称辅佐大臣的功劳为“佐命”。㊸伊、霍之任：像伊尹、霍光那样的重任。伊尹名挚，是商汤的大臣。汤死后，诸子皆幼，伊尹曾连续辅佐商汤的三个小儿子外丙、中壬、太甲称王。事详《史记·殷本纪》。霍光字子孟，西汉武帝时的托命大臣，先辅佐昭帝即位；昭帝死，迎立昌邑王刘贺为帝；刘贺淫乱无度，被霍光所废，又迎立了汉宣帝。传见《汉书·霍光传》。伊尹与霍光被古代视为忠心耿耿以辅佐幼主的代表。㊹擅：专；独揽。㊺帝舅之权：身为国舅的大权。太子石弘是程遐之妹程皇后所生。㊻参卿顾命：让你参与到顾命大臣的行列之中。参，使……参与。顾命，天子的临终之命，这里指受遗诏辅佐幼主。㊼公家：国家、社稷的大事。㊽乃以私计拒之：竟然从个人利益的角度来猜疑我、拒绝我。以私计，认为程遐是为个人打算。㊾忠言何自而入：忠心耿耿的话还怎么能让你听到呢。何自，自何、从哪里。㊿皇太后：指石勒的母亲。51所养：所抚养。52非陛下天属：不是你的亲生骨肉。有血缘关系的直系亲属，如父母、子女、兄弟姐妹。石虎是石勒之侄，非直系亲属。53酬：报；答谢。指加官进爵等。54志愿无极：欲望无边，指石虎有觊觎君位之心。极，尽头。55岂将来有益者乎：这是对我们日后有好处的人吗。56宗庙不血食：无人祭祀宗庙，即指国家灭亡。血食，古时杀牲取血，用来祭祀。57承间：趁机会。间，空隙、机会。58不怡：不愉快。59吴、蜀：石勒以三国曹魏自况，吴、蜀指东晋与蜀地的成国而言。60受命之王：接受天命、统一天下的帝王。古代帝王往往托神权以巩固统治，称自己为帝王是受命于天。61魏承汉运：曹魏是继承着汉王朝的气数、命运。62刘备虽兴于蜀：刘备即使还在西蜀割据一方。63汉岂得为不亡乎：汉王朝还能说是没有亡国吗。64李氏：成都的李雄政权。65苞括二都：占据着西都长安和东都洛阳。苞，通“包”。66平荡八州：已经荡平了八个州。石勒当时统治的八个州是冀州、幽州、并州、青州、兖州、豫州、司州、雍州。67当复：还能。68更忧四支：反而去担忧四肢上的小病吗。更，反而。四支，同“四肢”，以喻不关紧要。69借：凭借。70威略：威名和谋略。71所向辄克：意即攻无不克。向，指向，这里指攻打、进军。克，战胜。72亚于陛下：仅次于您，指除了您再没有人能和他比了。73资性：生性；生来的本性。74势倾王室：比石勒家庭的权势还要大，指石勒二子皆不及石虎而言。倾，压倒。75耿耿：心怀不满的样子。76于东宫侍宴：在东宫陪着太子石弘饮酒。东宫，太子所居之宫。77万年之后：对石勒去世的婉称。78不可复制：没人再管得了他。79省可：审阅和批示。省，观看、检查。可，允许、许可。80参综可否：参加决定国家大事。81征伐断斩大事：出兵打仗与斩杀大臣。82乃呈之：才呈报石勒决定。83过于主相：比丞相的权力还大。主相，人主之相，即辅佐大臣。84可设雀罗：可以架设网子逮鸟，极言石虎被剥夺权力之后的门庭冷落。雀罗，捕鸟的网。85怏怏：不满意、不服气的样子。86江西：长江以西，这里指从邾城（邾县故城在今湖北黄冈西北）以东至历阳（今安徽和县）的一带地区。87旋救樊：回师救援樊城。88涅水：今名“赵河”，亦名“照河”，俗名“西十二里河”，源出今河南镇平北，南流至新野汇入白河，更南流至襄樊注入汉江。⑧⑨招怀：招集安抚。⑨⓪初附：刚刚归附过来原属后赵的人。⑨①略威仪：不摆做官的架子。略，省简。威仪，官员的仪仗和随从。⑨②劝课农桑：鼓励督促发展农业生产。课，督促完成指定的工作。⑨③或载锄耒于轺轩：有时在自己乘坐的车子上带着农具。或，有时。锄、耒，两种农具名。耒，古代一种像犁的农具，其木把叫“耒”，犁头叫“耜”。轺轩，古代官吏乘坐的一种轻便马车。⑨④芸获：除草或收割庄稼。芸，通“耘”，除草。⑨⑤再攻之：多次对襄阳发动攻击。⑨⑥亚：仅次于；仅次一等。⑨⑦成大将军寿：李寿，李骧之子，李雄的堂兄弟，时为成国的大将军。⑨⑧宁州：晋州名，州治晋宁，在今云南昆明西南。⑨⑨广汉：晋郡名，郡治在今四川射洪南。⑩⓪越嶲：晋郡名，郡治会无县，在今四川会理西。⑩①朱提：晋郡名，郡治即今云南昭通。⑩②城守：据城守卫。⑩③建宁：晋郡名，郡治即今云南曲靖。⑩④纵彪入城：放霍彪入朱提城。⑩⑤共消其谷：去共同消费那城里本来就不多的粮食。⑩⑥南中：泛指今四川南部、云南东北部以及贵州西北部地区。⑩⑦以日月制之：指拖长时间来消磨他。⑩⑧溷牢之物：养在圈里的猪羊。溷，猪圈。牢，饲养牲畜的圈栏。⑩⑨何足汲汲：何必着急呢。汲汲，着急的样子。⑪⓪任黑：听凭费黑指挥。⑪①十一月壬子朔：十一月初一是壬子日。⑪②赞拜不名：大臣拜见皇帝时，司仪的礼官通常都要高唱该官员的名字；而对于权位太高，皇帝特别礼敬的大臣，则不唱名字以示优宠。以上“剑履上殿，入朝不趋，赞拜不名”是“九锡”中的三项。⑪③十二月庚戌：十二月二十九。⑪④魏武、晋文故事：指魏武帝曹操和晋文帝司马昭都被封过“魏王”或“晋王”，以此证明张骏这么做也不为过。⑪⑤世子：意同“太子”。⑪⑥丙子：正月二十六。⑪⑦修好：结好；继续维持双方的友好关系。⑪⑧诏：皇帝下令。⑪⑨币：礼品。古代常用玉璧、马匹、丝帛等作为国家之间友好访问的礼品。⑫⓪领宁州：兼任宁州刺史。宁州刺史的驻地晋宁县，在今昆明的西南。⑫①五月甲寅：五月初六。⑫②行平州刺史：兼任平州刺史。行，兼任、兼理。平州的州治即今辽宁辽阳。⑫③督摄部内：监督统领其管辖区域的一切事务。部内，管辖区内。⑫④赦系囚：释放监狱所关押的囚犯。这是新君主上台所常用以收买人心的做法。⑫⑤玄菟：晋时郡名，郡治高句丽，在今沈阳东。⑫⑥带方：晋时郡名，郡治在今朝鲜平壤以南的沙里院南。⑫⑦辽东：晋郡名，郡治即今辽宁辽阳。⑫⑧为才：有才干。⑫⑨寝疾：卧病。⑬⓪矫诏：假称石勒的命令。⑬①召：命令；让。⑬②秦王宏：石宏，石勒宠爱的儿子，被封为秦王。⑬③彭城王堪：石堪，石勒的得力部将，被封为彭城王。⑬④小瘳：病情稍有好转。瘳，病愈。⑬⑤处藩镇：占据着总领一方的军府。时石宏都督中外诸军事，镇邺城。⑬⑥正备今日：就是为了防备像今天这样的非常时刻。⑬⑦将自来邪：还是你自己主动来的呢。将，还是，转折语词。⑬⑧按诛：审判、处死。〖按〗审问，通常即指处死。⑬⑨思慕：想念父亲。⑭⓪今遣之：我马上让他回去。今，将、立即。⑭①广阿：晋县名，县治在今河北隆尧东，当时属石勒辖区。⑭②游于蝗所：石虎恐石勒死发生变故，使石邃率骑兵巡行蝗区，装作捕蝗，实为外应。⑭③疾笃：病情严重。⑭④大雅兄弟：以称石弘与石宏。⑭宜善相保：彼此应好好地友爱互助。⑭司马氏：此指司马氏家族内部的彼此内讧仇杀，即“八王之乱”。⑭汝曹之前车：是你们的前车之鉴。汝曹，汝辈、你们，多用于长辈称呼晚辈，上级呼唤下级。前车，即通常所说的前车之鉴，前面的车子翻了，后面的车子还不应该吸取教训吗？⑭深思周、霍：意即好好学习周公和霍光辅佐幼主的做法。周公辅佐周成王、霍光辅佐汉昭帝，都是被后人称颂的辅佐幼主的典范。⑭勿为将来口实：不要成为被后世嘲笑、唾骂的谈资。⑮戊辰：七月二十一。⑮临轩：意即临朝。古时皇帝不坐正殿，坐在殿外的平台上，称“临轩”。⑮下廷尉：交司法长官审判。廷尉是国家最高的司法长官，为列卿之一。⑮入宿卫：到宫廷担任警卫，实将小皇帝石弘控制起来。⑮不堪重任：没有当皇帝的能力。⑮何足豫论：何必过早地说这些话。豫，通“预”。⑮勒丧：石勒的尸首。⑮潜瘗山谷：秘密地埋葬在一条山沟里。⑮己卯：八月初二。⑮备仪卫：意即按照石勒所应该享受的规格举行葬礼。仪卫，仪仗队与护卫军。⑯未至：指晋王朝的军队尚未到达石聪、彭彪的驻地时。⑯勃海王济：勃海人姓王名济。勃海是晋郡名，郡治南皮，在今河北南皮南。⑯为国：为石虎的魏国，都城邺县。⑯总摄百揆：总揽百事，总揽后赵的一切大权。⑯使持节：皇帝授大臣旌节，使之专征一面时，分使持节、持节、假节三种，使持节的权力最大，对属下官员有生杀之权。⑯韬：石韬，石虎之子。⑯遵：石遵，石虎之子。⑯鉴：石鉴，石虎之子。⑯苞：石苞，石虎之子。⑯太原王斌：石斌，石勒之子。⑰散任：闲散无实权的官职。⑰府寮：魏王府的僚属。寮，通“僚”。⑰悉署：全部任命为……。署，代理，这里即指任命。⑰夔安：姓夔名安。⑰宫人：宫女。⑰宇文乞得归：鲜卑族一个部落的头领，曾在石勒部下为将。⑰东部大人：鲜卑族宇文部落东部地区的一个贵族头领。⑰广安：晋地名，约在今辽宁凌源境。⑰榆阴：古城名，在今内蒙古翁牛特旗。⑰安晋：古城名，在今辽宁朝阳西。⑱建宁、牂柯：晋之二郡名，建宁郡的郡治即今云南曲靖，牂柯郡的郡治万寿，即今贵州瓮安。⑱甫晏驾：意即刚刚去世。甫，刚刚。晏驾，宫车晚出，婉指帝王的死。⑱遽相陵藉：立刻就这样地欺压我们。遽，急速。陵藉，践踏。⑱帝祚：国家政权，皇帝之位。祚，福。⑱殆不复久：看来时间是不会长了。殆，大概、恐怕。⑱王将若之何：你看该怎么办。王，以称彭城王石堪。⑱不复由人：不再听我们指挥。⑱宫省之内：指朝廷里的官员。宫省，设于皇宫内的官署。⑱无可为者：没有可与共谋大事的人。⑱兖州：晋州名，州治廪丘，在今山东鄄城西北，当时属于后赵。⑲挟：扶持；辅助。⑲南阳王恢：石恢，石勒的少子。⑲据廪丘：以廪丘为根据地，当时石恢率军驻扎于此。⑲牧、守、征、镇：指镇守各地的军政长官。牧，指州刺史。守，指郡太守。征，指征东、征西、征南、征北四将军。镇，指镇东、镇西、镇南、镇北四将军。⑲庶几：或许。⑲犹有济：还有成功的希望。济，成、成功。⑲微服：为隐蔽身份而改穿平民服装，使人不识。⑲不克：没能攻克。⑲谯城：即今安徽亳州。⑲城父：晋县名，县治在今亳州东南。⑳炙：用火烤。⑳征：调；召之使来。⑳废：废除其皇太后的称号。㉓田氏子：姓田人家的儿子。㉔吕后：名雉，汉高祖刘邦的皇后，曾助刘邦杀韩信、彭越等功臣。其子惠帝即位后，吕后把持朝政，因妒忌而残杀了刘邦的宠姬戚夫人及戚夫人子赵王如意。事情详见《史记·吕太后本纪》。㉕西附张骏：在此之前氐帅蒲洪依附于石勒，今则改依凉州张氏。㉖金墉：洛阳城内的一座小城。㉗刖而斩之：先剁了他的双脚，而后将其杀死。㉘梁王挺：梁王石挺，石虎之子。㉙鲜卑涉璝：鲜卑族的涉璝部落。㉚蒲阪：古城名，在今山西永济西的黄河边上。㉛潼关：关塞名，在今陕西潼关县东北。㉜枕尸：尸横遍野，相互枕藉，极言其伤亡之惨重。㉝渭汭：渭水入黄河之口处。㉞鸡头山：在今陕西西安市鄠邑区东南三十一里，俗称"小武当山"。㉟麾下：部下。㊱陇右：陇山以西。㊲汧、陇：汧水、陇山，大约指今陕西与甘肃、宁夏交界的一带地区。汧水即今陕西千河，自陕西泾阳流来，在陕西宝鸡西入渭水；陇山也称陇阪，在今陕西陇县西。㊳以实东方：以充实函谷关以东地区的人口。实，充实。当时中原长期战乱，人口逃亡，所剩无几。㊴部曲：原是军队编制名，这里指豪门贵族的私人军队。㊵洪帅以从：我带领他们投归于您。㊶秦、雍：晋之二州名，秦州的州治上邽，即今甘肃天水市，雍州的州治长安，即今西安的北部。㊷关东：函谷关以东。㊸枋头：地名，即今河南卫辉西南的淇门渡。东汉建安九年（公元二〇四年），曹操曾在此用大枋木筑堰，截淇水使东北流入白沟，以通漕运。时人称为"枋头"，亦称"枋堰"，历东晋、南北朝为军事要地。㊹清河：河水名，上游称白沟，自今河北威县以下始称清河。东北流经清河、枣强等县，至东光西，此下略循今卫河、梅河入海。㊺漫头：地名，在今河北枣强东北。㊻魏台：魏国的朝廷各官署。㊼魏武王辅汉：曹操以"魏王"的身份控制汉献帝朝政。㊽切谏：恳切地劝谏。㊾季弟：最小的弟弟。㊿受事：接受职权。㉛赞：辅助；辅佐。㉜人谓吾之所办：有人认为这都是我干出来的。㉝以为雄才难制：以为我的雄才大略难以控制。㉞段氏：当时占据今辽宁西部一带地区的段氏政权，此时的头领是段辽。鲜卑人，疾陆眷之孙。㉟冀收其用：希望日后得到他的报效。㊱平郭：晋县名，县治在今辽宁盖州南，当时慕容仁驻兵于此。㊲素骄：一向骄纵傲慢。㊳嗣君：继位的国君，指慕容皝。㊴刚严：刚毅严厉。㊵皆体正嫡：都是先王正妻所生的儿子。㊶于国有分：对这个国家也有我们该得的一份。㊷伺：侦察；探测。㊸间隙：空隙；机会。㊹趣：通"促"，火速、赶快。㊺与我辽东：把辽东郡分给我。当时辽东郡的郡治即今辽宁辽阳。㊻不克则死：不成功则宁可战死。㊼建威偷生异域：指慕容翰出逃投奔段氏。㊽闰月：闰十月。㊾按验：调查；查询。㊿黄水：即"潢水"，今内蒙古西拉木伦河及其下游西辽河。㉑司马辽东佟寿：慕容皝部下的司马官辽东郡人姓佟名寿。司马是军中主管司法的长官。㉒汶城：汶县故城，在今辽宁营口东南。㉓大农：大司农，朝官名，主管农业的部长。"前大农"孙机当为晋朝的大农，当时正避乱于辽东。㉔辽东城：辽东国的都城襄平县，即今辽宁辽阳。㉕不得入：没能进入辽东郡境。㉖东夷校尉：管理东部少数民族的军政长官，当时的驻地也在辽阳城。㉗护军平原乙逸：辽东地区的护军都尉平原人姓乙名逸。㉘应援：呼应救援。㉙别驾：州刺史的高级僚属，随刺史出行时，单乘一车，故称“别驾”。当时慕容皝自称平州刺史。㉖来降：来向晋王朝归降。㉖假道于成：向成都的李氏政权借路。㉖称藩于成：意即先向成都的李氏政权称臣。藩，皇帝属下的诸侯之国。㉖将使盗覆诸东峡：准备派匪盗制造翻船事故把凉州的使者淹死在三峡的长江里。覆，翻船。东峡，即长江三峡。㉖寡君：向他国谦称自己国家的君主。㉖无迹之地：荒无人烟的地方。㉖通诚：把自己的诚心向人禀告。㉖陛下：尊称李雄，以讨其喜欢。㉖嘉尚忠义：赞美尊重有忠心、讲义气的人。㉖能成人之美：能让我们通过蜀地以达到建康，向东晋皇帝表忠心。㉗宣示众目：当众发布。㉗旧德：指西晋对凉州君主的好处。张骏的祖父张轨当时任西晋的凉州刺史。㉗通使琅邪：意即向东晋通使。东晋王朝的缔造者司马睿以世袭琅邪王起家，故这里以“琅邪”代指东晋。㉗主圣臣明：指凉州张氏政权有这样的明君贤臣。㉗发觉杀之：被我们发现了，我们要处死他们。㉗义声：好名声。这里是用反语谴责李雄。㉗畏威：害怕你的威风势力。㉗威刑不显：你的威力不能显示于天下。㉗何足以示天下：你又能怎么向天下人炫耀呢。㉗安有此邪：怎么会有这样的事呢。㉘留之：把他留在我们这里，让他为我们工作。㉘试以卿意观之：先以你的名义试探一下。㉘丰大：身高体胖。㉘且遣下吏：先打发你手下的小吏前去。㉘小住须凉：暂时留住一段时间等候天气凉爽。须，等候。㉘皇舆播越：天子流亡。皇舆，皇帝所乘之车，这里代指晋朝皇帝和朝廷。播越，颠沛流离。㉘梓宫未返：怀、愍二帝的灵柩尚未迎回安葬。㉘生民涂炭：沦陷区的百姓正生活在水深火热之中。涂炭，烂泥与炭火，比喻黎民遭受的灾难困苦。㉘振救：拯救。㉘通诚上都：把自己的想法向皇帝报告。上都，敬指建康。㉙可了：可以办好。㉙汤海：开水造成的大海。㉙足惮：足以吓住人。㉙自娱：自乐；自己享福。㉙祖考：祖父、父亲。考，古时称死去的父亲。张骏的祖父是张轨，父亲是张寔。事迹皆见《晋书》卷八十六。㉙世笃忠贞：世世代代都忠贞不变。笃，深沉、尽心。㉙枕戈待旦：头枕兵器，等待天明，形容杀敌心切。㉙何自娱之有：哪里有什么偷闲自乐。㉙六郡之民：指晋惠帝元康年间雍、秦二州因战乱与灾荒而流入今成都一带地区的饥民，李雄先人李特的起家就以这些流民为基础。㉙琅邪：琅邪王的子孙，指东晋皇帝。㉚卒：终于。㉚致命于建康：把张骏的意旨向东晋王朝做了表白。㉚长安之失守：指晋愍帝建兴四年（公元三一六年）长安被围，晋愍帝投降刘聪。㉚敦煌计吏耿访：敦煌郡派出到朝廷上计的官员姓耿名访。敦煌是晋郡名，郡治在今甘肃敦煌西。计吏，是指州、郡掌管计簿的官吏。每年年终，郡守派计吏携带计簿至京师，将全年人口、钱、粮、盗贼、狱讼各方面情况向朝廷汇报，叫作“上计”。晋愍帝建兴四年，敦煌所遣上计吏耿访至长安上计，未及还而长安陷落，归路断绝，因而取道汉中，东至建康。㉚大使：朝廷为某事特别派出的使节。㉚守：署理；代理。官阶低而代理高官阶的职务叫“守”。㉚治书御史：又称“治书侍御史”。御史中丞的属官，位次略高于一般侍御史。[307]配之：给耿访做随行人员。[308]梁州：晋州名，州治原在今陕西汉中，后被前赵、后赵所占，晋朝的梁州州治遂迁到襄阳，今湖北襄阳。[309]贾客：商人。[310]以达之：将朝廷的诏书送到凉州。[311]是岁：这一年，指晋成帝咸和八年。[312]部曲督：亦称“督将”，为州刺史的主要将领。[313]报谢：向朝廷答谢。

【原文】

九年（甲午，公元三三四年）

春，正月，赵改元延熙。

诏以郭权为镇西将军、雍州刺史。

仇池王杨难敌卒，子毅立，自称龙骧将军、左贤王、下辨公[314]，以叔父坚头之子盘为冠军将军、右贤王、河池公，遣使来称藩[315]。

二月丁卯[316]，诏遣耿访、王丰赍印绶[317]授张骏大将军，都督陕西、雍、秦、凉州诸军事，自是每岁使者不绝[318]。

慕容仁以司马翟楷领东夷校尉，前平州别驾庞鉴领辽东相[319]。

段辽遣兵袭徒河[320]，不克。复遣其弟兰与慕容翰共攻柳城[321]，柳城都尉石琮、城大[322]慕舆埿并力拒守，兰等不克而退。辽怒，切责[323]兰等，必令拔之。休息二旬，复益兵[324]来攻。士皆重袍蒙楯[325]，作飞梯[326]，四面俱进，昼夜不息。琮、埿拒守弥固，杀伤千余人，卒不能拔。慕容皝遣慕容汗及司马封奕等共救之。皝戒汗曰：“贼气锐[327]，勿与争锋[328]。”汗性骁果[329]，以千余骑为前锋，直进。封奕止之，汗不从，与兰遇于牛尾谷[330]，汗兵大败，死者太半[331]。奕整陈[332]力战，故得不没[333]。

兰欲乘胜穷追，慕容翰恐遂灭其国[334]，止之曰：“夫为将当务慎

【校记】

［1］阳：原无此字。据章钰校，十二行本、乙十一行本皆有此字，张瑛《通鉴校勘记》同，今据补。［2］太原王：原作“平原王”，严衍《通鉴补》改作“太原王”，当是，今据改。［3］亲党：原作“亲属”。据章钰校，十二行本、乙十一行本、孔天胤本皆作“亲党”，今从改。［4］治书御史：原作“侍书御史”。据章钰校，十二行本、乙十一行本皆作“持书御史”，严衍《通鉴补》改作“治书御史”。〖按〗当作“治书御史”，今据严校改。

【语译】

九年（甲午，公元三三四年）

春季，正月，后赵改年号为延熙元年。

晋成帝司马衍下诏任命郭权为镇西将军、雍州刺史。

仇池王杨难敌去世，他的儿子杨毅即位，自称为龙骧将军、左贤王、下辨公；任命叔父杨坚头的儿子杨盘为冠军将军、右贤王、河池公，派遣使者来到东晋的都城建康，向皇帝称臣，成了东晋的藩属国。

二月二十三日丁卯，晋成帝司马衍下诏，指派代理侍书御史的耿访以及张骏的部曲督王丰携带着印信前往凉州授予张骏为大将军，都督陕西、雍、秦、凉州诸军事，从此以后，每年往来于建康与凉州之间的使者再也没有断绝。

占据辽东郡的慕容仁任命担任司马职务的翟楷兼任东夷校尉，任命前任平州别驾庞鉴兼任辽东相。

段氏部落酋长段辽派军队袭击徒河，没有成功。他又派自己的弟弟段兰与慕容翰共同攻打柳城，担任柳城都尉的石琮与柳城主慕舆埿合力据守，段兰等无法攻克，只得撤走。段辽非常恼怒，便很严厉地责备段兰等人，要求他们必须攻克柳城。段兰等休整了二十天之后，又增加了一些兵力，便再次前来攻打柳城。士卒全都身穿两重铠甲，用盾牌护着头部，在柳城的四周架起云梯，四面攻打，日夜不停。而石琮、慕舆埿防守得更加严密，段兰等杀伤了一千多人，仍然攻打不下。慕容皝派遣慕容汗以及担任司马的封奕等共同率军救援柳城。慕容皝告诫慕容汗说：“敌人的气势正盛，不要与他们争夺胜负。”慕容汗骁勇果敢，他率领一千多名骑兵做前锋，长驱直入。封奕制止他不要如此，慕容汗根本不听从，与段兰在柳城北面的牛尾谷展开遭遇战，慕容汗的军队被打得大败，死了一大半。封奕压住自己的阵脚，拼死力战，才没有造成全军覆没的局面。

段兰想要乘胜穷追猛打，慕容翰担心自己的国家会被段氏灭掉，就阻止他说：

重[335]，审己量敌[336]，非万全不可动。今虽挫其偏师[337]，未能屈其大势[338]。虢多权诈[339]，好为潜伏[340]，若悉[341]国中之众，自将[342]以拒我，我县军深入[343]，众寡不敌[344]，此危道也。且受命之日，正求此捷，若违命贪进，万一取败，功名俱丧，何以返命[345][5]？"兰曰："此已成擒[346]，无有余理[347]，卿正虑遂灭卿国耳[348]！今千年在东[349]，若进而得志[350]，吾将迎之以为国嗣[351]，终不负卿[352]，使宗庙不祀[353]也。"千年者，慕容仁小字[354]也。翰曰："吾投身相依，无复还理[355]。国之存亡，于我何有[356]！但欲为大国之计[357]，且相为惜功名[358]耳。"乃命所部欲独还，兰不得已而从之。

三月，成主雄分宁州置交州[359]，以霍彪为宁州刺史，爨深为交州刺史。

赵丞相虎遣其将郭敖及章武王斌[360]帅步骑四万西击郭权，军于华阴[361]。夏，四月，上邽豪族杀权以降。虎徙秦州三万余户于青、并二州[362]。

长安人陈良夫奔黑羌[363]，与北羌王薄句大[364]等侵扰北地、冯翊[365]。章武王斌、乐安王韬[366]合击，破之，句大奔马兰山[367]。郭敖乘胜逐北[368]，为羌所败，死者什七八[369]。斌等收军还三城[370]。虎遣使诛郭敖。秦王宏[371]有怨言，虎幽之。

慕容仁自称平州刺史、辽东公。

长沙桓公[372]陶侃晚年深以满盈自惧[373]，不预[374]朝权，屡欲告老归国[375]，佐吏等苦留之。六月，侃疾笃[376]，上表逊位[377]，遣左长史殷羡奉送所假[378]节，麾，幢，曲盖[379]，侍中貂蝉[380]，太尉章[381]，荆、江、雍、梁、交、广、益、宁八州刺史印传[382]，棨戟[383]，军资、器仗、牛马、舟船，皆有定簿[384]，封印仓库，侃自加管钥[385]。以后事付[386]右司马王愆期，加督护[387]统领文武。甲寅[388]，舆车出[389]，临津就船[390]，将归长沙。顾谓愆期

“作为将领务必要谨慎小心，要审视自己、衡量对方，如果没有万无一失的把握就不要轻举妄动。现在虽然挫败了他们的一部分军队，却未能从整体形势上挫败他们。慕容皝善于运用权谋诈术，喜欢打埋伏战，如果他把全部军队都发动起来，亲自率领着来抵抗我们，而我们远离自己的国土深入敌境，双方的兵力对比又敌众我寡，这是很危险的。而且我们在接受命令的那一天，目的就是为了取得柳城大捷，如果违抗命令，贪功急进，万一失败，功劳和名声可就全都丢失了，我们还怎么回去面对君主，向他交差?”段兰说：“慕容汗他们已经注定要被我们擒获，没有别的可能，你所担忧的是怕我们一举灭掉了你们的国家罢了！现在你的兄弟慕容千年就在辽东，如果进兵使我能够一举灭掉慕容皝，我将迎接慕容千年回来，让他来当你们辽东的嗣君，无论如何不会对不起你，让你们的国家灭亡、宗庙断绝了祭祀。”千年，是慕容仁的小名。慕容翰说：“我已经投靠段氏部落，绝对没有再回去的道理。国家存亡与否，与我有什么相干！我只是为了我们国家的利益着想，也是怕你遭到失败而丢掉了前程而已。”遂下令自己的部属独自返回，段兰迫不得已只得随他返回。

三月，成主李雄将宁州分出几个郡，设置为交州，任命霍彪为宁州刺史，任命爨深为交州刺史。

后赵丞相石虎派遣自己的部将郭敖以及章武王石斌率领四万名步兵、骑兵向西攻打郭权，郭敖等将军队驻扎在华阴。夏季，四月，上邽的豪门大族杀死了郭权向后赵投降。石虎遂将秦州的三万多户强行迁移到青州、并州。

长安人陈良夫投奔了黑羌部落，与北羌王薄句大等率众侵入后赵辖区内的北地、冯翊。后赵的章武王石斌、乐安王石韬合力反击，大破黑羌、北羌军，北羌王薄句大逃往马兰山。郭敖乘胜追击败逃的羌军，反被羌军打败，死亡的占了总人数的十分之七八。章武王石斌等收兵退回三城。石虎派使者到三城诛杀郭敖。秦王石宏口出怨言，石虎便将石宏囚禁起来。

占据辽东的慕容仁自称为平州刺史、辽东公。

长沙桓公陶侃到了晚年对自己的功大位高而深感不安，他不再参与过问朝廷政务，屡次请求辞官回到自己的封地长沙去，他手下的僚属等却苦苦地挽留他。六月，陶侃病重，上表给朝廷请求，让出官爵和封地，派遣左长史殷羡将朝廷过去封赠给自己的符节，大将的指挥旗，作为仪仗的幢，曲盖，侍中头上所戴的饰物貂蝉，太尉的印章，荆州、江州、雍州、梁州、交州、广州、益州、宁州八州刺史印章缄封的符信，棨戟奉还给朝廷，军用物资、武器、耕牛战马、船舰，都一一列入账册，存入仓库，陶侃亲自把仓库门锁起来加上封条。他将后事托付给担任右司马的王愆期，提升王愆期为督护，负责统领辖区内的文武僚佐。十二日甲寅，陶侃病卧在车上离开了军府，到就近的码头上了船，准备回长沙。他回头对王愆期说：“你看老夫

曰:"老子婆娑[391],正坐诸君[392]!"乙卯[393],薨于樊溪[394]。

侃在军四十一年,明毅善断,识察纤密[395],人不能欺。自南陵迄于白帝[396],数千里中,路不拾遗。及薨,尚书梅陶与亲人[397]曹识书曰:"陶公机神明鉴[398]似魏武[399],忠顺勤劳似孔明[400],陆抗[401]诸人不能及也。"谢安[402]每言:"陶公虽用法[403],而恒得法外意[404]。"安,鲲之从子也。

成主雄生疡[405]于头,身素多金创[406],及病,旧痕[407]皆脓溃。诸子皆恶而远之,独太子班昼夜侍侧,不脱衣冠,亲为吮脓[408]。雄召大将军建宁王寿受遗诏辅政。丁卯[409],雄卒,太子班即位。以建宁王寿录尚书事,政事皆委于寿及司徒何点、尚书令[6]王瓌。班居中[410]行丧礼,一无所预[411]。

辛未[412],加平西将军庾亮征西将军,假节,都督江、荆、益、梁、雍六州诸军事,领江、豫、荆三州刺史,镇武昌。亮辟殷浩[413]为记室参军[414]。浩,羡之子也,与豫章太守褚裒[415]、丹阳丞杜乂[416]皆以识度清远[417],善谈《老》《易》[418],擅名[419]江东,而浩尤为风流所宗[420]。裒,䂮之孙。乂,锡之子也。桓彝[421]尝谓裒曰:"季野有皮里春秋[422]。"言其外无臧否[423],而内有褒贬也。谢安曰:"裒虽不言,而四时之气[424]亦备矣。"

秋,八月,王济[425]还辽东,诏遣侍御史王齐祭辽东公廆,又遣谒者[426]徐孟策拜慕容皝镇军大将军、平州刺史、大单于、辽东公,持节、都督[7],承制封拜[427],一如廆故事[428]。船下马石津[429],皆为慕容仁所留。

九月戊寅[430],卫将军江陵穆公陆晔[431]卒。

成主雄之子车骑将军越屯江阳[432],奔丧至成都。以太子班非雄所生,意不服,与其弟安东将军期谋作乱。班弟玝劝班遣越还江阳[433],以期为梁州刺史,镇葭萌[434]。班以未葬,不忍遣,推心待之[435],无所疑间[436],遣玝出屯于涪[437]。冬,十月癸亥朔[438],越因班夜哭[439],弑之于殡

现在步履蹒跚，肢体活动都不灵活了才辞职退休，都怪你们将我苦留到现在!”十三日乙卯，陶侃在返回长沙的途中死在了樊溪。

陶侃在军中四十一年，精明有毅力，善于判断，观察事物细密入微，没有人能欺骗他。他的辖区东自南陵，西到白帝，数千里之内，治安良好，路不拾遗。等到陶侃死后，担任尚书的梅陶在写给好友曹识的信中说:“陶侃的机智、明察可与魏武帝曹操相比，而他对国家的忠诚、对政务的勤勉好似诸葛亮，陆抗等人都赶不上他。”谢安经常说:“陶侃虽然也是用法较严，然而他用法的目的不在于惩办人，而是为了达到一种更高的目的。”谢安，是谢鲲的侄子。

成主李雄的头上生了痈疮，身体上素来刀伤累累，等到卧病在床的时候，身上的旧伤疤全都溃烂化脓。他的儿子们都嫌弃他而躲得远远的，只有太子李班不分白天黑夜地在旁边侍奉他，连衣冠鞋帽都不脱，并用嘴为他往外吸吮脓血。李雄召担任大将军的建宁王李寿到自己的病榻前接受遗诏，辅佐朝政。六月二十五日丁卯，成主李雄去世，太子李班即位。李班任命建宁王李寿为录尚书事，军国大事全都交付给建宁王李寿以及担任司徒的何点、担任尚书令的王瓌。李班只在宫中服丧哀哭，对朝政一点也不过问。

六月二十九日辛未，东晋加授平西将军庾亮为征西将军，假节，都督江、荆、豫、益、梁、雍六州诸军事，兼任江、豫、荆三州刺史，治所设在武昌。庾亮征聘殷浩为记室参军。殷浩，是殷羡的儿子，他与担任豫章太守的褚裒、担任丹阳丞的杜乂，都以清高淡远、善于谈论《老子》《周易》而在江东享有盛名，而殷浩更是为一批风流散荡的名士所推崇。褚裒，是褚䂮的孙子；杜乂，是杜锡的儿子。桓彝曾经对褚裒说:“季野你有皮里春秋。”意思是说，他表面上虽然对人对事从不加以褒贬性的评论，而内心并不糊涂，是有褒也有贬的。谢安说:“褚裒虽然不说话，但一年四季的气象变化已经全备于心了。”

秋季，八月，王济返回辽东，晋成帝下诏派遣担任侍御史的王齐专程到辽东祭祀已故辽东公慕容廆，又派遣担任谒者的徐孟到辽东任命慕容皝为镇军大将军、平州刺史，封大单于、辽东公，持节、都督，有权以皇帝的名义在自己的辖区之内封官拜爵，就和慕容廆在世时候的权力一样。东晋朝廷派往辽东的钦差所乘坐的船只一到马石津，就被慕容仁扣留。

九月初八日戊寅，东晋担任卫将军的江陵穆公陆晔去世。

成主李雄的儿子车骑将军李越屯兵于江阳，到成国的都城成都来奔丧。因为太子李班不是李雄所生，李越心里很不服气，就与自己的弟弟安东将军李期阴谋作乱。李班的弟弟李玝向李班建议，立即下令让李越返回江阳，任命李期为梁州刺史，镇守葭萌。李班因为李雄还没有安葬，不仅不忍心把李雄的儿子打发走，还对他们推心置腹，一点怀疑猜忌之心也没有，派弟弟李玝出去驻扎涪城。冬季，十月癸亥朔，李越趁李班夜间在李雄灵前守护哭灵的时候，将李班杀死在停放李雄灵柩的地方，

宫㊵，并杀班兄领军将军都。矫㊶太后任氏令，罪状班㊷而废之。

初，期母冉氏贱㊸，任氏母养之㊹。期多才艺，有令名㊺。及班死，众欲立越，越奉期㊻而立之。甲子㊼，期即皇帝位，谥班曰戾太子㊽，以越为相国，封建宁王，加大将军寿㊾大都督，徙封汉王，皆录尚书事。以兄霸为中领军、镇南大将军，弟保为镇西大将军、汶山㊿太守，从兄始[451]为征东大将军，代越镇江阳。

丙寅[452]，葬雄于安都陵，谥曰武皇帝，庙号太宗。

始欲与寿共攻期，寿不敢发。始怒，反谮寿于期[453]，请杀之。期欲藉寿[454]以讨李玝，故不许，遣寿将兵向涪。寿先遣使告玝以去就利害[455]，开其去路[456]，玝遂来奔[457]。诏以玝为巴郡[458]太守。期以寿为梁州刺史，屯涪。

赵主弘自赍玺绶诣魏宫[459]，请禅位[460]于丞相虎。虎曰："帝王大业，天下自当有议，何为自论此邪！"弘流涕还宫，谓太后程氏曰："先帝种[461]真无复遗[462]矣！"于是[463]尚书奏："魏台[464]请依唐、虞禅让故事[465]。"虎曰："弘愚暗，居丧无礼[466]，不可以君万国[8]，便当废之，何禅让也！"十一月，虎遣郭殷持节[9]入宫，废弘为海阳王。弘安步就车[467]，容色自若，谓群臣曰："庸昧[468]不堪纂承大统[469]，夫复何言！"群臣莫不流涕，宫人恸哭。群臣诣魏台劝进[470]，虎曰："皇帝者，盛德之号[471]，非所敢当，且可称居摄赵天王[472]。"幽弘及太后程氏、秦王宏、南阳王恢于崇训宫，寻[473]皆杀之。

西羌大都督姚弋仲称疾不贺[474]，虎累召之[475]，乃至。正色[476]谓虎曰："弋仲常谓大王命世英雄[477]，奈何[478]把臂受托[479]，而返夺之[480]邪！"虎曰："吾岂乐此哉[481]！顾海阳年少[482]，恐不能了家事[483]，故代之耳。"心虽不平[484]，然察其诚实，亦不之罪[485]。

虎以夔安为侍中、太尉、守尚书令[486]，郭殷为司空，韩晞为尚书左

同时杀死了李班的哥哥、担任领军将军的李都。假传太后任氏的诏令，宣布李班的罪状，将李班废掉。

当初，李雄的第四个儿子李期的母亲冉氏地位微贱，太后任氏便将李期抱过来自己抚养。李期多才多艺，有很好的声望。等到太子李班被杀死，众人都准备拥戴李越，李越却拥戴李期。十月二十四日甲子，李期即位为成国皇帝，给已故太子李班定谥号为“戾太子”，任命李越为相国，封其为建宁王，加封大将军李寿为大都督，改封为汉王，共同担任录尚书事。李期又任命自己的哥哥李霸为中领军、镇南大将军，弟弟李保为镇西大将军、汶山太守，堂兄李始为征东大将军，代替李越镇守江阳。

二十六日丙寅，李期将成主李雄安葬于安都陵，谥号武皇帝，庙号太宗。

成国征东大将军李始想要与大都督、汉王李寿共同攻击新即位的李期，李寿不敢发兵。李始恼羞成怒，便在李期面前说李寿的坏话，请求李期将李寿杀死。李期想借助李寿讨伐李玝，所以没有答应李始的请求，而是派李寿率军向涪城进兵讨伐李玝。李寿先派人为李玝分析了逃亡与固守的成败得失，并为他留一条逃生之路，李玝遂投奔了东晋。晋成帝下诏任命李玝为巴郡太守。成国皇帝李期任命李寿为梁州刺史，驻防涪城。

后赵皇帝石弘亲自携带着皇帝玺印前往石虎的魏王宫，请求将皇位禅让给丞相石虎。石虎说：“谁能承继帝王的大业，天下自会有人议论，你何必要自行将皇位让给我呢！”石弘流着眼泪返回皇宫，对皇太后程氏说：“先帝真的要断子绝孙了！”此时，后赵尚书奏请石虎说：“请魏王官署依照唐尧、虞舜禅让的程序让石弘将皇位禅让给魏王。”石虎说：“石弘愚昧昏庸，居丧期间，行为违背礼法，不可君临天下，就应当把他废掉，还搞什么禅让！”十一月，石虎派部将郭殷持节入宫，废掉石弘，将石弘贬为海阳王。石弘缓步登上车子，神色自若，他对群臣说：“我知道自己愚昧昏聩，承担不了继承皇家大统的重任，还有什么话好说！”群臣无不感伤流涕，宫人也都不禁失声痛哭。群臣来到魏王石虎的王宫，劝石虎登基称帝，石虎说：“皇帝，是有盛德之人才能接受的称号，我不敢当，我只能暂居皇帝之位代为处理政务，可称为‘居摄赵天王’。”石虎将太子石弘、太后程氏、秦王石宏、南阳王石恢囚禁于崇训宫，不久，又将他们全部杀害。

后赵担任西羌大都督的姚弋仲声称有病而没有对石虎登基表示祝贺，石虎多次召他到都城襄国，姚弋仲才来到都城襄国。他神情严肃地对石虎说：“我姚弋仲曾经认为大王是一个闻名于当世的英雄，怎么能拉着先帝的手臂，接受了先帝辅佐朝政的遗嘱，而反过来夺取皇位啊！”石虎说：“我难道愿意这样做吗！我是顾虑到海阳王石弘年纪太轻，恐怕他管理不了我们家的事情，所以才取代他罢了。”石虎虽然心里对姚弋仲愤愤不平，然而察觉到他确实是实心实意，所以也就没有治他的罪。

后赵王石虎任命夔安为侍中、太尉、兼任尚书令，任命郭殷为司空，任命韩晞

仆射，魏郡申钟为侍中，郎闿为光禄大夫，王波为中书令，文武封拜各有差[487]。虎行如信都，复还襄国[488]。

慕容皝讨辽东，甲申[489]，至襄平[490]。辽东人王岌密信请降。师进，入城，翟楷、庞鉴单骑走。居就[491]、新昌[492]等县皆降。皝欲悉坑辽东民，高诩谏曰："辽东之叛，实非本图[493]，直[494]畏仁凶威，不得不从。今元恶[495]犹存，始克此城，遽加夷灭[496]，则未下之城，无归善之路[497]矣。"皝乃止。分徙辽东大姓于棘城[498]。以杜群为辽东相，安辑[499]遗民。

十二月，赵徐州从事兰陵朱纵[500]斩刺史郭祥，以彭城来降。赵将王朗攻之，纵奔淮南。

慕容仁遣兵袭新昌，督护新兴王寓击走之，遂徙新昌[501]入襄平。

【段旨】

以上为第二段，写晋成帝咸和九年（公元三三四年）一年中的大事。主要写了段辽派其弟段兰与降将慕容翰攻慕容皝之柳城，大破慕容皝军，由于慕容翰心念故国，劝说段兰退兵，得使慕容皝政权未灭；写了慕容仁占据辽东与慕容皝对立，慕容皝攻得辽东郡治襄平；写了成主李雄病死，养子李班继位，雄子李越袭杀李班，拥立雄子李期，成将李寿取晋汉中，寿为梁州刺史；写了后赵石虎杀石弘、石宏与石勒的皇后程氏，自称居摄赵天王；写了陶侃晚年以满盈自惧，请求辞官还居封地，死于归途之中；庾亮继任荆州刺史，重用殷浩等一伙喜尚空谈之人等。

【注释】

⑭下辨公：公是爵号，下辨是晋县名，县治在今甘肃成县西北，当时为武都郡的郡治所在地。⑮称藩：意即称臣。以自己的封疆为中央天子的藩篱。⑯二月丁卯：二月二十三。⑰赍印绶：携带着朝廷封赠张骏的印绶。绶，系印的丝带。⑱使者不绝：杨毅称藩，梁、凉二州间的道路打通，故可使者不绝。⑲辽东相：相当于辽东郡的太守。辽东郡因西晋时为辽东国，故其行政长官称"相"。⑳徒河：晋县名，县治在今

为尚书左仆射，任命魏郡的申钟为侍中，任命郎闿为光禄大夫、王波为中书令，文武官员按照不同级别，都有不同程度的升官晋爵。石虎先到了信都，然后备法驾，从信都返回襄国。

慕容皝率军讨伐辽东的慕容仁，十一月十五日甲申，慕容皝率大军抵达襄平。辽东人王岌写密信给慕容皝请求投降。慕容皝进军，进入襄平城，守将东夷校尉翟楷、庞鉴丢下部众，单枪匹马逃走。居就、新昌等县全都向慕容皝投降。慕容皝准备把辽东的民众全部坑杀，广武将军高诩劝阻说："辽东叛变，实际上并不是辽东人的本意，他们只是因为惧怕慕容仁的凶暴威势，才不得不听命于慕容仁。如今首恶慕容仁还没有被除掉，刚克复了襄平一个城池，就下令将这个城的民众全部屠杀，那么其他没有被攻克的城池，恐怕就再也没有人来投降了。"慕容皝这才停止。把辽东的大族迁移到棘城。任命杜群为辽东相，安抚残存下来的居民。

十二月，后赵担任徐州刺史僚属的兰陵人朱纵杀死了徐州刺史郭祥，献出彭城，向东晋投降。后赵将领王朗率众攻打朱纵，朱纵逃往淮南。

慕容仁派兵袭击新昌，被慕容皝属下担任督护的新兴人王寓率军赶走，慕容皝遂将新昌吏民全部迁入襄平。

辽宁锦州西北，当时在慕容氏政权的管辖下。㉑柳城：晋县名，县治在今辽宁朝阳西南。㉒城大：城主；一城之长。㉓切责：严厉责备。㉔益兵：增兵。㉕重袍蒙楯：穿两层战袍，顶着盾牌。蒙，顶着。楯，同"盾"。㉖飞梯：云梯，有如今之吊车。㉗气锐：士气旺盛。㉘争锋：犹争胜。㉙骁果：勇捷果敢。㉚牛尾谷：地名，在柳城北，今辽宁朝阳西南。㉛太半：一大半，达到三分之二。㉜整陈：压住自己的阵脚。陈，通"阵"。㉝不没：没有全军覆没。㉞灭其国：灭掉自己慕容氏的故国。㉟当务慎重：应该注意慎重。㊱审己量敌：意即知己知彼。㊲偏师：指其军队的一个部分，以别于主力。㊳未能屈其大势：还没有从整体形势上予以挫败。㊴权诈：权谋诡诈。㊵潜伏：埋伏。㊶悉：尽；全部。㊷自将：自己亲自统率。㊸县军深入：远离自己根据地而深入敌境。县，同"悬"。㊹众寡不敌：双方的兵力多少不成比例。敌，相当、相等。㊺何以返命：怎么回去交差。㊻此已成擒：意即敌兵已到山穷水尽之时，没有再战与逃跑的可能。成擒，现成的俘虏。㊼无有余理：再没有其他的可能。㊽卿正虑遂灭卿国耳：你就是怕一举灭了你的国家。卿，对对方的敬称。虑，担心。遂灭，一举灭掉。㊾千年在东：你的兄弟慕容仁正在辽东。㊿进而得志：指一举消灭了慕容皝。351迎之以为国嗣：迎慕容仁来做你们国家的继承人。352终不负卿：无论如何不会对不起你。负，亏、让你吃亏。353使宗庙不祀：让你们的国家灭亡。宗庙，国君的祖庙，是古代国家的象征。不

祀，不再有人祭祀。㉞小字：犹言“小名”。㉟无复还理：没有再回去的可能。㊱于我何有：和我有什么相干。㊲但欲为大国之计：都是为你们的国家考虑。大国，敬称段辽之国。㊳相为惜功名：是因为怕你遭到失败而丢了前程。㊴分宁州置交州：分宁州的兴古、永昌、牂柯、越巂、夜郎等郡置交州。宁州的州治滇池，在今昆明西南；交州的州治龙编，在今越南河内东北。㊵章武王斌：石斌，石勒之子。㊶华阴：晋县名，县治在今陕西华阴东南。㊷青、并二州：青州的州治在今山东淄博市临淄区，并州的州治晋阳，在今山西太原西南。㊸黑羌：羌族人的一支。㊹薄句大：北羌王名。㊺北地、冯翊：二郡名，北地郡的郡治在今陕西铜川市耀州区东，冯翊郡的郡治临晋，即今陕西大荔。㊻乐安王韬：石韬，石虎之子。㊼马兰山：在今陕西白水县西北六十里，为马兰羌所居之地。㊽逐北：追击败逃的敌兵。北，意思同“背”，败。㊾什七八：十分之七八。什，通“十”。㊿三城：古城名，在广武县。晋广武县故城，即今山西代县西南的古城。371秦王宏：石宏，石勒之子。372长沙桓公：长沙公是陶侃的爵号，桓字是谥。373以满盈自惧：以功大位高而感到害怕。374不预：不参与；不过问。375归国：回到自己的封地长沙郡一带去。376疾笃：病情严重。377逊位：退位；让出官爵、封地。378奉送所假：把朝廷此前所封赠给自己的……一概送回。379节，麾，幢，曲盖：节，指旌节，以竹为之，以旄牛尾为饰，朝廷发给大臣的信物，以表示其地位、权势。麾，大将的指挥旗。幢，古时的一种仪仗。曲盖，仪仗用的曲柄伞。按晋制，凡镇守一方的军政长官，皇帝均赐给节、麾、幢、曲盖。380侍中貂蝉：朝官侍中所戴冠上的饰物。《后汉书·舆服志下》：“侍中、中常侍加黄金珰，附蝉为文，貂尾为饰，谓之‘赵惠文’冠。”381太尉章：太尉的印章。陶侃被封为太尉，掌管全国的兵权。382印传：用印章缄封的符信。晋崔豹《古今注》下《问答释义》：“凡传皆以木为之，长五寸，书符信于上，又以一板封之，皆封以御史印章，所以为信也。”383棨戟：有缯衣或油漆的木戟，为官吏出行时用作前导的仪仗。以上八物均朝廷所授。384定簿：固定的计簿，登记着各种器物。385自加管钥：亲自把仓库门锁起来，以备朝廷来人清点。管钥，锁钥。386付：托付。387加督护：提升为都护之职。388甲寅：六月十二。389舆车出：乘车出了军府。390临津就船：到江边登上船。津，渡口。391老子婆娑：我之所以直到这种样子才辞职退休。老子，意同“老夫”，陶侃自称。婆娑，肢体运动缓慢不灵活的样子。392正坐诸君：都是让你们闹的。因为陶侃自己早就说退，而其参佐苦留。393乙卯：六月十三。394薨于樊溪：路途中死在樊溪，在今湖北鄂州西北。陶侃身为长沙公，是一方诸侯，故对其死称“薨”。395纤密：细密。396自南陵迄于白帝：东自南陵，西至白帝城，这里是指陶侃所管辖过的地方。南陵，南陵戍，晋代的驻兵据点，即今安徽芜湖市南的南陵，当时属江州。白帝城，在今重庆市奉节，当时属荆州。397亲人：亲近的人，即“好友”。398机神明鉴：机智、明察。399魏武：魏武帝曹操。400孔明：诸葛亮，字孔明。401陆抗：陆逊之子，三国时吴国的名将。吴孙皓时，任镇军大将军，击退晋将羊祜的进攻，攻杀叛将西陵督步阐。后任大司马、荆州牧。传附《三国志·陆逊传》。㊻㊁谢安：字安石，东晋的名臣，先曾隐居于会稽东山，年四十复出任。太元八年，安派其侄谢玄等在肥水大败前秦苻坚军。传见《晋书》卷七十九。⑷⓪③虽用法：意即虽然用法较严。⑷⓪④恒得法外意：意即用法的目的不在于惩办人，而是为了达到一种更高的目的。恒，经常、常常。⑷⓪⑤疡：痈疮。⑷⓪⑥素多金创：平素在战场上受过很多次伤。金创，指兵器对人体所造成的创伤。⑷⓪⑦旧痕：旧伤疤。⑷⓪⑧吮脓：用嘴向外吸脓。⑷⓪⑨丁卯：六月二十五。⑷①⓪居中：在宫廷之中。⑷①①一无所预：指对国家政事一概不过问。预，干涉。⑷①②辛未：六月二十九。⑷①③辟殷浩：聘任殷浩。殷浩，字渊源，是一个善谈玄、徒有虚名的人。传见《晋书》卷七十七。⑷①④记室参军：大将手下的文秘、参谋官员。⑷①⑤褚裒：字季野，晋康帝献皇后之父。传见《晋书》卷九十三。⑷①⑥杜乂：字弘理，杜预之孙，晋成帝恭皇后之父。传见《晋书》卷九十三。⑷①⑦清远：清高淡远，意即不愿以众事累心。⑷①⑧《老》《易》:《老子》和《周易》。⑷①⑨擅名：有盛名。擅，专擅、独有。⑷②⓪为风流所宗：为一批风流散荡的名士所推崇，奉之为领袖。⑷②①桓彝：东晋的义烈名臣，先是参与平王敦有功，苏峻叛乱，桓彝起兵讨苏峻，兵败被杀。传见《晋书》卷七十四。⑷②②皮里春秋：意即表面虽然不说，但内心是有褒贬的。皮里，指内心。《春秋》，儒家经典之一，相传是孔子依据鲁国史官所编的《春秋》加以整理而成。《春秋》对所记事件和人物都有褒有贬，后世称为“春秋笔法”。这里即指褒贬。⑷②③外无臧否：表面上对人对事不加褒贬评论。臧，称赞。否，否定。⑷②④四时之气：春夏秋冬四季的气候不同。旧说春主萌生，夏主生长，秋主收获，冬主肃杀。⑷②⑤王济：慕容皝的长史，前来朝廷报丧。⑷②⑥谒者：皇帝的侍从官员，主管收发传达与赞礼等。⑷②⑦承制封拜：以皇帝的名义任命自己管区的官员。⑷②⑧一如廆故事：就和当年慕容廆的权力一样。⑷②⑨船下马石津：乘船到达马石津的时候。马石津，渡口名，在今辽宁大连旅顺港西南，当时为慕容仁所占据。⑷③⓪九月戊寅：九月初八。⑷③①陆晔：晋明帝的顾命大臣，苏峻之乱中尽心护持晋成帝。传见《晋书》卷七十七。⑷③②江阳：晋郡名，郡治即今四川泸州。⑷③③还江阳：即指回江阳，因江阳在成都的东南方。⑷③④葭萌：县名，县治在今四川广元西南。⑷③⑤推心待之：推心置腹地相对待，指以至诚待人。⑷③⑥无所疑间：没有任何猜疑。间，隔阂。⑷③⑦涪：晋县名，县治在今四川绵阳东。⑷③⑧十月癸亥朔：此句有误，十月朔辛丑，癸亥为十月二十三。“朔”字衍文，当削。⑷③⑨因班夜哭：趁李班夜间哭灵的时候。⑷④⓪殡宫：停柩受祭之所。殡，停柩待葬。⑷④①矫：诈称；假传。⑷④②罪状班：列举李班的罪状。⑷④③贱：身份低贱。⑷④④母养之：以母亲的身份抚养了他。⑷④⑤令名：美名。⑷④⑥奉期：尊奉、拥戴李期。⑷④⑦甲子：十月二十四。⑷④⑧戾太子：行为悖谬的太子。戾，悖谬。〚按〛谥班曰“戾”显为诬蔑。⑷④⑨大将军寿：李寿，李特之弟李骧之子。⑷⑤⓪汶山：晋郡名，郡治即今四川茂县。⑷⑤①从兄始：据《晋书》卷一百二十，李始为李特长子，当是李期的伯父，李寿的从兄。⑷⑤②丙寅：十月二十六。⑷⑤③谮寿于期：在李期面前说李寿的坏话。谮，说人坏话、诬陷人。⑷⑤④藉寿：借着李寿的力量。⑷⑤⑤去就利害：何去何从的利害关系。(456)开其去路：给他让开一条逃跑的道路。开，让开。(457)来奔：来投奔晋王朝。(458)巴郡：晋郡名，郡治江安，在今重庆市北。(459)魏宫：魏王石虎所居之宫。(460)请禅位：请求让皇帝位于……。(461)先帝种：先帝的后裔。(462)真无复遗：真的是要绝后了，意即石虎一定会杀死我。(463)于是：这时候。(464)魏台：魏王官署，这里即以称呼石虎。(465)请依唐、虞禅让故事：请按照唐尧、虞舜禅让的章程进行禅让。传说尧晚年把帝位让于舜，舜晚年又把帝位让于禹。事见《尚书·尧典》《史记·五帝本纪》。(466)居丧无礼：给其父守丧时不遵守礼节。(467)安步就车：缓步登车。(468)庸昧：同前所谓“愚暗”，这里是石弘自指。(469)不堪纂承大统：不能继续充当皇帝之职。堪，能够、可以。纂承，继承。(470)劝进：劝石虎登帝位。(471)盛德之号：是有盛德之人才能接受的称号。(472)居摄赵天王：暂时代理赵国的天王之职。居摄，居皇帝之位代为处理诸事。(473)寻：不久。(474)不贺：不向石虎朝贺，也就是不承认石虎为君主的合法性。(475)累召之：多次地召他到都城襄国。(476)正色：表情严正。(477)命世英雄：闻名于当世的英雄。命世，名世、闻名于当世。(478)奈何：怎么能。(479)把臂受托：拉着胳膊接受老皇帝的委托。把臂，极言其诚恳的样子。(480)而返夺之：结果竟将人家的政权夺了过来。(481)吾岂乐此哉：我难道是喜欢这么干吗。(482)顾海阳年少：问题是在于石弘的年岁太小。(483)不能了家事：管理不了我们家的事情。了，完成、管好。(484)心虽不平：内心虽对姚弋仲不满。(485)不之罪：即“不罪之”，未将姚弋仲治罪。(486)守尚书令：代理尚书令。级别低的人代理高级别的职务称“守”。(487)各有差：等级各有不同。(488)行如信都二句：先到了信都，又从信都回到襄国。信都是冀州的州治

【原文】

咸康元年（乙未，公元三三五年）

春，正月庚午朔[502]，帝加元服[503]，大赦，改元。

成、赵皆大赦，成改元玉恒，赵改元建武。

成主期立皇后阎氏，以卫将军尹奉为右丞相，骠骑将军、尚书令王瓌为司徒。

赵王虎命太子邃省可尚书奏事[504]，惟祀郊庙[505]、选牧守[506]、征伐、刑杀乃亲之[507]。虎好治[508]宫室，鹳雀台[509]崩，杀典匠少府[510]任汪，复使修之，倍于其旧[511]。邃保母[512]刘芝封宜城君[513]，关预[514]朝权，受纳贿赂，求仕进[515]者多出其门。

所在地，在今河北衡水市冀州区东北。据《晋书·石季龙载记》，石虎因以谶文有“天子当从东北来”之语，于是“备法驾行至信都而还以应之”。㊽甲申：十一月十五。㊾襄平：晋县名，即今辽宁辽阳。当时也是辽东郡的郡治。㊾居就：晋县名，县治在今辽阳东南的亮甲山上。㊾新昌：晋县名，县治在今辽宁海城东北。㊾本图：本心；本意。㊾直：仅；只不过是。㊾元恶：元凶；罪魁祸首。谓慕容仁。㊾遽加夷灭：就突然地把这些人杀光。遽，突然、马上。夷灭，杀光。㊾无归善之路：指再不会有人投降。归善，敬称向你投降。㊾棘城：即今辽宁义县，当时为昌黎郡的郡治所在地，慕容氏政权的都城。㊾安辑：安抚。㊿赵徐州从事兰陵朱纵：任徐州刺史僚属的兰陵人朱纵。从事，从事史，州郡长官的僚属。兰陵，晋县名，在今山东兰陵西南。(501)徙新昌：指迁徙新昌县的吏民。

【校记】

［5］命：原作“面”。据章钰校，孔天胤本作“命”，张敦仁《通鉴刊本识误》同，今据改。［6］尚书令：原脱“令”字。据章钰校，十二行本、乙十一行本、孔天胤本皆有“令”字，张敦仁《通鉴刊本识误》同，今据补。［7］都督：原无此二字。据章钰校，十二行本、乙十一行本、孔天胤本皆有此二字，张敦仁《通鉴刊本识误》同，今据补。［8］不可以君万国：此句原无。据章钰校，十二行本、乙十一行本、孔天胤本皆有此句，张瑛《通鉴校勘记》同，今据补。［9］持节：原无此二字。据章钰校，十二行本、乙十一行本、孔天胤本皆有此二字，张瑛《通鉴校勘记》同，今据补。

【语译】

咸康元年（乙未，公元三三五年）

春季，正月初一日庚午，东晋为皇帝司马衍举行加冠典礼，大赦，改年号为咸康元年。

成国、后赵全都实行大赦，成国改年号为玉恒，后赵改年号为建武。

成主李期立阎氏为皇后，任命担任卫将军的尹奉为右丞相，任命骠骑将军、尚书令王瓌为司徒。

后赵居摄赵天王石虎令太子石邃审阅批示尚书省的奏章，只有到南北郊祭祀天地、在太庙中祭祀祖先，以及遴选州郡官员、决定征伐、处决犯罪等事，才由石虎亲自主持、批示。石虎喜好修建宫室，魏武帝曹操时修建的鹳雀台崩塌，石虎便杀死了掌管宫殿建筑的典匠少府任汪，然后派人重新修建，规模超过旧建筑一倍。太子石邃的保姆刘芝被封为宜城君，她干涉朝廷政务，收受贿赂，谋求进入官场的大多都来走她的门路。

慕容皝置左、右司马，以司马韩矫、军祭酒封奕为之。

司徒导以羸疾[516]，不堪[517]朝会。三月乙酉[518]，帝幸其府[519]，与群臣宴于内室，拜导，并拜其妻曹氏。侍中孔坦密表切谏[520]，以为帝初加元服，动宜顾礼[521]，帝从之。坦又以帝委政于导[522]，从容[523]言曰："陛下春秋已长[524]，圣敬日跻[525]，宜博纳朝臣[526]，谘诹善道[527]。"导闻而恶之，出坦为廷尉[528]。坦不得意，以疾去职。

丹阳尹桓景为人谄巧[529]，导亲爱之。会[530]荧惑守南斗[531]经旬[532]，导谓领军将军[533]陶回曰："斗，扬州之分[534]，吾当逊位[535]以厌天谴[536]。"回曰："公以明德作辅[537]，而与桓景造膝[538]，使荧惑何以退舍[539]！"导深愧之。

导辟[540]太原王濛[541]为掾[542]，王述[543]为中兵属[544]。述，昶[545]之曾孙也。濛不修小廉[546]，而以清约见称[547]，与沛国刘惔[548]齐名友善。惔常称濛性至通[549]而自然有节[550]。濛曰："刘君知我，胜我自知。"当时称风流[551]者，以惔、濛为首。述性沈静[552]，每坐客辩论蜂起[553]，而述处之恬如[554]也。年三十，尚未知名，人谓之痴。导以门地辟之[555]。既见，唯问在东米价[556]，述张目不答[557]。导曰："王掾不痴[558]，人何言痴也！"尝见导每发言，一坐莫不赞美，述正色曰："人非尧、舜，何得每事尽善！"导改容谢[559]之。

赵王虎南游[560]，临江而还。有游骑[561]十余至历阳[562]，历阳太守袁耽表上之[563]，不言骑多少。朝廷震惧，司徒导请出讨之。夏四月，加导

慕容皝设置左右司马，他任命原来担任司马的韩矫和担任军祭酒的封奕分别担任左右司马。

东晋司徒王导因为身患一种类似风痹的疾病，不能承受朝会的辛劳，所以不来参加朝会。三月十七日乙酉，晋成帝司马衍亲自到王导的府第，与文武官员在王导的内宅饮酒欢宴，晋成帝司马衍叩拜了王导，同时叩拜了王导的妻子曹氏。担任侍中的孔坦秘密上表给晋成帝，劝谏晋成帝不要这样做，孔坦认为皇帝刚刚行过加冠礼，已经是成年人，一切行动都要考虑到礼法的规定，晋成帝听从了孔坦的意见。孔坦又因为晋成帝把一切政务全都托付给王导，他像是漫不经心似的对晋成帝司马衍说："陛下已经长大，皇帝的威望越来越高，应该广泛地接纳群臣，多向朝臣咨询治国安邦的好主张。"孔坦的话传到了司徒王导的耳中，王导遂对孔坦深感憎恶，便把孔坦从晋成帝司马衍的身边赶开，让他去担任主管刑狱的廷尉。孔坦感到很失意，便以有病为由辞职了。

东晋担任丹阳尹的桓景为人奸猾逸佞，司徒王导却很亲近他、宠爱他。正巧天象发生变化，荧惑星守候在南斗星座的旁边历时十天之久，司徒王导对领军将军陶回说："南斗星的分野是扬州，我理应辞去司徒的职位，以消解上天对人间的惩罚。"陶回说："阁下您凭借着高尚的品行辅佐朝政，却与桓景那样的小人走得很近，怎能使荧惑星离开南斗呢！"王导深感惭愧。

东晋司徒王导征聘太原人王濛为司徒掾，征聘王述为中兵属。王述，是王昶的曾孙。担任了司徒府属官的王濛视廉洁为小节，却以不拘小节、不做实际工作而受到世人的称颂，与沛国人刘惔齐名，而且相互友善。刘惔经常称赞王濛为人最为通达，能看透世俗的一切，虽然不拘小节，却能做得既自然又不过分。王濛说："刘先生对我的了解，超过了我自己。"当时号称风流潇洒的人，都把刘惔、王濛看作自己的领袖。王述性格沉稳、安静，每当座上的客人为某个问题争论不休、吵闹不止的时候，王述总是很恬然地坐在那里，不与众人相争。年近三十的时候，还没有什么知名度，人们都认为他有点缺心眼。司徒王导因为王述出身于名门士族而聘用了他。王导第一次召见他时，只问了问他家乡东吴的米价，王述却睁大了眼睛，显出一副茫然的样子，竟然说不出一句话。王导说："王掾属不是俗人，人们怎么竟然说他是俗人呢！"王述曾经看到，王导每次一说话，在座的人就无不啧啧赞美，王述神情严肃地说："我们都不是唐尧、虞舜，怎么可能每件事情都做得尽善尽美呢！"王导为此改变了神色，对王述的直言规谏表示感谢。

后赵居摄赵天王石虎离开京师襄国，到南方巡游，一直到达长江北岸才返回。有十多个担任侦察、巡逻任务的后赵骑兵闯入了东晋所属的历阳境内，历阳太守袁耽立即上表奏闻朝廷，但表章中没有说明是多少骑兵。朝廷为此大为震动，人人惊恐，担任司徒的王导请求出兵讨伐后赵。夏季，四月，东晋加授王导为大司马、假

大司马、假黄钺、都督征讨诸军事。癸丑[564]，帝观兵广莫门[565]，分命诸将救历阳及戍慈湖、牛渚[566]、芜湖，司空郗鉴使广陵相陈光将兵入卫京师。俄[567]闻赵骑至少[568]，又已去，戊午[569]，解严，王导解大司马。袁耽坐轻妄[570]免官。

赵征虏将军石遇攻桓宣于襄阳，不克。

大旱，会稽余姚[571]米斗五百。

秋，七月，慕容皝立子儁为世子。

九月，赵王虎迁都于邺，大赦。

初，赵主勒以天竺僧[572]佛图澄[573]豫言成败数有验，敬事之。及虎即位，奉之尤谨[574]，衣以绫锦[575]，乘以雕辇[576]。朝会之日，太子、诸公[577]扶翼[578]上殿，主者唱"大和尚"[579]，众坐皆起。使司空李农旦夕问起居[580]，太子、诸公五日一朝。国人化之[581]，率多[582]事佛。澄之所在，无敢向其方面涕唾者。争造寺庙，削发出家。虎以其真伪杂糅，或避赋役[583]为奸宄[584][10]，乃下诏问中书曰:"佛，国家所奉，里闾小人[585]无爵秩者，应事佛不?"著作郎[586]王度等议曰:"王者祭祀，典礼[587]具存。佛，外国之神，非天子诸华[588]所应祠奉。汉氏初传其道[589]，唯听[590]西域人[591]立寺都邑[592]以奉之，汉人皆不得出家，魏世亦然。今宜禁公卿以下，毋得诣寺烧香礼拜，其赵人为沙门[593]者，皆返初服[594]。"虎诏曰:"朕生自边鄙[595]，忝君诸夏[596]。至于飨祀[597]，应从本俗[598]。其夷、赵百姓[599]乐事佛者，特听之[600]。"

赵章武王斌帅精骑二万并秦、雍二州兵以讨薄句大，平之。

成太子班之舅罗演与汉王相[601]天水上官澹谋杀成主期，立班子。事觉，期杀演、澹及班母罗氏。

黄钺、都督征讨诸军事。十六日癸丑，晋成帝司马衍亲自到广莫门检阅部队，分别下令给诸将，令他们一方面救援历阳，一方面戍守慈湖、牛渚、芜湖，担任司空的郗鉴立即派遣广陵相陈光率兵入卫京师。不久，听说后赵的骑兵很少，而且已经离去，二十一日戊午，京城解除战备，王导也解除了大司马的职务。历阳太守袁耽因为轻举妄动而被免职。

后赵征虏将军石遇攻打东晋南中郎将桓宣所镇守的襄阳，没有攻克。

东晋发生了严重的旱灾，会稽余姚每斗米卖到了五百钱。

秋季，七月，慕容皝立自己的儿子慕容儁为世子。

九月，后赵居摄赵天王石虎将都城迁到邺城，在国内实行大赦。

当初，后赵主石勒因为天竺僧人佛图澄对很多事情的成败做出预言，而且都能应验，因此对佛图澄很是敬重。等到石虎登基之后，他对佛图澄的敬奉比起石勒更是有过之而无不及，他给佛图澄穿绣有各种花纹图案的丝绸衣服，让其乘坐雕刻华美的车子。举行朝会的日子，太子以及石虎的几个儿子都在两边搀扶着佛图澄走上金殿，司仪大声通报“大和尚到”，众人全都站起身来。石虎还派担任司空的李农每天早晚两次到这个和尚那里探问起居，太子、诸位王公大臣每隔五日朝见佛图澄一次。后赵人受此影响，全都跟着敬奉和尚，信奉佛教。佛图澄所在的地方，没有人敢向那个方向吐一口唾沫。各地争相建造寺庙，人们纷纷削发出家当和尚。石虎认为这些人中真心出家的与假意出家的混杂在一起，有的纯粹是为了逃避赋税徭役，有的是打着出家的幌子为非作歹，遂下诏询问中书说：“佛教，是国家所尊奉的宗教，住在平常街巷里的小百姓没有爵位、没有俸禄，他们应不应该敬奉佛教？”担任著作郎的王度等经过商议回答说：“关于古代帝王祭祀天地、祭祀祖先的礼仪制度，现在都完好地保存了下来。至于佛教，它是外国人所供奉的神灵，中国的天子和中国人不应该祭祀供奉。佛教从东汉时开始传入中国，那时只允许西域人在都城建立寺庙进行供奉，汉人一律不允许出家当和尚，曹魏时期也是如此。现在应该明令禁止三公以及卿相以下的官员前往寺庙烧香、拜佛，凡是赵国人出家当和尚的，都要让他们还俗，穿出家前所穿的衣服。”但石虎下诏说：“我出生于荒僻偏远的地区，很惭愧现在成了华夏各族人民的君主。至于祭祀的形式，则应该听从各族人按照自己民族的风俗进行。无论是汉人，还是胡人，凡是赵国境内的百姓愿意尊奉佛教的，朝廷不予干涉。”

后赵章武王石斌率领精锐骑兵二万人，再加上秦州、雍州二州的兵马讨伐北羌王薄句大，全部讨平。

成国太子李班的舅舅罗演，与汉王李寿之相、天水人上官澹一起谋划杀掉成主李期，立已故太子李班的儿子为君主。事情泄露，成主李期杀死了罗演、上官澹以及李班的母亲罗氏。

期自以得志，轻诸旧臣，信任尚书令景骞、尚书姚华、田褒、中常侍许涪等，刑赏大政，皆决于数人，希复关公卿[602]。褒无他才，尝劝成主雄立期为太子，故有宠。由是纪纲隳紊[603]，雄业始衰。

冬，十月乙未朔[604]，日有食之。

慕容仁遣王齐等南还[605]，齐等自海道趣棘城[606]。齐遇风不至，十二月，徐孟等至棘城，慕容皝始受朝命[607]。

段氏、宇文氏各遣使诣慕容仁，馆[608]于平郭城外。皝帐下督张英将百余骑间道潜行[609]掩击[610]之，斩宇文氏使十余人，生擒段氏使以归。

是岁，明帝母建安君荀氏[611]卒。荀氏在禁中[612]尊重[613]同于太后，诏赠豫章郡君。

代王翳槐以贺兰蔼头[614]不恭，将召而戮之，诸部皆叛。代王纥那自宇文部入，诸部复奉之。翳槐奔邺，赵人厚遇之。

初，张轨及二子寔、茂虽保据河右，而军旅之事无岁无之。及张骏嗣位，境内渐平[615]。骏勤修庶政[616]，总御文武[617]，咸得其用[618]，民富兵强，远近称之，以为贤君。骏遣将杨宣伐龟兹[619]、鄯善[620]，于是西域诸国焉耆[621]、于阗[622]之属皆诣姑臧朝贡。骏于姑臧南作五殿[623]，官属皆称臣。

骏有兼[624]秦、雍之志，遣参军麹护上疏，以为："勒、雄既死，虎、期继逆，兆庶离主[625]，渐冉经世[626]。先老消落[627]，后生不识[628]，慕恋之心[629]，日远日忘[630]。乞敕[631]司空鉴[632]、征西亮[633]等泛舟江、沔[634]，首尾齐举[635]。"

二年[11]（丙申，公元三三六年）

春，正月辛巳[636]，彗星见于奎、娄[637]。

慕容皝将讨慕容仁，司马高诩曰："仁叛弃君亲，民神共怒。前

成主李期自从当上了成国的皇帝之后，志得意满，便开始看轻诸位老臣，而宠信担任尚书令的景骞、担任尚书的姚华、田褒、中常侍许涪等人，不论是刑罚还是奖赏等国家大政，全都取决于这几个人，很少再与公卿等诸大臣商议。田褒没有其他才干，只是曾经劝说成主李雄立李期为太子，所以有宠于李期。从此以后，成国的纲纪败坏混乱，李雄所创立的宏图伟业开始走向衰落。

冬季，十月初一日乙未，发生日食。

慕容仁将王齐等人释放，允许他们向南返回建康，王齐等人便从海路赶赴慕容皝的都城棘城。王齐所乘坐的船只遇到逆风而不能抵达，十二月，谒者徐孟等人到达棘城，慕容皝才接受东晋朝廷的封拜。

段氏部落、宇文氏部落各派使者访问慕容仁，住在平郭城外的客馆里。慕容皝的帐下督张英率领一百多名骑兵从偏僻小路偷偷地对他们突然发动袭击，将宇文氏使者团的十多人全部杀死，活捉了段氏的使者，而后返回。

这一年，东晋明帝司马绍的母亲建安君荀氏去世。荀氏在皇宫之内，其地位的尊贵隆重与皇太后相同，所以她去世后，晋成帝下诏追赠她为豫章郡君。

代王拓跋翳槐认为自己的舅舅、贺兰部落首领蔼头对自己不够尊重，就准备将蔼头招来杀掉，诸部落因此全都背叛了翳槐。逃亡到宇文部落的前任代王拓跋纥那从宇文部落返回，各部落酋长又拥戴他为代王。拓跋翳槐逃往邺城投靠了后赵居摄赵天王石虎，赵国人给拓跋翳槐的待遇很优厚。

当初，凉州刺史张轨和他的两个儿子张寔、张茂，虽然控制着河右地区，然而每年都有战事发生。等到张骏即位之后，所管辖的境域渐趋安定。张骏勤勤恳恳地修明各种政策法令，严格地管理好文武百官，使其各得其位，各展其才，因此民富兵强，不论远近全都称赞张骏，认为他是一个贤能的君主。张骏派遣部将杨宣率兵讨伐龟兹、鄯善，于是西域各国诸如焉耆、于阗之类，全都到凉州的首府姑臧朝觐张骏，给他进贡。张骏在姑臧城南建造起谦光殿、宜阳青殿、朱阳赤殿、政刑白殿、玄武黑殿五座宫殿，属下的文武官员全都向他称臣。

张骏有兼并秦州、雍州的志向，于是派遣担任参军的麹护上疏给东晋朝廷说："石勒、李雄已经死去，而石虎、李期继续叛逆，西晋地区的万民远离东晋皇帝，已经一代又一代。沦陷于北方的西晋旧臣都已经逐渐去世，沦陷后出生的西晋人的后代都已不知亡国的耻辱，对朝廷仰慕眷恋之情，一天比一天淡薄。祈求皇帝下令给司空郗鉴、征西将军庾亮等人，令他们率领舰船由长江、沔水逆流而上，首尾同时发起攻击。"

二年（丙申，公元三三六年）

春季，正月十八日辛巳，彗星在奎星、娄星二星附近出现。

慕容皝准备讨伐慕容仁，慕容皝的司马高诩说："慕容仁背叛了自己的君主和亲

此[638]海未尝冻，自仁反以来，连年冻者三矣。且仁专备陆道，天其或者[639]欲使吾乘海冰以袭之也。”皝从之。群僚皆言涉冰危事，不若从陆道。皝曰：“吾计已决，敢沮[640]者斩!”

壬午[641]，皝帅其弟军师将军评[642]等自昌黎东[643]，践冰[644]而进，凡三百余里。至历林口[645]，舍辎重[646]，轻兵趣平郭。去城[647]七里，候骑[648]以告仁，仁狼狈出战。张英之俘二使[649]也，仁恨不穷追[650]。及皝至，仁以为皝复遣偏师[651]轻出寇抄[652]，不知皝自来，谓左右曰：“今兹[653]当不使其匹马得返矣!”乙未[654]，仁悉众陈[655]于城之西北。慕容军[656]帅所部降于皝，仁众沮动[657]。皝从而纵击[658]，大破之。仁走，其帐下皆叛，遂擒之。皝先为[659]斩其帐下之叛者，然后赐仁死。丁衡、游毅、孙机等皆仁所信用也，皝执而斩之，王冰自杀。慕容幼、慕容稚、佟寿、郭充、翟楷、庞鉴皆东走，幼中道而还，皝兵追及楷、鉴，斩之，寿、充奔高丽[660]。自余[661]吏民为仁所诖误[662]者，皝皆赦之。封高诩为汝阳侯。

二月，尚书仆射王彬卒。

辛亥[663]，帝临轩，遣使备六礼[664]逆[665]故当阳侯杜乂女陵阳[666]为皇后，大赦，群臣毕贺。

夏，六月，段辽遣中军将军李咏袭慕容皝。咏趣武兴[667]，都尉张萌击擒之。辽别遣段兰将步骑数万屯柳城[668]西回水[669]，宇文逸豆归攻安晋[670]，以为兰声援。皝帅步骑五万向柳城，兰不战而遁。皝引兵北趣安晋，逸豆归弃辎重走。皝遣司马封奕帅轻骑追击，大破之。皝谓诸将曰：“二虏耻无功，必将复至，宜于柳城左右设伏以待之。”乃遣封奕帅骑数千伏于马兜山[671]。三月[12]，段辽果将数千骑来寇抄，奕纵击，大破之，斩其将荣伯保。

人，人神共怒。在此之前，渤海从来没有封冻过，自从慕容仁叛变以来，渤海已经连续三年封冻了。而且慕容仁专门在陆路设防，上天也许是想让我们从渤海的冰上前往袭击慕容仁吧。”慕容皝听从了高诩的建议。群臣都认为从冰上千里行军是非常危险的事情，不如从陆路进攻。慕容皝说：“我的决心已下，有谁敢再阻拦，一律斩首！”

正月十九日壬午，慕容皝率领担任军师将军的慕容评等从昌黎出发向东挺进，他们在渤海的冰层上行进了三百多里。到达历林口，然后舍弃了一切沉重而暂且无用的辎重，轻装前进赶赴平郭城。在距离平郭城七里远的时候，慕容仁的侦察骑兵才将慕容皝率大军来攻的消息报告给慕容仁，慕容仁狼狈地出城迎战。在慕容皝的帐下督张英率领骑兵偷袭段氏、宇文氏所派使者的时候，慕容仁就很悔恨自己没有对张英穷追猛打。等到慕容皝亲率大军到来时，慕容仁还以为是慕容皝派出的小股部队随便地出来抢东西，而不知道慕容皝亲自前来，遂对自己身边的人说：“这一回我不让他们一人一骑得以返回！”二月初三日乙未，慕容仁把所有的部众都拉出来在平郭城西北布好阵势。慕容军率领自己的部下临阵投降了慕容皝，慕容仁的军心开始动摇。慕容皝抓住这个机会下令全线出击，大败慕容仁。慕容仁仓皇逃走，他的部下全部背叛，将慕容仁擒获。慕容皝先替慕容仁斩杀了其部下那些背叛他的人，然后赐慕容仁自杀。丁衡、游毅、孙机等都是慕容仁所信任重用的人，慕容皝便把他们抓起来斩首，慕容仁的智囊人物王冰自杀。慕容幼、慕容稚、佟寿、郭充、翟楷、庞鉴全都向东逃走，慕容幼在逃亡途中返回向慕容皝投降，慕容皝的士兵追上了翟楷、庞鉴，将二人杀死，佟寿、郭充逃奔高丽。其他所有官吏和民众凡是受慕容仁诱骗、裹挟的，慕容皝全部予以赦免。封司马高诩为汝阳侯。

二月，东晋担任尚书仆射的王彬去世。

十九日辛亥，晋成帝司马衍登上金殿的前台，他派遣使者，六礼齐备，然后迎娶已故当阳侯杜乂的女儿杜陵阳为皇后，在境内实行大赦，群臣全都来向晋成帝司马衍道喜祝贺。

夏季，六月，段氏部落酋长段辽派遣属下担任中军将军的李咏率兵袭击慕容皝。李咏在赶赴武兴途中，遭到慕容皝属下担任都尉的张萌的袭击，李咏被张萌擒获。段辽又派自己的弟弟段兰率领数万名步兵、骑兵屯扎在柳城西边的回水，宇文氏部落首领逸豆归率众攻打安晋以声援段兰。慕容皝率领五万名步兵、骑兵向段兰所驻扎的柳城进军，段兰没有交战就率军逃遁了。慕容皝率军转而向北奔赴安晋，宇文逸豆归丢弃辎重逃走。慕容皝派遣担任司马的封奕率领骑兵追击逸豆归，将逸豆归打得大败。慕容皝对属下的诸将说：“段氏与宇文氏必然因为此次出兵无功而返感到羞耻，他们肯定还会再来，应该在柳城附近设下埋伏等待他们。”遂派遣封奕率领数千名骑兵埋伏在马兜山。三月，段辽果然亲自率领数千名骑兵前来抢劫抄掠，封奕下令出击，大败段辽，斩杀了段辽手下的将领荣伯保。

前廷尉孔坦卒。坦疾笃[672]，庾冰[673]省[674]之，流涕。坦慨然曰："大丈夫将终，不问以济国[675]安民之术，乃为儿女子相泣邪！"冰深谢之。

九月，慕容皝遣长史刘斌、兼郎中令辽东阳景送徐孟等还建康。

冬，十月，广州刺史邓岳遣督护王随等击夜郎[676]、兴古[677]，皆克之。加岳督宁州。

成主期以从子[678]尚书仆射武陵公载有隽才[679]，忌之。诬以谋反，杀之。

十一月，诏建威将军司马勋将兵安集汉中[680]，成汉王寿击败之。寿遂置汉中守宰[681]，戍南郑[682]而还。

索头郁鞠[683]帅众三万降于赵，赵拜郁鞠等十三人为亲赵王，散其部众于冀、青等六州。

赵王虎作太武殿于襄国，作东、西宫[684]于邺，十二月，皆成。太武殿基高二丈八尺，纵六十五步，广七十五步，甃以文石[685]。下穿伏室[686]，置卫士五百人。以漆灌瓦[687]，金珰银楹[688]，珠帘玉壁，穷极工巧[689]。殿上施[690]白玉床、流苏帐[691]，为金莲华[692]以冠帐顶[693]。又作九殿于显阳殿后，选士民之女[694]以实之[695]，服珠玉被绮縠[696]者万余人。教宫人[697]占星气[698]、马步射[699]。置女太史[700]，及[13]杂伎[701]工巧，皆与外同[702]。以女骑[703]千人为卤簿[704]，皆着紫纶巾[705]，熟锦裤[706]，金银镂带[707]，五文织成靴[708]，执羽仪[709]，鸣鼓吹[710]，游宴以自随[711]。于是[712]赵大旱，金一斤直粟二斗[713]，百姓嗷然[714]。而虎用兵不息，百役[715]并兴。使牙门张弥徙洛阳钟虡[716]、九龙、翁仲[717]、铜驼[718]、飞廉[719]于邺，载以四轮缠辋车[720]，辙广四尺[721]，深二尺[722]。一钟没于河[723]，募浮没[724]三百人入河，系

东晋前廷尉孔坦去世。在孔坦病重期间，庾冰曾前往探视，庾冰看到孔坦病势沉重，忍不住流下泪来。孔坦感慨地说："大丈夫即将离开人世，你不向他询问治国安邦的办法，竟然像小孩子一样对着他哭泣吗！"庾冰赶紧恳切地向他道歉。

九月，慕容皝派遣担任长史的刘斌、兼任郎中令的辽东人阳景护送东晋朝廷的使者徐孟等返回建康。

冬季，十月，东晋广州刺史邓岳派遣担任督护的王随等率军袭击夜郎、兴古，全都取得了胜利。朝廷加封邓岳兼领宁州。

成主李期因为自己的侄子、担任尚书仆射的武陵公李载才智出众，心怀忌恨。他诬陷李载谋反，将李载杀死。

十一月，东晋朝廷下诏令建威将军司马勋去安定、招集汉中地区的离散之民，被成国的汉王李寿打败。李寿遂在汉中地区设置太守及其下属的各县县令，留下一部分部队在南郑屯兵把守，而后返回。

鲜卑族部落首领索头郁鞠率领三万名部众投降了后赵，后赵封索头郁鞠等十三人为亲赵王，将他的部众分散到冀、青等六个州中安置。

后赵居摄赵天王石虎在旧都襄国建造太武殿，在新都邺城建造东宫、西宫，十二月，两处的工程全部完工。太武殿的台基高二丈八尺，宽六十五步，长七十五步，全部是用带有花纹的石头砌成。有通道从台基上进入地下室，地下室可以容纳五百名卫士。将油漆灌入瓦缝之间，屋檐的椽头全都用黄金做装饰，厅堂的前柱全都用白银做装饰，珍珠织成的门帘，玉石砌成的墙壁，工艺之巧达到登峰造极。殿上摆放着白玉床，床上挂着流苏帐，帐顶上装饰着黄金做的莲花。又在显阳殿后建造了九座宫殿，挑选士大夫和庶民家的女子充实其间，仅头上佩戴着珠玉、身上披着华贵的绫罗绸缎的就有一万多人。石虎让这些宫女学习占卜算卦，骑马射箭，还在宫内设置了掌管图书文籍，兼管天文、历法等事的女太史，又训练宫女从事各种游戏技艺，极尽工巧，都与社会上男人所从事的职业相同。又组建了一支由一千名女骑手组成的骑兵仪仗队，这些女骑手头上都戴着紫色的纶巾，下身穿着精美的丝织套裤，腰上系着用金银做装饰的雕有花纹的腰带，脚上蹬着用五种色彩的丝线编织的靴子，手中执掌着用羽毛做装饰的旌旗，击鼓吹笙演奏各种乐曲，石虎每逢出游或是宴饮，总是让她们跟随在自己身边。此时后赵遭遇大旱灾，一斤黄金只能买到二斗粮食，百姓饿得嗷嗷叫。而石虎仍然不断对外用兵，各项工程不断开工兴建，赋税劳役不断征收征调。石虎又派担任牙门的张弥率人将洛阳城中由前代人铸造的钟虡、九龙、翁仲、铜驼、飞廉等物搬迁到后赵的都城邺城，为了搬运这些东西，专门制造了特大型的车子，大车的四个轮子上都用绳子缠裹起来，车轮碾过的车辙宽达四尺，深二尺。在搬运途中，一座巨钟掉到了黄河里，于是便招募了三百名善于潜泳、能在水里打捞东西的人潜入水底，用竹编的粗索把沉在水底的巨钟拴住，

以竹絙[725]，用牛百头，鹿栌引之[726]，乃出，造万斛之舟[727]以济之[728]。既至邺，虎大悦，为之赦二岁刑[729]。赉百官谷帛[730]，赐民爵一级[731]。又用尚方令[732]解飞之言，于邺南投石于河，以作飞桥，功费数千万亿，桥竟不成。役夫饥甚，乃止。使令长[733]帅民入山泽采橡[734]及鱼以佐食，复为权豪所夺，民无所得。

初，日南[735]夷帅范稚有奴曰范文，常随商贾往来中国。后至林邑[736]，教林邑王范逸作城郭[737]、宫室、器械，逸爱信之，使为将。文遂谮逸诸子[738]，或徙或逃。是岁，逸卒，文诈迎逸子于他国，置毒于椰酒而杀之，文自立为王。于是出兵攻大岐界、小岐界、式仆、徐狼、屈都、乾鲁、扶单等国，皆灭之，有众四五万，遣使奉表入贡。

赵左校令[739]成公段[740]作庭燎[741]于杠末[742]，高十余丈，上盘置燎，下盘置人[743]。赵王虎试而悦之。

三年（丁酉，公元三三七年）

春，正月庚辰[744]，赵太保夔安等文武五百余人入上尊号[745]，庭燎油灌下盘，死者二十余人。赵王虎恶之，腰斩成公段。辛巳[746]，虎依殷、周之制[747]，称大赵天王，即位于南郊[748]，大赦。立其后郑氏为天王皇后，太子邃为天王皇太子，诸子为王者皆降为郡公，宗室[749]为王者降为县侯[750]，百官封署[751]各有差。

国子祭酒袁瓌、太常冯怀以江左浸安[752]，请兴学校。帝从之。辛卯[753]，立太学，征集生徒。而士大夫习尚老、庄[754]，儒术终不振。瓌，涣[755]之曾孙也。

三月，慕容皝于乙连城[756]东筑好城[757]，以逼乙连[758]，留折冲将军兰

一头拴在起重的辘轳上，用一百头牛拉动辘轳，才把巨钟从黄河中打捞出来，又制造了一艘可以装载一万斛重量的大船将其载运过黄河。这些东西都被运到邺城之后，石虎非常高兴，竟然为此而赦免了二年以下有期徒刑的罪犯，文武百官每人都受到不同数量的谷物、布帛的奖赏，给每个成年男子赏赐爵位一级。又采用担任尚方令的解飞的意见，在邺城之南，把石头投入黄河，准备建造一座飞桥，花费的人力物力何止数千万亿，而飞桥最终没有建成。因为被征调造桥的民工饥饿难忍，无力干活，工程被迫停止。石虎令县长、县令率领饥民到山中采摘栎树的果实、到河湖沼泽捕捞鱼虾以充饥，然而饥民采摘和捕捞到手的橡实与鱼虾等又都被有权有势的豪强抢走，饥民白辛苦了一场，一点收获都没有。

当初，日南郡的夷人首领范稚，他有一个奴仆名叫范文，他常常跟随商贾到中国做生意。后来到达林邑国，便教林邑国的国王范逸建造城郭、宫室、器械，范逸非常喜欢他、信任他，任命他为将领。范文凭借着范逸对自己的信任，便开始在范逸面前说范逸儿子们的坏话，于是，范逸的儿子有的被放逐，有的自行逃亡。这一年，范逸去世，范文派人到别的国家假装迎接范逸的儿子回国，趁机在椰酒中放毒将范逸的儿子杀死，范文便自己当上了林邑国的国王。他出兵攻打大岐界、小岐界、式仆、徐狼、屈都、乾鲁、扶单等国，将其全部灭掉，手下拥有部众四五万人，派使节前来东晋上表进贡。

后赵担任左校令的成公段将宫院中的照明灯进行了改造，他把烛火放置在高大的木杆顶上，木杆高达十余丈，上面安有双层铁盘，上层的盘中放置大烛，下层的盘中站着许多人。居摄赵天王石虎试用后非常高兴。

三年（丁酉，公元三三七年）

春季，正月庚辰日，后赵以太保夔安为首的文武百官总计五百多人进入宫中请求居摄赵天王石虎改用皇帝尊号，上层盘中的庭燎油流灌到下层的盘中，烫死了二十多人。赵王石虎对此事非常厌恶，便将成公段腰斩成了两段。二月二十五日辛巳，石虎依照殷、周时期天子称王的制度，称自己为“大赵天王”，在邺城南郊祭天时即天王位，实行大赦。立自己的王后郑氏为天王皇后，立太子石邃为天王皇太子，诸王子以前被封为王的都降级为郡公，宗室中以前被封为王的降级为县侯，文武百官按照等级，都有封赏。

东晋担任国子祭酒的袁瓌、担任太常的冯怀认为江左已经逐渐安定下来，所以请求朝廷兴建学校。晋成帝司马衍批准了他们的请求。三月初五日辛卯，设立国家级的学校太学，延聘教师，招收学员。然而士大夫们所熟习和崇尚的是老子、庄子的学说，儒家学派的经典，始终不能振兴。袁瓌，是袁涣的曾孙。

三月，慕容皝在段氏部落乙连城的东部修筑好城以威胁乙连城，好城竣工之后，留下担任折冲将军的兰勃负责守卫。夏季，四月，段氏部落首领段辽派人用数千辆

勃守之。夏，四月，段辽以车数千两[759]输乙连粟[760]，兰勃击而取之。六月，辽又遣其从弟扬威将军屈云将精骑夜袭魹子遵于兴国城[761]，遵击破之。

初，北平阳裕[762]事段疾陆眷及辽五世[763]，皆见尊礼[764]。辽数与魹相攻，裕谏曰："'亲仁善邻，国之宝也[765]。'况慕容氏与我世婚，迭为甥舅[766]，魹有才德，而我与之构怨[767]，战无虚月[768]，百姓凋弊[769]，利不补害[770]，臣恐社稷之忧，将由此始。愿两追前失[771]，通好如初，以安国息民。"辽不从，出裕[772]为北平相[773]。

赵太子邃素骁勇[774]，赵王虎爱之。常谓群臣曰："司马氏父子兄弟自相残灭，故使朕得至此，如朕有杀阿铁理否[775]？"既而邃骄淫残忍，好妆饰美姬，斩其首，洗血置盘上，与宾客传观之，又烹其肉共食之。河间公宣、乐安公韬[776]皆有宠于虎，邃疾[777]之如仇。虎荒耽酒色[778]，喜怒无常，使邃省可尚书事，每有所关白[779]，虎恚[780]曰："此小事，何足白也！"时或不闻[781]，又恚曰："何以不白！"诮责笞棰[782]，月至再三[783]。邃私谓中庶子[784]李颜等曰："官家难称[785]，吾欲行冒顿之事[786]，卿从我乎？"颜等伏不敢对。秋，七月，邃称疾不视事[787]，潜帅宫臣文武五百余骑饮于李颜别舍[788]，因谓颜等曰："我欲至冀州杀河间公[789]，有不从者斩！"行数里，骑皆逃散。颜叩头固谏[790]，邃亦昏醉而归。其母郑氏闻之，私遣中人[791]诮让邃，邃怒，杀之。佛图澄谓虎曰："陛下不宜数往东宫[792]。"虎将视邃疾，思澄言而还，既而[793]瞋目大言[794]曰："我为天下主，父子不相信乎[795]！"乃命所亲信女尚书往察之。邃呼前与语，因抽剑击之。虎怒，收李颜等诘问[796]，颜具言其状，杀颜等三十余人，幽[797]邃于东宫。既而赦之，引见太武东堂。邃朝而不谢[798]，俄顷即出[799]。虎使谓

车给乙连城运送粮食，兰勃率人袭击了运输车队，将粮食全部抢走。六月，段辽派自己的堂弟、扬威将军段屈云率领精锐骑兵趁黑夜袭击由慕容皝的儿子慕容遵防守的兴国城，被慕容遵击败。

当初，北平人阳裕自从跟随段疾陆眷，一直到侍奉段辽，整整经历了五代，也受到五代君主的尊重礼敬。段辽多次与慕容皝互相攻打，阳裕便劝谏段辽说："'亲近仁义，与邻国和睦相处，这是治国的法宝。'何况慕容氏世代与我们通婚，双方不是舅舅就是外甥，慕容皝又是有才能、有德望的人，我们却与他结怨，每月都有战事发生，百姓凋零疲困，得到的利益不足以抵偿所受到的损失，我担心因此给国家带来忧患。但愿双方都能检讨自己的过失，恢复以前的友好关系，以安定国家休息百姓。"段辽不仅没有听从阳裕的意见，还把阳裕外放到北平去当北平相。

后赵皇太子石邃骁勇善战，大赵天王石虎很疼爱他。石虎经常对群臣说："司马氏父子、兄弟之间互相残杀，所以才使我能有今天，像我这样的人有杀死皇太子石邃的道理吗？"后来，太子石邃变得异常骄横、残忍、暴虐，他喜欢把美女装扮得漂漂亮亮的，然后斩下她的脑袋，将上面的鲜血洗净，放置在盘子上，让宾客互相传递观看，又把美女身上的肉烹制成菜肴，与宾客一起进食。河间公石宣、乐安公石韬都很受石虎的宠爱，石邃痛恨此二人就像仇敌一样。石虎沉溺于饮酒和玩弄女色，又喜怒无常，他让石邃批阅尚书省的奏章，每当有事向他请示，石虎便发怒说："这么一点小事，哪值得向我报告！"有时石邃没有向他奏报请示，他又愤怒地问："怎么不向我报告！"就加以责骂，甚至用板子、棍子责打，每月都得发生两三次。石邃遂私下对担任中庶子的李颜等人说："我们办事很难让天王满意，我准备像冒顿单于那样杀掉自己的父亲，你们会听从我吗？"李颜等人俯伏在地上不敢答复。秋季，七月，石邃称说自己有病而不再去处理朝廷政务，他暗中率领太子宫中的文武臣属以及五百多名骑兵在李颜的别墅中摆酒宴饮，趁机对李颜等说："我准备前往冀州杀死河间公石宣，有敢不听从的立即斩首！"出发后走没有几里路远，跟随的骑兵便都逃散了。李颜向石邃磕头，极力苦谏，石邃也因酒喝得昏昏醉醉，才转头而归。石邃的母亲、天王皇后郑氏得知了这件事，便暗中派遣身边的太监前往太子宫责备石邃，石邃愤怒之下，竟将皇后派来的太监杀死。佛图澄提醒大赵天王石虎说："陛下不要总是前往东宫看望太子。"石虎正准备前往东宫探视太子，突然想起佛图澄说过的话，便中途折返，过了一会儿瞪着眼睛大声地说："我作为天下的君主，难道连父子之间也要这么互不信任吗！"于是令自己最亲近最宠信的女尚书前往太子宫察看。石邃将女尚书叫到跟前说话，趁势抽出佩剑将其刺死。石虎大怒，将李颜等逮捕起来进行追问，李颜这才把实情详细地告诉了石虎，石虎杀死了李颜等三十多人，把石邃囚禁在东宫。不久又将其赦免，并在太武东堂召见石邃。石邃拜见父王石虎的时候竟然连句谢罪的话都没有，而且只待了一会儿工夫便掉头而去。石虎派人对石邃

之曰："太子应朝中宫[800]，岂可遽去[801]？"邃径出不顾[802]。虎大怒，废邃为庶人。其夜，杀邃及其妃张氏，并男女二十六人同埋于一棺。诛其宫臣支党二百余人，废郑后为东海太妃。立其子宣为天王皇太子，宣母杜昭仪为天王皇后。

安定侯子光[803]自称佛太子，云从大秦国[804]来，当王小秦国，聚众数千人于杜南山[805]，自称大黄帝，改元龙兴。石广[806]讨斩之。

九月，镇军左长史封奕等劝慕容皝称燕王，皝从之。于是备置群司[807]，以封奕为国相，韩寿为司马，裴开为奉常[808]，阳骛为司隶[809]，王寓为太仆[810]，李洪为大理[811]，杜群为纳言令[812]，宋该、刘睦、石琮为常伯[813]，皇甫真、阳协为冗骑常侍[814]，宋晃、平熙、张泓为将军，封裕为记室监[815]。洪，臻之孙。晃，奭之子也。

冬，十月丁卯[816]，皝即燕王位，大赦。十一月甲寅[817]，追尊武宣公[818]为[14]武宣王，夫人段氏[819]曰武宣后，立夫人段氏[820]为王后，世子儁为王太子，如魏武、晋文辅政故事[821]。

段辽数侵赵边，燕王皝遣扬烈将军宋回称藩于赵[822]，乞师[823]以讨辽，自请尽帅国中之众以会之，并以其弟宁远将军汗为质[824]。赵王虎大悦，厚加慰答，辞其质[825]，遣还，密期以明年[826]。

是岁，赵将李穆纳拓跋翳槐于大宁[827]，其故部落多归之。代王纥那奔燕，国人复奉翳槐为代王，翳槐[15]城盛乐[828]而居之。

仇池氐王杨毅[829]族兄初袭杀毅，并有其众，自立为仇池公，称臣于赵。

说:“太子应该到中宫去拜见皇后，怎么能这么快就离开呢?”石邃头也不回地扬长而去，对石虎的话连理也不理。石虎于是大怒，将石邃废为庶民。当天夜里，将石邃、太子妃张氏杀死，同时被杀的还有男女二十六人，并将这些人全部装入一口大棺材里埋掉石虎。石虎还诛杀了太子宫中的臣属及其党羽总计二百多人，将皇后郑氏废为东海太妃。石虎改立河间公石宣为天王皇太子，立石宣的母亲杜昭仪为天王皇后。

安定人侯子光，称自己是佛太子，说是从大秦国来，应当在小秦国称王，他在杜南山聚集起数千人，自称大黄帝，改年号为龙兴元年。后赵将领石广率兵前往讨伐，将侯子光斩首。

九月，镇军将军慕容皝的左长史封奕等人劝说慕容皝称燕王，慕容皝听取了封奕等人的意见。于是，设置齐全了属下的各种机构，任命封奕为国相，任命韩寿为司马，任命裴开为奉常，任命阳骛为司隶，任命王寓为太仆，任命李洪为大理，任命杜群为纳言令，宋该、刘睦、石琮为常伯，皇甫真、阳协为冗骑常侍，任命宋晃、平熙、张泓为将军，任命封裕为记室监。李洪，是李臻的孙子。宋晃，是宋奭的儿子。

冬季，十月十四日丁卯，慕容皝即位为燕王，在境内实行大赦。十一月甲寅日，追尊武宣公慕容廆为武宣王，追尊慕容廆的夫人段氏为武宣后，立自己的夫人段氏为王后，世子慕容儁为王太子，一切仿照魏武帝曹操辅佐汉献帝、晋文帝司马昭辅佐曹魏时先称王辅政，死后由王太子继位，再追尊称帝的先例。

段辽屡次侵入后赵的边界，燕王慕容皝派遣扬烈将军宋回为使者前往后赵，递表称臣，条件是请求后赵出兵讨伐段辽，燕国将率领国中的所有兵众前往与后赵的军队会合，并送其弟、担任宁远将军的慕容汗到后赵为人质。后赵天王石虎非常高兴，用厚礼回报慰问，并且不接受人质，将慕容汗送回，秘密约定明年燕、赵联合攻打段辽。

这一年，后赵的将领李穆用武力将拓跋翳槐送到大宁，让拓跋部落接受他为君主，拓跋翳槐的旧部大多前来归附。代王拓跋纥那逃往燕国，代国人重又尊奉拓跋翳槐为代王，翳槐在盛乐修筑城池作为代国的都城。

占据着仇池的氐王杨毅的族兄杨初，率领自己的部下袭杀了氐王杨毅，兼并了杨毅的部众，自立为仇池公，向后赵称臣。

【段旨】

以上为第三段，写晋成帝咸康元年（公元三三五年）至三年共三年间的大事。主要写了赵主石虎迁都于邺，大治宫室，加倍地重修铜雀台；又在襄国大造太武殿，穷奢极侈，为将洛阳前代王朝的钟鼎器物迁往襄国而劳民伤财；石虎又极度尊礼“大和尚”佛图澄，引致管区内“争造寺庙，削发出家”的迷信情景；写了石虎自立为赵天王，在后宫集中大批女子，建立诸多女官，组成女子仪仗队，荒耽酒色，喜怒无常，与其太子石邃矛盾加深，石邃想弑其父，反被石虎所杀，石虎改立石宣为太子；写了晋成帝已加元服，仍委政王导，仍拜王导与其妻，侍中孔坦提出劝谏，被王导所黜逐，孔坦称疾去职；写了王导因亲近佞巧的丹阳尹桓景，被领军将军陶回所讥；写了王导聘用王濛、王述为僚属，王濛与刘惔等爱好清谈，彼此煽动，社会成风，朝廷虽立太学、招生员，而士大夫习尚老子和庄子，儒学始终不振；写了石虎南游临江，几十名骑兵哨探窜到历阳，历阳太守袁耽虚报军情，遂致东晋一片紧急动员、调兵遣将的腐朽盲目景象；写了凉州张骏政权的境内渐平，勤修诸政，民富兵强，被称为贤君，西域的焉耆、于阗等国都到姑臧朝贺称臣，张骏也有兼并秦、雍二州之志；写了成主李班的余党谋杀成主李期，事觉被讨平；写了李期的政局混乱，李雄的事业开始衰败；写了慕容皝听高诩之谋，踏冰渡海讨平慕容仁于辽东，又大破段辽与宇文氏之众，慕容皝备置百官，自立为燕王；以及越奴范文在日南地区建立国家，有众数万人，入贡于晋等。

【注释】

⑤⓪② 正月庚午朔：正月初一是庚午日。⑤⓪③ 帝加元服：晋成帝十五岁，行加冠礼。元服，即帽子。元，头颅。古代男子二十岁行冠礼，表示成年，但国君可以提前加冠。目的是早立皇后，早生子，以确立君位继承人。王先谦《汉书补注·昭帝纪》引谯周云：“周成王十五而冠，鲁襄公十二而冠。晋侯曰：‘国君十五而生子，冠而生子，礼也。’”又引《淮南子》高诱注云：“国君十二岁而冠，冠而娶，十五而生子，重国嗣也。”又云：“（汉）昭帝十八而冠，东京诸帝，和帝十三，安帝十六，顺帝十五并加元服，后立皇后。昭帝先立后，五年而后加元服，此大臣不学，而廷臣未诤，其失可怪也。”⑤⓪④ 省可尚书奏事：意即代石虎批阅尚书省的请示报告。省，阅。可，批准、批复。⑤⓪⑤ 祀郊庙：祭祀天地、宗庙。“郊”指在京城的南北郊祭祀天地；“庙”指在太庙祭祀列祖列宗。⑤⓪⑥ 选牧守：选任州与郡的地方官。州的长官称刺史，也称牧；郡的长官称太守。⑤⓪⑦ 亲之：亲自主持、过问。⑤⓪⑧ 治：修建。⑤⓪⑨ 鹳雀台：即铜雀台，曹操所建，在今河北临漳西三台村。⑤①⓪ 典匠少府：官名，前赵始置，掌管宫殿建筑，相当于汉代的将作大匠。⑤①① 倍于其旧：比旧台

规模大一倍。⑫保母：乳母，到宫廷中为帝王哺育孩子的妇女。⑬宜城君：封号名，比侯爵低一级。⑭关预：参与。⑮求仕进：谋求进入官场。⑯羸疾：一种类似风痹的病。⑰不堪：不能。⑱三月乙酉：三月十七。⑲幸其府：到达王导家。幸，指帝王的驾临，令人感到幸运。⑳密表切谏：秘密上表，劝皇帝不要这样做。㉑动宜顾礼：一切行为举动都要考虑到礼法的规定。顾，考虑。㉒委政于导：把一切政事都托付给了王导。委，托付。㉓从容：自然的，像是不大经心的样子。㉔春秋已长：年龄已经长大。㉕圣敬日跻：皇帝的威望越来越高。跻，登、升。㉖博纳朝臣：广泛接纳朝臣，意即不要总是依靠某一个人。㉗谘诹善道：征求询问美好的主张、言论。㉘出坦为廷尉：将孔坦逐出宫廷，任其为主管刑狱的廷尉。㉙谄巧：巧舌善媚。㉚会：正值；恰巧。㉛荧惑守南斗：火星运行到南斗的附近。荧惑，火星的别名，因隐现不定，令人迷惑，故名。古人认为荧惑是执法之星，司无道，出入无常，礼失则罚出。参见《史记·天官书》及三家注文。守，近、靠近。南斗，即斗宿，是南斗六星的总称，二十八宿之一。斗宿六星联系起来正是古代舀酒的斗形，故名。古人认为南斗是丞相、大宰之位，主管褒贤进士，禀授爵禄。参见《晋书》卷十一《天文志上》。㉜经旬：历时十天。㉝领军将军：统领皇帝的羽林军，以守卫宫廷。㉞斗二句：斗宿是扬州的分野。古人根据地上的区域来划分天上的星宿，把星宿分别指配于地上的州国，使之互相对应，即《史记·天官书》所说的“天则有列宿，地则有州域”。执法之星逼近扬州地域，逼近宰相之位，所以王导感到紧张。㉟逊位：辞退宰相之位。㊱以厌天谴：以消解上天对人间的惩罚。厌，消解。㊲以明德作辅：凭借高尚的道德为皇帝做辅导。㊳而与桓景造膝：却与桓景那种小人走得很近。造膝，促膝，以喻亲近。㊴使荧惑何以退舍：像你这种行为怎么能让火星离开南斗。退舍，离开现在所处的位置。㊵辟：聘任。㊶王濛：字仲祖，一个善于谈玄的所谓名士。传见《晋书》卷九十三。㊷为掾：做僚属。掾，属官的通称。㊸王述：字怀祖，西晋司徒王浑弟王湛之孙，后来成为方面大员。传附《晋书》卷七十五《王湛传》。㊹中兵属：属官名。晋代公府诸曹吏有参军、掾、属。㊺昶：王昶，曹魏时官至司空。㊻不修小廉：不讲究廉洁，视清廉为小节。㊼以清约见称：以不拘小节、不做实际工作而被人称道。㊽刘惔：字真长，晋明帝之婿，为政清静，好老、庄，善清谈。传见《晋书》卷七十五。㊾至通：最为通达，指能看透世俗的一切。㊿自然有节：能做得既自然又不过分。有节，有节制、有限度。(551)风流：指名士风度，大体包括仪表、谈吐、兴趣爱好等。(552)沈静：稳重、寡言。沈，通“沉”。(553)辩论蜂起：为争论某个问题，在座者纷起发言各不相让的样子。(554)恬如：恬然；不与众人相争的样子。(555)以门地辟之：看着他的出身门第高而聘用了他。门地，出身、地位，当时有所谓“上马不落为著作，体中何如做秘书”，只要门第高就能做大官。(556)在东米价：东吴一带地区的米价。东，指王述所在的东吴。(557)张目不答：睁大眼睛，说不出话，一派茫然无知的样子。(558)王掾不痴：当时的名士讲究蔑视俗物，衣食住行都是俗事。一旦知道米价，那就不是名士，而是俗人了。王述不知，所以王导说他不俗。559谢：感谢。指感谢王述的直言劝谏。560南游：到南方巡游、巡视。561游骑：小股的巡逻骑兵。562历阳：晋郡名，郡治即今安徽和县。563表上之：向朝廷上表说了这件事。564癸丑：四月十六。565观兵广莫门：在广莫门检阅军队以壮军威。广莫门，当时的建康城北门。566戍慈湖、牛渚：戍，防守。慈湖在今安徽马鞍山市东北的长江南岸；牛渚即今安徽的采石矶，在当涂西北的长江边。567俄：不久；很快地。568至少：极少。569戊午：四月二十一。570轻妄：轻举妄动。571会稽余姚：会稽郡的余姚县，即今浙江余姚。572天竺僧：天竺国的和尚。天竺是印度的古称，也写作“身毒”或“贤豆”。573佛图澄：西晋末高僧，天竺屠宾小王的长子。怀帝永嘉四年（公元三一〇年）东来洛阳，与诸士论辩疑滞，无所屈。时值刘曜攻陷洛阳，因潜居草野以观变。后澄用方术受到后赵石勒、石虎的敬奉，称为“大和尚”。由于石氏的倡导，佛教在北方大为盛行，建佛寺达八百九十三所。澄卒于后赵的邺宫寺，年一百一十七岁。传见《晋书》卷九十五及释慧皎《高僧传》。574尤谨：尤其恭敬。575衣以绫锦：让他穿着很华贵的丝织衣服。绫、锦，都是名贵的丝织品。576乘以雕辇：让他坐着装饰华贵的车子。雕辇，一种以雕镂图案为饰的用人力拉挽的车，自汉以来为帝王专用。577诸公：指石虎的各个儿子。石虎自称“天王”，诸子封王者皆降爵为公。578扶翼：搀扶。579主者唱“大和尚”：当司仪高声唱到“大和尚”的时候。580旦夕问起居：每天早晚都要到这个和尚那里请安问候。581国人化之：整个国家的人都跟着敬奉和尚，迷信佛教。化，因受影响而变化。582率多：大都。583或避赋役：有的是为了逃避赋税徭役。584为奸宄：为非作歹。古称外盗为奸，内盗为宄。585里闾小人：住在平常街巷里的平民百姓。586著作郎：官名，掌编纂国史，其下属有著作佐郎、校书郎等。587典礼：指帝王祭祀天地、祖宗的礼仪制度。588诸华：指东晋、前凉等汉族政权及受汉文化影响的少数民族政权。589汉氏初传其道：东晋袁宏《后汉纪》有“明帝梦见金人长大”，“于是遣使天竺，问其道术而图其形像”的记载，故知东汉明帝时是佛教传入中国之始。590唯听：只允许。591西域人：指汉明帝派往天竺的使者郎中蔡愔所带回的僧人摄摩腾和竺法兰。592立寺都邑：在都城洛阳建立佛寺，即白马寺。古代中央机构或官署本称“寺”，如“鸿胪寺”“太常寺”。东汉初，明帝派往天竺的使者蔡愔用白马驮经回洛阳，最初舍于鸿胪寺。永平十一年（公元六八年），在洛阳西门外三里立庙宇，遂取“寺”名，为“白马寺”。593沙门：僧徒。594返初服：都回家穿原来的衣裳，即还俗。595边鄙：边远地区。鄙，小城镇。石虎为上党武乡的羯族人。596忝君诸夏：不好意思地当了华夏诸国的君长。忝，谦辞，犹如今之所谓“惭愧”“不好意思”。君，君临、为……之君。597飨祀：即指祭祀。飨，合祭，祭祀的一种。598本俗：本族的风俗。599夷、赵百姓：夷指其他地区的少数民族归附于赵者，如羌人、氐人、贺兰、宇文等部的鲜卑人。赵指石虎统治区的羯人与汉人。600特听之：也允许他们随自己的意思。601汉王相：汉王李寿之相。602希复关公卿：很少再与公卿大臣商量。希，通“稀”，少。关，沟通、询问。603黷紊：败坏混乱。隳，毁坏。⑹⑷ 十月乙未朔：十月初一是乙未日。⑹⑸ 南还：指还建康。王齐是晋王朝派其出使慕容皝政权的使者，被慕容仁所阻留。⑹⑹ 趣棘城：奔向慕容皝的都城。当时的棘城在今辽宁义县。趣，同“趋”，趋向、奔赴。⑹⑺ 受朝命：接受朝廷的封拜。⑹⑻ 馆：住客馆，这里即指住宿。⑹⑼ 间道潜行：抄小路秘密而行。⑹⑽ 掩击：突然袭击。⑹⑾ 建安君荀氏：本元帝宫人，生明帝。由于地位卑贱，心怀怨望，被元帝送出宫。明帝即位，封建安君，别立宅第。太宁元年，明帝将她迎回宫中，供奉隆厚。成帝立，尊重与太后相同。⑹⑿ 禁中：皇宫之中。因门户有禁，非侍卫及通籍之臣不得入内，故称“禁中”。⒀ 尊重：地位的尊贵与隆重。⒁ 贺兰蔼头：拓跋翳槐之舅，鲜卑贺兰部的首领。元帝太兴四年，拓跋猗㐌妻惟氏杀猗㐌侄代王郁律，立己子贺傉。贺傉卒，弟纥那立。郁律子翳槐奔其舅蔼头。成帝咸和四年，蔼头逐纥那，立翳槐。由于有拥立之功，所以不恭。⒂ 渐平：渐趋安定。⒃ 勤修庶政：勤勤恳恳地修明各种政策法令。⒄ 总御文武：严格地管好文武百官。御，驾驭、管理好。⒅ 咸得其用：意即各得其位，各尽其才。⒆ 龟兹：古西域城国，又名“丘兹”“屈兹”“屈支”“鸠兹”“归兹”“屈茨”，亦名“拘夷”“俱支囊”。位于天山南麓，当汉通西域北道的交通线上。魏、晋以后兼有姑墨、温宿、尉头三国地。国都延城，在今新疆沙雅北六十里羊达克沁废城。⒇ 鄯善：古西域国名，原名“楼兰”，汉昭帝时始称“鄯善”。国都伊循城，即今新疆若羌东北的米兰。㉑ 焉耆：古西域国名，又名“乌耆”“乌缠”“倡夷”“阿耆尼”。国都员渠城，在今新疆焉耆回族自治县西南四十里。㉒ 于阗：古西域国名，又作“于阗”。国都新城，即今新疆和田。㉓ 五殿：中间为谦光殿；谦光东为宜阳青殿，春天居住；南为朱阳赤殿，夏天居住；西为政刑白殿，秋天居住；北为玄武黑殿，冬天居住。殿中章服器物均随方色。㉔ 兼：并吞。㉕ 兆庶离主：西晋地区的万民离开了东晋王朝的皇帝。㉖ 渐冉经世：已经渐渐地过去了漫长的时光。㉗ 先老消落：沦于北方的西晋旧臣都已逐渐去世。㉘ 后生不识：北方陷落后出生的西晋人的后代，都已不知亡国之耻。㉙ 慕恋之心：人们对当年晋王朝的仰慕眷恋之情。㉚ 日远日忘：正随时间的推移，一天天地淡忘。㉛ 乞敕：乞求皇帝下命令给……。㉜ 司空鉴：司空郗鉴。㉝ 征西亮：征西将军庾亮。㉞ 泛舟江、沔：乘船由长江、汉水逆流而上。沔，沔水，即今汉水。㉟ 首尾齐举：前后夹击。晋军从东方、张骏从西方同时出兵。㊱ 正月辛巳：正月十八。㊲ 彗星见于奎、娄：彗星出现在奎、娄二宿附近。奎即奎宿，二十八宿之一，为西方白虎七宿的首宿，有星十六颗，以形似胯而得名。古人认为是天之武库，主禁暴，又主沟渎。娄即娄宿，二十八宿之一，白虎七宿的第二宿，有星三颗。古人认为是天狱，主苑牧牺牲，供给郊祀。奎、娄二宿是徐州的分野，史家书此，预示徐州将有战乱。㊳ 前此：在此以前。㊴ 天其或者：老天爷也许是。其，将。㊵ 敢沮：谁敢再拦。沮，阻止、破坏。㊶ 壬午：正月十九。㊷ 军师将军评：慕容评。军师将军是东汉初设置的杂号将军。三国蜀复置，地位极高。慕容皝亦置此官。㊸ 昌黎东：当时昌黎郡的郡治在今辽宁义县以东。㊹ 践冰：踩着冰面。㊺ 历林口：地名，有说在今辽宁辽河下游西岸的一带地区。⑯舍辎重：放下一切沉重而又暂时无用的东西，如备用的器械、粮草、营帐、服装等。⑰去城：距离平郭城。⑱候骑：慕容仁部下的侦察巡逻的骑兵。⑲俘二使：俘去段辽派来慕容仁处的两个使者。⑳恨不穷追：后悔当时没有穷追张英。㉑偏师：非主力的小股部队。㉒轻出寇抄：随便地出来抢东西。轻，轻易、随便。寇抄，抢劫、掠夺。㉓今兹：此次；这一回。㉔乙未：二月初三。㉕陈：通“阵”，列阵、布阵。㉖慕容军：曾为慕容皝广威将军，成帝咸和八年被慕容仁俘虏，因降慕容仁。㉗沮动：瓦解、动摇。㉘纵击：纵兵出击。㉙先为：先替慕容仁。⑯⓪高丽：古国名，京城丸都，即今吉林集安。⑯①自余：其余；其他。⑯②诖误：诱骗；裹挟。⑯③辛亥：二月十九。⑯④六礼：古人成婚的六种礼仪，即纳采、问名、纳吉、纳征、请期、亲迎等。⑯⑤逆：迎；迎娶。⑯⑥杜乂女陵阳：杜乂之女名叫陵阳。杜乂是西晋名将杜预之孙。事见《晋书》卷九十三。⑯⑦武兴：古城名，在当时的令支县东，即今河北卢龙。⑯⑧柳城：晋县名，县治在今辽宁朝阳西南。⑯⑨回水:《晋书·慕容皝载记》作“曲水”。曲水在今辽宁朝阳西南。⑰⓪安晋：古城名，在今辽宁朝阳西。⑰①马兜山：在今辽宁朝阳西南。⑰②疾笃：病重。⑰③庾冰：庾亮之弟。⑰④省：探视；看望。⑰⑤济国：治国安邦。⑰⑥夜郎：晋郡名，郡治在今贵州关岭南。当时被成国占有。⑰⑦兴古：晋郡名，郡治宛温，在今云南砚山县北。当时被成国占有。⑰⑧从子：侄子。⑰⑨隽才：出众的才智。⑱⓪安集汉中：安定招集汉中地区的离散之民。汉中是晋郡名，郡治原在南郑，即今陕西汉中，当时是晋与后赵、成三方争夺的地区。⑱①汉中守宰：汉中地区的太守与其下属的各县县令。宰，县长、县令。⑱②戍南郑：在南郑屯兵把守。⑱③索头郁鞠：鲜卑族部落首领。由于部落男人有梳发辫的习俗，故谓之“索头”。⑱④东、西宫：太子邃居东宫，石虎居西宫。⑱⑤甃以文石：整个台子是用有文采的石头垒砌而成。甃，垒砌。⑱⑥下穿伏室：有通道从台上进入地下室。伏室，地下室。⑱⑦以漆灌瓦：用漆灌注屋瓦，既牢固，又好看。⑱⑧金珰银楹：屋檐的椽头用金装饰，厅堂的前柱用银装饰。珰，椽头的装饰。楹，厅堂上的前排柱子。⑱⑨穷极工巧：工艺之巧达到登峰造极。⑲⓪施：摆；设置。⑲①流苏帐：用五彩羽毛或丝线制成的穗子装饰帷帐。⑲②为金莲华：把制作好的金莲花。华，同“花”。⑲③以冠帐顶：装饰在帷帐的顶上。⑲④士民之女：士大夫和庶民家的女子。⑲⑤以实之：以充满宫廷。⑲⑥被绮縠：身披华贵的丝织物。绮，红色的丝织品。縠，有皱纹的纱。⑲⑦宫人：宫女。⑲⑧占星气：一种凭观星象、云气以测知吉凶的迷信行业。⑲⑨马步射：骑马射箭与在平地射箭。⑳⓪女太史：女史官，掌管图书文籍，兼司天文、历法等事。⑳①杂伎：指各种游戏技艺。⑳②皆与外同：都与社会上男人所从事的职业相同。⑳③女骑：女骑手。⑳④卤簿：帝王车驾外出时扈从的仪仗队。⑳⑤紫纶巾：古时用青丝带编的头巾，又名“诸葛巾”，相传为三国时诸葛亮所创。⑳⑥熟锦裤：精细的丝织套裤。⑳⑦金银镂带：用雕镂金银做装饰的腰带。⑳⑧五文织成靴：五种色彩的丝线编织成的靴子。⑳⑨羽仪：仪仗中用羽毛装饰的旌旗之类。㉑⓪鸣鼓吹：击鼓吹笙之类。㉑①游宴以自随：石虎每逢出游、赴宴都带着她们。⑫ 于是：这时候。⑬ 直粟二斗：只能买二斗粮食。⑭ 嗷然：犹“嗷嗷”，因饥寒劳苦而发出的哀号声。⑮ 百役：指各种工程、劳役。⑯ 徙洛阳钟虡：把洛阳前代王朝的钟鼎器物搬迁到……。虡，悬挂钟的架子。⑰ 翁仲：本是传说中的秦时巨人名。据说秦始皇刚统一六国，有长人出现在临洮，高五丈，足迹六尺。始皇令人摹写长人形状，铸成金人。后来“翁仲”多指铜像或墓道石像。这里指三国魏明帝景初元年，用铜所铸的两尊巨人像。⑱ 铜驼：本来立于洛阳中阳门外。⑲ 飞廉：传说中的神禽名。雀头，有角，鹿身，蛇尾，豹文，能致风气。以上钟虡、九龙、翁仲、铜驼、飞廉五物均魏明帝所铸。⑳ 四轮缠辋车：四个车轮，每个轮子又都用绳子缠起来，使其既能载重物，又能不太颠簸的大车。与汉代所说的“安车蒲轮”意思相同。辋，车轮的外周。㉑ 辙广四尺：车子过后留下的车辙宽度为四尺。辙，车轮轧出的痕迹。广，横长。㉒ 深二尺：车辙被轧下去了二尺深，极言车上所装器物的分量之重。㉓ 没于河：掉在了黄河里。㉔ 募浮没：招募善于潜泳、能在水中打捞东西的人。浮没，指游泳。㉕ 系以竹絙：用竹编的粗索把沉在河里的器物拴住。㉖ 鹿栌引之：用起重的辘轳向外拖。㉗ 万斛之舟：能载重万斛的大船。斛，古量器名，也是容量单位，十斗为一斛。㉘ 以济之：以运送它渡过黄河。㉙ 赦二岁刑：二年徒刑以下的犯人通通赦免。㉚ 赉百官谷帛：赏赐文武百官以不同数量的谷物与绢帛。㉛ 赐民爵一级：给每个成年男子赏赐爵位一级。秦汉时期平民也有爵级，爵级可以抵罪，可以冲抵徭役，也可以卖钱。㉜ 尚方令：官名，属少府，掌管为宫廷制造各种器物。㉝ 令长：县令、县长。大县的长官称县令，小县的长官称县长。㉞ 橡：即“橡实”，又名“栎实”。栎树的果实，似栗而小，可食。㉟ 日南：晋郡名，郡治西卷，在今越南广治甘露河与广治河汇流处。㊱ 林邑：小国名，本汉象林县。国都在今越南广南省维川县南茶桥。㊲ 城郭：内城叫城，外城叫郭。㊳ 谮逸诸子：说范逸诸子的坏话。谮，挑拨、诬陷。㊴ 左校令：官名，属少府，掌工徒修缮事。㊵ 成公段：复姓成公，名段。㊶ 庭燎：宫苑中的照明灯。设于宫门外的叫大烛，设于宫门内的叫庭燎。㊷ 杠末：高竿的顶端。㊸ 下盘置人：让许多人站在高高的盘里。㊹ 正月庚辰：此话有误。正月朔戊子，无庚辰。庚辰是二月二十四。㊺ 入上尊号：进宫请求石虎使用“皇帝”的名号。㊻ 辛巳：二月二十五。㊼ 殷、周之制：殷、周时天子称王的制度。㊽ 即位于南郊：在南郊祭天时即天王位。㊾ 宗室：皇族，石虎的族人。㊿ 县侯：封地为一个县的侯爵。51 封署：封任。署，任命。52 浸安：逐渐安定。浸，渐。53 辛卯：三月初五。54 习尚老、庄：习惯于崇尚老子、庄子。当时的士大夫崇尚清谈，而清谈的重要内容之一即《老子》《庄子》。55 涣：袁涣，曾在三国时的魏国任郎中令。56 乙连城：在段国的东境，曲水以西。或说在今辽宁建昌或河北青龙一带。57 好城：城名，或说在今辽宁建昌或河北青龙一带。58 以逼乙连：以威胁乙连城。59 两：通“辆”。60 输乙连粟：向乙连城运送粮食。61 兴国城：有说在今辽宁大凌河上游一带。62 阳裕：字士伦，右北平无终（今天津市蓟州区）人，幽州刺史和演辟为主簿。王浚领州，转治中从事，忌而不能委以重任。石勒克蓟城，裕微服潜逃，往依鲜卑段疾陆眷，拜郎中令、中军将军，处上卿位。历事段氏五主。传附《晋书》卷一百九《慕容皝载记》。⑹段疾陆眷及辽五世：指疾陆眷、涉复辰、末柸、牙、辽，凡五世。⑺皆见尊礼：受到五代君主的尊敬。⑻亲仁善邻二句：是《左传》隐公六年陈五父的话。亲仁，亲近仁义。善邻，与邻国和睦相处。⑼迭为甥舅：犹言交互通婚。⑽构怨：结仇。⑾战无虚月：没有一个月不打仗。⑿凋弊：衰败。⒀利不补害：取得的好处补偿不了损失。⒁两追前失：双方都改变过去的失误。追，悔、改变。⒂出裕：把阳裕赶出朝廷，到地方上任职。⒃北平相：相当于北平郡的行政长官。段氏政权的北平郡在今河北遵化东。⒄骁勇：矫捷勇猛。⒅有杀阿铁理否：有杀石邃的道理吗。阿铁，石邃的小名。⒆河间公宣、乐安公韬：石宣、石韬，皆石虎之子。⒇疾：痛恨。㉑荒耽酒色：荒淫沉溺于酒色。㉒关白：禀报、请示。㉓恚：恼怒。㉔时或不闻：有时石邃没有向他请示。㉕诮责笞棰：就又加以责备，甚至用板子棍子打。诮，责备、训斥。笞棰，竹板、棍子，这里都用如动词。㉖月至再三：每个月都发生两三回。㉗中庶子：太子的侍从官员。㉘官家难称：我们的办事难以让天王满意。官家，指石虎。称，称心、满意。㉙行冒顿之事：意即杀父自立。冒顿是秦汉之交时的匈奴单于，在其为太子时，杀其父头曼单于而自立。事见《史记·匈奴列传》。㉚不视事：不管事；不处理政务。㉛别舍：正宅以外的其他住所。㉜至冀州杀河间公：河间公指石宣，石虎之子，当时任冀州刺史，治信都，即今河北衡水市冀州区。㉝固谏：恳切地劝阻。㉞私遣中人：暗地里派她身边的太监。㉟数往东宫：屡屡到东宫看望太子。㊱既而：过了一会儿。㊲瞋目大言：瞪着眼睛大声说。㊳父子不相信乎：难道父子之间也这么互不信任吗。㊴诘问：责问；追问。㊵幽：囚禁。㊶朝而不谢：拜见石虎，但是自己不认错，不请罪。㊷俄顷即出：只在石虎跟前待了一会儿就出来了。俄顷，一会儿、片刻。㊸应朝中宫：应去拜见皇后。㊹岂可遽去：怎能这么快就离开。㊺径出不顾：头也不回地扬长而去。㊻安定侯子光：安定郡人姓侯名子光。安定郡的郡治临泾，在今甘肃泾川县北，当时属后赵管辖。㊼大秦国：我国古代对罗马帝国的称呼，又称"黎鞬"。因在大海西，亦称"海西国"。㊽杜南山：山名，在今陕西西安东南。㊾石广：后赵的将领。㊿备置群司：设置齐全的属下的各种官僚机构。808奉常：旧称太常，掌管朝廷与宗庙的礼仪，为九卿之一。809司隶：司隶校尉的省称，掌纠察朝廷百官及京郊诸郡。810太仆：为皇帝掌管车马及牧畜之事，为九卿之一。811大理：秦汉称廷尉，是国家最高的司法长官，为九卿之一。812纳言令：掌传达王命。813常伯：秦汉时称侍中，侍从皇帝左右，出入宫廷，应对顾问。至魏、晋时地位已相当于宰相。814冗骑常侍：即散骑常侍。侍从皇帝左右，掌规谏，不典事。至晋代，皆以散骑常侍共平章尚书奏事，后亦掌章表诏命。815记室监：或称"记室督""记室参军"等，诸王、三公及大将军均设此官，掌章表书记文檄。816丁卯：十月十四。817甲寅：十一月朔癸未，无甲寅，疑为十二月之误。甲寅，十二月初二。⑱武宣公：即慕容廆，谥号曰武宣。⑲夫人段氏：慕容廆的夫人。⑳夫人段氏：指慕容皝夫人段氏。㉑魏武、晋文辅政故事：指魏武帝曹操和晋文帝司马昭先称王辅政，死后由王太子继位，再追尊称帝之事。㉒称藩于赵：意即向后赵称臣。㉓乞师：请求派兵。㉔为质：到赵国做人质。㉕辞其质：让慕容皝政权不必派人质，以表示尊重、信任。㉖密期以明年：秘密约好时间明年共同讨伐段氏。㉗纳拓跋翳槐于大宁：用武力把拓跋翳槐送到大宁，让拓跋部落接受他为君主。纳，武力送入。大宁，在今河北张家口市宣化区西北。当时为鲜卑拓跋部落的大本营所在。㉘城盛乐：在盛乐修筑城池。盛乐，本汉成乐县，县治即今内蒙古和林格尔北二十里的土城子。三国魏甘露三年，拓跋力微始迁于此。晋愍帝建兴元年力微孙代王猗卢城盛乐以为北都。㉙杨毅：杨难敌之子。

【校记】

[10] 究：原误作“究”。据章钰校，十二行本、乙十一行本皆作“宄”，当是，今据校正。[11] 二年：原误作“三年”。据章钰校，十二行本、乙十一行本皆作“二年”，张瑛《通鉴校勘记》同。〖按〗此当是刻工之误，今校正。[12] 三月：张敦仁《通鉴刊本识误》作“七月”。[13] 及：原无此字。据章钰校，十二行本、乙十一行本皆有此字，今据补。[14] 为：据章钰校，十二行本、乙十一行本皆作“曰”。[15] 为代王，翳槐：原无此五字。据章钰校，十二行本、乙十一行本、孔天胤本皆有此五字，张敦仁《通鉴刊本识误》、张瑛《通鉴校勘记》同，今据补。

【研析】

本卷写了晋成帝咸和七年（公元三三二年）至咸康三年（公元三三七年）共六年间的各国大事。其中值得议论的有以下几方面。

第一，写了后赵主石勒的死。石勒以一个羯族人投靠在匈奴刘渊的部下，刘渊死，又事刘聪。在此期间石勒的功勋卓著，曾给予晋王朝与其散落在北方的军镇多次沉重与毁灭性的打击，从而在刘氏政权内地位崇高。迨刘聪死，刘曜平靳准之乱后，石勒遂趋于自立，建立后赵。其后刘曜与石勒屡屡相攻，最后竟被石勒所灭，石勒政权遂成了统治黄河流域的巨大强国，其势力俨然与当年三国时代的曹操不相上下。石勒性格豪迈，生动的故事很多，是历史上一个讨人喜爱的草莽英雄。张大龄《玄羽外编》评价石勒说：“其人恢廓倜傥，外屈身于祖生（祖逖），内降心于右侯（张宾），而至于责王衍、数王浚，其言侃侃，有烈丈夫之风，五胡中俱无此规模矣。”郑贤《人物论》引管一德说：“勒虽目不知书，而时以其意论古今得失，可谓聪明之主；祖约率众来奔而伏剑诛之，有高祖斩丁公之风，可谓神武之主矣；即位之初，起明堂、起灵台辟雍，举贤良方正，彬彬礼让”，更是同时代其他少数民族领袖所从来没有过的举措。《晋书》的作者称道他：“对敌临危，运筹贾勇，奇谟间发，猛气横飞。远嗤魏武，则风情慷慨；近答刘琨，则音词倜傥。焚元超于苦县，陈其乱政之愆；戮彭祖于襄国，数以无君之罪。于是跨蹑燕赵，并吞韩魏，杖奇才而窃徽号，拥旧都而抗王室，褫毡裘，袭冠带，释甲胄，开庠序，邻敌惧威而献款，绝域承风而纳贡，则古之为国，曷以加诸？虽曰凶残，亦一时杰也。”可惜这样一个政权，竟在石勒一死就轻而易举地被石虎所篡取了。前人归结石勒的失败教训是“托授非所，贻厥无谋”，也就是在安排接班人的问题上出了大娄子。这样的事情真是防不胜防，在此以前的秦始皇，在此以后的杨坚、柴荣、朱元璋，不也都是“英明”一世，人一死就立刻出了乱子吗？“后人哀之而不鉴之，亦使后人而复哀后人也。”但要“鉴之”，又谈何容易！

第二，本卷还写了陶侃的死。东晋王朝立国百余年，令人敬慕的人物实在不多。在其前期，真正为国家做了一些实际事情的是陶侃。《晋书》本传说他“侃在军四十一载，雄毅有权，明悟善决断。自南陵迄于白帝，数千里中，路不拾遗”。“侃性纤密好问，颇类赵广汉。尝课诸营种柳，都尉夏施盗官柳植之于己门，侃后见，驻车问曰：‘此是武昌西门前柳，何因盗来此种？’施惶怖谢罪”。本书说“侃疾笃，上表逊位。遣左长史殷羡奉送所假节，麾，幢，曲盖，侍中貂蝉，太尉章，荆、江、雍、梁、交、广、益、宁八州刺史印传，棨戟，军资、器仗、牛马、舟船，皆有定簿，封印仓库，侃自加管钥。以后事付右司马王愆期……及薨，尚书梅陶与亲人曹识书曰：‘陶公机神明鉴似魏武，忠顺勤劳似孔明，陆抗诸人不能及也。’谢安每言：‘陶公虽用法，而恒得法外意。’”这应该是一位能够身体力行的亲民的好官。至于《晋书》还说他“妾媵数十，家僮千余，珍奇宝货富于天府”，这种生活作风是当时官僚社会所共同的，试看《世说新语》的《汰侈》可以明白。令人不明白的是《晋书》上还说他“梦生八翼，飞而上天，见天门九重，已登其八，唯一门不得入。阍者杖击之，因坠地，折其左翼”，于是《晋书》就说他“潜有包藏之志”，也就是图谋帝位之心。这些东西是从哪里来的？即使陶侃真有此梦，并且述之于史官，这做梦也能算成是罪行？明代王士贞曾以王敦为逆，陶侃在广州置身事外；苏峻为逆时，陶侃又曾一再动摇不肯出兵，从而说陶侃不守臣节，对于这种批评，我们在上卷已做过一些解释。

第三，本卷写了凉州张氏政权的一些情况。说“初，张轨及二子寔、茂虽保据河右，而军旅之事无岁无之。及张骏嗣位，境内渐平。骏勤修庶政，总御文武，咸得其用，民富兵强，远近称之，以为贤君。骏遣将杨宣伐龟兹、鄯善，于是西域诸国焉耆、于阗之属皆诣姑臧朝贡”。俨然成了一方乐土。张大龄《玄羽外编》称赞张氏说：“昔晋室多难，张轨欲保据河西，而张氏九主俱能翼戴本朝，若茂、若骏、若重华，忠孝相传，贤能为之用，故四海鼎沸而河西小康，其永世而九也，宜哉！”凉主张骏又给朝廷上书，请求朝廷出兵，与凉州共同收复秦、雍二州。其言曰：“勤、雄既死，虎、期继逆，兆庶离主，渐冉经世。先老消落，后生不识，慕恋之心，日远日忘。乞敕司空鉴、征西亮等泛舟江、沔，首尾齐举。”王夫之《读通鉴论》对此说：“张骏能抚其众，威服西域，有兼秦、雍之志，疏请北伐，莫必其无自利之心也，而其言曰，‘先老消落，后生不识，慕恋之心，日远日忘’，则悲哉其言之也。”最能理解这种心情的我想是辛弃疾与陆游吧！“遗民泪尽胡尘里，南望王师又一年。”

卷第九十六　晋纪十八

起著雍阉茂（戊戌，公元三三八年），尽重光赤奋若（辛丑，公元三四一年），凡四年。

【题解】

本卷写了晋成帝咸康四年（公元三三八年）至咸康七年共四年间的东晋及各国大事。主要写了慕容皝与石虎联合夹击段辽，慕容皝占领了辽西一带的大片地区；石虎占领了今北京市一带的四十余城，幽州全部落入石虎之手，段氏政权遂告消灭；写了石虎率军北攻慕容皝，辽西地区纷纷投降，慕容皝坚守棘城，石虎攻之不下，退兵时被燕军所追击而大破之，慕容氏所失之辽西地区又皆收复。燕军又东破高句丽，西破宇文部，地盘益广；石虎在青州沿海聚兵屯粮，做渡海破燕之计；写了燕使刘翔至建康为慕容皝请封，刘翔据理力争，并对各方面分别说服，最后终于使慕容皝被册封为燕王；刘翔还痛斥了晋朝的腐朽，指出了其不及时消灭成汉政权的严重危险；写了荆州刺史庾亮部署诸将，请求北伐中原，太常蔡谟上书认为断不可行；左卫将军陈光又请求北伐，朝廷令其攻取寿阳，蔡谟又

【原文】

显宗成皇帝中之下

咸康四年（戊戌，公元三三八年）

春，正月，燕王皝遣都尉赵槃如赵[①]听师期[②]。赵王虎将击段辽，募骁勇者三万人，悉拜龙腾中郎[③]。会[④]辽遣段屈云袭赵幽州[⑤]，幽州刺史李孟退保易京[⑥]。虎乃以桃豹为横海将军[⑦]，王华为渡辽将军，帅舟师十万出漂渝津[⑧]，支雄为龙骧大将军，姚弋仲为冠军将军，帅步骑七万为前锋以伐辽。

三月，赵槃还至棘城[⑨]。燕王皝引兵攻掠令支[⑩]以北诸城。段辽将追之，慕容翰曰："今赵兵在南，当并力[⑪]御之。而更[⑫]与燕斗，燕王自将而来，其士卒精锐，若万一失利，将何以御南敌[⑬]乎？"段兰怒曰："吾前为卿所误[⑭]，以成今日之患[⑮]，吾不复堕卿计中[⑯]矣！"乃悉

分析攻取寿阳的利害，以为不可；写了庾亮改变当年陶侃的守边方略，而派毛宝驻兵于江北之邾城，至赵兵南侵，庾亮又不及时援救，致使邾城失守，毛宝等牺牲，晋地多处失守，庾亮自请降职；写了太尉郗鉴病死，推荐蔡谟为己之后任；写了王导病死，丧事视霍光、司马孚，而庾冰继王导为丞相；写了成主李期残暴多杀，其族兄李寿袭取成都，杀李期自立为皇帝，改国号曰汉。写了汉主李寿的轻狂不自量力，先是想要东出伐晋，被群臣劝止；又对石虎政权狂傲无礼，把石虎转赠他的挹娄进献的楛矢石砮，说成是石虎向他臣服。李寿还学石虎的奢侈严刑，闹得“民疲于赋役，吁嗟满道，思乱者众”；此外，还写了石虎令石宣与石韬对掌朝政，“专决赏刑，不复启白”，大臣劝谏，石虎不听；石宣、石韬又都嗜酒怠事，实权遂落入中书令申扁之手，为石虎政权的失败做铺垫等。

【语译】

显宗成皇帝中之下

咸康四年（戊戌，公元三三八年）

春季，正月，燕王慕容皝派遣担任都尉的赵槃前往后赵，向后赵打听会师讨伐段辽的日期。后赵大赵天王石虎准备袭击段辽，于是招募了三万骁勇善战的人，全部升任为龙腾中郎。恰逢段辽派遣段屈云率兵袭击后赵的幽州，幽州刺史李孟退往易京据守。石虎于是任命桃豹为横海将军，任命王华为渡辽将军，率领水军十万人从漂渝津出发；支雄为龙骧大将军，姚弋仲为冠军将军，率领七万名步兵、骑兵为前部先锋讨伐段辽。

三月，燕国都尉赵槃从后赵返回燕国的都城棘城。燕王慕容皝亲自率军攻打段辽首府令支以北的各城。段辽准备率兵追击慕容皝，慕容翰对段辽说：“如今后赵的军队在我们的南方，我们应当集中兵力抵御后赵的进攻。怎么反倒要与燕国交战，燕王慕容皝亲自率军前来，所率全都是精锐部队，如果与其交战万一不胜，将用什么来抵御南来的赵军呢？”段兰愤怒地说：“我上次就因为被你耽误，所以才给今天留下了祸患，我不会再坠入你的圈套了！”遂率领现有的全部兵众追击燕王慕容皝。慕

将见众⑰追之。皝设伏以待之，大破兰兵，斩首数千级，掠五千户及畜产万计以归。

赵王虎进屯金台⑱。支雄长驱入蓟⑲，段辽所署渔阳、上谷、代郡⑳守相㉑皆降，取四十余城。北平相㉒阳裕帅其民数千家登燕山㉓以自固㉔，诸将恐其为后患，欲攻之。虎曰："裕儒生，矜惜名节㉕，耻于迎降耳，无能为也。"遂过之㉖，至徐无㉗。段辽以其弟兰既败，不敢复战，帅妻子、宗族、豪大㉘千余家，弃令支，奔密云山㉙。将行，执慕容翰手泣曰："不用卿言，自取败亡，我固甘心㉚，令卿失所㉛，深以为愧。"翰北奔宇文氏㉜。

辽左右长史刘群、卢谌、崔悦等封府库请降。虎遣将军郭太、麻秋帅轻骑二万追辽至密云山，获其母妻，斩首三千级。辽单骑走险㉝，遣其子乞特真奉表㉞及献名马于赵，虎受之。

虎入令支宫㉟，论功封赏各有差。徙段国民二万余户于司、雍、兖、豫四州，士大夫之有才行者[1]皆擢叙㊱之。阳裕诣军门㊲降，虎让㊳之曰："卿昔为奴虏走㊴，今为士人来㊵，岂识知天命㊶，将逃匿无地邪㊷？"对曰："臣昔事王公㊸，不能匡济㊹，逃于段氏，复不能全㊺。今陛下天网高张，笼络四海㊻，幽、冀豪杰莫不风从㊼，如臣比肩㊽，无所独愧。生死之命，惟陛下制㊾之！"虎悦，即拜北平太守。

夏，四月癸丑㊿，以慕容皝为征北大将军、幽州牧，领平州刺史。

成主期骄虐日甚，多所诛杀，而籍没(51)其资财、妇女，由是大臣多不自安。汉王寿素贵重(52)，有威名，期及建宁王越(53)等皆忌之。寿惧不免(54)，每当入朝，常诈为边书(55)，辞以警急(56)。

初，巴西处士龚壮(57)，父、叔皆为李特所杀，壮欲报仇，积年(58)不

容皝预先设好埋伏等待段军的到来，遂大败段兰，斩杀了数千人，劫掠了五千户和数以万计的牲畜、财物，而后撤军。

后赵大赵天王石虎率军进驻金台。龙骧大将军支雄长驱直入进入蓟城，段辽所管辖下的渔阳、上谷、代郡的守相全部向后赵投降，支雄遂一连攻取了四十多座城池。担任北平国国相的阳裕率领部众数千家撤退到燕山自守，后赵诸将担心阳裕将来会成为后患，就建议攻打他。石虎说："阳裕不过是一介儒生，因为珍惜自己的名声节操，把投降看成一件耻辱的事情，所以才退入山中，他不会有什么大作为。"遂越过了北平国的地面，径直抵达徐无县。段辽因为自己的弟弟段兰已经打了败仗，所以不敢再与赵兵交战，就率领自己的妻子、宗族、各豪族的首领，总计一千多家，丢弃了首府令支，逃奔密云山。临行前，段辽拉着慕容翰的手泣不成声地说："没有采纳你的意见，而使自己败亡到如此地步，我自然怨不得别人，却让你失去了栖身的场所，我真是愧疚得很呢。"慕容翰向北投奔了宇文氏。

段辽的左右长史刘群、卢谌、崔悦等封闭了令支的府库，向后赵请求投降。石虎派遣将军郭太、麻秋率领二万名轻骑兵追击段辽，追至密云山，俘获了段辽的母亲和妻子，斩杀了三千多人。段辽单枪匹马逃往深山中的险阻之处，他派自己的儿子乞特真献上投降的表章向赵国投降，并将名贵的马匹进献给赵国，石虎接受了乞特真的降表和所贡献的名马。

大赵天王石虎进入段辽的令支宫，对自己的部下论功行赏。将段国的民众两万多户迁移到司州、雍州、兖州、豫州四个州内，对于段国中那些读书人和官员，凡是有才能、品行好的，全部提拔任用。北平相阳裕来到石虎的营门请求投降，石虎责备他说："你往日像奴才一样逃走，今天又像一个有身份的士大夫前来投降，是你已经看清楚了天命所归，还是你已经再也没有地方藏身而来投降我呢？"阳裕回答说："我过去侍奉晋国的幽州刺史王浚的时候，没能对他有所帮助；投奔了段氏，又没能使段氏得以保全。如今陛下的天网高高张起，笼罩四海，幽州、冀州的英雄豪杰无不望风归顺，他们都和我的情形一样，所以我没有什么可惭愧的。至于是生是死，只有陛下能够决定！"石虎听了很高兴，立即任命阳裕为北平太守。

夏季，四月三日癸丑，东晋朝廷任命慕容皝为征北大将军、幽州牧，兼任平州刺史。

成主李期的骄横暴虐一天比一天厉害，诛杀了很多人，而且抄没被杀者的家产、妇女入官，因此朝中大臣人人自危。镇守涪城的汉王李寿向来地位高贵，享有很高的威望，成主李期以及建宁王李越等全都忌恨他。李寿担心自己不能免祸，每当到成都晋见成主李期时，常让部下谎报边疆来信告急，便以军情紧急为由，不等参加朝会就告辞返回涪城。

当初，巴西县有隐士龚壮，他的父亲、叔父都被李特杀死，龚壮为了表达自己报仇的决心，多年来一直身穿孝服。汉王李寿多次以厚礼聘请他出来做官，龚壮都

除丧[59]。寿数以礼辟[60]之，壮不应。而往见寿，寿密问壮以自安[61]之策。壮曰："巴、蜀之民，本皆晋臣，节下[62]若能发兵西取成都，称藩于晋，谁不争为节下奋臂[63]前驱者！如此则福流子孙，名垂不朽，岂徒[64]脱今日之祸而已！"寿然之。阴与长史略阳罗恒、巴西解思明谋攻成都。

期颇闻[65]之，数遣许涪至寿所，伺其动静，又鸩[66]杀寿养弟安北将军攸。寿乃诈为[67]妹夫任调书，云期当取[68]寿，其众[69]信之，遂帅步骑万余人自涪[70]袭成都，许[71]赏以城中财物，以其将李奕为前锋。期不意其至，初不设备[72]。寿世子势为翊军校尉，开门纳[73]之，遂克成都，屯兵宫门。期遣侍中劳寿。寿奏建宁王越、景骞、田褒、姚华、许涪及征西将军李遐、将军李西等怀奸乱政，皆收杀之，纵兵大掠，数日乃定。寿矫以太后任氏令废期为邛都县公[74]，幽之别宫。追谥戾太子[75]曰哀皇帝。

罗恒、解思明、李奕等劝寿称镇西将军、益州牧、成都王，称藩于晋，送邛都公于建康，任调及司马蔡兴、侍中李艳等劝寿自称帝。寿命筮[76]之，占者曰："可数年天子。"调喜曰："一日尚足[77]，况数年乎！"思明曰："数年天子，孰与百世诸侯？"寿曰："朝闻道，夕死可矣[78]。"遂即皇帝位。改国号曰汉，大赦，改元汉兴[79]。以安车[80]束帛[81]征龚壮为太师，壮誓不仕，寿所赠遗，一无所受。

寿改立宗庙[82]，追尊父骧曰献皇帝，母昝氏为[2]皇太后，立妃阎氏为皇后，世子势为皇太子。更以旧庙[83]为大成庙。凡诸制度，多所更易[3]。以董皎为相国，罗恒为尚书令，解思明为广汉太守，任调为镇北将军、梁州刺史，李奕为西夷校尉，从子权为宁州刺史。公、卿、州、郡，悉用其僚佐代之，成氏旧臣近亲及六郡士人[84]皆见疏斥[85]。

没有答应。但前往涪城拜访李寿，李寿秘密地向他请教如何保障自己的安全。龚壮说："巴、蜀境内的民众，原本都是晋国的臣民，将军如果能够发兵向西攻取成都，然后向晋国称臣，谁能不踊跃争先、甘愿为大王充当开路先锋呢！如此的话，不仅能将福泽流传给子孙，而且大王的英名将永垂不朽，又岂止是摆脱了今日的灾祸而已！"李寿认为龚壮的话很有道理。遂暗中与担任长史的略阳人罗恒、巴西人解思明一起谋划攻打成都。

成主李期对汉王李寿的阴谋也微有所闻，遂多次派遣许涪到汉王李寿的镇所涪城探查动静，又用毒酒杀死了李寿收养的弟弟安北将军李攸。李寿便伪造了一封妹夫任调的来信，说成主李期就要来袭击、逮捕李寿。李寿的部众全都相信这消息是真的，李寿遂率领一万多名步兵、骑兵从涪县出发去袭取成都，向部众许诺将把成都城中的财物全部用来赏赐他们，任命属下将领李奕为前锋。成主李期没有料到李寿会来攻打成都，因此毫无防备。李寿的世子李势在成都担任翊军校尉，他打开成都城门，将李寿等放入城中，李寿遂占领了成都，他派自己手下的军队把守住宫门。成主李期派遣侍中慰劳李寿。李寿奏称建宁王李越、景骞、田褒、姚华、许涪以及征西将军李遐、将军李西等人胸怀奸佞、扰乱朝政，于是将其全部逮捕杀掉，放纵士卒在成都城中大肆抢掠，数日之后才平静下来。李寿假传太后任氏的命令废掉了李期，将李期贬为邛都县公，囚禁在别的宫室之中，追谥戾太子李班为哀皇帝。

汉王李寿的长史罗恒、解思明、部将李奕等全都劝说李寿，让他自称镇西将军、益州牧、成都王，向东晋称臣，做东晋的藩属国，将邛都公李期送往建康，李寿的妹夫任调以及担任司马的蔡兴、担任侍中的李艳等则劝说李寿自称皇帝。李寿命人用蓍草占卜吉凶，占卜者说："可以当几年天子。"任调高兴地说："即使能当一天皇帝也要当，何况是能当几年皇帝呢！"解思明说："当几年天子，与百世诸侯相比哪一个更好呢？"李寿说："如果能在早晨听到真理，即使晚上死掉也值得。"遂即位为皇帝，改国号为汉，在境内实行大赦，改用新的年号为汉兴元年。用安稳的车子装满金银绸缎前往巴西县征召隐士龚壮为太师。龚壮发誓永不做官，李寿所馈赠的东西也一点没有接受。

汉帝李寿改建皇家宗庙，追尊自己的父亲李骧为献皇帝，母亲昝氏为皇太后，立自己的妃子阎氏为皇后，世子李势为皇太子。将原来供奉李特、李雄的宗庙改称为大成庙。对原来成国的制度，做了很多更改。李寿任命董皎为相国，任命罗恒为尚书令，解思明为广汉太守，任命妹夫任调为镇北将军、梁州刺史，任命李奕为西夷校尉，任命侄子李权为宁州刺史，凡是公、卿、州、郡级别的官员全都由李寿从前的僚属担任；成国时期的旧臣、近亲，以及当初跟随李特、李骧兄弟共同入蜀的秦、雍一带的士大夫全被疏远或遭到斥逐。

邛都公期叹曰："天下主乃为小县公，不如死！"五月，缢而卒[86]。寿谥曰幽公，葬以王礼。

赵王虎以燕王皝不会赵兵攻段辽，而自专其利[87]，欲伐之。太史令赵揽谏曰："岁星[88]守燕分[89]，师必无功。"虎怒，鞭之。

皝闻之，严兵[90]设备，罢[91]六卿、纳言、常伯、冗骑常侍[92]官。赵戎卒数十万，燕人震恐。皝谓内史高诩曰："将若之何？"对曰："赵兵虽强，然不足忧。但坚守以拒之，无能为也。"

虎遣使四出招诱民夷，燕成周内史[93]崔焘、居就令游泓[94]、武原令常霸、东夷校尉封抽、护军宋晃等皆应之，凡得三十六城。泓，邃之兄子也。冀阳流寓之士[95]共杀太守宋烛以降于赵。烛，晃之从兄也。营丘内史鲜于屈[96]亦遣使降赵，武宁令广平孙兴[97]晓谕吏民共收屈[98]，数其罪而杀之，闭城拒守。朝鲜令[99]昌黎孙泳帅众拒赵，大姓王清等密谋应赵，泳收斩之，同谋数百人惶怖请罪，泳皆释之，与同拒守。乐浪[100]太守鞠彭以境内皆叛，选乡里壮士二百余人共还棘城[101]。

戊子[102]，赵兵进逼棘城，燕王皝欲出亡[103]，帐下将慕舆根谏曰："赵强我弱，大王一举足[104]，则赵之气势遂成。使赵人收略国民[105]，兵强谷足，不可复敌。窃意[106]赵人正欲大王如此耳，奈何入其计中乎？今固守坚城，其势百倍[107]，纵[108]其急攻，犹足枝持[109]，观形察变，间出[110]求利。如事之不济[111]，不失于走[112]，奈何望风委去[113]，为必亡之理[114]乎！"皝乃止，然犹惧形于色。玄菟[115]太守河间刘佩曰："今强寇在外，众心恂惧，事之安危，系于一人。大王此际无所推委，当自强以厉[116]将

被贬为邛都县公的李期叹息着说："一国之主竟然变成了一个小小的县公，生不如死！"五月，自缢而死。汉帝李寿给李期的谥号是"幽公"，用亲王的礼仪将李期安葬。

后赵天王石虎因为燕王慕容皝没有与赵兵会合就自行攻打段辽，又独享战果，于是准备讨伐燕国。担任太史令的赵揽劝阻说："今年的岁星正在靠近燕国的分野，如果出兵，一定会无功而返。"石虎听了大怒，就用鞭子抽打赵揽。

燕王慕容皝听到后赵准备发兵前来攻打的消息，马上调集军队、加强戒备，撤销了六卿、纳言、常伯、冗骑常侍官的建制。后赵装备精良的数十万大军向燕国进发，燕国人人惊恐不安。燕王慕容皝对担任内史的高诩说："我们应该怎样应对呢？"高诩回答说："后赵的兵力虽然强大，然而并不值得过分担忧。只要采取坚守城池的办法来对抗他们，赵兵将无所作为。"

后赵王石虎派遣使者到燕国各地招引汉人、胡人归降赵国，燕国担任成周内史的崔焘、担任居就令的游泓、担任武原令的常霸、担任东夷校尉的封抽、担任护军的宋晃等全都起兵响应后赵，后赵仅用招降就得到了三十六座城池。游泓，是游邃的侄子。外地逃难来到冀阳的人共同杀死了太守宋烛，向后赵投降。宋烛，是宋晃的堂兄。营丘内史鲜于屈也派遣使者向后赵投递了降书，担任武宁县令的广平人孙兴号召吏民共同逮捕了鲜于屈，列数鲜于屈的罪行并将鲜于屈杀死，然后紧闭城门坚守。朝鲜县县令昌黎人孙泳率领手下的兵众抵抗后赵的进攻，而当地的豪门大姓王清等则密谋响应后赵；孙泳得知消息，便将王清等逮捕起来处死，与王清同谋的数百人都非常恐惧，全都来向孙泳请罪，孙泳把他们全部释放，让他们参与城池的防守。乐浪太守鞠彭因为自己辖境之内的各城全都叛变降赵，遂从乡里挑选出二百多名壮士一起返回棘城。

五月初九日戊子，后赵的军队逼近燕国的首府棘城，燕王慕容皝准备逃亡，其帐下将领慕舆根劝阻他说："赵国势力强大而我们燕国弱小，只要大王您抬脚往外走出一步，则赵国灭掉燕国的大功就算告成。如果赵国人把我们燕国的人口与财富搜集起来，到那时，赵国兵强粮足，就再也无法与他们对抗。我认为赵国人正希望大王您弃城逃走呢，您为何要坠入他们的圈套呢？现在如果严密坚守住这座坚固的城池，我们的士气将超过敌人一百倍，即使赵军加紧攻城，我们还是有能力坚持下去，只要密切关注形势的变化，抓住有利时机出击以谋取胜利。如果仍然没有成功的可能再逃走也为时不晚，为什么刚看见赵军的影子就弃城而去，做出一定会使国家灭亡的事情呢！"慕容皝遂打消了出亡的念头，然而恐惧的神色还是无法掩饰地流露出来。玄菟太守河间人刘佩说："如今强大的敌寇就在城外，众人之心惶恐不安，局势是平安还是危险，全都决定于大王一人。在这种紧急时刻，大王无法推卸责任，应当自己坚强起来以激励全军将士，而不应该表现出自己的软弱。局势已经非常紧急，

士，不宜示弱。事急矣，臣请出击之，纵无大捷，足以安众。”乃将敢死数百骑出冲赵兵，所向披靡[117]，斩获而还，于是士气自倍。皝问计于封奕，对曰：“石虎凶虐已甚，民神共疾[118]，祸败之至，其何日之有[119]！今空国远来，攻守势异[120]。戎马虽强，无能为患[121]。顿兵积日[122]，衅隙[123]自生，但坚守以俟之[124]耳。”皝意乃安。或说皝降，皝曰：“孤方取天下，何谓降也！”

赵兵四面蚁附缘城[125]，慕舆根等昼夜力战，凡十余日，赵兵不能克，壬辰[126]，引退。皝遣其子恪帅二千骑追击之，赵兵大败，斩获三万余级。赵诸军皆弃甲逃溃，惟游击将军石闵[127]一军独全。闵父瞻，内黄[128]人，本姓冉，赵主勒破陈午获之，命虎养以为子。闵骁勇善战，多策略。虎爱之，比于诸孙。

虎还邺，以刘群为中书令、卢谌为中书侍郎；蒲洪[129]以功拜使持节、都督六夷诸军事、冠军大将军，封西平郡公。石闵言于虎曰：“蒲洪雄俊，得将士死力，诸子皆有非常之才，且握强兵五万，屯据近畿[130]，宜密除之，以安社稷。”虎曰：“吾方倚其父子以取吴、蜀[131]，奈何杀之？”待之愈厚。

燕王皝分兵讨诸叛城，皆下[132]之，拓境[133]至凡城[134]。崔焘、常霸奔邺，封抽、宋晃、游泓奔高句丽[135]。皝赏鞠彭、慕舆根等，而治[136]诸叛者，诛灭甚众，功曹刘翔为之申理[137]，多所全活。

赵之攻棘城也，燕右司马李洪之弟普以为棘城必败，劝洪出避祸。洪曰：“天道幽远，人事难知[138]，且当委任[139]，勿轻动取悔。”普固请不已。洪曰：“卿意见明审[140]者，当自行之。吾受慕容氏大恩，义无去就[141]，当效死[142]于此耳！”与普流涕而诀[143]。普遂降赵，从赵军南归，死于丧乱。洪由是以忠笃[144]著名。

我请求率兵出战，纵使不能获取大的胜利，安定民心还是可以的。”遂率领数百名骑兵敢死队出城冲向赵军，所向无敌，斩杀和擒获了不少敌军而后返回，于是全军士气大振。慕容皝向镇军左长史封奕请教破敌之策，封奕说：“后赵王石虎的凶恶残暴已经达到极点，天上的神灵和地上的民众全都痛恨他，对石虎来说，灾祸和败亡是随时都会发生的事情！如今他抽空了国内的兵力远道而来，双方攻守的形势已经发生了变化。他的兵马虽然强大，却不可能给我们造成多大危害。他们屯兵于坚城之下，时间一长，内部必然产生矛盾，我们只需严密坚守等待有利时机就可以了。”慕容皝这才定下心来。有人劝说慕容皝投降后赵，慕容皝回答说：“我正想要攻取天下，怎么会投降呢！”

后赵的士兵就像蚂蚁一样从棘城的四面攀城而上，燕国将领慕舆根等昼夜苦战，一连十几天，赵兵都没有攻入城中，五月十三日壬辰，后赵撤军。燕王慕容皝派遣自己的儿子慕容恪率领二千名骑兵追击赵兵，赵兵大败，被慕容恪斩杀和擒获的有三万多人。后赵的各路大军全都丢盔弃甲，四散逃命，只有担任游击将军的石闵所率领的一支军队全数而归。石闵的父亲石瞻，是内黄县人，原本姓冉，是后赵王石勒攻破陈午的时候俘获的，并令石虎收养为子，改姓石。石闵骁勇善战，经常出谋划策。石虎很喜欢他，把他与自己的亲孙子同等看待。

后赵天王石虎返回自己的首都邺城，任命段辽的左右长史刘群为中书令、卢谌为中书侍郎；氐族部落首领蒲洪因为有功被石虎加封为使持节、都督六夷诸军事、冠军大将军，封西平郡公。石闵向石虎建议说：“氐人首领蒲洪是一个雄武、有才能的人，深得将士的拼死效力，他的几个儿子也都有超出常人的才干，而且手中掌握着五万强大的军队，屯扎在都城的近郊，应该秘密地把他除掉，用以安定国家社稷。”石虎说：“我正想要依靠他们父子以夺取吴、蜀之地，怎么能将他们杀掉呢？”对待蒲洪父子比以往更加优厚。

燕王慕容皝分别派兵讨伐那些背叛自己投降后赵的城池，所有叛变的城池都被攻克，将疆界拓展到了凡城。叛将崔焘、常霸逃奔后赵的都城邺城，封抽、宋晃、游泓逃往高句丽。燕王慕容皝封赏鞠彭、慕舆根等有功之人，而处置那些叛逆，诛灭了很多人，功曹刘翔为这些人申诉重审，救活了许多人。

后赵兵在攻打燕国首府棘城的时候，燕国担任右司马的李洪的弟弟李普认为棘城必定会被后赵攻破，便劝说李洪出逃以躲避灾祸。李洪说：“成败若决定于天道，那么天道悠远难以预测；如果决定于人事，那么人事变化无常，也很难知晓，再说我既然接受了国家的委任，就不能轻举妄动而使自己将来后悔。”李普坚持苦劝。李洪说：“你既然已经把形势看得很清楚，你就按照自己的意思去做吧。我深受慕容氏的厚恩，就绝对没有离去的道理，只有在此效死而已！”遂流着眼泪与李普诀别。李普投降了后赵，并跟随赵军南撤，在后来发生的丧乱中死去。李洪却因为对慕容氏忠贞不贰而闻名于世。

赵王虎遣渡辽将军曹伏将青州之众戍海岛[145]，运谷三百万斛以给之；又以船三百艘运谷三十万斛诣高句丽[146]，使典农中郎将王典帅众万余屯田海滨[147]；又令青州造船千艘，以谋击燕。

赵太子宣帅步骑二万击朔方[148]鲜卑斛摩头，破之，斩首四万余级。

冀州八郡大蝗，赵司隶[149]请坐守宰[150]。赵王虎曰："此朕失政所致，而欲委咎[151]守宰，岂罪己之意邪？司隶不进谠言[152]，佐朕不逮[153]，而欲妄陷无辜，可白衣领职[154]。"

虎使襄城公涉归、上庸公日归[155]帅众戍长安。二归告[156]镇西将军石广私树恩泽[157]，潜谋不轨。虎追广至邺，杀之。

乙未[158]，以司徒导[159]为太傅，都督中外诸军事，郗鉴为太尉，庾亮为司空。六月，以导为丞相，罢司徒官[160]，以并丞相府。

导性宽厚，委任诸将赵胤、贾宁等，多不奉法，大臣患[161]之。庾亮与郗鉴笺[162]曰："主上自八九岁以及成人，入则在宫人[163]之手，出则唯武官、小人[164]，读书无从受音句[165]，顾问[166]未尝遇君子。秦政[167]欲愚其黔首[168]，天下犹知不可，况欲愚其主[169]哉！人主春秋既盛[170]，宜复子明辟[171]。不稽首归政[172]，甫居师傅之尊[173]，多养无赖之士。公[174]与下官并荷托付之重[175]，大奸不扫[176]，何以见先帝于地下乎！"欲共起兵废导，鉴不听。南蛮校尉陶称，侃之子也，以亮谋语导。或劝导密为之备，导曰："吾与元规[177]休戚是同[178]，悠悠之谈[179]，宜绝智者之口[180]。则如君言，元规若来，吾便角巾还第[181]，复何惧哉！"又与称书，以为庾公帝之元舅[182]，宜善事之。征西参军孙盛密谏亮曰："王公常有世外之怀[183]，岂肯为凡人事[184]邪，此必佞邪之徒欲间内外[185]耳。"

后赵王石虎派遣渡辽将军曹伏率领青州部队戍守海岛，并给他送去三百万斛粮食；又用三百艘船将三十万斛粮食送往高句丽，让担任典农中郎将的王典率领一万多人在海边开荒种地，以备日后渡海攻燕；又令青州制造一千艘船，准备攻伐燕国。

后赵皇太子石宣率领二万名步兵、骑兵攻打占据朔方的鲜卑族斛摩头部落，将斛摩头部落打得大败，斩杀了四万多人。

后赵冀州所辖的八个郡发生了很严重的蝗灾，后赵的司隶署请求查办冀州所属八郡的太守与各县县令招来天谴的罪责。后赵王石虎说："这是我处理政务失当而造成的，却想把罪责推卸到郡县的长官头上，岂是古代天子引咎自责的本意？司隶署的官员从来没有向我提出过好的建议，以纠正我的过失，现在却想借着冀州发生蝗灾的机会妄加议论，陷害无辜，免去他的所有职位，让他以平民的身份代理司隶的职责。"

石虎派襄城公涉归、上庸公日归率领手下的部众戍守长安。涉归、日归二人告发镇西将军石广私施恩惠以结党羽，暗中图谋不轨。石虎追杀石广，一直追到郧城，才将石广杀掉。

五月十六日乙未，东晋皇帝司马衍任命司徒王导为太傅，都督中外诸军事，任命郗鉴为太尉，任命庾亮为司空。六月，任命太傅王导为丞相，撤销司徒府，并入丞相府。

东晋丞相王导性情宽宏仁厚，他所委任的诸将如赵胤、贾宁等人，大多都不遵纪守法，大臣对此事很是担忧。司空庾亮在写给太尉郗鉴的信中说："当今皇帝从八九岁开始一直到现在长大成人，入宫则生活在宫女、宦官这一群人之手，出宫则只能看到武官以及一些诸如佞幸、优伶等小人；读书时没有人教给他如何读音断句，有了疑问寻求解答时，又从来没有遇到过有专门知识、有才干的正人君子。秦始皇嬴政想以焚毁诗书，实行愚民政策，天下人还知道那是不行的，何况是有人想使他的君主愚昧无知呢！如今，皇帝已经逐渐长大，是时候将大权交还给皇帝了。而现在不说向皇帝磕头稽首、把政权交还给皇帝，反而没完没了地贪恋着帝王师傅的尊贵地位，豢养了许多强横无耻、行为恶劣的人士。阁下与我共同接受了先帝的托孤重任，面对大奸不除，将来有何颜面见先帝于地下！"庾亮希望郗鉴能与自己一同起兵废掉担任太傅、丞相的王导，郗鉴不赞成庾亮的想法。担任南蛮校尉的陶称，是陶侃的儿子，他把庾亮的阴谋告诉了丞相王导。有人劝说王导，让他暗中做好应对的准备，王导说："我与庾亮同甘苦、共患难，荒诞无稽之谈，应该在智者的口中打住。如果真如你所说的那样，庾亮一到，我立即换上平民的衣帽悠闲地回到我的宅第，有什么值得害怕的！"王导又写信给陶称，认为庾亮是皇帝的舅舅，应该好好地对待他。担任征西参军的孙盛私下里劝谏庾亮说："王导一直想辞官隐退，优游于人世之外，怎么肯去做只有凡人才去做的谋权篡位的事情呢，这一定是那些奸佞邪恶之人想要离间朝廷大臣与地方大臣之间的关系。"

亮乃止。盛，楚之孙也。是时亮虽居外镇，而遥执朝廷之权，既据上流[186]，拥强兵，趣势者[187]多归之。导内不能平，常遇西风尘起，举扇自蔽，徐曰："元规尘污人。"

导以江夏李充[188]为丞相掾。充以时俗崇尚浮虚[189]，乃著《学箴》，以为："老子云'绝仁弃义，民复孝慈[190]'，岂仁义之道绝，然后孝慈乃生哉？盖患乎情仁义[191]者寡而利仁义[192]者众，将寄责于圣人[193]而遣累乎陈迹[194]也。凡[195]人见形者[196]众，及道者鲜[197]，逐迹逾笃[198]，离本[199]逾远。故作《学箴》以祛其蔽[200]曰：'名之攸彰，道之攸废[201]，及损所隆[202]，乃崇所替[203]。非仁无以长物[204]，非义无以齐耻[205]，仁义固不可远，去其害仁义者而已。'"

汉李奕从兄广汉太守乾告大臣谋废立。秋，七月，汉主寿使其子广与大臣盟于前殿，徙乾为汉嘉太守，以李闳为荆州刺史，镇巴郡[206]。闳，恭之子也。

八月，蜀中久雨，百姓饥疫，寿命群臣极言得失[207]。龚壮上封事[208]称："陛下起兵之初，上指星辰，昭告[209]天地，歃血[210]盟众，举国称藩[211]。天应[212]人悦，大功克集[213]。而论者未谕[214]，权宜称制[215]。今淫雨[216]百日，饥疫并臻[217]，天其[218]或者将以监示陛下[219]故也。愚谓宜遵前盟，推奉建康[220]，彼[221]必不爱高爵重位[222]以报大功[223]。虽降阶一等[224]，而子孙无穷，永保福祚[225]，不亦休哉[226]！论者或言二州[227]附晋则荣[228]，六郡人事之不便[229]。昔公孙述在蜀[230]，羁客用事[231]，刘备在蜀，楚士多贵[232]。及吴、邓西伐[233]，举国屠灭，宁分客主[234]！论者不达安固之基[235]，苟惜名位[236]，以为刘氏守令方仕州郡[237]，曾[238]不知彼乃国亡主易[239]，岂

庾亮遂打消了起兵废掉王导的念头。孙盛，是孙楚的孙子。当时，庾亮虽然身在江陵，却遥控着朝政大权，既占据着长江上游，又掌握着强大的军队，那些趋炎附势的人便有很多投靠在他的门下。王导心中其实并不平静，平时遭遇西风刮起沙尘时，他便举起手中的扇子遮挡住面孔，慢条斯理地说："庾亮刮起的灰尘把人都给弄脏了。"

东晋丞相王导任命江夏人李充为丞相掾。李充认为当时的社会风尚崇尚的是喜好空谈，崇尚老庄，遂撰写了一篇《学箴》，认为："老子说'只有弃绝仁义，人类才能恢复孝顺慈爱'，难道只有灭绝了仁义之后，才会产生孝顺慈爱吗？老子因为真正从内心讲究仁义的人太少，而在口头上利用仁义以谋取私利的人太多，才把批判的矛头指向了圣人，而把社会的弊病归因于《六经》。一般来说，只看到仁义学说表面现象的人很多，而真正理解仁义之道的人很少，对表面现象追求得越坚定，距离仁义学说的精神实质就越远。所以写作《学箴》以去除它的弊病说：'虚名闹得越大，真正的内容就越少，等你不再吹捧某种东西了，那就说明你开始重视曾经被你废弃的东西。没有仁爱就不能使万物生长、发展，没有正义就不能使人们具有相同的道德准则，仁义本来就不能丢弃，关键是要将损害仁义的东西摒弃掉罢了。'"

汉国李奕的堂兄、担任广汉太守的李乾告发大臣阴谋废掉皇帝李寿而另立新皇帝。秋季，七月，汉主李寿派自己的儿子李广与朝廷大臣在前殿盟誓，将广汉太守李乾改任为汉嘉太守，任命李闳为荆州刺史，治所设在巴郡。李闳，是李恭的儿子。

八月，蜀中久旱不雨，百姓忍饥挨饿，又遭遇瘟疫流行，汉主李寿下令群臣尽情说出国家政事的缺失之处。巴西隐士龚壮向汉主李寿递交了一份密封的奏章，龚壮说："陛下起兵之初，曾经上指日月星辰做证，并且公开告谕天地，又与众人歃血盟誓，说等政变成功之后要带领全国归降东晋，做东晋的藩属国。因为上应天意下顺民心，所以才使大功告成。然而事情成功之后，那些参政议政的人没有明白主上的真正思想，遂怂恿陛下临时变通地答应了即位称帝。如今淫雨连绵已有一百天，灾荒、瘟疫同时暴发，这恐怕是上天以此来警醒陛下。我认为应该遵照当初的盟誓，拥戴建康的司马氏皇帝为我们的主子，他们必定不会吝惜高官厚禄来酬答我们对他的推奉之功。虽然与现在称帝比起来要降一个等级称王，然而可以永保子孙在成都称王的福禄，这不是很好的事情吗！或许会有人议论说，将益州、梁州归附于东晋后会感到很光荣，然而对客居成都在陛下手下做事的秦、雍二州六郡的人士来说却有许多不利。过去公孙述在蜀称帝的时候，是外来户掌权，刘备在蜀地建立政权，却是楚地的许多人占据着高位。等到吴汉统兵灭掉公孙述、邓艾率军伐灭刘禅的时候，全蜀地的人都遭到毁灭性的大屠杀，难道还分谁是本地世居谁是外来客居吗！议论的人不明白使自己稳固的根本是什么，只苟且地贪恋眼前的名号和爵位，以为刘氏皇帝的太守、县令投降后就会升任刺史与郡守，他们根本不知道，跟着刘禅降

同今日义举[240]，主荣臣显[241]哉！论者又谓臣当为法正[242]。臣蒙陛下大恩，恣臣所安[243]，至于荣禄，无问汉、晋[244]，臣皆不处[245]，复何为效法正乎[246]！”寿省书[247]内惭，秘而不宣[248]。

九月，汉仆射任颜谋反，诛。颜，任太后之弟也。汉主寿因[249]尽诛成主雄诸子。

冬，十月，光禄勋颜含以老逊位[250]。论者以王导帝之师傅，名位隆重，百僚宜为降礼[251]。太常冯怀以问含，含曰：“王公虽贵重，理无偏敬[252]。降礼之言，或是诸君事宜[253]。鄙人[254]老矣，不识时务。”既而告人曰：“吾闻伐国不问仁人[255]，向[256]冯祖思问佞于我[257]，我岂有邪德[258]乎！”郭璞[259]尝遇含，欲为之筮[260]。含曰：“年[261]在天，位[262]在人。修己而天不与者，命也；守道而人不知者，性也[263]。自有性命，无劳蓍龟[264]。”致仕[265]二十余年，年九十三而卒。

代王翳槐[266]之弟什翼犍质于赵，翳槐疾病，命诸大人[267]立之。翳槐卒，诸大人梁盖等以新有大故[268]，什翼犍在远，来未可必[269]。比其至[270]，恐有变乱，谋更立君[271]。而翳槐次弟屈刚猛多诈，不如屈弟孤仁厚，乃相与杀屈而立孤。孤不可[272]，自诣邺迎什翼犍，请身留为质[273]。赵王虎义[274]而俱遣之。十一月，什翼犍即代王位于繁畤[275]北，改元曰建国，分国之半以与孤。

初，代王猗卢[276]既卒，国多内难，部落离散，拓跋氏浸衰[277]。及什翼犍立，雄勇有智略，能修祖业，国人附之。始置百官，分掌众务。以代人燕凤为长史，许谦为郎中令。始制反逆、杀人、奸盗之法，号令明白，政事清简，无系讯连逮[278]之烦，百姓安之。于是东自濊貊[279]，西及破落那[280]，南距阴山[281]，北尽沙漠，率皆[282]归服，有众数十万人。

魏，那是蜀国灭亡、换了主子，怎能与我们今天举国奉晋的光荣举动相比呢！又会有人将我比作法正。我深受陛下的厚恩，让我喜欢怎么生活就怎么生活，至于荣华富贵、金钱俸禄，无论是来自汉国还是来自东晋，我都不接受，我为什么要效法法正呢！”汉主李寿看了隐士龚壮的密奏，心里也很惭愧，便把它收藏起来而没有对外人说。

九月，汉国担任仆射的任颜起兵谋反，被诛灭。任颜，是任太后的弟弟。汉主李寿因此便将成主李雄的儿子们全部除掉。

冬季，十月，东晋担任光禄勋的颜含因为年老而辞职退休。议论的人都认为丞相王导是皇帝的师傅，名望很高、地位尊贵，文武百官都应该向他下拜行礼。担任太常的冯怀就此事去咨询颜含，颜含回答说：“王导虽然位高权重，然而没有享受特别礼敬的道理。至于向他行跪拜之礼的意见，或许对你们来说合适。我老了，不识时务。”过后告诉别人说：“我听说：不要向仁慈的人去咨询讨伐别国的事情，不久前，太常冯怀拿拍马屁的事情来向我征求意见，难道是我的品行中有邪恶的东西吗！”郭璞曾经遇到过颜含，就想为颜含算一卦。颜含拒绝他说：“寿命长短取决于上天，职位高低取决于别人。努力修养自己而上天不给寿命，我则听之在天，安之若命；恪守正道而别人不了解，我则只求尽其在我之禀性。我自有我尽性知命的认知，不用劳动你来为我算卦。”退休二十多年，活到九十三岁时去世。

代王拓跋翳槐的弟弟拓跋什翼犍在后赵充当人质，拓跋翳槐病重期间，令各部落首领拥立拓跋什翼犍为代王。拓跋翳槐去世，诸部落首领中以梁盖为首，认为代国首领刚刚去世，而拓跋什翼犍又在远方，未必能够返回。如果等什翼犍回来，恐怕会有变乱发生，便商议拥立别人为新君。拓跋翳槐的二弟拓跋屈，刚暴凶猛、诡诈多端，不如他的弟弟拓跋孤为人仁爱宽厚，遂互相商定杀死拓跋屈而立拓跋孤。拓跋孤不愿意为代王，便亲自前往后赵的首都邺城迎请拓跋什翼犍，他请求让自己留下来替什翼犍做人质。后赵王石虎认为拓跋孤为人正义，便将二人一同送回代国。十一月，什翼犍在繁畤县北即位为代王，改年号为建国，他将国土的一半分封给拓跋孤。

当初，代王拓跋猗卢死后，代国内乱不止，部落四分五裂，拓跋氏的势力渐渐衰落。等到拓跋什翼犍即位为代王，他英勇而有谋略，能够复兴祖业，所以代国人都乐意归附他。开始在国内设置文武百官，分别掌管各种政务。任命代国人燕凤为长史，许谦为郎中令。开始针对有关谋反、叛逆、杀人、奸淫、盗窃等罪行制定法律规章，行政号令明白易懂，政事清明简洁，没有逮捕、审讯、连坐的烦恼，百姓都很乐意接受。于是东部从濊貊开始，西部到达破落那，南部到达阴山，北部到达大漠的最北端，在这广大范围之内的人大多都归附了拓跋什翼犍，此时拓跋什翼犍已经拥有部众数十万人。

十二月，段辽自密云山遣使求迎于赵㉘③，既而中悔，复遣使求迎于燕。

赵王虎遣征东将军麻秋帅众三万迎之。敕㉘④秋曰："受降如受敌，不可轻也。"以尚书左丞阳裕，辽之故臣，使为秋司马。

燕王皝自帅诸将迎辽，辽密与燕谋覆赵军㉘⑤。皝遣慕容恪伏精骑七千于密云山，大败麻秋于三藏口㉘⑥，死者什六七㉘⑦。秋步走㉘⑧得免，阳裕为燕所执㉘⑨。

赵将军范阳鲜于亮失马，步缘山㉙⓪不能进，因止端坐。燕兵环之，叱令起。亮曰："身是贵人，义不为小人所屈㉙①，汝曹㉙②能杀亟杀㉙③，不能则去！"亮仪观丰伟㉙④，声气雄厉。燕兵惮之，不敢杀，以白皝㉙⑤。皝以马迎之，与语大悦，用为左常侍，以崔毖㉙⑥之女妻之。

皝尽得段辽之众，待辽以上宾之礼，以阳裕为郎中令。

赵王虎闻麻秋败，怒，削其官爵。

【段旨】

以上为第一段，写晋成帝咸康四年（公元三三八年）一年间的大事。主要写了慕容皝与石虎联合夹击段辽，慕容皝占领了段辽都城令支以北的大片地区；石虎从南线攻入令支城，占领了今北京市一带的四十余城，幽州全部落入石虎之手。段辽惨败，余部逃入密云山；写了石虎率军北攻慕容皝，辽西地区纷纷投降，慕容皝用慕舆根之谋坚守棘城，石虎攻之不能下，退兵时被慕容皝所追击而大破之，慕容氏所失之地又皆收复；写了段辽归降慕容皝，并佐慕容皝设伏以破石虎军。石虎在青州沿海聚兵屯粮，做渡海破燕之计；写了成主李期残暴多杀，李寿用蜀人龚壮之谋，袭取成都，杀掉李期，自立为皇帝，国号曰汉。蜀人龚壮给李寿上书劝李寿归附晋王朝，李寿秘而不宣；写了王导贪恋权位，不愿归政于晋成帝，朝臣不满；冯怀为讨好王导，建言大臣应为王导行叩拜礼，遭到颜含的怒斥；写了庾亮欲起兵以废王导，与王导闻讯后所回应庾亮的巧妙态度；写了王导僚属李充的巧斥《老》《庄》，而著《学箴》以宣扬儒术；此外还写了代王什翼

十二月，段辽从密云山中派遣使者前往后赵投降，并请求后赵派军队前来迎接，过后他又感到后悔，就又派使者前往燕国投降，同样请求燕国派军队前来迎接。

后赵王石虎派遣征东将军麻秋率领三万人前往密云山迎接段辽。石虎告诫麻秋说：“接受投降，就如同接受敌人的挑战，不可有丝毫的轻敌思想。”因为担任尚书左丞的阳裕是段辽的旧臣，便让阳裕担任麻秋的司马。

燕王慕容皝亲自率领诸将前往迎接段辽，段辽暗中与燕国密谋，准备设埋伏袭击赵军。慕容皝遂派遣慕容恪在密云山中埋伏下七千名精锐骑兵，于是在三藏口将后赵的征东将军麻秋打得大败，麻秋所率领的三万人死了有十分之六七。麻秋徒步逃走才免于一死，阳裕则被燕国擒获。

后赵将军范阳人鲜于亮丢失了战马，他徒步沿着山路而行，已经筋疲力尽的他再也无法前进，便停下来，端坐在地上休息。燕国的士兵将他包围起来，并喝令他站起来。鲜于亮对燕军士兵说：“我是赵国身份高贵的人，无论如何不能向你们这些下等人低头，你们这些人能杀死我就赶快动手，不能杀死我就立刻走开!”鲜于亮仪表不凡，身材高大，声音洪亮，气势威严。燕国的士兵因为惧怕他而不敢杀，便禀告了燕王慕容皝。慕容皝就带着马亲自迎接鲜于亮，与他长谈后，非常高兴，立即任用他为左常侍，并把崔毖的女儿嫁给他为妻。

燕王慕容皝得到了段辽的所有部众，把段辽尊为上宾，任命阳裕为郎中令。

后赵王石虎听到征东将军麻秋战败的消息，非常恼火，便剥夺了麻秋所有的官职和爵位。

犍即位后制定法律，“号令明白，政事清简”，疆土扩大，有众数十万人，为日后拓跋氏的日益强大做铺垫。

【注释】

①如赵：到赵国。如，到、前往。②听师期：问起兵伐段辽的日期。③悉拜龙腾中郎：全部任为龙腾中郎。拜，升任。龙腾是形容骁勇的美称，中郎是帝王的侍从人员。④会：适逢；正值。⑤幽州：州治即今北京。⑥易京：本汉易县。东汉末公孙瓒据幽州，移镇其地，盛修营垒楼观，称易京。在今河北雄县西北。⑦横海将军：西汉始置的杂号将军，武帝元鼎六年（公元前一一一年），以韩说任此职。胡注谓“横海将军盖石氏创置”，误。⑧漂渝津：渡口名，在今天津市东。⑨棘城：燕王慕容皝的都城，即今辽宁义县。⑩令支：古城名，在今河北迁安一带，当时为段辽的都城。⑪并力：集中力量。⑫而更：如果再……。⑬御南敌：对付南来的敌人，指赵兵。⑭前为卿所误：指前

年与慕容皝作战，段兰要乘胜追击，被慕容翰阻挠未追事。⑮以成今日之患：所以才给今天留下了敌人。⑯堕卿计中：落入你的圈套。⑰将见众：率领现有的兵力。见，同“现”。⑱金台：即黄金台，亦名“燕台”，在今河北易县东南易水南岸。相传为战国燕昭王所筑，置千金于台上，以延请天下贤士。⑲蓟：蓟县，县治在今北京市西南。当时属段辽管辖。⑳渔阳、上谷、代郡：皆郡名，渔阳郡的郡治在今北京市密云西南，上谷郡的郡治在今河北怀来东南，代郡的郡治即今河北蔚县东北的代王城。三郡当时都属段辽。㉑守相：郡守与诸侯国相，当时都是郡一级的地方长官。㉒北平相：北平国的国相。北平国的都城徐无县，在今河北遵化西。㉓燕山：指今河北遵化一带的燕山山脉。㉔自固：自守。㉕矜惜名节：珍惜自己的名声操守。㉖遂过之：指越过了北平国的地面。㉗徐无：县名，在今河北遵化西。㉘豪大：豪族的头领。㉙密云山：今河北承德北武烈河上源诸山。㉚甘心：指怨不得别人。㉛失所：失去栖身之处。㉜宇文氏：鲜卑族的另一个部落政权，其头领名宇文乞得归。当时活动在今内蒙古的赤峰一带地区。㉝走险：逃往深山的险阻之处。㉞奉表：献上投降的表章。㉟令支宫：即令支城内段辽所居住的房舍。㊱擢叙：提拔、任用。叙，量才任用。㊲诣军门：到石虎的营门。㊳让：责备。㊴为奴虏走：像奴才一样逃走，指愍帝建兴二年（公元三一四年）石勒攻克蓟城，灭王浚，阳裕不应召，逃奔令支一事。㊵今为士人来：今天又像一个有身份的士大夫前来投降。㊶岂识知天命：莫非是你看清了时务，看清了谁是天命所归而前来呢。㊷将逃匿无地邪：还是由于你再也没有地方可逃而来投降我呢。㊸事王公：指在王浚部下。王浚是西晋的幽州刺史，被石勒打败、杀害。事见《晋书》卷三十九。㊹不能匡济：未能帮着王浚治好州郡、打败敌人。匡济，辅佐、帮助。㊺复不能全：又没能使段辽得以保全。㊻笼络四海：意即延揽四海豪杰。㊼风从：顺风而从。㊽如臣比肩：都和我的情形一样。比肩，并排而立，以喻声望、地位相等。㊾制：裁断；决定。㊿四月癸丑：四月初三。51籍没：没收被杀者的财物、妇女入官。52素贵重：李寿是李雄之叔李骧的儿子，李雄的堂兄弟，而且东征西战，功勋卓著。53建宁王越：李越，李期之兄，李雄之子。54不免：难逃一死。55诈为边书：假装边疆来信告急。56辞以警急：推说军情紧急，不参加朝会。57龚壮：字子玮，巴西郡（今四川阆中西）人。传见《晋书》卷九十四。58积年：累年；多年。59不除丧：一直身穿孝服。60辟：聘任；请他出来做官。61自安：如何保障自己的安全。62节下：对对方的敬称。秦汉以来称皇帝为陛下，称太子为殿下，称将军为节下。后来使臣或地方官吏也称节下。63奋臂：挥臂，以言其兴奋踊跃之状。64岂徒：岂只。65颇闻：稍微听到。66鸩：传说中一种有毒的鸟，喜欢吃蛇，羽毛为紫绿色，放在酒中可毒死人。这里指用毒酒杀人。67诈为：伪造。68取：袭取；袭捕。69其众：指李寿的部下。任调当时在成都，故李寿伪造其来信以激怒部下。70涪：涪县，县治在今四川绵阳东，当时李寿率军驻此。71许：许诺；答应。72初不设备：完全没有准备。初，完全、从来。73纳：接纳；放入。74邛都县公：贬李期为公爵，领地为邛都县。邛都即今四川西昌。⑮ 戾太子：被李越政变所杀的李雄的太子李班，戾字是李越等给李班所加的恶谥。⑯ 筮：用蓍草占卜吉凶。⑰ 一日尚足：即使能做一天皇帝，也决心要做。⑱ 朝闻道二句：二语出自《论语·里仁》。意思是如能早晨得到真理，即使晚上死了也值得。⑲ 改元汉兴：改用新的年号，称今年为“汉兴元年”。⑳ 安车：安稳的车子。车轮用软物包扎，以取其不颠簸。㉑ 束帛：帛五匹为束，古代以此作为馈赠的礼物。㉒ 改立宗庙：除去供奉李特、李雄一支的宗庙，而另立李骧一支的宗庙。㉓ 旧庙：指供奉李特、李雄的宗庙。㉔ 六郡士人：指与李特兄弟一起入蜀的秦、雍一带的士大夫。㉕ 皆见疏斥：都被疏远弃逐。㉖ 缢而卒：上吊而死。㉗ 自专其利：独占其利，指慕容皝趁段氏败，掠夺段氏人口、畜产北归。㉘ 岁星：即木星，又名“应星”“经星”“纪星”。古人根据岁星十二年绕天一周，每年行经一个特定的星空区域，因据以纪年。古人为了说明日月五星的运行和节气的变化，把黄道附近一周天按由西向东的方向分为星纪、玄枵等十二个等分，叫十二次。每次都有二十八宿中的某些星宿做标志。换言之，星宿的分野即是以十二次为纲，而配以列国。㉙ 守燕分：靠近燕国的分野，也就是靠近尾宿、箕宿（二宿次名“析木”）。《晋书·天文志》有云：“岁星赢缩，以其舍命国；其所居久，其国有德厚，五谷丰昌，不可伐也。”㉚ 严兵：调集军队。㉛ 罢：撤销……的建制。㉜ 六卿、纳言、常伯、冗骑常侍：都是只有皇帝才能设置的官职。六卿指去年慕容皝设置的国相、司马、奉常、司隶、太仆、大理六个职务。㉝ 成周内史：成周国的行政长官。成周是西周初期建筑的都城，即今洛阳。慕容氏政权将当时逃到燕地的中州百姓集中起来，设官管理，即称这片居民点叫作“成周”。㉞ 居就令游泓：居就县令姓游名泓。居就县在今辽宁辽阳市东南。㉟ 冀阳流寓之士：外地逃难到冀阳的人士。流寓，漂泊寄住。㊱ 营丘内史鲜于屈：营丘国的行政长官，姓鲜于，名屈。营丘是西周初齐国建国时的都城，在今山东淄博市临淄区西北。慕容氏政权把当时逃到燕地的齐地百姓组织在一起，设官管理，即称这一片居民点叫作“营丘”。㊲ 武宁令广平孙兴：武宁县令广平人孙兴。㊳ 收屈：拘捕鲜于屈。㊴ 朝鲜令：朝鲜县的县令。朝鲜县治在今平壤南。⑩⓪ 乐浪：郡名，郡治就在朝鲜县。⑩① 棘城：又名“大棘城”，在今辽宁义县，慕容皝的都城。⑩② 戊子：五月初九。⑩③ 出亡：出逃。⑩④ 一举足：犹言一抬脚，指逃跑。⑩⑤ 收略国民：搜集起我们国家的人口与资财。⑩⑥ 窃意：我想。窃字是谦辞。⑩⑦ 其势百倍：我们的士气超过敌人百倍。⑩⑧ 纵：纵然；即使。⑩⑨ 枝持：支持；抵拒。枝，通“支”。⑪⓪ 间出：伺机出击。⑪① 不济：不成；抵抗不了。⑪② 不失于走：意即再走不迟。⑪③ 委去：弃城而逃。委，抛弃、丢下。⑪④ 为必亡之理：制造一种必定灭亡的结局呢。⑪⑤ 玄菟：郡名，郡治在今沈阳东。⑪⑥ 厉：通“励”，激励、激发。⑪⑦ 所向披靡：所向无敌，如草木随风而倒。⑪⑧ 共疾：共同仇恨。⑪⑨ 何日之有：即“尚有何日”，还有多少时日。⑫⓪ 攻守势异：双方攻守的形势发生了变化，意即他成了被我们所攻击的对象。⑫① 无能为患：不可能给我们造成危害。⑫② 顿兵积日：停留的时间一长。顿，逗留。积日，累日、多日。⑫③ 衅隙：漏洞、矛盾，各种可乘之机。⑫④但坚守以俟之：我们尽管等待就是了。⑫⑤蚁附缘城：像蚂蚁一样密集地往城上爬。缘城，沿着城墙。⑫⑥壬辰：五月十三。〖按〗从戊子到壬辰仅四天，非十余日。⑫⑦石闵：即冉闵，字永曾，小字棘奴，十六国时期魏国政权的建立者。传见《晋书》卷一百七《石季龙载记》。⑫⑧内黄：县名，县治在今河南内黄西北。⑫⑨蒲洪：即苻洪，原是陕、甘、川交界地区的氐族头领，此时为石虎部将。传见《晋书》卷一百一十二。⑬⓪近畿：国都的近郊。当时蒲洪屯枋头，在今河南浚县西南八十里，距石虎的邺城（在今河北临漳西南）不算太远。⑬①吴、蜀：吴指江东的东晋王朝，蜀指成都的李寿政权。⑬②下：攻下。⑬③拓境：拓展疆域。⑬④凡城：古城名，在今河北平泉南。⑬⑤高句丽：当时朝鲜族人建立的政权，首埠丸都，即今吉林集安。⑬⑥治：惩处。⑬⑦申理：申诉重审。⑬⑧天道幽远二句：成败若决定于天道，那么天道遥远莫测；若决定于人事，那么人事难于知晓。⑬⑨且当委任：应该暂且接受任务。⑭⓪意见明审：如果你对未来看得清楚。明审，明白透彻。⑭①义无去就：意即绝无离去之理。去就，这里即指去。⑭②效死：献出生命。⑭③诀：话别；告别。⑭④忠笃：忠诚。⑭⑤戍海岛：据《晋书》卷一百七《石季龙载记》，乃石虎遣曹伏渡海戍蹋顿城，无水而还，因戍于海岛。〖按〗此海岛应在今山东北部的沿海地区。⑭⑥诣高句丽：送粮于高句丽，欲收买之使其攻慕容氏政权于东侧。⑭⑦屯田海滨：在今山东北部的海滨地区屯田，以备日后渡海攻燕。⑭⑧朔方：汉郡名，约当今内蒙古的河套一带地区。⑭⑨司隶：汉代的司隶校尉，本为查办特别重大的案件而设；魏晋以来省称司隶，其职权改为管理司州，与汉代的京兆尹大致相同。石虎的都城邺县在冀州境内，故冀州的刺史可称"司隶"。⑮⓪请坐守宰：请求查办冀州所属八郡的太守与各县县令招来天谴的罪责。西汉以来迷信天人感应，说各种自然灾害都是上天对人类的惩罚，因而要杀丞相以抵罪。今冀州大蝗，赵司隶不自己请求抵罪，反而推罪于属下的太守与县官，是很可恶的事。⑮①委咎：推卸罪过。⑮②谠言：正直的话。⑮③佐朕不逮：犹言帮助我克服缺点。不逮，不及，指缺点、错误。⑮④白衣领职：罢其职务，以平民的身份代理司隶之职。白衣，古时未仕者穿白衣，犹后世所称"布衣"。⑮⑤襄城公涉归、上庸公日归：二归，亦石氏之族。⑮⑥告：告发，此处指诬告。⑮⑦私树恩泽：私施恩惠以结党羽。树，纠结。⑮⑧乙未：五月十六。⑮⑨司徒导：王导。西汉称丞相为大司徒，东汉改称司徒。东晋以王导为司徒，实即丞相。⑯⓪罢司徒官：既以王导为丞相，故罢司徒官。及导卒，罢丞相，复置司徒。⑯①患：担心；忧虑。⑯②笺：文体名，实即书信。⑯③宫人：宫女、太监及主管皇帝日常生活事务的官员。⑯④武官、小人：武官谓赵胤、贾宁等；小人指佞幸、优伶、男宠等。⑯⑤音句：文字的读音与文章的断句。⑯⑥顾问：问讯，有疑问寻求解答。⑯⑦秦政：秦始皇，姓嬴名政。⑯⑧愚其黔首：指秦始皇焚诗书，实行愚民政策。黔首，庶民、平民。⑯⑨愚其主：想让他的主子越来越傻。⑰⓪春秋既盛：指正年轻。春秋，谓年龄。⑰①复子明辟：把国家政权交给他。辟，法，这里指政权。《尚书·洛诰》，周公拜手稽首曰："朕复子明辟。"意思是说我把君主的大权交回给你。庾亮引此，目的是督促王导归政于晋成帝。⑰归政：把政权交还皇帝。⑱甫居师傅之尊：还没完没了地贪恋着你那帝王师傅的尊贵地位。甫，始、刚刚。⑲公：敬称郗鉴。⑳并荷托付之重：共同接受晋明帝的托孤重任。荷，承当、担任。⑯大奸不扫：大奸不除。大奸，指王导。⑰元规：即庾亮，字符规。⑱休戚是同：即今之所谓“同甘苦，共患难”。休戚，喜乐与哀愁。⑲悠悠之谈：没有根据的流言。⑳宜绝智者之口：应当在智者的口中结束，意即不再向下传。王导此言是在责备陶称不应传播这类悠悠之言。⑱角巾还第：改换上平民服装，悠闲地回到自己家里去。角巾，有棱角的头巾，是古代隐士的打扮。⑱元舅：大舅。⑱世外之怀：辞官隐居的想法。⑱凡人事：指篡取政权。⑱欲间内外：想离间朝里大臣与地方大臣的关系。内指在朝中辅政的王导，外指镇守荆州的庾亮。⑱据上流：庾亮当时镇守武昌，在建康的上游，随时可以顺长江而下，控制朝廷。⑱趣势者：趋炎附势、看风使舵的人。⑱李充：字弘度，幼好刑名之学，善楷书，是当时的著名文人。开中国图书经、史、子、集四部分类法的先河，著有《翰林论》《学箴》《释庄论》等。传见《晋书》卷九十二。⑱崇尚浮虚：指喜好清谈，崇尚《老》《庄》等等。⑲绝仁弃义二句：见《老子》十九章。老子认为儒家的仁义理论造成了社会道德的沦丧，只有摒弃仁义，使百姓无知无欲，人类行为才能再合乎道德。李充对老子这段话却有另一种理解。⑲情仁义：从内心里讲究仁义。⑲利仁义：从口头上利用仁义。⑲寄责于圣人：把批判的矛头指向圣人。寄责，指出责任。⑲遣累乎陈迹：把社会的弊病归因于《六经》。遣累，排除毛病。陈迹，指儒家的《六经》。《庄子·天运》：“夫‘六经’，先王之陈迹也。”⑲凡：大凡；通常说来。⑲见形者：只看见（仁义学说）表面现象的人。⑲及道者鲜：真正理解仁义之道的人很少。鲜，少。⑲逐迹逾笃：对表面现象追求得越坚定。逾，通“愈”，越。笃，实在、用力。⑲离本：离着仁义学说的精神实质。⑳祛其蔽：去除它的弊病；揭开它的外壳。祛，除去。⑳名之攸彰二句：名声越是闹得大，真正的内容就越是少。攸，则。彰，显著。⑳及损所隆：等你不再吹捧某种东西了。隆，推崇。⑳乃崇所替：那就说明你在开始重视曾经被你所废弃的东西。替，废弃。⑳长物：使事物成长、发展。⑳齐耻：使人们具有相同的道德准则。耻，廉耻，这里引申为道德标准。⑳巴郡：郡治在今重庆市北。⑳极言得失：尽情说出国家政事的缺失之处。⑳封事：密封的章奏。古代百官上书讲机密事，为防泄露，用皂囊封缄呈进，故称封事，也称封章。⑳昭告：明告；公开谕告。㉑歃血：古时会盟、起誓，双方口含牲畜之血或以血涂口旁，表示信誓，称歃血。㉑称藩：犹言称臣，指称臣于晋。㉑天应：上天顺应我们行为举动。㉑大功克集：犹言大功告成。集，成功。㉑论者未谕：当时怂恿李寿称帝的人，没有明白李寿真正的思想。㉑权宜称制：李寿当时也只好临时变通地答应了即位称帝。称制，意即称帝。制，是皇帝的命令。㉑淫雨：久雨。㉑并臻：并至。㉑其：表示推测的副词，或许、大概。㉑将以监示陛下：将要提醒、告诉你什么事情。㉒推奉建康：拥戴东晋为我们的主子。㉑彼：指晋王朝。㉒不爱高爵重位：不吝惜高官厚禄。爱，吝惜。㉓以报大功：以酬劳我们对他们的推奉之功。㉔降阶一等：从皇帝降一等称王。㉕永保福祚：永保子孙在成都称王的福禄。祚，福。㉖不亦休哉：这不是很好的事情吗。休，美善。㉗二州：谓成汉所据的梁、益二州。这里指二州的本地人。㉘则荣：感到光荣。㉙六郡人事之不便：指客居成都在李寿手下做事的六郡的异乡人对附晋感到不便。六郡，秦、雍二州里的六个郡，具体所指不详。㉚公孙述在蜀：公孙述在蜀称帝的时候。公孙述，字子阳，东汉初扶风茂陵（今陕西兴平东北）人，新莽时，为导江卒正（蜀郡太守）。后起兵，据益州称帝，国号成。传见《后汉书》卷十三。㉛羁客用事：外来户掌权。羁客，寄居作客之人，这里指公孙述手下荆邯、王元、田戎、延岑等人。㉜楚士多贵：掌权的多是本地人，指刘备手下的庞统、黄忠、董和、刘巴、马良兄弟、吕乂、廖立、李严、杨仪、魏延、蒋琬、费祎、董允等人。㉝吴、邓西伐：吴汉为刘秀统兵伐灭公孙述，邓艾为司马昭率兵伐灭刘禅。吴汉，字子颜，东汉初南阳宛县（今河南南阳）人，新莽末年，归刘秀为偏将军。刘秀即位后任大司马，为刘秀平定了公孙述。事见《后汉书》卷十八。邓艾字士载，为魏征西将军。魏大举伐蜀，邓艾偷渡阴平，进迫成都，遂灭蜀汉。事见《三国志》卷二十八。㉞宁分客主：谁还分哪些是客居人，哪些是本地人。宁，岂。㉟不达安固之基：不明白使自己稳固的根本是什么。㊱苟惜名位：就怕丢失自己的名号官爵。苟，苟且、不明大局。㊲以为刘氏守令方仕州郡：以为刘氏皇室的太守、县令，投降后就会升任刺史与郡守了。刘氏，明指三国蜀汉刘备、刘禅父子，实则暗指李寿与其族人。方，即将。㊳曾：根本。㊴彼乃国亡主易：跟着刘禅降魏，那是蜀国灭亡、主子改换。㊵岂同今日义举：哪里比得上我们今天的光荣举动，指举国归附于晋王朝。㊶主荣臣显：君臣一起获得光荣显贵。㊷当为法正：应该学习蜀汉的法正，效忠于李寿，在李寿属下为官。法正，字孝直，初依刘璋，奉命邀刘备入蜀拒张鲁，又劝说刘备乘机取蜀；刘备占据益州后，法正历任尚书令，护军将军。传见《三国志》卷三十七。龚壮曾劝李寿取李期，故论者以他与法正相比。㊸恣臣所安：让我喜欢怎么生活就怎么生活。指不强迫他为官，让他在家当隐士。㊹无问汉、晋：不论在汉国，还是在晋王朝。㊺臣皆不处：我一律不做官。㊻复何为效法正乎：我为什么要学习法正呢。法正教刘备取蜀，自己做了高官，故龚壮视法正以为耻。㊼省书：看了书信之后。㊽秘而不宣：隐藏起来不对别人说。㊾因：随即。㊿逊位：退位，这里指告老回乡。(251)降礼：指下拜。(252)理无偏敬：没有享受特别礼敬的道理。偏，独特。(253)或是诸君事宜：也许是你们诸位应该做的。(254)鄙人：鄙陋之人，这里是自谦之词。(255)吾闻伐国不问仁人：《春秋繁露》卷九，董仲舒曰，"昔者鲁君问柳下惠，'吾欲伐齐，何如？'柳下惠曰：'不可。'归而有忧色，曰：'吾闻伐国不问仁人，此言何为至于我哉？'"伐国，讨伐别国。(256)向：不久前。(257)冯祖思问佞于我：冯怀拿拍马屁的事情来向我征求意见。冯怀，字祖思。佞，以巧媚讨好于人。㉘邪德：恶德。㉙郭璞：东晋初期的文学家，作有《游仙诗》《尔雅注》等，因反对王敦谋反，被王敦所杀。事见《晋书》卷七十二。㉚欲为之筮：想给他算一卦。筮，以蓍草占卜。㉛年：寿命。㉜位：职位；官位。㉝修己而天不与者四句：努力修养自己而上天不给寿命，我则听之在天，安之若命；恪守正道而别人不了解，我则只求尽其在我之禀性。《中庸》曰："天命之谓性，率性之谓道。"儒家强调要尽性知命，性是内在于自己，命是外在之天，因此能尽其在我之性，安于听之在天的命，谓之尽性知命。㉞无劳蓍龟：用不着占卜。蓍草和龟甲都是古时卜筮使用的东西，这里即指占卜。㉟致仕：退休；辞官居家。㊱代王翳槐：鲜卑拓跋氏政权的首脑，都城盛乐（在今内蒙古和林格尔城北）。㊲诸大人：各位部落头领。㊳大故：大丧事。㊴来未可必：未必一定能回来。㊵比其至：等到他回来。这里的意思是即使他能回来。㊶谋更立君：想要改立别人为君。㊷孤不可：拓跋孤不接受，不肯干。㊸请身留为质：请求自己留下来，替什翼犍为质。身，自己本人。㊹义：认为拓跋孤为人正义。㊺繁畤：县名，县治在今山西浑源西。㊻代王猗卢：什翼犍之祖父。㊼浸衰：逐渐衰败。㊽系讯连逮：系讯即逮捕审讯；连逮即连坐，一人犯法，其他人连带受罚。㊾濊貊：我国古代东北地区的少数民族名，依濊水而居，故名。濊水，在今辽宁凤城东。㊿破落那：汉时为大宛国，本作"拔汗那"，又称"沛汗""钹汗"，元魏时方称"破落那"。都渴塞城，在今乌兹别克斯坦塔什干东南的卡散赛。(281)南距阴山：向南直抵阴山。距，抵达。阴山，在今内蒙古境内连延于包头、呼和浩特以北的大山。(282)率皆：大体全部。(283)求迎于赵：愿投降于赵，请求赵国派兵迎接，因怕燕国劫击故也。(284)敕：告诫；嘱咐。(285)谋覆赵军：阴谋设埋伏以袭击赵军。(286)三藏口：在今河北承德北高寺台附近武烈河东、北、西三源汇合处。(287)什六七：十分之六七。什，同"十"。(288)步走：徒步逃跑。(289)执：俘获。(290)步缘山：徒步缘山而行。(291)义不为小人所屈：无论如何不能向你们这些下等人低头。(292)汝曹：汝辈；你们这些人。(293)能杀亟杀：想杀就快点杀。(294)仪观丰伟：身材高大，相貌堂堂。仪观，仪表、容貌。(295)以白皝：跑去向慕容皝报告。(296)崔毖：原为晋朝的东夷校尉，驻兵于今辽宁辽阳，因附近的慕容氏、段氏等部势力强大，崔毖屡战屡败，其家属亦归附于慕容氏政权。

【校记】

［1］者：原无此字。据章钰校，十二行本、乙十一行本、孔天胤本皆有此字，张敦仁《通鉴刊本识误》、张瑛《通鉴校勘记》同，今据补。［2］为：原作"曰"。据章钰校，十二行本、乙十一行本、孔天胤本皆作"为"，义长，今据改。［3］更易：据章钰校，十二行本、乙十一行本、孔天胤本皆作"更改"。

【原文】

五年（己亥，公元三三九年）

春，正月辛丑[297]，大赦。

三月乙丑[298]，广州刺史邓岳将兵击汉宁州[299]，汉建宁[300]太守孟彦执其刺史霍彪以降。

征西将军庾亮欲开复[301]中原，表[302]桓宣为都督沔北前锋诸军事、司州刺史，镇襄阳，又表其弟临川太守怿为监梁、雍二州诸军事、梁州刺史，镇魏兴[303]，西阳太守翼[304]为南蛮校尉，领南郡太守，镇江陵，皆假节[305]。又请解豫州[306]，以授征虏将军毛宝[307]。诏以宝监扬州之江西诸军事、豫州刺史，与西阳太守樊峻帅精兵万人戍邾城[308]。以建威将军陶称[309]为南中郎将、江夏相，入沔中[310]。称将二百人下见亮[311]。亮素恶称轻狡[312]，数称[313]前后罪恶，收而斩之。后以魏兴险远，命庾怿徙屯半洲[314]。更以武昌太守陈嚣为梁州刺史，趣汉中[315]。遣参军李松攻汉巴郡[316]、江阳[317]。夏，四月，执汉荆州刺史李闳、巴郡太守黄植送建康。汉主寿以李奕为镇东将军，代闳守巴郡。

庾亮上疏，言“蜀甚弱而胡尚强，欲帅大众十万移镇石城[318]，遣诸军罗布江、沔[319]，为伐赵之规[320]”。帝下其议。丞相导请许之。太尉鉴议[321]，以为资用未备，不可大举。

太常蔡谟[322]议，以为:“时有否泰[323]，道有屈伸[324]，苟不计强弱[325]而轻动，则亡不终日[326]，何功之有！为今之计，莫若养威以俟时[327]。时之可否系胡之强弱[328]，胡之强弱系石虎之能否[329]。自石勒举事，虎常为爪牙，百战百胜，遂定中原，所据之地，同于魏世[330]。勒死之后，虎挟嗣君[331]，诛将相[332]，内难既平，翦削外寇，一举而拔金墉[333]，再战而禽石生[334]，诛石聪[335]如拾遗[336]，取郭权[337]如振槁[338]，四境之内，不失尺土。

【语译】

五年（己亥，公元三三九年）

春季，正月二十五日辛丑，东晋实行大赦。

三月乙丑日，东晋广州刺史邓岳率军攻打汉国的宁州，汉国建宁太守孟彦捉住宁州刺史霍彪向东晋投降。

东晋征西将军庾亮准备收复中原，遂上表请求任命桓宣为都督沔北前锋诸军事、司州刺史，镇所设在襄阳，又上表举荐自己的弟弟、担任临川太守的庾怿为监梁、雍二州诸军事、梁州刺史，镇所设在魏兴；推举担任西阳太守的庾翼为南蛮校尉，兼任南郡太守，镇所设在江陵，以上诸人全都授予旌节。又请求朝廷解除自己豫州刺史的职务，将豫州刺史授予征虏将军毛宝。晋成帝司马衍下诏任命毛宝为监扬州之江西诸军事、豫州刺史，与担任西阳太守的樊峻一起率领一万名精兵戍守邾城。任命建威将军陶称为南中郎将、江夏相，进驻沔水流域。陶称率领二百人从长江上游顺流而下来到武昌晋见庾亮。庾亮一向厌恶陶称的轻狂狡诈，便趁机将陶称前前后后所犯罪行一条条列举出来，而后将其逮捕、斩首。后来因为魏兴环境险恶、距离遥远，便令临川太守庾怿将镇所从魏兴迁移到半洲。又改任武昌太守陈嚣为梁州刺史，挺进汉中。庾亮派遣担任参军的李松率军攻打汉国的巴郡、江阳。夏季，四月，擒获了汉国的荆州刺史李闳、巴郡太守黄植，将二人押送京师建康。汉主李寿任命李奕为镇东将军，接替李闳的遗缺镇守巴郡。

东晋征西将军庾亮从武昌上疏给晋成帝，说“蜀地汉国的势力弱小而后赵的胡人政权势力强大，我准备率领十万大军把治所从武昌移到石城，派遣诸军分别据守长江、沔水流域的各处要害，沿长江、沔水一带布防，为讨伐后赵做好准备”。晋成帝司马衍将庾亮的意见下发给朝中大臣评议。担任丞相的王导请求批准。担任太尉的郗鉴发表意见，认为目前国家的物资储备还不充足，不允许采取大规模的军事行动。

担任太常的蔡谟认为：“时机有好有坏，大道有时行得通，有时行不通，如果不考虑敌我双方力量谁强谁弱而轻举妄动，那么灭亡之快，恐怕连一天也支撑不下去，哪里会有什么功劳呢！从目前的形势考虑，不如培养威势以等待有利时机。时机的好坏取决于胡人势力的强弱，而胡人势力的强弱取决于石虎有能力还是没有能力。从石勒起事开始，石虎就是石勒的帮凶，他百战百胜，平定了中原地区，目前后赵所占据的地盘，相当于当初的曹魏。石勒死后，石虎挟制着即位的新君，诛杀了程遐、徐光、石堪等诸将相，朝廷内部的灾难已经平息，便开始剪除朝廷外部的敌人，他一举攻克了金墉城，杀死了起兵讨伐石虎的石朗，再战擒获了后赵的大将石生，他诛灭石聪就像俯身捡起一件丢失在地上的东西那样顺手拈来，攻取郭权就像从树上震落一片枯叶那般轻而易举，而自己的四境之内，竟然没有损失一寸土地。以此

以是观之，虎为能乎，将不能也㉝⑨？论者以胡前攻襄阳不能拔㉞⓪，谓之无能为。夫百战百胜之强，而以不拔一城为劣，譬如射者百发百中而一失，可以谓之拙乎？且石遇㉞①，偏师㉞②也，桓平北㉞③，边将㉞④也，所争者疆埸之土㉞⑤[4]，利则进，否则退，非所急㉞⑥也。今征西㉞⑦以重镇名贤㉞⑧，自将大军欲席卷河南㉞⑨，虎必自帅一国之众来决胜负，岂得以襄阳为比哉？今征西欲与之战，何如石生？若欲城守，何如金墉？欲阻沔水㉟⓪，何如大江？欲拒石虎，何如苏峻？凡此数者，宜详校之㉟①。

"石生猛将，关中精兵，征西之战殆不能胜也㉟②！金墉险固，刘曜十万众不能拔，征西之守殆不能胜也[5]！又当是时㉟③，洛阳、关中皆举兵击虎，今此[6]三镇㉟④反为其用，方之于前㉟⑤，倍半之势㉟⑥也。石生不能敌其半，而征西欲当其倍㉟⑦，愚所疑也。苏峻之强不及石虎，沔水之险不及大江，大江不能御苏峻，而欲以沔水御石虎，又所疑也。昔祖士稚在谯㉟⑧，佃于城北界㉟⑨，虑[7]胡来攻㊱⓪，豫置军屯以御其外㊱①。谷将熟，胡果至，丁夫㊱②战于外，老弱获㊱③于内，多持炬火，急则烧谷而走㊱④。如此数年，竟不得其利㊱⑤。当是时，胡唯据河北㊱⑥，方之于今，四分之一耳㊱⑦。士稚不能捍㊱⑧其一，而征西欲以御其四，又所疑也。

"然此但论征西既至之后㊱⑨耳，尚未论道路之虑㊲⓪也。自沔以西，水急岸高，鱼贯溯流㊲①，首尾百里。若胡无宋襄之义㊲②，及我未阵而击之，将若之何？今王土㊲③与胡，水陆异势㊲④，便习不同㊲⑤，胡若送死㊲⑥，则敌之有余㊲⑦，若弃江远进㊲⑧，以我所短击彼所长，惧非庙胜之

来看，石虎是有能力呢，还是没有能力？议论的人因为胡人此前攻打襄阳没有取胜，就认为他们已经成不了什么大事。百战百胜的强国，就因为偶尔一次没有攻克一城就认为他无能，就好比射箭的人，百发百中，只有一次失误，能因此就认为他射箭的技术很差吗？而且，攻击襄阳的部队主帅石遇，不过是一股小部队的将领，而平北将军桓宣，乃是我们的一员主将，石遇所争的是两国边境上的一些土地，形势有利就攻进，形势不利就撤退，并不是危及国家的大事情。如今征西将军庾亮作为一个大区重镇的著名统帅，要亲率大军北伐后赵，打算收复河南全境，石虎必定亲自率领全国的兵众前来决一胜负，这怎么能用襄阳之战来做比较呢？如今征西将军庾亮想要与后赵石虎对阵，试问：庾亮的能力比石生如何？如果是准备打城市保卫战，请问比金墉城如何？如果想要把沔水作为阻挡石虎的一道天然屏障以抗击进攻之敌，请问：沔水比长江如何？为何不依靠长江？如果说可以抵挡得住石虎，当初为什么没能抵挡得住苏峻？凡此种种，都应该详细地进行分析比较。

“石生是一员猛将，拥有关中的精兵，西征将军庾亮不能取胜！金墉险峻坚固，刘曜十万士卒不能攻取，征西将军防守不能取胜！还有，在那个时候，镇守洛阳的石朗、占据长安的蒋英全都起兵攻打石虎，如今洛阳、长安、上邽三镇全都为石虎所用，和以前的形势相比，敌方之强，较前增倍；我方之弱，较前减半。石生敌不过只有自己一半力量的石虎，而征西将军庾亮却想对抗两倍于己的石虎，这是令我疑惑的地方。当年苏峻叛变时的实力比不上石虎，沔水的险峻比不上长江，长江没能阻挡住苏峻，却希望沔水能挡住石虎，这又是令人疑惑的地方。当年祖逖镇守谯城，在城北垦荒屯田，担心胡人来攻，便预先在屯垦区域之北驻扎军队以防范胡人的进攻。等到谷物将要成熟的时候，胡人果然前来攻取，祖逖便安排强壮的青年人在垦区之外与胡人作战，而老弱在垦区之内收获庄稼，很多人手里都拿着火把，情况紧急，实在来不及收获的庄稼就放火烧掉而后撤走，绝不留给敌人。如此数年，到底还是没有打败敌人。在那个时候，胡人只是占据着黄河以北地区，与现在石虎所占的地盘相比，仅是现在的四分之一。祖逖不能抵抗四分之一的胡人，而征西将军庾亮竟然想抵抗为其四倍的胡人，这又是一个令人疑惑的地方。

“而且，这只是在谈论征西将军庾亮进入中原之后的事情，尚且没有考虑到从后方运兵运粮到前线，沿途可能遭遇的危险。从沔水以西，水流湍急、岸高如削，行进在水中的战船只能排成长队逆水而上，首尾将拉开一百里。如果胡人不像当年宋襄公那样讲究仁义，而在中途袭击我们的运输船队，我们将如何应对？如今我们的国土与胡人的土地相比：敌方多陆地，我方多沟渠，双方各自的习惯与长处也不同：我们便于用船水战，而北方的胡人惯于陆地骑马，如果胡人渡过长江前来送死，我们战胜他们便绰绰有余，如果我们放弃长江的险要，向遥远的北方进军，用我们不习惯陆战的短处去攻击他们的长处，恐怕不是在庙堂上制定的万无一失的克敌制胜

算也[379][8]。”朝议多与谟同，乃诏亮不听[380]移镇[381]。

燕前军帅慕容评[382]、广威将军慕容军[383]、折冲将军慕舆根、荡寇将军慕舆埿袭赵辽西，俘获千余家而去。赵镇远将军石成、积弩将军呼延晃、建威将军张支等追之，评等与战，斩晃、支首。

段辽谋反于燕，燕人杀辽及其党与数十人，送辽首于赵。

五月，代王什翼犍会诸大人于参合陂[384]，议都灅源川[385]。其母王氏曰：“吾自先世以来，以迁徙为业。今国家多难，若城郭而居，一旦寇来，无所避之。”乃止。

代人谓他国之民来附者皆为乌桓[386]，什翼犍分之为二部，各置大人以监之，弟孤监其北，子寔君监其南。

什翼犍求昏[387]于燕，燕王皝以其妹妻之。

秋，七月，赵王虎以太子宣为大单于，建天子旌旗。

庚申[388]，始兴文献公王导薨[389]。丧葬之礼视汉博陆侯及安平献王故事[390]，参用天子之礼。

导简素寡欲，善因事就功[391]，虽无日用之益，而岁计有余[392]。辅相三世[393]，仓无储谷，衣不重帛[394]。

初，导与庾亮共荐丹杨尹何充[395]于帝，请以为己副[396]，且曰：“臣死之日，愿引充内侍[397]，则社稷无虞[398]矣。”由是加吏部尚书。及导薨，征庾亮为丞相、扬州刺史、录尚书事，亮固辞。辛酉[399]，以充为护军将军[400]，亮弟会稽内史冰为中书监、扬州刺史，参录尚书事。

冰既当重任，经纶[401]时务，不舍昼夜，宾礼朝贤，升擢[402]后进，由是朝野翕然[403]称之，以为贤相。初，王导辅政，每从宽恕，冰颇任威刑，丹杨尹殷融谏之。冰曰：“前相之贤，犹不堪其弘[404]，况如吾者哉！”范汪谓冰曰：“顷[405]天文错度[406]，足下宜尽消御之道[407]。”冰

之策所能取胜的。”朝中大臣的意见绝大多数都与蔡谟的意见相同，晋成帝遂下诏给征西将军庾亮，不同意他将镇所移到石城。

燕国担任前军将军的慕容评、广威将军慕容军、折冲将军慕舆根、荡寇将军慕舆泥率军袭击了后赵所占领的辽西，俘获了一千余家而后撤军。后赵的镇远将军石成、积弩将军呼延晃、建威将军张支等追赶慕容评等，慕容评等返身与其交战，将后赵的积弩将军呼延晃、建威将军张支斩首。

段辽在燕国谋反，燕国人杀死了段辽及其党羽数十人，将段辽的首级送给后赵。

五月，代王拓跋什翼犍在参合陂召集各部落酋长，商议在灅源川建都之事。什翼犍的母亲王氏说："我们从祖先开始到现在，一直都是过着游牧生活，逐水草而居，迁徙不定。如今国家又是多灾多难之时，如果建造起城池定居下来，一旦有贼寇入侵，我们连躲避的地方都没有。"什翼犍因此打消了筑城的念头。

代国人把前来归附的非本民族的人全都称为乌桓，什翼犍把乌桓分为南北二部，每部设置一个头领监管，什翼犍的弟弟拓跋孤担任北部的乌桓首领，什翼犍的儿子拓跋寔君担任南部的乌桓首领。

代王什翼犍向燕国求婚，燕王慕容皝把自己的妹妹嫁给什翼犍为妻。

秋季，七月，后赵王石虎封太子石宣为大单于，使用皇帝的旌旗。

七月十八日庚申，东晋始兴文献公王导去世。丧事的规格与汉代博陆侯霍光以及西晋安平献王司马孚的一样，参酌加用了一些天子特有的礼仪。

东晋丞相王导清心寡欲，善于借助客观条件取得成功，逐件地核查具体工作，看不出王导有何特别贡献，但从整体上来考察，又的确数王导的贡献最大。他一连辅佐了晋元帝、晋明帝、晋成帝三任皇帝，自己家的粮仓里却没有积存的粮食，身上穿的衣服，只有外面罩着的一层是用丝绸做的。

当初，丞相王导与征西将军庾亮共同向皇帝举荐担任丹杨尹的何充，请求让何充做自己的副手，并且说："在我死后，希望能将何充调到皇帝身边侍奉，那样的话，国家就不会有什么忧虑了。"于是加授何充为吏部尚书。等到王导一死，晋成帝司马衍立即征调庾亮担任丞相、扬州刺史、录尚书事，庾亮坚决推辞。七月十九日辛酉，任命何充为护军将军，任命庾亮的弟弟担任会稽内史的庾冰为中书监、扬州刺史、参录尚书事。

庾冰自感责任重大，便不分白天黑夜地筹划治理国家大事，礼遇朝廷中的贤能官员，提拔年轻的后进人才；于是，不论朝廷还是民间都很服从他，异口同声地称赞他，认为他是一个贤能的丞相。当初，王导辅佐朝政时，不论对什么样的事情，往往宽大处理，庾冰则用刑威严，担任丹杨尹的殷融劝谏他。庾冰说："前任宰相王导，凭借他的贤能，尚且承受不了宽宏所带来的严重后果，何况是我这样的人呢！"范汪对庾冰说："近来天象发生变化，日、月以及五星的运行次序错乱，阁下应该想

曰："玄象[408]岂吾所测[409]，正当勤尽人事[410]耳。"又隐实[411]户口，料出无名[412]万余人，以充军实[413]。冰好为纠察，近于繁细，后益矫违[414]，复存宽纵[415]，疏密自由[416]，律令无用矣。

八月壬午[417]，复改丞相为司徒。

南昌文成公郗鉴疾笃，以府事[418]付长史刘遐，上疏乞骸骨[419]，且曰："臣所统错杂[420]，率多北人，或逼迁徙，或是新附，百姓怀土，皆有归本之心。臣宣国恩[421]，示以好恶[422]，处与田宅[423]，渐得少安。闻臣疾笃，众情骇动。若当北渡[424]，必启寇心[425]。太常臣谟[426]，平简贞正[427]，素望所归，谓可以为都督、徐州刺史。"诏以蔡谟为太尉军司，加侍中[428]。辛酉[429]，鉴薨，即以谟为征北将军，都督徐、兖、青三州诸军事，领[9]徐州刺史，假节。

时左卫将军陈光请伐赵，诏遣光攻寿阳[430]。谟上疏曰："寿阳城小而固。自寿阳至琅邪[431]，城壁相望[432]，一城见攻[433]，众城必救。又，王师在路五十余日，前驱未至[434]，声息久闻[435]。贼之邮驿[436]，一日千里，河北之骑，足以来赴。夫以白起[437]、韩信、项籍[438]之勇，犹发梁焚舟[439]，背水而阵[440]。今欲停船水渚[441]，引兵造城，前对坚敌，顾临[442]归路，此兵法之所诫[443]。若进攻未拔[444]，胡骑猝[10]至[445]，惧桓子不知所为[446]，而舟中之指可掬[447]也。今光所将皆殿中精兵，宜令所向有征无战。而顿[448]之坚城[449]之下，以国之爪士[450]击寇之下邑[451]，得之则利薄而不足损敌，失之则害重而足以益寇[452]，惧非策之长者也。"乃止。

初，陶侃在武昌，议者以江北有邾城，宜分兵戍之，侃每不答，而言者不已。侃乃渡水猎，引将佐语之曰："我所以设险而御寇者，正以长江耳。邾城隔在江北，内无所倚[453]，外接群夷。夷中利深[454]，晋人

办法化解这种天象错乱的问题。”庾冰回答说：“天象的玄妙岂是我所能理解的，我只能勤劳政务，把人世间的事务尽量做好而已。”又核实户口，清查出没有户籍的人口一万多，庾亮就把这些人全部编入军队以补充兵员。庾冰喜好对事情发生的原因进行刨根问底，为政过于烦苛细密，后来为了纠正执法偏严的毛病，却又矫枉过正，变得过于宽纵，是宽是严，全凭庾冰说了算，国家的法规律令也就形同虚设了。

八月初十日壬午，东晋又将丞相改为司徒。

东晋南昌文成公郗鉴病势沉重，便将太尉府的事务托付给担任长史的刘遐，然后上疏给朝廷，请求退休，并且说：“我所统领的部属，人员构成比较复杂，大多是北方人，有的是被逼迫而南迁的，有的是新近归附的，百姓都眷恋自己的故土，都有返回故乡的心愿。我按照朝廷的说法，告诉他们应该爱什么、恨什么，并分给他们土地、房屋，这才使他们逐渐安下心来。他们听说我的病势沉重，众人之心惊骇惶恐。如果真要把京口的军事机关迁往江北，必定会引发北方强敌的南侵之心。担任太常的蔡谟，忠厚正直，众望所归，我认为他可以担任都督、徐州刺史。”晋成帝司马衍下诏任命太常蔡谟为太尉军司，加授侍中。九月二十日辛酉，郗鉴去世，晋成帝任命蔡谟为征北将军，都督徐、兖、青三州诸军事，领徐州刺史，假节。

当时，担任左卫将军的陈光请求讨伐赵国，晋成帝司马衍遂下诏令陈光攻取后赵所占领的寿阳。蔡谟上疏给朝廷说：“寿阳城池虽小，却很坚固。从寿阳到琅邪，敌人的城池一个挨着一个，互相都能望得见，一个城池受到攻击，其他城池必定出兵来救。再有，朝廷的军队要在路上行进五十多天才能到达寿阳，前锋部队还没有到达寿阳，敌方早已得到消息。贼人的驿站传递消息，一天可以跑一千里，黄河以北的骑兵完全可以赶来相救。以白起、韩信、项籍那样的勇敢善战，还要拆掉桥梁、焚毁船只，背水布阵。如今我们却准备把船停靠在水中的小岛旁，然后引领着士兵去攻城，他们面对的是顽强的敌人，回头还要担心后退之路，这是兵法最大的忌讳。如果进攻，敌人的城池没有攻克，胡人的骑兵大队突然而至，我担心指挥官会像中行桓子那样不知所措，船上败兵的断指可以用手捧起来的情景将会再次发生。如今陈光所率领的都是护卫皇宫的精锐部队，应该让这部分部队只有征讨的名义而不要真正地去参加战斗。现在却要把他们摆放在坚不可破的寿阳城下，用国家装备最好的部队去攻击敌人边远而不重要的城镇，即使得到它，对我们来说利益太小，并不足以给敌人造成什么损失；一旦失败，则损失惨重，足以增长贼寇的气焰，我担心这不是好计策。”攻取寿阳的军事行动才没有付诸实施。

当初，陶侃驻守武昌的时候，有人认为，在长江以北有邾城，应该分出一部分兵力去戍守，陶侃总是置之不理，进言的人却无休止地反复提起此事。陶侃遂渡过长江，到北岸打猎，他将诸将佐引领到邾城，对他们说：“我是凭借着长江的天然险阻设置军事据点以抵御贼寇的入侵。邾城被长江隔离在北岸，向内没有依靠，友邻

贪利，夷不堪命[455]，必引虏入寇。此乃致祸之由，非以御寇也。且吴时戍此城[456]用三万兵，今纵有兵守之[11]，亦无益于江南。若羯虏[457]有可乘之会[458]，此又非所资[459]也。”

及庾亮镇武昌，卒使毛宝、樊峻戍邾城。赵王虎恶之，以夔安为大都督，帅石鉴、石闵、李农、张貉、李菟等五将军、兵五万人寇荆、扬北鄙[460]，二万骑攻邾城。毛宝求救于庾亮，亮以城固，不时遣兵[461]。

九月，石闵败晋兵于沔阴[462]，杀将军蔡怀。夔安、李农陷沔南[463]。朱保败晋兵于白石[464]，杀郑豹等五将军。张貉陷邾城，死者六千人。毛宝、樊峻突围出走，赴江溺死。夔安进据胡亭[465]，寇江夏[466]，义阳[467]将军黄冲、义阳太守郑进皆降于赵。安进围石城，竟陵[468]太守李阳拒战，破之，斩首五千余级，安乃退。遂掠汉东[469]，拥七千余户迁于幽、冀。

是时庾亮犹上疏欲迁镇石城，闻邾城陷，乃止。上表陈谢[470]，自贬三等，行安西将军[471]，有诏复位。以辅国将军庾怿[472]为豫州刺史，监宣城、庐江、历阳、安丰四郡诸军事，假节，镇芜湖。

赵王虎患贵戚豪恣[473]，乃擢殿中御史李巨为御史中丞[474]，特加亲任，中外肃然。虎曰：“朕闻良臣如猛虎，高步旷野，而豺狼避路，信哉！”

虎以抚军将军李农为使持节，监辽西、北平诸军事，征东将军，营州牧，镇令支。农帅众三万与征北大将军张举攻燕凡城[475]。燕王皝以榼卢城大悦绾[476]为御难将军，授兵一千，使守凡城。及赵兵至，将吏皆恐，欲弃城走。绾曰：“受命御寇，死生以之[477]。且凭城坚守，一可敌百，敢有妄言惑众者斩！”众然后定[478]。绾身先士卒，亲冒矢石，举等攻之经旬[479]不能克，乃退。虎以辽西迫近燕境，数遭攻袭，乃悉徙其民于冀州[480]之南。

部队都在远远的长江以南，外部却与各夷人部落为邻。夷人部落中有利可图的东西很多，晋人贪图利益，就会不断地到夷人那里进行劫掠，夷人实在忍受不了晋人的劫掠，就会去引来胡虏入侵。这乃是招灾惹祸的根由，而不是抵御贼寇的办法。而且孙吴时期戍守此城用三万人，如今即使我们有那么多的兵力来守住邾城，对江南也没有什么益处。如果后赵显露出可乘之机，仅靠邾城的这点兵力也无法完成任务。"

等到征西将军庾亮镇守武昌时，还是派了毛宝与樊峻率军戍守邾城。后赵王石虎对此大为厌恶，便任命夔安为大都督，率领石鉴、石闵、李农、张貉、李菟等五位将军、五万人马入侵东晋荆州、扬州的北部边境，另派二万名骑兵攻击邾城。毛宝向庾亮求救，庾亮认为邾城很坚固，因此没有立时派兵前去支援邾城。

九月，后赵石闵在沔阴戍打败晋兵，杀死了将军蔡怀。后赵的夔安、李农攻陷了沔水以南地区。朱保在白石山击败晋军，杀死了郑豹等五位将军。张貉攻克了邾城，晋军损失了六千人。豫州刺史毛宝、西阳太守樊峻突围南逃，落入长江淹死。后赵的夔安继续进兵，又攻陷了胡亭，进而寇掠江夏。义阳将军黄冲、义阳太守郑进全都投降了后赵。夔安进军包围了石城，担任竟陵太守的李阳率军抵抗，打败了赵军，斩杀了五千多人，夔安才率军退走。撤军途中又趁势劫掠了汉水以东地区，裹挟了七千多户，分别安置在幽州、冀州。

当时，征西将军庾亮还在上疏给朝廷想要将自己的镇所从武昌迁往石城，听到邾城陷落的消息才停止。庾亮上表陈情请罪，并自贬三级，但仍然代理安西将军之职，晋成帝司马衍下诏恢复庾亮原有的职务和爵位。任命担任辅国将军的庾怿为豫州刺史，监宣城、庐江、历阳、安丰四郡诸军事，假节，镇所设在芜湖。

后赵王石虎对皇亲国戚的过分放荡深表忧虑，遂提拔担任殿中御史的李巨为御史中丞，在殿中伺察非法，石虎对李巨特别的亲近与信任，于是，朝廷内外，立时秩序严整。石虎说："我听说，良臣如同猛虎，他在旷野中随便走一走，那些豺狼就躲得远远的，确实如此啊！"

后赵王石虎任命抚军将军李农为使持节，监辽西、北平诸军事，征东将军，营州牧，镇所设在令支。李农率领三万名部众与征北大将军张举一齐攻击燕国的凡城。燕王慕容皝任命榼卢城城主悦绾为御难将军，拨给他一千名兵士，让他守卫凡城。等到后赵的军队来攻凡城，守城的将吏都很恐惧，准备弃城逃走。悦绾说："我接受燕王的命令守卫凡城、抵抗敌寇，就要豁出性命来完成任务。而且我们在城池的保护下，只要坚守，就能以一当百，敢有胡说八道动摇军心者，斩！"众人这才定下心来。悦绾身先士卒，亲自冒着被乱箭射中、被飞石击中的危险进行苦战；后赵的张举等攻打了十多天，因无法攻克而退兵。石虎因为辽西距离燕国的边境太近，而且多次遭到燕国的攻击，遂将辽西的居民全部迁徙到冀州之南。

汉主寿疾病，罗恒、解思明复议奉晋，寿不从。李演复上书言之，寿怒，杀演。

寿常慕汉武[481]、魏明[482]之为人，耻闻父兄时事，上书者不得言先世政教，自以为胜之也。舍人[483]杜袭作诗十篇，托言应璩[484]以讽谏。寿报[485]曰："省诗知意[486]。若今人所作，乃贤哲之话言，若古人所作，则死鬼之常辞[487]耳！"

燕王皝自以称王未受晋命，冬，遣长史刘翔、参军鞠运来献捷论功[488]，且言权假之意[489]，并请刻期大举[490]，共平中原。

皝击高句丽，兵及新城[491]，高句丽王钊[492]乞盟，乃还。又使其子恪、霸击宇文别部[493]。霸年十三，勇冠三军。

张骏立辟雍[494]、明堂[495]以行礼。十一月，以世子重华行凉州事[496]。

十二月丁丑[497]，赵太保桃豹卒。

丙戌[498]，以骠骑将军琅邪王岳[499]为侍中、司徒。

汉李奕寇巴东[500]，守将劳杨败死。

【段旨】

以上为第二段，写晋成帝咸康五年（公元三三九年）一年间的大事。主要写了荆州刺史庾亮部署诸将，上表请求北伐中原，太常蔡谟上书分析形势以为断不可行；左卫将军陈光又请求北伐，朝廷令其攻取寿阳，蔡谟又上书分析攻取寿阳的利害，以为不可；写了庾亮改变当年陶侃的守边方略，派毛宝驻兵于江北之邾城，至赵兵南攻，庾亮又不及时救援，致使邾城失守，毛宝等牺牲，晋地多处失守，庾亮自请降职；写了燕将慕容评大破辽西之赵兵；写了段辽又谋反于燕，被燕人所杀；石虎派兵攻燕之凡城，不胜而退；而燕军又破高句丽，高句丽求和；又破宇文部，地盘益广；代王什翼犍扩大疆域于朔漠，但仍求婚、讨好于慕容皝；慕容皝之势力愈来愈大，遣使向东晋献捷并请求称王；写了王导病死，丧事视霍光、司马孚；写了太尉郗鉴病死，推荐蔡谟为己之后任；写了庾冰继王导为丞相，政绩先好后坏等。

汉主李寿身患重病，罗恒、解思明又提议尊奉东晋之事，李寿仍然不同意。李演也再次上疏给李寿，劝说他尊奉东晋，李寿怒不可遏，便杀死了李演。

汉主李寿常常羡慕汉武帝刘彻、魏明帝曹叡的为人，对父亲李骧、哥哥李雄的往事感到耻辱，上疏的人，都不许提及先世的政令与教化，李寿认为自己比他们强。担任舍人的杜袭写了十首诗，假托是曹魏时期的文学家应璩的作品，对李寿的行为进行讽谏。李寿答复杜袭说："看了诗作，明白了你的意思。这些诗如果是现代人所写，那可是贤哲的至理名言；如果是古人所写，那不过是死鬼的老生常谈罢了！"

燕王慕容皝认为自己称燕王并非东晋皇帝所封，冬季，派担任长史的刘翔、担任参军的鞠运前往建康，一方面向东晋朝廷献捷，同时向朝廷表述自己的功劳，并且向朝廷提出能否让自己暂为代理燕王，请求约定一个日期，到时与朝廷同时出动大军攻打后赵，平定中原。

燕王慕容皝率军袭击高句丽，军队抵达位于高句丽西部边境的新城，高句丽王钊请求与燕国结盟，燕军遂撤兵而回。慕容皝又派自己的儿子慕容恪、慕容霸攻击宇文部落的一个旁支。慕容霸年仅十三岁，却勇冠三军。

张骏在凉州为贵族子弟设立了大学，修建起帝王宣明政教的明堂，作为朝会、庆赏等典礼的场所。十一月，令世子张重华为代理凉州刺史。

十二月初七日丁丑，后赵太保桃豹去世。

十二月十六日丙戌，东晋任命骠骑将军琅邪王司马岳为侍中、司徒。

汉国的李奕率军进犯东晋的巴东，守卫巴东的将领劳杨战败而死。

【注释】

㉗ 正月辛丑：正月二十五。㉘ 三月乙丑：此句有误，三月朔丙子，无乙丑日，疑为二月之误。二月乙丑为二月二十。㉙ 宁州：州名，治所滇池县，即今云南昆明市晋宁区东北之晋城镇。㉚ 建宁：郡名，郡治即今云南曲靖。㉛ 开复：恢复。㉜ 表：上表向朝廷推荐。㉝ 魏兴：郡名，郡治西城县，在今陕西安康西北的汉江北岸。㉞ 西阳太守翼：庾翼，庾亮之弟，时为西阳太守。西阳郡的郡治在今湖北黄冈东。㉟ 假节：朝廷授予旌节。朝廷授予方面大员旌节分使持节、持节、假节三种，使持节的权力最大。㊱ 解豫州：解除自己的豫州刺史职务。㊲ 毛宝：当时的名将，在平定苏峻的叛乱中功勋卓著。传见《晋书》卷八十一。㊳ 邾城：故城在今湖北黄冈西北。㊴ 陶称：陶侃之子，时为南蛮校尉，镇江陵。㊵ 入沔中：到汉水流域上去。沔，沔水，即现今之汉水。㊶ 下见亮：顺长江而下至武昌（今湖北鄂州市鄂城区）见庾亮。㊷ 轻狡：轻狂狡猾。㊸ 数称：指数陶称。数，列举其罪行。㊹ 半洲：古城名，上属江州，在今江西九江西。㊺ 趣汉

中：奔赴汉中。趣，意思通“趋”。汉中，晋郡名，郡治南郑，即今陕西汉中。⑯巴郡：郡治江州，在今重庆市城北。⑰江阳：晋郡名，郡治即今四川泸州。⑱石城：今湖北钟祥。⑲罗布江、沔：分据在长江、汉水流域的各要害之处。罗布，分布、摆列。⑳规：规划；打算。㉑太尉鉴议：太尉郗鉴发表意见说。㉒蔡谟：字道明，永嘉乱后渡江，累官侍中、吴国内史。讨苏峻有功，为太常。传见《晋书》卷七十七。㉓时有否泰：时机有好有坏。否、泰本为《周易》的两个卦名。“否卦”显示的是一种天地不交，上下隔阂，闭塞不适；“泰卦”显示的是一种上下交通的情景。于是后人就习惯地把命运的好坏、事情的顺逆，称为否泰。㉔道有屈伸：大道有时行得通，有时行不通。㉕不计强弱：不考虑敌我双方的谁强谁弱。㉖亡不终日：连一天也撑不下去。终日，一天。㉗俟时：等待时机的到来。㉘系胡之强弱：取决于北方胡人的强弱。㉙系石虎之能否：取决于石虎有能力还是没有能力。㉚同于魏世：有如当年的曹操、曹丕。㉛挟嗣君：先是挟制了石勒的继承人石弘。㉜诛将相：杀了程遐、徐光、石堪等。㉝拔金墉：攻克洛阳，杀了起兵讨伐石虎的石勒旧将石朗。㉞禽石生：石生是石勒的大将，石虎篡位后，石生在长安起兵讨石虎，初战获胜，其后失败，被石虎所杀。禽，通“擒”。㉟诛石聪：石聪是石勒的部将，石虎篡位后，石聪欲率部降晋，被石虎所截杀。㊱如拾遗：像俯身拾起掉在地上的东西，以喻极容易。㊲郭权：原是石生的部下，随石生起兵讨石虎，石生用郭权之计，先是获得大胜；后因石生庸懦失败，郭权率部越陇，领秦州之众归晋，后被石虎所败。㊳振槁：摇落枝头的枯叶，以喻事极易成。㊴将不能也：还是没有能力呢。将，抑、还是。㊵前攻襄阳不能拔：指陶侃命桓宣镇守襄阳，桓宣能保境安民事。见本书卷十七咸和七年。㊶石遇：后赵将领，咸康七年攻襄阳的主帅。㊷偏师：非主力的小部队。㊸桓平北：桓宣，时为平北将军。㊹边将：守卫边疆的将领。㊺疆埸之土：两国边界上的一些土地。㊻非所急：不是危及国家，需要朝廷上下所特别操心的事情。㊼征西：指庾亮，时为征西将军。㊽以重镇名贤：作为一个大区司令的著名统帅。重镇，一个重大地区的军事总部。㊾席卷河南：收复黄河以南。㊿阻沔水：依据汉水为屏障以抗击进攻之敌。351宜详校之：应该详细地衡量比较。校，比较。352殆不能胜也：恐怕打不过人家。殆，大概、恐怕。353当是时：指咸和八年，石生、石朗、郭权举兵反石虎之时。354三镇：指石生所据的关中、石朗所占的洛阳和郭权所占的秦州上邽。355方之于前：和以前的形势相比。方，比较。356倍半之势：敌方之强，较前增倍；我方之弱，较前减半。357当其倍：去对抗加倍强大了的敌人。当，对、迎敌。358祖士稚在谯：祖逖镇守谯郡。祖逖字士稚。谯，今安徽亳州。359佃于城北界：在城北种植了庄稼。360虑胡来攻：为防备胡兵来攻。361豫置军屯以御其外：在所种庄稼的北侧，预先布置了防守据点。军屯，防守据点。362丁夫：青壮年男子，这里即指防守据点里的士兵。363获：收割庄稼。364急则烧谷而走：实在来不及收割的庄稼，就把它烧毁，总之不让敌兵得去。365竟不得其利：到底也还是没能打败敌人。366胡唯据河北：刘聪、石勒的地盘，还只是占据着黄河以北。367 方之于今二句：当初刘聪、石勒所占的地盘，与今天石虎占据的地盘相比，仅占四分之一。368 捍：抵抗。369 但论征西既至之后：这还只是说庾亮到达中原以后的事情。既，已经。370 未论道路之虑：还没有说到从后方运兵运粮到前线的沿途的艰难。虑，忧、担心。371 鱼贯溯流：舟船排成长队逆水而上。372 无宋襄之义：不像当年的宋襄公那么讲仁义，而中途袭击我们的运输船队。宋襄公是春秋时代宋国的国君，在宋与楚国战于泓水时，宋军已列好阵势，而楚兵正在渡河，有人劝他赶紧向楚兵发起攻击，宋襄公说："君子不鼓不成列。"要等楚兵过了河，列好阵再开战。结果宋军大败，宋襄公也受伤后死。事详《左传》僖公二十二年。373 王土：天子的国土，指东晋统治的江东地区。374 水陆异势：敌方多陆地，我方多沟渠。375 便习不同：各自的习惯与长处不同，指南方便于用船，北方便于用马。376 胡若送死：指胡兵渡江进攻东晋。377 敌之有余：战胜他们绰绰有余。〖按〗其实也未必，元朝、清朝都是证明。378 弃江远进：离开长江向北进攻。379 非庙胜之算也：不是在宗庙朝堂上制定的万无一失的克敌制胜之策。庙，宗庙、朝廷。380 不听：不准；不允许。381 移镇：移动其指挥部。镇，都督的办公所在地。382 前军师慕容评：慕容评是慕容皝的部将，当时任前军的统领。〖按〗"前军师"，据《晋书》当作"前军帅"。383 慕容军：慕容廆之子，慕容皝之弟。384 参合陂：水边的堤坝名，在今内蒙古凉城东的岱海南侧。385 灅源川：古城名，在今河北遵化。386 乌桓：我国东北部的少数民族名，东胡的别支。秦末匈奴冒顿强盛，灭其国，避徙至乌桓山（当在今内蒙古阿鲁科尔沁旗西北）以自保，遂称乌桓。387 昏：同"婚"。388 庚申：七月十八。389 始兴文献公王导薨：意即王导病死。王导被封为始兴公，始兴是封地名。文献二字是谥。因王导的地位相当于诸侯，故称其死曰"薨"。390 视汉博陆侯及安平献王故事：王导丧事的规格，与汉代的霍光和晋代的司马孚一样。霍光是汉武帝的托孤大臣，辅佐年幼的汉昭帝管理朝政，以功高位重被封为博陆侯；司马孚是司马懿之弟，因与皇帝的血缘既亲，建立的功劳又大，被封为安平郡王。霍光和司马孚死时都被皇帝特别加恩，赐用部分天子的礼仪以治办丧事。391 因事就功：凭借客观条件而取得成功。392 虽无日用之益二句：逐件地核查具体工作，看不出王导有何特别贡献；但从总体上考查，又的确数王导的贡献最多。393 辅相三世：为晋元帝、晋明帝、晋成帝三世当宰相。394 衣不重帛：外面罩着一层丝绸的衣服，里边套的都是粗布衫，极言其生活俭朴。395 何充：字次道，东晋的名臣。传见《晋书》卷七十七。396 为己副：做自己的副手。397 引充内侍：让何充进宫侍候皇帝，意即让其任辅相之职。398 无虞：无忧。399 辛酉：七月十九。400 护军将军：统领皇帝的禁卫部队。401 经纶：整理丝缕，理出丝绪叫经，编丝成绳叫纶，这里引申为筹划治理国家大事。402 升擢：提拔；选拔。403 翕然：顺从、服帖的样子。404 犹不堪其弘：尚且受不了宽弘所带来的问题。不堪，不能承受。405 顷：近来；不久前。406 天文错度：日、月及五星运行的次序错乱。407 宜尽消御之道：应当想办法化解这种天象错乱的问题，大概是想让庾冰举办一些迷信活动以祈求上苍等。消御，消解、恢复。408 玄象：天象；自然界的问题。㊾岂吾所测：哪里是我所能理解的。㊿正当勤尽人事：只有把人世间的事情尽量做好。正，只有。⑪隐实：查清。⑫料出无名：清查出没有户籍的人口。料，清查。⑬以充军实：把查出来的无户籍人口编入军队。军实，军队。⑭矫违：改变偏严的毛病。⑮复存宽纵：又变得过于放纵。⑯疏密自由：想宽想严都由他说了算。⑰八月壬午：八月初十。⑱府事：太尉府的一切事务，当时郗鉴任太尉，国家的最高军事长官。⑲乞骸骨：谦卑的说法，即请求辞职归田。⑳所统错杂：所管辖的人来自不同地区、不同行业、不同种族。㉑宣国恩：意即按照朝廷说法。㉒示以好恶：告诉他们应该爱什么、恨什么。㉓处与田宅：分给他们土地房屋。㉔若当北渡：如果真要渡江北移。当时有人主张把郗鉴在京口（今江苏镇江）的军事机关迁往江北。㉕必启寇心：必定引发北方敌人的南侵之心。㉖太常臣谟：即前文上书以驳庾亮的蔡谟。㉗贞正：忠厚正直。㉘太尉军司二句：太尉的僚属，并加有朝官侍中的职衔。㉙辛酉：九月二十。㉚寿阳：今安徽寿县。㉛琅邪：古郡名，郡治前后在今山东胶南、诸城等地。此时的寿阳、琅邪都在石虎政权的统治下，从琅邪到寿阳，是后赵与东晋的分界线。㉜城壁相望：敌人的军城与堡垒一线拉开，彼此相连。㉝见攻：受到晋军攻击。㉞未至：未到达寿阳。㉟声息久闻：我方的消息，敌方早早就知道了。㊱贼之邮驿：敌方消息的传送。邮驿，古代传送文书的驿站。步递曰邮，马递曰驿。㊲白起：战国时秦国名将，曾破鄢郢，烧夷陵，坑赵军四十余万于长平。事见《史记·白起王翦列传》。㊳项籍：即西楚霸王项羽。事详《史记·项羽本纪》。㊴发梁焚舟：过河后，拆掉桥梁，烧毁舟船。《战国策·中山策》：白起曰，“楚王恃其国大，不恤其政……故起所以得引兵深入，多倍城邑，发梁焚舟以专民……是以能有功也”。㊵背水而阵：以示无路可退，借以激励将士死里求生的决心。楚汉战争中，韩信破赵时曾列背水阵，以吸引赵军出击。事详《史记·淮阴侯列传》。㊶水渚：水边。渚，水中的小洲。㊷顾临：回头望着，形容担心的样子。㊸所诫：所忌讳；所应该回避。诫，意思同“戒”。㊹未拔：敌城未能攻下。㊺胡骑猝至：胡人的骑兵大队突然来到。猝，突然。㊻桓子不知所为：指挥官不知如何是好。桓子，即荀林父，春秋时的晋军统帅。与楚庄王作战时被楚军打败，晋军惶恐渡河北逃，腐败无能的荀林父竟擂鼓大喊：“先渡河者有赏。”于是晋军更加没有战心，秩序更加混乱。㊼舟中之指可掬：先上船的急着开船，未上船的扒住船沿不放手，船上的人抽刀砍攀船的手，于是船上手指多得可以用手向外捧。掬，一捧、一掐。㊽顿：放置。㊾坚城：攻不下的城池，指寿阳。㊿国之爪士：爪牙之士，以喻国家高贵的精兵、勇士。《诗经·祈父》：“祈父，予王之爪牙。”⑤①下邑：边远而不重要的城镇，亦指寿阳。⑤②益寇：增长敌兵的气焰。⑤③内无所倚：向内没有倚靠，友邻部队都在远远的长江以南。⑤④夷中利深：敌占区可以让人贪图的东西多。⑤⑤夷不堪命：敌区边境的人忍受不了晋人的掠夺。⑤⑥此城：指邾城。⑤⑦羯虏：指后赵石虎政权。⑤⑧有可乘之会：有了可以对之动手的时机。⑤⑨此又非所资：靠着他们这点兵力也无法完成任务。资，依托、凭借。⑥⓪荆、扬北鄙：荆、扬二州的北部边境，即今江苏、安徽的淮河以南及湖北的北部地区。㊻①不时遣兵：没有及时地派兵增援。㊻②沔阴：即沔阴戍，在今湖北随州西南的汉水东侧。㊻③沔南：沔水（汉水）以南。㊻④白石：山名，在今安徽含山西南六十里。㊻⑤胡亭：在今安徽阜阳。㊻⑥江夏：晋郡名，郡治安陆，即今湖北云梦。㊻⑦义阳：晋郡名，郡治即今河南信阳。㊻⑧竟陵：晋郡名，郡治石城，即今湖北钟祥。㊻⑨汉东：汉水以东。㊼⓪陈谢：陈情请罪。㊼①行安西将军：代理安西将军。官阶低而代理的职务高称“行”。晋代地方高级军政长官均带将军名号，有征、镇、安、平四种。庾亮本是征西将军，自贬三级，但仍代理安西将军之职。㊼②庾怿：庾亮之弟。㊼③豪恣：不守王法，肆意胡为。㊼④御史中丞：官名，掌管监察的主要长官。㊼⑤凡城：古城名，在今河北平泉南。㊼⑥榼卢城大悦绾：榼卢城的城主，名叫悦绾。城大，城主、一城之长。㊼⑦死生以之：要豁出性命来完成任务。㊼⑧众然后定：众人这才定下心来。㊼⑨攻之经旬：攻击了十多天。㊽⓪冀州：州治即今河北衡水市冀州区。㊽①汉武：汉武帝刘彻。㊽②魏明：魏明帝曹叡，曹丕子，公元二二七至二三九年在位。即位后，用曹真、司马懿等人，多次与蜀汉交战；又曾亲自统兵救合肥，败吴军；派司马懿击杀辽东公孙渊。事详《三国志·明帝纪》。㊽③舍人：帝王的侍从官名，掌诏诰呈奏之事。㊽④托言应璩：假说是当年应璩写的。应璩，字休琏，曹魏时期的文学家。传见《三国志·王粲传》。㊽⑤报：回答；复信。㊽⑥省诗知意：看诗后明白了你的意思。㊽⑦常辞：老生常谈；平常的言论。㊽⑧献捷论功：一方面向朝廷献捷，同时向朝廷表述自己的功劳。㊽⑨且言权假之意：向朝廷提出能否让自己暂为代理燕王。权假，代理。㊾⓪刻期大举：约定日期，同时大举出兵。㊾①新城：据胡注，在高句丽西鄙，东北接南苏、木底等城，即今辽宁的东部一带。㊾②高句丽王钊：名钊，都城丸都，即今吉林集安。㊾③宇文别部：宇文部落的分支。当时的宇文部落活动在今内蒙古赤峰一带地区。㊾④辟雍：古代帝王为贵族子弟所设的大学，取四周有水，形如璧环为名。大学有五，南为成均，北为上庠，东为东序，西为瞽宗，中为辟雍。㊾⑤明堂：古代帝王宣明政教的地方。凡朝会、祭祀、庆赏、选士、养老、教学等大典，均在此举行。㊾⑥行凉州事：意即代理凉州刺史。㊾⑦十二月丁丑：十二月初七。㊾⑧丙戌：十二月十六。㊾⑨琅邪王岳：司马岳，晋成帝司马衍之弟。⑤⓪⓪巴东：晋郡名，郡治即今重庆市奉节。

【校记】

［4］疆埸之土：原误作“疆埸之士”。据章钰校，乙十一行本、孔天胤本“士”皆作“土”，尚不误，今据校正。［5］金墉险固，刘曜十万众不能拔，征西之守殆不能胜也：原脱此三句。据章钰校，十二行本、乙十一行本皆有此三句，张敦仁《通鉴刊本识误》、张瑛《通鉴校勘记》同，今据补。［6］此：原误作“比”。据章钰校，十二行本、乙十一行本皆作“此”，当是，今据校正。［7］虑：原无此字。今据张敦仁《通鉴刊本识误》增补。［8］也：原无此字。据章钰校，十二行本、乙十一行本皆有此字，张敦仁《通鉴刊

本识误》同，今据补。[9]领：原无此字。据章钰校，十二行本、乙十一行本、孔天胤本皆有此字，今据补。[10]猝：原作“卒”，胡三省注云：“卒，读曰猝。”是胡所见本作“卒”。据章钰校，十二行本、乙十一行本、孔天胤本皆作“猝”，今从改。[11]之：原无此字。据章钰校，十二行本、乙十一行本、孔天胤本皆有此字，今据补。

【原文】

六年（庚子，公元三四〇年）

春，正月庚子朔[501]，都亭文康侯庾亮薨。以护军将军、录尚书何充为中书令。庚戌[502]，以南郡太守庾翼[503]为都督江、荆、司、雍、梁、益六州诸军事，安西将军，荆州刺史，假节，代亮镇武昌。时人疑翼年少，不能继其兄。翼悉心[504]为治，戎政严明，数年之间，公私充实，人皆称其才。

辛亥[505]，以左光禄大夫陆玩[506]为侍中、司空。

宇文逸豆归忌慕容翰才名，翰乃阳狂[507]酣饮，或卧自便利[508]，或被发[509]歌呼，拜跪乞食。宇文举国贱[510]之，不复省录[511]，以故得行来自遂[512]，山川形便，皆默记之。

燕王皝以翰初非[513]叛乱，以猜嫌出奔[514]，虽在他国，常潜为燕计，乃遣商人王车通市[515]于宇文部以窥翰。翰见车，无言，抚膺颔之[516]而已。皝曰：“翰欲来[517]也。”复使车迎之。翰弯弓三石[518]余，矢尤长大。皝为之造可手弓矢[519]，使车埋于道旁[520]而密告之。二月，翰窃逸豆归名马，携其二子过取弓矢[521]，逃归。

逸豆归使骁骑百余追之。翰曰：“吾久客思归，既得上马，无复还理[522]。吾向日[523]阳愚以诳汝[524]，吾之故艺[525]犹在，无为相逼自取死也！”追骑轻之，直突而前。翰曰：“吾居汝国久恨恨[526][12]，不欲杀汝。汝去

【语译】

六年（庚子，公元三四〇年）

春季，正月初一日庚子，东晋征西将军、司空、都亭文康侯庾亮去世。晋成帝任命担任护军将军、录尚书事的何充为中书令。十一日庚戌，任命南郡太守庾翼为都督江州、荆州、司州、雍州、梁州、益州六州诸军事，安西将军，荆州刺史，假节，接替庾亮镇守武昌。当时，人们都认为庾翼太年轻，承担不了其兄庾亮的重任。庾翼把全部身心都用来处理政务，不论是军事部门还是行政部门都管理得严正分明，几年下来，公家与私人的资财都很充裕，人们都称赞他才能出众。

十二日辛亥，东晋任命担任左光禄大夫的陆玩为侍中、司空。

宇文部落酋长逸豆归妒忌流亡于此的慕容翰的才能和名望，慕容翰为了免祸，遂假装疯癫，拼命饮酒，有时甚至躺卧在自己拉的屎尿中，有时又披散着头发大声唱歌呼叫，向人跪拜乞讨食物。宇文部落上上下下都看不起这个疯疯癫癫的流亡汉，因此没有人再监视他、收留他，慕容翰从此得以行动自由，他把宇文部落的山川地形，全都默默地记在心里。

燕王慕容皝认为慕容翰从来没有谋反叛变，只是由于怀疑慕容皝而逃出燕国，而且虽然身在异国他乡，却常常暗中帮助燕国，遂派遣商人王车前往宇文部落，以经商做掩护，暗中窥探慕容翰。慕容翰看见王车，没有说话，只是用手捶打了一下胸部、向王车点点头而已。慕容皝说："慕容翰想要回来。"于是再次派王车前往宇文部落迎接慕容翰回国。慕容翰能够拉动三石重的硬弓，所用的箭尤其长且大。慕容皝就特地为他制造了合手的弓箭，派王车将这副特制的弓箭埋藏在路边，然后悄悄地告诉了慕容翰。二月，慕容翰偷取了逸豆归的名马，带着自己的两个儿子，取出王车给他埋藏的弓箭，准备逃回燕国。

逸豆归派遣了一百多名骁勇的骑兵追赶慕容翰。慕容翰说："我在外客居已经很久了，我想回国，我既然上了马，就绝对没有再跟你们回去的道理。我此前假装疯狂是为了愚弄你们，我的本领依然存在，你们不要相逼太甚，自己找死！"追赶的骑兵没有把慕容翰放在眼里，径直拍马向前想要抓捕慕容翰。慕容翰说："我居住在你们的国家很长时间了，我对此地也有一种恋恋不舍之情，我不想杀你们。你们可以

我百步，立汝刀，吾射之，一发中者汝可还，不中者可来前。”追骑解刀立之，一发，正中其环㉗，追骑散走。皝闻翰至，大喜，恩遇甚厚。

庚辰㉘，有星孛于太微㉙。

三月丁卯㉚，大赦。

汉人攻拔丹川，守将孟彦、刘齐、李秋皆死。

代王什翼犍始都云中㉛之盛乐宫。

赵王虎遗汉主寿书，欲与之连兵入寇，约中分江南。寿大喜，遣散骑常侍王嘏、中常侍王广使于赵。龚壮谏，不听。寿大修舟舰[13]，缮兵㉜聚粮。秋，九月，以尚书令马当为六军都督，征集士卒七万余人为舟师，大阅于成都，鼓噪盈江。寿登城观之，有吞噬㉝江南之志。解思明谏曰："我国小兵弱，吴、会㉞险远，图之未易。”寿乃命群臣大议利害。龚壮曰："陛下与胡通㉟，孰若与晋通？胡，豺狼也，既灭晋，不得不北面事之㊱。若与之争天下，则强弱不敌，危亡之势也。虞、虢之事㊲，已然之戒㊳，愿陛下熟虑之。”群臣皆以壮言为然，叩头泣谏[14]。寿乃止，士卒咸称万岁。

龚壮以为人之行莫大于忠孝，既报父、叔之仇㊴，又欲使寿事晋，寿不从。乃诈称耳聋，手不制物㊵，辞归，以文籍㊶自娱，终身不复至成都。

赵尚书令夔安卒。

赵王虎命司、冀、青、徐、幽、并、雍七州之民五丁取三，四丁取二，合邺城旧兵满五十万，具船万艘，自河㊷通海，运谷千一百万斛于乐安城㊸。徙辽西、北平、渔阳万余户于兖、豫、雍、洛㊹四州之地。自幽州以东至白狼㊺，大兴屯田。悉括取㊻民马，有敢私匿㊼者腰斩，凡得四万余匹。大阅于宛阳㊽，欲以击燕。

燕王皝谓诸将曰："石虎自以乐安城防守重复㊾，蓟城㊿南北必不

在距离我一百步远的地方，把刀插在地上，我用箭来射它，如果我一箭射中它，你们就赶紧回去，如果射不中，你们就继续追捕我。”追赶的骑兵解下刀立在地上，慕容翰一箭射去，正射中大刀头上的环子，追赶的骑兵四散逃走。燕王慕容皝听到慕容翰回来，非常高兴，对待他非常优厚。

二月十一日庚辰，彗星从太微星的旁边划过。

三月二十九日丁卯，东晋实行大赦。

汉国人攻占了东晋的丹川，丹川守将孟彦、刘齐、李秋全都战死。

代王什翼犍开始建都于云中的盛乐宫。

后赵王石虎写信给汉主李寿，准备与李寿联合起来攻打东晋，约定成功之后，平分江南东晋的领土。汉主李寿得到石虎的信后非常高兴，立即派遣担任散骑常侍的王嘏、担任中常侍的王广出使赵国。隐士龚壮极力苦谏，李寿就是不肯听从。李寿大肆建造舟船，修缮兵器，积蓄粮草。秋季，九月，汉主李寿任命尚书令马当为六军都督，招募了七万多名士卒组建成水军，在成都举行盛大的阅兵仪式，战鼓声、号令声充满江面。李寿亲自登上城楼检阅，心中不由得升起一股吞并江南的豪情壮志。广汉太守解思明谏阻说：“我们国家很小，兵力也很弱，距离吴郡、会稽郡路途遥远而又艰险，想要彻底征服很不容易。”李寿遂下令群臣，对出兵东晋的利弊进行分析论证。隐士龚壮说：“陛下与胡人通使结盟，哪里比得上与东晋通使结盟？胡人，那是豺狼成性，灭掉东晋之后，汉国就不得不尊奉他为天子，北面称臣。如果跟他争夺天下，则胡强我弱，势必战胜不了他们，我们会立即面临灭亡的危险。古代虞国、虢国的事例，是以往现成的教训，希望陛下对此事深思熟虑。”群臣都认为龚壮的话是对的，纷纷叩头哭谏。李寿遂打消了与后赵联合攻晋的计划，士卒全都高呼万岁。

隐士龚壮认为，人的行为没有比为国尽忠、为父母尽孝更为重要的事情了，自己已经为父亲、叔父报了仇，本想再为国尽忠，引导汉主李寿侍奉东晋，而李寿不同意。龚壮遂诈称耳朵聋了，双手拿不住东西，辞别朝廷回到家中，在图书典籍中寻找乐趣，终其一生没有再去成都。

后赵尚书令夔安去世。

后赵王石虎下令给司州、冀州、青州、徐州、幽州、并州、雍州七个州的百姓，每家五个男丁中抽取三人，每家四个男丁中抽取二人，加上邺城旧有的士兵凑满五十万，同时准备了一万艘船只，从黄河进入渤海，将一千一百万斛的粮食运送到乐安城储存。又将辽西、北平、渔阳的一万多户迁徙到兖州、豫州、雍州、洛州四州安置。从幽州以东一直到白狼城，大肆进行开荒垦田，将民间的马匹全部征调出来，有谁敢私自隐藏，一旦被发现，立即腰斩，总计得到四万多匹马。石虎在宛阳举行盛大的阅兵仪式，准备攻打燕国。

燕王慕容皝对诸将说：“赵王石虎自认为乐安城的防守很严密、很牢固，因此蓟

设备。今若诡路㉛出其不意，可尽破也。”冬，十月[15]，䲡帅诸军入自蠮螉塞㉜，袭赵，戍将当道者皆禽之，直抵蓟城。赵幽州刺史石光拥兵数万，闭城不敢出。燕兵进破武遂津㉝，入高阳㉞，所至焚烧积聚，略三万余家而去。石光坐懦弱征还㉟。

赵王虎以秦公韬㊱为太尉，与太子宣迭日㊲省可㊳尚书奏事，专决赏刑㊴，不复启白㊵。司徒申钟谏曰：“赏刑者，人君之大柄㉛，不可以假人㉜，所以防微杜渐㉝，消逆乱于未然㉞也。太子职在视膳㉟，不当豫政㊱。庶人邃㊲以豫政致败，覆车未远㊳也。且二政分权㊴，鲜不阶祸㊵。爱之不以道㉛，适㉜所以害之也。”虎不听。

中谒者令㉝申扁以慧悟辩给㉞有宠于虎，宣亦昵㉟之，使典㊱机密。虎既不省事㊲，而宣、韬皆好酣饮畋猎，由是㊳除拜生杀㊴皆决于扁，自九卿已下，率皆望尘而拜㊵。

太子詹事孙珍病目，求方㉛于侍中崔约。约戏之曰：“溺中则愈㉜。”珍曰：“目何可溺？”约曰：“卿目睕睕㉝，正耐溺中㉞。”珍恨之，以白宣。宣于兄弟中最胡状目深㉟，闻之怒，诛约父子，于是公卿以下畏珍侧目㊱。

燕公斌㊲督边州㊳，亦好畋猎，常悬管而入㊴。征北将军张贺度每裁谏㊵之。斌怒，辱贺度。虎闻之，使主书礼仪㉛持节监之㉜。斌杀仪，又欲杀贺度，贺度严卫㉝驰白之㉞。虎遣尚书张离帅骑追斌，鞭之三百，免官归第㉟，诛其亲信十余人。

张骏遣别驾马诜入贡于赵，表辞蹇傲㊱。赵王[16]虎怒，欲斩诜。侍中石璞谏曰：“今国家所当先除者，遗晋㊲也。河西㊳僻陋，不足为意。今斩马诜，必征张骏，则兵力分而为二，建康复延数年之命矣。”乃止。璞，苞㊴之曾孙也。

城南北一定没有设防。现在如果从无人知晓的偏僻小路出其不意地去攻打乐安城，一定能够成功。”于是，在冬季十月，燕王慕容皝亲自率领诸军进入蠮螉塞，袭击后赵，沿途要塞一一被摧毁，守军中的大小头领全部被擒获，遂一直抵达蓟城。后赵幽州刺史石光手下虽有数万军队，却紧闭城门不敢出战。燕国军队遂顺利进军，攻破了武遂津，进入高阳，大军所到之处，将后赵所积存的粮食草料全部焚毁，劫掠了三万多户，而后撤离。赵幽州刺史石光因为遇敌畏缩不前而被召回京师邺城。

后赵王石虎任命秦公石韬为太尉，与太子石宣每人一天，轮流审批尚书省的奏章，二人有权就奖赏与刑罚独行专断，不需向石虎禀报。担任司徒的申钟劝阻说：“奖赏与刑罚，是一国之君的权柄，不能移交给他人，目的就是要防微杜渐，在叛逆内乱等还没有暴露行迹时将其化解掉。太子的职责是照顾好陛下的饮食，而不应当参与政事。被贬为庶民的石邃因为干预朝政而导致失败，倾覆的车辆就在前方不远处。再说，国家的大权一分为二，很少能不造成大祸。爱护他们却没有采用好的方法，恰恰是害了他们。”石虎没有采纳申钟的意见。

担任中谒者令的申扁，因为聪明伶俐、能说会道而深受石虎的宠爱，太子石宣对他也很亲热，便让他掌管宫廷机要。石虎因为自己不过问朝政，而石宣、石韬又都喜好酗酒、打猎，因此有关封官拜爵、生杀予夺等，全部由申扁决定，于是，大臣中从九卿以下，全都对申扁望尘下拜。

担任太子詹事的孙珍因为患眼病，便向担任侍中的崔约乞讨药方。崔约跟他开玩笑说：“往眼睛里撒泡尿，眼病就好了。”孙珍说：“眼睛里怎么能撒尿？”崔约说：“你的眼窝很深，正适合往里撒尿。”孙珍因此对崔约怀恨在心，便将此事禀告了太子石宣。偏偏太子石宣在自己的兄弟中胡人的特点最明显，眼窝深陷，因此，当他听了孙珍的禀报后非常愤怒，立即将崔约父子杀死，从此以后，上自公卿下至文武官员，全都惧怕孙珍，连正眼看他一眼都不敢。

后赵燕公石斌总管北部边陲诸州郡的事务，他也喜好打猎，经常把城门的钥匙带在自己身上以便随时出入。担任征北将军的张贺度每每劝说他。石斌竟因此大怒而凌辱了张贺度。赵王石虎得知消息，就派担任主书的礼仪手执石虎所赐的符节前往监督石斌。石斌竟然杀死了礼仪，还准备杀死张贺度，张贺度严加防卫的同时派人飞马奏报赵王石虎。石虎派担任尚书的张离率领骑兵追捕石斌，将石斌抽打了三百鞭子，免掉了他的官职，逐回府第闭门思过，将石斌的十多个亲信杀死。

凉州张骏派遣担任别驾的马诜向后赵进献贡品，奏章的措辞却傲慢无礼。后赵王石虎因此大怒，就要将使者马诜斩首。担任侍中的石璞劝阻说：“现在国家首先应该灭除的是东晋。张骏所在的河西地区荒僻简陋，用不着太在意。现在如果斩杀了马诜，就必须得征讨张骏，那样一来，兵力便要一分为二，东晋的建康朝廷又要延续几年了。”石虎遂没有杀马诜。石璞，是石苞的曾孙。

初，汉将李闳[600]为晋所获，逃奔于赵，汉主寿致书于赵王虎以请之[601]，署[602]曰“赵王石君”。虎不悦，付外议之[603]。中书监王波曰：“令李闳以死自誓曰：‘苟得归骨于蜀[604]，当纠帅[605]宗族，混同王化[606]。’若其信[607]也，则不烦一旅[608]，坐定梁、益[609]。若有前却[610]，不过失一亡命之人，于赵何损！李寿既僭大号[611]，今以制诏与之[612]，彼必酬返[613]，不若复为书与之。”会挹娄[614]国献楛矢石砮[615]于赵，波因[616]请以遗汉[617]，曰：“使其知我能服远方[618]也。”虎从之，遣李闳归，厚为之礼。闳至成都，寿下诏曰：“羯使来庭[619]，贡其楛矢。”虎闻之，怒，黜[620]王波，以白衣领职[621]。

七年（辛丑，公元三四一年）

春，正月，燕王皝使唐国内史[622]阳裕等筑城于柳城之北，龙山之西，立宗庙、宫阙，命曰龙城[623]。

二月甲子朔，日有食之。

刘翔至建康，帝引见，问慕容镇军[624]平安。对曰：“臣受遣之日，朝服[625]拜章[626]。”

翔为燕王皝求大将军、燕王章玺。朝议以为：“故事[627]，大将军不处边，自汉、魏以来，不封异姓[628]为王，所求不可许。”翔曰：“自刘、石[629]构乱，长江以北，翦为戎薮[630]，未闻中华公卿之胄[631]有一人能攘臂挥戈[632]，摧破凶逆者也。独慕容镇军父子竭力，心存本朝，以寡击众，屡殄[633]强敌，使石虎畏惧，悉徙边陲之民[634]散居三魏[635]，蹙国千里[636]，以蓟城为北境。功烈[637]如此，而惜[638]海北之地[639]不以为封邑[640]，何哉？昔汉高祖不爱王爵于韩、彭[641]，故能成其帝业，项羽刓[17]印不忍授[642]，卒用危亡[643]。吾之至心[644]，非苟欲尊其所事[645]，窃惜圣朝[646]疏忠义之国，使四海无所劝慕[647]耳！”

当初，汉国的将领李闳被东晋擒获，他辗转逃到了后赵，汉主李寿写信给后赵王石虎，请求将李闳遣送回汉国，书信开头的称呼是“赵王石君”。石虎很不高兴，便将其交付给外面的朝臣们讨论。担任中书监的王波说：“可以让李闳以他的生命发誓说：‘如果能够回到蜀地，必定纠集起全部皇族，率领他们归降赵国，成为赵国的子民，和赵国固有的国民一起沐浴在你的教化之中。’如果李闳能够信守承诺，则我们不用劳动一兵一卒，就能轻而易举地平定梁州、益州。如果李闳回到蜀地后反悔而没有实践他的誓言，我们不过失去了一个亡命之徒，这对于赵国来说又有什么损失呢！李寿已经盗用皇帝的名号，如果我们对他使用皇帝的诏令，他必然也会以同样的态度来回敬我们，不如再写一封诏书给他。”正巧此时挹娄国派使者来向后赵敬献用楛木做杆的箭，与用石制成的箭头，王波因此请求由挹娄国的使者把这些用楛木做杆的箭、用石制成的箭头转赠汉主李寿，王波说：“让他们知道，我国的威势已经使远方的国家臣服。”石虎采纳了王波的建议，遣送李闳回汉，并为他准备了丰厚的礼物。李闳回到成都，汉主李寿下诏说：“羯人派使者前来朝见汉国皇帝，进贡他们用楛木制造的弓箭。”石虎得到报告非常生气，便将献计的王波免职，让他以平民的身份代理中书监的职责。

七年（辛丑，公元三四一年）

春季，正月，燕王慕容皝派担任唐国内史的阳裕等在柳城之北、龙山以西建造城池，立宗庙、造宫殿，取名龙城。

二月初一日甲子，发生日食。

刘翔一行抵达京师建康，晋成帝司马衍接见了他，向他询问镇军将军慕容皝是否平安。刘翔回答说：“我在接受派遣出使的那一天，慕容将军身穿朝服，在庭院中朝南拜送表章。”

刘翔替燕王慕容皝向朝廷请求加授大将军头衔与颁发“燕王”印绶。参加商议的朝臣都认为：“按照旧有的章程，大将军从来不驻守边疆，且从汉、魏以来，非皇族的异姓人不得封王，不能答应慕容皝的请求。”刘翔说：“自从刘渊、石勒作乱以来，长江以北地区全都成为五胡的势力范围，没有听说中华高级官员的后代有哪一个能站出来振臂挥戈，消灭凶恶的叛逆者。只有慕容氏父子尽心竭力，念念不忘晋朝，用自己很少的兵力去攻击强大的贼众，并多次歼灭强大的敌人，使石虎感到畏惧，因而将其北部边陲的民众全部迁徙到魏郡、阳平、广平三郡之中，国土也因此向南退缩了上千里，把蓟城作为北部的边境。慕容氏的功业如此恢宏壮烈，而朝廷竟然舍不得渤海以北的一方土地，把它作为封邑分封给慕容将军，使他称燕王，这是什么道理？过去汉高祖刘邦毫不吝惜地将王位授予韩信、彭越等，所以能够成就帝王的大业，霸王项羽把刻好的印信攥在手里摩弄掉了棱角，就是舍不得授予别人，终于因此而灭亡。在我的内心，并不是非要勉强地提高自己主子的身份地位，而是私下里为朝廷疏远忠义的藩属国而感到惋惜，因为其后果就是使四海之内的忠义之士得不到激励，看不到可以效仿的榜样！”

尚书诸葛恢[648]，翔之姊夫也，独主异议，以为："夷狄相攻，中国之利。惟器与名，不可轻许[649]。"乃谓翔曰："借使慕容镇军能除石虎，乃是复得一石虎也，朝廷何赖[650]焉！"翔曰："嫠妇犹知恤宗周之陨[651]。今晋室阽危[652]，君位侔元、凯[653]，曾[654]无忧国之心邪？向使靡、鬲之功不立[655]，则少康何以祀夏[656]？桓、文之战不捷[657]，则周人皆为左衽[658]矣。慕容镇军枕戈待旦[659]，志殄[660]凶逆，而君更唱[661]邪惑之言，忌间[662]忠臣，四海所以未壹[663]，良由君辈[664]耳！"翔留建康岁余，众议终不决。

翔乃说中常侍彧弘[665]曰："石虎苞[666]八州之地，带甲百万，志吞江、汉，自索头[667]、宇文暨[668]诸小国，无不臣服。惟慕容镇军翼戴[669]天子，精贯白日[670]，而更不获殊礼[671]之命，窃恐天下移心解体，无复南向者矣。公孙渊[672]无尺寸之益于吴，吴主封为燕王，加以九锡。今慕容镇军屡摧贼锋，威震秦、陇[673]。虎比遣[674]重使[675]，甘言厚币[676]，欲授以曜威大将军、辽西王。慕容镇军恶其非正[677]，却[678]而不受。今朝廷乃[679]矜惜虚名[680]，沮抑[681]忠顺，岂社稷之长计乎？后虽悔之，恐无及已。"弘为之入言于帝，帝意亦欲许之。会[682]皝上表，称"庾氏兄弟擅权召乱[683]，宜加斥退，以安社稷"。又与庾冰书，责其当国秉权[684]，不能为国雪耻。冰甚惧，以其绝远[685]，非所能制[686]，乃与何充奏从其请[687]。乙卯[688]，以慕容皝为使持节、大将军、都督河北诸军事、幽州牧、大单于、燕王，备物[689]典策[690]，皆从殊礼。又以其世子儁为假节、安北将军、东夷校尉、左贤王，赐军资器械以千万计。又封诸功臣百余人，以刘翔为代郡太守，封临泉乡侯，加员外散骑常侍。翔固辞不受。

翔疾江南士大夫以骄奢酣纵[691]相尚[692]，尝因朝贵宴集，谓何充等曰："四海板荡[693]，奄逾三纪[694]，宗社[695]为墟，黎民涂炭[696]。斯[697]乃庙堂[698]焦虑之时，忠臣毕命[699]之秋也。而诸君宴安江沱[700]，肆情纵欲，以

东晋担任尚书的诸葛恢，是刘翔的姐夫，独自提出与众不同的意见，诸葛恢认为："夷狄互相攻击，对中国来说是有利的。只有代表名位、爵号的器物与表示身份、地位的封爵、名号不能轻易地给人。"他对刘翔说："假如慕容将军能够灭掉后赵的石虎，就等于又出现一个石虎，对朝廷有何益处！"刘翔回答说："西周时就连寡妇都知道对国家的衰落感到担忧。如今晋室面临着危险，而你作为'八元''八凯'一样的国家大臣，怎么竟然没有一点忧国忧民之心呢？假使当初夏朝的大臣靡没有在有鬲氏招募部众，拥戴姒少康收回帝位，姒少康又怎能中兴夏朝？如果齐桓公北伐山戎、南征楚国，晋文公与楚国的城濮之战不能取胜，则周朝的国民都得将衣襟开在左边了。慕容将军每天头枕戈矛等待天明，立志要为朝廷消灭凶恶的叛贼，而先生反而高唱惑乱人心的论调，离间忠良，四海所以未能统一，就是被你们这些人闹的！"刘翔在建康停留了一年多，朝臣议论纷纷，仍然决定不下来。

刘翔遂游说担任中常侍的彧弘说："后赵石虎的地盘包括八个州，装备精良的部队有一百万人，石虎的志向就是要吞并长江、汉水流域，如今从最大的代国索头部落、宇文氏部落以及所有的小国，无不臣服于石虎。唯有慕容将军拥戴天子，其一片赤诚之心，上贯天日，反而不能得到特殊的礼遇，我真担心天下人会因此与朝廷离心离德，没有人再南向尊奉朝廷了。过去，公孙渊对东吴没有一点帮助，吴主孙权还封他为燕王，加授九锡。如今慕容将军屡次摧败贼寇的锋芒，威望远震秦、陇。石虎接连派遣高级官员为使者，携带着丰厚的礼物、甜言蜜语，想要授予慕容将军为曜威大将军、辽西王。慕容将军嫌弃石虎不是正统而始终加以拒绝。如今朝廷竟然吝惜一个虚名，而使忠臣沮丧，难道这是为社稷的长治久安考虑吗？以后即使再后悔，恐怕也来不及了。"彧弘入宫将刘翔的这番话说给晋成帝听，晋成帝的意思也愿意答应慕容皝的请求。恰逢此时慕容皝给朝廷上表，抨击庾亮兄弟说"庾氏兄弟专擅权柄而给国家招致祸乱，应该将他们罢免，逐出朝廷，以安定国家社稷"。又写信给庾冰，责备他掌握国家最高权力，却不能为国雪耻。庾冰心里非常害怕，又因为慕容皝身处遥远的北方，非自己所能控制，遂与何充一起奏请晋成帝答应慕容皝的请求。乙卯日，东晋朝廷任命慕容皝为使持节、大将军、都督河北诸军事、幽州牧、大单于、燕王，各种仪仗、器物、法典册籍的赏赐都非常优厚。又任命慕容皝的世子慕容儁为假节、安北将军、东夷校尉、左贤王，赏赐的军用物资、器械等数以千万计。又封赏了有功之臣一百多人，任命刘翔为代郡太守，封其为临泉乡侯，加授员外散骑常侍。刘翔全部推辞，没有接受。

刘翔痛恨东晋士大夫的以骄横奢侈、纵酒放荡互相夸耀的不良风尚，曾经借着一次权贵集会宴饮的机会，对担任中书令的何充等人说："四海之内，时局动荡不安，转眼之间已经过去了三十多年，宗庙社稷成为一片废墟，黎民百姓生命涂炭。这正是朝廷心急如焚之时，忠臣为国效命之秋。而各位却躲在长江南岸放纵情欲、任意

奢靡为荣，以傲诞为贤，謇谔之言[701]不闻，征伐之功不立，将何以尊主济民乎！”充等甚惭。

诏遣兼大鸿胪郭悕持节诣棘城册命[702]燕王，与翔等偕北[703]。公卿饯[704]于江上，翔谓诸公曰：“昔少康资一旅[705]以灭有穷[706]，勾践[707]凭会稽[708]以报强吴。蔓草犹宜早除，况寇仇乎！今石虎、李寿，志相吞噬，王师纵未能澄清北方，且当从事巴、蜀[709]。一旦石虎先人举事，并寿而有之，据形便之地以临东南，虽有智者，不能善其后矣！”中护军谢广曰：“是吾心也[710]！”

三月戊戌[711]，皇后杜氏崩。夏，四月丁卯[712]，葬恭皇后于兴平陵。

诏实[713]王公以下至庶人皆正土断、白籍[714]。

秋，七月，郭悕、刘翔等至燕，燕王皝以翔为东夷护军、领大将军长史，以唐国内史阳裕为左司马，典书令李洪为右司马，中尉郑林为军谘祭酒。

八月辛酉[715]，东海哀王冲[716]薨。

九月，代王什翼犍筑盛乐城于故城南八里。

代王妃慕容氏卒。

冬，十月，匈奴刘虎寇代西部[717]。代王什翼犍遣军逆击，大破之。虎卒，子务桓立，遣使求和于代，什翼犍以女妻之。务桓又朝贡于赵，赵以务桓为平北将军、左贤王。

赵横海将军王华帅舟师自海道袭燕安平[718]，破之。

燕王皝以慕容恪[719]为渡辽将军，镇平郭[720]。自慕容翰、慕容仁之后，诸将无能继者。及恪至平郭，抚旧怀新[721]，屡破高句丽兵。高句丽畏之，不敢入境。

十二月，兴平康伯陆玩[722]薨。

汉主寿以其太子势领大将军、录尚书事。初，成主雄以俭约宽惠

享乐，把奢侈靡费作为荣耀，把傲慢怪诞当作贤能，公正直率的言论听不到，征伐有罪之人的功劳没有建立，你们将用什么方法尊奉天子、拯救黎民呢！”何充等非常惭愧。

晋成帝司马衍派遣兼任大鸿胪的郭悕手持符节前往棘城册封慕容皝为燕王，与刘翔等偕同北上。朝中的公卿大臣都在长江边上摆设酒宴为刘翔等饯行，刘翔对诸位大臣说：“夏朝的少康凭借着一旅之师灭掉了篡夺夏王朝的有穷氏，越王勾践凭借着会稽这么一个小地方而灭掉了强大的吴国，洗雪了被灭国的耻辱。爬蔓的野草还要及早除掉，何况是寇仇呢！如今石虎、李寿，都有吞并对方的企图，朝廷纵然没有能力扫平北方的石虎，也应当把精力用在攻取巴、蜀方面。一旦石虎抢先下手，兼并了李寿，据有了巴、蜀，占据了上游的有利地势，把矛头对准东南的朝廷，到了那时，即使有再高智慧的人出来，也无法挽救了！”担任中护军的谢广说：“这正是我心中所想的！”

三月初五日戊戌，东晋皇后杜氏去世。夏季，四月初五日丁卯，将杜皇后安葬在兴平陵，谥号恭皇后。

东晋皇帝司马衍下诏：上自公卿，下至平民百姓，不论是本地人还是外来人口，都要按照现在的居住地，分为“土断”“白籍”，正式进行登记造册。

秋季，七月，东晋大鸿胪郭悕偕同刘翔等到达燕国，燕王慕容皝任命刘翔为东夷护军、兼任大将军长史，任命担任唐国内史的阳裕为左司马，任命担任典书令的李洪为右司马，中尉郑林为军谘祭酒。

八月初一日辛酉，东晋东海哀王司马冲去世。

九月，代王什翼犍在故城南八里修筑盛乐城。

代王妃慕容氏去世。

冬季，十月，匈奴部落酋长刘虎率众进犯代国西部。代王什翼犍派军队前往迎战，大败刘虎。刘虎死，刘虎的儿子刘务桓即位，他派遣使者到代国请求讲和，代王什翼犍将自己的女儿嫁给刘务桓为妻。刘务桓又派人朝见后赵王石虎，向后赵纳贡，后赵任命刘务桓为平北将军、左贤王。

后赵的横海将军王华率领水军从海路袭击燕王管辖下的安平县，将安平攻占。

燕王慕容皝任命慕容恪为渡辽将军，镇守平郭。自慕容翰、慕容仁之后，镇守平郭的将领才能都很平庸，没有人能赶得上慕容翰、慕容仁。等到慕容恪到达平郭，安抚旧居民、关怀新归附的居民，多次打败高句丽的军队。高句丽很惧怕慕容恪，因此不敢再侵扰边境。

十二月，东晋兴平康伯陆玩去世。

汉主李寿任用自己的太子李势兼任大将军、录尚书事。当初，成主李雄因为厉

得蜀人心，及李闳、王嘏还自邺，盛称邺中繁庶[723]，宫殿壮丽，且言赵王虎以刑杀御下[724]，故能控制境内。寿慕之，徙旁郡民三丁以上者以实成都[725]，大修宫室，治器玩，人有小过，辄杀以立威。左仆射蔡兴、右仆射李嶷皆坐直谏死。民疲于赋役，吁嗟[726]满道，思乱者众矣。

———————————

【段旨】

以上为第三段，写晋成帝咸康六年（公元三四〇年）、七年共两年间的大事。主要写了慕容皝迎慕容翰回国，兄弟友好；写了慕容皝自间道出袭赵国前线后面的蓟城，多有破获；写了燕使刘翔至建康为慕容皝请封，晋朝诸臣顽固坚持不允，刘翔据理力争，并对各方面分别进行说服，最后终于完成使命，使慕容皝被册封为燕王；刘翔还痛斥了晋朝诸臣的“宴安江沱，肆情纵欲，以奢靡为荣，以傲诞为贤”，可谓一针见血；刘翔还建议晋王朝应积极行动，伐灭成汉政权，并说如果“一旦石虎先人举事，并寿而有之，据形便之地以临东南，虽有智者，不能善其后矣”，更可谓高瞻远瞩，很有战略眼光；写了汉主李寿的轻狂不自量力，先是想要东出伐晋，被群臣劝止；又对石虎政权狂傲无礼，把石虎向他转赠的挹娄进献的楛矢石砮，说成是石虎向他臣服；李寿还学石虎的奢侈严刑，闹得“民疲于赋役，吁嗟满道，思乱者众”；此外还写了石虎令石宣与石韬对掌朝政，“专决赏刑，不复启白”，大臣劝谏，石虎不听；石宣、石韬又都嗜酒怠事，实权遂落入中书令申扁之手，为石虎政权的失败做铺垫。

【注释】

⑤⓪① 正月庚子朔：正月初一是庚子日。⑤⓪② 庚戌：正月十一。⑤⓪③ 庾翼：庾亮之弟。⑤⓪④ 悉心：尽心；使出全副精神。⑤⓪⑤ 辛亥：正月十二。⑤⓪⑥ 陆玩：字士瑶，陆晔之弟。传见《晋书·陆晔传》。⑤⓪⑦ 阳狂：装疯。阳，通“佯”，假装。⑤⓪⑧ 便利：小便；撒尿。⑤⓪⑨ 被发：披发。被，通“披”。⑤①⓪ 贱：轻视；厌恶。⑤①① 不复省录：没有人监视、收留。⑤①② 行来自遂：往来自便；行动自由。⑤①③ 初非：从来不是。⑤①④ 以猜嫌出奔：乃由于怀疑慕容皝而逃出燕国。⑤①⑤ 通市：经商；做买卖。⑤①⑥ 颔之：向着王车点头。⑤①⑦ 翰欲来：慕容翰想要回来。⑤①⑧ 三石：指拉弓所需要的力量。一百二十斤为一石，三石为三百六十斤。⑤①⑨ 为之造可手弓矢：预先给他制造了一套合手的弓箭。因现在他身边不可能携带武器，故预先准备好，供他逃跑时使用。⑤②⓪ 使车埋于道旁：让王车给他埋藏在道边。⑤②① 过取弓矢：路过时把弓箭取出来。⑤②② 无复还理：没有再回到你那里去的道理。⑤②③ 向日：往日。⑤②④ 阳愚

行节俭、待人宽厚而深受蜀民的拥护，等到李闳、王嘏从后赵的都城邺城返回成都，他们极力称赞邺城是多么的繁华富庶，宫殿是多么的宏伟壮丽，而且说后赵王石虎是靠刑罚、杀戮统治国家，所以能使国内局势稳定。李寿很是羡慕后赵，遂将成都邻近的州郡，凡是一家有三个男人的家庭全都迁徙到成都，以充实成都的人口户数，又大肆建造宫殿，修治器物珍玩，有人犯了一点小过失，就将其杀掉以树立自己的威信。担任左仆射的蔡兴、右仆射李嶷全都因为直言劝谏而被处死。民众在繁重的赋税劳役的压迫下疲惫不堪，哀叹呼喊的声音充满了道路，希望通过作乱的形式来改变现状的人越来越多。

以诳汝：装傻以骗你。㉕故艺：原来的本领。㉖恨恨：眷恋、感恩的样子。㉗环：刀头上的环子。㉘庚辰：二月十一。㉙有星孛于太微：有流星划过太微垣。孛，火光四射的样子。㉚三月丁卯：三月二十九。㉛云中：郡名，在今内蒙古和林格尔城西北，后来改称“盛乐”。㉜缮兵：修治兵器。㉝吞噬：吞并。噬，咬。㉞吴、会：吴郡、会稽郡，二郡皆属东晋，这里用以代指晋王朝。㉟通：通好；联盟。㊱北面事之：意即向石虎称臣。㊲虞、虢之事：即假虞灭虢之事。春秋时，晋献公为灭虢而假道于虞；灭虢后，回兵时乃顺便将虞国灭掉。事见《左传》僖公五年。㊳已然之戒：是已往的现成教训。㊴报父、叔之仇：谓借李寿之手灭李特子孙。㊵手不制物：不能拿任何东西。㊶文籍：图书典籍。㊷自河：经由黄河。㊸乐安城：在今河北昌黎西南。㊹洛：洛州。石虎在邺城（在今河北临漳西南）置司州，乃改晋之司州为洛州。㊺白狼：县名，县治在今辽宁喀喇沁左翼蒙古族自治县西南。㊻括取：征调。㊼匿：隐藏。㊽大阅于宛阳：在宛阳举行盛大阅马式。宛阳，又名阅马台，在今河北临漳西南古邺城西。㊾重复：意即牢固。㊿蓟城：蓟县县城，即今北京市西南。551诡路：走隐秘的小路。552蠮螉塞：即今北京居庸关。553武遂津：渡口名，在今河北武强西北。554高阳：县名，县治在今河北高阳东。555坐懦弱征还：因畏敌不敢出击被调回邺城。556秦公韬：石韬，石虎之子。557迭日：一人一天。迭，更、轮流。558省可：审阅、批准。559专决赏刑：想杀谁、想赏谁，也都由他们一个人说了算。560不复启白：不再向石虎禀报。561大柄：大权。562假人：给予别人。563防微杜渐：在错误和坏事萌芽时，及时加以制止，不使其扩大发展。杜，堵塞。564未然：尚未形成。565视膳：意即侍候父母。父母进食时，太子在旁侍候。566豫政：过问政事。豫，通“与”，参与。567庶人邃：石邃，石虎的前太子，因欲谋杀其父被废为庶人。568覆车未远：犹言教训尚新。569二政分权：国家的权力一分为二，指太子宣与秦公韬迭日决事。570鲜不阶祸：祸变往往就是由此而生。鲜，少，类多如此。阶祸，为灾难的形成铺好台阶。571不以道：不用好的办法。572适：恰好。573中

谒者令：帝王的侍从官，主管收发传达。574 慧悟辩给：聪明伶俐，能说会道。575 昵：亲近；亲爱。576 典：掌管。577 不省事：不过问政事。578 由是：因此。579 除拜生杀：想提拔谁，想让谁死谁活。拜，任命官职。580 望尘而拜：望见他的车子就磕头行礼。尘，车子行走带起的风尘。581 求方：寻求药方。582 溺中则愈：对着眼睛撒泡尿就好了。583 睆睆：眼窝深陷的样子。584 正耐溺中：正适合往里头撒尿。585 最胡状目深：长得最像胡人，眼窝深陷。586 侧目：不敢正眼相看。587 燕公斌：石斌，石虎之子。588 督边州：石斌原称章武王，自石虎自称“大赵天王”后，诸子皆由王降公，石斌被封燕公，总督燕地诸事。589 悬管而入：自身挂着城门的钥匙，以便其早晚自由出入。管，这里指城门钥匙。590 裁谏：劝阻。裁，节制。591 主书礼仪：石虎身边的文秘官员姓礼名仪。592 持节监之：手执石虎所赐的旌节以监督石斌的行事。593 严卫：严密防卫。594 驰白之：跑到邺城向石虎报告。595 免官归第：免去现有职务，回家闭门思过。596 謇傲：用语傲慢。597 遗晋：残存的东晋王朝。598 河西：指凉州的张骏政权，据有今甘肃河西走廊之地，故言。599 苞：石苞，魏末与西晋之交人，帮助司马昭、司马炎篡魏的重要人物。〖按〗作者如此写法，对石苞、石璞有讽刺意味。600 李闳：成汉的荆州刺史。咸康五年，被东晋将李松俘获，送至建康。601 请之：请求放还汉国。602 署：书信开头的称呼。603 付外议之：交给外面的朝臣讨论。604 归骨于蜀：谦言倘能回到成汉。605 纠帅：收拾、率领。纠，聚集。帅，通“率”。606 混同王化：敬称归依后赵，成为你的子民，和你固有的国民一起沐浴在你的教化之中。607 信：信守诺言。608 不烦一旅：犹言用不着一旅的兵力。古以五百人为一旅。609 坐定梁、益：轻而易举地平定据有梁、益二州的成汉。坐，不消劳动，极言其省力。610 前却：一前一却，犹今言首鼠两端，即指反悔。611 僭大号：盗用皇帝的名号。僭，越分。612 以制诏与之：对他使用皇帝的诏令。613 彼必酬返：他必然也用同样的态度回敬我们。614 挹娄：我国古代东北地区的少数民族名，周至西汉称肃慎，东汉至晋称挹娄。其国西南连扶余，南接北沃沮，东滨大海，在今黑龙江、乌苏里江流域。615 楛矢石砮：用楛木做杆的箭，与石制的箭头。砮，石箭头。早在周朝，肃慎就进献过这种礼品，以表示朝贺归附。616 因：于是；趁势。617 请以遗汉：请求把这楛矢石砮转送给汉国。618 服远方：使远方之国臣服。服，服从。619 羯使来庭：赵国遣使来朝。羯，对赵国的蔑称。来庭，意即来朝，来向我们朝贺、归服。620 黜：贬；废免。621 以白衣领职：以平民的身份仍代理原来的职务。622 唐国内史：唐国地区的行政长官。此唐国应是当时山西人聚居的地方，故以“唐国”称之，亦犹东晋境内的侨郡。623 龙城：慕容皝的新都城，即今辽宁朝阳。624 慕容镇军：以称慕容皝，晋王朝封慕容皝为镇军将军，而一直未答应他们自请的“燕王”。625 朝服：慕容皝身穿朝服。626 拜章：慕容皝亲自对着上奏的表章行叩拜之礼，以表现其对晋王朝的恭谨之状。627 故事：意即先例，一贯的章程。628 异姓：指非皇族的人员。629 刘、石：刘渊、石勒。630 翦为戎薮：尽变为“五胡”的势力范围。翦，尽、全。戎，古少数民族名，此处代指匈奴、鲜卑、羯、氐、羌各族。薮，湖泽的通称，是鱼和兽聚居的地方，此处喻称各少数民族的聚集、杂居之地。㉛胄：后代；苗裔。㉜攘臂挥戈：捋袖出臂，挥舞兵器。㉝殄：消灭；灭绝。㉞悉徙边陲之民：把他北部边境的百姓全部搬迁。悉，尽、全都。徙，搬迁。边陲，边疆。㉟三魏：指赵都邺城周围的三个郡，即魏郡（治邺，在今河北临漳西南）、阳平郡（治元城，在今河北大名东北。后又移治馆陶，在今河北馆陶）、广平郡（郡治在今河北鸡泽东南）。㊱蹙国千里：国境向南收缩了上千里。㊲功烈：功勋、业绩，指慕容皝。㊳惜：吝啬；舍不得。㊴海北之地：渤海以北之地，包括今河北之东北部及辽宁全境，时为慕容氏所据有。㊵不以为封邑：不封给慕容皝做领地、称燕王。㊶汉高祖不爱王爵于韩、彭：公元前二〇三年，刘邦被项羽围困在荥阳（今河南荥阳东北），这时在齐拥有重兵的韩信派人要求封之为假齐王，为了使韩信更坚定地拥护自己，刘邦用张良谋，封韩信为齐王。公元前二〇二年，刘邦与诸侯约共击楚军，而韩信、彭越之兵迟迟不至，刘邦又用张良计，约与韩信、彭越灭楚后共分其地，韩、彭这才出兵，共同灭项羽于垓下。㊷项羽刓印不忍授：《史记·淮阴侯列传》载韩信曰："项王之为人也……使人有功当封爵者，印刓敝，忍不能予，此所谓妇人之仁也。"刓敝，摩弄掉了棱角。刓，通"玩"，抚摩。㊸卒用危亡：最后就是因为吝啬而灭亡。㊹至心：至诚之心。㊺非苟欲尊其所事：并不是勉强地只为提高自己的主子。苟，勉强。㊻窃惜圣朝：我是为你们晋王朝感到惋惜。窃，谦辞。圣朝，敬称东晋。㊼无所劝慕：得不到鼓励，看不到可效法的榜样。劝，鼓励。㊽诸葛恢：字道明，诸葛诞之孙。东晋初任会稽太守，后任尚书令。传见《晋书》卷七十七。㊾惟器与名二句：《左传》成公二年，"唯器与名，不可以假人"。器，古代标志名位、爵号的器物。名，表示身份、地位的封爵、名号等。㊿何赖：有何利益。(651)嫠妇犹知恤宗周之陨：一个民间寡妇都知道关心国家的灭亡。《左传》昭公二十四年，有所谓"嫠不恤其纬，而忧宗周之陨，为将及焉"。嫠，寡妇。恤，关心。宗周，西周。(652)阽危：面临危险。阽，近。(653)位侔元、凯：位同"八元""八恺（凯）"一样的国家大臣。尧舜时代有所谓"八元""八恺"，后人用以比喻皇帝的辅佐大臣。(654)曾：难道；竟然。(655)向使靡、鬲之功不立：当初假如没有"靡""鬲"二者的功劳。(656)少康何以祀夏：少康帝何以能中兴夏王朝，继续夏王朝的世袭。相传夏后帝启死，其子帝太康立，太康沉于畋猎，不恤民事，被有穷氏羿所逐。其弟仲康子帝相徙于商丘，依斟寻氏。羿相寒浞杀羿，袭有穷之号，代夏；浞子浇灭斟寻氏，杀帝相。相妃后缗逃归母家有仍氏，生少康。夏之遗臣靡在羿死后，逃于有鬲氏，聚集被浇所灭斟寻、斟灌二国残余，杀寒浞，立少康，灭浇于过，恢复了夏王朝。事详《左传》襄公四年，与《史记·夏本纪》的《索隐》和《正义》。(657)桓、文之战不捷：如果当年齐桓公、晋文公不能两次打败楚国，阻住楚兵的北进。齐桓公南伐楚，与楚定召陵之盟；晋文公破楚于城濮，都是春秋时代尊王攘夷、藩屏周室的大事。(658)周人皆为左衽：意即周王朝的领土都将被楚国占据，中原地区的人都将穿起楚人的服装。我国古代少数民族的服装，前襟向左，不同于中原地区服装的前襟向右。于是人们遂称左衽为少数民族服饰。《论语·宪问》记载孔子称道管仲辅佐齐桓公的贡献说："微管仲，吾其被发左衽矣。"⑹⑸⑼枕戈待旦：头枕兵器，等待天明，形容杀敌心切。⑹⑹⓪殄：灭。⑹⑹⑴更唱：反而高唱。⑹⑹⑵忌间：离间。⑹⑹⑶未壹：未能统一。⑹⑹⑷良由君辈：都是被你们这些人闹的。良，实在。⑹⑹⑸彧弘：姓彧，名弘。彧，通作"郁"。⑹⑹⑹苞：通"包"，覆盖、兼有。⑹⑹⑺索头：指鲜卑族的拓跋氏部落，即前文所说的建都盛乐的"代国"。鲜卑拓跋部人皆编发为辫，故东晋、南朝称之为"索头""索虏"，含蔑视之意。⑹⑹⑻暨：同"及"。⑹⑹⑼翼戴：拥戴。⑹⑺⓪精贯白日：忠诚之心上贯天日。⑹⑺⑴殊礼：特殊的礼遇，即封之为燕王。⑹⑺⑵公孙渊：三国辽东襄平（今辽宁辽阳）人，三国魏明帝时，为辽东太守，又南通东吴，孙权封其为燕王，加九锡。传附《三国志·公孙度传》。⑹⑺⑶威震秦、陇：辽东距秦、陇甚远，且中隔后赵，这里是指声威所及。⑹⑺⑷比遣：接连派遣。⑹⑺⑸重使：级别高的使臣。⑹⑺⑹甘言厚币：说好话，送厚礼。币，指用作礼物的车、马、玉、帛等。⑹⑺⑺恶其非正：讨厌他不是正统。⑹⑺⑻却：拒绝。⑹⑺⑼乃：竟；居然。⑹⑻⓪矜惜虚名：吝啬一个空洞的名号。⑹⑻⑴沮抑：挫折、压抑。⑹⑻⑵会：适逢；正赶上。⑹⑻⑶擅权召乱：指庾亮专权招致苏峻、祖约之变，及戍邾城引来后赵之兵；庾亮死，弟翼握兵于外，弟冰专政于内。⑹⑻⑷当国秉权：主持国事，掌握政权。⑹⑻⑸绝远：隔绝、遥远。⑹⑻⑹非所能制：根本无法控制。⑹⑻⑺奏从其请：奏请皇帝答应他的请求。⑹⑻⑻乙卯：此语有误，二月无乙卯，疑为三月之误。乙卯，三月二十二。⑹⑻⑼备物：皇帝对有功大臣所赐的器物，如车辂、旗章、弓矢、斧钺、佩饰等。⑹⑼⓪典策：亦作"典册"，记载典章制度等事的书册。⑹⑼⑴骄奢酣纵：骄横奢侈，纵酒放荡。⑹⑼⑵相尚：互相标榜、夸耀。⑹⑼⑶板荡：《诗·大雅》有《板》《荡》二篇，讥刺周厉王无道，败坏国家。这里即指政局变化，社会动荡不安。⑹⑼⑷奄逾三纪：转眼就过去三十多年了。奄，忽、急速的样子。十二年为一纪，三纪为三十六年。⑹⑼⑸宗社：宗庙社稷。⑹⑼⑹涂炭：烂泥和炭火，即今所谓"水深火热"，比喻灾难困苦。⑹⑼⑺斯：此；这些。⑹⑼⑻庙堂：宗庙明堂，古代帝王有大事则告于宗庙，议于明堂。此代指朝廷。⑹⑼⑼毕命：献出生命。⑺⓪⓪宴安江沱：躲在江边吃喝玩乐。宴安，安闲享乐。江沱，这里即指长江以南的建康城。沱江是长江的支流。⑺⓪⑴謇谔之言：正直的话。⑺⓪⑵册命：这里意即任命。册，上写皇帝封拜命令的简册。⑺⓪⑶偕北：相伴北行。⑺⓪⑷饯：设酒食给人送行。⑺⓪⑸资一旅：凭借着一旅人马起家。《左传》哀公元年：少康"邑诸纶，有田一成，有众一旅。能布其德，而兆其谋，以收夏众，抚其官职……遂灭过、戈，复禹之绩"。⑺⓪⑹以灭有穷：灭掉了篡夺夏王朝的有穷氏部落。⑺⓪⑺勾践：春秋末期越国的国君，公元前四九七至前四六五年在位。勾践先是被吴国大败于夫椒，带着所剩的五千人躲在会稽山上。后来他卧薪尝胆，发愤图强，终于灭掉了吴国，成为当时的霸主。事见《史记·越王勾践世家》。⑺⓪⑻会稽：会稽山，在今浙江绍兴东南。⑺⓪⑼从事巴、蜀：指消灭成汉，收复巴、蜀二郡。⑺⑴⓪是吾心也：这也正是我的想法。⑺⑴⑴三月戊戌：三月初五。⑺⑴⑵四月丁卯：四月初五。⑺⑴⑶实：查实；查清。⑺⑴⑷皆正土断、白籍：都要正式地或者按“土断”，或者按“白籍”进行登记造册。“土断”即依据所住之地进行登记。不论本地人还是外地迁来的人，只要在本郡本县居住，就在本郡本县登记户口，纳税服役。土断的户籍用黄纸书写。“白籍”是指东晋在江南建都后，过江的北方人口按地区集中居住，称为侨户；其所借居之地也以原来北方的郡县为名，称作侨置郡县。户籍用白纸书写，故称“白籍”。⑮ 八月辛酉：八月初一。⑯ 东海哀王冲：司马冲，晋元帝司马睿之子，被封为东海王，冲字是谥。⑰ 代西部：代王拓跋氏领土的西部，约当今内蒙古河套一带地区。⑱ 安平：县名。据胡注，此安平指辽东郡的西安平县。西安平县治在今辽宁丹东东北。⑲ 慕容恪：慕容皝之子，燕国的名将。⑳ 平郭：汉县名，属辽东郡。西晋废。故城在今辽宁盖州南。㉑ 抚旧怀新：安抚旧居民，施惠于新居民。怀，使人怀念不忘。㉒ 兴平康伯陆玩：兴平伯是陆玩的封号，兴平是封地名，康字是谥。陆玩是陆晔之弟。传见《晋书》卷七十七。㉓ 繁庶：繁华、热闹。庶，多。㉔ 御下：驾驭、管理部下。㉕ 以实成都：以充实成都城里的人口。㉖ 吁嗟：哀伤叹息。

【校记】

［12］恨恨：据章钰校，十二行本、乙十一行本、孔天胤本皆作“恨恨”。［13］舰：据章钰校，十二行本、乙十一行本、孔天胤本皆作“船”。［14］叩头泣谏：原无此四字。据章钰校，十二行本、乙十一行本、孔天胤本皆有此四字，张敦仁《通鉴刊本识误》、张瑛《通鉴校勘记》同，今据补。［15］十月：据章钰校，十二行本、乙十一行本皆无此二字。［16］赵王：原无此二字。据章钰校，十二行本、乙十一行本、孔天胤本皆有此二字，张瑛《通鉴校勘记》同，今据补。［17］刓：据章钰校，十二行本、乙十一行本、孔天胤本皆作“玩”。

【研析】

本卷写了晋成帝咸康四年（公元三三八年）至咸康七年共四年间的各国大事，其中所写的精彩人物与可议论的事件有以下几点。

第一，本卷所写的人物最生动、最令人心旷神怡的莫过于燕国派往东晋为慕容皝请封燕王的使者刘翔。刘翔作为一个燕国派出的使者，他不是仅仅传达燕国的意旨，讨得晋王朝的回音而已；他是积极主动、千方百计、创造性地完成了他的使命。当他到达晋王朝，晋成帝向他问询“慕容镇军平安”的时候，刘翔回答说：“臣受遣之日，朝服拜章。”意思正如“完璧归赵”的故事中蔺相如对秦王所说的“赵王乃斋戒五日，使臣奉璧，拜送书于庭”。你看慕容皝对待晋朝皇帝是多么虔诚！当晋朝群臣顽固地坚持不予慕容皝册封时，刘翔先表彰了慕容皝在东北地区的功勋、抗拒石虎的力量，东晋诸臣谁能与之相比？而后又引证刘邦、项羽在分封部将时由于慷慨与吝啬不同所造成的成功与失败。而结论曰：“吾之至心，非苟欲尊其所事，窃惜圣朝疏忠义之国，使四海无所劝慕耳。”可谓一语千钧！接着他便在下面分头进行个别工作，对于墨守成规、冥顽不灵的诸葛恢之流，他厉声痛斥，说“嫠妇犹知恤宗周之陨。今晋室阽危，君位侔元、凯，曾无忧国之心”；“慕容镇军枕戈待旦，志殄凶逆，而君更唱邪惑之言，忌间忠臣，四海所以未壹，良由君辈耳！”他向晋成帝身边的侍中彧弘介绍了慕容皝坚持敌后抗战的艰辛，介绍了慕容皝不向石虎低头，一心拥戴晋王朝的忠心耿耿，结论曰：“今朝廷乃矜惜虚名，沮抑忠顺，岂社稷之长计乎？后虽悔之，恐无及已。”彧弘报告晋成帝，连晋成帝也都同意了。这是多么忠心，又有卓越办事能力的使者！可惜晋王朝就缺少这种人。刘翔不仅出使不辱君命，而且在晋王朝浑浑噩噩的群臣中表现了几十年没有出现过的一枝独秀。当时江南士大夫以骄奢酣纵相尚，刘翔在一个官僚贵族群集的宴会上对丞相何充等人说：“四海板荡，奄逾三纪，宗社为墟，黎民涂炭。斯乃庙堂焦虑之时，忠臣毕命之秋也。而诸君宴安江沱，肆情纵欲，以奢靡为荣，以傲诞为贤，謇谔之言不闻，征伐之功不立，将何以尊主济民乎！”真不亚于晴天一声霹雳！而能将这种霹雳震响于晋王朝衮衮诸公耳边的又有谁是第二个？当刘翔完成使命，返回燕国，公卿饯于江上，刘翔对诸公说：“昔少康资一旅以灭有穷，勾践凭会稽以报强吴。蔓草犹宜早除，况寇仇乎！今石虎、李寿，志相吞噬，王师纵未能澄清北方，且当从事巴、蜀。一旦石虎先人举事，并寿而有之，据形便之地以临东南，虽有智者，不能善其后矣。”这又是高屋建瓴、极富战略眼光的话。秦朝是怎样灭楚的？晋朝是怎样灭吴的？凡有历史知识的人，怎能不闻之惊心？故余曰：刘翔，人杰也，应大书特书！

第二，石虎部下有王波其人，当汉将李闳被晋人所俘，李闳北逃至赵，汉主李寿求石虎放李闳归汉时，石虎令群臣议之。王波劝石虎放其归汉，他说：“令李闳以死自誓曰：‘苟得归骨于蜀，当纠帅宗族，混同王化。’若其信也，则不烦一旅，坐定梁、益，若有前却，不过失一亡命之人，于赵何损！”有谋有略，言简意深，说明石虎部下确有高人，而不全是一群刽子手、杀人魔王。尽管由于李寿狂妄自大，不计后果，“纠帅宗族，混同王化”的效果一时未能见到，加以石虎短视，竟将王波黜职。但谠言正论，也自当大书特书！

第三，王导、庾亮都是晋明帝托孤的大臣，但两人钩心斗角，从无和衷共济之心。当晋成帝已冠元服，王导犹老马恋栈，不肯归政；庾亮不是正言敦促，而是称王导为“大奸”，“欲共起兵废导”；当时庾亮任荆州刺史，“虽居外镇，而遥执朝廷之权，既据上流，拥强兵，趣势者多归之”。王导对此不是良言规劝，而是“内不能平，常遇西风尘起，举扇自蔽，徐曰：‘元规尘污人。’”冤家对头，简直像是汉朝的袁盎与晁错。当庾亮上书请求出兵北伐，太常蔡谟陈述利害，以为不可；而王导“请许之”。袁俊德《历史纲鉴补》曰：“导历相以来，从无一语及恢复，今忽请许亮北伐，岂真以中原为念哉？盖外以和衷示亮，实则明知亮不能成功，而欲借此以倾之耳。此正与仇杀周𫖮同一谲计，不可不知。”邹九峰曰：“王导身任宰衡，为国倚重，方且弘其襟度，用人推己，庶几贤者奋庸，翊成中兴之治也。彼庾亮者，以元舅之尊，与导同受顾命，矧握重兵于边。遥执朝权，亦势所必至者也。为王导者，度其所执者是，则当虚己相从，共励成治；所执者非，则面相可否，大则公付廷议，关白于上，以折拒之；使或专擅违抗，然后声义谴责，何有不服？顾乃内怀不平，自生忌妒，举扇蔽尘污，何逼隘之甚耶？宜伯仁之不能免也。即此而观，则知其见疏之时，史称其‘能任真推分而澹如也’，亦安知其非矫情也哉？”看惯了朝廷重臣中的这种势同水火，方能深刻体会司马迁写《廉颇蔺相如列传》的苦心。廉颇、蔺相如的故事当然是被司马迁所理想化了的，司马迁所以对这两个人分外喜爱，刻意加工，不就是因为现实社会中这种人太少、太难得吗？

第四，庾亮死后，其弟庾冰掌权。《通鉴》写庾冰：“冰既当重任，经纶时务，不舍昼夜，宾礼朝贤，升擢后进，由是朝野翕然称之，以为贤相。初，王导辅政，每从宽恕，冰颇任威刑，丹杨尹殷融谏之。冰曰：‘前相之贤，犹不堪其弘，况如吾者哉！’范汪谓冰曰：‘顷天文错度，足下宜尽消御之道。’冰曰：‘玄象岂吾所测，正当勤尽人事耳。’又隐实户口，料出无名万余人，以充军实。冰好为纠察，近于繁细，后益矫违，复存宽纵，疏密自由，律令无用矣。”整段文字的绝大部分是褒奖庾冰，令人觉得不无溢美之病；但最后几句又说他“疏密自由，律令无用”，近乎全盘否定。前后不相统一，令读者无所适从。后来写到燕国使者刘翔来晋，请朝廷加封慕容皝为燕王，晋朝群臣一片反对，连晋成帝同意也无济于事。迨至慕容皝上表讨伐庾氏兄弟“擅权召乱”，提出“宜加斥退，以安社稷”的时候，庾冰才感到害怕，赶紧转舵，“奏从其请”。由此看来，方知庾冰的确不是好料。

卷第九十七　晋纪十九

起玄黓摄提格（壬寅，公元三四二年），尽强圉协洽（丁未，公元三四七年），凡六年。

【题解】

本卷写晋成帝咸康八年（公元三四二年）至晋穆帝永和三年（公元三四七年）共六年间的东晋及各国大事。主要写了晋成帝司马衍死，庾冰、庾翼兄弟为把持朝权而立成帝之弟司马岳为嗣，是为康帝；康帝在位二年死，庾氏兄弟又欲立元帝之子（成帝之叔）司马昱为帝，何充坚持反对，遂立康帝子司马聃为嗣，是为穆帝。是时穆帝两岁，母后临朝；庾翼以灭胡、灭蜀为己任，率桓宣、桓温等人北伐后赵，结果败于丹水；写了桓温为荆州刺史，举兵伐蜀，拜表即行，攻破成都，汉主李势兵败投降，桓温留益州刺史周抚、征虏将军杨谦守西蜀，自己返回荆州；而汉将邓定、隗文等举兵反晋，入据成都，立范长生之子范贲为帝，蜀人多应之；晋将萧敬文又叛杀杨谦，自称益州牧，占据巴西、汉中一带地区；

【原文】

显宗成皇帝下

咸康八年（壬寅，公元三四二年）

春，正月己未朔[①]，日有食之。

乙丑[②]，大赦。

豫州刺史庾怿[③]以酒饷[④]江州刺史王允之[⑤]。允之觉其毒，饮犬，犬毙，密奏之。帝曰："大舅[⑥]已乱天下，小舅复欲尔[⑦]邪?"二月，怿饮鸩[⑧]而卒。

三月，初以武悼后[⑨]配食武帝庙[⑩]。

庾翼在武昌数有妖怪[⑪]，欲移镇乐乡[⑫]，征虏长史王述[⑬]与庾冰笺[⑭]曰："乐乡去武昌[⑮]千有余里，数万之众，一旦移徙，兴立城壁，

写了慕容皝用慕容翰之谋，先灭高句丽，又灭宇文氏，又灭夫余国，疆土日广；慕容皝又能罢苑囿、贷耕牛与贫民以发展农业，国势日强；写了后赵石虎父子痴迷畋猎，扩大猎场；又广建宫室，既建襄国、平阳，又建洛阳、长安，大肆搜求民女以实之；写了石虎政权下的严刑酷法，相互告讦，小人乱政，借灾异诿杀大臣，又挑动太子石宣与其弟石韬间的矛盾，从而乱象丛生；写了西平公张骏死，其子重华继位，赵将麻秋、孙伏都等连续进攻凉州，都被凉将谢艾、张悛、张据等所败；此外还写了石虎部下的姚弋仲、蒲洪，有胆有识，为其日后兴起做伏笔；写了林邑王攻陷日南郡，杀晋日南太守夏侯览，又杀都护刘雄；等等。

【语译】

显宗成皇帝下

咸康八年（壬寅，公元三四二年）

春季，正月初一日己未，发生日食。

初七日乙丑，东晋实行大赦。

东晋担任豫州刺史的庾怿将美酒馈赠给江州刺史王允之。王允之疑心酒里有毒，便先倒给狗喝，喝了酒的狗立即倒地而死，王允之便把此事秘密地奏报给晋成帝司马衍。晋成帝说："大舅庾亮已经扰乱了一次天下，难道小舅庾怿也要如此吗？"二月，庾怿饮鸩酒而死。

三月，东晋开始把武悼皇后杨芷的灵位摆放在武帝庙中晋武帝司马炎灵牌的旁边，与晋武帝一同享受祭祀。

东晋庾翼因镇所所在地武昌屡次发生令人感到奇特、怪异的事情，想把镇所迁移到乐乡，征虏长史王述写信给庾冰说："乐乡距离武昌一千多里，属下有数万部众，

公私劳扰。又江州当泝流[16]数千里供给军府[17]，力役增倍。且武昌实江东镇戍之中，非但捍御[18]上流而已，缓急赴告[19]，骏奔[20]不难。若移乐乡，远在西陲[21]，一朝江渚[22]有虞，不相接救。方岳[23]重将，固当居要害之地，为内外形势[24]，使窥窬[25]之心不知所向。昔秦忌亡胡之谶，卒为刘、项之资[26]；周恶檿弧之谣，而成褒姒之乱[27]。是以达人[28]君子，直道而行，禳避[29]之道，皆所不取，正当择人事之胜理[30]，思社稷之长计耳。"朝议亦以为然。翼乃止。

夏，五月乙卯[31]，帝不豫[32]。六月庚寅[33]，疾笃。或诈为[34]尚书符[35]，敕宫门无得内宰相[36]，众皆失色。庾冰曰："此必诈也。"推问[37]，果然。帝二子丕、奕皆在襁褓[38]，庾冰自以兄弟秉权[39]日久，恐易世[40]之后，亲属愈疏[41]，为他人所间[42]，每说帝以国有强敌，宜立长君，请以母弟琅邪王岳[43]为嗣，帝许之。中书令何充曰："父子相传，先王旧典，易之者鲜不致乱[44]。故武王不授圣弟[45]，非不爱也。今琅邪践阼[46]，将如孺子何[47]？"冰不听。下诏，以岳为嗣，并以奕继琅邪哀王[48]。壬辰[49]，冰、充及武陵王晞、会稽王昱、尚书令诸葛恢并受顾命。癸巳[50]，帝崩。帝幼冲[51]嗣位，不亲庶政[52]。及长，颇有勤俭之德。

甲午[53]，琅邪王即皇帝位，大赦。

己亥[54]，封成帝子丕为琅邪王，奕为东海王。

康帝亮阴不言[55]，委政于庾冰、何充。秋，七月丙辰[56]，葬成帝于兴平陵。帝徒行[57]送丧至阊阖门，乃升素舆至陵所。既葬，帝临轩[58]，庾冰、何充侍坐。帝曰："朕嗣鸿业[59]，二君之力也。"充曰："陛下龙

一旦迁徙，就得修筑城池，于公于私，都会造成很大的辛劳和困扰。再有，江州的物产需要逆流而上数千里才能到达乐乡，供给军府，费用和人力都得增加一倍。而且武昌实属江东镇戍的中心，不只是捍卫长江上游而已，国家一旦发生紧急情况需要通知荆州刺史，由荆州迅速出兵赴援朝廷都很容易。如果移到乐乡，乐乡远在西部边陲，一旦位于长江下游的都城有事，首尾不能相救。独当一面的高级将领，本来就应该戍守要害之地，维护朝廷与地方的安全，使那些图谋不轨的人不知从哪里下手。过去，秦始皇忌讳‘亡秦者胡也’的谶语而出动大军攻击匈奴，结果反而帮助刘邦、项羽成就了功业；周宣王厌恶‘檿弧箕服，实亡周国’的童谣，结果导致褒姒之乱。所以通达事理的人，要坚持走光明正确的直路，至于那些通过迷信手段以祈求驱灾避邪的做法，都是错误的，只能选择改良政治、竭尽人事，为国家的长治久安多做一些有益的事情。”朝廷的意见也是如此。庾翼遂打消了迁移乐乡的念头。

夏季，五月乙卯日，晋成帝司马衍身体不适。六月初五日庚寅，病情加重。有人伪造尚书省发布的公文，命令宫门侍卫不得允许丞相入宫晋见皇帝，文武百官全都大惊失色。但庾冰说："其中一定有诈。"经过推究审问，果然如此。晋成帝的两个儿子司马丕、司马奕还都在襁褓之中，庾冰认为自己兄弟执掌朝政已经很长时间，担心换了皇帝以后，自己与皇帝的亲属关系更加疏远，将会被别人挑拨离间，每每劝晋成帝说国家面对着强大的敌人，应该立年纪大些的为储君，请求晋成帝立自己的同母弟琅邪王司马岳为皇位继承人，晋成帝表示同意。担任中书令的何充说："父亲传位给自己的儿子，这是先王的规矩，凡是改变这一规矩的很少不招致祸乱。所以周武王不把王位传授给被称为‘圣人’的胞弟周公，而是传给了自己的儿子周成王姬诵，不是周武王不爱他的弟弟。如今让琅邪王司马岳继承皇位登上皇帝宝座，那晋成帝的两个小儿子怎么安排?"庾冰对何充的意见不予采纳。于是晋成帝司马衍下诏，立琅邪王司马岳为继承人，并将司马奕过继给琅邪哀王为后。初七日壬辰，庾冰、何充以及武陵王司马晞、会稽王司马昱、尚书令诸葛恢一同接受了晋成帝司马衍的临终嘱托。初八日癸巳，晋成帝司马衍驾崩。晋成帝幼年登基继承了皇位，由于年幼，并不亲自处理各种政务。等到年纪渐长，很有克勤克俭的美德。

六月初九日甲午，琅邪王司马岳即皇帝位，大赦天下。

十四日己亥，新皇帝司马岳封晋成帝的儿子司马丕为琅邪王，封司马奕为东海王。

晋康帝司马岳在为自己的哥哥晋成帝居丧守孝期间不过问政事，将一切政务全部委托给庾冰、何充。秋季，七月初一日丙辰，将晋成帝司马衍安葬在兴平陵。晋康帝司马岳徒步为晋成帝送丧，一直走到阊阖门，才坐上素色的车子，护送成帝的灵柩到达陵园。安葬完毕，晋康帝登上金殿前的平台上，庾冰、何充陪坐在旁边。晋康帝说："我能够继承皇家宏大的功业，全靠了二位的力量。"何充说："陛下像龙

飞，臣冰之力也。若如臣议，不睹升平之世[60]。”帝有惭色。己未[61]，以充为骠骑将军，都督徐州、扬州之晋陵[62]诸军事，领徐州刺史，镇京口，避诸庾也。

冬，十月，燕王皝迁都龙城[63]，赦其境内。

建威将军翰言于皝曰：“宇文强盛日久，屡为国患。今逸豆归篡窃得国[64]，群情不附[65]，加之性识庸暗[66]，将帅非才，国无防卫，军无部伍[67]。臣久在其国，悉[68]其地形，虽远附强羯[69]，声势不接[70]，无益救援。今若击之，百举百克。然高句丽去国密迩[71]，常有窥窬之志。彼知宇文既亡，祸将及己，必乘虚深入，掩[72]吾不备。若少留兵则不足以守，多留兵则不足以行[73]。此心腹之患也，宜先除之。观其势力，一举可克。宇文自守之虏，必不能远来争利。既取高句丽，还取宇文，如返手[74]耳。二国既平，利尽东海，国富兵强，无返顾[75]之忧，然后中原可图也。”皝曰：“善！”

将击高句丽。高句丽有二道，其北道平阔，南道险狭，众欲从北道。翰曰：“虏以常情料之，必谓大军从北道，当重北而轻南。王宜帅锐兵从南道击之，出其不意，丸都不足取[76]也。别遣偏师从北道，纵有蹉跌[77]，其腹心已溃，四支无能为也。”皝从之。

十一月，皝自将劲兵四万出南道，以慕容翰、慕容霸为前锋，别遣长史王寓等将兵万五千出北道以伐高句丽。高句丽王钊果遣弟武帅精兵五万拒北道，自帅羸兵[78]以备南道。慕容翰等先至，与钊合战，皝以大众继之。左常侍鲜于亮[79]曰：“臣以俘虏蒙王国士之恩[80]，不可以不报，今日，臣死日也。”独与数骑先犯高句丽陈[81]，所向摧陷。高句丽陈动，大众因而乘之[82]，高句丽兵大败。左长史韩寿斩高句丽将阿佛和度加，诸军乘胜追之，遂入丸都。钊单骑走，轻车将军慕舆埿追

一样飞升天际，是庾冰的力量。如果采纳我的意见，恐怕看不见陛下统治的太平盛世。”晋康帝司马岳脸上露出惭愧的神色。初四日己未，任命何充为骠骑将军，都督徐州、扬州之晋陵诸军事，兼任徐州刺史，镇所设在京口，为的是躲开庾氏诸人。

冬季，十月，燕王慕容皝将都城迁往龙城，在燕国境内实行大赦。

建威将军慕容翰对燕王慕容皝说：“宇文部落强盛了很长时间，多次给我国带来灾祸。如今宇文逸豆归篡位夺取了政权，人心不服，加上他资质平庸，没有远见卓识，手下的将帅又都没有才干，国家没有防卫，军队的编制没有章法。我在其国待的时间很长，熟悉那里的地形，虽然他们归附于远方强大的赵国，然而两地相距遥远，不能实时地互通消息，遇到紧急情况根本无法互相救援。现在攻击他，可以百战百胜。然而高句丽距离我们的都城很近，经常窥视着我们，打我们的主意。他们知道一旦宇文氏被灭掉，灾祸马上会落到他们头上，必定趁我出兵宇文氏，后方兵力空虚的机会，率领大军深入我国境内，突然袭击我们的后方。如果留下的兵力很少，则不足以抵抗高句丽的入侵，如果留守的军队很多，则前往消灭宇文部落的兵力就不够用。这才是我们的心腹之患，所以应该先除掉高句丽。观察他们的形势，只需出兵一次便可将其攻克。宇文部落酋长逸豆归是一个性格保守的胡虏，必定不能远道而来与我们争斗。攻取了高句丽之后，回过头来攻取宇文氏，便易如反掌了。高句丽与宇文氏全部平定之后，一直到东海之滨，物产都将归我国所有，到那时，国富兵强，又没有后顾之忧，就可以考虑夺取中原。”燕王慕容皝听后说：“好主意！”

燕国准备出兵攻取高句丽。通往高句丽有两条道路，其北部道路平坦开阔，而南道险峻狭窄，众人都主张从北道进军。建威将军慕容翰说：“高句丽按照常情来判断，必定认为我们的大军会从北路进入其国境，所以肯定把重兵安置在北道而轻视南道的防御。大王应该率领精锐部队从南道打他一个出其不意，攻取高句丽的都城丸都就很容易了。另外派遣一支部队从北路进兵，即使我们在北路受点损失，然而高句丽的心脏已经崩溃，四肢也就无能为力了。”慕容皝批准了慕容翰的进兵方案。

十一月，燕王慕容皝亲自率领四万名精兵，从南道向高句丽进发，任用慕容翰、慕容霸为前部先锋，另外派遣担任长史的王寓等率领一万五千人从北路讨伐高句丽。高句丽王钊果然派遣他的弟弟高武率领五万名精兵前往北道迎战燕军，自己却率领着老弱残兵前往南道防御。燕国建威将军慕容翰等率军抢先到达，与高句丽国主所率领的弱兵交战，燕王慕容皝率领大队人马随后赶来。担任左常侍的鲜于亮说：“我原本是一个俘虏，承蒙燕王像对待国士一样对待我，大恩大德不能不报；今天就是我为大王效死的日子。”于是独自率领几名骑兵率先冲入高句丽的军阵，所向披靡。高句丽的军阵已经动摇，燕国的大股部队趁势猛攻，高句丽的军队大败。燕国的左长史韩寿斩杀了高句丽的将领阿佛和度加，诸军乘胜追击，遂一举攻陷了高句丽的都城丸都。高句丽国王钊单骑逃走，燕国轻车将军慕舆埿随后追杀，擒获了高句丽

获其母周氏及妻而还。会王寓等战于北道，皆败没，由是皝不复穷追，遣使招钊，钊不出。

皝将还，韩寿曰："高句丽之地，不可戍守。今其主亡⑧民散，潜伏山谷，大军既去，必复鸠聚⑧，收其余烬⑧，犹足为患。请载其父尸、囚其生母而归，俟其束身自归⑧，然后返之⑧，抚以恩信，策之上也。"皝从之。发钊父乙弗利墓，载其尸，收其府库累世之宝，虏男女五万余口，烧其宫室，毁丸都城而还。

十二月壬子⑧，立妃褚氏为皇后，征豫章太守褚裒为侍中、尚书。裒自以后父⑧，不愿居中任事，苦求外出，乃除建威将军、江州刺史，镇半洲⑨。

赵王虎作台观四十余所于邺，又营洛阳、长安[1]二宫，作者四十余万人。又欲自邺起阁道⑨至襄国。敕河南四州⑨治南伐之备⑨，并、朔、秦、雍严西讨之资⑨，青、冀、幽州为东征之计⑨，皆三五发卒⑨。诸州军造甲者五十余万人，船夫十七万人，为水所没、虎狼所食者三分居一。加之公侯牧宰⑨竞营私利，百姓失业愁困。贝丘⑨人李弘因众心之怨，自言姓名应谶⑨，连结党与，署置百寮⑩。事发，诛之，连坐⑩者数千家。

虎畋猎无度，晨出夜归；又多微行⑩，躬察作役⑩。侍中京兆⑩韦謏谏曰："陛下忽天下之重⑩，轻行斤斧之闲⑩，猝有狂夫⑩之变，虽有智勇，将安所施？又兴役无时⑩，废民耘获⑩，吁嗟盈路，殆非仁圣⑩之所忍为也。"虎赐謏谷帛，而兴缮滋繁⑪，游察自若⑫。

国王钊的母亲周氏和他的妻子，而后回军。正赶上长史王寓等所率领的北道军全军覆没的消息传来，因此，燕王慕容皝不再对败逃的高句丽国主钊穷追猛打，派遣使者招降高句丽王钊，钊不肯出降。

燕王慕容皝准备班师，担任左长史的韩寿进言说："高句丽的地盘，我们不可以在此留兵戍守。现在高句丽王钊已经逃走，民众逃散，全都躲藏到了山沟里，只要我们的大军一离开，他们必然会重新聚集起来，招集起那些残兵败将，其势力还完全可以给我们造成灾祸。请带着高句丽王钊父亲的尸体、囚禁他的母亲，将他们带回燕国，等候高句丽主钊主动前来请罪归降，到那时再把他们放回，用恩惠和诚信对待他，这是上策。"慕容皝听取了韩寿的建议。于是挖开高句丽王钊父亲乙弗利的坟墓，将乙弗利的尸体装载上车，收拾起高句丽府库中历代收藏的财宝，俘虏了五万多名男女，烧毁了高句丽王的宫室，毁坏了高句丽的都城丸都，然后凯旋。

十二月二十九日壬子，东晋康帝司马岳立王妃褚氏为皇后，征召褚皇后的父亲、担任豫章太守的褚裒为侍中、尚书。褚裒因为自己是皇后的父亲，所以不愿意留在朝廷任职，苦苦地请求到地方去，遂被任命为建威将军、江州刺史，镇所设在半洲。

后赵王石虎在邺城建造了四十多处台观，又在洛阳、长安分别建造宫殿，征调民夫四十多万。他还准备在邺城到襄国之间修建一条空中通道。又给黄河以南的洛州、豫州、徐州、兖州四州下诏，要他们做好大军南伐东晋的准备，给并州、朔州、秦州、雍州下诏，要他们积极筹备向西讨伐凉州张骏所需的兵员、物资，下诏给青州、冀州、幽州，要他们做好向东征讨燕国慕容皝的计划。在国内大肆征兵，并严格规定，凡是一家之中有三个男丁，就要征调二人服兵役，家中有五个男丁，就要征调三人服兵役。各州光是为军人打造铠甲、武器的就有五十多万人，船夫十七万人，被水淹死、被虎狼吃掉的占了三分之一。再加上公爵、侯爵，以及州牧、郡守、县令等趁机牟取个人私利，使得百姓失去了他们赖以谋生的产业，已经完全陷入穷困不堪的境地。贝丘人李弘，借助于百姓对石虎政权充满怨恨的心情，便宣称自己的姓名应验了谶语上的预言，遂互相联络、发展党羽，设置各种职能机构，任命文武官员。事情败露之后，李弘被杀，因为受牵连而被判罪的达数千家。

石虎喜欢游猎，而且毫无节制，经常早晨出去，一直到深夜才归来；又经常便装出行，亲自到各工地查看工程进度。担任侍中的京兆人韦谀劝谏他说："陛下忽略了自己是身系国家安危的帝王，轻率地在手拿刀斧的施工现场走来走去，万一发生刺客袭击的事件，即使再有智谋和勇力，恐怕一时之间也施展不出吧？再有，大兴劳役，不考虑农忙农闲，农民耕作、收获的工作全部被迫停止，哀叹、怨恨的声音充满了道路，这恐怕不是仁慈圣明的君主所忍心去做的事情。"石虎赏赐给韦谀谷米和布帛，表示对他直言劝谏的奖励，然而开工兴建的工程却越来越多，到处游猎、到处检查的习惯依然如故。

秦公韬有宠于虎，太子宣恶之。右仆射张离领五兵尚书[113]，欲求媚于宣，说之曰："今诸侯[114]吏兵过限，宜渐裁省，以壮本根[115]。"宣使离为奏："秦、燕、义阳、乐平四公[116]听[117]置吏一百九十七人，帐下兵二百人。自是以下[118]，三分置一[119]，余兵五万[120]，悉配东宫[121]。"于是诸公咸怨，嫌衅[122]益深矣。

青州上言："济南平陵城[123]北石虎一夕移于城东南，有狼狐千余迹随之[124]，迹皆成蹊[125]。"虎喜曰："石虎者，朕也。自西北徙而东南者，天意欲使朕平荡江南也。其敕诸州兵明年悉集，朕当亲董六师[126]，以奉天命[127]。"群臣皆贺，上皇德颂者一百七人。制[128]："征士五人出车一乘，牛二头，米十五斛，绢十匹，调不办[129]者斩。"民至鬻子[130]以供军须，犹不能给[131]，自经[132]于道树者相望[133]。

康皇帝[134]

建元元年（癸卯，公元三四三年）

春，二月，高句丽王钊遣其弟称臣入朝于燕，贡珍异以千数。燕王皝乃还其父尸，犹留其母为质。

宇文逸豆归遣其相莫浅浑[135]将兵击燕。诸将争欲击之，燕王皝不许。莫浅浑以为皝畏之，酣饮纵猎，不复设备。皝使慕容翰出击之，莫浅浑大败，仅以身免，尽俘其众。

庾翼为人慷慨[136]，喜功名，不尚浮华[2]。琅邪内史桓温，彝[137]之子也，尚南康公主[138]，豪爽有风概[139]。翼与之友善，相期[140]以宁济海内[141]。翼尝荐温于成帝曰："桓温有英雄之才，愿陛下勿以常人遇之[142]，常婿畜之[143]，宜委以方、邵之任[144]，必有弘济艰难[145]之勋。"时杜乂、殷浩[146]并才名冠世，翼独弗之重[147]也，曰："此辈宜束之高阁[148]，俟[149]天下太平，然后徐议其任[150]耳。"浩累辞征辟[151]，屏居墓所[152]，几将[153]十年，

后赵秦公石韬很受天王石虎的宠爱，皇太子石宣因此而厌恶石韬。担任右仆射的张离同时兼任着五兵尚书的职务，他想讨好皇太子石宣，就对石宣说："如今各诸侯属下的官吏和军队数量都超过了国家规定的限度，应该逐渐地对他们加以裁减，以加强皇太子的势力。"石宣遂指使张离向天王石虎奏报说："秦公石韬、燕公石斌、义阳公石鉴、乐平公石苞四位公爵手下可以允许设置官吏一百九十七人，帐下的士兵二百人。其余公爵只能按照这个标准的三分之一保留，裁减下来的三分之二，总计约有兵力五万人，全部调拨给东宫的皇太子。"因为这件事，诸公爵全都心生怨恨，与皇太子石宣之间的矛盾也就更加深化。

后赵的青州官员上疏说："济南郡平陵城北面的一个石雕虎，一夜之间突然移到了平陵城东南，有一千多只狼、狐狸跟随着它，竟然踩出了一条小路。"石虎高兴地说："石虎，那是代表我呀。石虎从西北迁往东南，这是上天希望我平定江南。赶紧下诏给各州的军队，要他们明年全部集结，我要亲自率领六军，奉行天命讨伐东晋。"满朝文武官员全都向石虎祝贺，呈递《皇德颂》的就有一百零七人。石虎下诏说："接到征集令的军士，每五个人要带齐一辆车、两头牛、十五斛米、十四绢，没有按照命令带齐上述物品的一律斩首。"穷苦的百姓为了交纳军需，甚至卖掉了自己的孩子，但还是达不到缴纳的标准，于是纷纷在路旁的树上上吊自杀，悬挂的尸体一个接着一个。

康皇帝

建元元年（癸卯，公元三四三年）

春季，二月，高句丽王钊派自己的弟弟前往燕国的都城龙城朝见燕王慕容皝，向燕国称臣，进贡给燕国的珍禽异兽数以千计。燕王慕容皝遂将高句丽王父亲的尸体交还给来使带回，但仍然将其母亲扣作人质。

宇文部落首领逸豆归派遣自己的国相莫浅浑率领军队攻打燕国。燕国诸将都争相准备迎击，燕王慕容皝没有批准。莫浅浑遂认为慕容皝惧怕他们，便开始放松警惕，每天饮酒打猎，不再进行警戒。燕王慕容皝派建威将军慕容翰率军出击，莫浅浑被慕容翰打得大败，仅逃得一命，他所率领的部众全部被燕国俘虏。

庾翼意气风发，情绪激昂，醉心于建功扬名，不崇尚浮华。担任琅邪内史的桓温，是已故宣城内史桓彝的儿子，他娶了晋明帝的女儿南康公主为妻，为人豪爽，有风采、有气概。庾翼与桓温关系友好，两人都以安定天下、澄清海内互相期许。庾翼曾经向晋成帝司马衍推荐桓温说："桓温有英雄的才能和气概，希望陛下不要把他当作一般人看待，不要像对待一般的女婿那样对待他，应该像周宣王对待方叔、邵虎那样，委以征伐的重任，一定能够建立宏大的功勋，改变国家的艰难局面。"当时杜乂、殷浩所负才名天下第一，唯独庾翼不看重他们二人，庾翼说："这一类人应该把他们放到高阁上去，等到天下太平以后，再慢慢地商议让他们干点什么。"朝廷多次征聘殷浩出来做官，都被殷浩推辞谢绝了，他隐居在先人的墓园旁将近十年，

时人拟之管、葛[154]。江夏相谢尚[155]、长山令王濛[156]常伺其出处[157]，以卜江左兴亡[158]。尝相与省之[159]，知浩有确然之志[160]。既返，相谓曰："深源不起[161]，当如苍生何[162]！"尚，鲲之子也。翼请浩为司马，诏除侍中、安西军司[163]，浩不应。翼遗浩书曰："王夷甫[164]立名非真，虽云谈道[165]，实长华竞[166]。明德君子，遇会处际[167]，宁可然乎[168]？"浩犹不起。

殷羡[169]为长沙相，在郡贪残，庾冰与翼书属之[170]。翼报[171]曰："殷君骄豪，亦似由有佳儿[172]，弟[173]故小令物情容之[174]。大较[175]江东之政，以妪煦豪强[176]，常为民蠹[177]，时有行法[178]，辄施之寒劣[179]。如往年偷石头仓米一百万斛，皆是豪将[180]辈，而直[181]杀仓督监[182]以塞责[183]。山遐为余姚长[184]，为官[185]出豪强所藏二千户[186]，而众共驱之[187]，令遐不得安席。虽皆前宰之惛谬[188]，江东事去[189]，实此之由[190]。兄弟不幸，横陷此中，自不能拔足于风尘之外[191]，当共明目而治之。荆州所统二十余郡，唯长沙最恶，恶而不黜[192]，与杀督监者[3]复何异邪？"遐，简[193]之子也。

翼以灭胡取蜀为已任，遣使东约燕王皝，西约张骏，刻期[194]大举。朝议多以为难，唯庾冰意与之同，而桓温、谯王无忌[195]皆赞成之。无忌，承[4]之子也。

秋，七月，赵汝南太守戴开帅数千人诣翼降。丁巳[196]，下诏议经略中原[197]。翼欲悉所部之众北伐，表桓宣为都督司雍梁三州、荆州之四郡[198]诸军事，梁州刺史，前趣丹水[199]，桓温为前锋都督[5]，假节，帅众入临淮[200]，并发所统六州奴[201]及车牛驴马，百姓嗟怨。

代王什翼犍复求婚于燕，燕王皝使纳马千匹为礼[202]，什翼犍不与，

当时的人都把他比作管仲与诸葛亮。担任江夏国相的谢尚、担任长山县令的王濛经常根据殷浩的出山与归隐来推断江东政治局面是昌盛还是衰微。他们曾经结伴去拜访殷浩，知道殷浩已经下定决心不肯出来做官。在返回的途中，二人相互说："殷浩不肯出来从政，这黎民百姓可怎么办呢！"谢尚，是谢鲲的儿子。庾翼聘请殷浩担任司马，晋康帝下诏任命殷浩为侍中、安西军司，殷浩都不接受。庾翼遂写信给殷浩说："王衍虽然负有盛名却并不实际，虽然是讲述老子、庄子的学说，实际上是在助长官场上的浮华豪奢与奔竞之风。有才有德的正人君子，在遇到可以施展才干的机会的时候，能够老是像你这样子吗？"殷浩还是不肯出山。

殷浩的父亲殷羡担任长沙相，在郡中贪赃枉法，残害百姓，担任中书监的庾冰写信给庾翼，为殷羡说情。庾翼在给庾冰的回信中说："殷羡那样的骄纵豪横，似乎是因为他有殷浩那样一个出色的儿子，我也因此而让舆论对他稍加宽容。从江东政治局势的大略来分析，对那些有权有势的豪门贵族总是宽容放纵，而这些豪门贵族总是侵夺、损害老百姓的利益，成为当地的祸害，官府有时惩罚犯罪者，也总是抓几个出身贫寒、地位低下的人来充数。比如，往年有人偷盗了石头城仓库中的一百万斛粮食，官府明知偷盗的人是有权势的武官，却不敢追究，只把管理仓库的小官吏杀掉以搪塞上司的查问。山遐担任余姚县长时，为了国家利益，从豪强大户家中清查出二千家没有户籍的黑户，而有权势的人竟然联合起来将山遐驱逐，使山遐连睡觉都不得安稳。这些事情虽然都是因为前任宰辅昏庸荒谬造成的，然而东晋王朝的法制败坏得不可收拾，都是因为这个原因造成的。我们兄弟都很不幸，陷入这种政治旋涡之中，就不能看着这种腐败政治流行而不管，所以就要明目张胆地加以治理。荆州所管辖的有二十多个郡，唯有长沙郡的政绩最恶劣，恶劣而不罢黜，与只杀掉管仓库的小官吏而不敢追究真正的盗贼有何不同？"山遐，是山简的儿子。

庾翼把消灭北方的后赵石虎、攻占蜀地的成汉当成自己义不容辞的责任，他派遣使者前往东方约请燕王慕容皝、前往西方约请凉州的张骏，订好日期，同时出兵对后赵的石虎、汉主李寿发起攻击。朝廷官员都认为这是一件很困难、很难取得成功的事情，只有庾冰的意见与他相同，而桓温、谯王司马无忌也都赞成他这么做。司马无忌，是谯王司马丞的儿子。

秋季，七月，后赵汝南太守戴开率领数千人到武昌向庾翼投降。初八日丁巳，晋康帝司马岳下诏让群臣商讨收复中原的方略。庾翼准备率领自己所统领的全部兵力北伐后赵石虎，他上表举荐桓宣担任都督司、雍、梁三州，荆州之南阳、新野、襄阳、南乡四郡诸军事，梁州刺史，率军向丹水县进发，同时还举荐桓温担任前锋都督，假节，率军进入临淮，并大肆征调自己管辖之下六州境内的奴仆以及车、牛、驴、马，百姓对此无不怨声载道。

代王拓跋什翼犍又向燕王求婚，燕王慕容皝让什翼犍进献一千匹马作为聘礼，

又倨慢[203]无子婿礼[204]。八月，皝遣世子儁帅前军师评[205]等击代。什翼犍帅众避去，燕人无所见而还。

汉主寿卒，谥曰昭文，庙号中宗。太子势即位，大赦。

赵太子宣击鲜卑斛谷提，大破之，斩首三万级。

宇文逸豆归执段辽弟兰，送于赵，并献骏马万匹。赵王虎命兰帅所从鲜卑五千人屯令支。

庾翼欲移镇襄阳，恐朝廷不许，乃奏云移镇安陆[206]。帝及朝士皆遣使譬止[207]翼，翼遂违诏北行，至夏口[208]，复上表请镇襄阳。翼时有众四万，诏加翼都督征讨诸军事。先是，车骑将军、扬州刺史庾冰屡求出外[209]。辛巳[210]，以冰都督荆、江、宁、益、梁、交、广七州，豫州之四郡[211]诸军事，领江州刺史，假节，镇武昌，以为翼继援[212]。征[213]徐州刺史何充为都督扬、豫、徐州之琅邪[214]诸军事，领扬州刺史，录尚书事，辅政。以琅邪内史桓温为都督青、徐、兖三州诸军事，徐州刺史，征江州刺史[6]褚裒为卫将军，领中书令。

冬，十一月己巳[215]，大赦。

二年（甲辰，公元三四四年）

春，正月，赵王虎享[216]群臣于太武殿。有白雁百余集马道[217]之南，虎命射之，皆不获。时诸州兵集者百余万，太史令赵揽密言于虎曰："白雁集庭，宫室将空之象，不宜南行。"虎信之，乃临宣武观大阅而罢[218]。

汉主势改元太和，尊母阎氏为皇太后，立妻李氏为皇后。

燕王皝与左司马高诩谋伐宇文逸豆归，诩曰："宇文强盛，今不取，必为国患。伐之必克，然不利于将。"出而告人曰："吾往必不返，然忠臣不避也。"于是皝自将伐逸豆归，以慕容翰为前锋将军，刘佩副之，分命慕容军、慕容恪、慕容霸及折冲将军慕舆根将兵三道[219]并进。高诩将发，不见其妻，使人语以家事而行。

逸豆归遣南罗大涉夜干[220]将精兵逆战[221]。皝遣人驰谓慕容翰曰：

什翼犍不给，而且态度傲慢，没有个做女婿的样子。八月，燕王慕容皝派自己的世子慕容儁率领担任前军将军的军师慕容评等袭击代国。代王什翼犍率领自己的部众躲避起来，燕军连代国人的影子也没有看见，只好退兵。

汉主李寿去世，谥号为昭文，庙号中宗。皇太子李势即位为汉国皇帝，在其境内实行大赦。

后赵皇太子石宣率军攻击鲜卑族斛谷提部落，大获全胜，斩杀了斛谷提三万人。

宇文部落首领逸豆归逮捕了段氏部落首领段辽的弟弟段兰，将段兰送给后赵，同时向后赵进献一万匹好马。后赵王石虎令段兰率领自己的五千名鲜卑人屯守令支。

庾翼准备把镇所从武昌迁往襄阳，担心朝廷不批准，遂奏请说迁往安陆。晋康帝司马岳以及朝中官员都派人劝阻庾翼，庾翼竟然违背诏令擅自北行，抵达夏口时，再次上表请求将镇所迁移到襄阳。当时庾翼拥有四万兵众，晋康帝司马岳下诏加授庾翼为都督征讨诸军事。在此之前，担任车骑将军、扬州刺史的庾冰屡次请求离开京师建康到外埠任职。八月初二日辛巳，朝廷任命庾冰都督荆、江、宁、益、梁、交、广七州，豫州之宣城、历阳、庐江、安丰四郡诸军事，兼任江州刺史，假节，镇所设在武昌，作为庾翼的后援。征调徐州刺史何充为都督扬州、豫州、徐州之琅邪诸军事，兼任扬州刺史，录尚书事，辅佐朝政。任命担任琅邪内史的桓温为都督青、徐、兖三州诸军事，徐州刺史，任命江州刺史褚裒为卫将军，兼任中书令。

冬季，十一月二十二日己巳，东晋实行大赦。

二年（甲辰，公元三四四年）

春季，正月，后赵王石虎在邺城太武殿设宴招待文武百官。有一百多只白雁降落在宫廷的马道南侧，石虎命人用箭射猎白雁，可谁也没有射中。当时后赵各州的军队集结起来的已有一百多万，担任太史令的赵揽悄悄地对石虎说："白雁飞落在宫廷之中，这是宫室将空的象征，大军不适宜南下。"石虎听信了赵揽，遂亲自到宣武观，举行了一次盛大的阅兵典礼之后，将兵众遣散。

汉主李势改年号为太和，尊奉自己的母亲阎氏为皇太后，立妻子李氏为皇后。

燕王慕容皝与担任左司马的高诩在宫中谋划讨伐宇文氏首领逸豆归的方略，高诩说："宇文氏国力强盛，现在如果不把它灭掉，必定会成为国家的祸患。讨伐他必胜无疑，然而不利于我们的将帅。"高诩从宫中出来对人说："我这次出兵一定回不来，然而忠臣绝不会逃避死亡。"于是，燕王慕容皝亲自率军讨伐逸豆归，任命建威将军慕容翰为前锋将军，刘佩做慕容翰的副手，分别命令慕容军、慕容恪、慕容霸以及折冲将军慕舆根率军，兵分三路向宇文氏的领地进发。高诩即将出发时，刻意不见自己的妻子，派人把家务事向妻子做了交代便出征去了。

宇文氏部落首领逸豆归派遣南罗城主涉夜干率领精兵迎战燕军。燕王慕容皝派

“涉夜干勇冠三军，宜小㉒避之。”翰曰：“逸豆归扫其国内精兵㉓以属㉔涉夜干，涉夜干素有勇名，一国所赖也。今我克之，其国不攻自溃矣。且吾孰知㉕涉夜干之为人，虽有虚名，实易与㉖耳，不宜避之以挫吾兵气。”遂进战。翰自出冲陈，涉夜干出应之，慕容霸从傍邀击㉗，遂斩涉夜干。宇文士卒见涉夜干死，不战而溃，燕军乘胜逐之，遂克其都城。逸豆归走死漠北，宇文氏由是散亡。皝悉收其畜产资货，徙其部众五千余落于昌黎，辟地千余里。更命涉夜干所居城曰威德城㉘，使弟彪戍之而还。高诩、刘佩皆中流矢卒。

诩善天文，皝尝谓曰：“卿有佳书㉙而不见与，何以为忠尽㉚？”诩曰：“臣闻人君执要㉛，人臣执职㉜；执要者逸，执职者劳。是以后稷㉝播种，尧不预焉。占候㉞天文，晨夜甚苦，非至尊之所宜亲，殿下将焉[7]用之？”皝默然。

初，逸豆归事赵甚谨，贡献属路㉟。及燕人伐逸豆归，赵王虎使右将军白胜、并州刺史王霸自甘松㊱出救之。比至，宇文氏已亡，因攻威德城，不克而还。慕容彪追击，破之。

慕容翰之与宇文氏战也，为流矢所中，卧病积时㊲不出。后渐差㊳，于其家试骋马。或告翰称病而私习骑乘，疑欲为变。燕王皝虽藉翰勇略㊴，然中心终忌之，乃赐翰死。翰曰：“吾负罪出奔，既而复还，今日死已晚㊵矣！然羯贼㊶跨据中原，吾不自量，欲为国家荡壹区夏㊷，此志不遂㊸，没有遗恨㊹，命矣夫！”饮药而卒。

代王什翼犍遣其大人长孙秩迎妇于燕。

夏，四月，凉州将张瓘败赵将王擢于三交城㊺。

初，赵领军王朗言于赵王虎曰：“盛冬雪寒，而皇太子使人伐宫

人火速告知前锋将军慕容翰说："南罗城主涉夜干勇冠三军，应该稍稍避其锋芒。"慕容翰回复说："逸豆归把全国所有的精兵都交给涉夜干统领，涉夜干一向以勇猛善战闻名于世，全国之人都把他当作靠山。如果我战胜了涉夜干，宇文氏的国家将不攻自破。而且我深知涉夜干的为人，虽然有虚名，实际上很容易对付，不应该避开他，否则将使我军的士气受挫。"遂率军上前迎战涉夜干。慕容翰亲自冲锋陷阵，涉夜干也亲自出阵来迎战慕容翰，慕容霸从半路进行截击，遂将涉夜干杀死。宇文氏的士兵看见涉夜干已经被燕军杀死，不战自溃，燕军乘胜追击，遂攻克了宇文氏的都城。宇文氏首领逸豆归逃往大漠以北，并死在那里，宇文氏部落从此消亡。燕王慕容皝把宇文部落的所有畜产、物资全部接收，将逸豆归的部众五千多落迁徙到昌黎，这一仗让燕王慕容皝的疆土扩展了一千多里。燕王把涉夜干所居的南罗城改名为威德城，留下自己的弟弟慕容彪驻守威德城，然后班师返回龙城。左司马高诩、慕容翰的副手刘佩都被流矢射死。

左司马高诩有丰富的天文知识，燕王慕容皝曾经对他说："你有好书却不肯献给我，怎么能算竭尽忠心？"高诩说："我听说，君主掌握国家大权，人臣做好具体工作；执掌大权的安逸，做具体工作的辛劳。所以后稷亲自在田间播种五谷，而尧帝并不参与播种。观测天象变化以推测人事吉凶，早晨夜晚都要起来进行观察，非常辛苦，所以不适宜尊贵的君主亲自操作，您哪里用得着这些书呢？"慕容皝无话可说，只好沉默不语。

当初宇文部落首领逸豆归侍奉后赵非常恭敬谨慎，贡献物品的使者络绎不绝于道路。等到燕人出兵讨伐逸豆归的时候，后赵王石虎派右将军白胜、并州刺史王霸从甘松出兵前往救援。等后赵的军队赶到时，宇文氏已经被燕军灭掉，遂进兵攻打慕容彪守卫的威德城，但没有攻克，只得退兵。慕容彪率军从后追击，又将白胜、王霸打败。

燕国建威将军慕容翰在与宇文氏交战的时候，被四处飞来的乱箭射中，卧病在床休养了很长时间，因而一直没有出门。后来箭伤逐渐好转，便在自家的庭院中试着骑马。有人向燕王慕容皝告发慕容翰，说他装病，而私下里却在练习骑马，怀疑他准备发动政变。燕王慕容皝虽然借助慕容翰的勇敢和谋略灭掉了宇文氏，然而心中始终忌惮他，遂赐慕容翰自杀。慕容翰说："我戴罪逃出国外，后来又返回家园，现在死已经算很晚了！然而，羯人逆贼横跨中原，我不自量力，还想为国家荡平贼寇统一中原，这个志愿没有实现，我死不瞑目，只能说是命该如此！"遂喝下毒酒而死。

代王拓跋什翼犍派他属下的一个部落酋长名叫长孙秩的前往燕国迎娶妻子。

夏季，四月，凉州将领张瓘在三交城打败了后赵将领王擢。

当初，后赵的领军将军王朗对后赵王石虎说："隆冬季节，雪深天寒，而皇太子

材㉔⑥，引于漳水，役者数万，吁嗟满道，陛下宜因出游㉔⑦罢之。”虎从之。太子宣怒。会荧惑守房㉔⑧，宣使太史令㉔⑨赵揽言于虎曰：“房为天王，今荧惑守之，其殃不细㉕⓪，宜以贵臣王姓者当之㉕①。”虎曰：“谁可者？”揽曰：“无贵于王领军㉕②。”虎意惜朗，使揽更言其次。揽无以对，因曰：“其次唯中书监王波耳。”虎乃下诏追罪波前议楛矢事㉕③，腰斩之，及其四子，投尸漳水。既而愍㉕④其无罪，追赠司空，封其孙为侯。

赵平北将军尹农攻燕凡城㉕⑤，不克而还。

汉太史令韩皓上言：“荧惑守心㉕⑥，乃宗庙不修之谴㉕⑦。”汉主势命群臣议之，相国董皎、侍中王嘏以为：“景、武创业㉕⑧，献、文承基㉕⑨，至亲不远㉖⓪，无宜疏绝㉖①。”势[8]乃更命祀成始祖㉖②、太宗㉖③，皆谓之汉㉖④。

征西将军庾翼使梁州刺史桓宣击赵将李罴于丹水，为罴所败，翼贬宣为建威将军。宣惭愤成疾，秋，八月庚辰㉖⑤，卒。翼以长子方之为义城太守，代领宣众。又以司马应诞㉖⑥为襄阳太守，参军司马勋为梁州刺史，戍西城㉖⑦。

中书令褚裒固辞枢要㉖⑧，闰月丁巳㉖⑨，以裒为左将军，都督兖州、徐州之琅邪诸军事，兖州刺史，镇金城㉗⓪。

帝疾笃，庾冰、庾翼欲立会稽王昱㉗①为嗣。中书监何充建议立皇子聃，帝从之。九月丙申㉗②，立聃为皇太子。戊戌㉗③，帝崩于式乾殿。己亥㉗④，何充以遗旨奉太子即位，大赦。由是冰、翼深恨充。尊皇后褚氏㉗⑤为皇太后。时穆帝方二岁，太后临朝称制。何充加中书监，录尚书事。充自陈既录尚书，不宜复监中书，许之，复加侍中。

石宣还在派人采伐建造宫殿所需的木材，并通过漳水将木材运到邺城，服劳役的有数万人，哀叹不满之声充满道路，陛下应该借着出游的机会让他停下来。”石虎听从了王朗的意见。太子石宣得知消息非常生气。恰逢此时天象发生变化，火星运行到房宿的位置，太子石宣便借机让掌管天文、历法、占卜的太史令赵揽对后赵王石虎说：“房星代表天王，如今火星运行到了房宿的位置，预示着天王的灾祸不小，应该杀掉一位尊贵的王姓大臣来冲抵上天对我们国事的警告。”石虎问：“谁可以冲抵?”赵揽说：“没有人能比领军将军王朗更合适的了。”石虎心里有些舍不得王朗，就让赵揽再推荐一个次一等的人选。赵揽因为没有思想准备，一时无言以对，便顺口说出一人：“其次只有担任中书监的王波了。”石虎遂下诏，追究以前王波劝说放成将李闳回蜀，并将挹娄进献给后赵的楛矢转送给汉主李寿的过失，将王波腰斩，同时还杀死了王波的四个儿子，并将他们的尸体全部投入漳水之中。过后，石虎又可怜王波无罪被杀，遂追赠王波为司空，封王波的孙子为侯爵。

后赵平北将军尹农率军攻打燕国的凡城，无功而返。

汉太史令韩皓上疏给汉主李势说：“火星运行到心星的附近，这是上天在谴责我们没有很好地祭祀皇家宗庙。”汉主李势命群臣就此事进行讨论，相国董皎、侍中王嘏认为：“景皇帝李特、武皇帝李雄打下了天下，献皇帝李骧、文皇帝李寿继承了他们的基业，原本是至亲骨肉，血缘关系并不远，不应该与他们断绝关系，废除对景皇帝李特、武皇帝李雄的祭祀。”汉主李势遂将成国始祖李特、太宗李雄改称为汉始祖、汉太宗，将李特、李雄时期的成国、后来李寿改称的汉国，统称为汉国，将历代君主一并祭祀。

东晋征西将军庾翼派梁州刺史桓宣率军攻击后赵防守丹水县的将领李罴，反被李罴击败，庾翼遂将桓宣贬职为建威将军。桓宣又惭愧又愤怒，竟因此患病，秋季，八月初七日庚辰，建威将军桓宣去世。庾翼任命自己的长子庾方之为义城太守，接替桓宣统领他的部众。又任命担任司马的应诞为襄阳太守，任命参军司马勋为梁州刺史，屯驻在西城。

担任中书令的褚裒坚决要求辞去朝廷要害部门的职权，闰八月十四日丁巳，他被任命为左将军、都督兖州、徐州之琅邪诸军事、兖州刺史，镇所设在金城。

晋康帝司马岳病重，庾冰、庾翼都想立会稽王司马昱为皇位继承人。担任中书监的何充建议立皇子司马聃为继承人，晋康帝赞成何充的意见。九月二十四日丙申，立皇子司马聃为皇太子。二十六日戊戌，晋康帝司马岳在式乾殿驾崩。二十七日己亥，中书监何充遵照晋康帝司马岳的遗旨迎奉皇太子司马聃即皇帝位，实行大赦。因为皇太子人选问题，庾冰、庾翼非常仇恨何充。新皇帝司马聃尊褚皇后为皇太后。当时晋穆帝司马聃年方二岁，皇太后褚氏遂临朝执政。加授何充为中书监，录尚书事。何充亲自向褚太后陈述，自己已经担任了录尚书事，就不适宜再兼任中书监，诏书准奏，又加授何充为侍中。

充以左将军褚裒，太后之父，宜综朝政[276]，上疏荐裒参录尚书。乃以裒为侍中、卫将军、录尚书事，持节、督、刺史如故。裒以近戚，惧获讥嫌[277]，上疏固请居藩[278]。改授都督徐、兖、青三州，扬州之二郡[279]诸军事，卫将军，徐、兖二州刺史，镇京口[280]。尚书奏："裒见太后，在公庭则如臣礼，私觌[281]则严父[282]。"从之。

冬，十月乙丑[283]，葬康帝于崇平陵。

江州刺史庾冰有疾，太后征冰辅政，冰辞。十一月庚辰[284]，卒。庾翼以家国情事[285]，留子方之为建武将军，戍襄阳。方之年少，以参军毛穆之为建武司马以辅之。穆之，宝[286]之子也。翼还镇夏口。诏翼复督江州，又领豫州刺史。翼辞豫州，复欲移镇乐乡，诏不许。翼仍缮修军器，大佃[287]积谷，以图后举。

赵王虎作河桥于灵昌津[288]，采石[289]为中济[290]，石下，辄随流，用功五百余万而桥不成。虎怒，斩匠而罢。

【段旨】

以上为第一段，写晋成帝咸康八年（公元三四二年）至晋康帝建元二年（公元三四四年）共三年间的大事。主要写了晋成帝司马衍死，庾冰、庾翼兄弟为把持朝权而立成帝之弟司马岳为嗣，是为康帝，何充反对未成，请求外任；康帝在位二年死，庾氏兄弟又欲立元帝之子（成帝之叔）司马昱为帝，何充坚持反对，遂立康帝子司马聃为嗣，是为穆帝，是时穆帝两岁，母后临朝；写了庾翼以灭胡、灭蜀为己任，朝臣反对，而庾冰助成之，庾翼率桓宣、桓温等人北伐后赵，结果败于丹水，退兵后仍"大佃积谷，以图后举"；写了慕容皝用慕容翰之谋，先灭高句丽，一年后又灭鲜卑族的宇文氏，使燕国政权壮大，其中慕容翰所表现出的谋略与勇敢异常动人，但不久慕容翰即被慕容皝寻旧隙所杀害，令读史者为之抱恨不已；还写了后赵主石虎在邺城、襄国大兴土木，游猎无度；又下令全国动员，做西讨、南伐之备，赋敛残酷，百姓怨怒；太子石宣挟私欲杀忠正为国的领军将军王朗，一时未成，遂转而谗杀了良臣王波，种种迹象预示了石虎政权的严重危机等。

担任录尚书事、侍中的何充因为左将军褚裒是皇太后的父亲，应该由他来总理朝政，遂上疏给皇太后，举荐褚裒为参录尚书。皇太后于是任命褚裒为侍中、卫将军、录尚书事，持节、都督兖州、徐州之琅邪诸军事、兖州刺史职务不变。褚裒因为自己是皇帝近亲，害怕遭到群臣的非议和猜疑，遂上疏坚决请求到地方任职。朝廷批准了他的请求，改任褚裒为都督徐、兖、青三州、扬州之晋陵、义兴二郡诸军事，卫将军，徐、兖二州刺史，镇所设在京口。尚书省奏请说："褚裒在朝堂之上见到皇太后，应该遵循臣属朝见太后的礼节；在私下里相见，则以父亲为尊。"朝廷下诏准奏。

冬季，十月二十三日乙丑，将晋康帝司马岳安葬在崇平陵。

东晋担任江州刺史的庾冰患病，皇太后征召他回到朝廷辅佐朝政，庾冰推辞了。十一月初九日庚辰，庾冰在武昌去世。庾翼考虑到自己与庾冰之间的兄弟之情，应该前往武昌主持庾冰的丧事；论国事，自己肩负着为国家收复中原的重任，就应当治兵继续谋求北伐，遂任命自己的儿子庾方之为建武将军，负责留守襄阳。因为庾方之还很年轻，就又任用担任参军的毛穆之为建武司马辅佐他。毛穆之，是庐江太守毛宝的儿子。庾翼将镇所撤回到夏口。朝廷下诏，命庾翼再任都督江州诸军事、兼任豫州刺史。庾翼辞让豫州刺史职务，还想将镇所移到乐乡，朝廷下诏不准。庾翼遂继续修缮武器，大力发展农垦，积蓄粮食，为以后大举进兵收复中原做准备。

后赵王石虎在灵昌津建造黄河大桥，开采山石投入水中，想以此种方式在河道的中心堆筑起桥柱的基础，然而山石投下去之后，便立即被激流冲走，花费了五百多万人工而河桥竟然没有修成。石虎大怒，便将工匠全部杀死，而后停工。

【注释】

①正月己未朔：正月初一是己未日。②乙丑：正月初七。③庾怿：庾亮之弟。④饷：馈赠。⑤王允之：字深猷，王舒之子，王敦、王导之侄。传附《晋书》卷七十六《王舒传》。⑥大舅：谓庾亮，庾亮为成帝舅。⑦复欲尔：又想如此。尔，如此。⑧鸩：传说中一种有毒的鸟，喜欢吃蛇，羽毛为紫绿色，放在酒中能毒死人。这里指毒酒。⑨武悼后：杨骏之女，名芷，字季兰，小字男胤，晋武帝司马炎的皇后。惠帝登基，尊为皇太后。元康元年（公元二九一年），杨骏被惠帝皇后贾南风及楚王玮所杀，杨芷被贬去皇太后之号，移居金墉城，绝食而卒。传见《晋书》卷三十一。⑩配食武帝庙：将其灵位摆在晋武帝司马炎灵牌的旁边，一同享受祭祀。怀帝永嘉元年（公元三〇七年），杨芷已恢复尊号，但神主不配食武帝，至此方配食武帝庙。⑪妖怪：奇特凶险的现象。⑫乐乡：古城名，即今湖北松滋东北长江南岸。⑬征虏长史王述：王述字怀祖，东晋前期的名士，此时任征虏将军庾冰的长史。传见《晋书》卷七十五。长史是丞相或将军属下的诸史之

长，地位崇高。⑭笺：文体名，写给上级或尊长的书札。⑮去武昌：距离武昌。乐乡在武昌的上游。当时的武昌即今湖北鄂州市鄂城区。⑯溯流：逆长江而上。⑰军府：此指荆州刺史、荆州都督的办公机构，犹今之司令部。⑱捍御：捍卫。⑲缓急赴告：朝廷一旦有危急之事要招呼荆州刺史。缓急，偏义复词，这里即指紧急。⑳骏奔：急速奔走，这里指援救朝廷。㉑西陲：西部边地，这里指西部。㉒江渚：江边，这里隐指长江下游的东晋都城。㉓方岳：方伯、四岳，古代的一方诸侯之长，这里指刺史、都督等高级地方长官。㉔为内外形势：意即维护朝廷与地方的安全。为……形势，为……起拱卫与威慑作用。㉕窥窬：窥测时机，指内外敌人之图谋不轨。㉖秦忌亡胡之谶二句：秦始皇三十二年（公元前二一五年），燕人卢生奏《录图书》，曰："亡秦者胡也。"胡指胡亥，秦二世名。始皇见图书，不知此为人名，反使蒙恬北伐胡。最终胡亥亡秦，成就了刘邦、项羽的功业。事详《史记·秦始皇本纪》。㉗周恶檿弧之谣二句：《国语·郑语》载，周宣王时有童谣说："檿弧箕服，实亡周国。"宣王听说有一对夫妇正卖这种弓箭，派人去抓捕。宫中小妾私产一女，害怕周王追究，将其抛弃，正被那对逃避追捕的夫妇收养，带到褒国。后来褒君得罪于周，便把这个女子献给周幽王，幽王非常宠爱，她就是褒姒。后来褒姒为了立自己的儿子伯服，欲废太子宜臼，终于酿成申侯、西戎之乱，西周遂亡。檿弧，山桑所制的弓。㉘达人：通达事理的人。㉙禳避：指通过迷信手段以祈求去除灾难与回避祸殃。禳，去邪除恶的祭祀。㉚择人事之胜理：意即多在改良政治、处理好人事方面做些有益的工作。人事，与"禳避"相对而言。㉛五月乙卯：此语有误，五月朔丁巳，无乙卯日。"乙卯"疑为"己卯"之误，五月己卯，即五月二十三。㉜不豫：不舒服，对天子有病的讳称。㉝六月庚寅：六月初五。㉞或诈为：有人伪造。㉟尚书符：尚书省发出的命令。符，以竹木或金玉为之。上书文字，剖而为二，朝廷和接受命令之人各存其一，用时相合以为信。㊱无得内宰相：不要让宰相进宫见皇帝。内，同"纳"，放进。㊲推问：推究审问。㊳襁褓：背小孩的背带和布兜，这里以喻人的年龄之小。㊴秉权：掌权。㊵易世：换代；新皇帝即位。㊶亲属愈疏：亲属关系更加疏远。庾亮、庾冰兄弟为成帝之舅，如果让成帝的儿子上台，就又隔了一代。㊷间：离间。㊸母弟琅邪王岳：司马岳，晋成帝的胞弟，此时被封为琅邪王。㊹鲜不致乱：很少不出乱子的。鲜，少。㊺不授圣弟：不传位给被称为"圣人"的周公。周公是武王之弟，名姬旦。㊻琅邪践阼：司马岳一旦登基为帝。阼，殿堂前东面的台阶。古代主客相见时，客人走西面的台阶，主人走东面的台阶。帝王也登阼阶以主持祭祀，因以"阼"指帝位。㊼将如孺子何：将对晋成帝的两个小儿子如何安排。孺子，指司马丕、司马奕。㊽以奕继琅邪哀王：元帝初以其子裒奉琅邪恭王后，卒，谥曰孝，其子哀王安国立，不满一年，卒；元帝又以皇子焕嗣封，当日卒；复以皇子昱为琅邪王。咸和初，昱徙封会稽，以岳为琅邪王。今岳践阼，故以奕继哀王后。㊾壬辰：六月初七。㊿癸巳：六月初八。51幼冲：年幼。52庶政：各种政务。庶，众多。53甲午：六月初九。54己亥：六月十四。55亮阴不言：居丧守孝，不问政事。亮阴，也作“亮暗”，指帝王居丧。㊻七月丙辰：七月初一。㊼徒行：步行。㊽临轩：不坐正殿而坐于殿前的平台上。轩，殿前屋檐下有栏杆的平台，即“廊檐”。如车之轩，故亦称轩。㊾嗣鸿业：继承大业，即继位称帝。鸿业，指帝业。鸿，大。㊿不睹升平之世：不会看到你统治的太平盛世，意即不会同意你为皇帝。㉑己未：七月初四。㉒晋陵：郡名，孙吴时称毗陵。永嘉五年避东海王越世子毗讳，改晋陵。治所京口，即今江苏镇江。西晋末大乱，徐州、淮北流民相继逃到江南，居于晋陵郡界。咸和四年，郗鉴又徙淮南流民于晋陵各县，并立侨郡以统辖。徐州在江北实际只有广陵、堂邑、钟离三郡，而扬州境内的晋陵郡由于迁徙过来的徐州流民过多，因而也属徐州，即所谓都督徐州、扬州之晋陵诸军事。㉓龙城：慕容皝新建的都城，即今辽宁朝阳。㉔篡窃得国：咸和八年，宇文逸豆归逐乞得归，而篡其国。事见本书前文《晋纪》十七。㉕群情不附：犹谓人心不服。㉖性识庸暗：资质平庸愚昧。㉗军无部伍：军队的编制没有章法。部曲、行伍都是古代军队的编制名。㉘悉：熟悉；知道。㉙强羯：指前赵石虎政权。㉚声势不接：指不能及时地互通消息、相互救助。声，声闻、消息。鲜卑宇文部都于辽西紫蒙川，在今辽宁朝阳西北，在慕容部的辖境以北，与石虎的辖地不相接。㉛去国密迩：和我们的都城很是接近。密迩，两相靠近。㉜掩：突然袭击。㉝不足以行：不够往灭宇文部之用。㉞返手：同“反手”，把手掌翻过来，以比喻解决问题的轻而易举。㉟返顾：犹后顾。㊱丸都不足取：高句丽都城可以不用费力而夺取。丸都是高句丽的都城，在今吉林集安西北。不足取，不用费力，唾手可得。㊲纵有蹉跌：即使我们在北路受点损失，有点失误。㊳羸兵：瘦弱之兵。㊴鲜于亮：本后赵将，咸康四年（公元三三八年）战败降燕。事见上卷咸康四年。㊵国士之恩：像对待国士一样待我的恩德。国士，一国之内的杰出之士。㊶陈：通“阵”。㊷乘之：趁势发起攻击。㊸主亡：高句丽王钊单骑逃亡。㊹鸠聚：聚集。㊺收其余烬：集合起残兵败将。余烬，以比喻残余势力。㊻束身自归：意即主动请罪归降。束身，将自己捆起。㊼然后返之：到那时再放他们回去。㊽十二月壬子：十二月二十九。㊾后父：晋康帝褚皇后之父。㊿半洲：古城名，在今江西九江西。91阁道：复道；架木而成的空中通道。92河南四州：指洛、豫、徐、兖四州。93治南伐之备：做向南伐晋的准备。治，做。94严西讨之资：筹备向西伐张骏的兵员、物资。严，紧急动员，积极筹备。95东征之计：向东讨伐慕容皝的计划。96三五发卒：三丁征二，五丁征三。97牧宰：泛指州县长官。州官称牧，县官称宰。98贝丘：古地名，在今山东博兴东南。99应谶：和谶语所说的情况相同。谶，一种预言吉凶的流言，显然是别有用心的人所编造。100署置百寮：意即任命百官。署，委任。寮，通“僚”，官吏。101连坐：一人犯罪，其家属、亲友、邻居等都要连带受处罚的法令。102微行：便装出行，不使人知其尊贵的身份。103躬察作役：亲自去查看工地施工的情景。躬，亲身。作役，正在劳作的役夫。104京兆：京兆尹，政区名，指长安与其郊区，级别相当于一个郡。105忽天下之重：指不顾自己的安危。忽，不重视。

天下之重，即身系国家安危的帝王。⑯轻行斤斧之闲：轻率地在施工现场穿行。斤斧，斤也是斧，这里泛指劳动工具。⑰狂夫：隐指刺客、奸细。⑱兴役无时：大兴劳役，不管农闲农忙。⑲废民耘获：妨碍农业生产。除草谓耘，收割谓获。⑳仁圣：谓仁圣之君。㉑兴缮滋繁：开工的工程越来越繁多。㉒游察自若：到处游猎、到处检查的习惯依然照旧。㉓领五兵尚书：兼任五兵尚书，掌管中兵、外兵、骑兵、别兵、都兵等五种。㉔诸侯：指石虎的其他儿子，石宣的众多兄弟。㉕以壮本根：以加强皇太子的势力。本根，指皇太子，其他诸侯则仅为枝叶。㉖四公：即秦公韬、燕公斌、义阳公鉴、乐平公苞。㉗听：允许。㉘自是以下：四公以下的其他官员。㉙三分置一：都把自己属下的官员、警卫，裁去三分之二，留下三分之一。置，留下。⑳余兵五万：裁减下来的五万人。㉑悉配东宫：全部调拨给太子所居之宫。㉒嫌衅：相互猜疑、相互矛盾。嫌，猜疑。衅，裂痕。㉓平陵城：平陵县的县城，上属济南郡，即今山东济南市章丘区西的平陵城。㉔迹随之：追踪尾随着它。㉕迹皆成蹊：结果踩成了一条小路。蹊，小路。㉖亲董六师：亲自统率全国军队。六师，也称“六军”，指天子的军队。按周制，天子有六军，诸侯大国有三军，中国有二军，小国有一军。每军一万二千五百人。㉗以奉天命：以奉行天命，讨伐不顺者。㉘制：石虎下令。制，皇帝的命令。㉙调不办：没有按命令带足车、牛以及各种物品者。㉚鬻子：卖孩子。㉛不能给：不能完成；不能交足。给，足。㉜自经：自缢；上吊。㉝相望：从这一个可以望到另一个，极言其多。㉞康皇帝：司马岳，字世同，明帝之子，成帝的母弟，公元三四二至三四四年在位。事详《晋书》卷七《康帝纪》。《谥法》曰：温柔好乐曰康。㉟莫浅浑：人名。㊱慷慨：意气风发，情绪激昂。㊲彝：桓彝，东晋初期名臣，先参加平王敦之乱有功，受朝廷重用；苏峻造反时，又起兵勤王，兵败，被叛党所杀。传见《晋书》卷七十四。㊳尚南康公主：娶明帝女南康公主为妻。尚，高攀，以敬称娶皇帝之女。㊴风概：风采气概。㊵相期：彼此希望；共同希望。㊶宁济海内：安定天下，拯救天下。㊷勿以常人遇之：不要像对待一般人那样对待他。常人，普通人。遇，对待。㊸常婿畜之：不要像对待一般的女婿那样对待他。畜，养，这里即指对待。㊹宜委以方、邵之任：应该像周宣王那样委之以方叔、邵虎那样的征伐重任。方叔、邵虎都是西周宣王时的大臣。方叔曾奉命统率兵车三千辆大举攻楚，擒获许多战俘，使楚国因而畏服。方叔与邵虎都还率兵讨伐猃狁，稳定了周国的边疆。事见《诗经》之《采芑》《出车》《六月》等篇。方叔、邵虎被称作帮周宣王中兴的名臣。㊺弘济艰难：改变国家的艰难局面。弘，光大。济，救助。㊻杜乂、殷浩：以清谈闻名的士族官僚。㊼弗之重：弗重之，不重视他们。㊽束之高阁：意即弃置一旁。㊾俟：等候。㊿徐议其任：慢慢地讨论他们能够干些什么。⑮累辞征辟：屡次推辞朝廷或权臣对他的聘任。征辟，聘任。朝廷诏聘为征，三公以下请召为辟。⑮屏居墓所：隐居在他们先人的坟墓旁。屏居，退居。⑮几将：差不多有。⑮拟之管、葛：把殷浩比作管仲、诸葛亮。管仲名夷吾，字仲，春秋时代的名臣，曾辅佐齐桓公九合诸侯，一匡天下，使齐桓公成为春秋五霸之首。传见《史记·管晏列传》。诸葛亮字孔明，三国时期的政治家，曾辅佐刘备在西蜀称帝，后又受顾命辅佐后主刘禅，支撑蜀汉数十年。传见《三国志·诸葛亮传》。⑮⑤谢尚：字仁祖，谢鲲之子，谢安的从兄。传见《晋书》卷七十九。⑮⑥王濛：字仲祖，善谈玄，精隶书，通礼制。传见《晋书》卷九十三。⑮⑦伺其出处：观察、根据殷浩的出山与归隐。出，出仕。处，在家当隐士。⑮⑧以卜江左兴亡：以判断东晋政治局面的昌盛还是衰微。卜，判断。⑮⑨相与省之：结伴去拜访殷浩。省，看望。⑯⓪确然之志：即下定决心不出山。⑯①深源不起：殷浩总是不出山。殷浩，字深源。起，离家入仕。⑯②当如苍生何：这黎民百姓可怎么办呢。意思是治国平天下非他不行。⑯③安西军司：安西将军庾翼的司马官。⑯④王夷甫：名衍，字夷甫，西晋时期的权臣。喜谈老庄，居高官而不任事。在西晋内乱引来外患的时候，不问国事而专谋自保。当他被石勒所俘，王衍为图苟活竟劝石勒称帝，被石勒所杀。传附《晋书》卷四十三。⑯⑤谈道：指老子、庄子之道。⑯⑥实长华竞：实际是在助长官场上的浮华豪奢与奔竞之风。⑯⑦遇会处际：在遇到可以施展才干的机会的时候。遇会，遇风云之会。处际，处功名之际。⑯⑧宁可然乎：能够老是这种样子吗。⑯⑨殷羡：字洪乔，殷浩之父。⑰⓪属之：委托；为之说情。⑰①报：回信。⑰②由有佳儿：还有一个出色的儿子殷浩。由，通“犹”。⑰③弟：庾翼自称。庾翼是庾冰之弟。⑰④令物情容之：让舆论对他有所宽容。物情，人心、社会舆论。⑰⑤大较：大略；大概。⑰⑥妪煦豪强：对豪门贵族宽容放纵。妪煦，爱护、养育。天降气以养物曰煦，地赋物以形体曰妪。煦，同“昫”。⑰⑦常为民蠹：总是侵夺、损害百姓的利益。蠹，蛀虫。⑰⑧行法：施法；惩罚犯法者。⑰⑨辄施之寒劣：总是抓几个贫苦的下等人来充数。辄，总是。寒劣，寒门贱人。⑱⓪豪将：有权势的武官。⑱①直：只；仅仅。⑱②仓督监：管理仓库的小吏。⑱③塞责：搪塞上头的查问。⑱④余姚长：余姚县的县令。⑱⑤为官：为了国家的利益。官，国家、公家。⑱⑥出豪强所藏二千户：查出了某豪门掩护下的两千多家黑户口。西晋末，由于战乱，大量北方流民南迁，地方豪强为了与官府争利，往往隐瞒一些黑户口。⑱⑦驱之：指驱逐县令山遐。⑱⑧前宰之惛谬：上一代宰相的昏庸所造成。前宰，指王导。惛谬，糊涂荒谬。⑱⑨江东事去：东晋王朝的法制败坏不可收拾。⑲⓪实此之由：即“实由于此”。⑲①不能拔足于风尘之外：意即不能看着这种腐败政治流行而不管。风尘，犹言“恶浊”。⑲②黜：废免；贬退。⑲③简：山简，山涛之子，三国时代的魏国名将。传见《晋书》卷四十三。⑲④刻期：订好日期。⑲⑤谯王无忌：司马无忌，老谯王司马承之子。司马承死于王敦之乱。传见《晋书》卷三十七。⑲⑥丁巳：七月初八。⑲⑦议经略中原：讨论收复中原的方略。经略，经营。⑲⑧荆州之四郡：指南阳、新野、襄阳、南乡四郡。⑲⑨趣丹水：进军丹水县。丹水县的县治在今河南淅川西南的丹江之北。趣，意思同“趋”。⑳⓪临淮：郡名，郡治盱眙，在今江苏盱眙东北。⑳①六州奴：庾翼所统辖的江、荆、司、雍、梁、益六州境内的奴隶。奴，指罪人，罪人之子和家奴等被剥夺人身自由者。⑳②礼：聘礼。⑳③倨慢：骄傲自大。㉔无子婿礼：没有个做女婿的样子。㉕前军师评：前军将军的军师慕容评。㉖安陆：晋县名，县治即今湖北安陆。㉗譬止：劝阻。㉘夏口：即今湖北武汉的汉口，地当汉水入江之口，因汉水自沔阳以下兼称夏水，故称夏口。与江南的武昌相望。㉙出外：离开建康，到外埠任都督。㉚辛巳：八月初二。㉛豫州之四郡：即宣城、历阳、庐江、安丰四郡。㉜以为翼继援：作为庾翼的后援。㉝征：调；召回。㉞徐州之琅邪：西晋永嘉之乱后，琅邪国（治所开阳县，在今山东临沂北）人随元帝过江者千余户。元帝太兴三年，在琅邪人聚居地丹阳郡置怀德县（县治在今江苏南京鼓楼一带），又在丹阳置琅邪相，但无其地。桓温为琅邪内史，镇江乘之蒲洲金城（在今江苏句容北），求割丹阳之乘县（县治在今江苏句容北六十里）境立琅邪郡。即所谓"徐州之琅邪"。㉟十一月己巳：十一月二十二。㊱享：以酒食招待群臣。㊲马道：宫廷中为驰马往来所筑之道。㊳大阅而罢：检阅了一回军队后便结束。㊴三道：分三路进军。㊵南罗大涉夜干：南罗城的城主名叫涉夜干。南罗城即威德城。大，城大、城主。㊶逆战：迎战。㊷小：稍；略。㊸扫其国内精兵：尽其全国所有。㊹以属：全部交给。属，交付。㊺孰知：深刻了解。孰，同"熟"。㊻易与：容易对付。㊼邀击：半路截击。㊽威德城：有说在今内蒙古西辽河上源西拉木伦河或老哈河流域一带。㊾佳书：指其所藏的天文、占候之书。㊿忠尽：竭尽忠心。231执要：掌管最重要的东西。指国家大权。232执职：做好具体工作。233后稷：周族始祖，名弃，善于种植各种谷类，尧、舜时任农事之官，故称后稷。234占候：观测天象变化以测人事吉凶。235属路：络绎于路。属，连接。236甘松：胡三省以为在濡源之东，突门岭之西。237积时：积日；好长时间。238渐差：病情渐好。差，通"瘥"，病好。239藉翰勇略：倚仗慕容翰的勇敢与谋略。藉，借助、仰仗。240死已晚：意即早就该死了。241羯贼：指石虎后赵政权。242荡壹区夏：统一中国。243不遂：没有达到；未能实现。244没有遗恨：意即死不瞑目，终生抱憾。没，通"殁"，死。245三交城：在今陕西宝鸡西，一说在今陕西绥德境。246宫材：营建宫殿所需的木材。247因出游：趁着出游的机会，假装是被自己看到了。248会荧惑守房：正好这时在天文上出现了火星运行到房宿的位置。荧惑，火星，因其隐现不定，令人迷惑，故名。守，守候，这里指靠近。房，星宿名，二十八宿之一，苍龙七宿的第四宿，有星四颗，亦称"天驷"。《晋书·天文志》云："房四星，为明堂，天子布政之宫也。""荧惑……天子之理也。故曰，虽有明天子，必视荧惑所在。其人守……房、心，主命恶之。"249太史令：官名，为太史署的长官，隶属太常，掌天文、历法、占候。250其殃不细：其祸不小。251以贵臣王姓者当之：要杀一个姓王的国家大臣来冲抵上天对我们国事的警告。当，冲抵、抵消。252无贵于王领军：没有比领军将军王朗更合适的了。贵，这里意即合适。253议楛矢事：王波劝石虎放成将李闳回蜀，并劝石虎将挹娄进献的楛矢一并转赠李寿事，见本书上卷咸康六年。254愍：同"悯"，同情、可怜。255凡城：燕城名，在今河北平泉南。256荧惑守心：火星运行到了心宿的附近。心宿是二十八宿之一，苍龙七宿的第五宿，有星三颗。《晋书·天文志》曰："心三星，天王正位也。中星曰明星，天子位。……前星为太子，后星为庶子。"㉕⑦乃宗庙不修之谴：这是上天谴责我们没有很好地祭祀宗庙。不修，没有做好。㉕⑧景、武创业：李特、李雄打下了天下。李特谥为景皇帝，李雄谥为武皇帝。㉕⑨献、文承基：李骧、李寿继承了李特、李雄的基业。李骧谥为献皇帝，李寿谥为文皇帝。㉖⓪至亲不远：李骧与李特是亲兄弟，李寿与李雄是堂兄弟，所以说他们都是"至亲"。㉖①无宜疏绝：不应该与他们断绝关系。指李寿即位后改国号、另立宗庙而言。㉖②祀成始祖：重新祭祀李特，称其庙号曰"始祖"。㉖③太宗：重尊李雄，称其庙号曰"太宗"。㉖④皆谓之汉：前后都称为"汉国"。李特、李雄时代，称自己的政权曰"成"；咸康四年，李寿改国号为"汉"，更立汉宗庙。以李特、李雄旧庙为"大成庙"。此时又以大成庙为汉宗庙，一并祭祀。㉖⑤八月庚辰：八月初七。㉖⑥司马应诞：庾翼军中的司马名叫应诞。司马是大将军、将军、校尉的属官，在军中掌管司法。㉖⑦西城：晋县名，县治在今陕西安康西北。㉖⑧固辞枢要：坚决辞去朝廷要害部门的职权。枢要，机要、要害部门。㉖⑨闰月丁巳：闰八月十四。㉗⓪金城：在当时的江乘县之蒲州（今南京东），当时也是琅邪侨郡的所在地。㉗①会稽王昱：司马昱，元帝司马睿之子，明帝司马绍之弟。庾氏兄弟主张立司马昱为嗣，目的是有利于庾氏继续把持朝政。㉗②九月丙申：九月二十四。㉗③戊戌：九月二十六。㉗④己亥：九月二十七。㉗⑤褚氏：褚裒之女。㉗⑥宜综朝政：应该总理朝权。综，综合、总理。㉗⑦惧获讥嫌：害怕遭到群臣的非议和猜疑。㉗⑧居藩：出外为一方诸侯之任，指刺史、都督之类。㉗⑨扬州之二郡：即晋陵、义兴二郡。㉘⓪京口：即今江苏镇江市。㉘①私觌：私下相见。㉘②严父：以父亲为尊。严，尊。㉘③十月乙丑：十月二十三。㉘④十一月庚辰：十一月初九。㉘⑤以家国情事：以兄弟之情，则当赴庾冰之丧；以国事，则当治兵继续谋求北伐。㉘⑥宝：毛宝，东晋名将，平苏峻之乱有大功。传见《晋书》卷八十一。㉘⑦大佃：大力发展农垦，积蓄粮食。㉘⑧灵昌津：延津的别名，在今河南延津北，已湮。㉘⑨采石：采集石块。㉙⓪为中济：在河道的中心为架桥堆筑桥柱的基础。

【校记】

［1］洛阳、长安：据章钰校，十二行本、乙十一行本、孔天胤本皆"洛阳""长安"互乙。［2］不尚浮华：原无此四字。据章钰校，十二行本、乙十一行本、孔天胤本皆有此四字，张敦仁《通鉴刊本识误》、张瑛《通鉴校勘记》同，今据补。［3］者：原无此字。据章钰校，十二行本、乙十一行本、孔天胤本皆有此字，今据补。［4］汞：原误作"承"，前卷不误。［5］都督：原作"小都"。严衍《通鉴补》改作"都督"，当是，今据改。［6］征江州刺史：原无此五字。据章钰校，十二行本、乙十一行本、孔天胤本皆有此五字，张敦仁《通鉴刊本识误》、张瑛《通鉴校勘记》同，今据补。［7］焉：据章钰校，十二行本、乙十一行本、孔天胤本皆作"安"。［8］势：原无此字。据章钰校，十二行本、乙十一行本、孔天胤本皆有此字，今据补。

【原文】

孝宗穆皇帝[291]**上之上**

永和元年（乙巳，公元三四五年）

春，正月甲戌朔[292]，皇太后设白纱帷于太极殿，抱帝临轩。

赵义阳公鉴[293]镇关中，役烦赋重。文武有长发者，辄拔为冠缨，余以给宫人[294]。长史取发白[295]赵王虎，虎征鉴还邺，以乐平公苞[296]代镇长安。发雍、洛、秦、并州十六万人治长安未央宫。

虎好猎，晚岁，体重不能跨马，乃造猎车千乘，刻期校猎[297]。自灵昌津南至荥阳[298]、东极阳都[299]为猎场，使御史监察，其中禽兽有犯者罪至大辟[300]。民有美女、佳牛马，御史求之不得，皆诬以犯兽，论死[301]者百余人。发诸州二十六万人修洛阳宫。发百姓牛二万头配朔州[302]牧官。增置女官二十四等，东宫十二等，公侯七十余国皆九等，大发民女三万余人，料[303]为三等以配之。太子、诸公私令采发[304]者又将万人。郡县务求美色，多强夺人妻，杀其夫及夫自杀者三千余人。至邺，虎临轩简第[305]，以使者为能，封侯者十二人。荆楚、扬、徐之民流叛略尽[306]，守令[307]坐不能绥怀[308]，下狱诛者五十余人。金紫光禄大夫逯明因侍切谏，虎大怒，使龙腾[309]拉杀之。

燕王皝以牛假贫民[310]，使佃苑中，税其什之八[311]，自有牛者税其七。记室参军封裕上书谏，以为："古者什一而税[312]，天下之中正[313]也。降及魏、晋，仁政衰薄，假官田官牛者[314]，不过税其什六，自有牛者中分之，犹不取其七八也。自永嘉[315]以来，海内荡析[316]，武宣王[317]绥之以

【语译】

孝宗穆皇帝上之上

永和元年（乙巳，公元三四五年）

春季，正月甲戌朔，东晋褚皇太后在太极殿上张设了白纱帷帐，怀中抱着三岁的晋穆帝司马聃，临朝听政。

后赵义阳公石鉴镇守关中地区，在他的统治之下，关中人民差役繁多、赋税沉重。文武官员中谁的头发长，石鉴就强行让人拔下他的头发供他编织系冠的带子，剩余的便送给后宫的侍女做假发。长史拿着被石鉴拔下来的头发作为证据向后赵王石虎禀报了此事，石虎将石鉴召回邺城，然后让乐平公石苞代替石鉴镇守长安。石虎征调了雍州、洛州、秦州、并州总计十六万人为自己在长安修建未央宫。

后赵王石虎喜好打猎，到了晚年，因为身体发福，体重增加，不能骑马，就打造了一千辆专门用来供他打猎的车子，定期外出打猎。从灵昌津往南到达荥阳、往东到达阳都县，都是他的猎场。石虎令御史负责监察猎场，如果有人冒犯了其中的禽兽，情节严重的就被判处死刑。民间有谁家的女孩长得好，谁家的牛马健壮，御史如果索求不到，就诬陷对方冒犯了禽兽，于是受诬陷被处死的有一百多人。石虎又从各州征调了二十六万人修建洛阳宫。强行从民间征调了二万头牛配备给朔州的畜牧官。皇宫中的女官增加到二十四等，皇太子所在的东宫的女官增加到十二等，公爵、侯爵总计七十多个封国的女官全都分为九等；大量掠取民间女子三万多人，分为三个等级，分别分配到皇宫、太子宫，以及公爵、侯爵府。皇太子、诸公爵私下里采选征集的还有将近一万人。郡守、县令把女子的姿色作为首要标准，为了得到美女，他们强行夺取别人的妻子，她们的丈夫被杀死的以及自杀而死的多达三千多人。这些美女被送到邺城，赵王石虎登上金殿前平台，亲自鉴定她们的容貌等级，如果哪个官员选送的女子多、女子貌美，石虎就认为他是有才能的人，因此而被封为侯爵的就有十二人。荆州、扬州、徐州的百姓有的逃亡，有的叛变，几乎都逃光了，于是这些地方的郡守、县令被以不能安抚、体恤百姓的罪名而被判处下狱、杀头的有五十多人。担任金紫光禄大夫的逯明趁着侍奉石虎的机会，对石虎进行了恳切的劝谏，石虎勃然大怒，立即下令龙腾武士将逯明拉出去杀死。

燕王慕容皝将耕牛租借给贫穷的百姓，让他们在皇家的园囿中耕作，抽取收成的十分之八作为租税，自家有耕牛的抽取收成的十分之七作为租税。担任记室参军的封裕上疏给燕王慕容皝进行规劝，认为："古代以收入的十分之一作为赋税，这是最公平的赋税标准。后来到了魏、晋时期，由于仁政废弛，对于那些向公家租借土地、租借耕牛的佃户，也不过抽取他们收入的十分之六作为赋税，自家有耕牛的，则按收入的一半进行征收，也没有抽取十分之七八。自永嘉年间以来，国家局势动

德，华夷之民，万里辐凑[318]，襁负而归[319]之者，若赤子[320]之归父母，是以户口十倍于旧，无田者什有三四。及殿下继统，南摧强赵，东兼高句丽，北取宇文，拓地三千里，增民十万户。是宜悉罢苑囿，以赋新民[321]。无牛者，官赐之牛，不当更收重税也。且以殿下之民用殿下之牛，牛非殿下之有，将何在哉？如此，则戎旗南指[322]之日，民谁不箪食壶浆[323]，以迎王师，石虎谁与处矣[324]！川渎沟渠[325]有废塞者，皆应通利[326]，旱则灌溉，潦[327]则疏泄。'一夫不耕，或受之饥[328]。'况游食[329]数万，何以得家给人足乎！今官司猥多[330]，虚费廪禄[331]，苟才不周用[332]，皆宜澄汰[333]。工商末利[334]，宜立常员[335]。学生三年无成，徒塞[336]英俊之路，皆当归之于农。殿下圣德宽明，博察刍荛[337]。参军王宪、大夫刘明并以言事忤旨[338]，主者[339]处以大辟。殿下虽恕其死，犹免官禁锢[340]。夫求谏诤[341]而罪直言，是犹适越而北行，必不获其所志[342]矣。右长史宋该等阿媚苟容[343]，轻劾谏士[344]，己无骨鲠[345]，嫉人有之，掩蔽耳目，不忠之甚者也。"

皝乃下令，称："览封记室之谏，孤实惧焉。国以民为本，民以谷为命，可悉罢苑囿，以给民之无田者。实贫者，官与之牛。力有余愿得官牛者，并依魏、晋旧法。沟渎果[9]有益[346]者，令以时修治。今戎事方兴，勋伐[347]既多，官未可减，俟中原平壹[348]，徐更议之。工商、学生皆当裁择。夫人臣关言于人主[349]，至难也，虽有狂妄，当择其善者而从之。王宪、刘明，虽罪应废黜，亦由孤之无大量也，可悉复本官，仍居谏司[350]。封生蹇蹇[351]，深得王臣之体，其赐钱五万。宣示[352]内外，有欲陈孤过者，不拘贵贱，勿有所讳。"皝雅好文学[353]，常亲临庠序[354]讲授，考校[355]学徒至千余人，颇有妄滥者[356]，故封裕及之[357]。

荡、人民分崩离析，武宣王慕容廆用恩惠安抚百姓，不论是汉人还是夷人，他们不远万里，从四面八方前来归附，就像车轮上的辐条集中于轴心一样，他们用襁褓背着孩子前来投奔，就像初生的婴儿投向父母的怀抱，所以，户口比从前增加了十倍，而没有耕地的人占了三四成。到了殿下继承大统，又向南摧败了强大的赵国，向东兼并了高句丽，向北攻取了宇文部落，拓展疆土三千里，民户增加了十万户。所以正应该废除皇家园林，分配给新归附的人进行耕种，没有耕牛的，官府应该赐给他们耕牛，而不应该再加重税收。再说，殿下的百姓使用殿下的耕牛，倘若耕牛不是殿下所有，百姓将到哪里去租借呢？这样做的话，等到殿下的军旗指向南方的时候，人们谁不用竹筐盛着饭、用壶提着水前来迎接王者之师，还有谁会忠于石虎呢！川渎、沟渠等各种水利灌溉设施凡是被壅塞不通的，都应该派人把它们疏通好。遇到干旱，可以用来灌溉；遇到积水横流，可以用来宣泄。'有一个男人不耕作，就要有人挨饿。'何况是游手好闲而不从事劳动的人有数万之多，怎么能家给人足呢！如今是官府多、官吏太多，人浮于事，白白地浪费国家仓库中的粮食，如果其才不能胜任，都应该进行淘汰。从事工商业以牟取利益的，应该有固定的人数。在校的学生，如果三年而学无所成，白白地在那里阻挡英才的上进之路，都应当让他们去从事农业。殿下圣明宽宏，广泛地听取意见，哪怕是打草砍柴的都可进言。担任参军的王宪、大夫刘明都是因为进言违背了殿下的心思，主管部门便将他们判处死刑。殿下虽然赦免了他们的死罪，还是将他们免了官，并且永不录用。向臣属征求意见，却又惩罚直言敢谏之士，这就如同要往越国去却向北走一样，必然不能到达目的地。担任右长史的宋该等人阿谀谄媚，苟合取容，动不动就弹劾谏官，自己不能坚持原则，缺少硬骨头精神，却嫉妒别人有，他们蒙蔽殿下，是最不忠诚的人。"

燕王慕容皝遂下令说："看了记室参军劝谏的奏章，使我深感恐惧。国家以民为本，民以食为命，可以把皇家园囿全部废除，分给没有耕田的人。确实穷得买不起耕牛的，由官府分配给他们耕牛。财力稍微宽裕，愿意使用官府耕牛的，就依照魏、晋时期的税收标准进行征税。河渎沟渠确实对发展农业有好处的，要按时进行修治。如今战事紧张，建立功勋的人很多，官员的数量还不适宜减少，等到中原平定、国家统一之后，再慢慢商议。工商业者、学生都应当适当地进行削减和遴选。臣子直言君主之过，是一件非常困难的事情，即使其言语有狂妄不当之处，人主也应当选择有用的加以采纳。王宪、刘明虽然有罪应该废黜，但也是我没有宽大的度量，现在立即让他们官复原职，仍然负责谏诤部门。封裕先生忠心耿耿，深刻理解君王臣属之礼，赏赐封裕五万钱。昭告朝廷内外，使人人皆知，有人想指摘我的过失，不论地位高低，都不要有所顾虑。"慕容皝一向喜好儒家经典，经常亲自到学校给学生授课，经他考查在校的学生多达一千多人，难免有些无知之徒混在其中、滥竽充数，所以封裕在奏章中提到"学生三年无成，徒塞英俊之路，皆当归之于农"等语。

诏征卫将军褚裒，欲以为扬州刺史、录尚书事。吏部尚书刘遐、长史王胡之[358]说裒曰：“会稽王[359]令德雅望，国之周公也，足下宜以大政[360]授之。”裒乃固辞，归藩。壬戌[361]，以会稽王昱为抚军大将军，录尚书六条事[362]。

昱清虚寡欲，尤善玄言[363]，常以刘惔、王濛及颍川韩伯为谈客，又辟郗超为抚军掾[364]，谢万为从事中郎。超，鉴[365]之孙也，少卓荦不羁[366]。父愔，简默冲退[367]而啬于财，积钱至数千万。尝开库任超所取，超散施亲故，一日都尽。万，安[368]之弟也，清旷秀迈[369]，亦有时名。

燕有黑龙、白龙见于龙山[370]，交首游戏，解角[371]而去。燕王皝亲祀以太牢[372]，赦其境内，命所居新宫曰和龙。

都亭肃侯庾翼疽[373]发于背，表[374]子爰之行辅国将军、荆州刺史，委以后任，司马义阳朱焘[375]为南蛮校尉，以千人守巴陵。秋，七月庚午[376]，卒。

翼部将干瓒等作乱，杀冠军将军曹据。朱焘与安西长史江虨、建武司马毛穆之、将军袁真等[10]共诛之。虨，统[377]之子也。

八月，豫州刺史路永[378]叛奔赵，赵王虎使永屯寿春。

庾翼既卒，朝议皆以诸庾世在西藩，人情所安[379]，宜依翼所请，以庾爰之代其任。何充曰：“荆楚，国之西门，户口百万，北带强胡[380]，西邻劲蜀，地势险阻，周旋[381]万里，得人则中原可定[382]，失人则社稷可忧，陆抗[383]所谓‘存则吴存，亡则吴亡’者也，岂可以白面少年当之[384]哉！桓温英略过人，有文武器干[385]。西夏[386]之任，无出温者[387]。”议者又曰：“庾爰之肯避温乎[388]？如令阻兵[389]，耻惧不浅[390]。”充曰：“温足以制之，诸君勿忧。”

丹杨尹刘惔每奇温才，然知其有不臣之志[391]，谓会稽王昱曰：“温

东晋朝廷下诏征调卫将军褚裒，准备任用他为扬州刺史、主管朝廷机要的录尚书事。担任吏部尚书的刘遐、担任长史的王胡之向褚裒建议说："会稽王司马昱美德声望素著，实在是国家的周公一样的人物，阁下应该把国政大权让与会稽王。"褚裒遂坚决辞让，仍旧回到京口。二月二十二日壬戌，朝廷下诏任命会稽王司马昱为抚军大将军，录尚书六条事。

东晋抚军大将军、会稽王司马昱清心寡欲，特别善于在有关老庄学说以及佛经、楚辞等方面发表一些精微玄妙的言论，常常把刘惔、王濛以及颍川人韩伯当作谈论的伙伴，又征聘郗超为抚军将军的僚属，任命谢万为从事中郎。郗超，是郗鉴的孙子，从小就人品出众，倜傥超俗。郗超的父亲郗愔，简易寡言，淡泊仕途，但吝啬钱财，家中积蓄了数千万的家产。他曾经打开仓库，让郗超任意取用，郗超便把仓库中的财物散发给亲朋好友，一天之内就将所有财物散光了。谢万，是谢安的弟弟，清虚高远，风采卓异，在当时也很有声望。

燕国都城东面的龙山出现了一条黑龙、一条白龙，两个龙头交叉在一起游戏，后来交首之戏结束，二龙的头部分开才离去。燕王慕容皝亲自用牛、羊、猪三牲全备的太牢大礼进行祭祀，并在境内实行大赦，将自己居住的新宫取名叫作"和龙宫"。

东晋都亭肃侯庾翼背上长了毒疮，遂上表请求让自己的儿子庾爰之代理辅国将军、荆州刺史，将自己身后之事交付给他，举荐担任司马的义阳人朱焘为南蛮校尉，率领一千人守卫巴陵。秋季，七月初三日庚午，庾翼去世。

庾翼的部将干瓒等起兵作乱，杀死了冠军将军曹据。朱焘与担任安西长史的江虨、建武司马毛穆之，以及将军袁真等一起讨平了干瓒之乱，杀死了干瓒。江虨，是江统的儿子。

八月，东晋豫州刺史路永叛变，投降了后赵，后赵王石虎派路永率军屯守寿春。

庾翼去世以后，朝廷官员都认为，庾氏兄弟世代都在西部任职，西部的百姓都乐于服从他们的统辖，应该依从庾翼临终之时所请求的，任用庾翼的儿子庾爰之接替庾翼的职位。中书监何充说："楚国故地荆州，是国家西部的门户，那里的户口有上百万，北部边境与胡人石虎所建立的强大赵国为邻，西部与蜀地的李氏政权为邻，地势险阻，边境盘曲连延一万里。如果任用得人，则中原可以收复；如果用人不当，则国家社稷前途堪忧。正如当年陆抗所说'荆州存则吴国存，荆州失则吴国亡'，怎么能任用一个白面少年来担当如此重任呢！桓温英武、谋略超过常人，兼有文臣武将的气度和才干。西部的重任，没有比让桓温担任更合适的了。"议论的人又说："庾爰之肯将权力让给桓温吗？如果庾爰之一旦拥兵作乱，朝廷军不能取胜，将成为国家的耻辱，恐怕为祸不浅。"何充说："桓温足可以制服庾爰之，诸位不要担忧。"

担任丹杨尹的刘惔每每对桓温的才能惊异不已，然而知道桓温有不甘屈为人臣、

不可使居形胜之地[392]，其位号常宜抑之[393]。”劝昱自镇上流[394]，以己为军司[395]，昱不听。又请自行[396]，亦不听。

庚辰[397]，以徐州刺史桓温为安西将军，持节，都督荆、司、雍、益、梁、宁六州诸军事，领护南蛮校尉，荆州刺史，爰之果不敢争。又以刘惔监沔中诸军事，领义成太守，代庾方之，徙方之、爰之于豫章。

桓温尝乘雪欲猎，先过[398]刘惔。惔见其装束甚严[399]，谓之曰："老贼欲持此何为[400]？”温笑曰："我不为此，卿安得坐谈乎[401]？"

汉主势之弟大将军广[402]以势无子，求为太弟[403]，势不许。马当、解思明谏曰："陛下兄弟不多，若复有所废，将益孤危。"固请许之。势疑其与广有谋，收当、思明斩之，夷其三族[404]。遣太保李奕袭广于涪城，贬广为临邛侯，广自杀。思明被收，叹曰："国之不亡，以我数人在也，今其殆矣！"言笑自若而死。思明有智略，敢谏诤。马当素得人心，及其死，士民无不哀之。

冬，十月，燕王皝使慕容恪攻高句丽，拔南苏[405]，置戍而还。

十二月，张骏伐焉耆[406]，降之。是岁，骏分武威等十一郡[407]为凉州[408]，以世子重华为刺史；分兴晋等八郡[409]为河州[410]，以宁戎校尉张瓘为刺史；分敦煌等三郡[411]及西域都护等[11]三营为沙州[412]，以西胡校尉杨宣为刺史。骏自称大都督、大将军、假凉王[413]，督摄[414]三州。始置祭酒、郎中、大夫、舍人、谒者等官，官号皆仿天朝[415]，而微变其名，车服旌旗拟于王者[416]。

赵王虎以冠军将军姚弋仲为持节、十郡六夷大都督、冠军大将军。弋仲清俭鲠直，不治威仪[417]，言无畏避，虎甚重之。朝之大议，每

想称王称帝的野心，便对会稽王司马昱说：“不能让桓温驻守在形势险要、能够影响国家安全的地区，而且对他的权位及称号也要经常加以抑制，不能让他太嚣张。”并劝说司马昱，让他亲自统辖长江上游地区，并表示自己愿意在他手下担任军司以辅佐他，然而司马昱不予采纳。刘惔又请求自己前去担任桓温的军司，司马昱也不同意。

九月十三日庚辰，东晋朝廷任命担任徐州刺史的桓温为安西将军，持节，都督荆、司、雍、益、梁、宁六州诸军事，兼任护南蛮校尉，荆州刺史，庾爰之果然不敢抗争。又任命刘惔为监沔中诸军事，兼任义成太守，取代庾方之，把庾方之、庾爰之迁移到豫章。

东晋桓温曾经趁着下大雪的机会出去打猎，他先到刘惔家里拜访。刘惔看见桓温全身装备得很威武、很齐整的样子，就问他说：“老贼，你打扮成这个样子准备去做什么？”桓温笑着说：“如果没有我们这些人保卫国家，你怎么能每天吃饱了坐在那里清谈呢？”

汉主李势的弟弟、担任大将军的李广，因为汉主李势没有儿子，就请求汉主李势立自己为皇太弟，李势没有同意。马当、解思明都劝谏李势说：“陛下的兄弟本来不多，如果其中再有被废掉的，陛下的势力将会更加孤单危险。”二人坚决请求李势立李广为太弟。李势怀疑马当、解思明与李广密谋，所以就将马当、解思明逮捕、斩首，并灭掉了他们的三族。李势又派担任太保的李奕率军前往涪城袭捕李广，将李广贬为临邛侯，李广自杀。解思明被逮捕之后叹息着说：“国家没有灭亡，那是因为有我们几个人在的缘故，现在恐怕就危险了！”临死之时，言谈笑语还与往常一样。解思明很有智慧和谋略，敢于当面进行谏诤。马当一向很得民心，等到他被杀，无论是士大夫还是一般平民百姓，无不感到哀痛。

冬季，十月，燕王慕容皝派慕容恪攻打高句丽，慕容恪率军攻克了南苏，留下一部分军队戍守之后，便班师而回。

十二月，凉州张骏出兵攻伐西域的焉耆国，焉耆向张骏投降。这一年，张骏将武威、武兴、西平、张掖、酒泉、建康、西郡、湟河、晋兴、须武、安故等十一个郡划归为凉州，任命世子张重华为凉州刺史；把兴晋、金城、武始、南安、永晋、大夏、武成、汉中等八个郡划为河州，任用宁戎校尉张瓘为河州刺史；把敦煌、晋昌等三个郡以及西域都护等三营划为沙州，任用西胡校尉杨宣为沙州刺史。张骏自称大都督、大将军、假凉王，统帅三州。开始设置祭酒、郎中、大夫、舍人、谒者等官职，官位名称大体仿照东晋朝廷，只是稍微有些更改，车子、服饰、旗帜与皇帝的差不多。

后赵王石虎任命冠军将军姚弋仲为持节、十郡六夷大都督、冠军大将军。姚弋仲为人清廉正直，不愿意搞那些表面形式的一套，说话直言不讳、无所畏惧，石虎

与参决[418]，公卿皆惮而下之[419]。武城[420]左尉，虎宠姬之弟也，尝入弋仲营[421]，侵扰其部众。弋仲执而数之曰："尔为禁尉[422]，迫胁小民；我为大臣，目所亲见，不可纵也[423]。"命左右斩之。尉叩头流血。左右固谏，乃止。

燕王皝以为古者诸侯即位，各称元年，于是始不用晋年号，自称十二年。

赵王虎使征东将军邓恒将兵数万屯乐安[424]，治攻具，为取燕之计。燕王皝以慕容霸为平狄将军，戍徒河[425]。恒畏之，不敢犯。

二年（丙午，公元三四六年）

春，正月丙寅[426]，大赦。

己卯[427]，都乡文穆侯[428][12]何充卒。充有器局[429]，临朝正色[430]，以社稷为己任，所选用皆以功效，不私亲旧[431]。

初，夫余[432]居于鹿山[433]，为百济[434]所侵，部落衰散，西徙近燕，而不设备。

燕王皝遣世子儁帅慕容军、慕容恪、慕舆根三将军万七千骑袭夫余。儁居中指授[435]，军事皆以任恪，遂拔夫余，虏其王玄[436]及部落五万余口而还。皝以玄为镇军将军，妻以女。

二月癸丑[437]，以左光禄大夫蔡谟领司徒，与会稽王昱同辅政。

褚裒荐前光禄大夫顾和、前司徒左长史殷浩。三月丙子[438]，以和为尚书令，浩为建武将军、扬州刺史。和有母丧，固辞不起，谓所亲曰："古人有释衰绖从王事[439]者，以其才足干时[440]故也。如和者，正足以亏孝道，伤风俗耳[441]。"识者美之。浩亦固辞。会稽王昱与浩书曰："属当厄运[442]，危弊理极[443]。足下沈识淹长[444]，足以经济[445]。若复深存挹退[446]，苟遂本怀[447]，吾恐天下之事于此去矣。足下去就，实时之废兴，则家国

非常敬重他。朝廷重大决议，往往都让姚弋仲参与决策，公卿大臣也都因为敬畏他而甘居其下。武城左尉，是石虎宠姬的弟弟，他曾经闯入姚弋仲的大营，侵扰姚弋仲的部下。姚弋仲将其捉住，责备他说："你身为督办盗贼、查禁奸邪的禁尉官，却逼迫小民百姓；我身为朝廷大臣，你的行为是我亲眼所见，对你这样的人绝不能轻易放过。"立即命令左右将其拉下去斩首。左尉磕头求饶，头上磕得鲜血直流。姚弋仲身边的人一再劝说，姚弋仲才将他释放。

燕王慕容皝认为，古时候诸侯即位，各自都有自己的元年，决定从此不再使用东晋年号，遂称本年为十二年。

后赵王石虎派征东将军邓恒率领数万兵众屯驻在乐安，同时加紧打造攻城用具，为攻打燕国做准备。燕王慕容皝任命慕容霸为平狄将军，率军戍守徒河。后赵征东将军邓恒惧怕慕容霸，因此不敢进犯燕国。

二年（丙午，公元三四六年）

春季，正月初一日丙寅，东晋实行大赦。

正月十四日己卯，都乡文穆侯何充去世。何充很有才干和度量，在朝堂之上，总是态度严正、一脸正气，他把国家兴衰当作自己的责任，选用官员的标准，主要看实际工作能力和效果，对自己的亲朋故友从来不存私心。

当初，夫余国位于鹿山，因为经常遭受百济人的侵扰，因此部落逐渐衰败离散，遂向西迁移，与燕国为邻，然而边境不设防。

燕王慕容皝派遣世子慕容儁率领慕容军、慕容恪、慕舆根三位将军、一万七千名骑兵袭击夫余国。世子慕容儁只是身居大帐，指点教导，并不参与具体的军事行动，实际上是把军事指挥权全部授予了慕容恪，遂攻陷夫余，俘虏了夫余王玄及其部众五万多人，得胜而回。燕王慕容皝任命夫余王玄为镇军将军，并把自己的女儿嫁给他为妻。

二月十九日癸丑，东晋任命担任左光禄大夫的蔡谟兼任司徒，令他与会稽王司马昱共同辅佐朝政。

东晋褚裒向朝廷举荐前光禄大夫顾和、前司徒左长史殷浩。三月十二日丙子，任命顾和为尚书令，任命殷浩为建武将军、扬州刺史。顾和因为自己的母亲去世，因此坚决推辞朝廷的任命而没有前去赴任，他对自己所亲近的人说："古人有不在家守丧，脱下孝服去为帝王效力的，那是因为他们的才干足以承担时代所赋予的重任。像我这样没有本事的人，如果不在家守孝，出去做官又干不好国家的事情，那就只剩下'亏孝道，伤风俗'了。"有见识的人都很称赞他。殷浩也坚决推辞。会稽王司马昱遂写信给殷浩说："国家眼下正遭遇时局艰难，危难困弊已经达到极点。先生学识渊博、见识深远，完全有能力经国济民。而你心里总是想着谦抑退让，如果满足了先生个人的隐士心愿，我担心天下大势恐怕就要从此完结了。先生肯不肯出来任职，将影响到国家的兴衰存亡，国兴则家也兴，国亡则家也亡，没有国，也就不可

不异[448]，足下宜深思之。”浩乃就职。

夏，四月己酉朔[449]，日有食之。

五月丙戌[450]，西平忠成公张骏薨，官属上[451]世子重华为使持节、大都督、太尉、护羌校尉、凉州牧、西平公、假凉王，赦其境内，尊嫡母[452]严氏为大王太后，母马氏为王太后。

赵中黄门[453]严生恶尚书朱轨，会久雨，生谮[454]轨不修道路，又谤讪[455]朝政。赵王虎囚之。蒲洪谏曰：“陛下既有襄国、邺宫，又修长安、洛阳宫殿，将以何用？作猎车千乘，环数千里以养禽兽，夺人妻女十万余口[13]以实后宫，圣帝明王之所为，固若是乎！今又以道路不修，欲杀尚书。陛下德政不修，天降淫雨[456]，七旬乃霁[457]。霁方二日，虽有鬼兵百万，亦未能去道路之涂潦[458]，而况人乎！政刑如此，其如四海何？其如后代何？愿止作徒[459]，罢苑囿，出宫女，赦朱轨，以副众望[460]。”虎虽不悦，亦不之罪[461]，为之罢长安、洛阳作役[462]，而竟诛[463]朱轨。又立私论朝政之法，听吏告其君[464]，奴告其主。公卿以下，朝觐[465]以[14]目相顾，不敢复相过从[466]谈语。

赵将军王擢击张重华，袭武街[467]，执护军曹权、胡宣，徙七千余户于雍州。凉州刺史麻秋、将军孙伏都攻金城[468]，太守张冲请降，凉州震动[15]。

重华悉发境内兵，使征南将军裴恒将之以御赵。恒壁于广武[469]，久而不战。凉州司马张耽言于重华曰：“国之存亡在兵，兵之胜败在将。今议者举将，多推宿旧[470]。夫韩信之举[471]，非旧德也[472]。盖明主之举，举无常人[473]，才之所堪[474]，则授以大事。今强寇在境，诸将不进[475]，人情危惧。主簿谢艾，兼资文武[476]，可用以御赵。”重华召艾，问以方略。艾愿请兵七千人，必破赵以报。重华拜艾中坚将军，给步骑五千，使击秋。艾引兵出振武[477]，夜有二枭[478]鸣于牙[479]中，艾曰：“六博[480]得枭者

能有家，先生应该认真地考虑考虑。”殷浩这才决心赴任。

夏季，四月己酉朔，发生日食。

五月二十三日丙戌，西平忠成公张骏去世，张骏属下的文武官员遂尊奉世子张重华为使持节、大都督、太尉、护羌校尉、凉州牧、西平公、假凉王，在其境内实行大赦，张重华尊奉自己的嫡母严氏为大王太后，尊奉自己的生母马氏为王太后。

后赵担任中黄门的严生厌恶担任尚书的朱轨，恰逢此时淫雨连绵，久不停息，严生遂借机在石虎面前诬陷朱轨不修治道路，又说朱轨诽谤朝政。后赵王石虎遂将朱轨囚禁起来。蒲洪劝阻说：“陛下在襄国、邺城都已经有宫殿，又在长安、洛阳修建宫殿，准备用它做什么呢？还打造了一千辆专供打猎的车子、圈起数千里的地方用来畜养禽兽，抢夺别人的妻子、女儿总计十万多人用来充实皇宫寝殿，难道圣明帝王的所作所为就是这个样子吗！现在又因为道路没有修整好，就准备杀掉尚书。陛下不修德政，上天连降阴雨，七十多天才放晴。现在放晴刚两天，就是有一百万鬼兵，也不能马上将道路上的泥泞和积水全部清除，何况是人呢！政令刑罚如此，将如何向四海的人民交代？如何向后世子孙交代？希望陛下早日将各项工程停止，废除皇家园囿，放出宫女，赦免朱轨，以满足臣民的希望。”石虎虽然很不高兴，但也没有认为蒲洪有罪而对他加以处治，只是将长安、洛阳兴建宫殿的工程停止，最终还是杀死了朱轨。又制定了惩治私下里议论朝政的法律，允许下级官吏告发自己的长官、奴仆告发自己的主人。公卿大臣在朝见石虎的时候，互相之间只敢用眼神打一下招呼，不敢再像从前那样互相往来。

后赵将军王擢率军攻击张重华，袭击武街，活捉了张重华的属将、担任护军的曹权和胡宣，将七千多户迁徙到雍州。后赵凉州刺史麻秋、将军孙伏都攻打河州辖下的金城郡，金城太守张冲向后赵投降，凉州境内人心撼动。

张重华动员了境内的全部兵力，派征南将军裴恒率领抵御后赵的侵略。裴恒屯兵驻扎于广武城，久久不敢出战。担任凉州司马的张耽对张重华说：“国家的生死存亡全看军队，而军队是打败仗还是打胜仗则取决于将领。如今参与决策的人在决定出征将领的时候，大多推举有名望、有丰富作战经验的老将。当初汉高祖拜韩信为大将，并不在于韩信跟随刘邦的时间长以及年龄大、威望高。英明的君主任用人，并没有一定的条条框框，以及资历、地位的限制，只要他具备承当这项工作的才能，就将大任授予他。如今强大的贼寇已经侵入境内，诸将全都互相观望不敢向前，人心恐惧不安。担任主簿的谢艾，文武全才，可任用他去抵抗赵军。”张重华于是召见谢艾，向他咨询退敌的方略。谢艾请求张重华拨给他七千人马，保证能击退强敌回来汇报。假凉王张重华拜谢艾为中坚将军，拨给他五千名步兵、骑兵，让他率领着去攻击后赵凉州刺史麻秋。谢艾率领五千人马从振武出发，夜间有两只猫头鹰飞到中军大帐鸣叫，谢艾说：“博弈的时候，谁得到枭子谁就能赢，现在枭鸟在我军营鸣

胜[481]，今枭鸣牙中，克敌之兆也。”进与赵战，大破之，斩首五千级。重华封艾为福禄伯。

麻秋之克金城也，县令敦煌车济不降，伏剑而死。秋又攻大夏[482]，护军梁式执太守宋晏，以城应秋。秋遣晏以书诱致[483]宛戍[484]都尉敦煌宋矩，矩曰：“为人臣，功既不成，唯有死节耳！”先杀妻子而后自刎。秋曰：“皆义士也。”收而葬之。

冬，汉太保李奕自晋寿举兵反，蜀人多从之，众至数万。汉主势登城拒战，奕单骑突门，门者[485]射而杀之，其众皆溃。势大赦境内，改元嘉宁。

势骄淫，不恤[486]国事，多居禁中[487]，罕接公卿，疏忌旧臣，信任左右，谗谄并进，刑罚苛滥[488]，由是中外离心。蜀土先无獠[489]，至是始从山出，自巴西至犍为、梓潼，布满山谷十余万落，不可禁制，大为民患，加以饥馑[490]，四境之内，遂至萧条。

安西将军桓温将伐汉，将佐皆以为不可，江夏相袁乔劝之曰：“夫经略大事[491]，固非常情所及[492]，智者了于胸中，不必待众言皆合也。今为天下之患者，胡、蜀二寇而已。蜀虽险固，比胡为弱。将欲除之，宜先其易者。李势无道，臣民不附，且恃其险远，不修战备。宜以精卒万人轻赍[493]疾趋[494]，比其觉之，我已出[495]其险要，可一战擒也。蜀地富饶，户口繁庶[496]，诸葛武侯[497]用之抗衡中夏。若得而有之，国家之大利也。论者恐大军既西，胡必窥觎[498]，此似是而非。胡闻我万里远征，以为内有重备，必不敢动。纵有侵轶[499]，缘江[500]诸军足以拒守，必无忧也。”温从之。乔，瓌[501]之子也。

十一月辛未[502]，温帅益州刺史周抚、南郡太守谯王无忌伐汉，拜表

叫，这是我们战胜敌人的预兆。”遂指挥军队与后赵军交战，大败赵军，斩杀了后赵五千人。张重华封谢艾为福禄伯。

后赵凉州刺史麻秋在攻克金城的时候，金城县令敦煌人车济不肯向后赵投降，他用身上的佩剑自杀而死。麻秋又率军进攻凉州管辖之下的大夏，凉州担任护军的梁式将大夏太守宋晏捉住，献出大夏城向后赵的麻秋投降。麻秋派大夏太守宋晏给宛戍都尉敦煌人宋矩写信，劝说宋矩投降后赵，宋矩说：“我身为臣属，既然不能守住城池为国家建功立业，就只有坚守节操而死一条路可走了！”宋矩先杀死了自己的妻、子，然后自杀身亡。麻秋说：“这些人都是忠义勇敢之人。”遂将宋矩等收殓安葬。

冬季，汉太保李奕在晋寿起兵谋反，很多蜀地人都追随他，部众很快发展到数万人。汉主李势登上成都的城墙指挥抵抗，李奕单枪匹马攻击城门，守卫城门的卫士用箭将李奕射死，李奕的部众立即溃散。汉主李势在境内实行大赦，改年号为嘉宁。

汉主李势骄奢淫逸，不关心国家政务，绝大部分时间都是居住在深宫之中，很少接见公卿等大臣，对朝中的老臣更是疏远、猜忌，只信任身边的几个人，于是进谗言陷害他人、阿谀奉承之风盛行，刑罚苛刻残酷，因此内外离心。蜀地早先并没有獠族人居住，现在獠族人开始从深山中走了出来，从巴西到犍为、梓潼，有十多万落的獠族人布满山谷，官府无法禁止，成为民众的一大隐患，再加上灾荒年景，汉国境内逐渐呈现出萧条景象。

东晋安西将军桓温准备率军攻伐汉国，桓温属下的将佐都认为时机不到，不可以出兵，江夏相袁乔劝谏桓温说：“筹谋征伐这样的大事，本来就不是一般人所能想得到、看得到的，智慧者的心中如果已经考虑得很清楚明白，就不一定要等众人全都赞成。如今给天下造成灾祸的，只有胡人石虎、蜀地李势这两个贼寇而已。蜀地地势虽然艰险，然而实力比胡人弱得多。如果准备将蜀、胡除掉，应该先从比较容易的下手。汉主李势荒淫无道，他属下无论是官吏还是民众，没有人拥护他，而且李势仗恃其地势险峻，距离江东路途遥远，因而没有战备措施。应该派遣一万名精兵轻装前进、快速奔袭，等到李势发觉的时候，我们已经跨越了他们的险要进入平原，可以一战将李势擒获。蜀地富饶、人口众多，诸葛武侯曾经利用它抗衡中原。我们如果能够占有蜀地，实在是国家最大的收益。议论的人担心一旦大军西进讨伐李势，胡人石虎必然要趁机前来进犯，这表面看起来似乎有道理，而实际上不是那么回事。胡人听说我们大军不远万里西征，必定认为我们内部留有重兵防守，所以一定不敢前来侵扰。纵使有些小股的胡人前来入侵，长江沿线的守军也足以将其击退，完全没有必要为此担忧。”桓温听从了袁乔的建议。袁乔，是袁瓌的儿子。

十一月十一日辛未，东晋安西将军桓温率领担任益州刺史的周抚、担任南郡太

即行[503]，委安西长史范汪以留事[504]，加抚都督梁州之四郡[505]诸军事，使袁乔帅二千人为前锋。

朝廷以蜀道险远，温众少而深入，皆以为忧，惟刘惔以为必克。或问其故，惔曰："以博知之[506]。温，善博者也，不必得则不为[507]。但恐克蜀之后，温终专制朝廷[508]耳。"

【段旨】

以上为第二段，写晋穆帝永和元年（公元三四五年）至永和二年共两年间的大事。主要写了后赵石虎的晚年好猎，扩大猎场，造猎车千乘；又广建宫室，既建襄国、平阳，又建洛阳、长安，大肆搜求民女以实之；写了小人乱政，借灾异以谗杀大臣；写了石虎的严刑酷法，相互告讦，乱象丛生；写了石虎部下的姚弋仲、蒲洪其人，有胆有识，为其日后兴起做伏笔；写了燕主慕容皝听良臣相劝，罢苑囿、贷耕牛与贫民以发展农业；写了慕容皝灭夫余，疆土日广；写了汉主李势无子，又杀其弟李广及忠正之臣，又李奕谋反，獠族作乱，汉国败亡在即；写了庾翼死后，何充当政，任命桓温为荆州刺史；写了桓温举兵伐蜀，拜表即行，智者知其必胜，同时亦见桓温之日后必为晋患；此外还写了西平公张骏死，其子重华继位，赵将进攻凉州，被凉将谢艾所破等。

【注释】

㉑孝宗穆皇帝：司马聃，字彭子，康帝之子。公元三四四至三六一年在位。事详《晋书》卷八《穆帝纪》。《谥法》：中情见貌曰穆。㉒正月甲戌朔：此语有误，正月朔辛未，甲戌应为正月初四。㉓义阳公鉴：石鉴，石虎之子，被封为义阳公。㉔给宫人：给后宫的侍女做假发。㉕白：下级对上级的陈诉；禀告。㉖乐平公苞：石苞，亦石虎之子，被封为乐平公。㉗刻期校猎：定期地进行狩猎活动。校猎，设栅栏圈围野兽，然后猎取。㉘荥阳：晋县名，县治即今河南郑州西北的古荥镇。㉙东极阳都：向东直到阳都县。阳都县的县治在今山东沂水南。㉚大辟：死刑。㉛论死：判处死刑。㉜朔州：石虎时代的朔州州治在今内蒙古乌拉特前旗西南。㉝料：区分；划分。㉞采发：选取、征集。㉟简第：评定等级。㊱流叛略尽：差不多都流亡叛逃光了。㊲守令：郡守、县令。㊳坐不能绥怀：以不能"安抚""体恤"百姓的罪名。绥怀，安抚、关怀。㊴龙腾：石虎身边的卫士之称。石虎募勇士，拜为龙腾中郎。㊵假贫民：借给穷人使用。㊶税其

守的谯王司马无忌出兵讨伐汉国李势，向朝廷发出表章之后立即起兵上路，将留守荆州事宜委托给安西将军府长史范汪，加授周抚为都督梁州之涪陵、巴东、巴西、巴郡四郡诸军事，派袁乔率领二千人做先锋。

东晋朝廷认为蜀道艰险、路途遥远，而桓温所率人马很少，又是深入敌境，都很为桓温感到担忧，只有刘惔认为桓温必能攻克蜀地。有人问他原因，刘惔说："根据博弈的原理知道桓温必胜。桓温是个善于博弈的人，如果没有十分获胜的把握他是不会去做的。但令人担忧的是，桓温一旦攻克蜀地之后，必将会控制朝廷，向朝廷发号施令。"

什之八：征收百姓租税为其收成的十分之八。⑫什一而税：以收入的十分之一充当租税。什一，十分之一。⑬中正：公平的标准。⑭假官田官牛者：向公家租土地、租耕牛的佃户。假，借、租用。⑮永嘉：晋怀帝司马炽的年号（公元三〇七至三一二年）。⑯荡析：动荡；分裂；离散。⑰武宣王：以称慕容廆，慕容廆谥为武宣王。⑱辐凑：从四面八方前来归附，犹如车子的辐条集中于轴心。⑲襁负而归：用襁褓背着孩子前来投奔。⑳赤子：婴儿。婴儿初生时为赤色，故称"赤子"。㉑赋新民：分配给前来归附的新国民。赋，分配、给予。㉒戎旗南指：指南下征讨后赵。戎旗，军旗。㉓箪食壶浆：用竹筐盛着饭，用壶提着水，以形容欢迎仁义之师的情状。箪，盛饭的圆形竹筐。浆，用米熬成的酸汁，古人用以代酒。"箪食壶浆，以迎王师"二句引自《孟子·梁惠王下》。㉔石虎谁与处矣：还有谁会忠于石虎呢。谁与处，谁还和他在一起。㉕川渎沟渠：指各种水利灌溉设施。㉖皆应通利：都应该把它们疏通好。㉗潦：过多的雨水。㉘一夫不耕二句：有一个人不干活儿，就有人因此而挨饿。二句见贾谊《论积贮》。㉙游食：游手好闲而不从事劳动的人。㉚官司猥多：官府多，官吏多，人浮于事。猥多，没有道理的多。㉛廪禄：官府供应的禄米。廪，粮仓。禄，禄米。古代官吏俸给皆以米计，称禄米。㉜才不周用：才能不够用。周，足。㉝澄汰：清洗、淘汰。㉞工商末利：指从事工商活动以求赢利。中国古代以农为本，轻视工商，故称之为末业。㉟常员：固定人员；固定人数。㊱徒塞：白白妨碍。言其空占地位，而影响别人进用。㊲博察刍荛：广泛征求意见，广泛了解情况。割草叫刍，打柴叫荛。刍荛指割草打柴的人，引申为草野之人。㊳忤旨：违背了你的心思。㊴主者：指主持处理王宪、刘明之案的官员。㊵禁锢：勒令不准做官，犹后世的永不叙用。㊶求谏诤：征求反对意见。㊷所志：所追求的东西；想达到的目的。㊸阿媚苟容：阿谀谄媚，苟合取容。㊹轻劾谏士：随随便便地弹劾谏官。㊺骨鲠：自己不能坚持原则。兽骨和鱼刺，比喻刚直、有气节。㊻果有益：确实对发展农业有好处。㊼勋伐：功勋。《史记·高祖功臣侯者年表》："古者人臣

功有五品：‘以德立宗庙定社稷曰勋，以言曰劳，用力曰功，明其等曰伐，积日曰阅。’”勋、伐本有区别，后来通称功勋。㊽侯中原平壹：等中原平定统一之后。㊾关言于人主：向帝王禀报事情。关言，进言、禀报。这里指直言君主之过。㊿谏司：主管谏诤的部门。351謇謇：通“蹇蹇”，忠贞直言的样子。352宣示：布告；昭告。353雅好文学：一向爱好儒家学术。雅，平素、一向。文学，儒家的经典学问。354庠序：古代的学校，这里指太学。355考校：考试；考查。356颇有妄滥者：其中混有一些无知充数的人。颇，有些。357故封裕及之：所以封裕提到“学生三年无成，徒塞英俊之路，皆当归之于农”等。358王胡之：王导之侄王廙儿子。事见《晋书》卷七十六。359会稽王：司马昱，司马睿之子，当时的皇帝司马聃的叔祖。360大政：国家的根本大权。361壬戌：二月二十二。362录尚书六条事：官名，位在“录尚书事”之下。363玄言：精微玄妙之言，多为辨析老庄学说的义理，以及佛经、楚辞等。364抚军掾：抚军将军的僚属，当时司马昱任抚军将军。365鉴：郗鉴，东晋前期的名臣，先参加平定王敦之乱有功，后又在苏峻之乱时起兵勤王，与陶侃一道平定了苏峻之乱。传见《晋书》卷六十七。366卓荦不羁：人品出众，倜傥超俗。367简默冲退：简易寡言，淡泊仕途。368安：谢安，东晋前期的名臣，孝武帝时为宰相。传见《晋书》卷七十九。369清旷秀迈：清虚高远，风采卓异。370龙山：在当时燕国都城的东侧。371解角：指“交首之戏”结束，二龙的头部分开。372太牢：牛、羊、豕各一头的祭品叫太牢。如果只有猪羊而无牛，则称少牢。373疽：毒疮。374表：上表推荐。375司马义阳朱焘：义阳人朱焘，是辅国将军庾翼帐下的司马。376七月庚午：七月初三。377统：江统，字应元，西晋时曾为太子洗马，后为诸王僚属，曾著有《徙戎论》。传见《晋书》卷五十六。378路永：原是苏峻的部下，后归顺朝廷。379人情所安：西部百姓都服从庾氏的统辖。380北带强胡：北部与石虎政权为邻。带，环绕相接如衣带。381周旋：边境盘曲连延。382中原可定：中原地区可被我收复。383陆抗：字幼节，三国时的孙吴名将。陆逊之子，孙策的外孙。曾为吴镇东大将军，都督西陵、信陵、夷道、乐乡、公安诸军事，驻兵乐乡（今湖北松滋东北长江南岸）。曾击退晋将羊祜的进攻，攻杀叛将西陵督步阐。死前上疏吴主谨守西陵（治所在今湖北宜昌东南）、建平（治所巫县在今重庆市巫山县）二郡，以保荆州。事见《三国志·陆逊传》。384当之：担当此地长官。385器干：才干。386西夏：华夏西部，此指荆州一带地区。387无出温者：没有比桓温更合适的了。出，超过。388肯避温乎：肯让给桓温吗。避，让。389如令阻兵：如果庾爰之一旦拥兵作乱。阻兵，拥兵。阻，倚仗、凭借。390耻惧不浅：日后的耻辱担心少不了。耻，给朝廷造成的麻烦。不浅，不会少。391不臣之志：不甘屈为人臣，志欲称帝称王。392形胜之地：位置险要，影响国家安全的地区。393常宜抑之：应该经常有所弹压，不能让其太嚣张。394自镇上流：自己统辖长江上游地区，指荆州。395以己为军司：让刘惔为之做军师，执掌监察诸军。军司，军中的关键僚属。司，控制、监管。396自行：自己前去任桓温的军司，以监督桓温的行动。胡三省曰：“刘惔，谈客耳，其言桓温无不中，盖深知温之才者。设使昱镇上流，惔为司马，未足以敌燕、秦。《扬子》曰：'非苟知之，亦允蹈之；非知之难，行之为难也。'" ⑶⑼⑺ 庚辰：九月十三。⑶⑼⑻ 过：访问；探望。⑶⑼⑼ 甚严：很威武；很整齐。⑷⓪⓪ 欲持此何为：打扮成这个样子想要干什么。⑷⓪① 我不为此二句：没有我们这些人保卫国家，你们能够每天吃饱了在那里清谈吗。⑷⓪② 大将军广：李广，现任大将军之职，统兵驻在涪城。⑷⓪③ 太弟：被立为接班人的皇帝之弟，以区别于其他一般兄弟。⑷⓪④ 夷其三族：灭掉了他们的三族。夷，平、灭绝。三族，指父族、母族、妻族。尚有别的说法多种，此不录。胡三省曰："储君不可求，使马当、解思明为国计，固当从容言之，使其主自悟，安可固以为请也？相从而就死，宜矣。"⑷⓪⑤ 南苏：古城名，在今辽宁抚顺东苏子河与浑河合流处。⑷⓪⑥ 焉耆：西域国名，都城即今新疆境内的焉耆回族自治县。⑷⓪⑦ 十一郡：指武威、武兴、西平、张掖、酒泉、建康、西郡、湟河、晋兴、须武、安故。⑷⓪⑧ 凉州：州治即今甘肃武威。⑷⓪⑨ 八郡：指兴晋、金城、武始、南安、永晋、大夏、武成、汉中。⑷①⓪ 河州：州治金城，在今甘肃兰州西北。⑷①① 三郡：一为敦煌，一为晋昌，另一郡不详。⑷①② 沙州：州治即今甘肃敦煌。⑷①③ 假凉王：代理凉王，因其标榜拥戴晋王朝，而尚未得东晋加封故也。⑷①④ 督摄：监督统领。⑷①⑤ 皆仿天朝：都依照晋王朝的样子。天朝，对其拥戴的中原王朝的敬称。⑷①⑥ 拟于王者：与晋朝的皇帝差不多。拟，相似、相等。⑷①⑦ 不治威仪：不愿意搞那些表面形式的一套。威仪，指表示其身份、权势的宅第、卫队、车马仪仗等。⑷①⑧ 每与参决：很多时候都让他参加谋划决定。⑷①⑨ 惮而下之：敬畏之而居于其下。⑷②⓪ 武城：此指东武城，上属清河郡，在今山东武城西北。⑷②① 弋仲营：当时姚弋仲驻兵于滠头，在今河北清河县城东，离武城不远。⑷②② 禁尉：县尉的职责是负责督办盗贼、查禁奸邪，故称禁尉。⑷②③ 不可纵也：不能放过你。纵，释放。⑷②④ 乐安：赵郡名，郡治在今山东淄博西北。⑷②⑤ 徒河：燕城名，即今辽宁锦州。⑷②⑥ 正月丙寅：正月初一。⑷②⑦ 己卯：正月十四。⑷②⑧ 都乡文穆侯：何充被封为都乡侯，文穆二字是谥。⑷②⑨ 器局：才识与度量。⑷③⓪ 正色：谓态度严正。色，表情、神色。⑷③① 不私亲旧：不偏向自己的亲属与故人。⑷③② 夫余：古国名，也作"扶余"，位于松花江流域。居民务农。东汉时与中原交往颇密。西晋太康六年，为慕容廆所败，其王依虑自杀。事见《后汉书·夫余传》《晋书·夫余国传》。⑷③③ 鹿山：地名，在今辽宁辽阳东。⑷③④ 百济：古国名，本出夫余，古为马韩诸国之一。传说为东汉末夫余王尉仇台之后，初以百家济海而立国，因以为名。自晋以后，吞并诸国，尽有今朝鲜半岛的南部地区。参见《通典》卷一百八十五《百济》、《旧唐书》卷一百九十九上《百济传》。⑷③⑤ 居中指授：身居大帐，指点教导，指不参与具体的军事行动。⑷③⑥ 其王玄：夫余国的国王，名玄。⑷③⑦ 二月癸丑：二月十九。⑷③⑧ 三月丙子：三月十二。⑷③⑨ 释衰绖从王事：不在家守丧，而去为帝王效力。衰绖，指丧服。穿于身者曰"衰"，有齐衰、斩衰之分；系于头者曰"绖"。⑷④⓪ 才足干时：其才能足以治国安民。干时，能办好当时的国家要务。⑷④① 正足以亏孝道二句：意谓像我这种没有本事的人，不在家守孝，出去又干不好国家大事，那就只剩下"亏孝道，伤风俗"了。⑷④② 属当厄运：当下正时局艰难。㊸危弊理极：危难衰败已达极点。㊹沈识淹长：学识渊博，目光远大。沈识，谓见解深刻。沈，同“沉”。㊺足以经济：完全可以经国济民。㊻深存挹退：总是想着谦抑退让。㊼苟遂本怀：只想满足个人的隐士情怀。㊽家国不异：谓国兴家亦兴，国亡家也亡，不为国，也就不可能有家。㊾四月己酉朔：此语有误，四月朔甲午，己酉当为四月十六。㊿五月丙戌：五月二十三。451上：推举；拥戴。452嫡母：妾生的子女称父的正妻为嫡母。重华为张骏妾马氏所生，故尊其嫡母为大王太后。453中黄门：宦官名，给事宫中。454谮：在尊长面前说人坏话，这里即指诬陷。455谤讪：诽谤；诋毁。456淫雨：久雨；雨连降三日以上。457霁：指雨雪停止，天气放晴。458涂潦：泥和水。潦，积存的雨水。459止作徒：停止一切土木工程的劳作。460以副众望：以满足臣民的希望。副，称、使之满意。461不之罪：即“不罪之”，不治其罪。462作役：劳役，犹今之所谓土木工程。463竟诛：最后还是杀掉了。464吏告其君：下级官吏举告他的上级。古代下级官吏称其主官曰“君”。465朝觐：朝见皇帝。春见曰朝，秋见曰觐。466不敢复相过从：不敢互相来往。胡三省曰：“石虎之法，虽周厉王之监谤、秦始皇之禁耦语，不如是之甚也。”467武街：晋县名，县治在今甘肃临洮东。468金城：晋郡名，郡治在今甘肃兰州西北的黄河南岸。469壁于广武：屯兵驻扎于广武城。壁，修筑壁垒。广武，凉郡名，郡治在今甘肃永登东南。470宿旧：有名望的老将。471韩信之举：韩信当年被刘邦所任用。韩信脱离项羽，往投刘邦，被刘邦任以为大将事，详见《史记·淮阴侯列传》。472非旧德也：并不在于韩信跟随刘邦的时间长与年龄大、威望高。473举无常人：并没有一定条条框框，资历、地位的限制。474才之所堪：只要他具有承担这项工作的才干。475不进：相互观望不前。476兼资文武：犹言文武双全。资，资质。477振武：古城名，在今甘肃永登北，属广武郡。478二枭：两只猫头鹰。479牙：通“衙”。旧时的官署之称，这里即指中军大帐。480六博：古代的一种博戏，共十二子，六黑六白，两人相博，每人六子，故名。《尔雅翼》云：“博之采有枭。博兼行恶道，故以枭为采。”481得枭者胜：六博中的枭，犹如扑克牌中的鬼牌，或麻将牌中的混儿（可当任何牌，但吃牌或碰牌时不能使

【原文】

三年（丁未，公元三四七年）

春，二月，桓温军至青衣[509]。汉主势大发兵，遣叔父右卫将军福、从兄镇南将军权、前将军昝坚等将之，自山阳[510]趣合水[511]。诸将欲设伏于江南[512]以待晋兵。昝坚不从，引兵自江北鸳鸯碕[513]渡向犍为[514]。

三月，温至彭模[515]。议者欲分为两军，异道俱进，以分汉兵之势。

用)。㊷ 大夏：凉郡名，郡治在今甘肃临夏东南。㊸ 诱致：引诱往降。㊹ 宛戍：城堡名，上属大夏郡。㊺ 门者：守城门的人。㊻ 恤：忧虑；关心。㊼ 禁中：帝王宫中，因门户有禁，非侍卫及通籍之臣，不得入内，故名。㊽ 苛滥：既残酷，又细碎。㊾ 獠：少数民族名，古代对仡佬族的蔑称。㊿ 饥馑：荒年。谷不熟为饥，蔬不熟为馑。491 经略大事：意即征伐之事。经略，指开拓疆土而言。492 非常情所及：不是一般人所想得到、看得到的。493 轻赍：轻装。赍，随身携带。494 疾趋：快速奔袭。495 出：通过；越过。496 繁庶：众多。497 诸葛武侯：诸葛亮，谥忠武。事迹详见《三国志·诸葛亮传》。498 胡必窥觎：石虎必乘隙对我进攻。窥觎，偷看、伺机。499 侵轶：侵扰。轶，袭击。500 缘江：沿长江一线。501 瓌：袁瓌，东晋前期的儒学之士，曾起兵讨苏峻，建议朝廷兴学。事见《晋书》卷八十三。502 辛未：十一月十一。503 拜表即行：给皇帝上表后，随即起兵上路，意即不给朝廷讨论、争论的时间，以免延误军机。504 留事：留守荆州，处理日常事务。505 梁州之四郡：即涪陵、巴东、巴西、巴郡。506 以博知之：以博弈的道理可以知其必胜。507 不必得则不为：没有十分的把握绝对不干。508 专制朝廷：控制朝廷，对朝廷发号施令。

【校记】

［9］果：原作“各”。据章钰校，十二行本、乙十一行本、孔天胤本皆作“果”，今据改。［10］等：原无此字。据章钰校，十二行本有此字，今据补。［11］等：原无此字。据章钰校，十二行本、乙十一行本、孔天胤本皆有此字，今据补。［12］都乡文穆侯：“侯”字原作“公”。据章钰校，十二行本、乙十一行本、孔天胤本皆作“侯”，今据改。〖按〗《晋书》卷八《穆帝纪》云：永和二年正月己卯，“都乡侯何充卒”。［13］十万余口：原作“十余万口”。据章钰校，十二行本、乙十一行本、孔天胤本皆作“十万余口”，今从改。［14］以：据章钰校，孔天胤本作“仄”。〖按〗二字于义皆通。［15］动：原作“恐”。据章钰校，十二行本、乙十一行本、孔天胤本皆作“动”，今从改。

【语译】

三年（丁未，公元三四七年）

春季，二月，东晋安西将军桓温率领讨伐成汉的大军抵达青衣县，汉主李势出动大军，派遣担任右卫将军的叔父李福、堂兄镇南将军李权、前将军昝坚等率领大军，从山阳出发赶往合水。诸将都主张在岷江南岸设置伏兵等待东晋的军队。昝坚不同意，遂率军从江北的鸳鸯碕渡过岷江向犍为进发。

三月，东晋安西将军桓温率军抵达彭模，有人建议将军队分为两路，从不同的

袁乔曰："今悬军深入万里之外，胜则大功可立，不胜则噍类无遗[516]，当合势齐力，以取一战之捷。若分两军，则众心不一，万一偏败[517]，大事去矣。不如全军而进，弃去釜甑[518]，赍三日粮，以示无还心，胜可必也。"温从之，留参军孙盛、周楚将羸兵[519]守辎重[520]，温自将步卒直指成都。楚，抚之子也。

李福进攻彭模，孙盛等奋击，走之。温进，遇李权，三战三捷。汉兵散走归成都，镇东将军[16]李位都迎诣温降。昝坚至犍为，乃知与温异道，还，自沙头津济[521]。比至，温已军于成都之十里陌[522]，坚众自溃。

势悉众出战于成都之[17]笮桥[523]。温前锋不利，参军龚护战死，矢及温马首。众惧，欲退。而鼓吏误鸣进鼓[524]，袁乔拔剑督士卒力战，遂大破之。温乘胜长驱至成都，纵火烧其城门。汉人惶惧，无复斗志。势夜开东门走，至葭萌[525]，使散骑常侍王幼送降文于温，自称"略阳李势叩头死罪"，寻[526]舆榇面缚[527]诣军门[528]。温解缚焚榇，送势及宗室十余人于建康，引汉司空谯献之等以为参佐，举贤旌善[529]，蜀人悦之。

日南[530]太守夏侯览贪纵[531]，侵刻胡商[532]；又科调船材[533]，云欲有所讨，由是诸国恚愤[534]。林邑王文[535]攻陷日南，将士死者五六千，杀览，以尸祭天。檄交州[536]刺史朱蕃，请以郡北横山[537]为界。文既去，蕃使督护刘雄戍日南。

汉故尚书仆射王誓、镇东将军邓定、平南将军王润、将军隗文等皆举兵反，众各万余。桓温自击定，使袁乔击文，皆破之。温命益州

道路同时向前推进，以分散汉军的兵力。担任先锋官的袁乔说："如今我们孤军远在万里之外深入敌境，胜利则可以建立不朽之功，不胜则全军覆没，没有一个人能够生还，所以应当将兵力集中在一处，齐心合力，以求得一次会战的胜利。如果分为两军，众人之心将不能统一,万一有一路军失败，则全军败亡的局势将无法挽救。不如全军在一起向前推进，丢掉锅碗瓢盆等炊事用具，每人只带三天的干粮，表示绝不后退的决心，胜利是可以期待的。"桓温采纳了袁乔的意见，留下担任参军的孙盛、周楚率领老弱残兵守护辎重，桓温亲自率领步兵径直去攻打成都。周楚，是周抚的儿子。

汉主李势的叔父李福率军进攻被晋兵占领的彭模，东晋留守辎重的孙盛等奋力出击，将李福赶走。桓温在进军途中遭遇李权的反抗，桓温与李权打了三次，三次都取得了胜利。汉兵溃散逃走，跑回成都，汉镇东将军李位都迎接桓温，向桓温投降。汉前将军昝坚独自率领自己的部下到达犍为，才知道桓温的军队走的是另外一条路，遂率军而回，从沙头津渡江北上。等他追上晋军的时候，桓温已经将军队驻扎在成都近郊的十里陌，昝坚的部众不战自溃。

汉主李势出动现有的所有部队，在成都城外的笮桥向晋军发起反击。桓温的前锋部队作战失利，担任参军的龚护战死，流矢一直射到桓温的战马之前。众人都很恐惧，桓温遂准备暂时后退。而执掌战鼓的官吏在接到撤退命令后，本应鸣金收兵，却错误地擂起了进军的战鼓，前锋官袁乔拔出剑来督促士卒奋力向前拼杀，竟然打败了汉军。桓温乘胜率军长驱直入到达成都城门之下，派人纵火烧毁了城门。汉人非常惊慌恐惧，已经完全丧失了斗志。汉主李势在夜间打开城东门逃走，当他逃到葭萌的时候，派担任散骑常侍的王幼前来向桓温递交降书，李势在降书中称自己是"略阳李势，磕头，死罪"，不久，李势便用车子拉着棺材，自己双手反绑在身后来到桓温的营门投降。桓温为李势松开绑绳，烧毁了棺材，然后把李势以及汉宗室十多人送往东晋的都城建康，聘请汉国司空谯献之等作为自己的僚属，在蜀地举拔贤能、表彰良善，蜀地的人非常高兴。

东晋担任日南郡太守的夏侯览贪赃枉法、胡作非为，侵扰、剥削少数民族商人；又下令征收造船的木材，说是为出兵讨伐的军事行动做准备，于是日南一带诸小国全都对夏侯览充满怨恨与愤怒。林邑王范文率军攻陷了日南，日南守军将士死了五六千人，林邑王杀死了日南太守夏侯览，用夏侯览的尸体祭天。还以檄文的形式知会交州刺史朱蕃，要求撤销日南郡，以日南郡郡北的横山作为两国的边界。林邑王撤走之后，交州刺史朱蕃便委派担任督护的刘雄率人戍守日南。

故汉国尚书仆射王誓、镇东将军邓定、平南将军王润、将军隗文等全都起兵反抗东晋的统治，他们每个人属下都有一万多人。东晋安西将军桓温亲自率军攻击邓定，派袁乔率军攻击隗文，邓定、隗文全都被击败。桓温任命益州刺史周抚镇守彭

刺史周抚镇彭模，斩王誓、王润。温留成都三十日，振旅[538]还江陵。李势至建康，封归义侯。夏，四月丁巳[539]，邓定、隗文等入据成都。征虏将军杨谦[540]弃涪城[541]，退保德阳[542]。

赵凉州刺史麻秋攻枹罕[543]。晋昌[544]太守郎坦以城大难守，欲弃外城。武成[545]太守张悛曰："弃外城则动众心，大事去矣！"宁戎校尉张璩从悛言，固守大城。秋帅众八万围堑[546]数重，云梯地突[547]，百道皆进。城中御之，秋众死伤数万。赵王虎复遣其将刘浑等帅步骑二万会之。郎坦恨言不用，教军士李嘉潜引赵兵千余人登城。璩督诸将力战，杀二百余人，赵兵乃退。璩烧其攻具，秋退保大夏[548]。

虎以中书监石宁为征西将军，帅并、司州兵二万余人为秋等后继。张重华将宋秦等帅户二万降于赵。重华以谢艾为使持节、军师将军，帅步骑三万进军临河[549]。艾乘轺车[550]，戴白帢[551]，鸣鼓而行。秋望见，怒曰："艾年少书生，冠服如此，轻我也！"命黑矟龙骧[552]三千人驰击之，艾左右大扰[553]。或劝艾宜乘马，艾不从，下车，踞胡床[554]，指麾处分[555]。赵人以为有伏兵，惧不敢进。别将张瑁自间道引兵截赵军后，赵军退，艾乘势进击，大破之，斩其将杜勋、汲鱼，获首虏[556]万三千级。秋单马奔大夏。

五月，秋与石宁复帅众十二万进屯河南[557]，刘宁、王擢略地[558]晋兴、广武、武街[559]，至于曲柳[560]。张重华使将军牛旋拒之[18]，退守枹罕，姑臧大震。重华欲亲出拒之，谢艾固谏。别驾从事[19]索遐曰："君者，一国之镇[561]，不可轻动。"乃以艾为使持节、都督征讨诸军事、行卫将军[562]，遐为军正将军，帅步骑二万拒之。别将[563]杨康败刘宁于沙阜[564]，宁退屯金城[565]。

六月辛酉[566]，大赦。

秋，七月，林邑复陷日南，杀督护刘雄。

隗文、邓定等立故国师范长生之子贲[567]为帝而奉之，以妖异惑众，蜀人多归之。

赵王虎复遣征西将军孙伏都、将军刘浑帅步骑二万会麻秋军，长

模，随后又斩杀了王誓、王润。桓温留在成都三十天，然后整顿军旅返回江陵。汉主李势被送到建康，东晋封他为归义侯。夏季，四月二十九日丁巳，故汉镇东将军邓定、将军隗文等重新夺取了成都。东晋征虏将军杨谦丢弃了涪城，退守德阳。

后赵凉州刺史麻秋率军攻打凉王境内的枹罕。凉州晋昌太守郎坦认为城大难守，就想抛弃外城。担任武成太守的张悛劝阻说："如果丢弃外城，就会动摇军心，大事将去！"宁戎校尉张璩听从了张悛的意见，坚决固守外城。麻秋率领八万兵众把枹罕包围了好几层，上架云梯、下挖地道，各种攻城方法全都用到了。枹罕城中拼死抵抗，麻秋的将士死伤了数万人。后赵王石虎又派将领刘浑等率领二万名步兵、骑兵前来与麻秋会合。晋昌太守郎坦怨恨众人不听从自己，竟然派军士李嘉偷偷地引领一千多名后赵兵登上了枹罕城墙。宁戎校尉张璩督促诸将奋力拼杀，杀死了后赵二百多人，后赵兵才退走。张璩烧毁了后赵攻城的工具，麻秋撤退到大夏据守。

后赵王石虎任命担任中书监的石宁为征西将军，让他率领并州、司州的二万多名兵士充当麻秋的后援。假凉王张重华的部将宋秦等率领二万户投降了后赵。张重华任命谢艾为使持节、军师将军，率领三万人马进军东临黄河。谢艾乘坐着一辆由一匹马拉着的轻便小车，头上戴着白色的便帽，擂着战鼓向前行进。麻秋看见后大怒说："谢艾乃是一介年少书生，今天如此穿戴，这是不把我放在眼里呀！"遂下令手持黑槊、像龙虎一样勇猛的三千敢死队闪电般攻击谢艾军，谢艾身边的人立时大乱。有人劝说谢艾弃车骑马，谢艾不仅没有采纳他们的建议，反而从车上下来，坐在一把椅子上，从容指挥。后赵人认为谢艾一定设有埋伏，所以产生惧怕心理而不敢前进。假凉王张重华的另一名将领张瑁率领着一支部队从一条隐秘的小路绕到赵军的背后进行攻击，后赵军只得撤退，谢艾趁势指挥军队出击，遂大败赵军，将赵军将领杜勋、汲鱼斩首，斩杀和俘虏了后赵一万三千人。麻秋单人独骑逃往大夏。

五月，后赵凉州刺史麻秋与中书监石宁又率领着十二万人马进驻黄河以南地区，后赵将军刘宁、王擢率军攻取晋兴、广武、武街等地，军队挺进到曲柳。假凉王张重华派将军牛旋率军抵抗，牛旋抵敌不住，退守枹罕，凉国都城姑臧大为震动。假凉王张重华准备亲自率军抵抗，谢艾苦苦地进行劝阻。别驾从事索遐说："国君，是一国的主宰，不能轻率地采取行动。"张重华遂任命谢艾为使持节、都督征讨诸军事、兼任卫将军，索遐为军正将军，率领二万人马抵御后赵的进攻。担任别将的杨康在沙阜打败了后赵将领刘宁，刘宁率众退守金城。

六月初五日辛酉，东晋实行大赦。

秋季，七月，林邑国再次攻陷了东晋的日南郡，杀死了镇守日南的督护刘雄。

故汉国将军隗文、镇东将军邓定等拥立原汉国国师范长生之子范贲为皇帝，范贲用妖言惑众，蜀地的人大多数又都归附了范贲。

后赵王石虎再次派遣征西将军孙伏都、将军刘浑率领二万人马，与凉州刺史麻

驱济河，击张重华，遂城长最[568]。谢艾建牙[569]誓众，有风吹旌旗东南指。索遐曰："风为号令，今旌旗指敌，天所赞也。"艾军于神鸟[570]。王擢与艾前锋战，败，走还河南。八月戊午[571]，艾进击秋，大破之，秋遁归金城。虎闻之，叹曰："吾以偏师定九州[572]，今以九州之力困于枹罕，彼有人焉，未可图也！"艾还，讨叛虏斯骨真等万余落，皆破平之。

赵王虎据十州之地[573]，聚敛金帛，及外国所献珍异，府库财物，不可胜纪。犹自以为不足，悉发前代陵墓，取其金宝。

沙门吴进[574]言于虎曰："胡运将衰，晋当复兴。宜苦役晋人[575]，以厌其气[576]。"虎使尚书张群发近郡男女十六万人，车十万乘，运土筑华林苑及长墙于邺北，广袤数十里[577]。申钟、石璞、赵揽等上疏陈天文错乱，百姓凋弊。虎大怒曰："使苑墙朝成，吾夕没，无恨矣！"促张群使然烛[578]夜作，暴风大雨，死者数万人。郡国前后送苍麟[579]十六，白鹿七，虎命司虞张曷柱[580]调之以驾芝盖[581]，大朝会，列于殿庭。

九月，命太子宣出祈福于山川，因行游猎。宣乘大辂[582]，羽葆华盖[583]，建天子旌旗，十有六军戎卒十八万出自金明门[584]。虎从其后宫升陵霄观望之，笑曰："我家父子如此，自非[585]天崩地陷，当复何愁！但抱子弄孙，日[586]为乐耳。"

宣所舍[587]，辄列人为长围，四面各百里，驱禽兽，至暮皆集其所[588]。使文武跪立[20]，重行围守[589]，炬火如昼，命劲骑[590]百余驰射其中，宣与姬妾乘辇临观，兽尽而止。或兽有迸逸[591]，当围守者，有

秋所率领的部队会合，然后长驱直入，渡过黄河，攻击假凉王张重华，遂修筑了长最城。凉国谢艾竖起大旗，宣誓后准备出发，忽然刮起大风，大旗顺风指向东南方向。军正将军索遐说："风神已经发下号令，如今我们的军旗指向东南方向的敌人，这是上天在帮助我们。"谢艾将军队驻扎在神鸟。后赵将领王擢与谢艾的前锋交战，战败后逃回河南。八月初三日戊午，谢艾率军攻打麻秋，将麻秋打得大败，麻秋逃回了金城。后赵王石虎听到赵军失败的消息，叹息着说："我凭借着一支非主力部队平定了九州，如今凭借九州的力量却被困在枹罕，对方有人才在，我还不能马上消灭他们！"谢艾班师后，立即率军讨伐叛变的少数民族酋长斯骨真等一万多落，全部将其讨平。

后赵王石虎占据着幽州、并州、冀州、司州、豫州、兖州、青州、徐州、雍州、秦州这十个州的地盘，他大肆聚敛金银布帛，加上外国向他进献的奇珍异宝，国家府库中的财物多得数不清。即使如此，石虎还是不满足，竟然派人挖掘前代的陵墓，盗取陪葬的金银珍宝。

一个名叫吴进的和尚对后赵王石虎进言说："胡人的国运即将衰亡，晋朝将要复兴。应该想尽办法加重对晋国遗民的奴役，以镇压晋王朝的气数。"石虎遂令担任尚书的张群从邺城的邻近郡县征调十六万男女、十万辆车，在邺城以北运土修建华林苑和长围墙，华林苑的长与宽各数十里。申钟、石璞、赵揽等大臣全都上疏给后赵王石虎，向他报告上天星辰错乱、地上百姓穷困凋敝的情况。石虎大怒说："如果能使华林苑以及围墙早晨竣工，我当天晚上死去也没有遗憾！"于是督促张群要夜以继日地进行施工，晚上天黑，就点燃灯笼火把照明施工，又遭遇狂风暴雨的袭击，民工死了数万人。各郡、封国前后送来青黑色的大公鹿十六只、白鹿七只，石虎就让担任司虞的张曷柱训练它们，让它们为皇帝拉装饰有灵芝形篷盖的辇车，在举行盛大朝会的时候，将它们排列在殿前进行展示。

九月，后赵王石虎令皇太子石宣出京祭祀山川，好让山川为后赵降福，顺便打猎。太子石宣乘坐着天子之车，车上罩着用美丽羽毛编织的豪华车盖，树立起只有皇帝才能使用的旌旗，有十六支军队总计十八万身穿戎装的士卒跟随，他们从邺城西面的金明门出发。石虎从后宫登上陵霄观眺望，他笑着说："我家父子如此，如果不是天塌地陷，还有什么值得忧愁！只需抱着儿孙，每日享受天伦之乐而已。"

后赵太子石宣每日休息的地方，都要用人围成人墙，东西南北每面各长一百里，为他驱逐飞禽走兽，到天色傍晚时分，一定要将禽兽驱赶到石宣的住所周围。石宣让文武群臣跪立在地上，层层围住那些被驱赶来的野兽，点燃的火把照耀得如同白昼，然后命令一百多名勇敢的骑兵在中间跑马射箭，石宣带着他的姬妾乘坐着辇车在高处观看，一直到被围起来的禽兽全部被消灭才停止。如果有野兽逃走，从谁守卫的地方逃走，如果是有爵位的人，就没收他的马匹，让他徒步追逐禽兽一整天；

爵[592]则夺马，步驱[593]一日，无爵则鞭之一百。士卒饥冻死者万有余人。所过三州十五郡，资储皆无孑遗[594]。

虎复命秦公[21]韬继出，自并州[595]至于秦、雍[596]亦如之。宣怒其与己钧敌[597]，愈嫉之。宦者赵生得幸于宣，无宠于韬，微[598]劝宣除之，于是始有杀韬之谋矣。

赵麻秋又袭张重华将张瑁，败之，斩首三千余级。枹罕护军李逵帅众七千降于赵，自河以南，氐、羌皆附于赵。

冬，十月乙丑[599]，遣侍御史俞归至凉州，授张重华侍中，大都督，督陇右、关中诸军事，大将军，凉州刺史，西平公。归至姑臧，重华欲称凉王，未肯受诏，使所亲沈猛私谓归曰："主公[600]奕世[601]为晋忠臣，今曾[602]不如鲜卑[603]，何也？朝廷封慕容皝为燕王，而主公才[604]为大将军，何以褒劝[605]忠贤乎？明台[606]宜移河右[607]，共劝[608]州主为凉王。人臣出使，苟利社稷，专之可也[609]。"归曰："吾子[610]失言！昔三代之王[611]也，爵之贵者[612]莫若上公。及周之衰，吴、楚始僭号称王[613]，而诸侯亦[22]不之非[614]，盖以蛮夷畜之[615]也。借使[616]齐、鲁称王，诸侯岂不四面攻之乎？汉高祖封韩、彭[617]为王，寻[618]皆诛灭。盖权时之宜[619]，非厚之也[620]。圣上以贵公[621]忠贤，故爵以上公，任以方伯[622]，宠荣极矣，岂鲜卑夷狄所可比哉！且吾闻之，功有大小，赏有重轻。今贵公始继世[623]而为王，若帅河右之众，东平胡、羯[624]，修复陵庙[625]，迎天子返洛阳，将何以加之乎？"重华乃止。

武都氐王杨初[626]遣使来称藩，诏以初为使持节、征南将军、雍州刺史、仇池公。

十二月，振威护军萧敬文[627]杀征虏将军杨谦，攻涪城，陷之，自称益州牧[628]，遂取巴西[629]，通于汉中[630]。

如果是没有爵位的就要挨一百下鞭子。士卒饿死、冻死的有一万多人。所经过的三个州十五个郡，所有的物资储备全被消耗光了，连一点剩余都没有。

后赵王石虎又令秦公石韬继太子之后出京祭祀山川，石韬从并州一直到秦州、雍州，规模和情形与太子石宣完全相同。太子石宣对石韬在出游时的规格与自己相同感到非常愤怒，也就更加嫉恨石韬。一个名叫赵生的宦官很受太子石宣的宠爱，却得不到石韬的宠爱，便暗中劝说太子把石韬除掉，石宣遂开始秘密谋划除掉石韬的计划。

后赵凉州刺史麻秋又率兵袭击假凉王张重华的部将张瑁，将张瑁打败，斩杀了三千多人。担任枹罕护军的李逵率领七千名部众投降了后赵，黄河以南地区的氐人、羌人全都归附了后赵。

冬季，十月十一日乙丑，东晋朝廷派遣担任侍御史的俞归前往凉州，授予张重华侍中，大都督，督陇右、关中诸军事，大将军，凉州刺史，西平公。俞归到达张重华的首府姑臧，张重华自己想称凉王，所以没有接受东晋朝廷的任命，张重华派自己的亲信沈猛私下里对俞归说："我家主公，累世都是晋国的忠臣，现在的爵位竟然比不上鲜卑人慕容皝，这是为什么呢？朝廷封慕容皝为燕王，而我家主公才封为大将军，这怎能起到褒奖、劝勉忠良的作用呢？阁下应该往河西地区发表文告，共同推举凉州长官张重华为凉王。作为朝廷的使臣，只要对国家有好处，即使自己拿一回主意也未尝不可。"俞归答复说："先生的话说错了！古代夏、商、周统治天下的时候，最尊贵的爵位就是公爵。等到了周朝势力衰微的时候，吴、楚开始自称为王，而其他诸侯也不责难他们，那是因为把他们当作蛮夷看待。如果是齐国、鲁国的国君自己称王，诸侯岂能不举兵从四面八方前去讨伐他们？汉高祖刘邦封韩信、彭越为王，不久就将他们诛灭。所以封他们为王只是根据当时的形势需要而采取的一种临时措施，并不是对韩信、彭越特别厚爱。现在，圣明的皇帝因为贵主公忠心贤能，所以才封他为最尊贵的公爵，任命他为一方的诸侯之长，宠爱和荣耀已经达到极点，岂是鲜卑夷狄所能比的呢！而且我听说，功劳有大有小，赏赐有重有轻。如今贵主公刚刚继承了他父亲的职位就要称王，如果将来再率领河西地区的兵众向东灭掉了胡人、羯人，重新修复了皇家的陵寝、宗庙，把晋朝天子迎回故都洛阳，到那时，将用什么尊贵的爵位来赏赐他呢？"张重华遂不再坚持要求封凉王。

占据武都的氐人首领杨初派遣使者来到东晋，称自己是东晋的藩属国，东晋皇帝下诏任命杨初为使持节、征南将军、雍州刺史、仇池公。

十二月，东晋担任振威护军的萧敬文叛变，他杀死了征虏将军杨谦，攻陷了涪城，自称益州牧，随后又攻取了巴西，势力达到了汉中地区。

【段旨】

以上为第三段，写晋穆帝永和三年（公元三四七年）一年间的大事。主要写了桓温率军伐西蜀，连战连胜，遂攻破成都，汉主李势兵败投降，桓温留益州刺史周抚、征虏将军杨谦守西蜀，自己返回荆州；汉将邓定、隗文等举兵反晋，入据成都，立范长生之子范贲为帝，蜀人多应之；晋将萧敬文叛杀杨谦，自称益州牧，占据巴西、汉中一带地区；写了赵将麻秋西攻凉州的枹罕，被凉将张悛、张璩打败；石虎又派石宁率兵助麻秋攻凉，被凉将谢艾大破于黄河之滨；汉将孙伏都、刘浑又率兵助麻秋攻凉，又被谢艾所败。后因枹罕守将李逵率众降赵，河南氐、羌皆附于赵；写了石虎贪婪聚敛，肆意搜刮，发掘古墓，盗取金宝；在邺北大修华林苑，广袤数十里；其太子石宣与其弟秦王石韬，纵情游猎，奸小暗中挑拨石宣与石韬；此外还写了晋派御史俞归往授张重华西平公，张重华不欲受，俞归巧妙说服之；以及林邑王攻陷日南郡，杀晋日南太守夏侯览，又杀都护刘雄等。

【注释】

⑸⑼青衣：蜀县名，县治在今四川雅安北。⑸⑽山阳：蜀地名，约在今四川峨眉山市南、岷江龚嘴水库之北。⑸⑾趣合水：扑向合水。趣，意思同“趋”。合水，为青衣江注入岷江处，在今四川乐山东南。⑸⑿江南：岷江之南。⑸⒀鸳鸯碕：蜀地名，在今四川眉山市彭山区东。⑸⒁犍为：古郡名，郡治武阳，在今四川眉山市彭山区东十里。⑸⒂彭模：蜀地名，又名“彭亡聚”“彭望”“平模”“平无”。在今四川眉山市彭山区东十里，距成都二百里。⑸⒃噍类无遗：一个活人也留不下。噍，嚼，以人能咀嚼，故称。⑸⒄偏败：两路进军，一路失败。⑸⒅釜甑：做饭的锅碗瓢盆之类。釜是金属制的烹饪器皿，无足的锅。甑，瓦制的煮器。⑸⒆羸兵：老弱病残之兵。羸，瘦弱。⑸⒇辎重：沉重的武器与暂时不用的军需物资。⑸㉑自沙头津济：在沙头津渡过岷江。沙头津是渡口名，在今四川眉山市彭山区北二十里的岷江上。⑸㉒十里陌：蜀地名，在今成都城南。⑸㉓笮桥：在今四川成都西南郊外，因以竹索制成，故名笮桥。⑸㉔误鸣进鼓：本来让鸣金收兵，结果误击了进军之鼓。古代打仗，鸣金收兵，击鼓进军。⑸㉕葭萌：蜀县名，县治在今四川广元西南。⑸㉖寻：紧接着。⑸㉗舆榇面缚：以车载棺跟随，表示请死；两手反绑于身后，而面向前，表示投降。榇，棺材。⑸㉘诣军门：到桓温的营门。⑸㉙旌善：表彰善人。⑸㉚日南：晋郡名，郡治西卷，在今越南广治甘露河与广治河的合流处。⑸㉛贪纵：贪财、放纵。⑸㉜侵刻胡商：侵扰剥削少数民族的商人。⑸㉝科调船材：征收造船的木材。科调，征集、征收。⑸㉞诸国恚愤：日南一带诸小国全都对之怨恨。⑸㉟林邑王文：林邑国王，姓范名文。古林邑国原是汉代的象林县，县治即今越南广南省维川县南的茶桥。东汉象林县人区

连，杀县令，自称林邑王，遂为林邑国。㊱交州：晋州名，州治龙编，在今越南河内东北。㊲横山：山名，胡注以为当在日南郡的北界。㊳振旅：整顿部队，这里即指胜利回师。振，整顿。㊴四月丁巳：四月二十九。㊵杨谦：晋朝的守将。㊶涪城：涪县县城，在今四川绵阳东。㊷德阳：县名，县治在今四川遂宁东南。㊸枹罕：古县名，县治在今甘肃临夏东北，上属大夏郡。㊹晋昌：凉郡名，郡治在今甘肃瓜州县东南。㊺武成：凉郡名，郡治不详。㊻围堑：环城挖壕沟。㊼云梯地突：云梯用以从高空攻城，地突即挖地道至城中以突然袭击。㊽大夏：古郡名，在今甘肃临夏东。原属凉州张氏，此时被赵将麻秋占领。㊾临河：东临黄河，与黄河东岸的枹罕相隔不远。㊿轺车：一匹马拉的轻便小车。《晋书·舆服志》："古之军车也，一马曰轺车，二马曰轺传。"551白帢：白色的便帽，未仕者所戴。帢，同"帢"。〖按〗谢艾乘轺车，戴白帢，分明是一个文雅书生打扮。552黑矟龙骧：勇士、敢死队的名号，持黑槊，像龙虎一样凶猛。矟，同"槊"，矛一类的兵器。龙骧，龙矫健，善腾跃，用以比喻勇士。553大扰：大乱。554踞胡床：坐在一把椅子上。胡床，一种可以折叠的轻便坐具，即椅子、板凳之类。555指麾处分：指挥、调动。指麾，意思同"指挥"。处分，调动、分配。556首虏：斩敌之首与俘获生敌。557河南：即今甘肃之临夏与青海之同仁一带地区，地处黄河之南，距前次作战之枹罕相隔不远。558略地：拓展地盘，这里实指袭击、攻击。559晋兴、广武、武街：晋兴郡的郡治在今青海民和西北，广武郡的郡治即今甘肃永登，武街的方位不详。560曲柳：古城名，在今甘肃武威东南。561一国之镇：犹言一国之主。古称一方的主山为镇，以喻君为一国主宰。562行卫将军：同时兼任卫将军。卫将军是帝王禁卫部队的统领。563别将：张重华部下另一支部队的将领。564沙阜：古地名，在今甘肃武威。565金城：古郡名，郡治在今甘肃兰州西北。566六月辛酉：六月初五。567范长生之子贲：范贲。范长生是李雄时代的谋士，被封为天地太师。事见《晋书》卷一百二十一。568长最：古城名，在今甘肃永登南。569建牙：建旗；竖起大旗。570神鸟：古城名，在今甘肃武威南。571八月戊午：八月初三。572九州：全国，古称中国境内有九州。573十州之地：指幽、并、冀、司、豫、兖、青、徐、雍、秦。574沙门吴进：一个名叫吴进的和尚。575苦役晋人：加重对晋国遗民的奴役。576以厌其气：以镇压晋王朝的气数。厌，同"压"，镇压、压抑。577广袤数十里：园林的长宽各数十里。古时称东西的长度叫广，南北的长度叫袤。578然烛：点起灯笼火把。然，"燃"的本字。579苍麟：青黑色的大公鹿。580司虞张曷柱：主管驯养禽兽的工人，名叫张曷柱。581调之以驾芝盖：训练它们，让它们拉一种仙人乘坐的车驾。芝盖，篷顶呈灵芝形的车子，本为仙人之车，这里供帝王乘坐。582大辂：天子之车，也作"大路"。583羽葆华盖：以编织鸟羽为饰的车盖。584金明门：邺城的西门，又名"西明门"。585自非：除非；如果不是。586日：天天；每天。587所舍：所居住、所休息的地方。舍，止息。588集其所：聚集在石宣的居住之处。589重行围守：层层围住那些被驱赶来的野兽。590劲骑：骁勇的骑兵。591迸逸：逃脱；逃走。592有爵：有爵位的人。593步驱：徒步追捕逃兽。594 无子遗：花费得一点不剩。595 并州：州治晋阳，在今山西太原西南。596 秦、雍：二州名，秦州的州治上邽，即今甘肃天水市，雍州的州治长安，即今西安的北部。597 钧敌：规格相同；待遇相等。钧，通“均”。598 微：暗中；悄悄地。599 十月乙丑：十月十一。600 主公：沈猛对张重华的尊称。601 奕世：累世；世代。602 曾：居然；竟然。603 鲜卑：指慕容廆、慕容皝父子，皆被晋朝封为燕王。604 才：仅仅。605 褒劝：褒奖、激励。606 明台：两汉魏晋时称御史府为“御史台”。俞归以侍御史的身份奉帝命出使凉州，故尊称之曰“明台”。607 移河右：通告河西地区。移，传檄，犹今通告。河右，即河西，凉州处河西走廊，故称。608 共劝：共同推奉、拥戴。609 专之可也：自己拿一回主意是可以的。专，做主、先斩后奏。610 吾子：敬称对方。子是男子的美称，称“吾子”，表示亲近。611 昔三代之王：当初夏、商、周三代天子称王的时候。612 爵之贵者：勋臣最尊贵的爵位。613 吴、楚始僭号称王：吴、楚这种不守王化的国家，开始盗用天子名号，自己擅自称王，如吴王阖闾、吴王夫差、楚文王、楚庄王之类。僭，越分。614 不之非：不非之，不责难他们。615 以蛮夷畜之：像对待蛮夷那样对待他们。畜，养、看待。616 借使：假使。617 韩、彭：韩信、彭越，都是刘邦的功臣，韩信曾被刘邦封为齐王、楚王，彭越被封为梁王。618 寻：紧跟着；很快地。619 权时之宜：权宜之计；根据当时的形势而采取的临时措施。620 非厚之也：并不是出于对他的特别优待。621 贵公：敬称张氏父子。张氏父子被封为西平公。622 方伯：一方的诸侯之长。623 始继世：刚刚继承父位，管理国事。624 东平胡羯：这里即指东平石虎。石勒、石虎是羯族，刘渊、刘聪是胡人，这时胡已经被羯所灭。“胡羯”在这里是偏义复词。625 修复陵庙：收复西晋王朝的河山，重修晋朝的皇陵、宗庙。626 杨初：杨难敌之子杨毅的族兄。627 振威护军萧敬文：萧敬文本是晋将，任振威将军的护军。628 自称益州牧：自称益州刺史。胡三省曰：“萧敬文以晋新并蜀，又有范贲之乱，故亦乘之而反。”629 遂取巴西：占领了巴西郡。巴西郡的郡治在今四川阆中。630 通于汉中：势力达到汉中。汉中郡的郡治即今陕西汉中。

【校记】

［16］镇东将军：原作“镇军将军”。据章钰校，十二行本、乙十一行本、孔天胤本皆作“镇东将军”，当是，今据改。［17］成都之：据章钰校，十二行本、乙十一行本、孔天胤本皆无此三字，张瑛《通鉴校勘记》同。［18］拒之：据章钰校，此二字十二行本、乙十一行本、孔天胤本皆作“御”。［19］别驾从事：原无此四字。据章钰校，十二行本、乙十一行本、孔天胤本皆有此四字，今据补。［20］跪立：此二字上原有“皆”字。据章钰校，十二行本、乙十一行本、孔天胤本皆无“皆”字，今据删。［21］秦公：原无此二字。据章钰校，十二行本、乙十一行本、孔天胤本皆有此二字，张瑛《通鉴校勘记》同，今据补。［22］亦：原无此字。据章钰校，十二行本、乙十一行本、孔天胤本皆有此字，张敦仁《通鉴刊本识误》同，今据补。

【研析】

本卷写晋成帝咸康八年（公元三四二年）至晋穆帝永和三年（公元三四七年）共六年间的各国大事。其中给人留下深刻印象的人物与故事，突出的有两组。

第一是燕地慕容皝政权的飞快壮大，在短短几年里它灭掉了高句丽政权、宇文氏政权和古老的夫余国。在这当中起重大作用的是慕容皝的庶兄慕容翰。慕容翰在慕容皝刚即位时，曾因为担心被害而逃出了燕国，往依段氏政权。当段氏政权被慕容皝消灭后，慕容翰又北投宇文氏。后来在燕国群臣的劝解下，慕容皝与慕容翰捐弃前嫌，迎慕容翰返回燕国。慕容翰在燕灭高句丽、灭宇文氏的过程中，其作用是关键性的。首先，作品写燕国决策于庙堂的时候，慕容翰说："宇文强盛日久，屡为国患。今逸豆归篡窃得国，群情不附，加之性识庸暗，将帅非才，国无防卫，军无部伍。臣久在其国，悉其地形，虽远附强羯，声势不接，无益救援。今若击之，百举百克。然高句丽去国密迩，常有窥窬之志。彼知宇文既亡，祸将及己，必乘虚深入，掩吾不备。若少留兵则不足以守，多留兵则不足以行。此心腹之患也，宜先除之。观其势力，一举可克。宇文自守之虏，必不能远来争利。既取高句丽，还取宇文，如返手耳。"其料事之明决，就和当年曹操的谋士郭嘉给曹操谋划先灭三郡乌桓，后灭荆州刘表的思路完全一样，历史家所使用的语言也大体相同。慕容翰不仅有谋，而且临战有勇。当燕国灭掉高句丽，还取宇文氏时，宇文氏派大将涉夜干率精兵迎战。慕容皝提醒慕容翰，说："涉夜干勇冠三军，宜小避之。"慕容翰说："逸豆归扫其国内精兵以属涉夜干，涉夜干素有勇名，一国所赖也。今我克之，其国不攻自溃矣。且吾孰知涉夜干之为人，虽有虚名，实易与耳，不宜避之以挫吾兵气。"于是慕容翰"自出冲陈，涉夜干出应之，慕容霸从傍邀击，遂斩涉夜干。宇文士卒见涉夜干死，不战而溃。燕军乘胜逐之，遂克其都城。逸豆归走死漠北，宇文氏由是散亡"。慕容翰的勇气固然令人神往，而历史家的文章之气势也如"骏马下注千丈坡"，使读者心旷神怡。

但慕容翰的结局是悲惨的，他在与宇文氏的作战中受伤，伤好后在家中练习骑马，于是被人诬告说是"称病而私习骑乘，疑欲为变"，遂被一直怀有猜忌的慕容皝赐死。读史者读到此处，无不为慕容翰的才略与忠心而深感痛惜。但王夫之的《读通鉴论》对此写道："慕容翰不安于国而出奔……始依段氏，沮段氏之追慕容皝，而贻其害，犹曰'惧宗国之亡也'。段氏灭，宇文氏逸豆归恤而安之。乃既归于燕，即说皝以灭宇文，输其上下之情形、地形之险阻，以决于必得。然则翰在宇文之日，鹰目侧注，虿尾潜钩，窥伺其举动而指画其山川，用心久矣。逸豆归走死，宇文氏散亡，翰得全功以归，而皝急杀之。非徒皝之忍也，翰之挟诈阴密，而示人以叵测，天下未有能容之者也。"单从道德而言，慕容翰的确不无可议；但对于燕国的利益而言，慕容翰则是有大功而无任何罪过，慕容皝致之于死是毫无道理的。

第二是写桓温的灭蜀。桓温是东晋百数年间少有的杰出人物，其人才情洋溢，能当大事；但也有人看出他日后必然有“不臣”之心，建议对他要加强防范，如擅长于清谈的刘惔就是很有“远见”的一个。当庾翼病死，朝廷任命桓温为荆州刺史时，刘惔不同意，他建议会稽王司马昱自己任荆州刺史，他去荆州给他当军司。司马昱不听，坚持任命了桓温。有一天，桓温准备冒雪出去打猎，他全副武装地来见刘惔。刘惔看着桓温的这身庄严打扮说：“老贼欲持此何为？”桓温也不含糊地回答说：“我不为此，卿安得坐谈乎？”彼此都心照不宣，玩笑中带有凛凛杀气。

桓温伐灭西蜀的李势政权是轻而易举，不带悬念的，但如果请示朝廷，那便肯定是不行，因为苟且偷安、不思进取的惯性弥漫东晋朝野，所以桓温采取的手段是“拜表即行”，不等朝廷讨论、批准，西讨的大军就已经开拔上路了。于是，十一月出发；二月攻入蜀境；三月攻入成都，汉主李势投降；四月桓温返回荆州，事情就是这么简单、麻利！《通鉴》写作战的过程说：当桓温到达蜀境的彭模时，有人建议兵分两路，异道俱进，“以分汉兵之势”。先锋袁乔说：“今悬军深入万里之外，胜则大功可立，不胜则噍类无遗，当合势齐力，以取一战之捷。若分两军，则众心不一，万一偏败，大事去矣。不如全军而进，弃去釜甑，赍三日粮，以示无还心，胜可必也。”于是势如破竹，三战三捷，一直推进到了成都城下。接着写到了“笮桥之战”，作品说：“势悉众出战于成都之笮桥。温前锋不利，参军龚护战死，矢及温马首。众惧，欲退。而鼓吏误鸣进鼓，袁乔拔剑督士卒力战，遂大破之。温乘胜长驱至成都，纵火烧其城门。汉人惶惧，无复斗志。势夜开东门走，至葭萌，使散骑常侍王幼送降文于温。”战斗很激烈，但其中的“众惧，欲退。而鼓吏误鸣进鼓”十一字不可解。难道桓温看到“前锋不利，参军龚护战死，矢及温马首”，就下令撤退了？不然鼓吏怎么能“误鸣进鼓”？这一仗胜得也太偶然离奇了！明代袁黄《历史增评纲鉴补》批评这一段文章的写法说：“桓温远薄坚城，屡战克捷，乘胜席卷，正当鸣鼓励勇，鼓吏安得误鸣？记载家不识韬钤，妄谓事出侥幸，所谓夏虫不可以语冰也！”桓温的前锋袁乔两处都表现了西楚霸王项羽的勇敢，他前面所说的“不如全军而进，弃去釜甑，赍三日粮，以示无还心，胜可必也”，用的都是《史记·项羽本纪》的语言；后面又是靠着他的“拔剑督士卒力战”，从而一举破敌。谁说东晋没有英雄？只是由于朝廷腐败，淹没了无数将士的光辉！

桓温后来随着功劳太大，而渐渐增长了“不臣”之心，其实这也是朝廷的无能给惯出来的。关于桓温的伐蜀，王夫之《读通鉴论》说：“蜀之宜伐久矣……至李寿死，李势立，骄淫虐杀，此天亡李氏之日，不待再计而宜兴师者也。桓温西讨，晋廷惴惴然忧其不克，温目笑而心鄙之，‘拜表即行’，知晋之无人也。刘惔曰：‘但恐克蜀之后，专制朝廷。’其言验矣。乃其遂无以处此哉？温表至，朝廷信之而不疑，下诏奖之以行，而命重臣率大师以继其后，则温军之孤可无虑，而专制之邪心抑不敢萌。惴惴忧之，漠漠听之，败则国受之，克则温专其功。惔诚虑及，而胡不为此谋也？盖惔者，会稽王昱之客，非能主持国计者也。……惔即为此谋而固不听，徒为太息而无可如何。晋非无人，有人而志不能行也。”说得相当精彩到位。

卷第九十八　晋纪二十

起著雍涒滩（戊申，公元三四八年），尽上章阉茂（庚戌，公元三五〇年），凡三年。

【题解】

本卷写晋穆帝永和四年（公元三四八年）至永和六年共三年间的东晋及各国大事。主要写了后赵石虎的太子石宣暗杀石虎的爱子石韬，并欲借机弑其父，被石虎发觉，石虎杀掉了石宣，而听信野心家张豺之谋改立幼子石世为太子；写了后赵主石虎病死，幼子石世为帝，张豺把持朝政，石虎的另一个儿子石遵在姚弋仲、蒲洪等人的拥戴下杀石世，自己称帝；石虎的养孙石闵（后称冉闵）因恨石遵食言，遂与石虎的另一个儿子石鉴勾结，杀了石遵，立石鉴为赵主，自己控制朝廷大权。石闵欲灭石氏之迹，改国号曰"卫"；卫主石鉴谋杀石闵，被石闵所杀，石闵自称皇帝，改国号为大魏；石虎的另一个儿子石祗在襄国称帝，命石琨、王朗、刘国、张贺度等多次大举攻魏，都被石闵以少量军队轻易打败；写了氐人蒲洪、羌人姚弋仲皆有据关中自立之志，姚弋仲派其子姚襄击蒲洪，被蒲洪打败，蒲洪自称三秦王，改姓为苻洪；接着苻洪被降将麻秋毒死，其子苻健退而仍称晋官爵，请听朝命；这时赵将杜洪据长安，自称晋之征北将军，关西夷夏

【原文】

孝宗穆皇帝上之下

永和四年（戊申，公元三四八年）

夏，四月，林邑①寇九真②，杀士民什八九③。

赵秦公韬有宠于赵王虎，欲立之。以太子宣长，犹豫未决。宣尝忤旨，虎怒曰："悔不立韬也！"韬由是益骄，造堂于太尉府④，号曰宣光殿，梁长九丈。宣见而[1]大怒，斩匠，截梁⑤而去。韬怒，增之至十丈。宣闻之，谓所幸杨柸[2]、牟成、赵生曰："凶竖⑥傲愎乃

皆应之；苻健则假装受赵官爵，示无西意，以麻痹杜洪，寻而麾军长驱入关，所过城邑，纷纷归附；苻健进入长安，并西取上邽，但以人心思晋，乃向晋朝告捷，并修好于桓温；写了燕主慕容皝病死，其子慕容儁继立，燕之将相劝慕容儁起兵伐赵，慕容儁进行一定准备后，起兵南伐，很快地攻克乐安、蓟城，并进军鲁口，中途受到魏将鹿勃早的夜袭，遂引兵还蓟；接着二次南伐，取得章武、河间、乐陵等地；写了晋王朝赏桓温平蜀之功，加温为征西大将军，但朝廷又恐桓温怙权不可制，于是起用殷浩以抗之，从而形成桓温与殷浩的内外对立；写了褚裒率军北伐，兵败于代陂；梁州刺史司马勋率众出骆谷，破赵长城戍，又拔宛城，因无后援而退回汉中；写了晋王朝以殷浩为都督，谋取北伐；此外还写了蔡谟被授司徒之职，三年不上任，以致太后、皇帝坐朝立等，蔡谟仍拒不应命，殷浩欲治以“无人臣礼”，处以大辟，后从荀羡之议，免谟为庶人等。

【语译】

孝宗穆皇帝上之下

永和四年（戊申，公元三四八年）

夏季，四月，林邑国的军队侵入东晋的九真郡，将九真郡的官吏和百姓杀死了十分之八九。

后赵担任太尉职务的秦公石韬最受后赵王石虎的宠爱，石虎想改立石韬为皇太子。因为太子石宣是长子，所以犹豫不决。皇太子石宣有一次违背了石虎的旨意，石虎竟然愤怒地脱口说出：“我真后悔当初没有立石韬为皇太子！”秦公石韬因此更加骄傲，他在太尉府建造了一座高大的殿堂，取名为宣光殿，宣光殿的大梁长达九丈。太子石宣看到后勃然大怒，立即杀死了施工的工匠，截断了宣光殿的大梁，然后扬长而去。秦公石韬也很愤怒，就将大梁更换为长十丈的。太子石宣听到消息，就对自己的亲信杨柸、牟成、赵生说：“这个凶恶的小子，竟敢如此狂妄骄横！你们如果

敢尔[7]！汝能杀之，吾入西宫[8]，当尽以韬之国邑[9]分封汝等。韬死，主上必临丧[10]，吾因行大事[11]，蔑不济[12]矣！”柸等许诺。

秋，八月，韬夜与僚属宴于东明观[13]，因宿于佛精舍[14]。宣使杨柸等缘猕猴梯[15]而入，杀韬，置[16]其刀箭而去。旦日[17]，宣奏之。虎哀惊气绝，久之方苏。将出临其丧，司空李农谏曰：“害秦公者未知何人，贼在京师，銮舆[18]不宜轻出。”虎乃止，严兵[19]发哀于太武殿[20]。宣往临韬丧，不哭，直言“呵呵”[21]，使举衾[22]观尸，大笑而去。收[23]大将军记室参军郑靖、尹武等，将委之以罪[24]。

虎疑宣杀韬，欲召之。恐其不入，乃诈言[25]其母杜后[26]哀过危惙[27]。宣不谓见疑[28]，入朝中宫[29]，因留之[30]。建兴[31]人史科知其谋，告之。虎使收杨柸、牟成，皆亡去[32]，获赵生。诘[33]之，具服[34]。虎悲怒弥甚，囚宣于席库[35]，以铁环穿其颔[36]而锁之。取杀韬刀箭舐[37]其血，哀号震动宫殿。佛图澄曰：“宣、韬皆陛下之子，今为韬杀宣，是重祸[38]也。陛下若加慈恕[39]，福祚[40]犹长。若必诛之，宣当为彗星[41]下扫邺宫。”虎不从。积柴于邺北，树标其上[42]，标末置鹿卢[43]，穿之以绳，倚梯柴积[44]。送宣其下，使韬所幸宦者郝稚、刘霸拔其发，抽其舌，牵之登梯。郝稚以绳贯其颔[45]，鹿卢绞上。刘霸断其手足，斫眼[46]溃肠[47]，如韬之伤。四面纵火，烟炎际天[48]。虎从[49]昭仪[50]已下数千人登中台[51]以观之。火灭，取灰分置诸门交道[52]中。杀其妻子[53]九人。宣少子才数岁，虎素爱之，抱之而泣，欲赦之。其大臣不听[54]，就抱中取而杀之。儿挽[55]虎衣大叫，至于绝带，虎因此发病。又废其后杜氏为

能够把他杀死，等我即位为赵王，就把石韬的领地、城邑分封给你们。石韬死了，主上必定亲自到石韬的灵前来哭丧、祭奠，我趁机做出一件大事，没有不成功的道理！”杨柸等人把杀死石韬的事情应承下来。

秋季，八月的一天，后赵秦公石韬因为在东明观与僚佐聚会宴饮，当晚便住宿在佛教寺庙的宿舍中。太子石宣派杨柸等用小而长的软梯攀缘而上，杀死了石韬，抛弃了刀箭而后离去。第二天天亮之后，石宣将石韬被杀的消息奏报石虎。石虎听到如此噩耗，因为惊骇、哀痛，竟一时气绝，过了许久才慢慢地苏醒过来。石虎将要亲自前往石韬的灵前哭吊，担任司空的李农劝阻他说：“现在还不知道是什么人杀害了秦公，贼人肯定还在京城，皇帝不应该轻率地出宫。”石虎遂没有出去。石虎下令派兵严加戒备，然后在太武殿为石韬举行丧礼。太子石宣来到石韬的灵前，他没有哭泣，嘴里只是“呵呵”地干笑了两声，他让人掀起盖在石韬身上的大被，看了看果然是石韬的尸体，遂大笑而去。他下令将担任大将军记室参军的郑靖、尹武等人抓起来，准备把杀死石韬的罪责强行栽到他们头上。

后赵王石虎怀疑是太子石宣杀死了石韬，准备召石宣进宫。担心石宣不肯来，遂谎称天王皇后、石宣的母亲杜氏因为过于哀痛而生命垂危。石宣没有料到自己已经遭到石虎的怀疑，就放心大胆地进入石虎的中宫来拜见自己的母亲杜氏皇后，石虎借机将他扣留起来。建兴人史科知道他们的阴谋，遂将他们告发。石虎派人逮捕杨柸、牟成，二人早已逃走，只将赵生抓获。经过拷问，赵生遂将实情和盘托出。石虎更加悲伤愤怒，他将石宣囚禁在储藏席子的仓库中，用铁环穿过并锁住他的下巴颏。又拿起杀害石韬的刀箭舔上面的血，哀痛号哭的声音几乎震动得宫殿都晃动起来。佛图澄对石虎说：“石宣、石韬都是陛下的儿子，如果为了石韬而杀死石宣，是祸上加祸。陛下如果能够以慈爱之心饶恕了石宣，赵国的国运还能长久。如果一定要将石宣杀死，石宣将变成扫帚星下界扫平邺城。”石虎还是不肯赦免石宣。石虎在邺城北面用木柴堆积成一座高台，在上面竖起一根高杆，高杆的顶端安有滑轮，在滑轮上面穿上绳子，把梯子倚靠在柴堆上。把石宣送到梯子旁边，然后令石韬所亲信的宦官郝稚、刘霸上前先拔光石宣的头发，再拔掉他的舌头，牵着他登上梯子。由郝稚把滑轮上的绳子套在他的脖子上，再用滑轮把石宣绞上柴堆。刘霸用刀砍断石宣的手足，挖掉石宣的双眼，剖开石宣的肚子，掏出里面的肠子，就像石韬被杀死时的样子。然后四面放火，烈焰浓烟上冲天际。石虎带着嫔妃中地位在昭仪以下的美女数千人登上铜雀台观看。等火熄灭后，让人把灰烬分别撒在各城门的十字路口。石虎还将石宣的妻子、儿子总计九个人杀死。石宣最小的儿子才几岁，石虎一向非常疼爱他，就抱着他哭泣，因为舍不得，就想将他赦免。大臣怕为将来留下祸根而不肯答应，竟然不顾石虎的感受，从石虎的怀抱中强行将孩子拉走杀死。那孩子揪住石虎的衣服不肯撒手，又哭又叫，以至于把石虎的衣带都拉断了，石虎经受

庶人。诛其四率㊿已下三百人，宦者五十人，皆车裂㊿节解㊿，弃之漳水㊿。洿其东宫㊿以养猪牛。东宫卫士十余万人皆谪戍凉州㊿。先是㊿，散骑常侍[3]赵揽㊿言于虎曰："宫中将有变，宜备之。"及宣杀韬，虎疑其知而不告，亦诛之。

朝廷论平蜀之功，欲以豫章郡封桓温。尚书左丞荀蕤曰："温若复平河、洛㊿，将何以赏之？"乃加温征西大将军、开府仪同三司，封临贺郡公㊿，加谯王无忌前将军，袁乔龙骧将军，封湘西伯。蕤，崧㊿之子也。

温既灭蜀，威名大振，朝廷惮之。会稽王昱以扬州刺史殷浩有盛名，朝野推服㊿，乃[4]引为心膂㊿，与参综朝权㊿，欲以抗温㊿，由是与温浸相疑贰㊿。

浩以征北长史荀羡㊿、前江州刺史王羲之㊿夙有令名，擢㊿羡为吴国内史，羲之为护军将军，以为羽翼。羡，蕤之弟。羲之，导之从子㊿也。羲之以为内外协和㊿，然后国家可安，劝浩㊿及羡[5]不宜与温构隙㊿。浩不从。

燕王皝有疾，召世子儁属㊿之曰："今中原未平，方资贤杰㊿以经世务㊿。恪㊿智勇兼济㊿，才堪任重，汝其委之㊿，以成吾志㊿。"又曰："阳士秋㊿士行高洁，忠干贞固㊿，可托大事，汝善待之。"九月丙申㊿，薨。

赵王虎议立太子，太尉张举曰："燕公斌有武略㊿，彭城公遵有文德，惟陛下所择。"虎曰："卿言正起吾意。"戎昭将军张豺曰："燕公母贱，又尝有过㊿，彭城公母㊿前以太子事废，今立之，臣恐不能无微恨，陛下宜审思㊿之。"初，虎之拔上邽㊿也，张豺获前赵主曜幼女安定公主，有殊色，纳于虎㊿，虎嬖㊿之，生齐公世㊿。豺以虎老病，欲立世为嗣，冀刘氏为太后，己得辅政，乃说虎曰："陛下再立太子㊿，

不住这么大的打击，因此病倒。石虎把皇后杜氏废为庶民。将太子的属官卫率、司御率、清道率、监门率及以下三百人、宦官五十人，全都施以车裂的酷刑，再将全身骨节进行分解，然后扔到漳河水中。把石宣住过的东宫毁坏，当作猪圈、牛棚，在里面养猪、养牛。把东宫属下的十多万卫队全都发配到西部凉州戍边。在此之前，担任散骑常侍的赵揽对石虎说："皇宫将有变乱之事发生，应该早些做好准备。"等到石宣杀死石韬，石虎怀疑赵揽知道石宣的阴谋却不告发，因此也将赵揽杀死。

东晋朝廷评定灭掉成汉李势的功劳，准备把豫章郡封给桓温。担任左尚书的荀蕤说："如果以后桓温再平定了黄河与洛水流域的中原地区，将用什么来赏赐他呢？"遂加授桓温为征西大将军、开府仪同三司，封其为临贺郡公，加授谯王司马无忌为前将军，任命袁乔为龙骧将军，封其为湘西伯。荀蕤，是荀崧的儿子。

东晋征西大将军、临贺郡公桓温灭掉蜀地的李势政权之后，威名大振，东晋朝廷因此对他深感忌惮。会稽王司马昱因为担任扬州刺史的殷浩一向负有盛名，不论是朝廷大臣还是民间百姓都很推崇他、敬服他，遂把他当作自己的心腹臂膀，让他参与朝政，想以此来抗衡桓温，不使桓温一人独断；正因如此，司马昱与桓温之间越来越相互猜疑，互有二心。

殷浩认为征北长史荀羡、前江州刺史王羲之一向具有很高的声望，遂提升荀羡为吴国内史，任用王羲之为护军将军，拉作自己的党羽。荀羡，是荀蕤的弟弟。王羲之，是王导的侄子。王羲之认为朝廷官员与地方官员应该协调一致、和睦相处，只有这样，国家才能安定，劝说殷浩和荀羡不要与桓温闹矛盾。殷浩没有接受王羲之的意见。

燕王慕容皝身患重病，他将世子慕容儁叫到跟前嘱咐说："如今中原地区还没有平定，正需要贤才英杰来帮助治理国家。慕容恪智勇兼备，他的才能可以承担重任，你一定要委他以重任，以实现我平定中原的志愿。"又说："阳士秋品德高尚、行为廉洁，忠诚干练、坚贞可靠，可以把大事托付给他去办，你一定要好好地对待他。"九月十七日丙申，燕王慕容皝去世。

后赵王石虎与大臣一起商议立太子的事情，担任太尉的张举说："燕公石斌有军事谋略，彭城公石遵有文才美德，就看陛下愿意选择谁了。"石虎说："你说的话很合乎我的心意。"担任戎昭将军的张豺说："燕公石斌的生母地位低贱，又曾经犯有过错，彭城公石遵的生母郑氏以前因为太子石邃的事情，与石邃一起被废，现在如果再封她的儿子石遵为太子，我担心她心中的余恨难以消除，陛下应该仔细认真地加以考虑。"当初，石虎攻克上邽的时候，张豺得到了前赵主刘曜的小女儿安定公主，安定公主生得貌美异常，张豺就把安定公主献给了石虎，石虎很宠爱安定公主，安定公主为石虎生育了齐公石世。张豺认为石虎年老多病，所以想立石世为皇太子，希望石虎死后，安定公主成为皇太后，自己就有机会辅佐朝政，遂劝说石虎说："大

其母皆出于倡贱[98]，故祸乱相寻[99]，今宜择母贵子孝者立之。”虎曰：“卿勿言，吾知太子处矣！”虎再与群臣议于东堂，虎曰：“吾欲以纯灰三斛[100]自涤其肠[101]，何为专生恶子，年逾二十辄欲杀父！今世方十岁，比其二十，吾已老矣！”乃与张举、李农定议，令公卿上书请立世为太子。大司农曹莫不肯署名，虎使张豺问其故，莫顿首曰：“天下重器[102]，不宜立少，故不敢署。”虎曰：“莫，忠臣也，然未达朕意。张举、李农知朕意矣，可令谕之。”遂立世为太子，以刘昭仪为后[103]。

冬，十一月甲辰[104]，葬燕文明王[105]。世子儁即位，赦境内，遣使诣建康告丧。以弟交为左贤王，左长史阳骛为郎中令。

十二月，以左光禄大夫、领司徒[106]、录尚书事蔡谟为侍中、司徒。谟上疏固让，谓所亲曰：“我若为司徒，将为后代所哂[107]，义不敢拜[108]也。”

【段旨】

以上为第一段，写晋穆帝永和四年（公元三四八年）一年间的大事。主要写了后赵石虎的两个儿子太子石宣与秦公石韬的彼此矛盾，石宣暗杀石韬，并欲借机弑其父，被石虎发觉，石虎残酷地杀掉了石宣，严惩其党羽，而听信野心家张豺之谋改立幼子齐公石世为太子；写了晋赏桓温平蜀之功，加温为征西大将军、临贺郡公；但朝廷又恐桓温怙权不可制，于是起用殷浩以抗之，从而形成桓温与殷浩的内外对立；此外还写了燕主慕容皝病死，其子慕容儁继立等。

【注释】

①林邑：古国名，在今越南中部地区。这时的林邑王名文，姓范氏。②九真：晋郡名，在交州交趾郡南，日南郡、九德郡北。治所胥浦县，在今越南清化东山县的阳舍村。③什八九：十分之八九，极言其杀人之多。④太尉府：即秦王石韬的府第，当时石韬任太尉之职。⑤截梁：截断殿梁。“宣光殿”因触犯太子宣的名讳，故太子大怒。⑥凶竖：凶恶的小子。竖，小子、奴才。这里是骂人语。⑦傲愎乃敢尔：居然敢如此狂妄傲慢。愎，悖拗。尔，如此。⑧吾入西宫：意即我日后为赵王时。当时石虎居于

王曾经二次立太子，而二位太子的母亲都出身低贱，所以才使得灾祸不断，现在应该选择母亲出身高贵、儿子懂得孝敬的立为皇太子。”石虎说：“你不用再说下去了，我知道太子在哪里了！”石虎在东堂与群臣再次商议立太子的事情，石虎说：“我要用三斛纯净的石灰好好洗洗自己的肚肠，为什么专门生养恶毒的儿子，年纪才过二十岁就要杀死自己的父亲！现在石世才十岁，等他长到二十岁的时候，我已经老了！”遂与张举、李农商议决定，再让公卿大臣上疏请求立石世为太子。担任大司农的曹莫不肯在奏疏上签名，石虎派张豺向曹莫询问原因，曹莫磕头说：“国家政权，是个非同小可的东西，不适宜立年幼的人为太子，所以我不敢署名。”石虎说：“曹莫是一个忠臣，只是对我内心的想法不了解。张举、李农明白我的意思，可以让他们前去说服曹莫。”遂立石世为皇太子，封石世的母亲刘昭仪为皇后。

冬季，十一月二十六日甲辰，安葬燕文明王慕容皝。世子慕容儁即位为燕王，在燕国境内实行大赦，并派遣使者前往东晋的都城建康报告燕王慕容皝去世的消息。慕容儁任命自己的弟弟慕容交为左贤王，任命左长史阳骛为郎中令。

十二月，东晋朝廷任命担任左光禄大夫、兼任司徒、录尚书事的蔡谟为侍中、司徒。蔡谟上疏给朝廷坚决辞让，他对自己的亲朋好友说：“我如果担任司徒，将会被后人所嘲笑，所以我绝对不能接受这项重任。”

西宫，石宣居于东宫。“入西宫”即指继位为赵王。⑨国邑：领地、城镇。⑩临丧：亲自前来哭丧。临，亲自前来，这里即指哭丧。⑪行大事：指杀父篡位。⑫蔑不济：不可能不成功。蔑，无、没有。济，成功。⑬东明观：台观名，在邺都的东城上。⑭佛精舍：佛教寺庙的宿舍。精舍，和尚修炼居住之所，即佛寺。⑮猕猴梯：小而长的梯子，人如猕猴攀缘而上，故称。⑯置：丢下。⑰旦日：天亮之后。⑱銮舆：即銮驾，天子的车驾，这里即称石虎本人。⑲严兵：派兵严加戒备。⑳太武殿：石虎宫中的正殿。㉑直言“呵呵”：只是干笑了两声。直，只。呵呵，干笑声。㉒举衾：掀起大被。衾，被。㉓收：逮捕。㉔将委之以罪：准备给他们强加罪名。委，加。㉕诈言：谎称。㉖杜后：石宣、石韬二人的生母杜氏。咸康三年，杜氏以昭仪被石虎立为天王皇后。㉗哀过危惙：由于悲哀过度而病危。惙，哀痛、忧愁。㉘不谓见疑：没有想到已被石虎所怀疑。㉙入朝中宫：到石虎的中宫来拜见他的母亲。中宫，皇后所居之处。㉚因留之：因而被石虎所扣留。㉛建兴：后赵时期的郡名，郡治即今河北广宗。㉜亡去：逃走。㉝诘：问；拷问。㉞具服：全部招认。㉟席库：收藏席子的仓库。㊱颔：下巴颏。㊲舐：用舌头舔。㊳重祸：祸上加祸。㊴若加慈恕：指饶过石宣。㊵福祚：指国祚、国运。祚，福。㊶当为彗星：将会变成彗星。彗星，俗名扫帚星，以曳长尾似扫帚故名。古人认为

彗星出现，将有灾难发生。㊷树标其上：在柴堆上竖起一根高杆。㊸标末置鹿卢：高杆的顶端装有滑轮。末，顶端。鹿卢，起重用的滑轮。㊹倚梯柴积：倚梯于柴积，在柴堆旁竖起梯子。㊺贯其颔：套住他的脖子。颔，下巴，这里即指脖子。㊻斫眼：凿瞎他的眼睛。斫，砍、击。㊼溃肠：剖腹出肠。㊽际天：冲天；接天。际，至、接连。㊾从：使跟从，即带领。㊿昭仪：帝王妃嫔的称号。魏制，王后、夫人之下有昭仪，爵比县侯。昭仪，言昭显其仪，以示尊宠。51中台：即铜雀台。曹操曾在邺城西北立三台，中台名铜雀台，南台名金虎台，北台名冰井台。遗址在今河北临漳西南三台村。52交道：十字路口。取灰置诸门交道，以供过往众人践踏。53妻子：其妻与其子。54大臣不听：大臣不答应，不放过。大臣所以“不听”者，怕留下祸根，日后起来算账及己。55挽：拉住；揪住。56四率：官名，秦汉时设卫率，主领兵卒和门卫以卫东宫。后世又置司御率、清道率、监门率，合称“四率”，皆太子属官。57车裂：即俗所谓五马分尸，一种以车撕裂人体的酷刑。58节解：一种断四肢、分解骨节的酷刑。59漳水：河北南部的河水名，流经当时邺城的城北。60洿其东宫：把石宣居住的东宫毁成泥塘。洿，通“污”，毁坏、糟蹋。61谪戍凉州：发配到赵国西部的凉州前线戍边。当时后赵与凉州张氏政权的交界线在今甘肃、青海的黄河一线。后赵曾在今甘肃兰州西北的金城一带设立凉州。62先是：以此之前。古代写历史常用“先是”二字补叙旧事。63赵揽：赵将名。64河、洛：黄河与洛水，这里指该两流域的中原地区，西晋都城洛阳之所在。65临贺郡公：公是封爵名，临贺郡是其封地。66崧：荀崧，荀藩之弟。传见《晋书》卷七十五。67推服：推崇、佩服。68心膂：犹心腹。膂，脊骨。心和膂都是人体重要部分，因以喻骨干亲信。69参综朝权：参加管理朝廷大权。70抗温：抗衡桓温，不使桓温一人独断。71浸相疑贰：彼此越来越相互猜疑、对立。贰，对立、对抗。72荀羡：字令则，荀崧之子，荀蕤之弟。传附《晋书》卷七十五。73王羲之：字逸少，琅邪临沂（今山东临沂北）人，我国古代著名书法家。王导之侄，郗鉴之婿。曾任江州刺史，后为右军将军。传见《晋书》卷八十。74擢：提拔。75从子：兄弟之子，即侄。76内外协和：朝官和地方官协调一致。朝官指殷浩，地方官指桓温。77劝浩：劝说殷浩。78构隙：结怨；闹矛盾。79属：嘱托；嘱咐。80方资贤杰：正需要依靠贤才英杰。81以经世务：以管理国家事务。82恪：慕容

【原文】

五年（己酉，公元三四九年）

春，正月辛未朔[109]，大赦。

赵王虎即皇帝位，大赦，改元太宁，诸子皆进爵为王。

恪，慕容儁之弟。⑧③智勇兼济：有勇有谋。兼济，兼长、兼通。⑧④汝其委之：你要委任他。其，副词。表示祈请或命令，可译为“要”“一定”。⑧⑤以成吾志：以实现我的愿望，即平定中原。⑧⑥阳士秋：阳骛，字士秋，燕国名将。事见《晋书》卷一百十一。⑧⑦忠干贞固：忠诚干练，坚贞可靠。⑧⑧九月丙申：九月十七。⑧⑨武略：军事谋略。⑨⓪有过：有过失，指咸康六年燕公石斌因好猎而杀礼仪（人名）并欲杀张贺度未成事。⑨①彭城公母：指前太子邃与彭城公遵之母郑樱桃，初为天王皇后，咸康三年，以太子邃事，废为东海太妃。⑨②审思：仔细考虑。⑨③拔上邽：前赵主刘曜被石勒打败俘获，刘曜的儿子刘熙退保上邽。石虎率军攻克上邽，又活捉了刘熙、刘胤等。事见本书《晋纪》成帝咸和四年。⑨④纳于虎：献给了石虎。⑨⑤嬖：宠爱。⑨⑥齐公世：石世，石虎之子，被封为齐公。⑨⑦再立太子：以往的两次立太子。再，两次。⑨⑧出于倡贱：出身于低贱的歌女。⑨⑨祸乱相寻：指石邃、石宣两任太子都不得善终。相寻，相继。⑩⓪纯灰三斛：纯净的石灰三石。古一斛也即一石。⑩①自涤其肠：好好洗洗我的肠子。涤，洗。⑩②天下重器：国家政权，是个非同小可的东西，意思是必须严肃认真地选择接班人。⑩③以刘昭仪为后：将石世之生母刘昭仪立为皇后。⑩④十一月甲辰：十一月二十六。⑩⑤燕文明王：即燕王慕容皝，谥曰文明。⑩⑥司徒：官名，东晋时期的宰相或称“丞相”，或称“司徒”。⑩⑦所哂：所笑；所讥笑。⑩⑧义不敢拜：我绝不能接受这个重任。义，绝对。不敢，不能。

【校记】

［1］而：原作“之”。据章钰校，十二行本、乙十一行本、孔天胤本皆作“而”，与《晋书》卷一百七《石季龙载记下》相合，今从改。［2］杨柸：原作“杨杯”。据章钰校，十二行本、乙十一行本、孔天胤本皆作“杨柸”，今据改。〖按〗《晋书》卷一百七《石季龙载记》与十二行本同。下文“杯”字皆改作“柸”。［3］散骑常侍：原无此四字。据章钰校，十二行本、乙十一行本皆有此四字，张敦仁《通鉴刊本识误》、张瑛《通鉴校勘记》同，今据补。［4］乃：原无此字。据章钰校，十二行本、乙十一行本皆有此字，今据补。［5］及羌：原无此二字。据章钰校，十二行本、乙十一行本皆有此二字，张敦仁《通鉴刊本识误》同，今据补。

【语译】

五年（己酉，公元三四九年）

春季，正月辛未朔，东晋实行大赦。

后赵王石虎即位为皇帝，在赵国境内实行大赦，改年号为太宁，他的儿子们原来被封为公爵的全都晋升为王。

故东宫高力[110]等万余人谪戍凉州，行达雍城[111]，既不在赦例[112]，又敕[113]雍州刺史张茂送之[114]。茂皆夺其马，使之步推鹿车[115]，致粮戍所[116]。高力督定阳梁犊[117]因众心之怨，谋作乱东归。众闻之，皆踊抃[118]大呼。犊乃自称晋征东大将军，帅众攻拔下辨[119]。安西将军刘宁自安定[120]击之，为犊所败。高力皆多力善射，一当十余人，虽无兵甲，掠民斧，施一丈柯[121]，攻战若神，所向崩溃，戍卒皆随之。攻陷郡县，杀长吏[122]、二千石[123]，长驱而东，比至长安，众已十万。乐平王苞[124]尽锐拒之[125]，一战而败。犊遂东出潼关[126]，进趣洛阳[127]。赵主虎以李农为大都督、行大将军事，统卫军将军张贺度等步骑十万讨之，战于新安[128]，农等大败。战于洛阳，又败，退壁成皋[129]。

犊遂东掠荥阳、陈留[130]诸郡。虎大惧，以燕王斌为大都督，督中外诸军事，统冠军大将军姚弋仲、车骑将军蒲洪等讨之。弋仲将其众八千余人至邺[131]，求见虎。虎病，未之见[132]，引入领军省[133]，赐以己所御食[134]。弋仲怒，不食，曰："主上召我来击贼，当面见授方略[135]，我岂为食来邪！且主上不见我，我何以知其存亡邪！"虎力疾[136]见之。弋仲让虎[137]曰："儿死，愁邪，何为而病？儿幼时不择善人教之，使至于为逆；既为逆而诛之，又何愁焉？且汝久病，所立儿幼，汝若不愈，天下必乱，当先忧此，勿忧贼也！犊等穷困思归，相聚为盗，所过残暴，何所能至[138]！老羌[139]为汝一举了之[140]！"弋仲性狷直[141]，人无贵贱皆汝之[142]，虎亦不之责[143]。于坐[144]授使持节、侍中[6]、征西大将军，赐以铠马。弋仲曰："汝看老羌堪破贼否？"乃被铠跨马于庭中，因策马南驰，不辞而出。遂与斌等击犊于荥阳，大破之，斩犊首而还，讨其余党，尽灭之。

后赵为故东宫太子石宣担任护卫任务的一万多名大力士全都被流放去戍守凉州边境，当他们走到雍城的时候，听到了石虎即皇帝位，并大赦天下的消息，然而他们这些人却不在赦免的范围之内，还下令让雍州刺史张茂押送他们继续西行。张茂把他们的马匹全部扣留，让他们徒步推车将粮食运送到被发配戍守的地方。担任大力士督将的定阳人梁犊趁着众人心中充满怨恨的机会，阴谋武装作乱返回东方。众人听说后，全都欢欣鼓舞。梁犊遂自称晋征东大将军，率领着这些大力士攻克了下辨。后赵安西将军刘宁率军从安定出发攻打梁犊，被梁犊打败。梁犊手下的士卒全都力气很大，又善于射箭，一个人能抵挡十多个人，虽然他们没有兵器铠甲，就夺取老百姓家的斧头，绑上一根一丈长的木棍，在战场上左右冲杀，好像天兵下界，大军所向，无不立即崩溃，各地戍守的士卒全都追随他们。攻陷郡县，杀死郡守、县令以及享受二千石俸禄的官员，长驱直入，向东方挺进，当他们抵达长安的时候，数量已经发展到十万人。乐平王石苞率领全部精锐部队进行抵抗，结果只经过一场战斗就被打败。梁犊遂向东穿过潼关，向洛阳进发。后赵皇帝石虎任用李农为大都督、代理大将军，统领担任卫军将军的张贺度等十万人马讨伐梁犊，双方在新安展开会战，李农也被打得大败。在洛阳对战，又失败，只得退到成皋扎营据守。

梁犊率领属下的部众继续向东劫掠荥阳、陈留诸郡。后赵皇帝石虎非常恐惧，他任命燕王石斌为大都督，督中外诸军事，统领冠军大将军姚弋仲、车骑将军蒲洪等率军讨伐梁犊。冠军大将军姚弋仲率领自己的八千多名部众从自己的镇所滠头来到京师邺城求见石虎。石虎因为有病，没有召见姚弋仲，而是派人把他领到了领军将军的衙署，把自己吃的食物送给姚弋仲吃。姚弋仲非常生气，不肯吃石虎送给他的东西，他说："皇帝既然召我前来抵御叛贼，就应当召见我，当面向我指示方略，我难道是为了吃东西才来的吗！再说皇帝不召见我，我怎么知道皇帝还活着没有！"石虎迫不得已，只得勉强支撑着病体召见他。姚弋仲责备石虎说："你儿子死了，你发愁啊，不然怎么会病成这个样子？儿子小的时候，不为他们选择善良的人教育他们，致使他们成为叛逆；既然因为叛逆而把他杀死，你还愁什么？再说，你长期患病，所立的太子又很幼小，你如果不能痊愈，天下必定大乱，你应该先发愁这个，不要发愁叛贼不灭！梁犊等不过因为走投无路，想返回自己的家乡，所以才聚集在一起成为盗贼，他们经过的地方，残酷凶暴，如此行径，能成什么气候！我这个老羌人为你一战就将他们解决了！"姚弋仲性情暴躁耿直，说话时不论对方身份高低贵贱，一律称呼对方为"你"，石虎也没有责怪他。就在这君臣对坐谈话的时候，石虎授予姚弋仲使持节、侍中、征西大将军，赏赐给他铠甲马匹。姚弋仲说："你看看我老羌能不能破灭此贼？"就在殿庭之中披上铠甲、跨上战马，便策马向南奔驰而去，没有向石虎辞行。姚弋仲与石斌等一起在荥阳攻打梁犊，将梁犊打得大败，斩下了梁犊的首级而后返回，又继续追杀梁犊的余党，将余党也全部消灭。

虎命弋仲剑履上殿⑭，入朝不趋⑯，进封西平郡公，蒲洪为侍中[7]、车骑大将军、开府仪同三司，都督雍、秦州诸军事，雍州刺史，进封略阳郡公。

始平⑰人马勖聚兵，自称将军。赵乐平王苞讨灭之，诛三千余家。

夏，四月，益州刺史周抚、龙骧将军朱焘击范贲⑱，斩之，益州平。

诏遣谒者陈沈如燕⑲，拜慕容儁为使持节，侍中，大都督，督河北诸军事，幽、平二州牧，大将军，大单于，燕王。

桓温遣督护滕畯帅交、广之兵击林邑王文于卢容⑳，为文所败，退屯九真㉑。

乙卯㉒，赵王虎病甚，以彭城王遵为大将军，镇关右㉓，燕王斌为丞相，录尚书事，张豺为镇卫大将军㉔、领军将军㉕、吏部尚书㉖，并受遗诏辅政。

刘后恶斌辅政，恐不利于太子，与张豺谋去㉗之。斌时在襄国，遣使诈谓斌曰："主上疾已渐愈，王须猎者㉘，可少[8]停㉙也。"斌素好猎嗜酒，遂留猎，且纵酒。刘氏与豺因矫诏称㉚斌无忠孝之心，免官归第，使豺弟雄帅龙腾㉛五百人守之㉜。

乙丑㉝，遵自幽州至邺，敕朝堂受拜㉞，配禁兵三万遣之，遵涕泣而去。是日，虎疾小瘳㉟，问："遵至未？"左右对曰："去已久矣。"虎曰："恨不见之㊱！"

虎临西阁㊲，龙腾中郎二百余人列拜于前。虎问："何求？"皆曰："圣体不安，宜令燕王入宿卫㊳，典兵马。"或言："乞以为皇太子㊴。"虎曰："燕王不在内邪？召以来！"左右言："王酒病，不能入。"虎曰："促持辇迎之㊵，当付玺绶㊶。"亦竟无行者。寻惛眩㊷而入。张豺使张雄矫诏杀斌。

戊辰㊸，刘氏复矫诏以豺为太保、都督中外诸军，录尚书事，如霍

石虎遂赐予姚弋仲特殊的礼遇，允许姚弋仲上殿朝见皇帝的时候，可以身佩宝剑，脚上穿着靴子，入朝时不必小步疾行，并封他为西平郡公，任命蒲洪为侍中、车骑大将军、开府仪同三司、都督雍、秦二州诸军事、雍州刺史，封为略阳郡公。

后赵始平人马勖聚众谋反，自称将军。后赵乐平王石苞率军将其消灭，诛杀了三千多家。

夏季，四月，东晋益州刺史周抚、龙骧将军朱焘率军攻伐范贲，将范贲斩首，益州平定。

东晋朝廷下诏派遣担任谒者的陈沈为使者前往燕国，拜慕容儁为使持节，侍中，大都督，督河北诸军事，幽、平二州州牧，大将军，大单于，燕王。

东晋桓温派遣担任督护的滕畯率领交州、广州的军队前往卢容征讨林邑王文，被林邑王文打败，退回九真据守。

四月初九日乙卯，后赵皇帝石虎病势沉重，遂任命彭城王石遵为大将军，镇守关右，燕王石斌为丞相、录尚书事，张豺为镇卫大将军、领军将军、吏部尚书，三人同时接受遗诏，辅佐幼主石世处理朝政。

后赵皇后刘氏怨恨由燕王石斌辅佐朝政，恐怕将对太子石世不利，遂与张豺密谋除去石斌。石斌当时在襄国，刘皇后遂派人欺骗石斌说："皇帝的病已经逐渐痊愈，大王如果想要打猎，不妨在襄国再停留一段时间。"石斌一向喜好打猎，又喜欢饮酒，他听信了来人的话，遂留在襄国打猎，而且纵情饮酒。刘皇后与张豺假传石虎的命令，说石斌没有忠孝之心而将石斌免职，让他回归府第，又派了张豺的弟弟张雄率领着五百名龙腾武士严密监守石斌。

四月十九日乙丑，后赵彭城王石遵从幽州抵达都城邺城，刘皇后与张豺等吩咐，让石遵到朝廷的正殿接受任命，也只是把宫廷的三万名禁卫军拨给石遵，便打发石遵离开邺城，石遵因为没有见到自己生病的父亲石虎，他流着眼泪离开了邺城。这一天，石虎的病情稍有好转，他问："石遵来了没有？"石虎身边的人说："石遵来了，但已经走了很久了。"石虎说："可惜我没有见到他！"

后赵皇帝石虎来到太武殿的西阁，龙腾中郎二百多人排列在面前向石虎跪拜。石虎问他们："你们有什么要求？"龙腾中郎都说："陛下龙体不安，应该让燕王石斌入宫保卫皇帝，统领兵马。"有的说："请立燕王石斌为太子。"石虎问："石斌难道没有在宫里吗？把他召来！"石虎身边的人回答说："燕王石斌酒醉不醒，不能进宫。"石虎说："赶紧派车去接他进宫，我要把皇帝玺印交给他掌管。"然而竟然没有人去执行。不一会儿，石虎又开始神志不清，进入昏迷状态，遂返回后宫。张豺指使他的弟弟张雄假传皇帝诏命杀死了石斌。

四月二十二日戊辰，后赵刘皇后假传石虎诏命任命张豺为太保、都督中外诸军事、录尚书事，如同当年西汉霍光辅佐年幼的汉昭帝一样。担任侍中的徐统感慨地

光故事[174]。侍中徐统叹曰："乱将作矣，吾无为预之[175]！"仰药[176]而死。

己巳[177]，虎卒，太子世即位，尊刘氏为皇太后。刘氏临朝称制[178]，以张豺为丞相。豺辞不受，请以彭城王遵、义阳王鉴为左右丞相，以慰其心。刘氏从之。

豺与太尉张举谋诛司空李农。举素与农善，密告之。农奔广宗[179]，帅乞活[180]数万家保上白[181]，刘氏使张举统宿卫诸军围之。豺以张离为镇军大将军，监中外诸军事，以为己副。

彭城王遵至河内[182]，闻丧。姚弋仲、蒲洪、刘宁及征虏将军石闵、武卫将军王鸾等讨梁犊还，遇遵于李城[183]，共说遵曰："殿下长且贤，先帝亦有意以殿下为嗣。正以末年惛惑[184]，为张豺所误。今女主临朝，奸臣用事[185]，上白相持未下，京师宿卫空虚。殿下若声[186]张豺之罪，鼓行[187]而讨之，其[188]谁不开门倒戈而迎殿下者！"遵从之。

五月[9]，遵自李城举兵，还趣邺，洛州刺史刘国帅洛阳之众往会之。檄至邺[189]，张豺大惧，驰召[190]上白之军。丙戌[191]，遵军于荡阴[192]，戎卒九万，石闵为前锋[193]。豺将出拒之[10]，耆旧羯士[194]皆曰："彭城王来奔丧，吾当出迎之，不能为张豺守城也。"逾城而出，豺斩之，不能止。张离亦帅龙腾二千斩关[195]迎遵。刘氏惧，召张豺入，对之悲哭曰："先帝梓宫未殡[196]，而祸难至此！今嗣子冲幼[197]，托之将军，将军将若之何？欲加遵重位[198]，能弭之乎[199]？"豺惶怖不知所出[200]，但云"唯唯[201]"。乃下诏，以遵为丞相，领大司马、大都督、督中外诸军、录尚书事，加黄钺、九锡[202]。己丑[203]，遵至安阳亭[204]，张豺惧而出迎，遵命执[205]之。庚寅[206]，遵擐甲曜兵[207]，入自凤阳门[208]，升太武前殿，擗踊[209]尽哀，退如东阁[210]。斩张豺于平乐市[211]，夷其三族。假刘氏令[212]曰："嗣子幼冲，先帝私恩[213]所授，皇业至重，非所克堪，其以遵嗣位[214]。"于是

说："大乱即将爆发了，我没有必要卷在这里头！"遂喝下毒药而死。

四月二十三日己巳，后赵皇帝石虎去世，皇太子石世即皇帝位，尊刘氏为皇太后。刘氏临朝行使皇帝的权力，她任命张豺为丞相。张豺不肯接受，请求任命彭城王石遵、义阳王石鉴为左右丞相，作为对他们的安抚。刘氏采纳了张豺的建议。

张豺与担任太尉的张举商议，想要除掉担任司空的李农。张举一向与李农关系友好，就将张豺的阴谋偷偷地告诉了李农。李农遂逃往广宗，率领数万家逃荒者据守上白城，皇太后刘氏让太尉张举统领宿卫军包围上白。张豺任命张离为镇军大将军，监中外诸军事，作为自己的助手。

后赵彭城王石遵离开邺城来到河内的时候，听到了父亲石虎去世的消息。姚弋仲、蒲洪、刘宁，以及征虏将军石闵、武卫将军王鸾等率军讨伐梁犊回来，在李城与石遵相遇，他们全都对石遵说："殿下年纪最大，而且贤明能干，先帝也曾有意立殿下为太子。只是因为年老，昏聩糊涂，被张豺所蒙蔽才立石世为太子。如今皇太后刘氏把持朝政，奸臣张豺等主事，包围上白的朝廷军与李农所率领的流民军相持不下，京师邺城防守空虚。殿下如果能够宣布张豺的罪状，大张旗鼓地进行讨伐，谁能不打开城门，倒提戈矛前来迎接殿下呢！"石遵听从了姚弋仲等人的意见。

五月，后赵彭城王石遵在李城起兵反抗由刘太后临朝称制的朝廷，率众准备返回都城邺城，担任洛州刺史的刘国率领洛阳的军队前往李城与石遵会合。石遵的檄文传到邺城，张豺非常恐惧，赶紧派人将包围上白城的宫廷禁卫军召回。五月十一日丙戌，彭城王石遵的军队驻扎在荡阴，此时手下已经拥有九万人马，他任命征虏将军石闵为前锋，张豺率领军队出城抵抗。那些年老的羯族人与汉族人都说："彭城王石遵回京是来奔丧，我们应当出去迎接他，不能在这里为张豺守城。"纷纷越城而出，张豺连杀数人企图阻止，却阻止不住。就连张离也率领着二千名龙腾武士，打开城门迎接石遵进城。刘太后非常害怕，赶紧将张豺召进宫来，皇太后刘氏哭着对张豺说："先帝的灵柩还没有安葬，灾祸竟然如此快地发生了！如今作为嗣君的石世年纪还小，我把他托付给将军，将军将如何处置？我想加封石遵更高的职位，你看能不能阻止这场灾祸的发生？"张豺惊慌失措，根本拿不出任何主意，嘴里只会发出"唯唯"的声音。刘氏遂下诏任命石遵为丞相，兼任大司马、大都督、督中外诸军事、录尚书事，加授黄钺、九锡。十四日己丑，石遵抵达安阳亭，张豺提心吊胆地出来迎接，石遵命人将张豺抓起来。十五日庚寅，彭城王石遵身穿铠甲、手持亮晃晃的兵器，在严密的保护下，从邺城南面的凤阳门进入邺城，登上太武殿前殿，在石虎的灵柩前捶胸顿足、极其悲伤地痛哭祭拜了一场，然后退入太武殿的东阁。石遵下令将张豺绑缚平乐市斩首，诛灭他的三族。又假传刘氏的诏令说："嗣子石世年纪幼小，先帝因为自己喜爱幼子，所以将皇位继承权授予了他，然而帝王事业至关重大，不是石世所能承担，应由石遵继承皇位。"于是，石遵即位为后赵皇帝，实行

遵即位，大赦，罢㉕上白之围。辛卯㉖，封世为谯王，废刘氏为太妃，寻皆杀之。

李农来归罪㉗，使复其位。尊母郑氏为皇太后，立妃张氏为皇后，故燕王斌子衍为皇太子。以义阳王鉴为侍中、太傅，沛王冲为太保，乐平王苞[11]为大司马，汝阴王琨㉘为大将军，武兴公闵㉙为都督中外诸军事、辅国大将军。

甲午㉚，邺中暴风拔树，震电[12]，雨雹大如盂升。太武、晖华殿灾㉛，及诸门观阁荡然无余，乘舆服御㉜，烧者太半㉝，金石皆尽。火月余乃灭。

时沛王冲镇蓟㉞，闻遵杀世自立，谓其僚佐曰："世受先帝之命，遵辄废而杀之，罪莫大焉！其敕内外戒严，孤将亲讨之。"于是留宁北将军沭坚戍幽州㉟，帅众五万自蓟南下，传檄燕、赵㊱，所在云集㊲。比至常山㊳，众十余万，军于苑乡㊴。遇遵赦书㊵，冲曰："皆吾弟也，死者不可复追，何为复相残乎！吾将归矣。"其将陈暹曰："彭城㊶篡弑自尊㊷，为罪大矣！王虽北旆㊸，臣将南辕㊹，俟平京师，擒彭城，然后奉迎大驾㊺。"冲乃复进。遵驰遣王擢以书喻冲，冲弗听。遵使武兴公闵及李农等[13]帅精卒十万讨之。战于平棘㊻，冲兵大败，获冲于元氏㊼，赐死，坑其士卒三万余人。

武兴公闵言于遵曰："蒲洪，人杰也。今以洪镇关中，臣恐秦、雍之地非复[14]国家之有。此虽先帝临终之命，然陛下践阼㊽，自宜改图㊾。"遵从之，罢洪都督，余如前制。洪怒，归枋头㊿，遣使来降(241)。

燕平狄将军慕容霸(242)上书于燕王儁曰："石虎穷凶极暴，天之所弃，余烬仅存，自相鱼肉(243)。今中国倒悬(244)，企望仁恤(245)。若大军一

大赦，同时将包围上白城的军队撤回。十六日辛卯，石遵封石世为谯王，废刘氏为太妃，不久将刘氏母子全部杀死。

司空李农从上白城来到邺城向新皇帝石遵自首请罪，石遵令李农仍旧担任原来的司空职务。石遵尊奉自己的母亲郑氏为皇太后，立自己的妃子张氏为皇后，封已故燕王石斌的儿子石衍为皇太子。任命义阳王石鉴为侍中、太傅，任命沛王石冲为太保，任命乐平王石苞为大司马，汝阴王石琨为大将军，武兴公石闵为都督中外诸军事、辅国大将军。

五月十九日甲午，后赵京师邺城突然狂风大作，将树木连根拔起，同时电闪雷鸣，冰雹随之而下，大的像盂、像升。皇宫中的太武殿、晖华殿着起大火，各宫门以及宫内的亭台楼阁，被大火烧得荡然无存，就连皇帝的车辇衣服以及各种生活日用的东西也被烧毁了一大半，金银碧玉全都成为灰烬。大火整整燃烧了一个多月才熄灭。

当时后赵沛王石冲负责镇守蓟城，他听到石遵杀死石世自立为皇帝的消息，便对其僚佐说："石世是先帝所立的太子，石遵竟敢把他废掉，而且还把他杀死，真是罪大恶极呀！现在传下号令，蓟城内外紧急集合，我要亲自率军前去讨伐石遵。"遂留下宁北将军沭坚戍守幽州，自己率领着五万名兵众从蓟城南下，他向燕、赵地区发布了讨伐石遵的檄文，号召各地起兵，石冲率领大军所到之处，起兵响应的如同风起云涌一样。等到达常山郡的时候，石冲属下的军队已经发展到十多万人，军队驻扎于苑乡。恰逢石遵派人送达赦免石冲兴兵问罪的诏书，石冲于是改口说："反正都是我的弟弟，死了的也不能再活，活着的何必再互相残杀呢！我还是撤军回去吧。"石冲的部将陈暹说："彭城王石遵为了篡权，杀死了先帝所立的皇太子，自己做了皇帝，罪恶太大了！大王的旌旗即使指向北方，我的战车还是要向南杀向邺城，等平定了京师，擒拿了彭城王石遵，然后再来迎接大王的车驾。"石冲遂决定继续向邺城进兵。石遵迅速地写好书信，派王擢送给石冲，向石冲进行解释，劝他不要如此，而石冲不听。石遵遂派武兴公石闵与司空李农等一起率领十万名精兵讨伐石冲。双方在平棘会战，结果，沛王石冲被打得大败，石闵等在元氏县将石冲擒获，石遵令石冲自杀，将石冲属下的三万多名士卒全部活埋。

后赵武兴公石闵对石遵说："蒲洪，那可是人中豪杰。如果任用他去镇守关中，我担心秦州、雍州将不再属于我们赵国所有。蒲洪的职位虽然是先帝临终之时所任命的，然而陛下既然已经登基做了皇帝，自然可以改变主意。"石遵采纳了石闵的意见，免除了蒲洪都督雍、秦二州诸军事这一头衔，其他官职仍旧保留。蒲洪对此非常愤怒，他返回自己的镇所枋头之后，立即派遣使者前往东晋，请求归降。

燕国平狄将军慕容霸上疏给燕王慕容儁说："石虎穷凶极恶，残暴到了极点，上天虽然抛弃了他，而他的余孽，却还在骨肉相残。如今中原人民深陷在水深火热之中，就像被头朝下倒挂在那里一样，急切地期盼着仁义之师前去解救他们。如果我们此时出兵，只要义军的大旗一挥，中原各地的武装必然会纷纷放下武器向我们投

振，势必投戈[246]。”北平太守孙兴亦表言：“石氏大乱，宜以时进取中原。”儁以新遭大丧[247]，弗许。霸驰诣[248]龙城，言于儁曰：“难得而易失者，时也。万一石氏衰而复兴，或有英雄据其成资[249]，岂惟失此大利，亦恐更为后患。”儁曰：“邺中虽乱，邓恒[250]据安乐[251]，兵强粮足。今若伐赵，东道不可由[252]也，当由卢龙[253]。卢龙山径险狭，虏乘高断要[254]，首尾为患，将若之何？”霸曰：“恒虽欲为石氏拒守，其将士顾家，人怀归志，若大军临之，自然瓦解。臣请为殿下前驱，东出徒河[255]，潜趣令支[256]，出其不意，彼闻之，势必震骇，上不过闭门自守，下不免弃城逃溃，何暇[257]御我哉！然则殿下可以安步而前[258]，无复留难[259]矣。”儁犹豫未决，以问五材将军[260]封奕，对曰：“用兵之道，敌强则用智，敌弱则用势[261]。是故以大吞小，犹狼之食豚[262]也；以治易乱[263]，犹日之消雪[264]也。大王自上世[265]以来，积德累仁，兵强士练[266]。石虎极其残暴，死未瞑目[267]，子孙争国，上下乖乱[268]。中国之民，坠于涂炭[269]，延颈企踵[270]，以待振拔[271]。大王若扬兵南迈[272]，先取蓟城，次指邺都，宣耀威德[273]，怀抚遗民[274]，彼孰不扶老提幼以迎大王！凶党将望旗冰碎，安能为害乎！”从事中郎黄泓曰：“今太白经天[275]，岁集毕北[276]，天下易主[15]，阴国受命[277]，此必然之验也。宜速出师，以承天意[278]。”折冲将军慕舆根曰：“中国之民困于石氏之乱，咸思易主[279]以救汤火之急，此千载一时[280]，不可失也。自武宣王[281]以来，招贤养民，务农训兵，正俟今日。今时至不取，更复顾虑，岂天意未欲使海内平定邪？将[282]大王不欲取天下也？”儁笑而从之。以慕容恪[283]为辅国将军[284]，慕容评[285]为辅弼将军，左长史阳骛为辅义将军，谓之“三辅”。慕容霸为前锋都督、建锋将军，选精兵二十余万，讲武戒严[286]，为进取之计。

降。”担任北平太守的孙兴也上表给燕王慕容儁说：“目前石氏内部大乱，我们应该借着这个机会进取中原。”慕容儁因为国家刚刚遭遇丧事，所以没有同意。慕容霸骑着马飞快地赶往京都龙城来见慕容儁，他对慕容儁说：“难以得到却又很容易错过的就是时机。万一石氏从衰败中重新复兴，或是另有英雄人物趁机取而代之，接收了石氏现有的资本，到那时，我们不仅失去了攻取石氏的大利，而且会后患无穷。”慕容儁说：“邺城中虽然遭遇内乱，然而征东将军邓恒据守安乐，兵强粮足。如果现在出兵讨伐赵国，东路不能走，只能通过卢龙塞。而卢龙山路险峻狭窄，如果敌人借助有利地形，站在高处，将我们的部队拦腰截断，然后首尾夹击，我们将怎么办？”慕容霸说：“邓恒虽然想为石氏防守，然而他手下的将士顾念家人，人人都心怀归志，如果看到我们大军压境，他们自然土崩瓦解。我请求为您担任先锋，从东方的徒河出发，偷偷地赶往令支，打他一个出其不意，他们突然听到我们进攻的消息，势必感到震惊、害怕，上策不过是关闭城门坚守，下策不免要弃城逃跑，哪里还顾得上抵抗我们呢！这样的话，陛下可以安稳地前进，不会再有任何阻挠、障碍。”慕容儁还是犹豫不决，便去问担任五材将军的封奕，封奕回答说：“用兵的规则是，敌人势力强盛就用智取，敌人势力衰弱就用威力。所以以大国吞并小国，就如同豺狼吞吃小猪一样；以一个安定统一的国家去对付一个内部混乱的国家，就像太阳融化积雪。大王自从前代以来，累积仁德，兵强士壮。而石虎则用极其残暴的手段统治他的国家，所以石虎死后连眼睛还没有来得及闭上，他的子孙就为了争夺统治国家的权力，便上下相互冲突，互相背叛。中原的百姓陷入水深火热之中，他们全都伸着脖子、踮起脚跟，殷切地企盼着有人前来拯救他们。大王如果挥师南下，首先攻取蓟城，然后直取他们的京师邺城，向他们展示大王的兵威与德政，安抚那些战乱中剩余下来的百姓，有谁还不扶老携幼前来迎接大王呢！凶恶的贼党望见大王的大旗，就会像冰块掉到地上，马上摔得粉碎，怎么能危害我们呢！”担任从事中郎的黄泓说：“现在，太白星大白天出现在天际，岁星运行到毕星的北侧，天下改换君主，阴国当受天命，而我们燕国正上应阴国，所以正好接受天命为全国之王，这是一定能够应验的。应该赶快出兵攻取赵国，以顺应上天的旨意。”折冲将军慕舆根说：“中原的百姓深受石氏内乱的困扰，全都希望更换新主人，把他们从水深火热的危急之中解救出来，这可是千载难逢的好时机，千万不能错过。自从武宣王时期起，就招纳贤能、休养士民，奖励农耕、训练军队，正是为了等待今天。如今机会已经来了却不去争取，反而在这里顾虑重重，难道是上天不想让天下平定吗？还是大王不想争夺天下呢？”燕王慕容儁开怀大笑起来，决心出兵攻取赵国。于是任命慕容恪为辅国将军，任命慕容评为辅弼将军，任命担任左长史的阳骛为辅义将军，把这三人统称为“三辅”。任命慕容霸为前锋都督、建锋将军，挑选了二十多万精兵，操练武事，严密戒备，进入临战状态，随时准备出征。

六月，葬赵王虎于显原陵，谥曰武帝[16]，庙号太祖。

桓温闻赵乱，出屯安陆㉘⑦，遣诸将经营北方。赵扬州刺史王浃举寿春降㉘⑧，西中郎将陈逵进据寿春。征北大将军褚裒上表请伐赵，即日戒严，直指泗口㉘⑨。朝议以裒事任贵重㉙⓪，不宜深入[17]，宜先遣偏师㉙①。裒奏言："前已遣先锋[18]督护王颐之等径造彭城㉙②，后遣督护麋嶷进据下邳㉙③，今宜速发，以成声势㉙④。"秋，七月，加裒征讨大都督，督徐、兖、青、扬、豫五州诸军事，裒帅众三万，径赴彭城，北方士民降附者日以千计。

朝野皆以为中原指期可复，光禄大夫蔡谟独谓所亲曰："胡灭诚为大庆，然恐更贻朝廷之忧㉙⑤。"其人曰："何谓也？"谟曰："夫能顺天乘时，济群生㉙⑥于艰难者，非上圣㉙⑦与英雄不能为也，自余㉙⑧则莫若度德量力。观今日之事，殆非时贤所及㉙⑨。必将经营分表㉚⓪，疲民以逞㉚①；既而才略疏短㉚②，不能副心㉚③，财殚㉚④力竭，智勇俱困，安得不忧及朝廷乎！"

鲁郡民五百余家相与起兵附晋，求援于褚裒。裒遣部将王龛、李迈将锐卒三千迎之。赵南讨大都督李农帅骑二万与龛等战于代陂㉚⑤，龛等大败，皆没于赵㉚⑥。八月，裒退屯广陵㉚⑦。陈逵闻之，焚寿春积聚，毁城遁还㉚⑧。裒上疏乞自贬，诏不许。命裒还镇京口，解征讨都督。时河北大乱，遗民二十余万口渡河欲来归附。会裒已还，威势不接，皆不能自拔㉚⑨，死亡略尽。

赵乐平王苞谋帅关右之众攻邺，左长史石光、司马曹曜等固谏，苞怒，杀光等百余人。苞性贪而无谋，雍州豪杰知其无成，并㉛⓪遣使告晋，梁州刺史司马勋㉛①帅众赴之㉛②。

杨初㉛③袭赵西城㉛④，破之。

九月，凉州官属共上㉛⑤张重华为丞相，凉王，雍、秦、凉三州牧。

六月，后赵将石虎安葬在显原陵，谥号武帝，庙号太祖。

东晋征西大将军、临贺郡公桓温听到后赵发生内乱的消息，遂率领军队进屯安陆，他下令诸将做好北伐的一切准备。后赵担任扬州刺史的王浃献出寿春，向东晋投降，东晋担任西中郎将的陈逵率军进入寿春。征北大将军褚裒上表给朝廷请求出兵伐赵，当天就下令进入战争戒备状态，军队径直向泗口进发。朝廷认为褚裒地位尊贵、责任重大，不宜深入，应该先派一支小部队打一下试试。褚裒上奏说："先前已经派遣先锋督护王颐之等径直攻取彭城，后来又派遣督护麋嶷率军逼近下邳，现在应该迅速出兵，以造成一种大举北伐的声势。"秋季，七月，东晋加授褚裒为征讨大都督，督徐、兖、青、扬、豫五州诸军事，褚裒遂率领三万人马，径直赶赴彭城，北方赵国境内的民众每天前来归附的都有上千人。

朝廷上下全都认为收复中原指日可待，只有担任光禄大夫的蔡谟持有不同看法，他对自己的亲友说："胡人被消灭，确实是值得庆贺的事情，然而恐怕会给朝廷留下新的更大的忧患。"那人问："你所指的是什么？"蔡谟说："能够顺应天命、借助有利时机将陷入艰难困苦中的苍生解救出来，如果不是大圣人和盖世英雄是做不到的，其他的人则不如度德量力而行。观察今天的局势，恐怕不是眼下这些人所能做到的。他们势必会做一些凭借他们的能力根本无法实现的事情，只是靠着劳民伤财，以满足他们个人的心愿；结果才发现自己才疏略短，自己的心愿不仅无法实现，反而将国家的人力、物力耗费净尽，再也拿不出智慧和勇气，怎能不给朝廷带来忧患呢！"

后赵鲁郡有五百多户民众起兵叛变后赵，投靠了东晋，他们向褚裒请求援助。褚裒遂派遣部将王龛、李迈率领三千名精兵前往接应。后赵担任南讨大都督的李农率领二万名骑兵与东晋的王龛、李迈在代陂展开决战，王龛等被李农打得大败，三千名精兵全军覆没于后赵境内。八月，东晋褚裒率军撤退到广陵。陈逵听到前方战败的消息，便焚烧了寿春城中所积蓄的所有粮秣辎重，毁坏了寿春城，逃回到长江一线。褚裒上疏给朝廷，请求将自己贬官，朝廷下诏不准所请。令褚裒仍旧回到原来的防地京口，因为此次征伐已经结束，褚裒征讨都督的职务也随之解除。当时河北地区政局混乱，西晋时期的遗民有二十多万人都已经渡过黄河准备投奔东晋。遇上褚裒军事失利，已经撤军，声威形势接续不上，这些人无力自救，几乎都死光了。

后赵乐平王石苞密谋率领关右地区的群众攻打京师邺城，担任左长史的石光、担任司马的曹曜等坚决劝阻，石苞大怒，竟然将石光等一百多人全部杀掉。石苞生性贪婪又没有谋略，雍州的豪杰知道他将一事无成，所以都派遣使者前往东晋通报消息，东晋担任梁州刺史的司马勋率领军队前往雍州救援那些反赵的豪杰。

武都郡的氐族首领杨初率军袭击后赵的西城，将西城攻克。

九月，凉州官员共同推举张重华为丞相、凉王、雍、秦、凉三州牧。张重华经

重华屡以钱帛赐左右宠臣，又喜博弈㉖，颇废政事。征[19]事㉗索振谏曰：“先王夙夜㉘勤俭以实府库，正以仇耻未雪，志平海内故也。殿下嗣位之初，强寇侵逼，赖重饵㉙之故，得战士死力，仅保社稷㉚。今蓄积已虚，而寇仇㉛尚在，岂可轻有耗散，以与无功之人乎！昔汉光武㉜躬亲万机㉝，章奏诣阙㉞，报不终日㉟，故能隆中兴之业㊱。今章奏停滞，动经时月㊲，下情㊳不得上通，沈冤㊴困于囹圄㊵，殆非明主之事也。”重华谢㊶之。

司马勋出骆谷㊷，破赵长城戍㊸，壁于悬钩㊹，去长安二百里。使治中刘焕攻长安，斩京兆太守刘秀离，又拔贺城㊺。三辅㊻豪杰多杀守令以应勋，凡三十余壁㊼，众五万人。赵乐平王苞乃辍㊽攻邺之谋，使其将麻秋、姚国等将兵拒勋。赵主遵遣车骑将军王朗帅精骑二万，以讨勋为名，因劫苞送邺。勋兵少，畏朗不敢进㊾。冬，十月，释悬钩㊿，拔宛城(341)，杀赵南阳太守袁景，复还梁州。

初，赵主遵之发李城(342)也，谓武兴公闵曰：“努力，事成，以尔为太子。”既而立太子衍。

闵恃功欲专朝政，遵不听。闵素骁勇，屡立战功，夷夏宿将皆惮之。既为都督，总内外兵权，乃抚循(343)殿中将士，皆奏为殿中员外将军(344)，爵关外侯(345)。遵弗之疑(346)，而更题名善恶(347)以挫抑(348)之，众咸怨怒。中书令孟准、左卫将军王鸾劝遵稍夺闵兵权，闵益恨望(349)，准等咸劝诛之。

十一月，遵召义阳王鉴、乐平王苞、汝阴王琨、淮南王昭等入议于郑太后前，曰：“闵不臣之迹渐著，今欲诛之，如何？”鉴等皆曰：“宜然。”郑氏曰：“李城还兵，无棘奴(350)，岂有今日！小骄纵之(351)，何可遽杀(352)！”

常把金钱、丝绸等赏赐给自己身边的宠臣，又喜欢下棋赌博，经常因为赌博而耽误了政事。担任征事的索振劝谏张重华说："先王从早到晚克勤克俭，竭尽全力充实国家的府库，为应对未来的战争积极做准备，因为还有大仇未报、大耻未雪，并立志要平定海内。殿下即位之初，强大的后赵军队就多次前来侵扰，是靠了重赏，战士们才拼死效力，即使如此，也仅仅是保住了国家不致灭亡而已。如今国家仓库中的储蓄已经空虚，而寇仇还没有被消灭，岂能轻易地消耗这些仅有的储备去赏赐那些没有为国立功的人呢！过去，汉光武帝刘秀亲自处理国家的各种政务，奏章送到朝廷，不到一天就能得到批复，所以能够实现中兴汉室的大业。如今奏章搁置在那里，常常一拖就是一个月，甚至几个月，下面的民情不能及时上达，蒙受重大冤屈的人被囚禁在监牢之中，哭诉无门，这些恐怕不是圣明的君主所应该做的事情。"张重华向索振表示感谢。

东晋梁州刺史司马勋率军穿过骆谷，攻破了后赵长城戍的守军，在悬钩修筑工事进行防守，悬钩距离长安二百里。司马勋派担任治中的刘焕率军攻取长安，刘焕斩杀了后赵京兆太守刘秀离，又攻占了贺城。三辅地区的很多豪杰杀死了他们的郡守、县令来响应司马勋，总计有三十多座营寨壁垒，兵众五万人。后赵乐平王石苞这才打消攻打邺城的念头，他派遣属下将领麻秋、姚国等人率军抵抗司马勋。后赵皇帝石遵派遣车骑将军王朗率领二万名精锐骑兵以讨伐司马勋为名，趁机将乐平王石苞劫持到邺城。司马勋兵力不多，畏惧王朗而不敢继续进兵。冬季，十月，司马勋放弃了悬钩要塞，攻占了宛城，杀死后赵南阳太守袁景，然后返回梁州。

当初，后赵主石遵从李城出兵之时，曾经对武兴公石闵说："好好努力，事情成功之后，立你为太子。"后来石遵即位为皇帝，竟违背了当初的诺言，改立石衍为太子。

后赵武兴公石闵仗着自己有功，便想要专擅朝政，而石遵不同意。石闵一向骁勇善战，屡次建立大功，夷人、汉人中的那些老将都惧怕他。石闵被封为都督，执掌朝廷内外兵权之后，遂用心结交宿卫皇宫的将士，并奏请后赵主石遵，把这些将士全都提升为殿中员外将军，封为关外侯。石遵对石闵的用心一点都没有怀疑，还在这些将士的名单前专门注明每个人的善或恶进行压制，众人因此而对石遵充满怨恨。担任中书令的孟准、担任左卫将军的王鸾都劝说石遵逐渐裁夺石闵的权力，石闵越发怨恨，孟准等于是又都劝说石遵杀掉石闵。

十一月，后赵主石遵召义阳王石鉴、乐平王石苞、汝阴王石琨、淮南王石昭等到郑太后面前举行秘密会议，石遵说："石闵叛逆的行迹已经逐渐显露出来，现在想把他除掉，你们有什么意见？"石鉴等人都说："正应该如此。"郑太后说："在李城起兵之时，如果没有石闵，怎么会有今天！即使他仗恃自己功劳大，行为上稍微表现得有些骄傲放纵，也应该对他稍微宽容一点，怎么能说杀就把他杀掉呢！"

鉴出，遣宦者杨环驰以告闵。闵遂劫李农及右卫将军王基密谋废遵，使将军苏彦、周成帅甲士三千人执遵于南台[353]。遵方与妇人弹棋[354]，问成曰："反者谁也？"成曰："义阳王鉴当立。"遵曰："我尚如是，鉴能几时[355]！"遂杀之于琨华殿，并杀郑太后、张后、太子衍、孟准、王鸾及上光禄[356]张斐。

鉴即位，大赦。以武兴公闵为大将军，封武德王，司空李农为大司马，并录尚书事；郎闿为司空，秦州刺史刘群为尚书左仆射，侍中卢谌为中书监。

秦、雍流民[357]相帅西归[358]，路由枋头[359]，共推蒲洪为主，众至十余万。洪子健在邺，斩关出奔枋头。鉴惧洪之逼，欲以计遣[360]之，乃以洪为都督关中诸军事、征西大将军、雍州牧，领秦州刺史。洪会官属，议应受与不[361]。主簿程朴请且与赵连和，如列国[362]分境而治。洪怒曰："吾不堪为天子邪[363]！而云列国乎[364]！"引朴斩之。

都乡元穆[20]侯褚裒[365]还至京口，闻哭声甚多，以问左右。对曰："皆代陂死者之家也。"裒惭愤发疾。十二月己酉[366]，卒。以吴国内史荀羡[367]为使持节，监徐兖二州、扬州之晋陵诸军事，徐州刺史，时年二十八，中兴方伯[368]未有如羡之少者。

赵主鉴使乐平王苞、中书令李松、殿中将军张才夜攻石闵、李农于琨华殿，不克，禁中扰乱。鉴惧，伪若不知者，夜斩松、才于西中华门，并杀苞。

新兴王祗，虎之子也，时镇襄国，与姚弋仲、蒲洪等连兵，移檄中外[369]，欲共诛闵、农。闵、农以汝阴王琨为大都督，与张举及侍中呼延盛帅步骑七万分讨祗等。

中领军石成、侍中石启、前河东太守石晖谋诛闵、农，闵、农皆杀之。龙骧将军孙伏都、刘铢等帅羯士三千伏于胡天[370]，亦欲诛闵、农。鉴在中台[371]，伏都帅三十余人将升台挟鉴[372]以攻之。鉴见伏都毁阁道[373]，临问[374]其故。伏都曰："李农等反，已在东掖门[375]，臣欲帅卫士讨之，谨先启知[376]。"鉴曰："卿是功臣，好为官陈力[377]。朕从台上观，

义阳王石鉴从宫中出来，立即派宦官杨环飞马报告给石闵。石闵遂劫持了司空李农和右卫将军王基，密谋废掉石遵，他派将军苏彦、周成率领三千名武装士兵冲入皇宫，到金凤台去抓捕石遵。石遵当时正在和一位美人玩弹棋，他问周成说："谋反的人是谁?"周成回答说："义阳王石鉴应该继承皇帝大位。"石遵说："我尚且如此，石鉴还能维持得了几天!"周成等把石遵杀死在琨华殿，连同郑太后、张皇后、太子石衍、中书令孟准、左将军王鸾以及上光禄大夫张斐全部杀死。

后赵义阳王石鉴即位为皇帝，在后赵境内实行大赦。他任命武兴公石闵为大将军，封为武德王，司空李农为大司马，二人同时担任录尚书事；任命郎闿为司空，任命秦州刺史刘群为尚书左仆射，任命担任侍中的卢谌为中书监。

被后赵强迫迁往关东和司州、冀州的氐人、羌人以及秦州、雍州的民众趁着后赵内乱，纷纷西归，重新返回到秦州、雍州一带，在他们路过枋头的时候，共同推戴蒲洪为首领，此时已经达到十多万人。蒲洪的儿子蒲健当时在邺城，他砍开城门逃离邺城奔往枋头。刚刚即位的石鉴畏惧蒲洪的逼迫，就准备设计将蒲洪打发到远处去，遂任命蒲洪为都督关中诸军事、征西大将军、雍州牧，兼任秦州刺史。蒲洪将属下的官员召集起来，商议应不应该接受石鉴的任命。担任主簿的程朴请求暂且与赵联合，像并列之国那样划分疆界，实行独立自治。蒲洪大怒说："难道我就不能当天子吗！你怎么说列国!"立即下令将程朴拉出去斩首。

东晋都乡元穆侯褚裒回到京口镇所，听到很多哭声，于是就问身边的人是谁在哭。他身边的人回答说："是在代陂战役中死难者的家属在哭。"褚裒又惭愧又愤恨，竟因此得病。十二月初七日己酉，褚裒去世。朝廷任命吴国内史荀羡为使持节，监徐、兖二州，扬州之晋陵诸军事，徐州刺史；当时，荀羡只有二十八岁，东晋建国以来担任州刺史、督军等方面大员的人中没有人比荀羡更年轻的了。

后赵主石鉴派乐平王石苞、中书令李松、殿中将军张才率军在夜间前往琨华殿攻击石闵、李农，没有取胜，皇宫之中一片混乱。石鉴非常恐惧，就装作毫不知情的样子，连夜将李松、张才等杀死在西中华门，连同石苞也一齐杀死。

后赵新兴王石祗，是石虎的儿子，当时负责镇守襄国，他北连姚弋仲，南连蒲洪，发布檄文通告全国，号召各地起兵共同讨伐石闵、李农。石闵、李农任命汝阴王石琨为大都督，与张举以及担任侍中的呼延盛一起率领七万人马分别讨伐石祗等。

后赵担任中领军的石成、担任侍中的石启、前河东太守石晖密谋诛杀石闵与李农，结果反被石闵、李农杀死。龙骧将军孙伏都、刘铢等率领三千名羯族士兵埋伏在胡天，也想除掉石闵和李农。石鉴正在铜雀台中，孙伏都率领着三十多人准备登上铜雀台劫持石鉴以攻击石闵等。石鉴看见孙伏都毁坏了阁道，就从上俯下身子询问缘故。孙伏都说："李农等谋反，就在东掖门，我想率领卫士前去讨伐，所以先来奏明陛下。"石鉴说："你是有功之臣，好好地为国家出力。我就站在铜雀台上观看，

卿勿虑无报[378]也。”于是伏都、铢帅众攻闵、农，不克，屯于凤阳门，闵、农帅众数千毁金明门[379]而入。鉴惧闵之杀己，驰招闵、农，开门内之[380]，谓曰：“孙伏都反，卿宜速讨之。”闵、农攻斩伏都等，自凤阳至琨华，横尸相枕，流血成渠。宣令内外，六夷[381]敢称兵仗[382]者斩。胡人或斩关或逾城而出者不可胜数。

闵使尚书王简、少府王郁帅众数千守鉴[383]于御龙观，悬食以给[384]之。下令城中曰：“近日孙、刘构逆[385]，支党伏诛，良善一无预[386]也。今日已后，与官同心[387]者留，不同者各任所之[388]，敕城门不复相禁。”于是赵人[389]百里内悉入城，胡、羯去者填门[390]。闵知胡之不为己用[391]，班令内外[392]：“赵人斩一胡首送凤阳门者，文官进位三等，武官悉拜牙门[393]。”一日之中，斩首数万。闵亲帅赵人以诛胡、羯，无贵贱、男女、少长，皆斩之，死者二十余万，尸诸城外[394]，悉为野犬豺狼所食。其屯戍四方者[395]，闵皆以书命赵人为将帅者诛之，或高鼻多须滥死者[396]半[397]。

燕王儁遣使至凉州，约张重华共击赵。

高句丽王钊送前东夷护军宋晃[398]于燕，燕王儁赦之，更名曰活，拜为中尉。

【段旨】

以上为第二段，写晋穆帝永和五年（公元三四九年）一年间的大事。主要写了后赵太子石宣部下的高力（大力士的称号）被遣送凉州戍边，其首领梁犊趁机率之作乱，回军东下，所向披靡，占据洛阳；最后被石虎部下的姚弋仲、蒲洪所讨平；写了后主石虎病死，死前听野心家张豺之谋，立幼子石世为帝，张豺杀石斌把持朝政；写了石遵在姚弋仲、蒲洪等人的拥戴下起兵讨张豺，杀石世，自己

你不用担心得不到酬劳。”于是孙伏都、刘铢率领部众攻击石闵、李农，因为不能取胜，便屯扎在邺城南面的凤阳门，石闵、李农率领数千人捣毁了金明门冲入皇宫。石鉴惧怕石闵会杀死自己，赶紧派人骑马去招呼石闵、李农，并打开宫门放他们进入，石鉴对石闵等人说：“孙伏都谋反，你等应该赶紧去消灭他。”石闵、李农攻败了孙伏都，将他们斩首，皇宫之内，从凤阳门到琨华殿，尸体横七竖八，互相枕藉，血水流成了渠。石闵通令全国，国内所有的少数民族，不论是谁，只要身上携带着兵器，一律杀无赦。于是那些少数民族的人有的砍开城门逃走，有的翻越城墙逃走，逃走的人多得数不过来。

后赵石闵把燕主石鉴囚禁在御龙观，派担任尚书的王简、担任少府的王郁率领数千人进行监守，断绝了石鉴与内外一切的联系，饮食用具都用绳子吊上观去。石闵下令城中说：“近日孙伏都、刘铢等发动叛乱，他们的党羽已经被全部消灭，善良的人一概不受牵连。从现在起，拥护现在皇帝的人就留下来，不拥护的，凭个人的意愿，愿意到哪里去就到哪里去，已经下令守卫城门的人不许禁止。”于是，邺城附近一百里之内的汉族人全部涌入城中，而胡人、羯人则朝着城门往外挤。石闵因此知道胡人、羯人都不拥护自己，不会成为自己的子民，便向朝里朝外发布命令说：“赵国人斩首一个胡人，并将首级送到凤阳门的，文官提升三级，武官全部封为牙门将。”命令颁布之后，一天之内就杀死了数万名胡人、羯人。石闵还亲自率领赵国人诛杀那些胡人、羯人，不论贫富贵贱、男女老少，全都杀死，被杀死的有二十多万人，并将这些被杀死者的尸体拖到邺城之外进行展示，结果全被野狗、豺狼吃掉了。对于那些在四方戍守的胡人，石闵给担任将帅的汉人全都写了信，命令他们就地将他们处死，被杀死的人中甚至有一半是因为鼻梁比较高、胡须比较多，外貌特征很像胡人、羯人而被无辜杀死的汉人。

燕王慕容儁派遣使者前往凉州，约请凉王张重华共同攻打后赵。

高句丽王钊把原燕国东夷护军宋晃送回燕国，燕王慕容儁赦免了宋晃，给他改名为宋活，并任命他为中尉。

称帝；石冲起兵讨石遵，兵败被杀；写了石闵因恨石遵食言，遂与石鉴勾结，杀了石遵，控制朝廷大权。石虎诸子与赵臣孙伏都等讨石闵，兵败被杀。石闵趁机挑动民族关系，杀光了胡、羯二族；写了褚裒率军北伐，兵败于代陂；梁州刺史司马勋率众出骆谷，破赵长城戍，又拔宛城，因无后援而退回汉中；此外还写了燕之将相劝慕容儁起兵伐赵，慕容儁开始进行准备；以及晋之益州刺史周抚讨范贲杀之，益州得以平定；等等。

【注释】

⑩⑨正月辛未朔：此语有误，正月朔戊寅，无辛未。辛未是二月二十四。⑪⓪高力：大力士的称号名，石宣生前曾挑选多力之士以护卫东宫，名曰高力，并置督将以统领之。⑪①雍城：本春秋时秦国的都城，后置雍县，县治在今陕西宝鸡市凤翔区西南的豆腐村、河南屯之间一带。⑪②不在赦例：不在石虎即帝位大赦之例。⑪③敕：皇帝的命令。⑪④送之：押送这些“高力”继续西行。⑪⑤鹿车：原指用鹿拉的一种小车，这里即指人力推挽的车子。⑪⑥致粮戍所：运送粮食到被发配戍守的地方。⑪⑦高力督定阳梁犊：这些大力士的督将梁犊，是定阳人。定阳是汉县名，在今陕西延安东南，当时属上郡。⑪⑧踊抃：跳跃、拍手，欢欣鼓舞的样子。⑪⑨下辨：古县名，县治在今甘肃成县西，当时属于后赵。⑫⓪安定：赵郡名，郡治在今甘肃泾川县北。⑫①施一丈柯：把斧子头安装在一丈长的大棍子上。施，安装。柯，斧子柄。⑫②长吏：泛指郡、县的官吏。《汉书·景帝纪》中元六年诏：“吏六百石以上，皆长吏也。”又《汉书·百官公卿表上》：“县令、长……皆有丞尉，秩四百石至二百石，皆为长吏。”⑫③二千石：指郡一级长官。郡守的官阶为二千石，郡尉为比二千石。⑫④乐平王苞：石苞，石虎之子，被封为乐平王，此时正镇守长安。⑫⑤尽锐拒之：调动全部精锐军队进行抵抗。⑫⑥潼关：陕西东部的关塞名，在今陕西潼关县境内。⑫⑦进趣洛阳：接着向洛阳前进。趣，这里的意思同“趋”。⑫⑧新安：县名，县治在今河南渑池东。当时属于后赵。⑫⑨退壁成皋：退到成皋防守。壁，军营的外围工事，这里意即防守。成皋，古县名，县治在今河南荥阳西北的汜水镇。⑬⓪荥阳、陈留：二郡名，荥阳郡的郡治即今河南郑州西北的古荥镇，陈留郡的郡治在今河南开封东南。⑬①至邺：言自滠头戍来到邺城。滠头戍在今河北枣强东北，自咸和八年石虎使姚弋仲率众戍此。⑬②未之见：未见之，未接见他。⑬③领军省：领军将军的衙署。汉制总群臣而听政为省，治公务之所为寺。尚书、中书、门下各官署皆设于禁中，故也称省。领军将军统率帝王的禁卫军，故其衙署亦在宫内。⑬④己所御食：自己准备要吃的东西。御，进用。⑬⑤当面见授方略：要当面向我交代计谋策略。⑬⑥力疾：勉强支撑病体。⑬⑦让虎：责备石虎。⑬⑧何所能至：即“能至何所”的倒装。意思是又能走到哪里，能成什么气候。⑬⑨老羌：我姚弋仲。姚弋仲为羌人，故自称“老羌”。⑭⓪一举了之：一仗解决他。了，收拾、解决。⑭①狷直：暴躁耿直。⑭②皆汝之：都直称对方曰“你”。汝，你，这里用为动词。⑭③不之责：不责怪他。⑭④于坐：就在这君臣对坐的时刻。⑭⑤剑履上殿：帝王赐给有功大臣的特殊待遇，受赐者可以佩剑穿履朝见皇帝。⑭⑥入朝不趋：也是帝王赐给有功大臣的特殊待遇，受赐者在进入朝堂的时候可以不必小步疾行。趋，小步疾行，这是古代臣子在君父面前行走的一种特殊姿势。⑭⑦始平：郡名，郡治在今陕西西安西北，当时属后赵。⑭⑧范贲：李雄国师范长生之子，成汉灭亡后，于永和三年被汉将隗文、邓定奉之称帝于成都。⑭⑨如燕：前往燕国。如，往。⑮⓪卢容：晋县名，县治

即今越南承天广田县，当时属日南郡。日南郡在今越南中部，当时属晋。⑮九真：晋郡名，郡治爱州，在今越南河内南。⑯乙卯：四月初九。⑯关右：即关西。秦、汉、唐等时代都用以泛指函谷关以西地区。⑭镇卫大将军：为刘聪所置的十六个大将军之一。石虎置镇卫大将军，位在车骑将军上。⑮领军将军：职务是统领禁军。⑯吏部尚书：掌管官吏的选举任免。〖按〗至此张豺已经总揽朝廷的文武大权。⑰去：排挤掉。⑱王须猎者：你要是想打猎的话。⑲少停：可以再停留一段时间。⑯矫诏称：假传石虎的命令说。矫诏，假传圣旨。⑯龙腾：石虎卫队的名号，取其英武矫健之意。⑯守之：围守着他。⑯乙丑：四月十九。⑯敕朝堂受拜：让他在朝廷的正殿接受任命，意思是不让他拜见父亲石虎。⑯小瘳：病情稍有好转。⑯恨不见之：遗憾没有见到他。恨，遗憾。⑯西阁：太武殿的西阁。⑯入宿卫：进宫保卫皇帝。宿卫，在宫中值宿，担任警卫。⑯乞以为皇太子：请求让石斌成为皇太子。⑰促持辇迎之：赶紧派车接他进来。促，火速。辇，皇帝的车子。⑰当付玺绶：我要把皇帝的印玺交给他掌管。古代印玺上系有彩色丝带，称绶，这里即称印玺。⑰寻惛眩：很快又昏迷起来。寻，接着。⑰戊辰：四月二十二。⑰如霍光故事：像当年西汉的霍光辅佐年幼的汉昭帝一样。霍光字子孟，西汉名将霍去病的异母弟。汉武帝死时，昭帝年幼，霍光与桑弘羊等同受武帝遗诏辅政。事见本书《汉纪》十四。⑰吾无为预之：我没有必要卷在这里头。预，参与。⑰仰药：服毒。⑰己巳：四月二十三。⑰临朝称制：当朝行使皇帝的权力。称制，称自己的命令为“制”，即以皇帝的命令行事。⑰广宗：县名，县治在今河北威县东二十里，当时属赵。⑱乞活：到有粮之地就食以求生的人。《晋书·东海王越传》：“初，东嬴公腾之镇邺也。携并州将田甄……等部众万余人至邺，遣就谷冀州，号为‘乞活’。”之后流徙逐粮者亦曰乞活。⑱上白：古城名，在今河北威县南。⑱至河内：由关西回邺城，中途到达河内郡，河内郡的郡治野王，即今河南沁阳。⑱李城：即今河南温县。《史记·平原君虞卿列传》载邯郸李同与三千敢死之士赴秦军战死，赵封其父为李侯，即此城。⑱惛惑：昏聩糊涂。⑱用事：主事。⑱声：声讨。⑱鼓行：击鼓则进，公开地对其进行讨伐。⑱其：表示估计、推测的副词，意思同“那时将会”。⑱檄至邺：石遵的檄文传到邺城。檄，檄文、声讨被讨伐者的公告。⑲驰召：火速召之使回。⑲丙戌：五月十一。⑲荡阴：县名，也称“汤阴”，县治在今河南汤阴西南。⑲石闵为前锋：石闵，也称“冉闵”，石虎的养孙。传见《晋书》卷一百七。⑲耆旧羯士：年老的羯族人与汉族人。耆旧，老人。羯士，羯人与汉人。⑲斩关：砍掉邺城城门的锁，这里即打开城门。⑲梓宫未殡：棺材尚未下葬。帝王常以梓木做棺材，故称其灵柩曰“梓宫”。停灵以接受祭吊称作“殡”。但这里的“未殡”指尚未安葬。⑲冲幼：年纪弱小。⑲加遵重位：提高石遵的官爵。⑲能弭之乎：能消除这场灾难吗。弭，停止、结束。⑳不知所出：不知如何是好。⑳唯唯：应答词，顺应而不表示可否，这是人在惊慌失措时的表现。⑳九锡：朝廷加给权臣的九种特殊待遇，包括“入朝不趋”“剑履上殿”“赞拜不名”“纳陛以登”等九项。㉓己丑：五月十四。㉔安阳亭：安阳地区的亭名，在今河北临漳西南的故邺城附近。㉕执：拘捕。㉖庚寅：五月十五。㉗擐甲曜兵：身穿铠甲，手持兵器。曜，亮出、手执。㉘凤阳门：邺城南门。㉙擗踊：捶胸顿足，极其悲悼的样子。擗，拍、捶胸。㉚东阁：太武殿的东阁。㉛平乐市：邺城中的集市名。㉜假刘氏令：假传刘太后的命令。㉝私恩：个人的喜爱感情，意即不顾国家的礼法与利益。㉞其以遵嗣位：现在让石遵继承帝位。其，表示命令的副词。㉟罢：解除。㊱辛卯：五月十六。㊲归罪：自首；投案。㊳汝阴王琨：石琨。〖按〗石琨与前数句所提到的燕王斌、义阳王鉴、沛王冲、乐平王苞，都是石虎之子。㊴武兴公闵：石闵，也称“冉闵”，石虎的养孙。〖按〗写石闵开始掌大权，为后文石闵杀胡、羯张本。㊵甲午：五月十九。㊶灾：失火。㊷乘舆服御：皇帝的车驾、衣服以及各种生活日用的东西。御，使用。㊸太半：一大半；三分之二。㊹镇蓟：镇守蓟城，即今北京市。㊺戍幽州：留守幽州。幽州的州治即蓟城。㊻传檄燕、赵：发放讨伐石遵的檄文于燕、赵地区。㊼所在云集：极言响应者之多，到处风起云涌。㊽比至常山：等到达常山郡时。常山郡的郡治真定，在今河北正定南。㊾苑乡：县名，县治在今河北任县东北。㊿赦书：赦免石冲兴兵问罪的诏书。㉛彭城：彭城王石遵。㉜篡弑自尊：杀君夺位，自称皇帝。㉝北旆：犹言向北回师。旆，古代旗末形如燕尾的垂旒。㉞南辕：车向南走，指杀向邺城。㉟奉迎大驾：意即到那时再接您到邺城称帝。大驾，指石冲。㊱平棘：县名，县治在今河北赵县东南。㊲元氏：县名，县治在今河北元氏西北。㊳践阼：指登上帝位。㊴改图：改变主意。㊵枋头：即今河南浚县西南的淇门渡。咸和八年，蒲洪说石虎徙秦、雍民及氐、羌十余万户于关东，虎使洪帅众居枋头。㊶遣使来降：派使者来东晋请求投降。㊷慕容霸：慕容儁之弟。㊸自相鱼肉：自相残杀。㊹中国倒悬：中原之民深陷水深火热之中。倒悬，头向下脚向上地倒挂，以喻其处境极其困苦危急。㊺企望仁恤：盼着仁义之师去解救他们。企望，举足翘望。企，提起脚后跟。㊻投戈：丢下兵器，表示投降。㊼大丧：指慕容皝卒。㊽驰诣：飞马奔到。㊾据其成资：将其现有的资本接收过来。成资，现有的资本、基础。㊿邓恒：赵将。㉛安乐：据胡三省注，“安乐”应作“乐安”。乐安县在今河北昌黎西南。咸康六年，石虎欲伐慕容皝，曾征调七州民，合邺城旧兵共五十万，具船万艘，自河通海运谷至乐安城。㉜不可由：不可通行。㉝卢龙：古山道名，即卢龙塞，在今河北迁西县北的喜峰口一带。曹操征乌桓，与当年慕容儁进兵中原，均经由此道。㉞乘高断要：居高临下地将我们拦腰截断。要，同“腰”。㉟徒河：县名，县治在今辽宁锦州西北，当时属燕。㊱潜趣令支：暗中奔向令支。令支是古城名，在今河北迁安一带。㊲何暇：哪里顾得上。暇，空闲。㊳安步而前：安稳地前进。㊴无复留难：不会再有任何阻挠、障碍。㊵五材将军：慕容氏所置的将军名号。㊶势：势力；威力。㊷豚：小猪。㊸以治易乱：以一个安定统一的国家去对付一个内部混乱的国家。易，改变、对付。㊹消雪：融化积雪。㊺上世：犹上代，指慕容皝。㊻练：精明；干练。㊼死未瞑目：刚死还没有闭上眼睛，极言赵国的变乱发生之快。㉖⑧上下乖乱：上下相互冲突，相互叛乱。㉖⑨涂炭：烂泥和炭火，即今所谓水深火热。㉗⓪延颈企踵：伸长脖子，踮起脚跟，形容盼望解救之殷切。㉗①振拔：拯救。㉗②扬兵南迈：即出兵南下。迈，行。㉗③宣耀威德：宣扬、显示燕王的兵威与德政。㉗④怀抚遗民：安抚那些战乱存活的百姓。㉗⑤太白经天：太白星白天出现。太白即金星，一名启明星，应在早晨出现。现在白天出现，意味着将有重大战争。《汉书·天文志》："太白经天，天下革民更王。"㉗⑥岁集毕北：木星运行到了毕星的北侧。岁星又名木星。《汉书·天文志》说："岁星所在，国不可伐，可以伐人。"毕，星宿名，二十八宿之一，有星八颗。昴、毕二宿是赵国和冀州的分野，而燕国正在毕星之北。㉗⑦阴国受命：我们燕国正好接受天命为全国之王。昴、毕二宿间为主国界的天街二星。天街西南为阴国，正下应燕；而岁集毕北，明阴国当受命而王。㉗⑧以承天意：以顺应上天的旨意。㉗⑨咸思易主：都想更换一个君主。易，改换。㉘⓪千载一时：千载难逢的好时机。㉘①武宣王：指慕容廆，慕容儁的祖父，被谥为武宣王。㉘②将：转折语词，抑或、还是。㉘③慕容恪：慕容儁之弟。㉘④辅国将军：与下面的辅弼将军、辅义将军、建锋将军，都是慕容儁创置。㉘⑤慕容评：亦慕容儁之弟。㉘⑥讲武戒严：操练军队，严密准备。㉘⑦安陆：晋县名，县治在今湖北安陆西北。㉘⑧举寿春降：带领寿春城投降晋朝。㉘⑨直指泗口：兵锋直接指向泗口。泗口，即泗水入淮河之口，在今江苏淮安市淮阴区西南。㉙⓪事任贵重：职位过高。褚裒为褚太后之父，建元二年，拜徐、兖二州刺史，镇京口。㉙①宜先遣偏师：应该先派一支小部队打一下试试。㉙②径造彭城：直取徐州。当时的彭城即今江苏徐州，当时属后赵。㉙③下邳：郡名，郡治在今江苏邳州南，当时属后赵。㉙④以成声势：以造成一种大举北伐的声威阵势。㉙⑤更贻朝廷之忧：又给朝廷留下新的忧患。贻，遗留、造成。㉙⑥济群生：拯救黎民百姓。㉙⑦上圣：大圣；德才最高之人。㉙⑧自余：其余的人。㉙⑨殆非时贤所及：恐怕不是眼下这些人所能做到的。时贤，指褚裒等人。㉚⓪经营分表：做一些他们能力达不到的事情。㉚①疲民以逞：靠着劳民伤财，以满足他们的心愿。逞，满足自己的意愿。㉚②才略疏短：即才疏略短。疏，粗疏、不周密。㉚③副心：称心。㉚④财殚：资财耗费净尽。殚，竭尽。㉚⑤代陂：堤坝名，在今山东滕州。㉚⑥皆没于赵：都被赵人所俘获。没，全部丢失。㉚⑦广陵：晋郡名，郡治即今江苏扬州。㉚⑧遁还：逃回长江一线。㉚⑨自拔：自救；自己逃脱。㉛⓪并：一齐；不约而同。㉛①司马勋：济南惠王司马遂的曾孙。司马遂是司马懿之弟司马恂之子。㉛②帅众赴之：率军到雍州援救那些反赵的豪杰。㉛③杨初：武都郡氐族的头领。㉛④西城：县名，县治在今陕西安康西北。㉛⑤共上：共同给晋王朝上书拥戴。㉛⑥博弈：下棋赌博。㉛⑦征事：官名，职责不详。㉛⑧夙夜：从早到晚。夙，早晨。㉛⑨重饵：指收买笼络战士所用的钱帛重赏。饵，钓鱼用的鱼食。㉜⓪仅保社稷：仅仅保住了国家不致灭亡。仅，勉强。㉜①寇仇：指石氏政权。㉜②汉光武：刘秀，东汉的开国帝王。㉜③躬亲万机：亲自处理国家的各种事务。㉜④诣阙：送到朝廷。阙，宫门两侧的台观，这里即指朝廷。㉜⑤报不终日：不到一整天就能做出批复。终日，一整天。㉖隆中兴之业：使东汉的中兴大业得以昌盛。㉗动经时月：常常一拖延就是一个月，乃至几个月。动，常常、动不动地。时，一个季度，即三个月。㉘下情：犹民情，百姓们的意见。㉙沈冤：含有重大冤枉的人。沈，同“沉”。㉚困于囹圄：被陷入牢狱，哭告无门。㉛谢：谢罪；表示歉意。㉜骆谷：山谷名，在今陕西周至西南，是汉中地区通往关中的一条山路的北段。㉝长城戍：在今陕西周至，三国时魏国的司马望、邓艾在此与蜀将姜维对峙。㉞壁于悬钩：在悬钩构筑工事进行防守。悬钩在今陕西周至西南骆谷的北口。㉟贺城：即今陕西周至。㊱三辅：西汉都城长安周围的三个郡，即京兆尹、左冯翊、右扶风。相当于今陕西的关中地区。㊲三十余壁：三十多座营寨、壁垒。㊳辍：停止；中止。㊴畏朗不敢进：胡三省曰，“使桓温于是时攻关中，关中可取也”。㊵释悬钩：放弃了悬钩要塞。㊶拔宛城：攻克宛城。宛城即今河南南阳，当时为后赵南阳郡的郡治所在地。㊷发李城：从李城出发的时候。㊸抚循：同“拊循”，关心体贴。㊹殿中员外将军：殿中将军的候补人员。㊺关外侯：爵位名，为汉献帝建安二十年曹操所置的名号侯，无国邑，位在关内侯下。㊻弗之疑：即“弗疑之”，不怀疑他这样做的目的。㊼题名善恶：在爵位前加上表明善恶的字样。㊽挫抑：压制。㊾恨望：犹怨望、怨恨。㊿棘奴：石闵的小字。351小骄纵之：意思是他的行为表现是有些骄惯放纵，但我们还是应该稍微宽容一点。小，意思同“稍”。352何可遽杀：怎么能突然置之于死地。遽，突然、立即。353南台：邺都三台之一，原名金虎台，石虎置金凤凰于台顶，改名金凤台。354弹棋：汉成帝时发明，盛行于魏、晋的一种博戏。355能几时：能维持多久。356上光禄：上光禄大夫。石虎置上、中光禄大夫，位在左、右光禄大夫上。357秦雍流民：指咸和四年与八年被石虎迁往关东和司、冀二州的氐、羌及秦、雍之民。358西归：重新返回到雍州、秦州一带。359路由枋头：在他们路过枋头的时候。360遣：派遣；差遣。361应受与不：应该接受还是不接受。不，同“否”。362列国：并列之国。363吾不堪为天子邪：难道我就不能做皇帝吗。364而云列国乎：怎么能说我与他是并列之国呢。365都乡元穆侯褚裒：都乡侯是褚裒的封号，元穆是谥。366十二月己酉：十二月初七。367荀羡：字令则，荀崧之子。传见《晋书》卷七十五。368中兴方伯：东晋建国以来的州刺史、督军等方面大员。369移檄中外：意即通告全国。中外，朝廷内外。370胡天：石氏宫中的官署名。371中台：即铜雀台。372升台挟鉴：登上铜雀台挟持石鉴。373阁道：复道；楼阁之间的空中通道。374临问：从上俯身向下问。375东掖门：石氏皇宫的东旁门。376启知：禀告。377好为官陈力：好好地为国家出力。官，指国家，也可以指皇帝。陈力，贡献力量。378勿虑无报：不要担心得不到酬劳。379金明门：邺城的西门，又名“西明门”。380开门内之：打开殿门，让他们进来。内，“纳”的本字，接纳、使进入。381六夷：泛指石氏政权下的各少数民族。382称兵仗：携带刀枪。称，举，这里即指携带。兵仗，泛指兵器。383守鉴：看守石鉴。384悬食以给：用绳索系食物给他。㊳⑤构逆：发动叛乱。㊳⑥良善一无预：良善之人一概不受牵连。㊳⑦与官同心：意即拥护现在皇帝的人。此处的“官”字即指皇帝。㊳⑧各任所之：任凭他们想去哪里就去哪里。㊳⑨赵人：此指战乱之前的赵地人，即汉族人。㊴⓪填门：沿着门口向外挤，形容出城的胡人羯人之多。㊴①胡之不为己用：胡人、羯人是不会拥护自己，成为自己的子民的。胡，这里也兼指羯。胡是刘渊、刘聪、刘曜等人的种族，即匈奴人；羯是石勒、石虎所属的种族。㊴②班令内外：向朝里朝外发布命令。㊴③牙门：牙门将的省称。㊴④尸诸城外：陈尸于城外。诸，“之于”的合音字。㊴⑤屯戍四方者：指胡人。㊴⑥高鼻多须滥死者：指外貌像胡羯而被无辜杀死的汉人。滥死，是不当死而死的意思。㊴⑦半：占死者的一半。㊴⑧宋晃：本慕容皝将，咸康四年降赵，赵攻棘城大败，宋晃惧，投奔高句丽。

【校记】

［6］侍中：原无此二字。据章钰校，十二行本、乙十一行本皆有此二字，张瑛《通鉴校勘记》同，今据补。〖按〗《晋书》卷一百十六《姚仲弋传》有“侍中”二字。［7］侍中：原无此二字。据章钰校，十二行本、乙十一行本皆有此二字，张瑛《通鉴校勘记》同，今据补。［8］少：据章钰校，十二行本、乙十一行本皆作“小”，二字义同。［9］五月：原无此二字。据章钰校，十二行本、乙十一行本皆有此二字，张敦仁《通鉴刊本识误》、张瑛《通鉴校勘记》同，今据补。［10］豺将出拒之：原无此句。据章钰校，十二行本、乙十一行本皆有此句，张敦仁《通鉴刊本识误》、张瑛《通鉴校勘记》同，今据补。［11］乐平王苞：原作“乐平公苞”。据章钰校，十二行本、乙十一行本皆作“乐平王苞”，张敦仁《通鉴刊本识误》同，今据改。〖按〗《晋书》卷一百五《石勒载记下》云，石弘延熙元年，广封石氏诸王，苞为平乐王。［12］电：据章钰校，十二行本、乙十一行本、孔天胤本皆作“雷”。［13］等：原无此字。据章钰校，十二行本、乙十一行本、孔天胤本皆有此字，今据补。［14］复：原无此字。据章钰校，十二行本、乙十一行本、孔天胤本皆有此字，张敦仁《通鉴刊本识误》同，今据补。［15］天下易主：原无此句。据章钰校，十二行本、乙十一行本、孔天胤本皆有此句，张敦仁《通鉴刊本识误》、张瑛《通鉴校勘记》同，今据补。［16］谥曰武帝：原无此句。据章钰校，十二行本、乙十一行本、孔天胤本皆有此句，张敦仁《通鉴刊本识误》、张瑛《通鉴校勘记》同，今据补。［17］不宜深入：原无此句。据章钰校，十二行本、乙十一行本、孔天胤本皆有此句，张敦仁《通鉴刊本识误》、张瑛《通鉴校勘记》同，今据补。［18］先锋：原无此二字。据章钰校，十二行本、乙十一行本、孔天胤本皆有此二字，张敦仁《通鉴刊本识误》、张瑛《通鉴校勘记》同，今据补。［19］征：据章钰校，孔天胤本作“从”。［20］穆：原无此字。据章钰校，十二行本、乙十一行本皆有此字，张敦仁《通鉴刊本识误》同，今据补。

【原文】

六年（庚戌，公元三五〇年）

春，正月，赵大将军闵欲灭去石氏之迹[399]，托以谶文[400]有“继赵李”，更国号曰卫，易姓李氏[401]，大赦，改元青龙。太宰赵庶、太尉张举、中军将军张春、光禄大夫石岳、抚军石宁、武卫将军张季及公、侯、卿、校、龙腾等万余人出奔襄国[402]，汝阴王琨奔冀州[403]。抚军将军张沈据滏口[404]，张贺度据石渎[405]，建义将军段勤据黎阳[406]，宁南将军杨群据桑壁[407]，刘国据阳城[408]，段龛据陈留[409]，姚弋仲据滠头，蒲洪据枋头，众各数万，皆不附于闵。勤，末柸之子。龛，兰之子也。

王朗、麻秋自长安赴洛阳。秋承闵书[410]，诛朗部胡千余人，朗奔襄国。秋帅众归邺，蒲洪使其子龙骧将军雄迎击，获之，以为军师将军。

汝阴王琨及张举、王朗帅众七万伐邺，大将军闵帅骑千余与战于城北。闵操两刃矛，驰骑击之，所向摧陷，斩首三千级。琨等大败而去。闵与李农帅骑三万讨张贺度于石渎。

闰月[411]，卫主鉴密遣宦者赍书[412]召张沈等，使乘虚袭邺。宦者以告闵、农，闵、农驰还，废鉴，杀之，并杀赵主虎二十八孙[21]，尽灭石氏。姚弋仲子曜武将军益、武卫将军若帅禁兵数千斩关奔滠头。弋仲帅众讨闵，军于混桥[413]。

司徒申钟等上尊号于闵，闵以让李农，农固辞。闵曰：“吾属故晋人也，今晋室犹存，请与诸君分割州郡，各称牧、守、公、侯，奉表迎晋天子还都洛阳何如[22]？”尚书胡睦进曰：“陛下圣德应天，宜登大位。晋氏衰微，远窜江表，岂能总驭[414]英雄，混壹[415]四海乎？”闵曰：“胡尚书之言，可谓识机知命[416]矣。”乃即皇帝位，大赦，改元永兴，国号大魏。

【语译】

六年（庚戌，公元三五〇年）

春季，正月，后赵大将军石闵想要消除石氏统治的痕迹，就假托预言吉凶的谶文中有“继赵李”的字样，遂将国名改为卫国，石闵自己也改姓李，大赦天下，改年号为青龙元年。担任太宰的赵庶、担任太尉的张举、担任中军将军的张春、光禄大夫石岳、抚军将军石宁、武卫将军张季，以及公爵、侯爵、卿、校、龙腾等一万多人全都逃离邺城投奔了襄国的石祗，汝阴王石琨逃往冀州。抚军将军张沈则占据了滏口，张贺度占据了石渎，建义将军段勤占据了黎阳，宁南将军杨群占据了桑壁，刘国占据了阳城，段龛占据了陈留，姚弋仲占据了滠头，蒲洪占据了枋头，他们每人都拥有部众数万人，都不服从石闵。段勤，是段末柸的儿子。段龛，是段兰的儿子。

后赵车骑将军王朗、将军麻秋从长安赶赴洛阳。麻秋接到大将军石闵要求诛杀胡人、羯人的命令，诛杀王朗部下一千多名胡人，王朗逃往襄国投奔了石祗。麻秋率领部众准备返回邺城，蒲洪派自己的儿子龙骧将军蒲雄在途中迎头痛击，俘获了麻秋，蒲洪任命麻秋为军师将军。

后赵汝阴王石琨与太尉张举、车骑将军王朗率领七万人马前往邺城讨伐石闵，大将军石闵率领一千多名骑兵与石琨等在邺城城北展开决战。石闵手中挥舞着一杆两面都带有利刃的长矛，骑着战马，左冲右突、纵横驰骋，所到之处，无不遭到摧毁，这一仗，石闵斩杀了三千多人。石琨等大败而逃。石闵与李农率领三万名骑兵前往石渎讨伐张贺度。

闰二月，卫主石鉴偷偷地派遣手下的宦官拿着自己的亲笔书信前往滏口送给抚军将军张沈等人，让他们趁邺城空虚前来袭击邺城。宦官却将此事告诉了石闵、李农，石闵、李农迅速地撤军返回邺城，废掉了石鉴，并将石鉴杀死，同时被杀死的还有后赵皇帝石虎的二十八个孙子，石氏皇族全部被诛杀。姚弋仲的儿子、担任曜武将军的姚益、担任武卫将军的姚若率领数千名禁卫军打开邺城城门逃往滠头。姚弋仲率军讨伐石闵，将军队驻扎在邺城东北的混桥。

司徒申钟等人向石闵奉上皇帝尊号，石闵辞让给李农，李农坚决推辞。石闵说：“我们这些人原本都是晋国人，如今晋朝还存在，就让我们分别割据州郡，各自称州牧、太守、公爵、侯爵，然后上表给晋朝皇帝，迎请他返回都城洛阳如何？”尚书胡睦建言说：“陛下圣明的恩德，上应天心，应该登基做皇帝。晋室政权衰微，远远地逃到了江东，他哪里统领驾驭得了各路英雄豪杰，统一天下呢？”石闵说：“胡尚书的话，可以说是识时务、知天命了。”遂即位为皇帝，实行大赦，改年号为永兴，国号大魏。

朝廷闻中原大乱，复谋进取。己丑[417]，以扬州刺史殷浩为中军将军，假节，都督扬、豫、徐、兖、青五州诸军事，以蒲洪为氐王[418]、使持节、征北大将军、都督河北诸军事、冀州刺史、广川郡公，蒲健[419]为假节、右将军、监河北征讨前锋诸军事、襄国公。

姚弋仲、蒲洪各有据关右之志。弋仲遣其子襄帅众五万击洪，洪迎击，破之，斩获三万余级。洪自称大都督、大将军、大单于、三秦王，改姓苻氏[420]。以南安雷弱兒[421]为辅国将军，安定梁楞为前将军，领左长史，冯翊鱼遵为右将军[23]，领右长史，京兆段陵为左将军，领左司马，王堕为右将军，领右司马[24]，天水赵俱、陇西牛夷、北地辛牢皆为从事中郎，氐酋[422]毛贵为单于辅相。

二月，燕王儁使慕容霸将兵二万自东道出徒河，慕舆于自西道出蠮螉塞[423]，儁自中道出卢龙塞[424]以伐赵。以慕容恪、鲜于亮为前驱，命慕舆埿槎山通道[425]。留世子晔守龙城，以内史刘斌为大司农，与典书令皇甫真留统后事。

霸军至三陉[426]，赵征东将军邓恒惶怖[427]，焚仓库，弃安乐[428]遁去，与幽州刺史王午共保蓟[429]。徒河南部都尉孙泳[430]急入安乐，扑灭余火，籍其谷帛[431]。霸收安乐、北平兵粮，与儁会临渠[432]。

三月，燕兵至无终[433]。王午留其将王佗以数千人守蓟，与邓恒走保鲁口[434]。乙巳[435]，儁拔蓟，执王佗，斩之。儁欲悉坑其士卒千余人，慕容霸谏曰："赵为暴虐，王兴师伐之，将以拯民于涂炭而抚有中州[436]也。今始得蓟而坑其士卒，恐不可以为王师之先声也[437]。"乃释之[25]。儁入都于蓟[438]，中州士女降者相继。

燕兵至范阳[439]，范阳太守李产欲为石氏拒燕，众莫为用，乃帅八城令长[440]出降，儁复以产为太守。产子绩为幽州别驾[441]，弃其家从王午在鲁口，邓恒谓午曰："绩乡里在北[442]，父已降燕，今虽在此，恐终难相保，徒为人累，不如去之[443]。"午曰："此何言也！夫以当今丧乱[444]，而绩乃能立义捐家[445]，情节[446]之重，虽古烈士[447]无以过。乃欲以猜嫌害

东晋朝廷得知中原地区陷入一片混乱，就又开始商议进取中原之事。闰二月十八日己丑，任命担任扬州刺史的殷浩为中军将军，假节，都督扬、豫、徐、兖、青五州诸军事，任命归降的蒲洪为氐王、使持节、征北大将军、都督河北诸军事、冀州刺史，封为广川郡公，任命蒲洪的儿子蒲健为假节、右将军、监河北征讨前锋诸军事，封为襄国公。

占据滠头的姚弋仲与占据枋头的蒲洪都有占据关右的想法。姚弋仲派自己的儿子姚襄率领五万人马袭击蒲洪，蒲洪率军迎战，将姚襄打败，斩杀了三万多人。蒲洪遂自称大都督、大将军、大单于、三秦王，改姓苻氏。他任命南安郡人雷弱兒为辅国将军，安定人梁楞为前将军，兼任左长史，冯翊人鱼遵为右将军，兼任右长史，京兆人段陵为左将军，兼任左司马，王堕为右将军，兼任右司马，天水人赵俱、陇西人牛夷、北地人辛牢都为从事中郎，另一氐人部落酋长毛贵为单于辅相。

二月，燕王慕容儁派遣慕容霸率领二万人马从东路徒河出兵，慕舆于从西路穿过蠮螉塞，慕容儁亲自率领大军从中路穿过卢龙塞讨伐后赵。任命慕容恪、鲜于亮为前驱，令慕舆埿逢山开路，打通前进的道路。留下世子慕容晔守卫京师龙城，任命担任内史的刘斌为大司农，与担任典书令的皇甫真主持留守府的事务。

燕国慕容霸率领大军抵达三陉，后赵担任征东将军的邓恒惊慌失措，遂焚毁了仓库，丢弃了乐安城逃走，与担任幽州刺史的王午共同坚守蓟城。燕国徒河南部都尉孙泳率人紧急进入乐安城，扑灭了余火，将残存的粮食、布帛等登记造册。慕容霸缴获了乐安、北平的军粮，与燕王慕容儁在临渠会合。

三月，燕国军队抵达无终。后赵幽州刺史王午留下他的部将王佗率领数千人守卫蓟城，自己则与邓恒一起逃往鲁口据守。初五日乙巳，燕王慕容儁攻克了蓟城，活捉了后赵守将王佗，将王佗斩首。慕容儁准备把王佗手下的一千多名士卒全部活埋，慕容霸劝阻说："因为赵国主残忍暴虐，大王才出兵讨伐赵国，目的是拯救陷于水深火热之中的百姓而占有中州。现在刚攻克蓟城就要把守卫蓟城的士卒活埋，恐怕不能作为王者之师的先导吧。"于是将他们全都释放。慕容儁进入蓟城，中原人士前来投降归附的接踵而至。

燕国的军队到达范阳，担任范阳太守的李产还想为后赵抗拒燕军，而他的部众全都不听从他的指挥，不得已，率领范阳郡管辖之下的涿县、良乡、方城、长乡、遒县、故安、范阳、容城八个县的县令、县长出城投降，慕容儁任命李产为范阳郡太守。李产的儿子李绩在幽州刺史属下担任别驾，他抛弃了自己的家人跟随幽州刺史王午撤退到了鲁口，征东将军邓恒对王午说："李绩的家乡在北方的范阳，他父亲李彦已经投降了燕国，李绩现在人虽然在这里，但难以保证他会始终如一地跟随我们，白白地受他拖累，不如除掉他。"王午说："你说的是什么话！如今战乱频仍，局势已经成了这个样子，而李绩竟然能够为了义气而抛弃家小跟随我们，其情义、气节之高，即使是古书所表彰的那些为大义而献身的刚烈之士也不过如此。你竟然因

之，燕、赵之士闻之，谓我直相聚为贼[448]，了无意识[449]。众情[450]一散，不可复集，此为坐自屠溃[451]也。”恒乃止。午犹虑诸将不与己同心，或致非意[452]，乃遣续归[453]。绩始辞午往见燕王儁，儁让之曰：“卿不识天命，弃父邀名[454]，今日乃始来邪！”对曰：“臣眷恋旧主，志存微节[455]，官身所在[456]，何事非君[457]？殿下方以义取天下，臣未谓得见之晚[458]也。”儁悦，善待之。

儁以弟宜为代郡城郎[459]，孙泳为广宁[460]太守，悉置幽州郡县守宰。

甲子[461]，儁使中部俟厘[462]慕輿句督蓟中留事[463]，自将击邓恒于鲁口。军至清梁[464]，恒将鹿勃早[465]将数千人夜袭燕营，半已得入，先犯[466]前锋都督慕容霸，突入幕下[467]。霸起奋击，手杀十余人，早不能进，由是燕军得严[468]。儁谓慕輿根曰：“贼锋甚锐，宜且避之。”根正色曰：“我众彼寡，力不相敌，故乘夜来战，冀万一获利[469]。今求贼得贼[470]，正当击之，复何所疑！王但安卧，臣等自为王破之！”儁不能自安，内史李洪从儁出营外，屯高冢[471]上。根帅左右精勇数百人，从中牙[472]直前击早，李洪徐整骑队还助之，早乃退走。众军追击四十余里，早仅以身免，所从士卒死亡略尽。儁引兵还蓟[473]。

魏主闵复姓冉氏，尊母王氏为皇太后，立妻董氏为皇后，子智为皇太子，胤、明、裕皆为王。以李农为太宰、领太尉、录尚书事，封齐王，其子皆封县公。遣使者持节赦诸军屯[474]，皆不从[475]。

麻秋说苻洪曰：“冉闵、石祗方相持，中原之乱未可平也。不如

为心存猜忌就想害死他，如果让燕国、赵国的人士知道，一定会认为我们只不过是偶然聚集起来的一群强盗，完全没有思想、没有道德。众人之心一散，就再也无法凝聚到一起，这就等于在这里自相残杀、自寻崩溃。”邓恒这才不再主张除掉李绩。王午还是担心诸将与自己的想法不一致，或许会有人私下里做出违背自己心意的事情，将李绩杀掉，遂打发李绩返回范阳。李绩辞别幽州刺史王午往见燕王慕容儁，慕容儁责备李绩说：“你不知道天命，竟然抛弃了自己的父亲而去求得一个不背叛旧主人的虚名，为什么直到今天才来见我！”李绩回答说：“我眷恋自己旧日的主人，想要保留一点微小的气节，我为谁做官，就要为谁效命，那个你为之效过力的人，不就是你过去的主子，怎么能不念一点情义呢？殿下正在高举义旗攻取天下，我不认为自己现在前来投奔是来晚了。”慕容儁听了李绩的这番话，心里很高兴，因此待他很好。

燕王慕容儁任命自己的弟弟慕容宜为代郡城郎，任命徒河南部都尉孙泳为广宁太守，把幽州所有郡守、县令等全部安置完毕。

三月二十四日甲子，燕王慕容儁派担任中部俟厘的慕舆句管理蓟城留守事宜，慕容儁亲自率军攻打据守鲁口的邓恒。燕军到达清梁，邓恒的部将鹿勃早率领数千人马在夜间袭击燕军的营寨，已经有一半人马冲入，首先攻击燕国前锋都督慕容霸，冲进慕容霸的帐幕之中。慕容霸一跃而起进行反击，亲手杀死了十几人，鹿勃早的攻势受阻，不能继续前进，遂给燕军赢得了调动军队进行抵抗的时间。慕容儁对慕舆根说：“贼人的士气很盛，我们应该暂且避一避他们的锋芒。”慕舆根态度严肃地说：“我们人多，他们人少，因为无法与我们对抗，所以才趁黑夜来袭击我们，希望凭借侥幸获取胜利。现在我们正想要攻打敌人，敌人竟然自己送上门来，我们正应该迎头痛击，这还有什么可犹豫的！大王尽管安然地在大帐之中依枕高卧，我等自然会替大王消灭这些敌人！”慕容儁心不自安，担任内史的李洪跟随慕容儁离开大营，驻扎在一座高丘之上。慕舆根率领自己身边的数百名精壮勇敢的士卒，从中军大帐出来径直向鹿勃早冲去，李洪慢慢地整顿好骑兵，回转身来协助慕舆根攻杀鹿勃早，鹿勃早一看形势不妙，赶紧率军退走。燕军随后追杀了四十多里，鹿勃早只自身逃得性命，他率领的数千人马几乎死光。慕容儁遭到鹿勃早的劫营之后，便取消了原定攻打鲁口的计划，率军返回了蓟城。

魏主石闵恢复自己原来所姓的冉姓，并尊奉自己的母亲王氏为皇太后，立自己的妻子董氏为皇后，立儿子冉智为皇太子，冉胤、冉明、冉裕都被封为王。任命李农为太宰、兼任太尉、录尚书事，封为齐王，李农的几个儿子都被封为县公。冉闵派使者手持符节前往滏口、枋头、黎阳等地宽恕那些反对他的各位后赵将领，却没有一个人买他的账。

将军麻秋向苻洪建议说：“邺城的冉闵、襄国的石祗正在进行军事对峙，中原的

先取关中，基业已固，然后东争天下，谁敢敌之！”洪深然之[476]。既而秋因宴鸩洪，欲并其众，世子健收秋斩之。洪谓健曰：“吾所以未入关者，以为中州可定。今不幸为竖子所困[477]，中州非汝兄弟所能办[478]，我死，汝急入关。”言终而卒。健代统其众，乃去大都督、大将军、三秦王之号，称晋官爵，遣其叔父安来告丧，且请朝命[479]。

赵新兴王祗即皇帝位于襄国，改元永宁，以汝阴王琨为相国，六夷据州郡[480]拥兵[26]者皆应之。祗以姚弋仲为右丞相、亲赵王，待以殊礼。弋仲子襄，雄勇多才略，士民多爱之，请弋仲以为嗣。弋仲以襄非长子[481]，不许。请者日以千数，弋仲乃使之将兵。祗以襄为骠骑将军、豫州刺史、新昌公。又以苻健为都督河南诸军事、镇南大将军、开府仪同三司、兖州牧、略阳郡公。

夏，四月，赵主祗遣汝阴王琨将兵十万伐魏。

魏主闵杀李农及其三子，并尚书令王谟、侍中王衍、中常侍严震、赵昇。闵遣使临江[482]告晋曰：“逆胡乱中原，今已诛之，能共讨者，可遣军来也。”朝廷不应。

五月，庐江太守[483]袁真攻魏合肥，克之，虏其居民而还。

六月，赵汝阴王琨进据邯郸，镇南将军刘国自繁阳[484]会之。魏卫将军王泰击琨，大破之，死者万余人。刘国还繁阳。

初，段兰卒于令支[485]，段龛代领其众，因石氏之乱，拥部落南徙。秋，七月，龛引兵东据广固[486]，自称齐王。

八月，代郡人赵榼帅三百余家叛燕归赵并州刺史张平。燕王儁徙广宁、上谷二郡民于徐无[487]，代郡民于凡城。

王朗之去长安也，朗司马京兆[27]杜洪据长安，自称晋征北将军、雍州刺史，以冯翊张琚为司马，关西夷、夏[488]皆应之。苻健欲取之[489]，

战乱很难一下子平息。现在不如先攻取函谷关以西地区，等到基业稳固，然后再出兵向东争夺天下，到那时，谁还敢反抗我们!”苻洪认为麻秋说得非常正确。但事过不久，麻秋就趁着宴会的机会在酒中下毒，想要毒死苻洪，兼并苻洪的部众，苻洪的世子苻健逮捕了麻秋，将麻秋斩首。苻洪对苻健说:“我所以到现在还没有进入函谷关，是觉得我有能力很快地平定中原地区。现在却不幸中了麻秋这小子的毒，将不久于人世，平定中原统一天下的大业，仅靠你们兄弟的能力是完不成的，我死之后，你们要赶紧入关。”说完之后便去世了。苻健接替苻洪统领他的部众之后，就去掉了大都督、大将军、三秦王的称号，改称东晋所授予的职位和爵号，并派遣自己的叔父苻安前往建康禀报苻洪逝世的消息，表示愿意接受东晋朝廷的指挥。

后赵新兴王石祗在襄国即位为皇帝，改年号为永宁，任命汝阴王石琨为相国，那些占据州郡拥有军队的胡人、羯人、氐人、羌人、段氏鲜卑以及巴蛮等人全都响应石祗。石祗于是任命姚弋仲为右丞相、亲赵王，用特别优厚的礼节对待他。姚弋仲的儿子姚襄，英雄勇武而有谋略，士民都很爱戴他，就请求姚弋仲指定姚襄为合法继承人。姚弋仲因为姚襄不是自己的长子，所以没有同意。于是前来请求的人每天都有上千人，姚弋仲遂令姚襄带兵。石祗任命姚襄为骠骑将军、豫州刺史、新昌公。又任命苻洪的儿子苻健为都督河南诸军事、镇南大将军、开府仪同三司、兖州牧、略阳郡公，想要以此拉拢他。

夏季，四月，后赵主石祗派遣汝阴王石琨率领十万人马讨伐魏国。

魏主冉闵杀死了李农和他的三个儿子，同时被杀的还有担任尚书令的王谟、担任侍中的王衍、担任中常侍的严震、赵升。冉闵派使者到长江边告诉东晋说:“叛逆的胡人扰乱中原，现在我已经在诛灭胡人，如果愿意与我一同讨伐剩余的胡人，就请派遣军队前来。”东晋朝廷没有给予答复。

五月，东晋庐江太守袁真率军攻打魏国所占据的合肥，将合肥攻克，俘虏了那里的居民而后撤回庐江。

六月，后赵汝阴王石琨率军进占邯郸，据守繁阳的镇南将军刘国率军从繁阳赶往邯郸与石琨会合。魏国担任卫将军的王泰率军反击石琨，将石琨打得大败，石琨损失了一万多人。镇南将军刘国率军返回繁阳。

当初段兰死在令支，段龛代替段兰统领他的部众，他趁着后赵石氏内乱，率领自己的部众向南迁徙。秋季，七月，段龛率军从陈留向东占据了广固之后，遂自称齐王。

八月，代郡人赵榼率领三百多户居民背叛了燕国，投靠了后赵并州刺史张平。燕王慕容儁将广宁、上谷二郡的民众迁徙到徐无县，将代郡的民众迁徙到凡城。

后赵车骑将军王朗离开长安的时候，在王朗手下担任司马的京兆人杜洪占据了长安，他自称晋国征北将军、雍州刺史，并任命冯翊人张琚为司马，关中地区的各少数民族和汉人全都纷纷起来响应杜洪。苻健想要攻取长安，夺取杜洪的部众与地

恐洪知之，乃受赵官爵[490]，以赵俱[491]为河内太守，戍温[492]，牛夷为安集将军，戍怀[493]。治宫室于枋头，课民[494]种麦，示无西意[495]。有知而不种者，健杀之以徇[496]。既而自称晋征西大将军、都督关中诸军事、雍州刺史，以武威贾玄硕为左长史，略阳〔28〕梁安为右长史，段纯为左司马，辛牢为右司马，京兆王鱼、安定程肱、胡文等为军谘祭酒，悉众而西。以鱼遵为前锋，行至盟津[497]，为浮梁[498]以济[499]。遣弟辅国将军雄帅众五千自潼关入，兄子扬武将军菁帅众七千自轵关[500]入。临别，执菁手曰："若事不捷，汝死河北，我死河南，不复相见。"既济，焚桥，自帅大众随雄而进。

杜洪闻之，与健书，侮嫚[501]之。以张琚弟先[502]为征虏将军，帅众万三千逆战于潼关之北。先兵大败，走还长安。洪悉召关中之众以拒健。洪弟郁劝洪迎健[503]，洪不从，郁帅所部降于健。

健遣苻雄徇渭北[504]。氐酋毛受屯高陵[505]，徐磋屯好畤[506]，羌酋白犊屯黄白[507]，众各数万，皆斩洪使，遣子降于健。苻菁、鱼遵所过城邑，无不降附。洪惧，固守长安。

张贺度、段勤、刘国、靳豚会于昌城[508]，将攻邺。魏主闵自将击之，战于苍亭[509]。贺度等大败，死者二万八千人。追斩靳豚于阴安[510]，尽俘其众而归。闵戎卒三十余万，旌旗钲鼓[511]绵亘[512]百余里，虽石氏之盛，无以过也。

故晋散骑常侍陇西辛谧有高名，历刘、石之世，征辟[513]皆不就。闵备礼征为太常，谧遗闵书，以为："物极则反，致至则危[514]。君王功

盘，他担心杜洪发觉他的阴谋，遂决定表面上接受后赵主石祇所授予的官职和爵位，任命自己的部将赵俱为河内郡太守，戍守温县，牛夷为安集将军，戍守怀县。并在枋头修筑宫室，督促百姓种植小麦，向人表明自己并没有西进的企图。有人知道这不过是苻健的一种伪装，所以拒绝耕种，苻健就把拒不执行耕种命令的人杀掉后载其尸体巡行示众。不久之后，苻健便自称东晋征西大将军、都督关中诸军事、雍州刺史，任用武威人贾玄硕为左长史，任用略阳人梁安为右长史，任用段纯为左司马，任用辛牢为右司马，任用京兆人王鱼、安定人程肱、胡文等为军谘祭酒，率领所有的部众向关西挺进。苻健任命鱼遵为前锋，大军行进到盟津时，就在黄河上搭建起浮桥，从搭建的浮桥上渡过黄河。苻健派自己的弟弟、担任辅国将军的苻雄率领五千人马从潼关进入关中，派自己的侄子扬武将军苻菁率领七千人从轵关进入关中。临别的时候，苻健拉着苻菁的手说："如果不能攻克长安，你就死在河北，我则死在河南，此生不再相见。"苻健率领大军从盟津渡过黄河之后，立即派人放火烧毁了搭建起来的浮桥，苻健亲自率领大军紧随苻雄之后向西挺进。

杜洪听到苻健率领大军进入函谷关来攻取长安的消息后，便写了一封信给苻健，他在信中用极其恶毒的语言对苻健进行侮辱和谩骂。杜洪任命担任司马的张琚的弟弟张先为征虏将军，率领一万三千名兵众在潼关以北迎战苻健。张先被苻健打得大败，逃回了长安。杜洪赶紧征召关中所有的兵众都来抵抗苻健的进攻。杜洪的弟弟杜郁劝说杜洪迎接苻健，杜洪不听，杜郁就率领自己手下的人马投降了苻健。

苻健派自己的弟弟、担任辅国将军的苻雄率领兵众攻取渭水以北地区。氐人酋长毛受率众屯驻在高陵县，徐磋率众屯驻在好畤，羌人酋长白犊率众屯驻在黄白城，每人属下都拥有数万部众，他们都把杜洪派来的使者斩首，随后送自己的儿子到苻健那里充当人质，向苻健投降。苻健侄子苻菁、鱼遵所经过的城邑，没有一处不向他们投降。杜洪这才感到恐惧，于是决心固守长安。

占据石渎的张贺度、占据黎阳的段勤、占据着繁阳城的刘国、靳豚等人全都到昌城会师，准备共同率军攻打占据邺城的魏主冉闵。魏主冉闵亲自率军迎击，双方在苍亭展开激战。张贺度等被冉闵军打得大败，战死了二万八千人。冉闵追杀靳豚，一直追到阴安，终于将靳豚杀死，同时俘获了靳豚的所有部众，随后凯旋。魏主冉闵此时已经拥有三十多万部众，旌旗钲鼓连绵一百多里，即使是石氏的鼎盛时期，也比不上此时的冉闵。

西晋建都洛阳时担任散骑常侍的陇西人辛谧，一向享有很高的声望，他经历了前赵刘氏、后赵石氏，每个朝代的朝廷都曾经征聘他出来做官，他都加以拒绝而不去赴任。魏主冉闵现在又准备了丰厚的礼品征聘他出任太常，辛谧于是写信给冉闵，认为："事物发展到极点就要走向它的反面，垒东西垒到一定高度就面临着倒塌的危险。

已成矣，宜因兹大捷[515]，归身晋朝，必有由、夷之廉[516]，享松、乔之寿[517]矣。”因不食而卒。

九月，燕王儁南徇冀州，取章武[518]、河间[519]。

初，勃海[520]贾坚少尚气节，仕赵为殿中督。赵亡，坚弃魏主闵还乡里，拥部曲[521]数千家。燕慕容评徇勃海，遣使招之，坚终不降。评与战，擒之。儁以评为章武太守，封裕为河间太守。儁与慕容恪皆爱贾坚之材，坚时年六十余，恪闻其善射，置牛百步上[522]以试之。坚曰：“少之时能令不中。今老矣，往往中之。”乃射再发[523]，一矢拂脊[524]，一矢磨腹[525]，皆附肤落毛[526]，上下如一[527]，观者咸服其妙。儁以坚为乐陵[528]太守，治高城[529]。

苻菁与张先战于渭北，擒之，三辅郡县堡壁[530]皆降。冬，十月，苻健长驱至长安，杜洪、张琚奔司竹[531]。

燕王儁还蓟，留诸将守之。儁还至龙城，谒陵庙[532]。

十一月，魏主闵帅步骑十万攻襄国，署[533]其子太原王胤为大单于、骠骑大将军；以降胡一千配之为麾下[534]。光禄大夫韦谀谏曰：“胡、羯皆我之仇敌，今来归附，苟存[29]性命耳。万一为变，悔之何及？请诛屏[535]降胡，去单于之号，以防微杜渐[536]。”闵方欲抚纳群胡，大怒，诛谀及其子伯阳。

甲午[537]，苻健入长安，以民心思晋，乃遣参军杜山伯诣建康献捷[538]，并修好[539]于桓温，于是秦、雍夷夏皆附之。赵凉州刺史石宁独据上邽不下，十二月，苻雄击斩之。

蔡谟除司徒，三年不就职，诏书屡下，太后遣使谕意，谟终不受。

君主您的功业已经完成了，应该趁此大获全胜的时机，回归晋朝，如此一来，君主您一定会有许由、伯夷那样清廉的名声，享受赤松子、王子乔那样的高寿。”辛谧将信送出之后，便绝食而死。

九月，燕王慕容儁率军南下攻取冀州，攻占了冀州所属的章武县、河间县。

当初，勃海人贾坚从小就崇尚气节，他在后赵国做官时，担任殿中督。后赵灭亡后，贾坚便离开魏主冉闵回到自己的家乡勃海郡，仍然拥有数千家私人武装。燕国慕容评率军攻取勃海，派使者招降贾坚，贾坚始终不肯投降。慕容评与贾坚交战，将贾坚擒获。燕王慕容儁任命慕容评为章武太守，任命封裕为河间太守。慕容儁与慕容恪都很爱惜贾坚的才能，贾坚当时已经六十多岁，慕容恪听说贾坚精于射箭，就牵来一头牛，让牛站在一百步之外，请贾坚试射。贾坚说：“年轻的时候，我可以不让自己射中。如今年纪老了，往往能够射中。”遂连发两箭，一支箭擦着牛背而过，一支箭贴着牛肚皮而过，两支箭都是不伤皮肤地射掉了一些牛毛，上下箭痕一模一样，观看的人全都对贾坚箭术的精妙佩服得五体投地。燕王慕容儁遂任用贾坚为乐陵太守，并把乐陵郡的郡治改设在高城。

苻菁率军与张先在渭水以北交战，苻菁将张先擒获，三辅地区各郡县的堡寨全都向苻菁投降。冬季，十月，苻健率领大军长驱直入到达长安，杜洪、张琚逃奔司竹。

燕王慕容儁回到蓟城，他留下诸将守卫蓟城。慕容儁返回燕国的都城龙城后，就到祖陵及家庙告祭祖先。

十一月，魏主冉闵率领步兵、骑兵总计十万人马攻打襄国的后赵主石祗，任命自己的儿子太原王冉胤为大单于、骠骑大将军，把投降过来的一千名胡人调拨给冉胤，做冉胤的部下。担任光禄大夫的韦谀劝阻说：“胡人、羯人都是我们的仇敌，如今前来归附，只是为了暂时保全性命。万一他们叛变，后悔哪里来得及呢？请把这些投降的胡人或是杀掉，或是驱逐，然后去掉单于称号，在事物刚刚出现不良现象时，就立即加以限制，不让它扩大发展，以防止变乱发生。”冉闵正准备招抚、接纳诸胡人，听了韦谀的这番话，不仅勃然大怒，竟然将韦谀以及韦谀的儿子韦伯阳杀死。

甲午日，苻健进入长安，因为民心都怀念晋国，苻健于是派遣担任参军的杜山伯为使者前往都城建康，向东晋朝廷奏报胜利的消息和进奉战利品，同时与东晋征西大将军桓温建立友好关系，于是秦州、雍州二州之中不论是夷人还是汉人全都归附于苻健。后赵的凉州刺史石宁独自据守上邽，不肯向苻健投降；十二月，苻雄率军攻击上邽，将石宁斩首。

东晋朝廷任命蔡谟为司徒，三年过去了，蔡谟一直没有赴任，朝廷多次下达诏书，皇太后也派使者向他表达诚意，蔡谟始终不肯接受司徒这一任命。于是晋穆帝

于是帝临轩⑤⑩，遣侍中纪据、黄门郎丁纂征谟。谟陈疾笃，使主簿谢攸陈让⑤⑪。自旦至申⑤⑫，使者十余返，而谟不至。时帝方八岁，甚倦，问左右曰："所召人何以至今不来？临轩何时当竟⑤⑬？"太后以君臣俱疲，乃诏："必不来者⑤⑭，宜罢朝。"中军将军殷浩奏免⑤⑮吏部尚书江彪官。会稽王昱令曹⑤⑯曰："蔡公傲违上命⑤⑰，无人臣之礼。若人主⑤⑱卑屈于上⑤⑲，大义⑤⑳不行于下，亦不知复[30]所以为政矣！"公卿乃奏："谟悖慢⑤㉑傲上，罪同不臣⑤㉒，请送廷尉⑤㉓，以正刑书⑤㉔。"谟惧，帅子弟素服[31]诣阙稽颡⑤㉕，自到廷尉待罪⑤㉖。殷浩欲加谟大辟⑤㉗，会徐州刺史荀羡入朝，浩以问羡，羡曰："蔡公今日事危⑤㉘，明日必有桓、文之举⑤㉙。"浩乃止。下诏免谟为庶人。

【段旨】

以上为第三段，写晋穆帝永和六年（公元三五〇年）的大事。主要写了石闵欲灭石氏之迹，改国号曰"卫"；卫主石鉴谋杀石闵，反被石闵所杀，石闵自称皇帝，改国号为大魏；写了石祗在襄国称帝，命石琨、王朗、刘国等两次大举攻魏，都被魏以少量军队轻易打败；张贺度、段勤等起兵攻魏，被魏军大破于苍亭；写了晋王朝以殷浩为都督，谋取北伐，以上年降晋的苻洪（即蒲洪）为征讨前锋；写了苻洪、姚弋仲皆有据关中自立之志，姚弋仲派其子姚襄击苻洪，被苻洪打败，苻洪自称三秦王；接着苻洪被降将麻秋毒死，其子苻健退而仍称晋官爵，请听朝命；这时赵将杜洪据长安，自称晋之征北将军，关西夷夏皆应之；苻健则假装受赵官爵，示无西意，以麻痹杜洪，寻而麾军长驱入关，所过城邑，纷纷归附；苻健进入长安，并西取上邽，但以人心思晋，乃向晋朝告捷，并修好于桓温；写了燕主慕容儁起兵南伐，很快攻克乐安、蓟城，并进军鲁口，中途受到魏将鹿勃早的夜袭，遂引兵还蓟；接着二次南伐，取得章武、河间、乐陵等地；此外还写了蔡谟被授司徒之职，三年不上任，以致太后、皇帝坐朝立等，蔡谟仍拒不应命，殷浩欲治以"无人臣礼"，处以大辟，后从荀羡之议，免谟为庶人；等等。

司马聃坐在金殿前面的平台上，派遣担任侍中的纪据、担任黄门郎的丁纂前往征召蔡谟。蔡谟推说自己病势沉重不能前去，竟然派自己属下的主簿谢攸出来辞让。从早晨一直到了下午五时左右，使者往返了十多次，而蔡谟始终不来。当时皇帝司马聃才刚刚八岁，等了将近一天的时间，已经非常疲倦，就问身边的人说："我所召见的人为什么不来？我在这里要等到什么时候？"褚太后因为君臣都很疲乏，就下诏说："如果他一定不来，就退朝吧。"担任中军将军的殷浩奏请皇帝罢免主管官吏任免的吏部尚书江彪的官职。会稽王司马昱下令给尚书曹说："蔡谟傲慢无礼，公然违背皇帝的诏命，没有一点臣属的礼貌。如果高高在上的皇帝已经谦逊地下诏给大臣，而大臣却不服从人臣必须服从君主的大义，那就不知道又该如何推行国家的政令了！"公卿大臣遂上疏给皇帝说："蔡谟狂悖傲慢，藐视君主，就应该与那些不忠于君主或是背叛君主的罪过同等对待，请将蔡谟送往廷尉处，依法处置，以维护国家法律的尊严。"蔡谟大为恐惧，立即率领自己的子弟穿着白衣到皇宫门口请罪，并主动到廷尉那里听候处治。殷浩想要判处蔡谟死刑，恰巧此时徐州刺史荀羡入朝，殷浩就此事询问荀羡，荀羡说："如果今天把蔡谟杀掉，明天必然有人站出来，像齐桓公、晋文公那样起兵兴师问罪。"殷浩才没敢坚持杀掉蔡谟。皇帝下诏罢免蔡谟的所有官职，贬为平民。

【注释】

㊴欲灭去石氏之迹：想消除石氏政权的一切痕迹。㊵托以谶文：假托预言吉凶的谶文上有如何如何的说法。谶文，古代阴谋家为实现某种目的而编造的一种预言。如秦末出现的"灭秦者，胡也"；汉代"尹敏"编造的"君无口，为宰辅"等皆其显例。㊶易姓李氏：意谓石闵遂改姓"李"。"姓"与"氏"本来有区别，"姓"是一个大的范畴，里头再分若干支派叫"氏"。后来人们将其混用、连用。㊷出奔襄国：投奔石祗。石祗是石虎的儿子，当时驻兵襄国，即今河北邢台。㊸冀州：赵国的州名，州治即今河北衡水市冀州区。㊹滏口：山口名，在今河北磁县西北的鼓山，滏阳河发源于此。为太行山的八陉之第四陉，故又名滏口陉。古时为自邺县西出的要道。㊺石渎：也称石窦堰，在今河北临漳西南的故邺县城东。㊻黎阳：古镇名，也是古黄河的渡口名，在今河南卫辉东。㊼桑壁：据胡注，桑壁指汉桑中县故城，俗称石勒城。桑中故城在今河北平山县东南。㊽阳城：即今繁阳县城，遗址在今河南内黄东北。永和六年，刘国自繁阳引兵会石琨击冉闵。㊾陈留：赵郡名，郡治小黄县，在今河南开封东。㊿承闵书：按照石闵来信的要求。㉛闰月：闰二月。㉜赍书：带着密信。㉝混桥：桥名，在今河北临漳西南故邺城东北。㉞总驭：统领驾驭。总，凝聚、统领。㉟混壹：犹言"统一"。㊱识机知命：

识时务，知天命。机，时机。㊲己丑：闰二月十八。㊳以蒲洪为氐王：蒲洪原是氐族人，去年遣使来降，今经略中原，故授任以怀来之。㊴蒲健：蒲洪之子。㊵改姓苻氏：据说蒲洪是由于看到谶文上有所谓“草付应王”及其孙坚背上生有“卄付”字样，故而改姓“苻”。㊶南安雷弱兒：南安郡人姓雷名弱兒。南安郡是赵郡名，郡治在今甘肃陇西县东南。㊷氐酋：氐族人的头领。㊸蠮螉塞：即今北京昌平西北的居庸关，或说蠮螉塞在今北京密云东。㊹卢龙塞：在今河北喜峰口附近，古有山道自今天津市蓟州区南来，东北行经遵化，再经喜峰口东北行，通往辽西到大凌河流域。㊺槎山通道：劈山开道。槎，斜砍。㊻三陉：地名，在今河北滦南北的横山上。㊼惶怖：恐惧惊慌。㊽安乐：当作“乐安”，在今河北昌黎西南。㊾共保蓟：共同保卫蓟县。此蓟县即今之北京，当时属于后赵。㊿孙泳：燕国将领。431 籍其谷帛：将救下来的粮食、绢帛都登记入册。432 临渠：一名临沟城，以临沟渠得名，在今河北三河市东。433 无终：古县名，县治即今天津市蓟州区。434 鲁口：古城名，即今河北饶阳。435 乙巳：三月初五。436 抚有中州：安定并占有中原地区。中州，以河南为中心的黄河中游地区。437 不可以为王师之先声也：王者之师的开端不应该是这种样子。先声，先导、开端。438 入都于蓟：进驻蓟县，并以蓟县作为燕国的都城。439 范阳：郡国名，郡治即今河北涿州。440 八城令长：涿州所属的八个县的县令、县长。此八县指涿县、良乡、方城、长乡、道县、故安、范阳、容城。441 幽州别驾：幽州刺史的高级僚属。因其随刺史出行时能别乘一车，故称“别驾”。442 乡里在北：王绩为范阳人，范阳在鲁口之北。443 去之：意即杀了他。444 丧乱：死亡战乱。445 乃能立义捐家：竟然能够为了义气而不顾家。捐，舍弃、丢下。446 情节：情义、气节。447 古烈士：古代史书所表彰的那些为大义而献身的刚烈之士。448 直相聚为贼：只不过是偶然聚集起来的一群强盗。449 了无意识：全然没有一点思想、道德。450 众情：犹言“人心”。451 坐自屠溃：自相残杀，自寻崩溃。溃，散乱、瓦解。452 或致非意：做出违背自己本意的事，谓杀掉李绩。453 乃遣绩归：于是打发李绩回了范阳。454 邀名：求得一个不背旧主的名声。455 志存微节：想保留一点微小的气节。456 官身所在：为谁任职，就应该为谁效命。457 何事非君：那个你为之效过力的人，不就是你过去的主子吗？你怎么能不念一点情义呢。458 未谓得见之晚：我看不出现在来投奔您就算是多么晚。459 代郡城郎：代郡郡城的军政长官。城郎，也称“城大”“城主”，皆鲜卑所置。代郡的郡城即今河北蔚县东北的代王城。460 广宁：燕郡名，郡治即今河北涿鹿。461 甲子：三月二十四。462 中部俟厘：鲜卑部族的首领之称。463 督蓟中留事：管理蓟县里的留守事宜，实即留守蓟县都城。464 清梁：古城名，在今河北保定西南四十里，也作“清凉城”。465 鹿勃早：姓鹿，名勃早。466 先犯：首先进攻。467 幕下：帐篷之内。468 燕军得严：给燕军争取到了进行抵抗的时间。严，武装自己。469 万一获利：意即侥幸取胜。470 求贼得贼：我们不是要打敌人么，敌人已经送上门来。471 高冢：高丘之顶。472 中牙：指慕容儁的中军大帐。牙，通“衙”。473 儁引兵还蓟：儁之还蓟，亦鹿勃早有以挫其锋，否则将直攻鲁口矣。474 赦诸军屯：宽恕那些反对他的屯驻在外的各位后赵将领，如张沈、蒲洪等。⑮皆不从：都不买冉闵的账，不理睬他。⑯深然之：极以其所说为然；认为很正确。⑰为竖子所困：被麻秋弄成了这种样子，指自己中毒将死。竖子，骂人语，犹谓小子，此指麻秋。⑱所能办：所能平定统一。⑲且请朝命：愿意接受晋王朝的指挥。⑳六夷据州郡：那些占据州郡号令一方的胡、羯、氐、羌、段氏鲜卑及巴蛮等人。㉑以襄非长子：姚襄是姚弋仲的第五子。㉒临江：到长江边。㉓庐江太守：东晋的庐江太守。庐江郡的郡治即今安徽舒城。㉔繁阳：县名，县治在今河南内黄东北。㉕段兰卒于令支：段兰是鲜卑段氏部落头领段辽之弟，段辽被慕容氏消灭后，段兰北投宇文氏，宇文氏将段兰送给了后赵主石虎，石虎让段兰率其旧部仍居于段氏的故城令支，在今河北迁安一带。事在晋康帝建元元年。段兰死后，其子段龛代领其众。㉖广固：古城名，在今山东青州西北八里的尧山之南。龛自陈留而东据广固。㉗徐无：古县名，县治在今河北遵化西。㉘关西夷、夏：关中地区的各少数民族与汉族人。㉙欲取之：想要夺取杜洪的部众与地盘。㉚受赵官爵：谓表面上接受赵主祗所授的官爵。㉛赵俱：苻健的部下。㉜温：县名，县治在今河南温县西南三十里。㉝怀：县名，县治在今河南武陟西南。㉞课民：督促百姓。㉟示无西意：做出一种不打算再向西部进兵的样子。㊱杀之以徇：杀死后载其尸体巡行示众。㊲盟津：渡口名，也称“孟津”，在今河南孟州西南的黄河上。㊳为浮梁：搭建浮桥。㊴济：渡河，此指渡过黄河。㊵轵关：山口名，在今河南济源西北。因其地当轵道之险，故名。为太行八陉中的第一陉，历来是军事要冲。㊶侮嫚：侮辱、漫骂。㊷张琚弟先：张琚之弟张先。㊸迎健：意即向苻健投降。㊹徇渭北：攻取渭水以北之地。㊺高陵：县名，县治在今陕西高陵西南一里。㊻好畤：县名，县治在今陕西乾县东的好畤村东南二里。㊼黄白：古城名，本秦之曲梁宫，在今陕西三原东北十里。㊽昌城：古城名，在今河南南乐西北。或说在今河北大名境。㊾苍亭：渡口名，在今山东莘县南的古黄河上。㊿阴安：县名，县治在今河南清丰北二十里。511钲鼓：古代军中所用乐器名，鸣钲以为鼓节。钲，乐器名，亦名丁宁。形似钟而狭长，有长柄，柄中上下通，用时口朝上，以槌敲击。行军时也可以用来节制步伐。512绵亘：连绵不断的样子。513征辟：诏聘。朝廷诏聘为征，三公以下请召为辟。514致至则危：垒东西垒到一定高度就要倒。至，尽头、极点。515因兹大捷：趁着这场大获全胜的时机。516由、夷之廉：像许由、伯夷一样廉洁的名声。相传许由、伯夷都是拒绝天下之权而不受的高洁之士。事详《史记·伯夷列传》与《庄子·逍遥游》、晋皇甫谧的《高士传》。517松、乔之寿：赤松子、王子乔一样的长寿。赤松子、王子乔都是传说中的仙人。《韩非子·解老》有所谓“赤松得之与天地统”；《论衡·无形》有所谓“赤松、王乔好道为仙，度世不死”。518章武：郡国名，郡治东平舒，今河北大城。519河间：郡国名，郡治乐城，在今河北献县东南。520勃海：郡名，郡治在今河北沧州西南。521拥部曲：拥有军民合一的私人武装。部曲，古代战乱时期常有某个地主豪绅团聚许多乡民，组织成一种军民合一的、独立的自卫组织。522百步上：百步以外。㉓ 再发：射了两箭。㉔ 拂脊：擦其脊背而过。拂，轻轻擦过。㉕ 磨腹：贴着肚皮而过。㉖ 附肤落毛：不伤皮肤地射断了一些毛。附，靠近。㉗ 如一：完全一样。㉘ 乐陵：郡名，郡治在今山东惠民东北。㉙ 治高城：慕容儁把乐陵郡的郡治改到了高城县，县治在今河北盐山县东南。㉚ 堡壁：坞壁、堡寨，都是战乱年代为谋求自卫而构筑的防守工事。㉛ 司竹：即司竹园，在今陕西周至东南十五里，汉于此设有司竹长丞。㉜ 谒陵庙：到祖陵和宗庙告祭祖先。㉝ 署：任命，这里是使代理的意思。㉞ 麾下：部下。㉟ 诛屏：意即诛灭、诛除。㊱ 防微杜渐：在事物刚刚出现不良现象时，即加以限制，不使扩大发展。㊲ 甲午：此语有误。十一月朔戊戌，无甲午日。甲午应是十月二十七。㊳ 献捷：战胜后向朝廷进奉俘虏和战利品。㊴ 修好：结好；搞好关系。㊵ 临轩：皇帝不坐正殿而坐到殿前的堂阶之间，表示急切等待的样子。殿前近檐之处两边有栏杆，如车之轩，故也称轩。㊶ 陈让：辞让。㊷ 自旦至申：从早晨到下午。申，指十五时至十七时。㊸ 何时当竟：何时算是结束。竟，终了。㊹ 必不来者：如果他一定不来。者，语气词，表示假设，相当于"……的话"。㊺ 奏免：请求皇帝罢免。㊻ 令曹：下令给尚书曹。时昱录尚书六条事。尚书省下设若干曹，曹下置尚书若干人，此指尚书台主管官吏任免的尚书。㊼ 傲违上命：傲慢地违背皇帝的命令。㊽ 人主：指皇帝。㊾ 卑屈于上：指皇帝说话，蔡谟不听。㊿ 大义：人臣应该服从君主的一般道理。551 悖慢：狂悖傲慢。552 罪同不臣：应该与那些不忠于君主或背叛君主的罪过相同。553 送廷尉：送交司法部门。廷尉是朝廷的最高司法长官，秩中二千石，后代也称"大理寺"。554 以正刑书：犹后世之所谓"正法""以正典刑"，亦即维护刑法条文的尊严。555 诣阙稽颡：到朝廷磕头请罪。阙，宫廷正门前的双阙，这里即指宫廷。稽颡，磕头至地。556 待罪：听候处治。557 大辟：即杀头。558 事危：谓被处以死刑。559 必有桓文之举：谓将有人举兵以讨伐司马昱与殷浩之罪。桓、文，指齐桓公和晋文公，春秋时代的两位诸侯霸主。

【校记】

［21］二十八孙：据章钰校，十二行本、乙十一行本皆作"三十八孙"。［22］何如：原无此二字。据章钰校，十二行本、乙十一行本、孔天胤本皆有此二字，张敦仁《通鉴刊本识误》、张瑛《通鉴校勘记》同，今据补。［23］右将军：据章钰校，十二行本、乙十一行本、孔天胤本皆作"后将军"。［24］王堕为右将军，领右司马：原无此二句。据章钰校，十二行本、乙十一行本、孔天胤本皆有此二句，张敦仁《通鉴刊本识误》、张瑛《通鉴校勘记》同，今据补。［25］乃释之：原无此三字。据章钰校，十二行本、乙十一行本皆有此三字，张瑛《通鉴校勘记》同，今据补。［26］拥兵：原无此二字。据章钰校，十二行本、乙十一行本皆有此二字，张瑛《通鉴校勘记》同，今据补。［27］京兆：原无此二字。据章钰校，十二行本、乙十一行本皆有此二字，张敦仁《通鉴刊本识误》、张瑛《通鉴校勘记》同，今据补。［28］略阳：原作"洛阳"。据章钰校，十二行本、乙十一行

本皆作“略阳”，熊罗宿《胡刻资治通鉴校字记》同，今据改。[29]存：据章钰校，十二行本、乙十一行本皆作“全”。[30]复：原无此字。据章钰校，十二行本、乙十一行本、孔天胤本皆有此字，张敦仁《通鉴刊本识误》同，今据补。[31]素服：原无此二字。据章钰校，十二行本、乙十一行本、孔天胤本皆有此二字，张敦仁《通鉴刊本识误》同，今据补。

【研析】

本卷写晋穆帝永和四年（公元三四八年）至永和六年共三年间的各国大事。所写的主要人物与事件可议论的有如下几点。

第一，后赵石虎政权的行将灭亡。石虎是石勒的养子，自幼残暴异常，但在战场上几乎所向无敌。他首先帮着石勒灭了前赵主刘曜，使石勒政权接近于统一了中原地带，势力与当年三国时代的曹魏大致相同。石勒死后，石虎杀光了石勒子孙而自己称帝，其地盘扩展得比石勒时代还要大，它西到甘肃，向南接近长江边，向东占到山东，向北占到长城一线。石虎为赵王十四年，死后赵国迅即灭亡，其原因是其自身的凶残，与其内部的互斗。石虎有儿子几十个，父子都醉心于打猎，而且都玩得别出心裁：“虎好猎，晚岁，体重不能跨马，乃造猎车千乘，刻期校猎。自灵昌津南至荥阳、东极阳都为猎场，使御史监察，其中禽兽有犯者罪至大辟。民有美女、佳牛马，御史求之不得，皆诬以犯兽，论死者百余人”；石虎“命太子宣出祈福于山川，因行游猎。宣乘大辂，羽葆华盖，建天子旌旗，十有六军戎卒十八万出自金明门。虎从其后宫升陵霄观望之，笑曰：‘我家父子如此，自非天崩地陷，当复何愁！但抱子弄孙，日为乐耳’”。“宣所舍，辄列人为长围，四面各百里，驱禽兽，至暮皆集其所，使文武跪立，重行围守，炬火如昼，命劲骑百余驰射其中，宣与姬妾乘辇临观，兽尽而止。或兽有迸逸，当围守者，有爵则夺马，步驱一日，无爵则鞭之一百。士卒饥冻死者万有余人。所过三州十五郡，资储皆无孑遗”。石虎迷恋于大兴土木，建造宫殿，既建邺城、襄国，又建洛阳、长安。“虎使尚书张群发近郡男女十六万人，车十万乘，运土筑华林苑及长墙于邺北，广袤数十里。申钟、石璞、赵揽等上疏陈天文错乱，百姓凋敝。虎大怒曰：‘使苑墙朝成，吾夕没，无恨矣！’促张群使然烛夜作，暴风大雨，死者数万人。郡国前后送苍麟十六，白鹿七，虎命司虞张曷柱调之以驾芝盖，大朝会，列于殿庭。”石虎又“发诸州二十六万人修洛阳宫。发百姓牛二万头配朔州牧官。增置女官二十四等，东宫十二等，公侯七十余国皆九等，大发民女三万余人，料为三等以配之。太子、诸公私令采发者又将万人。郡县务求美色，多强夺人妻，杀其夫及夫自杀者三千余人。至邺，虎临轩简第，以使者为能，封侯者十二人。荆楚、扬、徐之民流叛略尽，守令坐不能绥怀，下狱诛者五十余人。金紫光禄大夫逯明因侍切谏，虎大怒，使龙腾拉杀之”。蒲洪曾质问石虎：

"陛下既有襄国、邺宫，又修长安、洛阳宫殿，将以何用？作猎车千乘，环数千里以养禽兽，夺人妻女十万余口以实后宫，圣帝明王之所为，固若是乎！"古代著名的昏君、暴君如夏桀、殷纣等似乎都达不到这种程度。

石虎政权与他之前的刘聪政权、刘曜政权、石勒政权灭亡的情形如出一辙，都是周边的其他外部势力瞠目窥观、无可奈何，而被他们自己身边的亲信所灭掉。刘聪死后，政权被靳准所篡夺，刘聪子孙被诛除净尽，刘曜诛靳准而代立；刘曜强大一时，结果被亲密战友石勒所擒杀，子孙被诛除净尽；石勒英雄盖世，豪气过人，整个东晋时代少有其比。但一朝逝世，政权立刻被其养子石虎所篡夺，子孙又被诛除净尽。石虎与刘曜、石勒相比，简直不齿于人类，但其军威之强大，仍较其前代有过之而无不及。其家族灭亡之悲惨，也更为历史之所少有。石虎的首任太子石邃因欲弑虎而被虎所杀；石虎的二任太子石宣因杀其弟石韬而被石虎所烧死；石虎死后其三任太子石世被立为嗣，石虎之子石遵不服，杀石世而自立为帝；石虎的养孙石闵因恨石遵食言，拥立石虎的另一个儿子石鉴为帝而杀掉石遵；石鉴最后又被石闵杀害而石闵自立为帝，改国号曰魏，恢复其本姓为冉闵；石虎的另一个儿子石祗自立为帝，兴兵以讨冉闵，历经几次反复，石祗的叛将杀石祗，投降冉闵，冉闵遂灭赵并杀光石氏家族（见下卷）。冉闵为魏帝三年，被鲜卑之燕王慕容儁所破杀。这就是石氏后赵政权的始末，岂不惊心动魄与可哀也哉？

第二，在石氏政权严重内乱、内部千疮百孔之际，周边的政权都在做什么？与石氏政权并立的南方政权是晋王朝，晋王朝表面风流儒雅，其内部实则腐败、堕落，朝臣之间钩心斗角、各怀鬼胎。这时能不失时机地出兵北伐，并取得了一定成绩的是梁州刺史司马勋。他由汉中兵出骆谷，夺取了赵军占领的长城戍（今陕西周至西南），并派部下率兵进攻长安，破杀了赵国的京兆太守，又攻下周至西边的贺城。三辅地区为之震动，许多郡县都纷纷起义以响应司马勋。这是多么好的军事形势，但是朝廷与荆州的方面大员竟然没有给司马勋提供任何及时的后续支持，使司马勋孤立无援，不能继续深入，无奈何只好转兵攻取南阳，杀其太守而退回汉中。宋代的胡三省对此遗憾地说："使桓温于是时攻关中，关中可取也。"

从朝廷方面主动提出北伐的是褚裒，晋穆帝的外祖父。朝廷里七嘴八舌意见不一，有人坚决反对，有人敲边鼓，说什么"夫能顺天乘时，济群生于艰难者，非上圣与英雄不能为也，自余则莫若度德量力。观今日之事，殆非时贤所及"。意思是如果有文王、武王、周公、太公，或者可以趁此立功；否则像今天朝廷上的这些人，便只能掂量自己的能力，还是老实点好了。一句话，多一事不如少一事，还是不干的好。褚裒不甘心，坚决请行，遗憾的是褚裒的确不是一个有才干的军事家，而且整个朝廷也根本没有一种"势在必战、战则必胜"的勇气。于是褚裒率兵三万，趋向徐州。北方地区，闻讯纷纷响应，前来归降者不绝。结果由于部将王龛、李迈率领的小部队在山东曲阜一带遇到敌人的骑兵大队，作战不利，褚裒便因此率军退回扬州。这场晋王朝的所谓“北伐”，便宣告失败了。褚裒没有捉到狡猾狐狸，白惹了一身骚，招来了朝里朝外的一通臭骂。丁奉为此气愤地说：“褚裒，晋康帝之后父也。后父之凭仗宠灵，自求于殄灭者简册相望矣。裒之畏避国权，已非椒房诸戚之可企；而况彭城一举，独欲攘夷而尊夏？虽其功不克，然其名义赫乎可尚。彼晋臣自安石之余，鲜有此志矣。史臣赞为‘后族之英华，缙绅之令望’，信矣。”袁黄说：“褚裒拜疏北伐，事虽无成，然尚有丈夫气；蔡谟谓‘当度德量力’，岂以中原为不应复乎？事前无所见白，退有后言，而史氏方以‘忧国’许之，无识甚矣！”

相比之下，我们再看看燕地的慕容儁政权在干什么。燕将慕容霸、孙兴、黄泓等都反复上书，劝慕容儁乘机南伐，慕容儁下令准备。几个月后，燕军分两路进入长城，很快地攻克蓟县（今北京市），随后又南下范阳（今河北涿州）；几个月后，又攻下章武（今河北大城）、河间（今河北献县）、乐陵（今河北盐山县）。离赵、魏的襄国、邺城已经没有多远了。看见了吗？这就是新生事物的力量！比起死气沉沉的东晋王朝，这才是生气勃勃的真老虎！到下一年，读者就可以看到慕容儁是如何收拾冉闵，如何把国境南推到与东晋为邻，让这个该死的腐朽王朝日夜揪心了。

其三，本卷还写了蔡谟其人，此人是守旧、苟安、不思进取之势力的代表。一贯反对经营北方。朝廷任命蔡谟为司徒，蔡谟拒不上任，一拖三年之久。直到太后下令，皇帝临轩，百官聚集相候，蔡谟仍是不来。对于这样一个废物，朝廷怎么竟会如此看成香饽饽呢？尹起莘对上议论说：“蔡谟在晋，诚为表表，然安天子临轩，百官布列，若待神明，谟乃傲然偃蹇，使者十余返而不至哉？唯使者往返之时，而谟亦明知临轩久矣之意，其心何以自安？既而朝廷不容，请致廷尉，方乃稽颡待罪，何前倨而后恭耶？况谟甫陈疾笃，随即诣阙，又何愈之速耶？由前言之则不忠，由后言之则不智，此皆谟忽视幼君，下视同列之故尔。使果遇英豪之君、朝纲振肃，必不敢尔。”袁黄说：“蔡谟三年不就职，征召以疾辞，偃蹇不臣，论以‘无将’之诛，实无可逃。荀羡乃用危言沮止，岂复知有大义耶？尹起莘责其傲上不忠，尚不失褒贬之正；书法乃云‘免谟为无罪’之辞，则颠倒是非甚矣。”其实这种怪现象也只有产生在东晋这种奇怪的王朝之中，王导可以让乱臣贼子获得旌表，朝廷高官可以居官而不管事，真正居官任职一心奉公的人被视为庸俗。举朝如此，想把一个下等人“明正典刑”是可以的；想把一个地位崇高的大士族“明正典刑”，办得到吗？

卷第九十九　晋纪二十一

起重光大渊献（辛亥，公元三五一年），尽阏逢摄提格（甲寅，公元三五四年），凡四年。

【题解】

本卷写晋穆帝永和七年（公元三五一年）至永和十年（公元三五四年）共四年间的东晋及各国大事。主要写了后赵的残余势力石祗与魏主冉闵的反复争夺，最后石祗被其部将刘显所杀，刘显先降冉闵，不久又自己称帝，结果被冉闵破杀之，后赵彻底被灭；写了燕将慕容恪、慕容评等大举攻魏，破冉闵于常山，俘获冉闵，冉闵被斩于龙城；写了燕将慕容评攻占邺城，冉闵政权彻底被灭，魏之所辖州郡纷纷北降燕、南降晋，燕军所至，秋毫无犯，甚得民和；写了慕容儁在蓟城即皇帝位，其势力扩张，南境直达淮河，与东晋接壤；写了在北方州郡纷纷降晋，关中地区苻健政权也不稳定的时候，荆州刺史桓温屡次请求北伐，而执掌朝政的会稽王司马昱与徒有虚名的殷浩害怕桓温势大难制而坚持不许，其后殷浩则一反常态地自己率领谢尚、荀羡等大兵北出，结果被秦军大破于许昌，除谢尚的部将戴施从邺城获得一块传国玉玺外，其他一无所获；写了殷浩在一次北伐后不久又来了个二次北伐，结果由于姚襄叛变，两次被姚襄大破于山桑，桓温遂趁朝

【原文】

孝宗穆皇帝中之上

永和七年（辛亥，公元三五一年）

春，正月丁酉[①]，日有食之。

苻健左长史贾玄硕等请依刘备称汉中王故事[②]，表健[③]为都督关中诸军事、大将军、大单于、秦王。健怒曰："吾岂堪为秦王邪？且晋使[④]未返，我之官爵，非汝曹所知也。"既而密使梁安讽玄硕等[⑤]上尊号，健辞让再三，然后许之。丙辰[⑥]，健即天王、大单于位，国号大秦，大赦，改元皇始。追尊父洪为武惠皇帝，庙号太祖，立妻强氏为天王后，子苌为太子，靓为平原公，生为淮南公，觌为长乐公，方为高阳公，硕为北平公，腾为淮阳公，柳为晋公，桐为汝南公，廋为

野之怒，上书数殷浩之罪，于是殷浩被削职流放，死于贬所；写了在殷浩北伐之前，王羲之就劝阻殷浩，殷浩不听，败回后，复谋再举，王羲之再次劝阻，以为“力争武功，非所当作”，又上书司马昱，以为“今虽有可喜之会，内求诸己，而所忧乃重于所喜”云云；写了桓温率兵北伐关中，桓温的步兵由武关入，大破秦军于兰田，又破秦军于白鹿原，进抵灞上，距长安只剩咫尺之遥，后败于白鹿原，遂徙关中三千户而归；写了苻健既挫败桓温，又平定了各地的反抗势力，遂稳定了在关中的统治；写了苻健“勤于政事，数延公卿咨讲治道。承赵人苛虐奢侈之后，易以宽简节俭，崇礼儒士，由是秦人悦之”，苻健在关中即皇帝位，国号曰“秦”，即历史上所说的“前秦”；写了羌族头领姚弋仲死，遗言令诸子归晋，其子姚襄不从，乃与秦兵战，被秦兵所败，姚襄率部归晋，后又反晋，投靠了燕国；写了凉州张重华误用族人张祚，外放其功臣谢艾，重华死后，张祚废重华子曜灵，杀死了谢艾，自称为凉王；等等。

【语译】

孝宗穆皇帝中之上

永和七年（辛亥，公元三五一年）

春季，正月初一日丁酉，发生日食。

苻健左长史贾玄硕等人请求苻健依照刘备在蜀中自称汉中王的先例，上表给东晋朝廷请求任命苻健为都督关中诸军事、大将军、大单于、秦王。苻健生气地说：“我哪能担当得了秦王的重任？再说，派往东晋朝廷的使者杜山伯还没有返回，我的官爵是什么，不是你们这些人所能知道的。”过后，苻健悄悄指使梁安暗示贾玄硕等，联名向苻健奉上皇帝尊号，苻健假惺惺地再三推辞谦让了一番之后，便同意了众人的意见。正月二十日丙辰，苻健即位为天王、大单于，国号大秦，实行大赦，改元皇始。他追尊自己的父亲苻洪为武惠皇帝，庙号太祖，立自己的妻子强氏为天王后，立自己的儿子苻苌为天王太子，任命苻靓为平原公，苻生为淮南公，苻觌为长乐公，苻方为高阳公，苻硕为北平公，苻腾为淮阳公，苻柳为晋公，苻桐为汝南

魏公，武为燕公，幼为赵公。以苻雄[7]为都督中外诸军事、丞相、领车骑大将军、雍州牧、东海公，苻菁[8]为卫大将军、平昌公，宿卫二宫[9]，雷弱兒为太尉，毛贵为司空，略阳姜伯周为尚书令，梁楞为左仆射，王堕为右仆射，鱼遵为太子太师，强平为太傅，段纯为太保，吕婆楼为散骑常侍。伯周，健之舅。平，王后之弟[10]。婆楼，本略阳氐酋也。

段龛请以青州内附[11]。二月戊寅[12]，以龛为镇北将军，封齐公。

魏主闵攻围襄国百余日，赵主祗危急，乃去皇帝之号，称赵王。遣太尉张举乞师于燕[13]，许送传国玺[14]，中军将军张春乞师于姚弋仲。弋仲遣其子襄帅骑二万八千救赵，诫之曰："冉闵弃仁背义，屠灭石氏。我受人厚遇[15]，当为复仇，老病不能自行。汝才十倍于闵，若不枭擒[16]以来，不必复见我也。"弋仲亦遣使告于燕，燕主儁遣御难将军悦绾将兵三万往会之。

冉闵闻儁欲救赵，遣大司马从事中郎广宁常炜使于燕。儁使封裕诘之曰："冉闵，石氏养息[17]，负恩作逆，何敢辄称大号[18]！"炜曰："汤放桀，武王伐纣，以兴商、周之业。曹孟德养于宦官[19]，莫知所出[20]，卒立魏氏之基[21]。苟非天命，安能成功[22]！推此而言，何必致问[23]！"裕曰："人言冉闵初立，铸金为己像以卜成败，而像不成，信乎？"炜曰："不闻。"裕曰："南来者皆云如是，何故隐之？"炜曰："奸伪之人欲矫天命以惑人者，乃假符瑞[24]、托蓍龟[25]以自重[26]。魏主握符玺[27]，据中州[28]，受命何疑[29]！而更反真为伪[30]，取决于金像乎[31]！"裕曰："传国玺果安在？"炜曰："在邺。"裕曰："张举言在襄国。"炜曰："杀胡之日，在邺者殆无孑遗[32]。时有迸漏[33]者，皆潜伏沟渎[34]中耳，彼安知玺之所在乎？彼求救者[35]，为妄诞之辞[36]，无所不可[37]，况一玺乎！"

公，苻廋为魏公，苻武为燕公，苻幼为赵公。任命苻雄为都督中外诸军事、丞相、兼任车骑大将军、雍州牧，封为东海公；苻菁为卫大将军、平昌公，负责保卫苻健所居与太子苻苌所居之宫；雷弱兒为太尉，任命毛贵为司空，任命略阳人姜伯周为尚书令，任命梁楞为左仆射，王堕为右仆射，鱼遵为太子太师，任命强平为太傅，段纯为太保，吕婆楼为散骑常侍。姜伯周，是苻健的舅舅。强平，是天王后强氏的弟弟。吕婆楼，原本是略阳氐族部落的酋长。

占据广固、自称齐王的段龛献出青州，请求归附东晋朝廷。二月十三日戊寅，东晋朝廷任命段龛为镇北将军，并封他为齐公。

魏主冉闵率军围攻襄国一百多天。后赵皇帝石祗处境十分危急，遂去掉皇帝称号，改称赵王。派担任太尉的张举为使者前往燕国请求出兵相救，答应把灭掉西晋时所获得的传国玉玺送给燕国，派担任中军将军的张春前往滠头向姚弋仲求援。姚弋仲遂派自己的儿子姚襄率领二万八千名骑兵救赵，姚弋仲告诫自己的儿子说："魏主冉闵背弃仁义，屠灭了石氏，我深受石氏厚恩，应当为石氏报仇，但我年老多病，不能亲自领兵前去。你的才能胜过冉闵十倍，如果你不把冉闵生擒活捉、枭首示众，就不要再来见我。"姚弋仲也派使者告诉燕国，燕王慕容儁派御难将军悦绾率三万兵马前往与姚襄会合，一起攻打魏主冉闵。

魏主冉闵听到燕王慕容儁准备出兵救赵的消息，就派担任大司马从事中郎的广宁人常炜出使燕国。燕王慕容儁派封裕质问常炜说："冉闵，本来是石家养大的孩子，怎么竟敢忘恩负义、犯上作乱，公然称起皇帝名号！"常炜回答说："商汤放逐了夏桀，周武王讨灭了商纣，才使得商王朝、周王朝的大业兴旺。曹孟德被宦官收养，没有人能说清楚他的身世是从哪里传下来的，但他最终还是为魏国的建立奠定了基础。如果不是有上天的旨意，曹氏怎么会获得成功呢！以此推论，既然曹氏家族可以，冉氏家族为什么就不可以呢？你又何必提出这样的问题！"封裕说："人们都说冉闵当初登基时，用黄金为自己铸造了一尊金像，以此来占卜成败，而金像始终没有铸成，确有此事吗？"常炜回答说："我没有听说过。"封裕又说："从南方过来的人都这样说，你何必要隐瞒？"常炜驳斥说："只有那些奸佞诈伪之人想要假借天命来迷惑人心，才会假托祥瑞，借用占卜、算卦来欺骗人，以抬高自己的身价。魏主冉闵手中握有帝王的兵符和传国玉玺，占据着黄河中下游的中原地带，这就是秉承天命而为帝，难道还有什么值得怀疑吗！难道还能抛弃这些真实的东西不要，而另外制造一套虚假的东西，让一尊金像来预示成败吗！"封裕问："传国玉玺究竟在什么地方？"常炜坚定地说："在邺城。"封裕说："石祗的使者张举说传国玉玺在襄国。"常炜说："冉闵下令消灭胡人的那天，在邺城的胡人、羯人几乎被杀得一个不剩。即使有个把人逃脱，也都是深藏在阴沟之中，他们怎么会知道玉玺在哪里呢？石祗的使者前来求救，为了达到目的，故意编造了一套骗人的鬼话，他们什么好听的话编不出来，何况是传国玉玺呢！"

儁犹以张举之言为信，乃积柴其旁㊳，使裕以其私诱之㊴曰："君更熟思，无为徒取灰灭㊵！"炜正色曰："石氏贪暴，亲帅大兵攻燕国都㊶，虽不克而返，然志在必取㊷。故运资粮、聚器械于东北㊸者，非以相资㊹，乃欲相灭也。魏主诛翦㊺石氏，虽不为燕，臣子之心㊻，闻仇雠之灭㊼，义当如何？而更为彼责我㊽，不亦异乎㊾？吾闻死者骨肉下于土，精魂升于天。蒙君之惠，速益薪纵火，使仆㊿得上诉于帝(51)足矣！"左右请杀之。儁曰："彼不惮杀身以徇其主(52)，忠臣也。且冉闵有罪，使臣何预(53)焉！"使出就馆(54)。夜，使其乡人赵瞻往劳(55)之，且曰："君何不以实言？王怒，欲处君于辽、碣之表(56)，奈何？"炜曰："吾结发(57)以来，尚不欺布衣(58)，况人主乎！曲意苟合(59)，性所不能。直情尽言，虽沈东海，不敢避也。"遂卧向壁，不复与瞻言。瞻具以白儁，儁乃囚炜于龙城(60)。

赵并州刺史张平遣使降秦，秦王以平为大将军、冀州牧。

燕王儁还蓟。

三月，姚襄及赵汝阴王琨各引兵救襄国。冉闵遣车骑将军胡睦拒襄于长芦(61)，将军孙威拒琨于黄丘(62)，皆败还，士卒略尽。

闵欲自出击之，卫将军王泰谏曰："今襄国未下(63)，外救云集，若我出战，必腹背[1]受敌，此危道也。不若固垒(64)以挫其锐，徐观其衅(65)而击之。且陛下亲临行陈(66)，如失万全(67)，则大事去矣。"闵将止，道士法饶进曰："陛下围襄国经年(68)，无尺寸之功。今贼至，又避不击，将何以使将士(69)乎！且太白入昴(70)，当杀胡王，百战百克，不可失也。"

燕王慕容儁仍然相信张举的话是可信的，就令人在常炜的旁边堆起柴草，以准备点火烧他相威胁，又让封裕以个人的私下关心引诱常炜说：“先生再好好考虑考虑，不要白白地被烧死！”常炜非常严肃地说：“石氏贪婪暴虐，石虎曾经亲自率领大军攻打燕国的首都棘城，虽然没有攻克就撤军而回，然而在他心里征服燕国的决心却从来没有改变。所以才往东北的乐安城运送了大批的粮食和财物，聚集了许多的兵器和器械，并不是想把那些东西送给燕国，而是为了消灭燕国。魏主冉闵灭绝了石氏，目的虽然不是为了燕国的利益，然而你作为一个深受其害的燕国臣民，当听到自己的仇敌即将被消灭的消息，将会是一种什么样的感受？你们竟然站到自己仇敌的立场上，替石祗来责备我们，这不是令人感到非常奇怪的事情吗？我听说人死后，他的骨肉虽然被埋葬在土里，而他的灵魂会升到天界。承蒙贵国的恩惠，请多加点柴草，快点点火，使我能够早日到上帝那里去申诉就足够了！”左右的人都请求杀掉常炜。燕王慕容儁说：“常炜不惧怕被杀，甘愿以身殉主，是一个忠臣。再说，冉闵有罪，与使臣有什么关系呢！”遂释放了常炜，让他回到自己住宿的宾馆去。当天夜里，燕王慕容儁派常炜的同乡赵瞻前往宾馆慰问常炜，赵瞻对常炜说：“先生为什么不说实话？燕王很生气，准备把你关押到辽海之滨或是碣石山边，怎么办？”常炜说：“我自从把头发扎起来的时候起，就连对一般的平民百姓都没有说过假话，何况是对君主呢！为了屈从别人而违背自己的意愿，我天生就做不到。我已经实言相告，该说的也都说完了，就是把我沉到海底，我也不会逃避。”遂躺下身去，把脸朝向墙壁，不再跟赵瞻说话。赵瞻把与常炜的谈话情况如实地向燕王慕容儁做了汇报，慕容儁就把常炜囚禁在龙城。

后赵的并州刺史张平派遣使者向秦国请求投降，秦国天王苻健任命张平为大将军、冀州牧。

燕王慕容儁从龙城返回蓟城。

三月，姚弋仲的儿子姚襄以及后赵的相国、汝阴王石琨分别率领军队前来救援襄国。魏主冉闵派车骑将军胡睦率军在长芦抵抗姚襄，派将军孙威在黄丘抵御汝阴王石琨，胡睦与孙威全都大败而回，手下的士卒几乎都死光了。

魏主冉闵准备亲自率军出击，担任卫将军的王泰劝阻说：“如今襄国还没有攻克，外部救援襄国的部队像云雾聚集一样纷纷而来，若我们出战，肯定会腹背受敌，这是很危险的。不如固守营垒，先挫挫他们的锐气，慢慢寻找他们的破绽，等抓住有利时机再出兵攻击他们。再说，陛下亲临前线，万一有个闪失，则大局将无法挽回。”冉闵打算接受王泰的建议，道士法饶进前说：“陛下率军包围襄国已经超过一年的时间，却没有得到一尺一寸的土地。如今贼人的援军又到了，陛下还要躲避不敢出击，如此下去，还怎么指挥全军！再说天上的太白金星运行到了昴星的位置，预示胡人君主将被杀死，肯定会百战百胜，这个机会千万不能错过。”

闵攘袂[71]大言[72]曰："吾战决矣，敢沮[73]众者斩！"乃悉众出，与襄、琨战。悦绾适以[74]燕兵至，去魏兵数里，疏布骑卒[75]，曳柴扬尘[76]，魏人望之恟惧[77]。襄、琨、绾三面击之，赵王祗自后冲之，魏兵大败，闵与十余骑走还邺。降胡栗特康等执大单于胤[78]及左仆射刘琦以降赵，赵王祗杀之。胡睦及司空石璞、尚书令徐机、中书监卢谌等并将士死者凡十余万人。

闵潜还[79]，人无知者。邺中震恐，讹言闵已没。射声校尉张艾请闵亲郊[80]以安众心，闵从之，讹言乃息。闵支解[81]法饶父子，赠韦谀[82]大司徒。姚襄还滠头，姚弋仲怒其不擒闵，杖之一百。

初，闵之为赵相也，悉散仓库[83]以树私恩[84]，与羌、胡相攻，无月不战。赵所徙青、雍、幽、荆四州之民及氐、羌、胡、蛮数百万口，以[85]赵法禁不行[86]，各还本土，道路交错，互相杀掠，其能达者什有二三。中原大乱，因以饥疫[87]，人相食，无复耕者。

赵王祗使其将刘显帅众七万攻邺，军于明光宫[88]，去邺二十三里。魏主闵恐，召王泰，欲与之谋。泰恚[89]前言之不从，辞以疮甚[90]。闵亲临问之，泰固称疾笃[91]。闵怒，还宫，谓左右曰："巴奴[92]，乃公岂假汝为命邪[93]！要将[94]先灭群胡，却斩王泰[95]。"乃悉众出战，大破显军，追奔至阳平[96]，斩首三万余级。显惧，密使请降[97]，求杀祗以自效[98]，闵乃引归[99]。会[2]有告王泰欲叛入秦者，闵杀之，夷其三族。

秦王健分遣使者问民疾苦，搜罗隽异[100]，宽重敛之税，弛离宫之禁[101]，罢无用之器[102]，去侈靡之服[103]，凡赵之苛政不便于民者，皆除之。

杜洪、张琚遣使召梁州刺史司马勋[104]。夏，四月，勋帅步骑三万赴

魏主冉闵遂挽起衣袖，大声说道：“我出战的决心已定，再有人敢来劝阻，杀无赦！”遂出动所有兵力，与姚襄、石琨展开大战。此时燕国的御难将军悦绾刚好率领着燕军赶到，他在距离魏兵几里远的地方，便令骑兵分散开来，驱赶着马匹拖着树枝奔跑起来，荡起漫天飞尘，魏军远远地望见，不知来了多少人马，人心恐惧。姚襄、石琨、悦绾从三面攻击魏军，赵王石祗也率领着襄国的军队从魏军的背后杀来，魏兵于是被打得大败，魏主冉闵率领着十多个骑兵向邺城方向逃走。魏国降胡栗特康等捉住了大单于冉胤以及左仆射刘琦向赵王石祗投降，赵王石祗将冉胤、刘琦斩首。胡睦以及司空石璞、尚书令徐机、中书监卢谌等加上将士被杀死的有十几万人。

冉闵悄悄地返回邺城，因此没有人知道此事。邺城之中人心震恐，都传说魏主冉闵已死。担任射声校尉的张艾请求冉闵亲自到郊外祭祀天地以安定百姓之心，冉闵采纳了张艾的建议，亲自到郊外举行祭祀活动，传言才逐渐平息。冉闵用肢解的酷刑处死了道士法饶父子，追赠韦谀为大司徒。姚襄返回滠头，姚弋仲恨姚襄没有将冉闵擒获、枭首而痛打了姚襄一百军棍作为惩罚。

当初，魏主冉闵在担任后赵丞相的时候，曾经把国家仓库中的储备物资全部散发出去，用来收买人心、培植亲信，后来与羌人、胡人互相攻击，没有一个月不发生战事。后赵统治时期从青州、雍州、幽州、荆州四州中强迫迁徙来的民众，再加上氐人、羌人、胡人、蛮人总计有数百万口，由于后赵的法令不能实行，全都准备返回自己的本土，道路之上纵横交错，都是携家带口的返乡之人，互相残杀、抢夺财物的事情经常发生，真正能够返回故土的只有十分之二三。中原地区再次陷入混乱，再加上大饥饿、疫病流行，以至于发生人吃人的现象，没有人再去耕种农田。

赵王石祗派自己的部将刘显率领七万人马攻打魏国的都城邺城，刘显将军队驻扎在明光宫，距离邺城二十三里。魏主冉闵很恐慌，就派人召见王泰，想与王泰一起商议对策。王泰还在为上次自己的建议不被采纳而心怀怨恨，所以就借口自己身上的疮口伤得很厉害而拒绝前往。冉闵亲自到王泰的家中征求意见，王泰还是坚持说自己伤势严重。冉闵发怒了，他回到皇宫，对自己身边的人说：“这个巴地的蛮子，你老子难道离开你就不能活命吗！重要的是先灭掉这群胡人，回来再杀王泰。”遂率领所有部队出城与刘显交战，冉闵大败刘显军，一直将刘显追到阳平，斩杀了三万多人。刘显非常恐惧，就秘密派遣使者向冉闵请求投降，承诺回去后杀掉赵王石祗，作为对冉闵的报效，冉闵遂率军回到邺城。适逢有人告发王泰准备叛变投降秦国，冉闵杀掉了王泰，并诛灭他的三族。

秦王苻健派遣使者分别到各地考察慰问民间疾苦，为朝廷招揽才智杰出的人，减轻原来的沉重赋税，放宽对离宫别馆的管理禁令，停止征收那些没有用的东西，禁止穿戴靡丽、奢侈的服饰，凡是原来后赵所实行而对百姓不利的苛刻政令一律废除。

杜洪与张琚派遣使者邀请东晋担任梁州刺史的司马勋出兵讨伐苻健。夏季，四

之，秦王健御之于五丈原[105]。勋屡战皆败，退归南郑[106]。健以中书令贾玄硕始者[107]不上尊号，衔之[108]，使人告玄硕与司马勋通，并其诸子皆杀之。

渤海[109]人逢约因赵乱，拥众数千家，附于魏，魏以约为渤海太守。故太守[3]刘准，隗之兄子[110]也，土豪封放，奕之从弟[111]也，别聚众自守。闵以准为幽州刺史，与约中分渤海。燕王儁使封奕讨约，使昌黎太守高开讨准、放。开，瞻[112]之子也。

奕引兵直抵约垒，遣人谓约曰："相与乡里[113]，隔绝日久，会遇甚难。时事利害[114]，人各[4]有心[115]，非所论也。愿单出一相见，以写[116]伫结之情[117]。"约素信重奕，即出，见奕于门外，各屏[118]骑卒，单马交语[119]。奕与论叙平生[120]毕，因说之曰："与君累世[121]同乡，情相爱重，诚欲君享祚无穷。今既获展奉[122]，不可不尽所怀[123]。冉闵乘石氏之乱，奄有成资[124]，是宜天下服其强矣，而祸乱方始，固知天命不可力争也。燕王奕世载德[125]，奉义讨乱，所征无敌。今已都蓟，南临赵、魏，远近之民，襁负归之。民厌荼毒[126]，咸思有道。冉闵之亡，匪朝伊夕[127]，成败之形，昭然易见。且燕王肇开[128]王业，虚心贤隽[129]，君能翻然改图[130]，则功参绛、灌[131]，庆流苗裔[132]，孰与为亡国将，守孤城以待必至之祸哉?"约闻之，怅然[133]不言。奕给使[134]张安有勇力，奕豫戒之，俟约气下[135]，安突前持其马鞚[136]，因挟之而驰[137]。至营，奕与坐，谓曰："君计不能自决，故相为决之[138]，非欲取君以邀功[139]，乃欲全君以安民也。"

高开至渤海，准、放迎降。

月，司马勋率领三万人马北伐，秦王苻健在五丈原抵御司马勋的进攻。司马勋与苻健交战，屡战屡败，遂退回南郑。苻健因为中书令贾玄硕当初只提议尊奉自己为秦王，没有提议尊奉自己当皇帝而怀恨在心，就指使人告发贾玄硕与司马勋互相勾结，将贾玄硕杀死，连同他的几个儿子全都同时被杀。

渤海人逄约趁着后赵内乱的机会聚集起数千家归附了魏国，魏主冉闵任命逄约为渤海太守。原任渤海太守刘准，是刘隗哥哥的儿子，当地土豪封放，是燕国大臣封奕的堂兄弟，他们也聚集起一些人众进行自我保护。冉闵遂任命刘准为幽州刺史，与逄约一起将渤海郡一分为二，各管一半。燕王慕容儁派封奕率军讨伐逄约，派昌黎太守高开讨伐刘准、封放。高开，是高瞻的儿子。

燕国重臣封奕率军直抵魏国渤海太守逄约的营垒，他派人对逄约说："我们彼此都是乡亲，相互之间隔绝得太久了，能够遇到一起很不容易。客观形势对人的利害关系，人人各有自己的看法，在这里都不用细说。只希望能够与你单独见上一面，以倾诉我对你积聚于心的思念之情。"逄约一向信任、敬重封奕的为人，所以立即出营，在营门之外与封奕相见，他们各自支使开自己身边的骑兵，只剩下他们二人互相交谈。封奕与逄约一起回忆完往事，便话锋一转，劝说逄约说："我与先生几代人都是同乡，我们相互之间互相爱慕、互相尊重，所以我真心诚意地希望先生能够享受无穷的幸福。现在既然见到了先生，有了当面交谈的机会，就不能不把心中想说的话全部说出来。魏主冉闵趁着石氏的内乱，完全占有了人家的现成基业，对于他的强大，天下人不得不佩服，然而祸乱仅仅是个开始，因此应该明白，天命不能靠人力争取。燕王慕容儁世代奉行仁义之政，坚持正义讨伐叛逆，大军所向没有敌手。如今已经建都于蓟城，蓟城南面挨近赵国、魏国的边境，不论远近，人们都扶老携幼地前来归附燕国。百姓们都厌恶暴政，都盼望着有道德的君主出来拯救他们。冉闵的灭亡，就在早晚之间，燕王与魏主之间成功与败亡的形势显而易见。再说，燕王慕容儁开创帝王大业，礼贤下士，先生如果能够改变主意归附燕国，你的功劳将与周勃、灌婴一样，遗福于子孙后代，这与当一个亡国之将，独自守卫着一座孤城等待大祸临头比起来，哪一个更好呢?"逄约听完封奕的这一番话，心中不免有一种失落的感觉，遂没有言语。在封奕身边听候差遣的张安，是一个很有力气的勇士，封奕事先已经告诉他应该如何办理，所以等到逄约意志衰减、放松警惕的时候，张安便突然冲上前去，抓住了逄约的马缰绳，用强壮有力的臂膀将逄约强行拉了过来，跑回自己的营寨。到了封奕的军营，封奕与逄约坐在一起，对逄约说："先生自己拿不定主意，所以我就代替先生做出决定，我不是为了擒获你邀功，而是为了保全先生以安定百姓。"

燕国昌黎太守高开率军到达渤海，魏国幽州刺史刘准与封放打开城门迎接，向燕国投降。

儁以放为渤海太守，准为左司马[5]，约参军事。以约诱于人[140]而遇获，更其名曰钓。

刘显弑赵王祗及其丞相乐安王炳、太宰赵庶等十余人，传首于邺[141]，骠骑将军石宁奔柏人[142]。魏主闵焚祗首于通衢[143]，拜显上大将军、大单于、冀州牧。

五月，赵兖州刺史刘启自鄄城[144]来奔。

秋，七月，刘显复引兵攻邺，魏主闵击败之。显还，称帝于襄国。

八月，魏徐州刺史周成、兖州刺史魏统、荆州刺史乐弘、豫州牧张遇以廪丘[145]、许昌[146]等诸城来降。平南将军高崇、征虏将军吕护执洛州[147]刺史郑系，以其地来降。

燕王儁遣慕容恪攻中山[148]，慕容评攻王午于鲁口，魏中山太守上谷侯龛闭城拒守。恪南徇常山[149]，军于九门[150]。魏赵郡太守辽西李邽举郡降，恪厚抚之，将邽还围中山，侯龛乃降。恪入中山，迁其将帅、土豪数十家诣蓟，余皆安堵[151]，军令严明，秋豪不犯。慕容评至南安[152]，王午遣其将郑生拒战，评击斩之。

悦绾还自襄国，儁乃知张举之妄[153]而杀之。常炜有四男二女在中山，儁释炜之囚，使诸子就见之。炜上疏谢恩，儁手令[154]答曰："卿本不为生计[155]，孤以州里相存[156]耳。今大乱之中，诸子尽至，岂非天所念邪！天且念卿，况于孤乎！"赐妾一人，谷三百斛，使居凡城。以北平太守孙兴为中山太守，兴善于绥抚[157]，中山遂安。

库傉官伟[158]帅部众自上党[159]降燕。

姚弋仲遣使来请降。冬，十一月[6]，以弋仲为使持节、六夷大都督、督江北[7]诸军事、车骑大将军、开府仪同三司、大单于、高陵郡公，又以其子襄为持节、平北将军、都督并州诸军事、并州刺史、平乡县公。

逄钓亡归[160]渤海，招集旧众以叛燕。乐陵[161]太守贾坚使人告谕乡人，示以成败[162]。钓部众稍散[163]，遂来奔。

燕王慕容儁任命封放为渤海太守，任命刘准为左司马，任命逄约为参军事。因为逄约是受别人哄骗而被俘，所以将他的名字改为逄钓。

后赵将领刘显被魏主冉闵打败后返回襄国，他遵守自己对冉闵的承诺，杀死了赵王石祗以及丞相乐安人王炳、太宰赵庶等十多人，并将他们的首级用驿车送往邺城，后赵骠骑将军石宁逃往柏人。魏主冉闵在四通八达的路口焚烧了石祗的首级，任命刘显为上大将军、大单于、冀州牧。

五月，后赵兖州刺史刘启从鄄城前来投奔东晋。

秋季，七月，刘显又率军攻打魏国的都城邺城，魏主冉闵又将刘显打败。刘显逃回襄国，便自己称起皇帝来。

八月，魏国的徐州刺史周成、兖州刺史魏统、荆州刺史乐弘、豫州牧张遇献出廪丘、许昌等城池，向东晋投降。平南将军高崇、征虏将军吕护逮捕了洛州刺史郑系，献出三河之地，投降了东晋。

燕王慕容儁派慕容恪率军攻打中山，派慕容评率军前往鲁口攻打王午，魏国中山太守上谷人侯龛紧闭城门坚守。慕容恪遂率军向南扩展地盘到常山，驻扎在九门县。魏国的赵郡太守辽西人李邽献出赵郡向慕容恪投降，慕容恪以优厚的礼节安抚李邽，并率领李邽回师围攻中山，中山郡太守侯龛这才打开城门出来投降。慕容恪进入中山城，将旧有将领以及土豪数十家迁往蓟城，其余的居民，丝毫没有受到干扰，生活照常。慕容恪军令严明，所过之处秋毫无犯。慕容评到达南安，据守鲁口的王午派遣手下的将领郑生率军抵抗，被慕容评斩首。

燕国御难将军悦绾从襄国返回，燕王慕容儁才知道后赵太尉张举前来求救时许诺将传国玉玺送给燕国纯属胡说八道，遂将张举杀掉。魏国常炜有四个儿子、二个女儿都在中山，燕王慕容儁释放了常炜，让他的儿子们到蓟城来看望他们的父亲。常炜上疏给慕容儁，感谢他的大恩，慕容儁亲自写信答复说："你本来也没有做活着的打算，我是因为与你有乡里之情才保全你，让你活了下来。如今正是天下大乱之时，而你的几个儿子都来了，这难道不是上天在顾念你吗！上天尚且顾念你，何况是我呢！"便赏赐给常炜一个小妾，三百斛谷米，让他居住在凡城。任命担任北平太守的孙兴为中山太守，孙兴很善于安抚百姓，中山境内逐渐安定下来。

魏国据守上党的乌桓族部落酋长库傉官伟率领部众投降了燕国。

故后赵右丞相姚弋仲派使者到东晋请求投降。冬季，十一月，东晋朝廷任命姚弋仲为使持节、六夷大都督、督江北诸军事、车骑大将军、开府仪同三司、大单于、高陵郡公，又任命姚弋仲的儿子姚襄为持节、平北将军、都督并州诸军事、并州刺史、平乡县公。

逄钓逃回了渤海，他召集起旧有的部众背叛了燕国。燕国担任乐陵太守的贾坚派人传话给乡里，为他们分析谁胜谁败的未来形势。逄钓的部众遂逐渐散去，逄钓无奈之下，遂投奔了东晋。

吐谷浑叶延卒，子碎奚立。

初，桓温闻石氏乱，上疏请出师经略⑯中原，事久不报⑯。温知朝廷杖殷浩⑯以抗己，甚忿之。然素知浩之为人，亦不之惮⑯也。以国无他衅⑯，遂得相持弥年⑯，虽有君臣之迹[8]，羁縻而已⑰，八州⑰士众资调⑰殆不为国家用。屡求北伐，诏书不听。十二月辛未⑰，温拜表辄行⑰，帅众四五万顺流而下，军于武昌⑰，朝廷大惧。

殷浩欲去位⑰以避温，又欲以驺虞幡驻温军⑰。吏部尚书王彪之言于会稽王昱曰："此属⑰皆自为计⑰，非能保社稷、为殿下计也。若殷浩去职，人情离骇⑱，天子独坐⑱，当此之际，必有任其责者⑱，非殿下而谁乎？"又谓浩曰："彼⑱若抗表问罪⑱，卿为之首。事任如此⑱，猜衅已成⑱，欲作匹夫⑱，岂有全地邪⑱！且当静以待之。令相王⑱与手书⑲，示以款诚⑲，为陈成败⑲，彼必旋师⑲。若不从，则遣中诏⑲。又不从，乃当以正义相裁⑲，奈何无故匆匆先自猖獗乎⑲！"浩曰："决大事正自难⑲，顷日来⑲欲使人闷⑲，闻卿此谋，意始得了⑳。"彪之，彬⑳之子也。

抚军司马高崧⑳言于昱曰："王宜致书，谕以祸福，自当返旆⑳。如其不尔，便六军整驾⑳，逆顺于兹判⑳矣。"乃于坐为昱草书曰："寇难宜平⑳，时会宜接⑳，此实为国远图，经略大算⑳，能弘斯会⑳，非足下而谁？但以比兴师动众㉑，要当以资实为本㉑。运转之艰㉑，古人所难，不可易之于始而不熟虑。顷所以深用为疑㉑，惟在此耳。然异常之举㉑，众之所骇㉑，游声噂喈㉑，想足下亦少闻之㉑。苟患失之，无所不

吐谷浑可汗叶延去世，叶延的儿子碎奚即位。

当初，东晋征西大将军桓温听到后赵石氏发生内乱，就上疏给朝廷请求出兵收复中原，奏疏呈递了很长时间也没有得到朝廷的批复。桓温知道朝廷正在倚仗中军将军殷浩来对抗自己，心中非常愤怒。然而一向了解殷浩的为人，所以桓温也不惧怕他。因为国家内部没有发生什么大的争端，所以互相对立了一年多，虽然有君臣名义，朝廷对桓温也只是勉强维持着现状而已，对桓温根本不敢干预，桓温管辖之下的荆州、司州、雍州、益州、梁州、宁州，加上交州、广州八个州的财赋与兵员，国家征用之权已经失去。桓温屡次请求北伐，朝廷都下诏不许。十二月十一日辛未，桓温将请求北伐的表章呈递朝廷之后，不等朝廷批准，立即率领四五万人马自江陵顺长江而下，将军队驻扎在武昌，朝廷非常恐慌。

中军将军殷浩准备辞去自己的职务，想以此来避免与桓温发生冲突，又想用驺虞幡阻止桓温军队的前进。担任吏部尚书的王彪之对会稽王司马昱说：“这些人都是从个人利益的角度考虑问题，他们的计策都不能保护国家社稷，为殿下打算。如果殷浩辞职，人心势必涣散、惊恐不安，朝廷无人主事，只剩天子独自坐在殿堂之上，在这种时刻，肯定得有人对这种局面承担责任，到那时不是殿下还能有谁呢？”王彪之又去对殷浩说：“桓温如果给皇帝上疏，要求惩办罪魁祸首，首当其冲的就是你。阁下身负如此重任，与桓温之间的嫌隙已经构成，却想要辞去职务去当一个普通百姓，到那时难道还会有保全的地方吗！请暂且静观其变。让身为宰相的会稽王司马昱给桓温写一封亲笔信，开诚布公，为他分析怎么做好怎么做不好的利害关系，桓温必定撤军而回。如果他不听从，那就请皇帝下达诏书令他回去。还不听从，则将用君臣大义谴责他举兵逼向朝廷之罪，怎么能无缘无故自己先匆匆忙忙地逃跑呢！”殷浩说：“我对如此重大事情委决不下，自己正在犯难，几天以来的形势变化简直使人一筹莫展，听了你的计谋，我心里才算有了些主意。”王彪之，是王彬的儿子。

东晋担任抚军司马的高崧对会稽王司马昱说：“大王应该给桓温写一封亲笔信，为他分析祸福，桓温自然就会撤兵。如果他还不撤兵，朝廷就应该集合起皇帝的警卫部队，准备与他一战，到那时，谁是叛逆、谁是正义的王者之师，就立即泾渭分明了。”于是，高崧在座位上就替会稽王司马昱起草书信说：“作难于北方的胡寇应当扫平，恢复中原的时机难得，正应当抓紧，这实际上是为国家利益的深谋远虑，是安国经邦的大谋略，能够抓住这个重要机会的人除了阁下还能有谁？但是连续地兴师动众出兵北伐，重要的是要做好粮食、物资等方面的准备，讲究实效。而向前方运送粮秣物资的艰难，就连古人都感到为难，所以不应该在一开始就掉以轻心而不加以深思熟虑。近来的这次行动所以又有人怀疑你的动机不纯，原因就在于此。然而一切超乎寻常的举动，总会引起众人的震惊和恐慌，于是谣言四起，议论纷纷，想来阁下也会有所耳闻。假若生怕失去已经得到的权位，便会无所不用其极了，有

至[218]，或能望风振扰[219]，一时崩散[220]。如此则望实并丧[221]，社稷[222]之事去矣！皆由吾暗弱，德信不著，不能镇静群庶[223]，保固维城[224]，所以内愧于心，外惭良友。吾与足下，虽职有内外[225]，安社稷，保国家[9]，其致[226]一也。天下安危，系之明德[227]。当先思宁国[228]，而后图其外[229]，使王基克隆[230]，大义弘著[231]，所望于足下。区区诚怀[232]，岂可复顾嫌[233]而不尽哉！"温即上疏惶恐致谢[234]，回军还镇[235]。

朝廷将行郊祀，会稽王昱问于王彪之曰："郊祀应有赦否[236]？"彪之曰："自中兴[237]以来，郊祀往往有赦。愚意常谓非宜，凶愚之人以为郊必有赦，将生心于徼幸[238]矣。"昱从之。

燕王儁如龙城[239]。

丁零翟鼠[240]帅所部降燕，封为归义王。

【段旨】

以上为第一段，写晋穆帝永和七年（公元三五一年）一年间的大事。主要写了苻健在关中自称天王，国号大秦，废除以往石氏政权的暴政，颇得民心；写了冉闵围攻襄国，石祗求救于姚弋仲与燕国，姚氏与燕国派兵救赵，大破冉闵军；石祗又派刘显攻邺，被冉闵所破；刘显回军杀赵主石祗，降冉闵；寻又反水攻邺，败还，自己称帝于襄国；写了燕主慕容儁派封奕讨伐渤海郡，魏将逢约、刘准等降燕；燕将慕容恪南攻中山，魏之中山、赵郡皆降燕；燕军所至，秋毫无犯，甚得民和；写了在石祗、冉闵战乱不休的状态下，冉闵部下的徐州、兖州、荆州、豫州、上党等州郡纷纷降晋；晋之荆州刺史桓温屡次请求北伐，晋王朝因怕桓温因此生乱而不许，桓温则率众东下，军于武昌，朝廷震骇；朝廷权臣殷浩、司马昱无计可施，王彪之劝其"静以待之"，"以正义相裁"；高崧为司马昱起草致桓温书，为之分析利害，桓温乃率军还镇；等等。

人可能会看见形势不好就震惊逃跑，顷刻之间就东逃西散。这样一来，声望和实力都将遭受很大损失，国家的政治局面将会因为失去依靠而变得无法收拾了！都是因为我个人愚昧，生性又很懦弱，恩德、信誉没有建立起来，没有管理好百姓，不让他们胡说八道，没有保护好国家朝廷，使他不受伤害，所以内心感到很愧疚，对外也愧对良友。我与阁下，虽然在职务上有在朝廷之内、朝廷之外的不同，但是在安定国家、保卫社稷方面，我们的最终目标是一致的。国家的安危，关键取决于是否有德高望重的大臣。应该首先考虑把自己的国家巩固起来，而后再考虑对外用兵、收复中原，使国家的事业日益兴旺发达，大臣忠君报国的义理天下皆知，这就是我对阁下的期望。这是我的一些诚挚的想法，岂能因为顾忌引起阁下的猜疑而不尽情表达呢！”桓温立即上疏，表达自己的惶恐心情，向朝廷表示歉意，然后率领军队退回原来的驻地江陵。

东晋朝廷准备在南郊、北郊举行祭祀天地的盛大典礼，会稽王司马昱向吏部尚书王彪之询问说：“举行郊祀活动应该不应该同时颁布大赦令？”王彪之回答说：“朝廷自从迁都建康以来，举行郊祀活动往往都要同时实行大赦。我却常常觉得这样做非常不合适，凶恶顽劣的人如果认为举行郊祀就会有大赦，一定会心存侥幸，不把犯罪当回事了。”司马昱听从王彪之的建议，没有发布大赦令。

燕王慕容儁从蓟城前往龙城。

丁零部落首领翟鼠率领自己的部众投降了燕国，燕王慕容儁封翟鼠为归义王。

【注释】

①正月丁酉：正月初一。②刘备称汉中王故事：刘备在汉献帝建安二十四年（公元二一九年），赶走曹操，据有汉中，不久自称汉中王。事见本书卷六十八建安二十四年。③表健：上表晋王朝请求封任苻健。④晋使：谓苻健派去晋朝的使者，即参军杜山伯。⑤讽玄硕等：示意贾玄硕等人。讽，隐微示意。⑥丙辰：正月二十。⑦苻雄：苻洪之子，苻健之弟。⑧苻菁：苻健之兄子，苻健之侄。⑨宿卫二宫：保卫苻健所居与太子苻苌所居之宫。宿卫，值宿并保卫。⑩王后之弟：苻健天王后强氏之弟。⑪段龛请以青州内附：段龛是段兰之子，鲜卑段氏被慕容氏所灭后，段兰先投宇文氏，后被送归石虎，石虎令其驻于令支。段兰死后，石氏内乱，段龛逃到青州（州治为山东青州西的广固城），现又带青州反归晋室。⑫二月戊寅：二月十三。⑬乞师于燕：请求燕国发兵相救。⑭许送传国玺：答应把当年灭西晋所获得的传国玉玺送给燕国。据说，西晋当年的玉玺是从秦朝，历经汉、魏一直传下来的。玺上有李斯所刻的“受命于天，既寿永昌”八个字。刘渊陷洛阳后，传国玺到了汉都平阳；刘曜亡国后，玺又到了后赵。⑮厚

遇：厚待，指石虎对他的厚恩。⑯枭擒：擒枭，将其擒拿而来，枭首示众。⑰养息：养大的孩子。冉闵之父冉瞻为石虎养子，从姓石氏。冉闵篡弑建立魏国后，始复姓冉氏。息，子嗣。⑱辄称大号：竟然称起皇帝的名号。⑲曹孟德养于宦官：曹操父曹嵩，本姓夏侯，过继给东汉顺帝、桓帝时的大宦官曹腾为养子，改姓曹氏。曹操曾为汉丞相，封魏王。其子曹丕又篡汉称帝，建国号为魏。事详《三国志》卷一《武帝纪》。⑳莫知所出：说不清曹操的身世是从哪里传下来的。㉑卒立魏氏之基：最后也还是为魏国的建立奠定了基础。㉒苟非天命二句：如果不是有上天的旨意，曹氏能够成功吗。㉓推此而言二句：既然曹氏家族可以，冉氏家族为什么就不可以呢？你又何必提这样的问题呢。推，推论、推究。冉闵既是以臣弑君，又以养子为乱，所以常炜引汤、武、曹操为据。㉔假符瑞：假借“符瑞”以骗人。汉代以来，统治者鼓吹天人感应以骗人，说什么上天对下界的某个帝王高兴，就显示祥瑞，如凤凰出、麒麟降等，于是骗子们就纷纷大搞这一套。㉕托蓍龟：借着占卜、算卦以骗人。龟甲和蓍草都是算卦使用的东西。㉖以自重：以抬高自己。㉗握符玺：亲自握有帝王的兵符与传国玉玺。㉘据中州：实际占据着黄河中下游的中原地带。㉙受命何疑：这是秉承天命而为帝，难道还有什么疑问吗。㉚而更反真为伪：难道还能抛弃真的不顾，而另造作一套假的。㉛取决于金像乎：而让一个金像来说明什么吗。㉜殆无孑遗：几乎是杀得一个不剩。殆，几乎。无孑遗，一个没剩。㉝时有迸漏：即使有个把逃脱。㉞皆潜伏沟渎：都深藏在阴沟里。㉟彼求救者：有人为了骗得救兵。㊱为妄诞之辞：故意编造骗人的鬼话。㊲无所不可：什么好听的话编不出来。㊳积柴其旁：以准备点火烧他相威胁。㊴以其私诱之：用个人的私下关心相引诱。㊵无为徒取灰灭：不要白白地被烧死。徒，白白地。㊶攻燕国都：成帝咸康四年，石虎曾率军进攻燕都棘城。㊷然志在必取：他的内心是一定要灭掉燕国。㊸运资粮、聚器械于东北：指咸康六年，石虎聚兵五十万，备船万艘，自河通海，运谷一千一百万斛于乐安城事。资粮，财物和粮食。㊹非以相资：并不是想把那些东西送给你。㊺诛翦：屠灭；杀绝。㊻臣子之心：作为你这个受过其害的燕国人。臣子，指封裕。意思说封裕既是燕臣，固应不忘旧仇，应敌燕王之所忾。㊼闻仇雠之灭：听到石氏即将被灭的消息。㊽为彼责我：替石祗来责怪我们。㊾不亦异乎：这不是很奇怪的事情吗。㊿仆：谦称自己。51上诉于帝：到天上向上帝告状。诉，告状。帝，上帝。52徇其主：为其主而死。徇，通“殉”，为了某人或某种目的而死。53何预：犹言“何干”。预，参与、关联。54就馆：到他住宿的宾馆去。55劳：慰劳；慰问。56处君于辽、碣之表：想把你关押到辽海、碣石山的边沿。辽，辽海，即今渤海。碣，即碣石山，在今河北昌黎北。57结发：长大成人。古代男子二十岁开始束发，从此进入成年。58不欺布衣：对一般平民都没有说过假话。59曲意苟合：违背自己的意愿，以屈从于别人。60龙城：燕国的都城，即今辽宁朝阳。61长芦：水名，自今河北新河县西承古漳水，东北流经新河县南、衡水市，东北复入古漳水。62黄丘：古地名，在今河北辛集东南的旧束鹿城南。㊸未下：未攻克。㊹固垒：坚守营壁。㊺徐观其衅：慢慢地寻找他们的破绽。衅，破绽、漏洞。㊻亲临行陈：犹言亲临前线。行陈，军队的行列阵势，这里即指前线。陈，同“阵”。㊼如失万全：如果遇到不测，万一失手。㊽经年：过了一年。㊾使将士：指挥全军。使，使唤、指挥。㊿太白入昴：金星运行到了昴星的位置。太白为金星，主杀伐。昴为星宿名，二十八宿之一，有星七颗。《汉书·天文志》：“昴曰旄头，胡星也。”所以法饶说：“太白入昴，当杀胡王。”(71)攘袂：捋袖出臂，激昂、奋起的样子。(72)大言：大声说话。(73)敢沮：谁敢拦阻。(74)适以：刚好率领着。(75)疏布骑卒：摆开骑兵。(76)曳柴扬尘：驱马拖柴奔跑，扬起尘土，以为疑兵。(77)恟惧：恐惧。胡三省曰：“自棘城之败，赵人固畏燕兵，见其至而势盛，故恟惧。”(78)大单于胤：冉胤，冉闵之子。(79)潜还：悄悄返回。(80)亲郊：亲自到郊外祭祀天地。古代帝王冬至日在南郊祭天称为“郊”，夏至日在北郊祭地称作“祀”。(81)支解：古时的一种分解四肢的酷刑。(82)韦谀：原任冉魏的光禄大夫，永和六年因劝谏冉闵去掉其子冉胤的大单于称号，并杀掉冉胤手下的降胡，冉闵不听而将韦谀处死。事见本书卷九十八。现为之恢复名誉，并给予封赠。(83)悉散仓库：全部散出仓库存贮的财物。(84)以树私恩：以收买人心。即培植亲信，建立私党。(85)以：由于。(86)法禁不行：法律不能实行，即一切没有章法。(87)因以饥疫：再加上饥饿与流行病。(88)明光宫：石氏所建的离宫。(89)恚：恼怒。(90)疮甚：疮口伤得厉害。(91)疾笃：病情严重。〖按〗王泰声称伤得厉害，意思是不肯再为冉闵出力。(92)巴奴：王泰为巴蛮，故冉闵骂其为“巴奴”。(93)乃公岂假汝为命邪：你老子难道没有你就不能活吗。乃公，你爸爸，自大的骂人话。(94)要将：重要的将是。(95)却斩王泰：回来再杀王泰。(96)阳平：县名，县治即今山东莘县。(97)密使请降：秘密派人请求投降。(98)以自效：以作为见面礼，作为对你的报效。(99)引归：引兵归邺。(100)隽异：才智杰出的人。隽，通“俊”。(101)弛离宫之禁：放宽对离宫别馆的管理禁令。离宫，指石氏过去在长安修筑的离宫。(102)罢无用之器：停止征收那些没用的东西。罢，停止。(103)侈靡之服：奢侈、靡丽的服饰。(104)召梁州刺史司马勋：召司马勋援己。时杜洪、张琚据长安称晋臣，受苻健攻击。(105)五丈原：地名，在今陕西宝鸡岐山县。(106)南郑：县名，县治在今陕西汉中南郑区。(107)始者：当初，指永和七年正月。(108)衔之：对之怨恨在心。(109)渤海：郡名，郡治在今河北沧州西南。(110)隗之兄子：刘隗之侄。刘隗在晋元帝末年受元帝重任，王敦以讨隗为名造反，刘隗逃依石勒。传见《晋书》卷六十九。(111)奕之从弟：封奕的堂兄弟。封奕本渤海人，怀帝永嘉五年，投奔慕容廆，成为慕容氏重臣。事见《晋书》卷一百九。(112)瞻：高瞻，渤海人，初依崔毖，后归慕容廆。传见《晋书》卷一百八。(113)相与乡里：彼此都是乡亲。相与，彼此。(114)时事利害：客观形势对人的有利与有害。(115)人各有心：每个人都有自己的看法、自己的估计。(116)写：宣泄；倾吐。写，此处通“泻”。(117)伫结之情：积集心中的思念之情。伫结，积存。(118)屏：支去；使离开。(119)交语：交谈。(120)论叙平生：意即叙旧，回忆往事。(121)累世：几代；几辈子。(122)既获展奉：既然有了见面交谈的机会。展，省视。奉，承教。⑫尽所怀：好好说说心里话。⑫奄有成资：完全占有了人家的现成基业。⑫奕世载德：累世奉行仁义之政。语出班彪《王命论》。⑫民厌荼毒：百姓们都厌恶暴政。荼毒，荼毒生灵，即残害百姓。荼为苦菜，毒为螫虫，这里用为动词。⑫匪朝伊夕：非朝即夕；不是早晨就是晚上。意思是不会多久。匪，同“非”。⑫肇开：开始建立。⑫虚心贤儁：礼贤下士。贤儁，贤才。⑬翻然改图：很快而彻底地另做打算，指归依慕容儁。⑬功参绛、灌：你的功劳将和当年的周勃、灌婴一样。参，相比高。绛，绛侯周勃，刘邦的开国功臣。传见《史记·绛侯周勃世家》。灌，灌婴，刘邦的开国功臣。事见《史记·樊郦滕灌列传》。⑬庆流苗裔：遗福于子孙后代。⑬怅然：心情失落的样子。⑬给使：左右供差遣的人，即随从或内侍。⑬气下：意志衰减，放松警惕。⑬持其马鞚：拉住他的马缰绳。鞚，带嚼子的马络头。⑬挟之而驰：强有力地把他拉了过来。挟，挟持、迫使。⑬相为决之：代替你下了决心。⑬邀功：求功。⑭诱于人：被别人哄骗。⑭传首于邺：用驿车将人头送到邺城。传，驿车。⑭柏人：县名，县治在今河北隆尧西北十二里。⑭通衢：四通八达的路口。⑭鄄城：县名，县治在今山东鄄城北的旧城集。⑭廪丘：县名，县治在今山东郓城西北，时为周成所据。⑭许昌：县名，县治在今河南许昌西南，时为张遇所据。⑭洛州：州名，前秦初置，州治宜阳，在今河南宜阳西。不久改治今河南三门峡市陕州区，又移治洛阳县，在今河南洛阳东北。后又移治丰阳，在今陕西山阳。⑭中山：国名，都城卢奴，即今河北定州。⑭南徇常山：向南扩展地盘到常山。徇，略地、拓展地盘。常山，郡名，郡治真定，在今河北正定南。⑮九门：县名，县治在今河北藁城西北。⑮安堵：安居；各就各位。⑮南安：具体方位不详，应在今河北冀中地区。⑮张举之妄：指张举赴燕为石祗求救时，假说传国玉玺在襄国。⑮手令：亲自写信。⑮不为生计：没有做活着的打算。⑮以州里相存：看在同乡的分上让你活了下来。慕容儁是昌黎郡人，常炜是广宁郡人，昌黎、广宁二郡同属幽州，故云“同乡”。⑮绥抚：安抚。⑮库傉官伟：乌桓族的部落首领。⑮上党：郡名，郡治在今山西长治东北。⑯亡归：逃回。⑯乐陵：郡名，郡治在今山东乐陵东南。⑯示以成败：给他们分析谁胜谁败的未来形势。⑯稍散：渐渐离散。⑯经略：经营，这里指收复。〖按〗桓温上疏当在永和五年出屯安陆时，于此已两年有余。⑯不报：朝廷没有回音。⑯杖殷浩：倚仗殷浩。⑯不之惮：不惮之，不惧怕他。⑯无他衅：没有别的争端。衅，争端、仇隙。⑯相持弥年：相互对立了一年多。⑰羁縻而已：也就是勉强地维持现状而已，意即没有公开作对。羁，马笼头。縻，牵牛绳，松松地笼着。以比喻朝廷不敢干预地方庞大势力，只求其能保持对朝廷的表面承认而已。⑰八州：谓桓温统辖之下的荆、司、雍、益、梁、宁、交、广八州。⑰资调：财赋与兵员的调动之权。⑰十二月辛未：十二月十一。⑰拜表辄行：递上奏章不等朝廷批准，即自江陵率兵东下。⑰武昌：即今湖北鄂州市鄂城区。⑰去位：离开职位，即请求辞职。⑰以驺虞幡驻温军：用驺虞幡制止桓温军队的前进。驺虞幡是画有驺虞的旗帜。晋朝有白虎幡、驺虞幡。白虎威猛主杀，用于督战；驺虞是仁兽，用以解兵。这里即用以使桓温所带的军队撤退。⑱ 此属：这些人，指殷浩、桓温两方。⑲ 皆自为计：都是为自己打算。⑳ 离骇：谓人心涣散、恐惧。㉑ 天子独坐：指朝廷无人管事。⑫ 必有任其责者：肯定得有人对这种局面负责。⑬ 彼：指桓温。⑭ 抗表问罪：给皇帝上表，要求惩办罪魁祸首。⑮ 事任如此：事情的责任本来如此，指殷浩当时主持朝政。⑯ 猜衅已成：你们之间的矛盾已经形成。猜衅，彼此之间的猜疑与裂痕。⑰ 欲作匹夫：现在辞职，想去当个普通百姓。⑱ 岂有全地邪：哪里能找到安全的地方。⑲ 相王：身为丞相的王爷，指会稽王司马昱。⑳ 与手书：给桓温写一封亲笔信。㉑ 示以款诚：向他表示诚意。㉒ 为陈成败：给他分析怎么做好，怎么做不好。㉓ 彼必旋师：他必然能收兵回去。㉔ 遣中诏：请皇帝亲自下令，让他回去。㉕ 以正义相裁：即公开地谴责桓温的举兵逼向朝廷之罪。㉖ 奈何无故忽忽先自猖獗乎：你自己怎么能先匆匆忙忙地逃跑呢。奈何，怎么能。匆匆，慌忙的样子。猖獗，肆意胡来，这里指逃跑。㉗ 正自难：本来就难。㉘ 顷日来：近几天的形势。㉙ 欲使人闷：简直令人一筹莫展。200 意始得了：心里才有了些主意。了，省悟、明白。201 彬：王彬，王廙之弟。传见《晋书》卷七十六。胡三省曰："王敦之乱，彬能守正。彪之可谓克绍矣。"202 抚军司马高崧：会稽王司马昱的僚属。当时司马昱为抚军大将军，高崧为其任司马。203 返旆：指回师、撤军。204 六军整驾：即集合起皇帝的警卫部队，准备一战。六军，指天子的军队。205 逆顺于兹判：谁是叛逆、谁是正义就立刻分明了。判，分别、分清。206 寇难宜平：作难于北方的胡虏应该扫平。207 时会宜接：时机难得，正应抓紧。接，抓住。208 经略大算：安国经邦的大谋略。209 能弘斯会：能够抓住这个重要机会的人。210 比兴师动众：连续地出兵北伐。前一次桓温的出屯安陆，经略中原是在永和五年。211 要当以资实为本：重要的是要做好准备，讲究实效。资实，做好粮食、物资方面的工作。212 运转之艰：向前方运送粮草物资的艰难。213 顷所以深用为疑：近来这次所以又有人怀疑你的动机不纯。214 异常之举：超乎寻常的举动，指桓温率兵顺流而下一事。215 众之所骇：引起了众人的震惊、恐惧。216 游声噂嗒：谣言四起，议论纷纷。217 亦少闻之：也会有所耳闻。218 苟患失之二句：语出《论语·阳货》。孔子说："鄙夫可与事君也与哉？其未得之也，患不得之；既得之，患失之。苟患失之，无所不至矣。"意思是说假若生怕失去其权位，便会无所不用其极了。此患失之语是指桓温而言。219 望风振扰：看见形势不好就震惊逃跑。指桓温之军而言。220 一时崩散：顷刻间东逃西散。221 望实并丧：声名与实力都受到损失。222 社稷：指国家。若桓温失败，名利皆无，国家亦失去倚靠，只能两败俱伤，所以说"社稷之事去矣"。223 镇静群庶：管好百姓，不让他们胡说八道。224 保固维城：保卫好国家朝廷，使他不受伤害。维城，这里指朝廷。《诗·板》："宗子维城。"宗子就像是城墙。宗子，帝王的嫡子。这里以喻东晋朝廷。225 职有内外：司马昱在朝廷，为内；桓温镇守一方，为外。226 致：极，谓最终目标。227 系之明德：取决于是否有德高望重之大臣。系，决定在、取决于。明德，有美德的人。228 先思宁国：先把自己的国家巩固起来。㉙后图其外：而后再谋划对外用兵。㉚王基克隆：国家的事业兴旺发达。㉛大义弘著：大臣忠君报国的义理天下皆知。㉜区区诚怀：这是我的一些真诚的想法。区区，不足道，自称的谦辞。㉝顾嫌：顾忌。㉞致谢：表示歉意。㉟还镇：退回原来的驻地，即湖北江陵。㊱应有赦否：是不是应该同时颁布大赦。㊲中兴：指东晋建国。㊳生心于徼幸：意即促使一些恶人在郊祀前故意作恶。㊴龙城：燕国的旧都城，在今辽宁朝阳。㊵丁零翟鼠：丁零部落的首领，名叫翟鼠。丁零，也作“丁令”“丁灵”，秦汉时为匈奴的属国，游牧于我国北部和西北部广大地区。东晋时有一支入居于中山，即今河北定州一带。

【原文】

八年（壬子，公元三五二年）

春，正月辛卯[241]，日有食之。

秦丞相雄等请秦王健正尊号[242]，依汉、晋之旧，不必效石氏之初[243]。健从之，即皇帝位，大赦，诸公皆进爵为王。且言单于所以统壹百蛮[244]，非天子所宜领[245]，以授太子苌。

司马勋既还汉中，杜洪、张琚屯宜秋[246]。洪自以右族[247]轻琚，琚遂杀洪，自立为秦王，改元建昌。

刘显攻常山，魏主闵留大将军蒋幹使辅太子智守邺，自将八千骑救之。显大司马清河王宁[248]以枣强[249]降魏。闵击显，败之，追奔至襄国。显大将军曹伏驹开门纳闵，闵杀显及其公卿已下百余人，焚襄国宫室，迁其民于邺。

赵汝阴王琨[250]以其妻妾来奔，斩于建康市，石氏遂绝。

尚书左丞孔严言于殷浩曰：“比来众情[251]良可寒心，不知使君[252]当

【校记】

［1］腹背：原误作“覆背”。据章钰校，孔天胤本作“腹背”，当是，今据校正。［2］会：原无此字。据章钰校，十二行本、乙十一行本皆有此字，今据补。［3］太守：严衍《通鉴补》改作“太尉”，当是。［4］各：原作“皆”。据章钰校，十二行本、乙十一行本皆作“各”，义长，今校改。［5］左司马：据章钰校，十二行本、乙十一行本、孔天胤本皆作“右司马”。［6］十一月：原作“十月”。据章钰校，十二行本、乙十一行本、孔天胤本皆作“十一月”，今从改。［7］江北：胡三省注云，“恐当作‘河北’”。严衍《通鉴补》改为“淮北”，当是。［8］虽有君臣之迹：原无此句。据章钰校，十二行本、乙十一行本、孔天胤本皆有此句，张敦仁《通鉴刊本识误》、张瑛《通鉴校勘记》同，今据补。［9］国家：据章钰校，十二行本、乙十一行本二字互乙。

【语译】

八年（壬子，公元三五二年）

春季，正月初一日辛卯，发生日食。

秦国以丞相苻雄为首的众大臣奏请秦王苻健明确地自称皇帝，依照汉朝、晋朝直接称帝的先例，不必效法后赵石虎等人先称天王、后即皇帝位的做法。苻健接受群臣的建议，即位为皇帝，同时颁布大赦令，诸位公爵全都晋爵为王。并且说“单于”职责是统一天下诸蛮，作为皇帝不应该兼任“单于”，遂将“单于”这一头衔授予了皇太子苻苌。

东晋司马勋战败后返回汉中，杜洪与张琚率军屯扎在宜秋。杜洪自以为出身于豪门大族，身份高贵，遂看不起张琚，张琚于是杀死了杜洪，自立为秦王，改年号为建昌。

占据襄国、自称皇帝的刘显率军攻打常山，魏主冉闵留下大将军蒋幹辅佐太子冉智守卫京师邺城，自己亲自率领八千名骑兵救援常山。刘显手下担任大司马的清河人王宁献出枣强城向魏主投降。冉闵攻打刘显，将刘显打得大败，追杀刘显一直追到襄国。刘显手下的大将军曹伏驹打开襄国城门，将魏主冉闵放入城中，冉闵杀死了刘显及其属下担任公卿以下官职的一百多人，焚毁了襄国的宫室，将襄国的居民强行迁徙到邺城。

后赵汝阴王石琨带着自己的妻妾前来建康投奔东晋，东晋朝廷把他绑缚到建康闹市区斩首，石姓家族遂完全灭绝。

东晋担任尚书左丞的孔严对担任中军将军的殷浩说：“前些日子，朝臣们对桓温

何以镇之？愚谓宜明受任之方[253]，韩、彭[254]专征伐，萧、曹[255]守管籥[256]，内外之任[257]，各有攸司[258]。深思廉、蔺屈身之义[259]，平、勃交欢之谋[260]，令穆然无间[261]，然后可以保大定功[262]也。观近日降附之徒[263]，皆人面兽心，贪而无亲，恐难以义感[264]也。"浩不从。严，愉之从子也。

浩上疏请北出许、洛[265]，诏许之，以安西将军谢尚[266]、北中郎将荀羡[267]为督统，进屯寿春。谢尚不能抚慰[10]张遇[268]，遇怒，据许昌叛，使其将上官恩据洛阳，乐弘攻督护戴施于仓垣[269]，浩军不能进。

三月，命荀羡镇淮阴，寻加监青州诸军事，又领兖州刺史，镇下邳[270]。

乙巳[271]，燕王儁还蓟，稍徙军中文武兵民家属于蓟。

姚弋仲有子四十二人，及病，谓诸子曰："石氏待吾厚，吾本欲为之尽力。今石氏已灭，中原无主，我死，汝亟[272]自归于晋，当固执[273]臣节，无为不义也。"弋仲卒，子襄秘不发丧[274]，帅户六万南攻阳平、元城、发干[275]，破之，屯于碻磝津[276]。以太原王亮为长史，天水尹赤为司马，太原薛瓒、略阳权翼为参军。

襄与秦兵战，败，亡三万余户，南至荥阳，始发丧。又与秦将高昌、李历战于麻田[277]，马中流矢而毙，弟苌以马授襄，襄曰："汝何以自免？"苌曰："但令兄济[278]，竖子必不敢害苌！"会救至，俱免。尹赤奔秦，秦以赤为并州刺史，镇蒲阪[279]。

襄遂帅众归晋，送其五弟为质。诏襄屯谯城[280]。襄单骑度淮，见谢尚于寿春。尚闻其名，命去仗卫[281]，幅巾待之[282]，欢若平生[283]。襄博学，善谈论，江东人士皆重之。

大军东下所表现出来混乱心态，实在让人感到寒心，不知将军采用什么办法使他们恢复安宁？我认为应该明确划清各个官员的职务权限，如汉朝的韩信、彭越等武将专管征伐，萧何、曹参等文臣为朝廷管好钥匙、当好家，守好钥匙为内，专管征伐为外，各有所管，各负其责。深思战国时期赵国的武将廉颇、文臣蔺相如为了国家的利益而委曲求全的义举，西汉时期右丞相陈平与掌握兵权的太尉周勃结交为友、互相配合，终于诛灭诸吕，保住了刘氏天下的谋略，所以应该使大臣之间和睦相亲，彼此之间没有一点嫌隙，然后才能保卫、光大王室的基业，为国家建立功勋。观察近来归降的人，全都是人面兽心，贪图权力而没有仁爱之心，恐怕难以用恩义来感动他们。”殷浩没有采纳孔严的建议。孔严，是孔愉的侄子。

东晋中军将军殷浩上疏给朝廷请求从许昌、洛阳出兵北伐，朝廷下诏批准，遂任命安西将军谢尚、北中郎将荀羡二人同时担任负责总指挥的督统，率军进驻寿春。谢尚对张遇未能实行有效的抚慰，张遇发怒，遂据守许昌叛变，并派他的部将上官恩据守洛阳，乐弘也率军在仓垣攻击东晋担任督护的戴施，殷浩的大军不能前进。

三月，东晋朝廷令荀羡驻守淮阴，不久，又加授荀羡监青州诸军事，兼任兖州刺史，镇所设在下邳。

正月十五日乙巳，燕王慕容儁从龙城返回蓟城，开始逐渐地把军人家属从龙城迁往蓟城。

姚弋仲有四十二个儿子，等到姚弋仲患病，他对自己的儿子们说：“石氏待我恩深德厚，我本来想要为石氏效力。如今石氏已经灭绝，中原地区没有主人，我死之后，你们要赶紧回归东晋，要坚守臣节，不要做出不义的事情来。”姚弋仲去世后，他的儿子姚襄将姚弋仲逝世的消息封锁起来没有对外发布，他率领六万户部众南下攻克了阳平、元城、发干，将军队驻扎在碻磝津。姚襄任命太原人王亮为长史，任命天水人尹赤为司马，太原人薛瓒、略阳人权翼为参军。

姚襄与秦兵交战，失败，损失了三万多户，他继续率众南下，到达荥阳时，才开始为自己的父亲姚弋仲发丧。又与秦将高昌、李历在麻田交战，战马被流矢射中倒地而死，姚襄的弟弟姚苌把自己的马让给姚襄，姚襄说：“你把马给了我，你还怎么逃生？”姚苌说：“只要哥哥能成功渡过难关，那些小子就不敢杀害我！”恰巧救兵赶到，姚襄、姚苌二人都得以脱身。尹赤投奔了秦国，秦国任命尹赤为并州刺史，镇所设在蒲阪。

姚襄率领部众回归东晋，他将五弟送到建康作为人质。东晋朝廷下诏令姚襄屯驻在谯城。姚襄单枪匹马渡过淮河，到寿春晋见安西将军谢尚。谢尚早就听说过姚襄的大名，所以就命令撤去自己的仪仗队与卫队，然后换上平民的服装等待与姚襄相见，两人第一次见面，就像接待自己多年的老朋友一样高兴。姚襄博学多才，善于谈论，江东的士大夫都很敬重他。

魏主闵既克襄国，因游食㉘④常山、中山诸郡。

赵立义将军段勤㉘⑤聚胡、羯万余人保据绎幕㉘⑥，自称赵帝。

夏，四月甲子㉘⑦，燕王儁遣慕容恪等击魏，慕容霸等击勤。魏主闵将与燕战，大将军董闰、车骑将军张温谏曰："鲜卑乘胜锋锐，且彼众我寡，宜[11]且避之，俟其骄惰，然后益兵以击之。"闵怒曰："吾欲以此众平幽州，斩慕容儁。今遇恪而避之，人谓我何！"司徒刘茂、特进㉘⑧郎闿相谓曰："吾君此行，必不还矣，吾等何为坐待戮辱！"皆自杀。

闵军于安喜㉘⑨，慕容恪引兵从之㉙⑩。闵趣常山，恪追之，丙子㉙①[12]，及于魏昌之廉台㉙②。闵与燕兵十战，燕兵皆不胜。闵素有勇名，所将兵精锐，燕人惮之。慕容恪巡陈㉙③，谓将士曰："冉闵勇而无谋，一夫敌㉙④耳。其士卒饥疲，甲兵㉙⑤虽精，其实难用㉙⑥，不足破也。"闵以所将多步卒，而燕皆骑兵，引兵将趣林中㉙⑦。恪参军高开曰："吾骑兵利平地，若闵得入林，不可复制。宜亟遣轻骑邀㉙⑧之，既合而阳走㉙⑨，诱致平地，然后可击也。"恪从之。魏兵还就平地，恪分军为三部，谓诸将曰："闵性轻锐㉚⑩，又自以众少，必致死于我㉚①。我厚集中军之陈㉚②以待之，俟其合战㉚③，卿等从旁击之，无不克矣。"乃择鲜卑善射者五千人，以铁锁连其马，为方陈而前。闵所乘骏马曰朱龙，日行千里。闵左操两[13]刃矛，右执钩戟，以击燕兵，斩首三百余级。望见大幢㉚④，知其为中军，直冲之。燕两军从旁夹击，大破之。围闵数重，闵溃围东走二十余里，朱龙忽毙，为燕兵所执。燕人杀魏仆射刘群，执董闰[14]、张温及闵，皆送于蓟。闵子操奔鲁口㉚⑤。高开被创㉚⑥而卒。慕容恪进屯常山，儁命恪镇中山。

己卯㉚⑦，冉闵至蓟。儁大赦，立闵而责之曰："汝奴仆下才，何得

魏主冉闵攻克了襄国之后，遂带着部队在常山、中山诸郡之间到处找食物吃，哪里有吃的就到哪里去。

故后赵立义将军段勤聚集起一万多名胡人、羯人据守绎幕县，自称赵帝。

夏季，四月初五日甲子，燕王慕容儁派遣慕容恪等率军攻击魏国，派慕容霸等率军攻打段勤。魏主冉闵准备亲自出兵与燕军交战，大将军董闰、车骑将军张温全都劝阻说："鲜卑人乘胜进军，士气正盛，其势不可阻挡，而且燕军人数众多，我军数量又少，应该先避一避，等到燕军骄傲怠惰的时候再出兵攻打他们。"冉闵大怒说："我想率领这些兵众平定幽州，斩杀慕容儁。今天只是遇到慕容恪就要回避，人们将会怎么看我！"担任司徒的刘茂、位在特进的郎闿互相议论说："我们的君主此次出兵，肯定回不来了，我等何必在这里坐等杀戮的耻辱！"于是都自杀而死。

魏主冉闵将军队驻扎在安喜县，燕国的慕容恪率军随后赶到。冉闵拔营前往常山，慕容恪率军随后追赶，四月十七日丙子，在魏昌县的廉台将冉闵追上。冉闵与燕军经过十次战斗，燕军都不能取胜。冉闵一向以作战勇猛闻名于世，他所率领的又都是精锐，所以燕军很惧怕他。慕容恪到自己的军阵前进行巡视，他对将士们说："冉闵虽然勇猛，然而缺少谋略，只不过是一个单打独斗的勇士罢了。他手下的士卒饥饿、疲倦，虽然装备精良，其实已经很难再发挥作用，将其攻破并不是什么难事。"冉闵因为自己所率领的大多是步兵，而燕军全都是骑兵，遂准备率领军队转移到树林中。在慕容恪手下担任参军的高开对慕容恪说："我们是骑兵，利于在平地作战，如果冉闵率军队进入密林，我们将对他无可奈何。应该赶紧派轻骑兵在半路上进行截击，双方开战之后，再假装败走，将他们引诱到平地，然后就可以出动大军将他们击败。"慕容恪同意高开的意见。魏国的军队果然被燕军引诱到平地，慕容恪将军队分为三部，他对诸将领说："冉闵喜好进攻求战，又自认为兵少，必然会找我们拼命决一死战。我们将主力部队集中在中军，布好阵势等待魏军前来攻打，等他的主力与我们的主力开战后，你们就从侧翼发动进攻，没有不获胜的道理。"遂从鲜卑人中挑选出五千名善于射箭的人，用铁索将他们的战马链接起来，组成方阵向前推进。冉闵所骑的骏马名叫朱龙，一天可以奔跑一千里。冉闵左手拿着两面带刃的长矛，右手拿着带钩的铁戟，向燕军阵地杀来，一连斩杀了三百多名燕军。他抬头看见了燕军主将的华盖，知道了中军所在的位置，便径直向中军杀来。燕国的另外两支军队同时从冉闵的两侧进行夹击，于是大败魏军。燕军将魏主冉闵重重包围在中间，冉闵突破重围向东逃出二十多里，座下的骏马朱龙突然倒地而死，遂被燕军活捉。燕军杀死了魏国的仆射刘群，活捉了董闰、张温和冉闵，这些俘虏都被送往蓟城。冉闵的儿子冉操逃往鲁口。高开因为身受重伤，不治身亡。慕容恪继续进军，屯扎在常山，燕王慕容儁命慕容恪镇守中山。

四月二十日己卯，魏主冉闵被押送到蓟城。燕王慕容儁颁布大赦令，让冉闵站

安[308]称帝!"闵曰:"天下大乱,尔曹夷狄禽兽之类犹称帝,况我中土[309]英雄,何为不得称帝邪[310][15]!"儁怒,鞭之三百,送于龙城。

慕容霸军至绎幕,段勤与弟思聪举城降。

甲申[311],儁遣慕容评及中尉侯龛帅精骑万人攻邺。癸巳[312],至邺,魏蒋幹及太子智闭城拒守,城外皆降于燕,刘宁[313]及弟崇帅胡骑三千奔晋阳[314]。

秦以张遇[315]为征东大将军、豫州牧。

五月,秦主健攻张琚于宜秋[316],斩之。

邺中大饥,人相食,故赵时宫人被食略尽。蒋幹使[16]侍中缪嵩、詹事刘猗奉表请降[317],且求救于谢尚。庚寅[318],燕王儁遣广威将军慕容军、殿中将军慕舆根、右司马皇甫真等帅步骑二万助慕容评攻邺。

辛卯[319],燕人斩冉闵于龙城。会大旱、蝗,燕王儁谓闵为祟[320],遣使祀之,谥曰悼武天王。

初,谢尚使戴施据枋头[321]。施闻蒋幹求救,乃自仓垣徙屯棘津[322],止幹使者[323]求传国玺。刘猗使缪嵩还邺白幹,幹疑尚不能救[324],沈吟未决[325]。六月,施帅壮士百余人入邺,助守三台[326],给[327]之曰:"今燕寇在外,道路不通,玺未敢送也。卿且出以付我,我当驰白天子。天子闻玺在吾所,信卿至诚,必多发兵粮以相救饷[328]。"幹以为然,出玺付之。施宣言[329]使督护何融迎粮,阴令[330]怀玺送于枋头[331]。甲子[332],蒋幹帅锐卒五千及晋兵出战,慕容评大破之,斩首四千级,幹脱走入城。

甲申[333],秦主健还长安[334]。

谢尚、姚襄共攻张遇于许昌。秦主健遣丞相东海王雄[335]、卫大将军

在自己面前，责备他说："你原本是一个奴仆，才能下等，怎么竟敢狂妄地自称起皇帝来！"冉闵说："天下大乱，像你们这些如同禽兽一样的夷人、狄人尚且自称皇帝，何况我这个中原地区的英雄人物，凭什么就不能称皇帝！"慕容儁大怒，命人抽了冉闵三百下鞭子之后，送往龙城关押。

慕容霸率军抵达绎幕，段勤与他的弟弟段思聪立即献出绎幕，向慕容霸投降。

四月二十五日甲申，燕王慕容儁派遣慕容评以及担任中尉的侯龛率领一万名精骑兵攻打邺城。五月初五日癸巳，大军抵达邺城，魏国大将军蒋幹以及魏太子冉智紧闭城门坚守，而城外的魏军则全部向燕军投降，刘宁和他的弟弟刘崇率领三千名胡人骑兵逃往晋阳。

秦国任命降将张遇为征东大将军、豫州牧。

五月，秦主苻健率军攻打占据宜秋、自称秦王的张琚，大获全胜，将张琚斩首。

魏国的都城邺城之中，粮食极度短缺，人们饿得人吃人，故后赵时的宫人被饥饿的士卒宰杀烹煮，几乎吃光了。大将军蒋幹派担任侍中的缪嵩、担任詹事的刘猗带着降书向东晋投降，并且向安西将军谢尚请求救援。五月初二日庚寅，燕王慕容儁派遣广威将军慕容军、殿中将军慕舆根、右司马皇甫真等率领二万名步兵、骑兵协助慕容评围攻邺城。

五月初三日辛卯，燕国人在龙城将冉闵斩首。恰逢燕国遭遇大旱灾、蝗灾，燕王慕容儁认为是冉闵的鬼魂在作祟，遂派遣使者前往龙城祭祀冉闵，并追谥冉闵为悼武天王。

当初，东晋安西将军谢尚派戴施据守枋头。戴施听说蒋幹向谢尚求救，遂擅自率军从仓垣挺进到棘津渡口驻扎，他扣留了蒋幹的使者缪嵩、刘猗，向他们索要传国玉玺。刘猗遂派缪嵩返回邺城向蒋幹禀报，蒋幹怀疑谢尚能否派兵前来邺城相救，所以对是不是要把传国玉玺送给戴施拿不定主意。六月，戴施率领一百多名勇士进入邺城，帮助守卫三台，戴施欺骗蒋幹说："如今燕军都在邺城城外，道路不通，传国玉玺不能直接送往建康朝廷。你先把玉玺交给我，我立即派人骑马赶往建康奏报天子。天子听到玉玺在我手里，就会相信你的投降是出于至诚，一定会多派兵相救、多发粮以供军食。"蒋幹认为戴施说得有道理，就拿出传国玉玺交给戴施。戴施表面上说派担任督护的何融出城去迎接东晋援救的粮秣，暗中却令何融怀揣传国玉玺送到自己的镇所枋头。初六日甲子，蒋幹率领五千名精锐以及东晋戴施所率领的军队出城迎战燕军，结果被慕容评所率领的燕军打得大败，斩杀了四千人，蒋幹逃回邺城。

六月二十六日甲申，秦主苻健从宜秋返回都城长安。

东晋安西将军谢尚与姚襄一起攻打据守许昌的张遇。秦主苻健派遣担任丞相的东海王苻雄、担任卫大将军的平昌王苻菁出函谷关向东拓展地盘，二人便率领二万

平昌王菁[336]略地关东[337]，帅步骑二万救之。丁亥[338]，战于颍水之诫桥[339]，尚等大败，死者万五千人，尚奔还淮南。襄弃辎重[340]，送尚于芍陂[341]，尚悉以后事付襄。殷浩闻尚败，退屯寿春。

秋，七月，秦丞相雄徙张遇及陈、颍、许、洛之民五万余户于关中，以右卫将军杨群为豫州刺史，镇许昌。

谢尚降号建威将军。

赵故西中郎将王擢遣使请降，拜擢秦州刺史。

丁酉[342]，以武陵王晞[343]为太宰。

丙辰[344]，燕王儁如中山。

王午闻魏败，时邓恒已死，午自称安国王。八月戊辰[345]，燕王儁遣慕容恪、封奕、阳骛攻之。午闭城自守，送冉操[346]诣燕军，燕人掠其禾稼而还[347]。

庚午[348]，魏长水校尉马愿等开邺城纳燕兵。戴施、蒋幹悬縋[349]而下，奔于仓垣。慕容评送魏后董氏、太子智、太尉申钟、司空条攸[17]等及乘舆服御[350]于蓟。尚书令王简、左仆射张乾、右仆射郎肃皆自杀。燕王儁诈云董氏得传国玺献之[351]，赐号奉玺君，赐冉智爵海宾侯。以申钟为大将军右长史，命慕容评镇邺。

桓温使司马勋助周抚讨萧敬文于涪城[352]，斩之。

谢尚自枋头迎传国玺至建康，百僚毕贺[353]。

秦以雷弱兒为大司马，毛贵为太尉，张遇为司空。

殷浩之北伐也，中军将军王羲之以书止之，不听。既而无功，复谋再举。羲之遗浩书曰："今以区区江左[354]，天下寒心[355]，固已久矣。力争武功[356]，非所当作。自顷[357]处内外之任[358]者，未有深谋远虑，而疲竭根本[359]，各从所志[360]，竟无一功可论，遂令天下将有土崩之势[361]。任其事

名步兵、骑兵前往许昌救援张遇。六月二十九日丁亥，在颍水的诫桥与晋军展开决战，谢尚等被秦军打得大败，被杀死了一万五千多人，谢尚逃回淮南。姚襄抛弃了所有沉重的军用物资，将谢尚护送到芍陂，谢尚把一切善后事宜全部托付给姚襄。中军将军殷浩听到谢尚战败的消息，便率军退回寿春驻守。

秋季，七月，秦国丞相、东海王苻雄将豫州牧张遇以及陈留、颍川、许昌、洛阳的五万多户居民迁徙到函谷关以西地区。秦国任命担任右卫将军的杨群为豫州刺史，镇所设在许昌。

东晋安西将军谢尚降职为建威将军。

故后赵西中郎将王擢派遣使者来到东晋的都城建康请求投降，东晋任命王擢为秦州刺史。

七月初十日丁酉，东晋朝廷任命武陵王司马晞为太宰。

二十九日丙辰，燕王慕容儁从蓟城前往中山。

王午听到魏国已经败亡的消息，当时征东将军邓恒已死，王午遂自称安国王。八月十一日戊辰，燕王慕容儁派慕容恪、封奕、阳骛率军攻打鲁口。王午紧闭城门坚守，却把魏主冉闵的儿子冉操送给了燕军，燕军在城外掠夺性地收割了地里的庄稼，然后撤军。

八月十三日庚午，魏国长水校尉马愿等打开邺城城门放进燕军。东晋帮助守城的戴施与魏国大将军蒋幹从城上顺下绳索，然后顺着绳子爬出邺城，仓皇逃往仓垣。慕容评将魏国皇后董氏、皇太子冉智、太尉申钟、司空条攸等以及皇帝所用的车马服饰等全部运往蓟城。魏国的尚书令王简、左仆射张乾、右仆射郎肃全都自杀而死。燕王慕容儁谎称魏国董皇后得到传国玉玺，并将传国玉玺送给燕国，遂赐封董皇后为奉玺君，封魏太子冉智为海宾侯。任命申锺为大将军右长史，令慕容评镇守邺城。

东晋征西大将军桓温令梁州刺史司马勋协助益州刺史周抚前往涪城讨伐萧敬文，将萧敬文斩首。

东晋建威将军谢尚从枋头把传国玉玺送往京师建康，文武百官全来向皇帝祝贺。

秦国任命雷弱兒为大司马，任命毛贵为太尉，任命张遇为司空。

殷浩率军北伐的时候，中军将军王羲之给殷浩写信进行劝阻，殷浩不听。结果无功而返，现在殷浩又准备再次北伐。王羲之再次写信给殷浩说：“现在朝廷只拥有江东这么一块区区之地，一想起来就令人感到担心，怕被占据北方的少数民族政权所消灭，这种情形由来已久了。想靠武力来与北方政权争胜，目前形势下是不合适的。近些年来，在朝廷内外担负重要责任的人，不为国家的长远利益考虑，竟不惜为北伐而耗尽国家的财力物力，只是按照个人的意愿，想怎么做就怎么做，结果竟然没有收到一点功效，反倒使国家面临土崩瓦解的危险。那些执政、当权的人，怎能不

者[362]，岂得辞四海之责哉！今军破于外，资竭于内，保淮之志[363]，非所复及[364]。莫若还保长江，督将[365]各复旧镇，自长江以外，羁縻而已[366]。引咎责躬[367]，更为善治，省其赋役，与民更始[368]，庶可以救倒悬[369]之急也。使君起于布衣[370]，任天下之重，当董统[371]之任，而败丧[372]至此，恐阖朝群贤[373]未有与人分其谤[374]者。若犹以前事为未工[375]，故复求之于[18]分外[376]，宇宙虽广，自容何所[377]？此愚智所不解也[378]。”

又与会稽王昱笺[379]曰：“为人臣者[19]，谁不愿尊其主[380]，比隆前世[381]，况遇难得之运[382]哉！顾[383]力有所不及，岂可不权轻重[384]而处之也。今虽有可喜之会[385]，内求诸己[386]，而所忧乃重于所喜。功未可期[387]，遗黎歼尽[388]，劳役无时[389]，征求日重[390]，以区区吴、越[391]经纬[392]天下十分之九[393]，不亡何待！而不度德量力，不弊不已[394]，此封内[395]所痛心叹悼而莫敢吐诚[396]者也。‘往者不可谏，来者犹可追[397]。’愿殿下更垂三思[398]，先为不可胜之基[399]，须根立势举[400]，谋之未晚[401]。若不行，恐麋鹿之游，将不止林薮[402]而已。愿殿下暂废虚远之怀[403]，以救倒悬之急，可谓以亡为存[404]，转祸为福也。”不从。

九月，浩屯泗口[405]，遣河南太守戴施据石门[406]，荥阳太守刘遯据仓垣。浩以军兴[407]罢遣太学生徒[408]，学校由此遂废。

冬，十月，谢尚遣冠军将军王侠攻许昌，克之。秦豫州刺史杨群退屯弘农。征尚为给事中，戍石头。

丁卯[409]，燕王儁还蓟。

故赵将拥兵据州郡者各遣使降燕，燕王儁以王擢为益州刺史，夔逸为秦州刺史，张平为并州刺史，李历为兖州刺史，高昌为安西将军，

遭到全国人民的谴责！如今军队在国境之外遭遇失败，国境之内物资枯竭，以淮河为边界并加以守卫的设想，恐怕已经办不到了。不如回过头来保护长江，让那些因为北伐而征调来的各路将领返回自己原来的镇所，对于长江以北、淮河以南地区，只要表面上归顺国家就可以了。要承认过去急躁冒进的错误，深刻地进行自我反省，然后实行变革，制定出一套好的治国方法，减轻人民的赋税徭役，与民众一起除旧布新，大概才有可能解救人民的倒悬之苦。阁下出身于平民，肩负着国家兴亡的重任，应当担负起总理国家大事的责任，却使国家遭受失败、损失到如此地步，恐怕满朝文武大臣没有人能为你分担责任、分担骂名。如果认为上次北伐有可改进之处，所以还想去干一些根本办不到的事情；如果再次失败，我想，宇宙虽然广大，你将到什么地方去寻找容身之地呢？这是我的智力所无法理解的。"

王羲之又写信给会稽王司马昱，王羲之在信中说："作为人臣的人，谁不愿意提高其君主的威望，与以往的兴隆盛世相媲美，何况是遭遇中原大乱这样千载难逢的好时机！关键在于有时难免心有余而力不足，岂能不衡量自己的利弊、短长等实际情况就贸然而动。现在，外部虽然有令人感到惊喜的机遇，然而，回过头来检查一下我们国家的自身，恐怕值得担忧的要远远超过可喜的。建功立业的希望是很渺茫的，而剩余下来的黎民百姓差不多快死光了，不分季节、没有固定时间和期限的劳役似乎没有休止的时候，国家向人民征收的各种苛捐杂税一天比一天加重，凭借小小吴、越的力量去争夺天下十分之九的土地，不灭亡还等什么呢！然而现在有些人不度德量力，不把最后的这点家底败坏光了就不肯罢休，这是四境之内所有人都感到痛心哀悼，却又不敢倾诉真情、实话实说的事情。俗话说：'过去的失败已经无法挽回，但未来的事情还可以力争做得更好一些。'希望殿下能够三思，首先要创造出使自己不致被敌人战胜的条件，等到国家根基牢固、时机成熟的时候，再谋求北伐也为时不晚。如若不然，恐怕麋鹿不仅游荡在林薮之中，还要游荡到我们的都城、我们的皇宫里来。希望殿下暂且停止谈论清虚玄远的情怀，以解救国家倒悬的危急，那可称得上是转亡为存、转祸为福了。"会稽王司马昱也没有接受王羲之的意见。

九月，东晋中军将军殷浩率军屯扎在泗口，他派遣河南太守戴施据守石门、派荥阳太守刘遯据守仓垣。殷浩以实行紧急军事动员的名义，暂停各州郡向都城太学选派学生，同时遣散了所有在太学读书的学生，学校从此荒废。

冬季，十月，东晋建威将军谢尚派遣冠军将军王侠率军攻打许昌，将许昌攻克。秦国豫州刺史杨群将军队撤退到弘农坚守。东晋朝廷征调谢尚返回建康，任命他为给事中，负责戍守石头城。

十月十一日丁卯，燕王慕容儁从中山返回都城蓟城。

故后赵将领拥兵据守州郡的，各自派遣使者，向燕国投降，燕王慕容儁任命王擢为益州刺史，任命夔逸为秦州刺史，任命张平为并州刺史，李历为兖州刺史，高

刘宁为车骑将军。

慕容恪屯安平[410]，积粮，治攻具，将讨王午。丙戌[411]，中山苏林起兵于无极[412]，自称天子。恪自鲁口还讨林。闰月戊子[413]，燕王儁遣广威将军慕舆根助恪攻林，斩之。王午为其将秦兴所杀。吕护杀兴，复自称安国王。

燕群僚共上尊号于燕王儁，儁许之。十一月丁卯[414]，始置百官，以国相封奕为太尉，左长史阳骛为尚书令，右司马皇甫真为尚书左仆射，典书令张悕为右仆射，其余文武，拜授有差。戊辰[415]，儁即皇帝位，大赦。自谓[416]获传国玺，改元元玺。追尊武宣王[417]为高祖武宣皇帝，文明王[418]为太祖文明皇帝。时晋使适至燕，儁谓曰："汝还白汝天子，我承人乏[419]，为中国[420]所推，已为帝矣！"改司州[421]为中州，建留台[422]于龙都[423]。以玄菟太守乙逸为尚书，专委留务[424]。

秦丞相雄攻王擢于陇西，擢奔凉州，雄还屯陇东[425]。张重华以擢为征虏将军、秦州刺史，特宠待之。

【段旨】

以上为第二段，写晋穆帝永和八年（公元三五二年）一年间的大事。主要写了苻健在关中即皇帝位，国号曰"秦"，即历史上所说的"前秦"；写了魏主冉闵大破刘显，刘显败回襄国，部下开城降魏，冉闵入据襄国，杀刘显，焚襄国宫室，迁其民于邺；写了燕将慕容恪攻魏，大破冉闵于常山，俘获冉闵，燕斩冉闵于龙城；写了燕将慕容评等攻邺，冉闵的部将蒋幹以邺城降晋；写了殷浩同谢尚、荀羡北伐，进屯寿春，谢尚部将戴施率军入邺城助蒋幹抗燕，被慕容评大破之，最后冉闵部将开门降燕，戴施、蒋幹仅缒城以身免；燕将慕容评占领邺城，冉闵势力遂彻底被灭，晋将戴施之收获在于得到了历代帝王的传国玉玺，送回了晋王朝；写了羌族头领姚弋仲死，遗言令诸子自归于晋，其子姚襄不从，乃与秦兵战，被秦兵所败，姚襄只好率部归晋；写了谢尚与姚襄共攻张遇于许昌，苻健派兵救张遇，大破谢尚、姚襄，谢尚南逃而回，委后事于姚襄；殷浩的第一次北伐，一败于燕，二败于秦，遂退回寿春；写了殷浩北伐前，王羲之就以书劝止，

昌为安西将军，刘宁为车骑将军。

燕国慕容恪率军屯驻在安平，他积谷屯粮，修治攻城的器具，准备讨伐据守鲁口的王午。闰十月初一日丙戌，中山人苏林在无极县起兵，自称天子。慕容恪率军从鲁口回师讨伐苏林。初三日戊子，燕王慕容儁派遣广威将军慕舆根协助慕容恪攻打苏林，将苏林斩首。据守鲁口的王午被其部将秦兴杀死。王午的另一部将吕护杀死了秦兴，又自称安国王。

燕国所有的文武官员共同给燕王慕容儁奉上皇帝尊号，慕容儁答应了百官的请求。十一月十二日丁卯，开始设置文武百官，任命担任国相的封奕为太尉，任命担任左长史的阳骛为尚书令，任命担任右司马的皇甫真为尚书左仆射，任命担任典书令的张悕为右仆射，其余的文武官员按照原来的等级拜官授爵各不相同。十三日戊辰，慕容儁即位为皇帝，大赦天下。慕容儁自称获得了传国玉玺，所以改年号为元玺元年。追尊祖父武宣王慕容廆为高祖武宣皇帝，追尊自己的父亲文明王慕容皝为太祖文明皇帝。当时东晋的使者恰好到达燕国，慕容儁便对东晋的使者说："你回去告诉你家天子，我因为中原无主，所以接受了中原人的推戴，已经做了皇帝了！"改称司州为中州，在龙城旧都设立留守朝廷。任命玄菟太守乙逸为尚书，负责留守朝廷的一切事务。

秦国丞相苻雄率军前往陇西攻打燕国所任命的益州刺史王擢，王擢逃奔凉州，苻雄回师，驻扎在陇东。凉王张重华任命王擢为征虏将军、秦州刺史，对王擢特别宠信优待。

殷浩不听，败回后，复谋再举，王羲之又遗书劝阻，以为"力争武功，非所当作"；又上书司马昱，以为"今虽有可喜之会，内求诸己，而所忧乃重于所喜"云云；慕容儁在蓟城即皇帝位；等等。

【注释】

㉔①正月辛卯：正月初一。㉔②正尊号：明确地自称皇帝。㉔③石氏之初：谓石虎等人皆先称"天王"，后即皇帝位。㉔④单于所以统壹百蛮：单于的职责是统率诸蛮。单于，苻健称帝前自称大单于。百蛮，总称苻氏所辖境内的诸多少数民族。㉔⑤非天子所宜领：不应该由皇帝兼任。领，兼任。㉔⑥宜秋：古城名，在今陕西泾阳西北。㉔⑦右族：豪门大族，也称"右姓"。㉔⑧清河王宁：清河郡人姓王名宁。清河郡的郡治在今河北清河县东南。㉔⑨枣强：县名，县治在今河北枣强东南的东故县村。㉕⓪汝阴王琨：石琨，石虎之子，被封为汝阴王。㉕①比来众情：前些日子表现出的朝臣们的心思。情，心思、情态，指桓温蔑视朝廷，朝臣一片混乱。㉕②使君：敬称殷浩。汉时称刺史、太守为使君，汉以

后成为对州郡长官的尊称。此时殷浩为扬州刺史，参综朝权。㉕③明受任之方：划清各个官员的职务权限。方，方位，引申为区域，职权范围。㉕④韩、彭：韩信、彭越，都是刘邦手下的大将。这里代指武臣，如桓温等。㉕⑤萧、曹：萧何、曹参，都是刘邦手下的文臣。这里以喻殷浩等。㉕⑥守管籥：为朝廷掌管锁匙，意即当好家，做好日常的行政工作。萧何在楚汉战争中，为汉丞相，留守关中，掌管府库，输送士卒粮饷，支援作战。汉朝建立后，曹参相继为相，仍是这样做。守，掌管。㉕⑦内外之任：守管钥为内，专征伐为外。任，责任、职责。㉕⑧各有攸司：各有所管，各负其责。攸，助词。所。司，主管、掌管。㉕⑨廉、蔺屈身之义：廉颇和蔺相如为了国家利益而彼此委曲求全。廉颇、蔺相如都是战国时赵国的大臣，蔺相如因在"完璧归赵"与"渑池会"两次外交活动中立有大功，位升廉颇之上。廉颇不服，扬言要侮辱蔺相如，蔺相如退避谦让，认为应"先国家之急，而后私仇"，蔺相如的精神使廉颇愧悟，负荆请罪，两人遂成刎颈之交。事见《史记·廉颇蔺相如列传》。㉖⓪平、勃交欢之谋：陈平、周勃都是刘邦的开国功臣。刘邦去世后，吕后临朝，诸吕擅权，欲危刘氏。右丞相陈平感到忧虑，陆贾为其谋划说："天下安，注意相；天下危，注意将。将相和调，则士务附；士务附，天下虽有变，即权不分。为社稷计，在两君掌握耳。"陈平听从陆贾之谋，与掌握兵权的太尉周勃结交，二人互相配合，终于诛灭诸吕。事详《史记·吕太后本纪》与《史记·郦生陆贾列传》。㉖①穆然无间：和睦相亲的样子。无间，一点缝隙也没有。㉖②保大定功：保卫、光大王室的基业，为国家建立功勋。《左传》宣公十二年，楚庄王有所谓："夫武，禁暴、戢兵、保大、定功、安民、和众、丰财者也。"㉖③降附之徒：指归顺晋朝的段龛、张遇、姚襄等人。㉖④难以义感：不可能靠恩义使之感动。㉖⑤许、洛：许昌、洛阳。㉖⑥谢尚：谢鲲之子，时镇历阳（今安徽和县）。事见《晋书》卷七十九。㉖⑦荀羡：荀崧之子，时镇京口（今江苏镇江）。㉖⑧不能抚慰张遇：张遇原是魏国的豫州牧，见魏乱而降晋，在谢尚部下，谢尚未能加以抚慰。㉖⑨仓垣：古城名，一名仓垣亭，在今河南开封西北。㉗⓪下邳：郡名，郡治在今江苏邳州西南。㉗①乙巳：正月十五。㉗②亟：赶紧。㉗③固执：坚守；坚决保持。㉗④秘不发丧：不让外界知道姚弋仲已死的消息。发丧，人死公告于众。㉗⑤阳平、元城、发干：皆县名，阳平县的县治即今河北馆陶，元城县治在今河北大名东，发干县的县治在今山东聊城西。阳平、元城、发干三县均在滠头南。㉗⑥碻磝津：一作敲嚣津，在今山东茌平西南的古黄河上。南岸有碻磝城，东晋、南北朝时为军事要地。㉗⑦麻田：地名，在今河南洛阳东。㉗⑧济：成功，这里指渡过难关。㉗⑨蒲阪：县名，县治即今山西永济西南的蒲州镇。㉘⓪谯城：古城名，在今河南夏邑北。㉘①仗卫：仪仗队与卫队。㉘②幅巾待之：指不穿官服，穿着便服相见，表示平等亲密。幅巾，古代男子用一幅绢带束发，称为幅巾，是平民的打扮。㉘③欢若平生：像是接待老朋友一样的高兴。平生，平素、平时。㉘④游食：带着军队到处找食物吃，哪里有吃的就到哪里去，可见当时的社会之贫困。㉘⑤段勤：段末柸之子。段末柸是段匹磾之弟。传见《晋书》卷六十三。㉘⑥绎幕：县名，县治在今山东平原县西北。㉘⑦四月甲子：四月初五。㉘⑧特进：官名，汉制凡大臣功德最盛者，得赐位特进，位在三公下。魏晋南北朝因之，皆为加官。㉘⑨安喜：县名，县治在今河北定州东南。㉙⓪从之：追了过去。从，追、找。㉙①丙子：四月十七。㉙②及于魏昌之廉台：追到魏昌县的廉台追上了。魏昌，县名，县治在今河北定州东南。廉台，古地名，在今河北无极东北。㉙③巡陈：到自己的军阵前面巡视。陈，同“阵”。㉙④一夫敌：只能对付一个人，言有勇无谋，只凭武力厮杀。㉙⑤甲兵：甲盾兵器，这里代指兵士。㉙⑥其实难用：难以发挥他们的作用。用，发挥、使用。㉙⑦将趣林中：准备进入树林。趣，趋、进入。㉙⑧邀：半路截击。邀，袭击。㉙⑨既合而阳走：开战以后，再假装败逃。合，开战。阳，假装。㉚⓪轻锐：喜好进攻求战。㉚①致死于我：找着我们拼命、决死。㉚②厚集中军之陈：集中主力部队的人马不要动。中军，古代作战常分左、右、中（或上、下、中）三军，由主将所处的中军发号施令。㉚③俟其合战：等他的主力与我们的主力正式开战后。俟，等候。㉚④大幢：主将的华盖。幢是古代仪仗的一种，形状像伞。㉚⑤鲁口：古城名，即今河北饶阳。㉚⑥被创：受伤。创，兵器所致的伤口。㉚⑦己卯：四月二十。㉚⑧妄：狂妄；非分。㉚⑨中土：犹中原、中国。㉛⓪何为不得称帝邪：怎么就不能称帝。㉛①甲申：四月二十五。㉛②癸巳：五月初五。㉛③刘宁：原为刘显大司马，清河王，本年正月以枣强降魏。㉛④晋阳：古城名，在今山西太原西南，当时为太原郡的郡治所在地。㉛⑤张遇：原为冉闵的豫州牧，永和七年八月以廪丘降晋。八年初，又据许昌叛晋，投降苻健。㉛⑥宜秋：古城名，在今陕西泾阳西北。㉛⑦请降：请降于晋。㉛⑧庚寅：五月初二。㉛⑨辛卯：五月初三。㉜⓪为祟：死者的鬼魂作怪。㉜①据枋头：驻兵枋头。枋头即今河南浚县西南的淇门渡，北距邺都已经不远。㉜②棘津：渡口名，一名“南津”，亦名“石济津”，在今河南滑县西南的古黄河上。今湮。㉜③止幹使者：扣留起蒋幹所派的使者。㉜④疑尚不能救：怀疑谢尚能否派兵来邺相救。㉜⑤沈吟未决：拿不定主意，犹豫是不是把传国玺送给戴施。㉜⑥三台：即铜雀台、金虎台、冰井台，都在当时邺城城内的西北部。㉜⑦绐：欺骗。㉜⑧救饷：派兵相救，运粮以供军食。㉜⑨宣言：扬言；表面上说。㉝⓪阴令：暗中派人。㉝①怀玺送于枋头：传国玺至此始归晋。此前东晋无玺，中原称之为“白版天子”。㉝②甲子：六月初六。㉝③甲申：六月二十六。㉝④还长安：谓其从宜秋返回长安。㉝⑤东海王雄：苻雄，苻健之弟，被封为东海王。㉝⑥平昌王菁：苻菁，苻健之子，被封为平昌王。㉝⑦略地关东：出函谷关向东拓展地盘。㉝⑧丁亥：六月二十九。㉝⑨诫桥：据吴熙载《资治通鉴地理今释》，“诫桥，疑河南许州襄城县之颖桥”。在今河南襄城东北。㉞⓪弃辎重：丢下沉重的军用物资不要。㉞①芍陂：堤坝名，又名“期思陂”“安丰塘”，在今安徽寿县南。㉞②丁酉：七月初十。㉞③武陵王晞：司马晞，晋元帝司马睿之子，被封为武陵王。㉞④丙辰：七月二十九。㉞⑤八月戊辰：八月十一。㉞⑥冉操：冉闵之子。㉞⑦燕人掠其禾稼而还：胡三省曰，“慕容恪善用兵，知鲁口之未可取，徒久攻以毙士卒，故掠其禾稼，全师而退。金城汤池，非粟不守，孤城之外，春取其麦而秋取其禾，彼将焉仰哉?”禾稼，泛指庄稼。禾在秦汉以前皆指粟，即今之小米，后世始以稻为禾。㊽庚午：八月十三。㊾悬縋：以绳将人从城上悬下。㊿乘舆服御：泛指帝王所用的衣服车马之类。51诈云董氏得传国玺献之：历代帝王均以得传国玺为福瑞，慕容儁诈称得玺，是为表明天命所在，为登帝位制造舆论。52讨萧敬文于涪城：萧敬文原为晋将，桓温灭成汉回师后，留杨谦守西蜀，当时蜀人作乱，重占成都，萧敬文杀杨谦，占据涪城，自称益州牧。事见本书《晋纪》十九永和三年。53百僚毕贺：百官都向晋穆帝祝贺。毕，都。54区区江左：意谓东晋王朝如今只有江东的区区之地。江左即江东，这里指东晋而言。55天下寒心：一想起来就令人担心，怕被北方的少数民族所灭。56力争武功：想靠武力与北方政权争胜。57自顷：近些年来。58处内外之任：谓做朝官和任地方官的人。59疲竭根本：指为北伐而消耗国力。根本，国力、民力。60各从所志：按照他们个人的想法行事。61将有土崩之势：指民不堪命，将有揭竿而起之忧。汉代徐乐将国内发生内战比作瓦解，将人民起义比作土崩。62任其事者：犹谓执政的人、当权的人，此指殷浩等人而言。63保淮之志：指以淮河为边界并加以守卫的设想。64非所复及：已经办不到了。65督将：为北伐征调来的各路将领。66羁縻而已：可有可无地笼着点就行了。羁，马笼头。縻，牵牛绳。意即把长江以北、淮河以南的土地与人民，不必强烈地视为自己所有，能归属更好，不归属也不勉强。67引咎责躬：承认过去的急躁冒进，深刻自我批评。68与民更始：重新开始一种不图进取的路线。69倒悬：头朝下脚朝上地倒挂，比喻黎民百姓处境的极端困苦。70起于布衣：出身于平民。71董统：总统，总理国家大事。董，治理。72败丧：失败和损失。73阖朝群贤：满朝文武大臣。74分其谤：分担责任，分担骂名。75犹以前事为未工：还认为上次的北伐有可改进之处。未工，有局部的毛病。76复求之于分外：还想去干一些本来做不到的事情。分外，本来不属自己的。77自容何所：意思是说，如果再次失败，你还能到哪里去寻找容身之地呢。78此愚智所不解也：这是我的智力所不能理解的。愚，王羲之自我的谦称。79笺：文体名，写给高层官僚的书信。80尊其主：提高其主子的威望。81比隆前世：与以往的兴隆盛世相媲美。82难得之运：千载难逢的好时机，指中原大乱。83顾：转折语词，相当现在的“问题在于”“关键在于”。84权轻重：衡量自己的实际情况。轻重，犹言“利弊”“短长”。85可喜之会：有利的好时机。86内求诸己：检查一下我们国家的自身。87功未可期：建功立业的希望是很渺茫的。期，希望、期待。88遗黎歼尽：所剩不多的汉族百姓将要死光。遗黎，北方沦陷区的汉族百姓。89劳役无时：不分季节、遥遥无期地服劳役。无时，没有固定时间与期限。90征求日重：国家的赋税一天比一天加重。征求，征收、征调。91吴、越：此处指东晋。东晋王朝地处春秋时代吴国和越国（约当今江苏、浙江一带）的地盘。92经纬：犹言“经略”“经营”。93天下十分之九：指广大的长江以北地区。把中国分成十份，东晋只占十分之一，其余占十分之九。94不弊不已：不把最后的家当打光不罢休。弊，困穷、败坏。95封内：四境之内，这里指东晋士民。96吐诚：倾诉真情；说真话。97往者不可谏二句：出自《论语·微子》。用在这里的意思是过去的失败是无法挽回了，但未来的事情还是可以力争做得好一点。㊳⑨⑧更垂三思：希望能够再三考虑。垂，敬辞，意即给予、加以。㊳⑨⑨先为不可胜之基：首先要创造使自己不致被敌人战胜的条件。基，基础、条件。此语乃化用《孙子·形篇》中“善战者，先为不可胜，以待敌之可胜”的句意。㊵⓪⓪须根立势举：等到基础牢固，时机成熟。须，等。㊵⓪①谋之未晚：那时再谋求北伐也不算晚。㊵⓪②麋鹿之游二句：意思是还要游到我们的都城、游到我们宫殿里来。相传当年伍子胥劝谏吴王夫差有所谓“臣今见麋鹿游姑苏之台也”，意思是我们的都城、宫殿将要成为废墟，成为麋鹿出没的场所。㊵⓪③暂废虚远之怀：暂时停止一下清虚玄远的雅兴。司马昱好谈玄，故王羲之以此讥之。㊵⓪④以亡为存：意即转亡为存，改变危亡的处境。㊵⓪⑤泗口：泗水与淮水的汇合之口，在今江苏淮安市洪泽区西。㊵⓪⑥石门：地址不详。㊵⓪⑦以军兴：用军事紧急动员的名义。㊵⓪⑧罢遣太学生徒：暂停各地区向都城太学派送学生的做法。元帝建武元年，始立太学，至今废免。㊵⓪⑨丁卯：十月十一。㊵①⓪安平：县名，县治即今河北安平。㊵①①丙戌：闰十月初一。㊵①②无极：县名，即今河北无极。㊵①③闰月戊子：闰十月初三。㊵①④十一月丁卯：十一月十二。㊵①⑤戊辰：十一月十三。㊵①⑥自谓：自称；声称。㊵①⑦武宣王：指慕容廆，谥武宣王。㊵①⑧文明王：指慕容皝，谥文明王。㊵①⑨承人乏：谦辞，意思是说该职位一时暂无适当人选，故只好由自己充数。承，接受、担任。㊵②⓪中国：中原地区。㊵②①司州：州名，石赵置司州于邺。㊵②②留台：留守朝廷，朝廷的派出机构。㊵②③龙都：即龙城，在今辽宁朝阳。燕国初都棘城，即今辽宁义县。咸康七年，慕容皝在柳城之北，龙山之西，今辽宁朝阳筑建新城，命名龙城，咸康八年迁都于此。后来又迁都于蓟，故建留台于龙城，称龙都。㊵②④留务：留守朝廷的一切事务。㊵②⑤陇东：郡名，郡治泾阳，在今甘肃平凉西北。

【校记】

［10］慰：原作“尉”。据章钰校，十二行本、孔天胤本皆作“慰”，今据改。［11］宜：据章钰校，十二行本、乙十一行本皆作“请”。［12］丙子：原无此二字。据章钰校，十二行本、乙十一行本、孔天胤本皆有此二字，张敦仁《通鉴刊本识误》同，今据补。［13］两：据章钰校，十二行本、乙十一行本皆作“双”。［14］董闰：原误作“董闵”。胡三省注云：“当作‘董闰’。”据章钰校，孔天胤本正作“董闰”，今据改。〖按〗《晋书》卷一百七《石季龙载记下》有冉闵大将军董闰，与孔本合。［15］何为不得称帝邪：此句原作“何得不称帝邪”。据章钰校，十二行本、乙十一行本、孔天胤本皆作“何为不得称帝邪”，张敦仁《通鉴刊本识误》同，今据改。［16］使：据章钰校，十二行本、乙十一行本皆作“遣”。［17］条攸：原作“条枚”。严衍《通鉴补》改作“条攸”，今据校改。〖按〗《晋书》卷一百七《石季龙载记下》作“条攸”。［18］于：原无此字。据章钰校，十二行本、乙十一行本皆有此字，今据补。［19］者：原无此字。据章钰校，十二行本、乙十一行本皆有此字，张敦仁《通鉴刊本识误》同，今据补。

【原文】

九年（癸丑，公元三五三年）

春，正月乙卯朔[426]，大赦。

二月庚子[427]，燕主儁立其妃可足浑氏为皇后，世子晔为皇太子，皆自龙城迁于蓟宫。

张重华遣将军张弘、宋修会王擢帅步骑万五千伐秦。秦丞相雄、卫将军菁拒之，大败凉兵于龙黎[428]，斩首万二千级，虏张弘、宋修。王擢弃秦州，奔姑臧[429]。秦主健以领军将军苻愿为秦州刺史，镇上邽[430]。

三月，交州[431]刺史阮敷讨林邑[432]，破五十余垒[433]。

赵故卫尉常山李犊聚众数千人叛燕。

西域胡刘康诈称刘曜子[434]，聚众于平阳[435]，自称晋王。夏，四月，秦左卫将军苻飞讨擒之。

以安西将军谢尚为尚书仆射。

五月，张重华复使王擢帅众二万伐上邽，秦州郡县多应之。苻愿战败，奔长安。重华因上疏请伐秦，诏进[436]重华凉州牧。

燕主儁遣卫将军恪讨李犊，犊降，遂东击吕护于鲁口。

六月，秦苻飞攻氐王杨初[437]于仇池[438]，为初所败。丞相雄、平昌王菁帅步骑四万屯于陇东。

秦主健纳张遇继母韩氏为昭仪[439]，数于众中谓遇曰："卿，吾假子[440]也。"遇耻之。因雄等精兵在外，阴结关中豪杰，欲灭苻氏，以其地来降。秋，七月，遇与黄门刘晃谋夜袭健，晃约开门以待之。会健使晃出外，晃固辞，不得已而行。遇不知，引兵至门，门不开。事觉，伏诛。于是孔持[20]起池阳[441]，刘珍、夏侯显起鄠[442]，乔秉起雍[443]，胡阳赤起司竹[444]，呼延毒起灞城[445]，众数万人，各遣使来请兵[446]。

秦以左仆射鱼遵为司空。

九月，秦丞相雄帅众二万还长安，遣平昌王菁略定上洛[447]，置荆州于丰阳川[448]，以步兵校尉金城郭敬为刺史。雄与清河王法[449]、苻飞分讨孔持等。

【语译】

九年（癸丑，公元三五三年）

春季，正月初一日乙卯，东晋朝廷颁布大赦令。

二月十七日庚子，燕主慕容儁立自己的王妃可足浑氏为皇后，立世子慕容晔为皇太子，他们都从龙城迁入蓟城的皇宫。

凉王张重华派遣将军张弘、宋修会同征虏将军、秦州刺史王擢率领一万五千名步兵、骑兵讨伐秦国。秦国丞相苻雄、卫将军苻菁率军抵抗，在龙黎将凉王人马打得大败，斩杀了一万二千人，俘虏了张弘、宋修。王擢丢弃秦州，逃回姑臧。秦主苻健任命领军将军苻愿为秦州刺史，镇所设在上邽。

三月，东晋交州刺史阮敷率军讨伐林邑国，攻破了五十多个军事据点。

故后赵担任卫尉的常山人李犊聚集起数千人背叛了燕国。

西域胡人刘康诈称是前赵主刘曜的儿子，在平阳聚集部众，自称晋王。夏季，四月，秦国左卫将军苻飞率军讨伐刘康，将刘康活捉。

东晋任命安西将军谢尚为尚书仆射。

五月，凉王张重华又派王擢率军两万攻伐上邽，秦州有许多郡县起兵响应王擢。苻愿战败，逃回秦国的都城长安。张重华遂给东晋朝廷上疏，请求讨伐秦国，朝廷下诏提升张重华为凉州牧。

燕主慕容儁派遣卫将军慕容恪率军讨伐李犊，李犊向燕国投降，慕容恪乘势进军讨伐占据着鲁口的吕护。

六月，秦国苻飞率军前往仇池攻打氐王杨初，结果被杨初打败。秦国丞相苻雄、平昌王苻菁率领四万人马驻守陇东。

秦主苻健把担任司空的张遇的继母韩氏纳入后宫，封为昭仪，并多次当着众人的面对张遇说：“你，是我的养子。”张遇感到这是一种极大的耻辱。他趁着苻雄等人率领精兵在外驻守陇东的机会，暗中勾结关中的豪杰，准备灭掉苻氏，然后献出关中，投降东晋。秋季，七月，张遇与黄门官刘晃阴谋趁黑夜袭击苻健，刘晃与张遇约定，在某某时间打开宫门等候张遇到来。恰好苻健派刘晃外出，刘晃坚决推辞，迫不得已只得执行命令。而张遇不知道刘晃不在宫内，到了约定时间，就率兵来到宫门，而宫门没有打开。谋杀苻健的事情遂败露，张遇被杀。与此同时，孔持在池阳县起兵，刘珍、夏侯显在鄠县起兵，乔秉在雍县起兵，胡阳赤在司竹起兵，呼延毒在灞城起兵，人数达到数万，他们分别派遣使者到东晋请求出兵援助伐秦。

秦主苻健任命担任左仆射的鱼遵为司空。

九月，秦国丞相苻雄率领部众二万人返回长安，派平昌王苻菁率军攻取上洛郡，在丰阳川设置荆州，任命担任步兵校尉的金城人郭敬为荆州刺史。苻雄与清河王苻法、苻飞各自率军分别讨伐起兵叛乱的孔持、刘珍等。

姚襄屯历阳[450]，以燕、秦方强，未有北伐之志，乃夹淮[451]广兴屯田，训厉[452]将士。殷浩在寿春，恶其强盛，囚襄诸弟，屡遣刺客刺之。刺客皆以情[453]告襄。安北将军魏统[454]卒，弟憬代领部曲。浩潜遣[455]憬帅众五千袭之，襄斩憬，并其众。浩愈恶之，使龙骧将军刘启守谯[456]，迁襄于梁国蠡台[457]，表[458]授梁国内史。

魏憬子弟数往来寿春，襄益疑惧，遣参军权翼使于浩。浩曰："身[459]与姚平北[460]共为王臣，休戚同之[461]。平北每举动自专[462]，甚失辅车[463]之理，岂所望也[464]！"翼曰："平北英姿绝世，拥兵数万而[21]远归晋室者，以朝廷有道，宰辅明哲[465]故也。今将军轻信谗慝[466]之言，与平北有隙，愚谓猜嫌之端[467]，在此不在彼[468]也。"浩曰："平北姿性豪迈[469]，生杀自由，又纵小人掠夺吾马，王臣之体[470]，固若是乎！"翼曰："平北归命[471]圣朝，岂肯妄杀无辜！奸宄之人，亦王法所不容也，杀之何害？"浩曰："然则掠马何也？"翼曰："将军谓平北雄武难制，终将讨之，故取马欲以自卫耳。"浩笑曰："何至是也[472]！"

初，浩阴遣人诱秦[22]梁安、雷弱兒[473]，使杀秦主健，许以关右之任[474]。弱兒等[23]伪许之，且请兵应接。浩闻张遇作乱，健兄子辅国将军黄眉自洛阳西奔，以为安等事已成。冬，十月，浩自寿春帅众七万北伐，欲进据洛阳，修复园陵[475]。吏部尚书王彪之上会稽王昱笺，以为"弱兒等容有诈伪[476]，浩未应轻进"。不从。

浩以姚襄为前驱[477]。襄引兵北行，度浩将至，诈令部众夜遁，阴伏甲以邀之[478]。浩闻而追襄至山桑[479]，襄纵兵击之。浩大败，弃辎重，走保谯城。襄俘斩万余，悉收其资仗，使兄益守山桑，襄复如淮南[480]。会稽王昱谓王彪之曰："君言无不中，张、陈[481]无以过也。"

西平敬烈公[482]张重华有疾，子曜灵才十岁，立为世子，赦其境内。

东晋姚襄率军屯驻在历阳，因为燕国、秦国此时势力强大，朝廷无意北伐，姚襄遂在淮河两岸大面积地开荒垦田，训练、教育将士。中军将军殷浩则率军驻扎在寿春，他忌恨姚襄势力逐渐强大，就把姚襄的弟弟们囚禁起来，并屡次派刺客刺杀姚襄。刺客把事情的真相告诉了姚襄。安北将军魏统逝世，魏统的弟弟魏憬遂接替魏统统领他的部众。殷浩便暗中派遣魏憬率领五千名士卒袭击姚襄，但魏憬反被姚襄斩杀，姚襄遂兼并了魏憬的部众。殷浩就越加忌恨姚襄，他运用手中的职权，任用龙骧将军刘启镇守谯城，将姚襄调往梁国的蠡台，又上表举荐姚襄为梁国内史。

魏憬的子弟多次往来于寿春，姚襄就越加感到怀疑和恐惧，他派遣属下参军权翼去晋见殷浩。殷浩对权翼说："我与平北将军姚襄同为天子驾下的臣子，应该同甘苦、共患难。而平北将军做事往往自作主张、独断专行，完全不顾同僚之谊，不明辅车相依、唇亡齿寒的道理，岂是我所希望于平北将军的！"权翼回答说："平北将军姚襄英姿勃发、气度盖世，拥有数万兵众，而从万里之遥前来归顺朝廷，就是认为朝廷政治清明，宰辅大臣英明、睿智。如今将军轻易地相信那些邪恶之人挑拨离间的谗言，与平北将军产生矛盾，我认为造成相互猜忌的责任，是在这里而不是在平北将军。"殷浩说："平北将军姚襄性情暴戾，想让谁活就让谁活，想杀死谁就杀死谁，又放纵部下抢夺我的马匹，作为一个朝廷大臣，其作风难道应该是这个样子吗！"权翼说："平北将军姚襄回归朝廷，怎么肯滥杀无辜！如果是奸佞小人，也是王法所不能容忍的，杀死又有什么关系？"殷浩说："掠夺我的战马这件事，你怎么解释？"权翼说："将军认为平北将军英雄勇武，很难控制，早晚要讨伐他，所以夺取战马用以自卫罢了。"殷浩笑着说："哪里会到这种地步！"

当初，东晋中军将军殷浩暗中派人诱惑秦国的重臣梁安、大司马雷弱兒，唆使他们杀掉秦王苻健，许诺将来成功之后，任用他们为关中地区的最高行政长官。雷弱兒等假装应许，并且请求殷浩派兵前来接应。恰巧此时殷浩听说张遇作乱，苻健哥哥的儿子、辅国将军苻黄眉从洛阳西逃的消息，以为梁安等已经将苻健杀死，大功告成。冬季，十月，殷浩遂从寿春出发，率领七万人马北伐，准备首先攻取洛阳，修复西晋诸位皇帝的陵墓。担任吏部尚书的王彪之写信给会稽王司马昱，王彪之认为"秦国雷弱兒等可能有诈，殷浩不应该轻率进兵"。司马昱不同意王彪之的看法。

殷浩任命平北将军姚襄为前锋。姚襄率军向北行进，估计殷浩将要到达，遂令部众假装在夜间逃散，却暗中埋伏下军队准备袭击殷浩。殷浩得知消息，遂率军追杀姚襄，一直追到山桑县，姚襄纵兵攻击。殷浩大败，丢弃了所有军用物资，逃到谯城坚守。姚襄俘获、斩首了一万多人，将殷浩丢弃的所有物资全部收拾起来，派自己的哥哥姚益守卫山桑，姚襄率军返回淮南。会稽王司马昱对吏部尚书王彪之说："你说的话没有不应验的，就连张良、陈平也不能超越你。"

西平敬烈公张重华身患重病，他的儿子张曜灵才十岁，被立为世子，在其境内

重华庶兄长宁侯祚有勇力，吏干[483]而倾巧[484]，善事内外[485]，与重华嬖臣[486]赵长、尉缉等结异姓兄弟。都尉常据请出之[487]，重华曰："吾方以祚为周公，使辅幼子，君是何言也！"

谢艾[488]以枹罕之功[489]有宠于重华，左右疾[490]之，谮艾[491]，出为酒泉太守。艾上疏言："权幸[492]用事，公室[493]将危，乞听臣入侍[494]。"且言："长宁侯祚及赵长等将为乱，宜尽逐之。"十一月己未[495]，重华疾甚，手令征艾为卫将军[496]，监中外诸军事，辅政。祚、长等匿而不宣。丁卯[497]，重华卒，世子曜灵立，称大司马、凉州刺史、西平公。赵长等矫重华遗令，以长宁侯祚为都督中外诸军事、抚军大将军，辅政。

殷浩使部将刘启、王彬之攻姚益于山桑，姚襄自淮南击之，启、彬之皆败死，襄进据芍陂。

赵末，乐陵朱秃、平原杜能、清河丁娆、阳平孙元各拥兵分据城邑，至是皆请降于燕。燕主儁以秃为青州刺史，能为平原太守，娆为立节将军，元为兖州刺史，各留抚其营[498]。

秦丞相雄克池阳，斩孔持。十二月，清河王法、苻飞克鄠[499]，斩刘珍、夏侯显。

姚襄济淮，屯盱眙[500]，招掠流民，众至七万，分置守宰，劝课农桑。遣使诣建康罪状殷浩[501]，并自陈谢[502]。诏以谢尚都督江西、淮南诸军事，豫州刺史，镇历阳。

凉右长史赵长等建议，以为"时难未夷[503]，宜立长君，曜灵冲幼[504]，请立长宁侯祚"。张祚先得幸[505]于重华之母马氏，马氏许之，乃废张曜灵为凉宁侯，立祚为大都督、大将军、凉州牧、凉公。祚既得志，恣为淫虐[506]，杀重华妃裴氏及谢艾。

燕卫将军恪、抚军将军军、左将军彪[24]等屡荐给事黄门侍郎霸有命世之才[507]，宜总大任[508]。是岁，燕主儁以霸为使持节、安东将军、北冀州刺史，镇常山[509]。

实行大赦。张重华庶母所生的哥哥长宁侯张祚孔武有力，精明干练，却生性狡诈，善于看风使舵，善于和朝廷内外的人搞好关系，与张重华所宠幸的赵长、尉缉等结为异姓兄弟。担任都尉的常据请求将张祚、赵长等调出姑臧，张重华却说："我正想让张祚担当起周公的角色，辅佐我幼小的儿子，先生说的是什么话！"

军师将军谢艾因为保护枹罕有功而受到张重华的宠信，不禁引起张重华身边人的嫉妒，他们不断地在张重华面前说谢艾的坏话，张重华遂将谢艾调去担任酒泉太守。谢艾上疏给张重华说："有权势而又被君主宠幸的人掌管国家政权，帝王的家族将面临危险，请允许我入朝侍奉主人。"又说："长宁侯张祚与赵长等人即将作乱，应该把他们全都逐出朝廷。"十一月初十日己未，张重华病情加重，遂亲手写下诏书征调谢艾入宫担任统领禁卫军的卫将军、监中外诸军事，辅佐朝政。张祚、赵长等将张重华的手令隐藏起来没有宣布。十八日丁卯，张重华逝世，世子张曜灵即位，称大司马、凉州刺史、西平公。赵长等假传张重华遗命，任命长宁侯张祚为都督中外诸军事、抚军大将军，辅佐朝政。

东晋中军将军殷浩派部将刘启、王彬之率军前往山桑攻打姚益，姚襄从淮南出兵前往迎击，刘启、王彬之全都战败而死，姚襄进军占领了芍陂。

后赵末年，乐陵人朱秃、平原人杜能、清河人丁娆、阳平人孙元各自拥兵分别占据着城邑，此时全都向燕国请求投降。燕主慕容儁任命朱秃为青州刺史，任命杜能为平原太守，任命丁娆为立节将军，任命孙元为兖州刺史，令其各自留在当地统领自己的军队。

秦国丞相苻雄攻克了池阳，将占据池阳谋乱的孔持斩首。十二月，清河王苻法、苻飞攻克了鄠县，斩杀了刘珍、夏侯显。

东晋姚襄率军渡过淮水，驻扎在盱眙，招纳、劫掠那些流亡的难民，部众很快发展到七万人，分别委任郡守县宰，督促鼓励从事农业生产。他同时派遣使者前往建康向朝廷举报中军将军殷浩的罪状，也向朝廷说明自己不对的地方，请求处分。朝廷下诏任命谢尚为都督江西、淮南诸军事、豫州刺史，镇所设在历阳。

凉州担任右长史的赵长等人建议，他们认为"时局尚未安定，国家应该立年长的为君主，张曜灵年纪幼小，请求废掉张曜灵，立长宁侯张祚为君主"。张祚先前就得到张重华嫡母马氏的宠信，马氏于是答应了赵长等人的请求，废张曜灵为凉宁侯，立张祚为大都督、大将军、凉州牧、凉公。张祚的政治野心已经实现，他肆无忌惮地胡作非为、荒淫暴虐，他杀死了张重华的妃子裴氏和担任酒泉太守的谢艾。

燕国的卫将军慕容恪、抚军将军慕容军、左将军慕容彪等屡次向燕主慕容儁举荐担任给事黄门侍郎的慕容霸，称颂慕容霸是著名于当世的杰出人才，适宜担当大任。这一年，燕主慕容儁任命慕容霸为使持节、安东将军、北冀州刺史，镇所设在常山。

十年（甲寅，公元三五四年）

春，正月，张祚自称凉王，改建兴[510]四十二年为和平元年，立妻辛氏为王后，子太和为太子，封弟天锡为长宁侯，子庭坚为建康侯[511]，曜灵弟玄靓为凉武侯。置百官，郊祀天地，用天子礼乐。尚书马岌切谏，坐免官。郎中丁琪复谏曰："我自武公[512]以来，世守臣节，抱忠履谦[513]五十余年[514]。故能以一州之众，抗举世之虏[515]，师徒岁起[516]，民不告疲[517]。殿下勋德未高于先公，而亟谋革命[518]，臣未见其可也。彼士民所以用命[519]，四远[520]所以归向者，以吾能奉晋室[521]故也。今而自尊[522]，则中外离心，安能以一隅[523]之地，拒天下之强敌乎！"祚大怒，斩之于阙下[524]。

故魏降将周成反[525]，自宛[526]袭洛阳。辛酉[527]，河南太守戴施奔鲔渚[528]。

秦丞相雄克司竹，胡阳赤奔霸城[529]，依呼延毒。

中军将军、扬州刺史殷浩连年北伐，师徒屡败，粮械都尽。征西将军桓温因朝野之怨，上疏数浩之罪，请废之。朝廷不得已，免浩为庶人，徙东阳之信安[530]。自此内外大权一归于温矣。

浩少与温齐名，而心竞不相下[531]，温常轻之。浩既废黜，虽愁怨不形辞色[532]，常书空[533]作"咄咄怪事[534]"字。久之，温谓掾郗超[535]曰："浩有德有言[536]，向为令仆[537]，足以仪刑百揆[538]，朝廷用违其才[539]耳。"将以浩为尚书令，以书告之，浩欣然许焉。将答书，虑有谬误[540]，开闭者十数[541]，竟达空函[542]。温大怒，由是遂绝，卒于徙所[543]。以前会稽内史王述[544]为扬州刺史。

二月乙丑[545]，桓温统步骑四万发江陵，水军自襄阳入均口[546]，至南乡[547]，步兵自淅川[548]趣武关[549]，命司马勋出子午道[550]以伐秦。

十年（甲寅，公元三五四年）

春季，正月，凉州张祚自称凉王，改建兴四十二年为和平元年，立自己的妻子辛氏为王后，儿子张太和为太子，封自己的弟弟张天锡为长宁侯，儿子张庭坚为建康侯，封张曜灵的弟弟张玄靓为凉武侯。设置文武百官，在姑臧城的南郊、北郊祭祀天地神灵，使用皇帝的礼仪和音乐。担任尚书的马岌情辞恳切地进行劝谏，却被免掉了官职。担任郎中的丁琪也来劝谏说："我们从晋惠帝永宁元年武公张轨镇守凉州的时候起，一直到现在，已经五十多年，世世代代尊奉晋朝，始终坚守臣属的节操，恪守忠信，保持谦逊，未尝敢建国称王。所以才能以一州的人众，抗衡进攻凉州的各个少数民族建立起来的政权，战争虽然每年都有，民众却从来未有诉说痛苦、表示厌倦。殿下的功勋品德没有高过先公，却迫不及待地谋求改朝换代，自己称王，我看不出这样做有什么好处。民众所以愿意接受张氏政权的统治、愿意为张氏政权效力，四面八方不论远近的人所以纷纷前来归附，就是因为我们能够尊奉东晋朝廷、听从东晋朝廷命令的缘故。如今要自己称帝、称王，恐怕要引起内外的离心离德，怎么能以一方的力量抗拒全天下的强敌呢！"张祚勃然大怒，将丁琪杀死在宫门之下。

故魏国将领周成投降东晋之后又起兵叛变，他率领部众从宛城出发袭击洛阳。正月十三日辛酉，河南太守戴施抛弃洛阳，逃往鲔渚。

秦国丞相苻雄率军攻克了司竹，占据司竹的胡阳赤逃往霸城，依附于呼延毒。

东晋中军将军、扬州刺史殷浩连年率军北伐，却屡次兵败而回，粮食、器械消耗殆尽。担任征西将军的桓温借着朝廷、民间对殷浩的怨恨，遂上疏给朝廷列数殷浩的罪状，请求朝廷罢免殷浩。朝廷迫不得已，免除殷浩所有的职务，将他贬为平民，并流放到东阳郡的信安县。从此以后，朝廷内外大权全都掌握在桓温手中。

殷浩年轻的时候与桓温享有同样的声望，他们心中却互相争胜，谁也不服谁，桓温一向看不起殷浩。殷浩此时已经被废黜，虽然忧愁、怨恨的情绪从不在言语、脸色上流露出来，但他常常用手指在空中书写"咄咄怪事"的字样。过了很久，桓温对自己的僚属郗超说："殷浩能够树立德业、著书立说，如果早先就让他担任中书令、尚书令，或是仆射等职务，完全可以成为文武百官的榜样，朝廷对他的任用，违背了他的特长。"遂准备任用殷浩为尚书令，于是写信告诉了殷浩，殷浩很高兴地应承下来。他准备给桓温回信，又担心回信上有什么差错，所以将写好的信封好又打开，打开又封好，如此反复了十多次，最后送达的竟然是一个空信封。桓温看了大怒，从此遂跟殷浩断绝联系，殷浩最终死在流放地。朝廷任命前会稽内史王述为扬州刺史。

二月乙丑日，东晋征西将军桓温统领步兵、骑兵四万人从江陵出发，水军从襄阳进入均口，到达南乡，步兵从淅川前往武关，命梁州刺史司马勋从梁州出发，经过子午谷北上，讨伐秦国。

燕卫将军恪围鲁口，三月，拔之。吕护奔野王[551]，遣弟奉表谢罪于燕，燕以护为河内[552]太守。

姚襄遣使降燕。

燕王儁以慕容评为镇南将军，都督秦、雍、益、梁、江、扬、荆、徐、兖、豫十州诸军事，权[553]镇洛水[554]。以慕容强为前锋都督，督荆徐二州、缘淮[555]诸军事，进据河南[556]。

桓温别将[557]攻上洛[558]，获秦荆州刺史郭敬，进击青泥[559]，破之。司马勋掠秦西鄙[560]，凉秦州刺史王擢攻陈仓[561]以应温。秦主健遣太子苌、丞相雄、淮南王生、平昌王菁、北平王硕帅众五万，军于峣柳[562]以拒温。夏，四月己亥[563]，温与秦兵战于蓝田[564]。秦淮南王生单骑突陈，出入以十数，杀伤晋将士甚众。温督众力战，秦兵大败。将军桓冲[565]又败秦丞相雄于白鹿原[566]。冲，温之弟也。温转战而前，壬寅[567]，进至灞上[568]。秦太子苌等退屯城南，秦主健与老弱六千固守长安小城，悉发精兵三万，遣大司马雷弱兒等与苌合兵以拒温。三辅郡县皆来降，温抚谕[569]居民，使安堵[570]复业，民争持牛酒迎劳，男女夹路观之。耆老[571]有垂泣者，曰："不图[572]今日复睹官军[573]！"

秦丞相雄帅骑七千袭司马勋于子午谷[574]，破之，勋退屯女娲堡[575]。

戊申[576]，燕主儁封抚军将军军为襄阳王，左将军彭为武昌王。以卫将军恪为大司马、侍中、大都督、录尚书事，封太原王，镇南将军评为司徒、骠骑将军，封上庸王。封安东将军霸为吴王，左贤王友为范阳王，散骑常侍厉为下邳王，散骑常侍宜为庐江王，宁北将军度为乐浪王。又封弟桓为宜都王，逮为临贺王，徽为河间王，龙为历阳王，纳为北海王，秀为兰陵王，岳为安丰王，德为梁公，默为始安公，偻为南康公。子臧[577][25]为乐安王，亮为勃海王，温为带方[578]王，涉为渔阳[579]王，暐为中山王。以尚书令阳骛为司空，仍守[580]尚书令。

命冀州刺史吴王霸徙治信都[581]。初，燕王皝奇霸之才，故名之曰霸，将以为世子，群臣谏而止，然宠遇犹逾于世子。由是儁恶之，以

燕国卫将军慕容恪率军围攻鲁口，三月，将鲁口攻克。自称安国王的吕护逃往野王，他派自己的弟弟带着表章向燕国请罪、投降，燕国任命吕护为河内太守。

东晋姚襄派遣使者向燕国投降。

燕王慕容儁任命慕容评为镇南将军，都督秦、雍、益、梁、江、扬、荆、徐、兖、豫十州诸军事，暂时将镇所设在洛水；任命慕容强为前锋都督，督荆、徐二州及沿淮河诸军事，进驻河南。

东晋征西将军桓温的另一支军队攻打上洛，擒获了秦国荆州刺史郭敬，进军攻打青泥城，将青泥城攻占。梁州刺史司马勋率军在秦国的西部边境地区进行劫掠，凉王张祚管辖之下的秦州刺史王擢趁机攻打陈仓以响应桓温。秦主苻健派太子苻苌、丞相苻雄、淮南王苻生、平昌王苻菁、北平王苻硕率领五万兵马驻扎在峣柳以抵抗桓温。夏季，四月二十二日己亥，桓温与秦兵在蓝田开战。秦国淮南王苻生单骑匹马冲入晋军的阵地，杀入杀出十多次，杀死了很多晋军将士。桓温指挥军队奋勇拼杀，秦兵大败。晋军将军桓冲又在白鹿原打败了秦国丞相苻雄。桓冲，是桓温的弟弟。桓温率领大队人马转战向前，二十五日壬寅，晋军抵达灞上。秦国太子苻苌等撤退到长安城南驻扎，秦主苻健带领老弱病残六千人坚守长安小城，把所有的三万名精兵全部动员出来，派担任大司马的雷弱兒等与太子苻苌合兵一处抵御桓温的进攻。三辅地区的所有郡县全部派人向桓温投降，桓温安抚告慰居民，让他们照常生活，百姓争相拿着牛肉、美酒前来欢迎慰劳晋军，男女老少站在大路两旁观看。有些西晋的遗老忍不住掉下泪来，说:“没有想到今天还能看见朝廷的军队!”

秦丞相苻雄率领七千名骑兵到子午谷袭击东晋梁州刺史司马勋，将司马勋打败，司马勋率军撤退到女娲堡驻扎。

五月初二日戊申，燕主慕容儁封抚军将军慕容军为襄阳王，封左将军慕容彭为武昌王。任命卫将军慕容恪为大司马、侍中、大都督、录尚书事，封为太原王，镇南将军慕容评为司徒、骠骑将军，封为上庸王。封安东将军慕容霸为吴王，左贤王慕容友为范阳王，担任散骑常侍的慕容厉为下邳王，散骑常侍慕容宜为庐江王，宁北将军慕容度为乐浪王。又封自己的弟弟慕容桓为宜都王，慕容逮为临贺王，慕容徽为河间王，慕容龙为历阳王，慕容纳为北海王，慕容秀为兰陵王，慕容岳为安丰王，慕容德为梁公，慕容默为始安公，慕容偻为南康公。封自己的儿子慕容臧为乐安王，慕容亮为勃海王，慕容温为带方王，慕容涉为渔阳王，慕容暐为中山王。任命担任尚书令的阳骛为司空，仍然兼任尚书令。

燕主慕容儁令担任冀州刺史的吴王慕容霸将治所从常山迁移到信都。当初，燕王慕容皝对慕容霸的才能感到惊奇，所以给他取名叫作“霸”，并准备立慕容霸为世子，因为群臣劝阻，才立慕容儁为世子而没有立慕容霸，然而慕容皝对慕容霸的宠爱还是超过了对世子的宠爱。因为这个原因，所以慕容儁很讨厌慕容霸，因为慕容

其尝坠马折齿，更名曰䟣。寻以其应谶文[582]，更名曰垂[583]，迁侍中，录留台事[584]，徙镇龙城。垂大得东北之和[585]，儁愈恶之，复召还。

五月，江西流民郭敞等千余人[26]执陈留内史[586]刘仕，降于姚襄，建康震骇。以吏部尚书周闵为中军将军[587]，屯中堂[588]，豫州刺史谢尚自历阳还卫京师，固江备守。

王擢拔陈仓，杀秦扶风内史毛难。

北海王猛[589]少好学，倜傥[590]有大志，不屑细务[591]，人皆轻之。猛悠然自得，隐居华阴[592]。闻桓温入关，披褐诣之[593]，扪虱[594]而谈当世之务[595]，旁若无人。温异[596]之，问曰："吾奉天子之命，将锐兵十万为百姓除残贼，而三秦豪杰未有至者，何也？"猛曰："公不远数千里深入敌境，今长安咫尺[597]而不渡灞水[598]，百姓未知公心[599]，所以不至[600]。"温嘿然[601]无以应，徐曰[602]："江东无卿比[603]也。"乃署[604]猛军谋祭酒[605]。

温与秦丞相雄等战于白鹿原，温兵不利，死者万余人。初，温指[606]秦麦以为粮，既而秦人悉芟麦[607]，清野[608]以待之。温军乏食，六月丁丑[609]，徙关中三千余户而归。以王猛为高官督护[610]，欲与俱还，猛辞不就。

呼延毒帅众一万从温还。秦太子苌等随温击之，比至潼关，温军屡败，失亡以万数。

温之屯灞上也，顺阳[611]太守薛珍劝温径进逼长安，温弗从。珍以偏师独济[612]，颇有所获。及温退，乃还，显言[613]于众，自矜[614]其勇而咎温之持重[615]，温杀之。

秦丞相雄击司马勋、王擢于陈仓，勋奔汉中，擢奔略阳[616]。

秦以光禄大夫赵俱为洛州[27]刺史，镇宜阳[617]。

秦东海敬武王雄[618]攻乔秉于雍，丙申[619]，卒。秦主健哭之呕血，

霸曾经从马上摔下来磕掉了牙齿，就给他改名叫慕容𡙇。后来，因为𡙇字与一种迷信预言的说法相合，所以又改名为慕容垂，现在提升慕容垂为侍中，负责管理留守朝廷的事务，将镇所迁往龙城。慕容垂到了龙城不久，便深受东北地区民众的拥护，燕主慕容儁因此更加厌恶他，又把他从龙城召回蓟城。

五月，东晋江西境内的流民郭敞等一千多人抓获了陈留内史刘仕，向姚襄投降，东晋朝廷十分震惊。立即任命吏部尚书周闵为统领皇帝警卫部队的中军将军，指挥部就设在宫廷之内的中堂，担任豫州刺史的谢尚也率军从历阳返回建康护卫京师，同时加强了长江沿岸的戒备和防守。

凉国秦州刺史王擢攻破了陈仓，杀死了秦国扶风内史毛难。

北海郡人王猛从小就喜欢读书，举止潇洒豪迈，胸怀大志，不拘小节，当时的人都有点看不起他。王猛却悠然自得、毫不在意，隐居于华阴。他听说桓温率大军进入关中，就身穿粗布衣服前去拜访桓温，他一面捉着身上的虱子一面与桓温纵情谈论着当前的时局以及如何治国安邦的大事情，旁若无人。桓温大为惊异，问他说："我奉了东晋皇帝的命令，率领着十万精兵为百姓消灭残余的贼寇，而三秦的英雄豪杰没有人前来投奔，这是为什么？"王猛回答说："先生不远数千里，率领军队深入敌人的境内，现在长安近在咫尺，阁下的大军却不肯渡过灞水去攻取长安，百姓不知道先生心里是怎么想的，所以才没有人前来投奔你。"桓温默然无语，没法回答王猛的疑问，过了一会儿，桓温才说："江东没有人能跟你相比。"遂任命王猛为军谋祭酒。

桓温与秦国丞相苻雄等在白鹿原会战，桓温的军队处于劣势，损失了一万多人。当初，桓温指望利用秦国地里的小麦充当军粮，想不到秦人在桓温大军到来之前就把小麦全部收割走了，把田野收拾得干干净净等待晋军的到来。桓温的军队缺乏粮食，六月初一日丁丑，迁移了关中的三千多户而后撤军。桓温任命王猛为督护，外加高官，希望王猛能与自己一块儿撤回江东，王猛推辞不往。

呼延毒率领一万名部众跟随桓温。秦国太子苻苌等率领军队尾随在桓温之后追击攻打，等到达潼关之时，桓温的军队已经是屡战屡败，又损失了一万多人。

桓温屯驻灞上的时候，东晋顺阳太守薛珍劝说桓温率军进逼长安，桓温没有采纳他的意见。薛珍率领一支部队单独渡过灞水，并打了胜仗，很有收获。等到桓温撤退的时候，薛珍才跟随桓温一起撤回江东，他当着众人的面公开张扬此事，夸耀自己的勇敢而责备桓温的过分谨慎小心，桓温于是杀死了薛珍。

秦国丞相苻雄率军前往陈仓攻打东晋梁州刺史司马勋和凉国秦州刺史王擢，司马勋兵败逃往汉中，王擢则逃往略阳。

秦主苻健任命光禄大夫赵俱为洛州刺史，镇所设在宜阳。

秦国丞相、东海敬武王苻雄率军前往雍城攻打乔秉，六月二十日丙申，苻雄在

曰："天不欲吾平四海邪？何夺吾元才⑳之速也！"赠魏王，葬礼依晋安平献王故事㉑。雄以佐命元勋㉒，位兼将相[28]，权侔人主㉓，而谦恭泛爱㉔，遵奉法度，故健重之。常曰："元才，吾之周公㉕也。"子坚袭爵。坚性至孝，幼有志度㉖，博学多能，交结英豪，吕婆楼、强汪及略阳梁平老皆与之善。

燕乐陵㉗太守慕容钩，翰㉘之子也，与青州刺史朱秃共治厌次㉙。钩自恃宗室㉚，每陵侮秃。秃不胜忿，秋，七月，袭钩，杀之，南奔段龛㉛。

秦太子苌攻乔秉于雍，八月，斩之，关中悉平。秦主健赏拒桓温之功，以雷弱兒为丞相，毛贵为太傅，鱼遵为太尉，淮南王生为中军大将军，平昌王菁为司空。健勤于政事，数延㉜公卿咨讲治道㉝。承赵人苛虐奢侈之后，易以宽简节俭㉞，崇礼儒士[29]，由是秦人悦之。

燕大调兵众，因发诏之日，号曰丙戌举㉟。

九月，桓温还自伐秦㊱，帝遣侍中、黄门劳温于襄阳㊲。

或告燕黄门侍郎宋斌等谋奉冉智㊳为主而反，皆伏诛。斌，烛之子也。

秦太子苌之拒桓温也，为流矢所中，冬，十月，卒，谥曰献哀。

燕王儁如龙城。

桓温之入关也，王擢遣使告凉王祚，言温善用兵，其志难测。祚惧，且畏擢之叛己，遣人刺之。事泄，祚益惧，大发兵，声言东伐，实欲西保敦煌，会温还而止。既而遣秦州刺史牛霸等帅兵三千击擢，破之。十一月，擢帅众降秦，秦以擢为尚书，以上将军啖铁为秦州刺史。

秦王健叔父武都王安自晋还㊴，为姚襄所虏，以为洛州刺史。十二

雍城去世。秦主苻健痛哭得口吐鲜血，他说："上天难道不想让我平定四海吗？为什么这么快就夺走元才的性命！"追赠苻雄为魏王，丧葬的规格就如同西晋安葬安平献王司马孚一样。苻雄是辅佐秦主苻健即位称帝的大功臣，位兼将相，权势大得与君主一样，然而为人谦恭博爱，又遵纪守法，所以秦主苻健很倚重他，常说："元才，是我的周公。"苻雄的儿子苻坚继承了父亲的爵位为东海王。苻坚非常孝敬父母，自幼就有志向，有气度，博学多才，喜欢结交英雄豪杰，吕婆楼、强汪以及略阳人梁平老都与苻坚关系都很好。

燕国乐陵太守慕容钩是慕容翰的儿子，他与青州刺史朱秃都把治所设在了厌次。慕容钩倚仗自己是王室的同族，多次欺辱朱秃。朱秃不胜愤怒，秋季，七月，朱秃率人袭击慕容钩，将慕容钩杀死后，便向南去投奔段龛。

秦国太子苻苌率军攻打占据雍城的乔秉，八月，将乔秉斩首，关中完全平定。秦主苻健赏赐抵抗桓温的有功人员，于是任命雷弱兒为丞相，任命毛贵为太傅，任命鱼遵为太尉，任命淮南王苻生为中军大将军，任命平昌王苻菁为司空。秦主苻健勤勉于政务，总是邀请公卿，向他们咨询、与他们一起研讨治理国家的办法。秦国接续后赵之后，秦主苻健一改后赵苛刻残酷的刑罚，崇尚奢侈的社会风气，而实行一种宽大简明、勤俭节约的政策，尊崇、礼遇儒家学派的知识分子，因此秦人都很高兴。

燕国大规模调动军队，因为发布诏令之日是八月十一日丙戌，所以便称之为丙戌之举。

九月，东晋征西将军桓温从讨伐秦国的前线返回荆州刺史的驻地襄阳，晋穆帝司马聃派侍中、黄门前往襄阳慰劳桓温。

有人告发燕国担任黄门侍郎的宋斌等阴谋叛变，想要拥戴冉闵的太子冉智为君主，于是，宋斌等全部被诛杀。宋斌，是宋烛的儿子。

秦国太子苻苌在抵御桓温的时候，被流矢射中，冬季，十月，苻苌去世，谥号为献哀。

燕主慕容儁前往旧都龙城。

在东晋征西将军桓温进入关中的时候，凉国秦州刺史王擢派使者告诉凉王张祚，说桓温很会用兵，其志向难以预测。张祚很恐惧，又怕王擢背叛了自己，于是便派人去刺杀王擢。事情泄露之后，张祚更加恐惧，遂大规模集结军队，宣称要率军东伐秦国，而实际上是为了应对突发事件，一旦情况紧急，就向西退守敦煌，恰好此时桓温兵败撤退，张祚才停止。后来又派秦州刺史牛霸等率领三千人马攻击王擢，将王擢打败。十一月，王擢率领属下部众向秦国投降，秦国任命王擢为尚书，任命担任上将军的啖铁为秦州刺史。

秦主苻健的叔父、武都王苻安从东晋出使返回途中，被姚襄俘虏，姚襄任命苻

月，安亡归秦，健以安为大司马、骠骑大将军、并州刺史，镇蒲阪。

是岁，秦大饥，米一升直布一匹。

【段旨】

以上为第三段，写晋穆帝永和九年（公元三五三年）、十年（公元三五四年）共两年间的大事。主要写了凉州张重华两次派王擢伐秦，有败有胜；写了凉州张重华误用族人张祚，外放其功臣谢艾；重华死后，张祚废重华子曜灵，自称凉王；写秦主苻健因杀部将张遇，致关中之池阳、鄠县、雍县、灞城等多处起而反秦，请降于晋；写了姚襄降晋后，屯兵历阳，殷浩恶其强大，多次谋欲杀之，致双方结怨；写了殷浩北伐，以姚襄为前锋，结果姚襄叛变，两次大破殷浩于山桑，事后又自动向朝廷请罪，后又降燕；写了桓温趁朝野之怒，上书数殷浩之罪，于是殷浩被削职流放，死于贬所；写了桓温率步骑四万分两路，再加司马勋出子午道，一齐北伐关中；桓温的步兵由武关入，大破秦军于蓝田，桓冲又破秦军于白鹿原，晋军遂进抵灞上，距长安只剩咫尺之遥，三辅百姓皆来降；后桓温又与秦兵战于白鹿原，桓温失败，加以晋军乏粮，遂徙关中三千户而归；晋将司马勋与凉将王擢在陈仓一带与秦军战，互有胜败，最后被秦丞相苻雄打败，司马勋返回汉中，王擢降秦；写了苻健既挫败桓温，又平定了各地的反抗势力，最后遂稳定了在关中的统治；苻健“勤于政事，数延公卿咨讲治道。承赵人苛虐奢侈之后，易以宽简节俭，崇礼儒士，由是秦人悦之”；此外还写了燕将慕容恪、慕容评等大力扫荡黄河流域，并大举进军黄河以南；写了慕容霸因受慕容儁忌恨被改名慕容垂，然此人先后得慕容皝、慕容恪、慕容军等人的赞扬与推崇，为日后慕容垂之崛起做了伏笔。

【注释】

㊻正月乙卯朔：正月初一是乙卯日。㊼二月庚子：二月十七。㊽龙黎：地名，吴熙载《资治通鉴地理今释》以为在陕西凤翔府之陇州。陇州，即今陕西陇县。㊾姑臧：即今甘肃武威，当时凉州张氏政权的都城。㊿上邽：即今甘肃天水市，当时秦州的州治所在地。431交州：晋州名，州治龙编，在今越南河内东北。432林邑：古国名，在今越南国的南部地区。433五十余垒：五十多个军事据点。434诈称刘曜子：假说是前赵主刘曜的儿子。435平阳：前赵早期的都城，在今山西临汾的西南部。436进：提升。437杨初：氐

安为洛州刺史。十二月，苻安逃回秦国，苻健委任苻安为大司马、骠骑大将军、并州刺史，镇所设在蒲阪。

这一年，秦国发生大饥荒，一匹布只能换取一升米。

族部落的头领，杀氐王杨毅，并有其众，称王于今甘肃成县一带地区。㊸仇池：古地名，在今甘肃成县西。㊹昭仪：帝王妃嫔的位号名，位在王后之下。昭仪，言昭显其仪容。㊺假子：养子。㊻池阳：县名，县治在今陕西泾阳西北。㊼鄠：县名，县治在今陕西西安市鄠邑区。㊽雍：县名，县治在今陕西宝鸡市凤翔区西南的豆腐村、河南屯一带。㊾司竹：园名，在今陕西周至东南。㊿灞城：即灞城县，县治在今陕西西安市灞桥区。446请兵：向晋王朝请兵援助伐秦。447略定上洛：平定上洛郡。上洛郡的郡治即今陕西商洛市商州区。448丰阳川：古地名，即上洛郡的丰阳县，今陕西山阳。449清河王法：苻法，苻雄之子。450历阳：晋县名，即今安徽和县。451夹淮：在淮河两岸。452训厉：训练、教育。453以情：把真情实况。454魏统：原为魏国的兖州刺史，永和七年八月降晋。455潜遣：秘密派遣。456谯：县名，即今安徽亳州。457梁国蠡台：睢阳城内的高台，又名升台，在今河南商丘南古睢阳城内。梁是古郡国名，郡治在今河南商丘市睢阳区。458表：上表推荐。459身：自称之词，犹言“我”。460姚平北：敌称姚襄，姚襄时为平北将军。461休戚同之：犹言同甘苦、共患难。休，喜乐。戚，哀愁。462自专：自作主张，独断专行。463辅车：“辅车相依，唇亡齿寒”的减缩。辅，颊骨。车，牙床。二者相互依存。《左传》僖公五年：“谚所谓辅车相依，唇亡齿寒者，其虞、虢之谓也。”甚失辅车之理，意即不顾同僚之谊，不明唇亡齿寒之理。464岂所望也：这哪里是人们所希望的样子呢。465明哲：英明、睿智。466谗慝：好进谗言的邪恶之人。467猜嫌之端：矛盾的开始。468在此不在彼：在你不在他。469姿性豪迈：这里实指性情暴戾。470王臣之体：作为一个朝廷大臣的作风。体，行为作风。471归命：归顺；投降。472何至是也：哪里会这样呢。473梁安、雷弱兒：此时为苻健的部将。474关右之任：关中地区的最高长官。475园陵：指西晋诸帝的陵墓，在洛阳。476容有诈伪：可能有假。容，或许、可能。477前驱：前锋。478伏甲以邀之：埋伏军队以袭击之。邀，袭击。479山桑：县名，县治在今安徽蒙城北三十七里。480淮南：晋郡名，郡治寿春，即今安徽寿县。481张、陈：指张良和陈平，都是刘邦部下的得力谋士。事详《史记》之《留侯世家》《陈丞相世家》。482西平敬烈公：西平公是张重华的封爵，敬烈是其谥。483吏干：精明干练。484倾巧：狡诈而善于看风行事。485善事内外：善于和朝里朝外的人搞好关系。486嬖臣：宠臣，多带有男宠的性质。487请出之：请将张祚、赵长等调出京城。488谢艾：凉州张氏政权的名将。489枹罕之功：指谢艾击败赵将麻秋多次进攻凉州之功。事见本书卷九十永和三年。490疾：嫉

妒。491 谮艾：在张重华面前说谢艾的坏话。492 权幸：有权势而又被帝王宠幸的人。493 公室：帝王的家族。494 乞听臣入侍：请让我进宫侍奉主子。495 十一月己未：十一月初十。496 卫将军：帝王禁卫军的统领长官。497 丁卯：十一月十八。498 各留抚其营：都在当地统领自己的军队。499 克鄠：攻克鄠县（今陕西西安市鄠邑区）。500 盱眙：县名，县治在今江苏盱眙东北。501 罪状殷浩：向朝廷列举殷浩的罪状。502 自陈谢：也向朝廷说明自己的不对之处。陈谢，道歉、请罪。503 未夷：未平；未安定。504 冲幼：幼小。505 幸：宠爱，实指与马氏私通。506 恣为淫虐：肆无忌惮地荒淫残暴。507 命世之才：著名于一世的杰出人才。508 宜总大任：为丞相之职。总，总管、总领。509 常山：古城名，也称"正定""真定"，在今石家庄之东北部，当时为常山郡的郡治所在地。510 建兴：晋愍帝的年号。张氏心向晋室，奉建兴年号至四十二年，至此始改。511 建康侯：建康是凉州张氏所立的郡名，郡治在今甘肃高台西南。512 武公：张轨的谥号。张轨是凉州张氏政权的创立者，张骏的祖父，张重华的曾祖父。513 抱忠履谦：恪守忠信，保持谦逊。履，施行、执行，指张氏从未自己称王。514 五十余年：自惠帝永宁元年张轨镇凉州，至此已五十四年。515 举世之虏：指进攻过凉州的各个少数民族政权，如前赵、后赵、苻秦等等。516 师徒岁起：虽然每年都得出兵抗敌。517 民不告疲：但百姓们从未诉说痛苦、表示厌倦。518 亟谋革命：着急于改朝换代，自己称王。革命，改换天命。古代统治者都说自己是受命于天，因而称朝代更换为"革命"。519 用命：接受张氏政权的统治。520 四远：四方远近的百姓。521 能奉晋室：能拥戴晋王朝，听从晋王朝的命令。522 自尊：自大；自己称帝称王。523 一隅：一角；一方。524 阙下：宫殿的正门之前。古代宫殿的正门左右，筑有两台，以发布命令，此台称作"观"，也称作"阙"。525 周成反：周成原是冉闵的部将，于咸和七年降晋，驻兵于宛县。526 宛：县名，县治即今河南南阳。527 辛酉：正月十三。528 鲔渚：地名，在今河南巩义北。529 霸城：也写作"灞城"，在今西安市灞桥区。530 徙东阳之信安：流放到东阳郡的信安县，县治即今浙江衢州。徙，流放、发配。531 心竞不相下：暗中争胜互不服气。竞，争胜、相互较劲。532 不形辞色：在形迹上不表露。辞色，言辞、面色。533 书空：用手指在空中虚画字形。534 咄咄怪事："咄咄"是感叹声。"怪事"指奇特而难以理解的事情。535 掾郗超：桓温的僚属姓郗名超。掾，僚属的总称。郗超，郗鉴之孙。传见《晋书》卷六十七。536 有德有言：古人所讲究的"三不朽"（立德、立功、立言）中的两项。537 向为令仆：前不久任尚书仆射，即主持朝政的时候。令仆，指尚书令与尚书仆射，尚书省的正、副两位主官，职同丞相。538 仪刑百揆：为朝廷百官的榜样。仪刑，也作"仪形"，犹言法式、楷模。百揆，百官。539 用违其才：即所用非其所长。指明明不会用兵，却偏要让他去当统帅，以致弄得声名俱败。540 虑有谬误：害怕自己的回信上有错字。541 开闭者十数：封好后又打开看，一直折腾了十来回，极言殷浩的患得患失之状。542 竟达空函：结果竟然寄去了一个空信封。空函，空信封。543 卒于徙所：死在了流放之地，即今浙江衢州。544 王述：王湛之孙，王承之子，一个正直而胸襟坦荡的人。传见《晋书》卷七十五。545二月乙丑：此语有误，二月朔己卯，无乙丑日。乙丑疑为己丑之误。己丑是二月十一。546均口：地名，即今湖北老河口市，为均水（今丹江）入汉水之口。547南乡：郡名，郡治在今河南淅川县西南，旧淅川城的东南。548淅川：县名，疑应为析县，北魏方在析县地置淅川县，县治即今河南西峡。549武关：关塞名，在今陕西丹凤东南的武关镇。550子午道：古山道名，是从关中翻越秦岭，南到汉中的南北通道。古人以“北”为“子”，“南”为“午”，故名。其北口杜陵，在今陕西西安市长安区东北，其南口在今陕西石泉东南。551野王：县名，即今河南沁阳。552河内：郡名，郡治野王。553权：临时；暂且。554洛水：河水名，自今河南卢氏一带流来，在洛阳东北入黄河。555缘淮：沿淮河。556河南：黄河以南。557别将：与桓温主力相配合作战的将领。558上洛：郡名，郡治即今陕西商洛市。559青泥：古城名，在今陕西蓝田。560西鄙：西部的边境地区。561陈仓：县名，县治在今陕西宝鸡东，地当故道（由雍县到汉中的通道）的北口。562峣柳：古城名，曹魏曾在城中置青泥军，故俗亦谓之青泥城。〖按〗峣柳已为温将所破，秦军不应军于峣柳，盖或军于城东南的关。563四月己亥：四月二十二。564蓝田：县名，县治在今陕西蓝田西北。565桓冲：桓彝之子，桓温之弟，为东晋名将。传见《晋书》卷七十四。桓彝是东晋名臣，死于苏峻之乱。566白鹿原：一名霸陵原，在今陕西西安东蓝田西的灞、浐二水之间，南连秦岭，北抵灞岸，东西十五里，南北四十里。567壬寅：四月二十五。568灞上：也写作“霸上”，在今陕西西安东白鹿原的北头。569抚谕：安抚告慰。570安堵：安居，生活照旧。571耆老：西晋遗留下来的老人。六十为耆，七十为老。572不图：没想到。573官军：朝廷的军队。574子午谷：山道名，即子午道。575女娲堡：地名，在今陕西西安南。576戊申：五月初二。577子臧：慕容臧。578带方：郡名，辖地约当今朝鲜境内的黄海南道、黄海北道一带地区。579渔阳：郡名，郡治即今北京市怀柔区。580守：兼任。581信都：古城名，即今河北衡水市冀州区。582应谶文：和一种迷信预言的说法相合。583更名曰垂：据《晋书》卷一百二十三《慕容垂载记》云：慕容儁即位，改霸名为䂅，表面上是仰慕春秋晋国名将郤缺而改名，内实恶而改之。不久，由于应谶，又去“夬”，以“垂”为名。584录留台事：管理留守朝廷的事务。585大得东北之和：深得东北地区人民群众的拥护。和，人和、人心所向。586陈留内史：陈留郡的行政长官。陈留原是今河南境内的郡名，郡治在今开封东。但这里所指的是东晋境内的侨郡，郡治在今安徽亳州东。587中军将军：统领皇帝警卫部队的长官。588屯中堂：将指挥部设在宫廷内部。中堂，宫廷中的殿堂。589王猛：字景略，北海剧县（今山东昌乐西）人，为前秦主苻坚的重要谋臣。传见《晋书》卷一百十四《苻坚传》。590倜傥：潇洒豪迈。591不屑细务：犹言“不拘小节”。不屑，不顾、重视。细务，细节、小事情。592华阴：县名，因在西岳华山之北，故名，县治在今陕西华阴东南。593披褐诣之：穿着一件粗布衣服去求见他。这就是上文所说的“不屑细务”。褐，粗布衣，贫者所服。诣，到、往。这里指求见。594扪虱：用指甲碾死虱子。当着贵客的面摸出虱子，放在桌上用指甲碾死，这就是下文所说的“旁若无人”。⑤95 谈当世之务：纵谈当前的时局以及如何治国安邦的大事情。⑤96 异：惊奇；认为不同凡响。⑤97 长安咫尺：极言离长安之近。八寸曰咫，十寸曰尺。⑤98 不渡灞水：意即不向长安进兵。灞水，也作“霸水”，从南山流来，经当时的长安城东北流入渭水。⑤99 未知公心：不知道你究竟是怎么想的。⑥00 所以不至：所以没有人来投奔你。⑥01 嘿然：同“默然”，不言语、无言可答的样子。⑥02 徐曰：过了一会儿才说。⑥03 江东无卿比：东晋没有一个像你这样的人才。胡三省曰：“猛盖指出温之心事。以为温之伐秦，但欲以功名镇服江东，非真有心于伐罪吊民，恢复境土。不然，何以不渡灞水，径攻长安？此温所以无以应也。然余观桓温用兵，伐秦至灞上，伐燕至枋头，皆乘胜进兵，逼其国都，乃持重观望，卒以取败。盖温奸雄也，乘胜进兵，逼其国都，冀其望风畏威，有内溃之变也。逼其国都而敌无内变，故持重以待之。情见势屈，敌因而乘之，故至于败。苏子由所谓‘以智遇智，则其智不足恃’者此也。”⑥04 署：任命。⑥05 军谋祭酒：军中参谋人员的首席长官。军谋，原作“军师”，晋人为避司马师之讳，改称军谋。祭酒，部门长官。⑥06 指：指望；计划利用。⑥07 悉芟麦：把麦子全部割走了。芟，收割。⑥08 清野：把田野收拾得干干净净。谓战时转移人口物资，使入侵敌人无所掠夺。⑥09 六月丁丑：六月初一。⑥10 高官督护：官职为督护，而外加高官。⑥11 顺阳：郡名，郡治南乡，在今河南淅川县南。⑥12 独济：单独地渡过了灞河。⑥13 显言：公开地张扬。⑥14 自矜：自己夸耀。⑥15 咎温之持重：责怪桓温的过于谨慎小心。咎，责怪。⑥16 略阳：郡名，郡治即今甘肃天水市。⑥17 宜阳：县名，县治在今河南宜阳西北。⑥18 东海敬武王雄：苻雄，苻健之弟，被封为东海王，敬武是谥。⑥19 丙申：六月二十。⑥20 元才：指苻雄。苻雄字符才。⑥21 葬礼依晋安平献王故事：葬礼的规格就如同晋王朝安葬司马懿的弟弟司马孚一样。司马孚被封为安平王，献字是谥。传见《晋书》卷三十七。司马孚死时，晋武帝司马炎亲自临丧，拜吊尽哀。及葬又幸都亭，望柩而拜。给銮辂轻车，介士武贲百人，吉凶导从二千余人，前后鼓吹，配飨太庙。⑥22 佐命元勋：意即帮着苻健即位称帝的大功臣。古代帝王都自称是“承天受命”，故称其大功臣为“佐命元勋”。⑥23 权侔人主：权势大得与帝王一样。侔，相同、相等。⑥24 泛爱：博爱；对任何人都有爱心。⑥25 吾之周公：周公是周武王之弟，既帮着周武王灭商建国，又帮着周武王建立制度，稳定周王朝。这里既是苻健高度地赞扬苻雄，同时也是以周武王自比，自命不凡。⑥26 志度：志向、气度。⑥27 乐陵：郡名，郡治在今山东乐陵。⑥28 翰：慕容翰，慕容廆之子，慕容儁之伯父，是慕容皝时代的燕国名将，曾为燕国灭了高句丽与鲜卑族的宇文氏，被慕容皝所杀。事见《晋书》卷一百九。⑥29 共治厌次：意思是当时慕容钩乐陵郡的郡治与朱秃青州的州治都在厌次县。厌次县的县治在今山东惠民东北的桑落堡。⑥30 宗室：帝王的同族。⑥31 段龛：鲜卑段兰之子，降晋后，为青州刺史，驻兵于今山东青州西广固城。⑥32 数延：总是邀请。⑥33 咨讲治道：征询、研讨治理国家的办法。⑥34 易以宽简节俭：改而实行一种宽大简明、勤俭节约的政策。⑥35 丙戌举：犹今所谓代号丙戌行动。丙戌，即八月十一。㊱还自伐秦：从伐秦前线返回荆州。㊲襄阳：即今湖北襄阳市樊城区，当时荆州刺史的驻地。㊳冉智：冉闵的太子。永和八年，邺城陷落，被燕军俘虏，慕容儁封之为海宾侯。㊴武都王安自晋还：武都王安即苻安。苻安奉苻健之命到东晋请求归附，见本书上卷之咸和六年。

【校记】

［20］孔持：严衍《通鉴补》改作"孔特"。〖按〗《晋书》卷一百十二《苻健载记》作"孔特"。［21］而：原无此字。据章钰校，十二行本、乙十一行本皆有此字，今据补。［22］秦：原无此字。据章钰校，十二行本、乙十一行本、孔天胤本皆有此字，张敦仁《通鉴刊本识误》同，今据补。［23］等：原无此字。据章钰校，十二行本、乙十一行本皆有此字，今据补。［24］彪：严衍《通鉴补》改作"彭"。［25］臧：原作"咸"。严衍《通鉴补》改作"臧"。〖按〗慕容儁之子乐安王臧，见载于《晋书》卷一百十《慕容儁载记》、卷一百十一《慕容暐载记》、卷一百十三《苻坚载记上》，名皆作"臧"，又本书下文亦作"臧"，今据以校正。［26］千余人：原无此三字。据章钰校，十二行本、乙十一行本、孔天胤本皆有此三字，今据补。［27］洛州：原作"洛阳"。据章钰校，十二行本、乙十一行本、孔天胤本皆作"洛州"，张敦仁《通鉴刊本识误》同，今据改。［28］位兼将相：原无此句。据章钰校，十二行本、乙十一行本皆有此句，张瑛《通鉴校勘记》同，今据补。［29］崇礼儒士：据章钰校，此句十二行本、乙十一行本、孔天胤本皆作"崇儒礼士"。

【研析】

本卷写晋穆帝永和七年（公元三五一年）至永和十年（公元三五四年）共四年间的各国大事。在这四年中令人感到兴奋的首先是燕国慕容氏政权所表现出的强有力的锋芒与锐气，它几乎没有付出太多的代价就消灭了强大一时的冉闵政权，而且极其漂亮地俘获了冉闵，并将其斩首。而后就大张旗鼓扫荡了黄河流域，将燕国的南境推到了淮河流域。而慕容氏的杰出将领如慕容恪、慕容评、慕舆根、封裕等都给读者留下了深刻的印象。其次是写了氐族苻氏开拓关中，并在关中地区稳定了统治的过程，显示了其动人的勃勃生机。而对比之下令人感到厌恶、感到痛恨的则是东晋王朝上上下下的一片昏庸、腐朽，其皇帝早从司马睿开始就让人"望之不似人君"；其执政大臣则只会空谈，只会钩心斗角，只会在窝里斗，而置淮河以北的大片国土沦陷于胡、羯、氐、羌、鲜卑等族于不顾，而醉生梦死，无所作为，畏敌如虎，投降主义的论调甚嚣尘上，许多文化史、文学史、艺术史上的大名人都以妥协苟活为宗旨，讲出的话让换一个时代的人听了只会感到惋惜与惊奇。王夫之《读通鉴论》说："宋之南渡，自汪（伯产）、黄（潜善）、秦（桧）、汤（思退）而外，无不

以报仇为言，而进畏懦之说者皆为公论之所不容。若晋则蔡谟、孙绰、王羲之皆当代名流，非有怀奸误国之心也，乃其侈敌之威、量己之弱，创朒缩退阻之说以坐困江东，而当时服为定论，史氏侈为讦谋，是非之舛错亦至此哉？读蔡谟驳止庾亮经略中原之议，苟有生人之气者，未有不愤者也。谟等何以免汪、黄、秦、汤之诛于天下后世邪？……则晋之所谓'贤'，宋之所谓'奸'，不必深察其情，而绳以古今之大义则一也。蔡谟、孙绰、王羲之恶得不与汪、黄、秦、汤同受名教之诛乎？"蔡谟反对庾亮北伐的言论，见于本书《晋纪》十八成帝咸康五年。而大书法家王羲之竟在本卷中公开高唱："区区江左，天下寒心，固已久矣。力争武功，非所当作"；他主张："今军破于外，资竭于内，保淮之志，非所复及。莫若还保长江，督将各复旧镇，自长江以外，羁縻而已。"敌人已经占领的地方就不要了，敌人快要占领的地方也干脆扔掉算了。如果都是这种心态，光一道长江就能挡住敌兵的南侵吗？石勒、石虎、冉闵都曾强大一时，为什么不看一看慕容廆、慕容皝、慕容儁、苻洪、姚弋仲是怎么白手起家，打出一片天地来的？更何况以石虎、冉闵时代的残暴，各州郡起义的地区之广、之多，东晋王朝怎么就不能有一点作为呢？

东晋不是没有人才，可惜他们或者是位处下僚，无权无势；或者是孤军奋起，独力无援；再有就是朝廷的执政者与地方上的军政大员彼此对抗、相互拆台。如殷浩与桓温就是最明显的一对。历来之读史者往往既批评殷浩之庸妄，又指责桓温之"居心不端"，最终仍落脚于空谈而无所作为。其实，殷浩对桓温的挑衅是明显的，有目共睹；桓温之对待殷浩却没有多少可指责之处。正如王夫之所说："北伐之举，温先请之，而浩沮之；既乃自行，而置温于局外，不资其一旅之援，温亦安坐上流而若罔闻。固温之乐祸以乘权，抑浩摈之而使成乎坐视。向令东西并进，而吾拥中枢之制，温固吾之爪牙，抑又恶足以逞？"当殷浩北伐失败而回，桓温并未对之全盘否定，他仍然肯定他的"有德""有言"，只是说他在"建功立业"的能力上稍差而已。而且他给殷浩写信，准备推荐他"为令仆"，也就是当丞相，让他继续管理国家的行政事务，以用其所长。这不是很好吗？而殷浩则患得患失，竟莫名其妙地像得了神经病一样："欣然许焉。将答书，虑有谬误，开闭者十数，竟达空函。"王夫之《读通鉴论》对殷浩与桓温的这种相互矛盾评论说："桓温能用殷浩，殷浩不能用桓温。温曰：'浩有德有言，为令仆，足以仪刑百辟，朝廷用违其才耳。'此温之能用浩也。温请北伐，而浩沮之，浩之不能用温也。能用之而后能制之……不能用矣，而欲制之，必败之道也。"宋代的胡寅、明代的袁黄都对殷浩提出过尖锐批评，这里不再征引。

《晋书》的材料相当一部分取自《世说新语》，而《资治通鉴》写这段历史又大篇幅抄自《晋书》，于是《世说新语》中许多具有"识鉴""赏誉""品藻"性质的"预言"都被收了进来。于是桓温一露面就被贴上了"生有反骨"的标签。于是他的

一切举动都是别有用心的，于是他北伐关中而不取长安等便都受到了当时的政客与后代读者的谴责。对此，王夫之《读通鉴论》一扫陈言地说：“晋之失久矣，殷浩废，桓温受征讨之命，败苻苌于蓝田，进军灞上；败姚襄于伊水，收复洛阳，亦壮矣哉！当是时，石、冉初亡，苻、姚乍兴，健虽鸷而立国未固；襄甫飏去，乍集平旷之壤，势益飘摇，故挫之也易。善攻者攻其瑕，乘瑕以收功，而积衰之气以振。温可谓知所攻矣。其入关也，粮匮而还；其复洛也，置戍而返。说者曰：‘温有逆心，舍外而图内。’此以刘裕例之，而逆其诈也。温之归镇，未尝内逼朝廷，如裕之为也。浩既废，会稽才弱而不足相难，王、谢得政新而望浅，非温内顾之忧也，温何汲汲焉？乃其所以不能进图全功而亟撤以还者，孤军乘锐气快于一击，而无以继其后也。晋偏安于江左，而又分焉。建业拥天子以为尊而力弱，荆襄挟重兵以为强而权轻，且相离以相猜而分为二。温以荆襄之全力为孤注，其进其退，一委之温，而朝廷置之若忘。温即有忠诚亦莫能自遂，而况乎其怀二心哉？臣与主相离也，相与将相离也，东与西相离也，以此而欲悬军深入，争胜于蜂起之寇，万不可得之数矣。尤可嗟异者，温方有事于关洛，而荀羡东出山荏以伐燕，欲与温竞功，而忘其力之不逮；且燕非苻、姚新造之比也。慕容儁三世雄杰，而植根深固，撄势重难摇之虏以自取败衄，曾不知以一旅翼温，乘胜以复故都，岂不傎乎？秦寇平，燕之气夺；两都复，晋之势成，合天下之力以向燕，则燕不能孤立以相抗；协于温以成将就之功，则温之心折而不足以骋。乃彼方西向，我且东指，徒为立异而生其欺怨，谢万之愚，荀羡之妄，会稽之暗，怀忮以居中，欲温之成功于外，其可得乎？谋国若此，不亡为幸耳。其不亡也，犹温两捷之威有以起苶苶之气，詟凶狡之心也。”

卷第一百　晋纪二十二

起旃蒙单阏（乙卯，公元三五五年），尽屠维协洽（己未，公元三五九年），凡五年。

【题解】

本卷写晋穆帝永和十一年（公元三五五年）至升平三年（公元三五九年）共五年间的东晋及各国大事。主要写了秦主苻健死，苻健极其残暴的儿子苻生继位；在苻生即位前，先有苻菁欲杀苻生而被苻健所杀；苻生即位后，宠用嬖幸小人，先后杀了梁皇后、梁楞、梁安、雷弱兒、王堕、强平、苻黄眉、鱼遵、牛夷等；又怀疑欲杀其堂兄弟苻坚、苻法，结果消息走漏，被苻坚、吕婆楼等所灭；随后苻坚被拥立为大秦天王，其朝廷班底主要有苻融、吕婆楼、王猛、邓羌等；接着苻坚自将以讨张平，大破张平于铜壁，张平畏惧降秦；写了苻坚对王猛绝对信任支持，王猛时年三十六岁，一岁之中五迁；而王猛则辅佐苻坚"举异材，修废职，课农桑，恤困穷，礼百神，立学校，旌节义，继绝世"，致使秦民大悦；写了苻坚于秦地大旱之际能"开山泽之利，公私共之，息兵养民"，致使"旱不为灾"；写了凉王张祚残虐无道，并忌恨其部将张瓘，图欲灭之，结果被张瓘、宋混等所杀，张瓘等立张重华之子张玄靓为凉王；张瓘为政苛虐，人心不附，又欲杀宋混、宋澄，废张玄靓而自立，结果被宋混、宋澄所杀，宋混劝张玄靓去凉

【原文】

孝宗穆皇帝中之下

永和十一年（乙卯，公元三五五年）

春，正月，故仇池公杨毅[①]弟宋奴使其姑子梁式王刺杀杨初。初子国诛式王及宋奴，自立为仇池公。桓温表国为镇北将军、秦州刺史。

二月，秦大蝗，百草无遗，牛马相啖毛[②]。

夏，四月，燕主儁自和龙[③]还蓟。先是，幽、冀之人以儁为东迁[④]，互相惊扰，所在屯结[⑤]，群臣请讨之。儁曰："群小以朕东巡，

王之号，仍称晋之凉州牧；写了燕国大将慕容恪先破鲜卑段氏的残余段龛于广固城，青州一带遂尽入燕人之手；又写了燕将慕容垂大破敕勒于塞北，慕舆根协助慕容评破军阀冯鸯于上党，慕容评又讨降秦之张平于并州，张平请降于燕；写了晋将荀羡攻燕之泰山太守于山茌，燕将慕容尘派兵往救，大破晋将荀羡于山茌；写了燕将慕容垂一向受燕主慕容儁之歧视，慕容儁利用慕容垂妃段氏之短罗织罪名，欲连及于慕容垂，事虽未成，但兄弟之间的矛盾已不可调和；写了燕主儁因病而欲改立慕容恪为接班人，慕容恪则诚恳表示自己愿做周公，尽力辅佐太子慕容暐；写了晋将桓温多次请移都洛阳、修复园陵，朝廷不许；写了桓温破姚襄于伊水，进而攻克洛阳；桓温修复西晋诸陵后，留毛穆之、陈午、戴施等驻守洛阳，自己回师江陵；写了晋之泰山太守诸葛攸率兵击燕，被燕将慕容评大破于东阿；写了晋王朝命谢万、郗昙两路进兵击燕，结果郗昙因病退军彭城，谢万则因畏惧燕兵之强，引兵回退，造成了全军溃散，致使许昌、颍川、谯郡、沛郡都落入燕人之手等。

【语译】

孝宗穆皇帝中之下

永和十一年（乙卯，公元三五五年）

春季，正月，故仇池公杨毅的弟弟杨宋奴派遣他姑姑的儿子梁式王刺杀了氐王杨初。杨初的儿子杨国又诛杀了梁式王和杨宋奴，遂自立为仇池公。东晋征西大将军桓温上表给东晋朝廷举荐任命杨国为镇北将军、秦州刺史。

二月，秦国境内蝗虫成灾，地上的各种草类全被蝗虫吃光，连一点遗留都没有，牛马饥饿难忍，就互相啃吃对方身上的毛。

夏季，四月，燕主慕容儁从和龙返回蓟城。先前，幽州、冀州二州的百姓以为燕主慕容儁要将都城迁回龙城，因此惊恐不安，发生骚乱，到处都有民众聚集起来，准备武装自卫，燕国朝中的大臣全都请求出兵讨伐。燕主慕容儁说：“这些小民百姓

故相惑为乱耳。今朕既至，寻⑥当自定，不足讨也。”

兰陵⑦太守孙黑、济北⑧太守高柱、建兴⑨太守高瓮及秦河内⑩太守王会、黎阳⑪太守韩高皆以郡降燕。

秦淮南王生幼无一目，性粗暴，其祖父洪尝戏之曰：“吾闻瞎儿一泪⑫，信乎⑬？”生怒，引佩刀自刺出血，曰：“此亦一泪也！”洪大惊，鞭之。生曰：“性耐刀槊⑭，不堪鞭棰⑮。”洪谓其父健曰：“此儿狂悖⑯，宜早除之。不然，必破人家⑰。”健将杀之，健弟雄止之曰：“儿长自应改，何可遽尔⑱！”及长，力举千钧，手格猛兽⑲，走及奔马⑳，击刺骑射，冠绝一时㉑。献哀太子㉒卒，强后㉓欲立少子晋王柳，秦主健以谶文有“三羊五眼”，乃立生为太子。以司空、平昌王菁㉔为太尉，尚书令王堕为司空，司隶校尉梁楞为尚书令。

姚襄所部多劝襄北还，襄从之。五月，襄攻冠军将军高季于外黄㉕。会季卒，襄进据许昌。

六月丙子㉖，秦主健寝疾㉗。庚辰㉘，平昌王菁[1]勒兵入东宫㉙，将杀太子生而自立。时生侍疾西宫㉚。菁以为健已卒，攻东掖门㉛。健闻变，登端门㉜，陈兵自卫。众见健，惶惧，皆舍仗㉝逃散。健执菁，数㉞而杀之，余无所问。

壬午㉟，以大司马、武都王安㊱都督中外诸军事。甲申㊲，健引太师鱼遵、丞相雷弱兒、太傅毛贵、司空王堕、尚书令梁楞、左仆射梁安、右仆射段纯、吏部尚书辛牢等受遗诏辅政。健谓太子生曰：“六夷酋帅㊳及大臣执权者，若不从汝命，宜渐除之。”

臣光曰：“顾命大臣㊴，所以辅导嗣子，为之羽翼也。为之羽

因为我到东方巡视，心中疑惑，以为我要东迁，所以才起兵作乱；如今我已经回到蓟城，不久他们便会自行安定下来，不值得动用兵力。”

东晋兰陵太守孙黑、济北太守高柱、建兴太守高瓮以及秦国河内太守王会、黎阳太守韩高全都献出本郡，向燕国投降。

秦国淮南王苻生自幼便有一只眼睛失明，性情又很粗暴，他的祖父苻洪曾经跟他开玩笑说：“我听说瞎眼的孩子在哭的时候，只有一只眼睛会流眼泪，果真是这样的吗？”苻生非常生气，立即抽出身上的佩刀就向自己的身上刺去，刺得鲜血直流，他说：“这是另一只眼睛在流泪！”苻洪对苻生的举动感到非常震惊，就用鞭子抽打他。苻生说：“我生来就能忍受刀砍槊刺，却不能忍受鞭子抽、棍棒打。”苻洪对苻生的父亲苻健说：“这个孩子生性狂妄，不可理喻，应该早点把他除掉。不然的话，必然会被他弄得家破人亡。”苻健遂准备将苻生杀死，苻健的弟弟苻雄劝阻说：“孩子长大以后，自然会改变，怎么能这样处理！”等苻生长大之后，力气大得可以举起千钧重物，赤手空拳可以格杀猛兽，跑起来能追上飞奔的骏马，无论是用短兵器攻击还是骑马射箭，其技艺在当时都是首屈一指。献哀太子苻苌去世之后，皇后强氏想立小儿子晋王苻柳为皇太子，秦主苻健因为谶文上有“三只羊五只眼”的字句，遂立苻生为皇太子。任命担任司空的平昌王苻菁为太尉，任命担任尚书令的王堕为司空，担任司隶校尉的梁楞为尚书令。

姚襄的部属大多劝说姚襄返回北方，姚襄听从了部属的建议。五月，姚襄率军进攻镇守外黄的东晋冠军将军高季。恰逢高季去世，姚襄遂顺利地占据了许昌。

六月初六日丙子，秦主苻健卧病在床。初十日庚辰，平昌王苻菁率军进入太子苻生所居住的东宫，准备杀掉太子苻生，自己接续苻健当皇帝。当时苻生正在苻健所住的西宫侍奉秦主苻健。苻菁遂以为皇帝苻健已经去世，便率军进攻西宫的东掖门。秦主苻健听到苻菁政变的消息，便亲自登上西宫的南门端门，集结卫队进行自我保护。苻菁属下的兵众看见苻健仍然健在，立即惊惶失措，他们全都扔掉手中的兵器四散逃走。秦主苻健遂抓获了苻菁，列数苻菁的罪状之后，将苻菁杀死，而对那些随从则没有进行追究。

六月十二日壬午，秦主苻健任命自己的叔父、担任大司马的武都王苻安为都督中外诸军事。十四日甲申，秦主苻健召见太师鱼遵、丞相雷弱兒、太傅毛贵、司空王堕、尚书令梁楞、左仆射梁安、右仆射段纯、吏部尚书辛牢等接受遗诏辅佐朝政。苻健对太子苻生说：“六夷酋长以及掌权的大臣，如果不听从你的命令，你就应该一个一个地把他们除掉。”

司马光说：“顾命大臣，是用以辅佐引导皇太子，帮助皇太子处理朝政的助

翼而教使翦[40]之，能无毙[41]乎？知其[42]不忠，则勿任而已矣。任以大柄[43]，又从而猜之，鲜有不召乱[44]者也。”

乙酉[45]，健卒，谥曰景明皇帝，庙号高祖。丙戌[46]，太子生即位，大赦，改元寿光[47]。群臣奏曰：“未逾年而改元[48]，非礼也。”生怒，穷推议主[49]，得右仆射段纯，杀之。

秋，七月，以吏部尚书周闵为左仆射。

或告会稽王昱曰：“武陵王第中[50]大修器仗，将谋非常[51]。”昱以告太常王彪之，彪之曰：“武陵王之志，尽于[52]驰骋畋猎而已耳，深愿静之[53]，以安异同之论[54]，勿复以为言[55]。”昱善之。

秦主生尊母强氏曰皇太后，立妃梁氏为皇后。梁氏，安之女也。以其嬖臣[56]太子门大夫[57]南安赵韶[58]为右仆射，太子舍人赵诲为中护军，著作郎董荣为尚书。

凉王祚淫虐无道，上下怨愤。祚恶河州[59]刺史张瓘之强，遣张掖太守索孚代瓘守枹罕，使瓘讨叛胡，又遣其将易揣、张玲帅步骑万三千以袭瓘。张掖人王鸾知术数[60]，言于祚曰：“此军出，必不还，凉国将危。”并陈祚三不道[61]。祚大怒，以鸾为訞言[62]，斩以徇[63]。鸾临刑曰：“我死，军败于外，王死于内，必矣！”祚族灭之。瓘闻之，斩孚，起兵击祚。传檄州郡[64]，废祚，以侯还第[65]，复立凉宁侯曜灵[66]。易揣、张玲军始济河[67]，瓘击破之。揣等单骑奔还，瓘军蹑[68]之，姑臧振恐。骁骑将军敦煌宋混兄脩与祚有隙，惧祸。八月，混与弟澄西走，合众万余人以应瓘，还向姑臧。祚遣杨秋胡将曜灵于东苑[69]，拉[70]其腰而杀之，埋于沙阬，谥曰哀公。

手。既然是皇太子的助手，却又叫皇太子除掉他们，怎么能不自取灭亡呢？如果知道接受顾命的六夷酋帅和执政大臣对太子不忠，那就不要任用他们为顾命大臣。既然任用他们，将大权授予了他们，却又对他们心怀猜忌，很少有不造成祸乱的。”

六月十五日乙酉，秦主苻健去世，谥号景明皇帝，庙号高祖。十六日丙戌，皇太子苻生即位为秦国皇帝，在境内实行大赦，改年号为寿光。群臣向苻生奏请说：“先皇刚刚驾崩，陛下在当年就改用自己的年号，这不符合古代的礼法。”苻生大怒，对提出这种意见的主谋彻底追查，最后查出是担任右仆射的段纯，苻生立即把段纯杀死。

秋季，七月，东晋朝廷任命担任吏部尚书的周闵为左仆射。

东晋有人对会稽王司马昱说：“武陵王司马晞在自己的府第中大量制造兵器，阴谋篡位称帝。”司马昱将此话告诉了担任太常的王彪之，王彪之说：“武陵王司马晞的最大志向，只不过是骑着马东奔西跑，驰骋于猎场围攻猎物而已，我非常希望你们能够沉住气，不要听信，使那些猜测、谣言逐渐平息下来，千万不要再提及此事。”会稽王司马昱很赞同王彪之的看法。

秦主苻生尊奉自己的母亲强氏为皇太后，立太子妃梁氏为皇后。梁氏，是担任左仆射的梁安的女儿。苻生任用自己的宠臣、担任太子门大夫的南安人赵韶为右仆射，接任被杀死的段纯，任命太子舍人赵诲为中护军，任命著作郎董荣为尚书。

凉王张祚荒淫暴虐，是个无道的昏君，朝廷上下都对他心怀怨恨与愤怒。张祚厌恶担任河州刺史的张瓘势力强大，就派遣担任张掖太守的索孚代替张瓘镇守枹罕，派张瓘率军讨伐叛变的胡人，又派遣将领易揣、张玲率领一万三千名步兵、骑兵袭击张瓘。张掖人王鸾擅长于观测天文星相、推演阴阳五行之理，能够预言人事吉凶，他对凉王张祚说：“此次军队出征讨伐叛胡，肯定回不来，凉国恐怕危险了。”并列举张祚三项不合仁义之道的行为。张祚大怒，认为王鸾是妖言惑众，便将王鸾斩首示众。王鸾在临刑前说：“我死之后，大军在外被打败，大王死于国内，这是一定的！”张祚将王鸾的整个家族全部诛灭。张瓘听到消息便斩杀了张掖太守索孚，起兵攻击凉王张祚。给凉州地区的各州郡发出通告，废掉凉王张祚，让他以侯爵的身份返回自己的府第赋闲，重新接回凉宁侯张曜灵，立为凉王。张祚派去袭击张瓘的易揣、张玲刚刚率军渡过黄河，就被张瓘率军打败。易揣等单枪匹马逃回姑臧，张瓘乘胜率军跟踪追击，姑臧城中大为震动，人人恐惧。担任骁骑将军的敦煌人宋混的哥哥宋脩因为与张祚有矛盾，每天提心吊胆，惧怕大祸临头。八月，宋混与自己的弟弟宋澄向西逃走，聚集了一万多人起兵响应张瓘，回军挺进姑臧。张祚派将领杨秋胡把张曜灵劫持到东苑，扭断了张曜灵的腰，将张曜灵杀死，然后将尸体埋在沙坑中，给张曜灵的谥号是哀公。

秦主生封卫大将军黄眉为广平王，前将军飞为新兴王，皆素所善也。征大司马武都王安领太尉[71]。以晋王柳为征东大将军、并州牧，镇蒲阪，魏王廋[72]为镇东大将军、豫州牧，镇陕城[73]。

中书监胡文、中书令王鱼言于生曰："比有[74]星孛于大角[75]，荧惑入东井[76]。大角，帝坐[77]；东井，秦分[78]。于占[79]不出三年，国有大丧[80]，大臣戮死，愿陛下修德以禳之[81]。"生曰："皇后与朕对临[82]天下，可以应大丧[83]矣。毛太傅、梁车骑、梁仆射受遗辅政，可以应大臣[84]矣。"九月，生杀梁后及毛贵、梁楞、梁安。贵，后之舅也。

右仆射赵韶、中护军赵诲，皆洛州刺史俱之从弟也，有宠于生，乃以俱为尚书令。俱固辞以疾，谓韶、诲曰："汝等不复顾祖宗，欲为灭门之事。毛、梁何罪而诛之？吾何功而代之？汝等可自为，吾其死矣！"遂以忧卒。

凉宋混军于武始大泽[85]，为曜灵发哀[86]。闰月[87]，混军至姑臧，凉王祚收张瓘弟琚及子嵩，将杀之。琚、嵩闻之，募市人[88]数百，扬言："张祚无道，我兄大军已至城东，敢举手[89]者诛三族！"遂开西门纳混兵。领军将军赵长等惧罪，入阁呼张重华母马氏出殿，立凉武侯玄靓[90]为主。易揣等引兵入殿，收长等杀之。祚按剑殿上，大呼，叱左右力战。祚素失众心，莫肯为之斗者，遂为兵人所杀。混等枭其首[91]，宣示中外[2]，暴尸道左，城内咸称万岁。以庶人礼葬之，并杀其二子。混、琚上[92]玄靓为大将军、凉州牧、西平公，赦境内，复称建兴四十三年[93]。时玄靓始七岁。

张瓘至姑臧，推[94]玄靓为凉王，自为使持节、都督中外诸军事、尚

秦主苻生封担任卫大将军的苻黄眉为广平王，封前将军苻飞为新兴王，这二人都是苻生一向最喜爱的。征调大司马武都王苻安回京师兼任太尉。任命晋王苻柳为征东大将军、并州牧，镇所设在蒲阪，魏王苻庾为镇东大将军、豫州牧，镇所设在陕城。

担任中书监的胡文、担任中书令的王鱼对秦主苻生说："近来有一颗光芒四射的彗星出现在大角星的附近，火星运行到井宿的附近。大角星，是帝王的座星；东井星，是秦国的分野。根据占卜的卦象来看，不出三年，国家将有大丧事，大臣会遭杀戮而死，希望陛下努力修养品德，以化解这场灾难。"秦主苻生说："皇后与我共同君临天下，可以让皇后来承担上天所降下的这场大灾难，以应'国有大丧'之说。太傅毛贵、车骑将军梁楞、仆射梁安全都接受遗诏辅佐朝政，可以让他们来承担大臣该受的罪责，以应'大臣戮死'之说。"九月，苻生杀死了梁皇后、担任太傅的毛贵、担任尚书令的梁楞、梁安。毛贵，是皇后的舅舅。

担任右仆射的赵韶与担任中护军的赵诲，都是担任洛州刺史赵俱的堂弟，因为赵韶与赵诲都受到苻生的宠幸，所以苻生便任用赵俱为尚书令。赵俱以自己身体患病为由坚决推辞，他对赵韶、赵诲说："你们这些人连自己的祖宗都不顾了，竟然去做那些能导致满门抄斩的事情。太傅毛贵、尚书令梁楞等人犯了什么罪，你们竟然把他们杀掉？我又有什么功劳而让我代替梁楞担任尚书令？你们可以自己去做，我大概快死了！"遂因忧虑过度而死。

凉国骁骑将军宋混将军队驻扎在武始泽，他发布了哀王张曜灵被害的消息，并为张曜灵举行哀悼祭奠仪式。闰九月，宋混率军抵达都城姑臧，凉王张祚下令抓捕张瓘的弟弟张琚以及张瓘的儿子张嵩，准备将他们杀死。张琚、张嵩得到消息，就招募了数百名市民，对外宣传说："张祚是一个残暴昏庸的君主，我哥哥张瓘已经率领大军抵达姑臧城东，谁敢动手收捕我们，就诛灭他的三族！"张琚、张嵩打开姑臧城的西门放宋混的军队进入姑臧。当初主张立张祚的领军将军赵长等人惧怕受牵连遭到惩处，遂进入皇宫呼唤张重华的母亲马氏来到前殿，宣布另立张重华的幼子、凉武侯张玄靓为凉王。张祚的亲信将领易揣等率兵闯入金殿，将赵长等逮捕起来，当场杀死。张祚在金殿之上手按宝剑，大声呼喊，叱令左右卫士奋力反抗。张祚其实早就失去了民心，所以当时根本就没有人肯为他拼命，张祚遂在混战中被兵士杀死。宋混等砍下张祚的首级，向朝廷内外宣告张祚已经伏诛，张祚的尸体被抛弃在路边示众，姑臧城内全都高喊万岁。宋混等按照一般平民的葬礼草草将张祚埋葬，他的两个儿子也与张祚一同被杀死。宋混、张琚等遂尊奉张玄靓为大将军、凉州牧、西平公，在境内实行大赦，同时恢复了"建兴"年号，称建兴四十三年。当时张玄靓年仅七岁。

凉河州刺史张瓘率军抵达京师姑臧，推戴张玄靓为凉王，张瓘自封为使持节、

书令、凉州牧、张掖郡公，以宋混为尚书仆射。陇西人李俨据郡[95]不受瓘命，用江东年号[96]，众多归之。瓘遣其将牛霸讨之，未至，西平人卫綝亦据郡叛，霸兵溃，奔还。瓘遣弟琚击綝，败之。酒泉太守马基起兵以应綝，瓘遣司马张姚、王国击斩之。

冬，十月，以豫州刺史谢尚督并、冀、幽三州，镇寿春[97]。

镇北将军段龛[98]与燕主儁书，抗中表之仪[99]，非其称帝[100]。儁怒，十一月，以太原王恪为大都督、抚军将军，阳骛副之以击龛。

秦以辛牢守尚书令[101]，赵韶为左仆射，尚书董荣为右仆射，中护军赵诲为司隶校尉。

十二月，高句丽王钊遣使诣燕纳质修贡[102]，以请其母[103]。燕主儁许之，遣殿中将军刁龛送钊母周氏归其国，以钊为征东大将军、营州刺史，封乐浪公，王如故[104]。

上党人冯鸯逐燕太守段刚，据安民城[105]，自称太守，遣使来降。

秦丞相雷弱兒性刚直，以赵韶、董荣乱政，每公言[106]于朝，见之常切齿。韶、荣谮之于秦主生。生杀弱兒及其九子、二十七孙，于是诸羌皆有离心。

生虽在[3]谅阴[107]，游饮自若[108]。弯弓露刃[109]，以见朝臣。锤钳锯凿[110]，可以害人之具，备置左右。即位未几，后妃、公卿已下至于仆隶，凡杀五百余人，截胫[111]、拉胁[112]、锯项[113]、刳胎[114]者，比比有之。

燕主儁以段龛方强，谓太原王恪曰："若龛遣军拒河[115]，不得渡者，可直取吕护而还[116]。"恪分遣轻军[117]先至河上，具舟楫[118]，以观龛志趣[119]。龛弟罴，骁勇有智谋，言于龛曰："慕容恪善用兵，加之众盛，若听其济河，进至城下，恐虽乞降，不可得也。请兄固守，罴帅精锐

都督中外诸军事、尚书令、凉州牧、张掖郡公，任命宋混为尚书仆射。陇西人李俨占据陇西郡，拒绝接受张瓘的命令，他使用的是东晋穆帝的“永和”年号，很多民众都归附于李俨。张瓘派遣自己的部将牛霸率军征讨李俨，牛霸还没有到达陇西，而西平人卫綝此时也占据郡城叛变，牛霸所率领的军队立时溃散，牛霸逃回了姑臧。张瓘派遣自己的弟弟张琚率军攻击卫綝，将卫綝打败。担任酒泉太守的马基起兵响应卫綝，张瓘派遣担任司马的张姚、王国率军攻打马基，将马基斩首。

冬季，十月，东晋任命豫州刺史谢尚为都督并、冀、幽三州，镇所设在寿春。

被东晋任命为镇北将军的段龛写信给燕主慕容儁，他倚仗自己与慕容儁是中表兄弟，便对慕容儁擅自称帝一事横加谴责。慕容儁大怒，十一月，任命太原王慕容恪为大都督、抚军将军，任命阳骛做慕容恪的副手率军袭击段龛。

秦国任命担任吏部尚书的辛牢暂时代理尚书令的职务，任命赵韶为左仆射，任命担任尚书的董荣为右仆射，任命担任中护军的赵诲为司隶校尉。

十二月，高句丽王钊派遣使者护送人质前往燕国，重又按照以前的样子向燕国缴纳贡品，请求燕国将他的母亲放回高句丽。燕主慕容儁答应了高句丽王钊的请求，遂派遣担任殿中将军的刁龛护送高句丽王钊的母亲周氏返回高句丽国，并任命高句丽王钊为征东大将军、营州刺史，封为乐浪公，让他依旧当高句丽国王。

燕国上党人冯鸯驱逐了燕国上党郡太守段刚，占据了上党郡郡治所在地安民城，自称上党郡太守，同时派遣使者来到东晋的京都建康请求归降。

秦国丞相雷弱兒性情刚正不阿，他认为担任左仆射的赵韶、担任尚书的董荣扰乱了朝政，于是常常在朝堂之上公开表达自己的不满，每次见到赵韶、董荣，都恨得咬牙切齿。赵韶、董荣遂在秦主苻生面前说丞相雷弱兒的坏话。苻生杀死了雷弱兒和他的九个儿子、二十七个孙子。因为雷弱兒是南安羌酋长，所以那些羌人部落都对秦国产生了叛离之心。

秦主苻生虽然还在居丧期间，然而游乐饮食还与往常一样。他在接见朝臣的时候，左右的侍卫全都刀出鞘、箭上弦。锤子、钳子、锯子、凿子，凡是可以用来摧残人体的刑具，全都一样不缺地放置在身边。他即位的时间虽然不长，然而，后宫的嫔妃、朝廷中上至公卿大臣，下到一般的奴仆差役，总计杀死了五百多人，被砍掉双腿的、被拉断肋骨的、被锯断脖子的、被剖开肚子拉出胎儿的，极其常见。

燕主慕容儁因为段龛势力正强，遂对太原王慕容恪说：“如果段龛派遣军队沿着黄河边据守，我军不能顺利渡过黄河的话，就可以改变原来的行动计划，只攻取占据野王的吕护，然后撤军而回。”慕容恪遂派遣一支轻装快速部队先行抵达黄河岸边，准备渡河的船只，以试探段龛的反应。段龛的弟弟段罴，骁勇善战而且很有谋略，他对哥哥段龛说：“慕容恪很会用兵，加上他所率领的人马众多，如果听任他们渡过黄河，挺进到我们的城下，到那时，恐怕我们向他们请求投降，也是不可能的。

拒之于河，幸而战捷，兄帅大众继之，必有大功。若其不捷，不若早降，犹不失为千户侯也。”龛不从。罴固请不已，龛怒，杀之。

【段旨】

以上为第一段，写晋穆帝永和十一年（公元三五五年）一年间的大事。主要写了秦主苻健立其极端勇猛而又极端残暴的儿子苻生为太子，当苻健病危时，苻菁欲杀苻生自立为帝，未成，苻菁被苻健所杀；苻健死后，苻生继位，肆行无礼，宠用嬖幸小人赵韶、赵诲等。苻生听用谗言，以天变为借口，先杀了梁皇后、梁楞、梁安等；又杀害了功高而耿直的大将雷弱兒与公卿以下五百余人；写了凉王张祚残虐无道，并忌恨其部将张瓘的势力太强，图欲灭之。张瓘闻知，起兵讨张祚，张祚部将宋混等应张瓘，诸军攻克姑臧，杀掉张祚，立张重华子张玄靓为凉王；写了鲜卑段氏的残余段龛占据广固城，自称青州刺史，依违于燕、晋之间，又对燕主慕容儁倨傲不逊，燕使大将慕容恪起兵伐之；以及晋王朝命谢尚率兵进驻寿春，图谋北伐等。

【注释】

①杨毅：仇池地区的氐族头领杨茂搜之孙，杨难敌之子，继其父自称氐王，后被其族兄杨初所杀。事见本书《晋纪》成帝咸康三年。②牛马相啖毛：无草可食，故相啖毛。啖，吃。③和龙：即龙城，今辽宁朝阳，当时燕国的前都城。④东迁：和龙城在幽州东北，故有人疑其东迁。⑤所在屯结：到处都有人集聚起来，准备武装起义。⑥寻：不久；很快地。⑦兰陵：郡名，郡治丞县，即今山东枣庄市峄城区。⑧济北：郡名，郡治卢县，在今山东济南市长清区南。⑨建兴：郡名，郡治在今河北衡水市冀州区西南。⑩河内：郡名，郡治怀县，在今河南武陟西南。⑪黎阳：郡名，郡治在今河南浚县东南。⑫一泪：只能一只眼睛流泪。⑬信乎：果真如此吗。⑭性耐刀槊：能够忍受刀矛的砍刺。耐，承受、忍受。槊，长矛。⑮不堪鞭棰：不能忍受鞭子抽、棍子打。棰，杖、棍棒。“鞭棰”在这里都用如动词。⑯狂悖：狂妄悖理。悖，不可理喻、不听招呼。⑰必破人家：一定会招来家破人亡。人家，自家、我们家。⑱何可遽尔：怎么能就这样处理。遽，急速、一下子。尔，如此。⑲手格猛兽：空手与猛兽格斗。⑳走及奔马：奔跑之快能赶得上飞奔的马。㉑冠绝一时：同时没人能与之相比。冠，谓超出众人，位居第一。时，同个时代。㉒献哀太子：苻健的太子苻苌，前已死，谥献哀。㉓强后：苻健的皇后强氏。㉔平昌王菁：苻菁，苻健之侄。㉕外黄：县名，县治在今河南民权西北。㉖丙子：六月初六。㉗寝疾：卧病在床。㉘庚辰：六月初十。㉙勒兵入东宫：带兵进入太

请哥哥固守城池，让我率领精锐部队沿着黄河进行阻截，有幸获胜的话，就请哥哥率领大军随后赶来接应，必定能够获得很大的成功。如果我没有取得胜利，就不如早点向燕国投降，还可以获得千户侯的封赏。”段龛没有采纳弟弟段罴的建议。段罴坚决请求，段龛大怒，竟然将段罴杀死。

子苻生所居之宫。东宫，太子所居之宫。㉚西宫：秦主苻健所居之宫。㉛东掖门：西宫的东门。掖门，宫廷的旁门。㉜端门：西宫的南门。㉝舍仗：丢掉兵器。㉞数：列举其罪状。㉟壬午：六月十二。㊱武都王安：苻安，苻健的叔父。㊲甲申：六月十四。㊳六夷酋帅：各少数民族的头领。㊴顾命大臣：老皇帝临终前委托以辅佐幼主的大臣。“顾命”是《尚书》中的篇名，“言临将死去，回顾而为语”，即取临终遗命之意。㊵翦：除掉。㊶毙：谓自取灭亡。㊷其：指受顾命的六夷酋帅和执政大臣。㊸大柄：大权。㊹鲜有不召乱：很少有不造成乱子的。鲜，少。㊺乙酉：六月十五。㊻丙戌：六月十六。㊼改元寿光：改称本年为“寿光元年”。改元，改换年号，再称元年。㊽未逾年而改元：老皇帝刚死，新皇帝就在当年内改用自己的年号。按古礼，老国君死，太子即位，应在次年的正月初一改用自己的年号。㊾穷推议主：彻底追查谁是提这个意见的主谋。议主，意同“主谋”。㊿武陵王第中：武陵王司马晞的庭院内。司马晞是晋元帝司马睿的儿子，被封为武陵王。第，宅第。51非常：非常之事，指图谋篡位称帝。52尽于：到头也不过是。53深愿静之：非常希望你们能够沉住气。54以安异同之论：让那些种种猜测平息下来。55勿复以为言：不要再提这件事情。56嬖臣：宠臣；男宠。57太子门大夫：官名，为太子宫看管门户。58南安赵韶：南安人赵韶。南安是郡名，郡治即今甘肃陇西。59河州：凉州张氏所设的郡名，郡治枹罕，在今甘肃临夏西南。60术数：以观测天文星象、推演阴阳五行之理，以预言人事吉凶的迷信方术，如占候、卜筮等。61陈祚三不道：指出了张祚有三项不合仁义之道的行为。62祅言：邪说；蛊惑人心的言论。祅，同“妖”。63斩以徇：斩其人头，持之巡行示众。64传檄州郡：给凉州地区的各州郡发出通告。檄，文体名，犹今所谓通告、通报。65以侯还第：以侯爵的身份回家赋闲。66复立凉宁侯曜灵：重新接回被张祚所废的张重华的儿子张曜灵为凉王。67济河：渡黄河。张瓘驻兵的枹罕在黄河以东，凉州的都城（今甘肃武威）在黄河以西，故易揣等欲攻枹罕需要渡黄河。68蹑：跟踪追击。69将曜灵于东苑：把张曜灵挟持到东郊猎场。将，扶、携带，这里即劫持。70拉：扭；折断。71领太尉：兼任太尉之职。72魏王廋：苻廋，与上述晋王苻柳皆苻健之子。73陕城：即今河南三门峡市陕州区，在三门峡市西南。74比有：近来有。75星孛于大角：彗星出现在亢宿的附近。星孛，一颗火光四射的星，即彗星。《晋书·天文志》有所谓“彗星……见则兵起……主扫除，除旧布新。……光芒所及

则为灾”。大角，星名，属亢宿。《晋书·天文志》：“亢四星，天子之内朝也，总摄天下奏事。”《史记·天官书》：“大角者，天王帝廷。”总括以上意思，有星孛于大角，即将有战事于帝王之廷，于人主不利。⑯ 荧惑入东井：火星运行到了井宿的附近。荧惑即火星，因其隐现不定，令人迷惑，故名。《晋书·天文志》有所谓“荧惑法使行无常，出则有兵，入则兵散。……为乱为贼，为疾为丧，为饥为兵，所居国受殃”。又曰：“荧惑……司天下群臣之过，司骄奢亡乱妖孽，主岁成败。”东井是星宿名，即井宿。井宿在参宿东，故称东井。井宿是雍州、秦国的分野。荧惑入东井，说明秦国的礼失，将有大丧，有大臣被杀戮。⑰ 帝坐：上帝的座位附近。⑱ 秦分：秦国地区的分野。从春秋战国时代开始，人们就根据地上的区域来划分天上的星宿，把天上的星宿分别指配于地上的州、国，使它们互相对应。就天文说称分星，就地上说称分野。⑲ 于占：根据这种占测。⑳ 大丧：指帝王、皇后或其嫡长子的丧事。㉑ 修德以禳之：帝王的努力修德，可以改变灾星运行的方向，可以免除人世的灾难。禳，通过祭祀以除去灾难。㉒ 对临：共同掌管。临，君临、统治。㉓ 可以应大丧：可以承担上天所降的头号灾难。应，对、承担。㉔ 应大臣：承担大臣该受的罪责。㉕ 武始大泽：武始泽，即古谷水，一名郭河，又名沙河，即今石羊河。源出祁连山东段北麓，流经今甘肃武威城西，再东北流经民勤，再北流至内蒙古阿拉善右旗汇入古休屠泽。又据吴熙载《资治通鉴地理今释》：“大泽，在甘肃凉州府理番县。”清代的理番县，即今甘肃民勤。㉖ 发哀：即发丧，将人死消息公告于众，并举行祭吊。㉗ 闰月：闰九月。㉘ 募市人：招募市民。㉙ 举手：动手，指动手收捕张琚、张嵩。㉚ 凉武侯玄靓：张玄靓，张重华之子，张曜灵之弟。㉛ 枭其首：将张祚的人头悬挂高竿示众。㉜ 上：尊奉。㉝ 复称建兴四十三年：仍恢复张重华及张重华以前使用的西晋愍帝的年号，既不自立年号，也不奉行东晋的正朔。㉞ 推：推尊；推举。㉟ 据郡：据陇西郡而不听张瓘的指令，因其拥立张玄靓称王故也。㊱ 用江东年号：用东晋穆帝的“永和”年号。㊲ 镇寿春：胡三省称寿春、芜湖、历阳、牛渚为“建康四藩”，并说“进

【原文】

十二年（丙辰，公元三五六年）

春，正月，燕太原王恪引兵济河，未至广固百余里[120]，段龛帅众三万逆战[121]。丙申[122]，恪大破龛于淄水[123]，执其弟钦，斩右长史袁范等。齐王友辟闾蔚[124]被创[125]，恪闻其贤，遣人求[126]之。蔚已死，士卒降者数千人。龛脱走，还城固守，恪进军围之。

取则屯寿春，守江则多在历阳”。⑱ 镇北将军段龛：段龛是段兰之子，此时占据今山东青州西广固城，名义上归降了东晋，其实是割地独立的军阀。⑲ 抗中表之仪：行表兄弟的对等之礼。抗，对等。行对等的礼节叫抗仪。中表，父亲姐妹（姑母）的儿女叫外表，母亲的兄弟（舅父）姐妹（姨母）的儿女叫内表，互称中表。慕容儁的母亲为段氏女，故段龛与之“抗中表之仪”。⑩ 非其称帝：谴责他的擅自称帝。⑩ 守尚书令：暂时代理尚书令的职务。守，以低级别代理高职务。⑩ 纳质修贡：派出人质，重按原来的样子进贡。修，照以前的样子。⑩ 以请其母：请求将他的母亲放还。咸康八年，慕容皝率兵伐高句丽，俘获钊母周氏及其妻。事见本书卷九十七咸康八年。⑩ 王如故：使其照旧为高句丽王。⑩ 安民城：古城名，为慕容儁上党郡的郡治所在地，在今山西襄垣北十里。永嘉中，刘琨遣张倚所筑，以安上党之民，因以为名。⑩ 公言：公开议论。⑩ 谅阴：也写作“谅暗”“梁暗”“亮阴”，指天子、诸侯的为其父母守丧。其仪式包括离室居庐、不问朝政、摒除酒色、静心独居等。⑩ 游饮自若：游猎饮酒如常。自若，如常、像原来那样。⑩ 弯弓露刃：弓上弦、刀出鞘。⑩ 锤钳锯凿：泛指可以摧残人体的各种刑具。⑪ 截胫：截断小腿。⑪ 拉胁：折断两肋。⑪ 锯项：锯断脖子。⑪ 刳胎：剖出胎儿。⑪ 拒河：在黄河边拒守。⑪ 可直取吕护而还：可以只攻取吕护所据的野王县（今河南沁阳）而后收兵。直，只。⑪ 轻军：快速部队。⑪ 具舟楫：准备渡河船只。舟楫，船和桨。⑪ 观龛志趣：观察段龛的意图与动向。志趣，意图、动向。

【校记】

［1］平昌王菁：原作“平昌公菁”。据章钰校，十二行本、乙十一行本、孔天胤本皆作“平昌王菁”，今据改。〖按〗上文亦作“平昌王菁”。［2］中外：据章钰校，十二行本、乙十一行本皆作“内外”。［3］在：此字原无。据章钰校，十二行本、乙十一行本、孔天胤本皆有此字，今据补。

【语译】

十二年（丙辰，公元三五六年）

春季，正月，燕国太原王慕容恪率领燕军渡过黄河，在距离广固还有一百多里的地方，段龛率领着三万军队迎战慕容恪。三十日丙申，燕国太原王慕容恪在淄水大破段龛，活捉了段龛的弟弟段钦，斩杀了段龛的右长史袁范等。齐王段龛的僚属辟闾蔚被燕军的兵器所伤，慕容恪听说辟闾蔚很贤能，于是派人四处寻访他。辟闾蔚已经因为伤势过重而死去，段龛的部众向慕容恪投降的有数千人。段龛脱身逃走，回到广固坚守，慕容恪率军而进，将广固城团团围困起来。

秦司空王堕性刚峻[127]，右仆射董荣、侍中强国皆以佞幸[128]进，堕疾之如仇，每朝，见荣未尝与之言。或谓堕曰："董君贵幸无比，公宜小降意接之[129]。"堕曰："董龙[130]是何鸡狗，而令国士[131]与之言乎！"会有天变[132]，荣与强国言于秦主生曰："今天谴[133]甚重，宜以贵臣应之[134]。"生曰："贵臣惟有大司马[135]及司空耳。"荣、国[4]曰："大司马，国之懿亲[136]，不可杀也。"乃杀王堕。将刑，荣谓之曰："今日复敢比董龙于鸡狗乎？"堕瞋目叱之。洛州刺史杜郁，堕之甥也，左仆射赵韶恶之，谮于生，以为贰于晋[137]而杀之。

壬戌[138]，生宴群臣于太极殿，以尚书令辛牢为酒监[139]。酒酣，生怒曰："何不强人酒[140]而犹有坐者[141]！"引弓[142]射牢，杀之。群臣惧，莫敢不醉，偃仆[143]失冠[144]，生乃悦。

匈奴大人[145]刘务桓卒，弟阏头立，将贰于代[146]。二月，代王什翼犍引兵西巡临河[147]，阏头惧，请降。

燕太原王恪招抚段龛诸城[148]。己丑[149]，龛所署徐州刺史阳都公王腾举众降，恪命腾以故职还屯阳都[150]。

秦征东大将军晋王柳遣参军阎负、梁殊使于凉，以书说凉王玄靓[151]。负、殊至姑臧，张瓘见之曰："我，晋臣也。臣无境外之交[152]，二君何以来辱[153]？"负、殊曰："晋王与君邻藩[154]，虽山河阻绝[155]，风通道会[156]，故来修好，君何怪焉？"瓘曰："吾尽忠事晋，于今六世[157]矣。若与苻征东[158]通使，是上违先君[159]之志，下隳[160]士民之节，其可乎？"负、殊曰："晋室衰微，坠失天命[161]，固已久矣。是以凉之二王[162][5]北面

秦国担任司空的王堕性情刚正不阿，担任右仆射的董荣、担任侍中的强国都是依靠花言巧语、阿谀奉承而受到秦主苻生的宠幸，王堕仇恨他们就如同仇恨敌人一样，每次在朝堂上相见，王堕从来不与董荣说话。有人对王堕说："董荣地位尊贵，深受主上的宠信，满朝文武没有人能比得上他，你应该稍微屈尊一点与他交往。"王堕叫着董荣的小名说："董龙是什么鸡狗，竟想让我这样的杰出人物与他说话！"正巧遇到天象发生变化，董荣与强国便趁机对秦主苻生说："如今上天正要对人类进行惩罚，应该杀死一个地位尊贵的大臣来冲抵上天的这种惩罚。"苻生说："只有担任大司马的武都王苻安和担任司空的王堕算得上地位尊贵的大臣。"董荣、强国说："大司马、武都王苻安是主上的至亲，不能杀死他。"秦主苻生于是准备杀死王堕。即将行刑的时候，董荣对王堕说："今天你还敢把我比作鸡狗吗？"王堕对董荣怒目而视，大声斥责。担任洛州刺史的杜郁，是王堕的外甥，担任左仆射的赵韶很讨厌杜郁，于是就在秦主苻生面前诬陷杜郁，说杜郁对秦国有二心，一直想投降东晋，秦主苻生于是又杀死了杜郁。

二月二十六日壬戌，秦主苻生在太极殿设宴招待群臣，他任命担任尚书令的辛牢担任酒监，负责监督那些该饮酒而不饮的人。君臣酒兴正浓的时候，苻生忽然怒气冲冲地对酒监辛牢说："为什么不强迫他们饮酒？到现在还有人该饮不饮，违规该罚！"说完就拉开弓向辛牢射去，立时将辛牢射死。群臣都很恐惧，没有人敢不喝得酩酊大醉，于是一个个醉得前仰后合、东倒西歪，有人连头上的官帽都不知丢到哪里去了，苻生这才高兴起来。

匈奴首领刘务桓去世，他的弟弟刘阏头即位，刘阏头想要率领匈奴人背叛代国。二月，代王拓跋什翼犍率军向西巡视，当拓跋什翼犍临近内蒙古河套一带的黄河岸边的时候，刘阏头害怕了，于是请求投降。

燕国太原王慕容恪招降段龛辖境之内的各处城邑。己丑日，段龛所任命的徐州刺史、阳都公王腾率领手下的所有部众向燕军投降，太原王慕容恪仍旧任用王腾为徐州刺史，令他率众返回原来的治所阳都驻扎。

秦国征东大将军、晋王苻柳派遣担任参军的阎负、梁殊出使凉国，苻柳写信给凉王张玄靓，想劝说他归附秦国。阎负、梁殊来到凉国的都城姑臧，张瓘接见了他们二人，张瓘对他们说："我们凉王，是晋国的臣属。臣属无权私自与其他国家的人互相来往、建立私交，二位先生有什么事情要找我？"阎负、梁殊说："秦国的晋王苻柳，与你这位身为凉州牧的张君，都是邻近国家的诸侯，虽然中间有千山万水将双方阻断，然而通过风云、道路，还是可以互相沟通的，所以晋王苻柳才派我二人前来与贵处缔结友好，阁下何必感到奇怪呢？"张瓘回答说："我们凉王，历来尽忠于东晋，从前任的张轨、张寔、张茂、张骏、张重华到现在的凉王张曜灵，已经有六世。如果现在与秦国的征东将军、晋王苻柳互通使者，恐怕对上违背了先君的本意，对下丧失了士民的气节，那怎么可以呢？"阎负、梁殊说："晋室势力衰微，失去了上天的眷顾，本来已经很久了。

二赵[163]，唯知机也[164]。今大秦威德方盛，凉王若欲自帝河右[165]，则非秦之敌，欲以小事大，则曷若[166]舍晋事秦，长保福禄乎？”瓘曰：“中州[167]好食言，向者石氏使车适返[168]，而戎骑已至[169]，吾不敢信也。”负、殊曰：“自古帝王居中州者，政化各殊[170]，赵为奸诈，秦敦信义[171]，岂得一概待之[172]乎！张先[173]、杨初[174]皆阻兵不服[175]，先帝讨而擒之[176]，赦其罪戾[177]，宠以爵秩[178]，固非石氏之比也。”瓘曰：“必如君言，秦之威德无敌，何不先取江南，则天下尽为秦有，征东何辱命焉[179]！”负、殊曰：“江南文身之俗[180]，道污先叛，化隆后服[181]。主上[182]以为江南必须兵服，河右[183]可以义怀[184]，故遣行人[185]先申大好。若君不达天命[186]，则江南得延数年之命，而河右恐非君之土也。”瓘曰：“我跨据三州[187]，带甲十万，西苞葱岭[188]，东距大河[189]，伐人有余，况于自守，何畏于秦！”负、殊曰：“贵州山河之固，孰若殽、函[190]？民物之饶，孰若秦、雍[191]？杜洪、张琚，因赵氏成资[192]，兵强财富，有囊括关中、席卷四海之志。先帝戎旗[193]西指，冰消云散，旬月之间，不觉易主[194]。主上若以贵州不服，赫然奋怒[195]，控弦[196]百万，鼓行而西[197]，未知贵州将何以待之[198]？”瓘笑曰：“兹事当决之于王，非身所了[199]。”负、殊曰：“凉王虽英睿夙成[200]，然年在幼冲[201]。君居伊、霍之任[202]，国家安危，系君一举耳。”瓘惧，乃以玄靓之命[203]遣使称藩于秦，秦因玄靓所称官爵而授之[204]。

将军刘度攻秦青州刺史王朗于卢氏[205]；燕将军慕舆长卿入轵关[206]，攻秦幽州刺史强哲于裴氏堡[207]。秦主生遣前将军新兴王飞[208]拒度，建节

所以先前的二位凉王张茂和张骏曾经先后向前赵刘氏、后赵石氏俯首称臣，这是他们识时务的一种表现。如今我们大秦国的威势和恩德正在蒸蒸日上，凉王如果想要在河西地区自行称帝，则不是秦国的对手，如果想要以小国侍奉大国，那么何不舍弃东晋而侍奉我们秦国，以求长久保有荣华富贵呢？”张瓘说：“中原之国容易说话不算数，过去后赵石氏所派来进行友好谈判的使者的车子才刚刚离去，而他们的侵略大军就已经来到门前，所以我不敢相信。”阎负、梁殊说：“自古以来，身居中原地区的帝王，所实行的政令教化各不相同，后赵帝王好用奸诈，而秦国崇尚信义，怎能不加区别地一概而论呢！张先、杨初都曾经凭武力强盛而不肯向秦国归顺，先帝苻健亲自统率大军对他们进行讨伐，将他们擒获，先帝不仅赦免了他们的罪过，还封给他们很高的爵位，这本来就是后赵石氏所无法相比的。”张瓘说：“假如秦国确实像先生所说的那样，秦国的威势与恩德天下无敌，为何不先攻取江南，那样的话，天下都将属于秦国所有，又何劳征东将军令你二人前来教训我！”阎负、梁殊说：“长江以南之人，其风俗断发文身，如果中原朝廷道德沦丧，则江南率先叛乱；如果中原朝廷教化隆盛，则江南也是最后归附。我们君主认为必须用武力才能征服江南，而对于河右地区，则可以用道义去说服、去感化，使之归附，所以才派我们为使者，先行前来表达我们的善意，如果阁下看不清天命之所归，那么江南还有可能延长数年的寿命，而河右地区恐怕将不再属于阁下。”张瓘说：“我们占有凉州、河州、沙州三州之地，拥有十万武装部队，向西一直越过葱岭，向东一直到黄河沿岸，用来攻伐别的国家已经绰绰有余，何况是用来自卫，我们为什么要惧怕秦国！”阎负、梁殊说：“贵国虽然山河坚固，但与崤山、函谷关比起来，哪一个更为坚固？贵国人口众多、财物充盈，如果与秦州、雍州比起来怎么样？杜洪、张琚，凭借着后赵现成的资本，兵力强盛、财富如山，他们都有囊括关中、席卷天下的大志。先帝苻健的军旗往西方一指，便立即像冰雪融化、风卷残云一样消失得无影无踪，而这一切只不过经历了十几天，不知不觉间这关中地区就更换了主人，成了苻家的天下。我们君主如果认为贵国不肯服从秦国，赫然震怒，亲自率领百万雄师，擂动战鼓向西长驱而进，我不知贵国将如何应对？”张瓘笑着说：“这样的事情应当由我们的君主来裁决，不是我可以做主的。”阎负、梁殊说：“凉王张玄靓虽然天生英明睿智，毕竟年纪还小。阁下身负伊尹、霍光那样的重任，国家的安危，完全取决于阁下的一举一动。”张瓘感到很恐惧，遂假借凉王张玄靓的名义，派遣使者前往秦国的都城长安，向秦国称臣，做了秦国的藩属国。秦国依照张玄靓对张瓘所封任的官爵，又重新任命了一回。

东晋将军刘度率军攻打秦国所任命的青州刺史王朗所驻守的卢氏城；燕国将军慕舆长卿率领燕军进入轵关，攻打秦国所任命的幽州刺史强哲所驻守的裴氏堡。秦主苻生派遣前将军、新兴王苻飞率军抵御东晋的刘度，派遣担任建节将军的邓羌率

将军邓羌拒长卿。飞未至而度退。羌与长卿战，大破之，获长卿及甲首[209]二千余级。

桓温请移都洛阳，修复园陵[210]。章[211]十余上，不许。拜温征讨大都督，督司、冀二州诸军事，以讨姚襄。

三月，秦主生发三辅民治渭桥[212]，金紫光禄大夫程肱谏，以为妨农，生杀之。

夏，四月，长安大风，发屋[213]拔木。秦宫中惊扰，或称贼至，宫门昼闭，五日乃止。秦主生推告贼者[214]，刳出其心。左光禄大夫强平谏曰："天降灾异[215]，陛下当爱民事神[216]，缓刑崇德以应之，乃可弭[217]也。"生怒，凿其顶而杀之。卫将军广平王黄眉、前将军新兴王飞、建节将军邓羌，以平太后之弟，叩头固谏。生弗听，出黄眉为左冯翊[218]，飞为右扶风[219]，羌行咸阳太守，犹惜其骁勇，故皆弗杀。五月，太后强氏以忧恨卒，谥曰明德。

姚襄自许昌攻周成[220]于洛阳。

六月，秦主生下诏曰："朕受皇天之命，君临万邦。嗣统[221]以来，有何不善，而谤讟[222]之音，扇满[223]天下！杀不过千，而谓之残虐！行者比肩[224]，未足为希[225]。方当峻刑极罚[226]，复如朕何[227]！"

自去春以来，潼关[228]之西，至于长安，虎狼为暴，昼则继[6]道[229]，夜则发屋，不食六畜[230]，专务食人，凡杀七百余人。民废耕桑，相聚邑居[231]，而为害不息。秋，七月，秦群臣奏请禳灾[232]。生曰："野兽饥则食人，饱当自止，何禳之有[233]！且天岂不爱民哉！正以犯罪者多，故助朕杀之耳。"

丙子[234]，燕献怀太子晔[235]卒。

军抵御燕国的慕舆长卿。苻飞率领秦军还没有抵达卢氏城，东晋的刘度就已经将军队撤回东晋境内。建节将军邓羌率领秦军与燕国慕舆长卿所率领的燕军交战，秦军将燕军打得大败，擒获了燕将慕舆长卿以及武装士卒两千多人。

东晋征西大将军桓温请求将都城迁回洛阳，重新修复西晋诸位皇帝的陵墓。奏章递交了十多次，东晋朝廷一律不予批准。东晋朝廷任命桓温为征讨大都督、督司、冀二州诸军事，令他率军讨伐姚襄。

三月，秦主苻生征调三辅的民众在京师长安附近的渭河上修建大桥，担任金紫光禄大夫的程肱进行劝阻，认为妨碍了农业生产，苻生一怒之下就将程肱杀死。

夏季，四月，秦国首都长安城中刮起大风，大风卷走了屋瓦，掀翻了屋顶，拔断了树木。秦国皇宫之内人心惊慌扰乱，有人报告说是来了盗贼，于是大白天也是宫门紧闭，一连混乱了五日才逐渐平静下来。秦主苻生下令审查那些报告有盗贼入宫的人，一律剖胸挖心。担任左光禄大夫的强平劝谏苻生说："天象出现了异常变化，陛下就应该爱惜民众、恭敬地侍奉神灵，用放宽刑罚、培养恩德来应对，才可以消除这些可怕的天谴。"秦主苻生仍然怒气冲冲，竟然用重物凿碎了强平的头顶而将其杀死。担任卫将军的广平王苻黄眉、前将军新兴王苻飞、建节将军邓羌因为强平是太后强氏的弟弟，所以向秦王苻生磕头苦谏。苻生不仅不听，反而将他们逐出了朝廷，将担任苻黄眉外放为左冯翊太守，将担任苻飞外放为右扶风太守，将邓羌外放为代理咸阳太守，因为苻生对他们的骁勇善战还有些珍爱，所以才没有将他们杀死。五月，太后强氏因为过度忧愁悔恨而死，谥号明德。

姚襄背叛东晋、投降了燕国之后，又率军从许昌出发前往洛阳攻打东晋的另一叛将周成。

六月，秦主苻生下诏说："我接受了皇天的命令，君临天下，统治万邦。自从登基以来，我有什么不好，诽谤的声音竟然在天下散布得沸沸扬扬！我杀死的人还不到一千，就有人说我残忍暴虐！路上的行人多得一个挨着一个，不能再说是人烟稀少。我正准备对他们施用严酷的法制，谁又能把我怎么样！"

自去年春季以来，潼关以西地区，一直到长安，有大批的虎豹豺狼出来为害，白天则是一群接一群地出没于大道之上，夜间则毁坏居民的房屋，它们不吃牛、马、羊、猪、狗、鸡之类的六畜，却专门吃人，先后咬死、吃掉了七百多人。农民不敢再到田间耕作，所以农事生产全部废止，人们都聚居在村落里，而虎豹豺狼的危害仍然无法制止。秋季，七月，秦国的群臣奏请秦主苻生祭祀天地神灵以化解灾难。苻生说："野兽饥饿就要吃人，吃饱了自然就不再吃了，有什么必要进行祭祀化解呢！再说，难道上天不爱惜民众吗！正是因为犯罪的人多了，所以上天才借助于虎豹豺狼来帮助我除掉他们。"

七月十二日丙子，燕国献怀太子慕容晔去世。

姚襄攻洛阳，逾月不克。长史王亮谏曰：“明公英名盖世，兵强民附。今顿兵坚城之下[236]，力屈威挫[237]，或为他寇所乘[238]，此危亡之道也。”襄不从。

桓温自江陵北伐，遣督护高武据鲁阳[239]，辅国将军戴施屯河上[240]，自帅大兵继进。与寮属登平乘楼[241]，望中原，叹曰：“遂使神州陆沈[242]，百年丘墟，王夷甫[243]诸人不得不任其责！”记室陈郡袁宏[244]曰：“运[245]有兴废，岂必诸人之过。”温作色[246]曰：“昔刘景升[247]有千斤大牛，啖刍豆[248]十倍于常牛，负重致远[249]，曾不若一羸牸[250]。魏武[251]入荆州，杀以享军[252]。”

八月己亥[253]，温至伊水[254]。姚襄撤围拒之，匿精锐[255]于水北林中，遣使谓温曰：“承[256]亲帅王师[257]以来，襄今奉身归命[258]，愿敕三军小却[259]，当拜伏道左[260]。”温曰：“我自开复中原[261]，展敬山陵[262]，无豫君事[263]。欲来者便前，相见在近，无烦使人[264]。”襄拒水[265]而战。温结陈而前[266]，亲被甲督战。襄众大败，死者数千人，襄帅麾下数千骑奔于洛阳北山[267]。其夜，民弃妻子随襄者五千余人。襄勇而爱人，虽战屡败，民知襄所在，辄扶老携幼，奔驰而赴之。温军中传言襄病创已死，许、洛[268]士女为温所得者，无不北望而泣。襄西走，温追之不及。弘农[269]杨亮自襄所来奔，温问襄之为人，亮曰：“襄神明器宇[270]，孙策之俦[271]，而雄武过之。”

周成帅众出降，温屯故太极殿[272]前，既而[273]徙屯金墉城[274]。己丑[275]，谒诸陵[276]，有毁坏者修复之，各置陵令[277]。表镇西将军谢尚都督司州诸军事，镇洛阳。以尚未至，留颍川[278]太守毛穆之、督护陈午、河南[279]太守戴施以二千人戍洛阳，卫山陵。徙降民三千余家于江、汉之间，执周成以归。

姚襄率军攻打据守洛阳的周成，一个多月过去了仍然没有攻克。担任长史的王亮劝谏姚襄说：“明公英名盖世，兵力强盛，民心归附。现在却把军队投放在这久攻不下的洛阳城墙之下，战斗力与勇气消耗殆尽，如果再有其他贼寇乘虚而入，攻击我们，那就有被灭亡的危险了。”姚襄没有接受王亮的劝谏。

东晋桓温率军从江陵出发进行北伐，他派遣担任督护的高武率军据守鲁阳，派担任辅国将军的戴施率军驻扎在洛阳附近的黄河岸边，桓温自己亲率大军随后进发。桓温与自己的僚属一起登上大船的楼台，遥望中原，他叹息着说：“竟然使神州大地像沉没于大海一样地沦陷于夷狄的统治之下，百年之间成了无人居住的废墟，王衍那些人必须承担这种历史责任！”担任记室的陈郡人袁宏说：“国运有兴有废，难道一定就是那些人的过错。”桓温立时拉下脸来，生气地说：“过去荆州刘表养了一头千斤重的大牛，平时所吃的草料是普通牛的十倍，可是一旦需要它拉着车子运送东西到远方去的时候，竟然比不上一头羸弱的老母牛。魏武帝占领了荆州之后，就把那头重一千斤的废物牛宰杀犒赏了士兵。”

八月初六日己亥，桓温率军抵达伊水。姚襄解除了对洛阳的围困，把军队专门用来对付桓温，他把精锐部队埋伏在伊水北岸的密林中，然后派遣使者对桓温说：“承蒙阁下亲率王师前来征讨，我现在就请求投降，希望阁下下令三军稍微向后撤退一些，我将拜伏于道左来参见您。”桓温说：“我奉命收复中原，祭拜先朝列祖列宗的陵墓，不关你什么事。如果想来投降，就请前来，相见不远，没有必要要求别人向后退。”姚襄凭借伊水迎战桓温。桓温的军阵像山岳般向姚襄的军队压过去，桓温身披铠甲亲自指挥。姚襄军被打得大败，死了数千人，姚襄率领部下的数千名残败骑兵逃往洛阳城北的北邙山。当天夜里，当地的民众抛弃妻子追随姚襄的有五千多人。姚襄作战勇敢而且爱惜士卒，虽然经过多次失败，但民众只要知道了姚襄在哪里，就会扶老携幼，飞速地前往投奔他。桓温军中传说姚襄伤势严重，已经死亡，凡是被桓温俘虏的许昌、洛阳的男女，无不面向北方一边遥望一边哭泣。姚襄兵败之后向西方逃走，桓温率军追赶却没有赶上。弘农人杨亮从姚襄那里跑出来归顺了桓温，桓温便向杨亮打听姚襄的为人，杨亮回答说：“姚襄神圣英明、气度豪迈，是孙策一流的人物，而英雄勇武更超过了孙策。”

据守洛阳的周成率领自己的部众出城向桓温投降，桓温把自己的指挥部设在原来太极殿的故址前面，后来又转移到金墉城。九月二十六日己丑，桓温祭拜了西晋时期历任皇帝的陵墓，发现有损坏的地方就派人修复，并为各陵分别设置了一名陵令。桓温上表给朝廷，举荐镇西将军谢尚为都督司州诸军事，镇所设在洛阳。因为谢尚目前还没有到达洛阳，遂留下颍川太守毛穆之、督护陈午、河南太守戴施带领二千人马暂时戍守洛阳，护卫皇家陵园。将投降的三千多户迁徙到长江、汉水之间，押着周成班师而回。

姚襄奔平阳[280]，秦并州刺史尹赤[281]复以众降襄，襄遂据襄陵[282]。秦大将军张平击之，襄为平所败，乃与平约为兄弟，各罢兵。

段龛遣其属[283]段蕴[7]来求救[284]，诏徐州刺史荀羡将兵随蕴救之。羡至琅邪[285]，惮燕兵之强不敢进。王腾寇鄄城[286]，羡进攻阳都，会霖雨城坏，获腾斩之。

冬，十月癸巳朔[287]，日有食之。

秦主生夜食枣多，旦而有疾，召太医令程延使诊之。延曰："陛下无他疾，食枣多耳。"生怒曰："汝非圣人，安知吾食枣！"遂斩之。

燕大司马恪围段龛于广固，诸将请急攻之，恪曰："用兵之势，有宜缓者，有宜急者，不可不察。若彼我势敌[288]，外有强援，恐有腹背之患[289]，则攻之不可不急；若我强彼弱，无援于外，力足制之者，当羁縻守之[290]，以待其毙。兵法十围五攻[291]，正谓此也。龛兵尚众，未有离心。济南之战[292]，非不锐[293]也，但龛用之无术，以取败耳。今凭阻坚城[294]，上下戮力[295]，我尽锐[296]攻之，计数日可拔[297]，然杀[298]吾士卒必多矣。自有事中原[299]，兵不暂息，吾每念之，夜而忘寐，奈何轻用其死[300]乎！要在取之，不必求功之速也。"诸将皆曰："非所及也。"军中闻之，人人感悦，于是为高墙深堑[301]以守[302]之。齐人争运粮以馈[303]燕军。

龛婴城[304]自守，樵采路绝[305]，城中人相食。龛悉众[306]出战，恪破之于围里[307]，先分骑屯诸门[308]。龛身自冲荡[309]，仅而得入[310]，余兵皆没。于是城中气沮[311]，莫有固志[312]。十一月丙子[313]，龛面缚[314]出降，并执朱秃[315]送蓟。恪抚安新民，悉定齐地，徙鲜卑、胡、羯三千余户于蓟。

姚襄逃往平阳，秦国的并州刺史尹赤率领自己的部众投降了姚襄，姚襄于是占据了襄陵。秦国大将军张平率军攻击襄陵，姚襄被张平打败，就与张平结拜为异姓兄弟，然后各自罢兵。

自称齐王的段龛派自己的部属段藴前来建康请求出兵救援，晋穆帝司马聃下诏令徐州刺史荀羡率军跟随段藴前往救援段龛。荀羡到达琅邪，因为惧怕燕军的强大而不敢前进。王腾率军掠夺鄄城，荀羡趁机率军进攻王腾的治所所在地阳都，恰遇大雨连绵，泡塌了阳都城墙，荀羡遂生擒了王腾，并将王腾斩首。

冬季，十月初一日癸巳，发生日食。

秦主苻生夜里吃了很多枣，早晨便开始生病，他召担任太医令的程延来为自己治病。程延说："陛下没有别的毛病，就是枣吃多了。"苻生大怒说："你又不是圣人，怎么知道我吃枣了！"竟因此而将程延杀死。

燕国担任大司马的慕容恪将齐王段龛围困在广固城中，诸将都请求加紧攻城，慕容恪说："用兵打仗，要根据不同形势，有时需要缓慢，有时需要迅速，不能不分辨清楚。如果敌我双方势均力敌，敌人又有强大的外援，我们担心腹背受敌，就不能不对敌人采取紧急攻势；如果是我方强大，敌方势力弱小，又没有外援，我们的力量足以将对方制服，就应当稍微宽松地围困住他，等他自行倒毙。兵法说：有十倍于敌的绝对优势兵力，就要四面包围，迫使敌人屈服；有五倍于敌人的优势兵力，就要进攻敌人，正是说的这个道理。段龛的军队人数目前还很多，军心还没有瓦解。济水之南的那次战役，段龛的军队不是不精锐，而是段龛指挥不当，所以才导致失败。如今他凭借着坚固的城池进行据守，全军上下同心合力，如果我们拿出所有的精锐去攻打，估计也得需要好几天时间才能将广固城攻克，然而我们必然会牺牲很多士卒。自从用兵于中原地区，战争就没有停息过，每当我想到这些，夜里就无法入睡，怎能轻易地牺牲士卒的生命！只要能够夺取，就没必要要求非得迅速成功。"诸将都说："这是我们所考虑不到的。"军队中的士卒听到这个消息，人人心怀感激，情绪振奋，于是深挖沟高筑墙，做好长久围困的准备，将广固城严密地围困起来。齐地的百姓争相运送粮食供给围城的燕军。

段龛在已经陷入重重包围而又孤立无援的广固城中四面进行防守，城外就连砍柴、采点野果的小路都被燕军封锁了，广固城中因为没有粮食吃，人们已经开始互相残杀，发生了人吃人的惨剧。段龛迫不得已，只得集中全部兵力出城与燕军交战，燕国大司马慕容恪就在包围圈内将段龛击败，并分别派出骑兵牢牢地封锁住广固城所有城门。段龛亲自来回冲击，仅有他一个人得以逃入城内，其余的兵将全部覆没。于是广固城中剩余的守军人心沮丧、士气低落，完全失去了坚守城池的信心。十一月十四日丙子，段龛反绑双手出城投降，燕军同时还抓获了朱秃，将其送回燕国的都城蓟城。大司马慕容恪安抚新归顺的居民，段龛统辖之下的齐地全部平定，将齐

燕主[8]儁具朱秃五刑㊖，以段龛为伏顺将军。恪留慕容尘镇广固，以尚书左丞鞠殷为东莱㊗太守，章武太守鲜于亮为齐郡㊘太守，乃还。

殷，彭之子也。彭时为燕大长秋㊙，以书戒殷曰："王弥㊚、曹嶷㊛，必有子孙，汝善招抚，勿寻旧怨，以长乱源。"殷推求，得弥从子立、嶷孙岩于山中，请与相见，深结意分㊜。彭复遣使遗以车马衣服，郡民由是大和㊝。

荀羡闻段[9]龛已败，退还下邳㊞，留将军诸葛攸、高平太守刘庄将三千人守琅邪㊟，参军谯国戴逯等将二千人守泰山㊠。燕将慕容兰屯汴城㊡，羡击斩之。

诏遣兼司空、散骑常侍车灌等持节如洛阳修五陵㊢。十二月庚戌㊣，帝及群臣皆服缌㊤，临于太极殿三日㊥。司州都督谢尚以疾不行，以丹阳尹王胡之代之，未行而卒[10]。胡之，廙㊦之子也。

是岁，仇池公杨国㊧从父俊杀国自立，以俊为仇池公。国子安奔秦。

【段旨】

以上为第二段，写晋穆帝永和十二年（公元三五六年）一年间的大事。主要写了秦主苻生听信佞幸董荣等人的谗言杀害了司空王堕与洛州刺史杜郁；又杀了谏臣强平，苻飞、苻黄眉、邓羌等人因劝止而遭贬斥，其母强太后以忧死；写了燕将慕容恪大破段龛于济水之南后，进兵包围广固城，慕容恪筑长围，守而不战，以待其敝；最后段龛突围不成，只好面缚出降，青州一带遂尽入燕人之手；写了晋将桓温多次请移都洛阳、修复园陵，朝廷不许，而派桓温为征讨都督，北讨姚襄；写了桓温破姚襄于伊水，姚襄北逃平阳；桓温攻克洛阳，军阀周成投降；桓温修复西晋诸陵后，表请谢尚镇洛阳，谢尚因病未至，遂留毛穆之、

地的鲜卑人、胡人、羯人三千多户迁徙到燕国的都城蓟城。燕主慕容儁让朱秃受尽了诸如脸上刺字、削鼻子、砍下双脚、鞭子抽、棍子打等等各种残酷的刑法后将朱秃处死，任命段龛为伏顺将军。大司马慕容恪留下慕容尘镇守广固，任命担任尚书左丞的鞠殷为东莱太守，改任担任章武太守的鲜于亮为齐郡太守，这才班师而回。

新任东莱太守鞠殷，是鞠彭的儿子。当时鞠彭担任燕国的大长秋，鞠彭写信告诫鞠殷说："王弥和曹嶷，一定还有子孙，你要善待他们，不要再找寻旧日的仇怨，以免引发灾祸和叛乱。"鞠殷在东莱派人仔细推究搜求，终于在山中找到了王弥的侄子王立、曹嶷的孙子曹岩，鞠殷邀请他们出来相见，与他们建立了深厚的情谊。鞠彭还派人将车马衣服等送给他们，东莱郡因此呈现出一派和谐、融洽的气氛，居民情绪稳定。

东晋荀羡得知段龛已经失败的消息，便率军退回下邳，只留下将军诸葛攸、高平太守刘庄率领三千人马守卫琅邪，派担任参军的谯国人戴逯等率领二千人马守卫泰山郡。燕将慕容兰率军屯扎在汴城，被荀羡击败、斩首。

东晋晋穆帝司马聃下诏派遣兼任司空、散骑常侍的车灌等人手持符节前往故都洛阳，整修宣帝司马懿、景帝司马师、文帝司马昭、武帝司马炎、惠帝司马衷五位皇帝的陵墓。十二月十九日庚戌，晋穆帝司马聃以及朝中的文武百官全都身穿用疏织的细麻布制成的孝服，在建康城里的太极殿一连祭祀、哭吊了三天。司州都督谢尚因为患病不能前去赴任，遂任命担任丹阳尹的王胡之代替他，王胡之没有走就去世了。王胡之，是王廙的儿子。

这一年，仇池公杨国的叔父杨俊杀死了杨国，自称为仇池公，东晋遂封杨俊为仇池公。杨国的儿子杨安逃往秦国。

陈午、戴施等为留守，自己回师江陵；此外还写了秦将苻柳派使者阎负、梁殊入凉，劝说张瓘使凉王张玄靓取消王号，称藩于秦，双方互聘辞令，最后折服张瓘，张瓘以张玄靓的名义称藩于秦等。

【注释】

⑳ 未至广固百余里：距离广固城还有百余里。未至，距离。广固，古城名，在今山东青州。㉑ 逆战：迎战。逆，迎。㉒ 丙申：正月三十。㉓ 淄水：今名淄河，源出山东莱芜东北，流经淄博市临淄区东，北流合于小清河注入莱州湾。㉔ 齐王友辟闾蔚：段龛的僚属姓辟闾名蔚。友，在这里可以看作是一种官名，是对僚属的一种敬称，意思说他不是段龛的僚属，而只是一种朋友关系，在他身边起参谋作用。当时段龛自称"齐王"，故

称辟闾蔚为“齐王友”。⑫⁵被创：被燕军的兵器所伤。⑫⁶求：寻访；寻找。⑫⁷刚峻：刚直不阿。⑫⁸佞幸：以花言巧语、谄媚逢迎而受到宠幸。佞，以巧言求媚于人。⑫⁹小降意接之：稍微屈尊一点地与他往来。小，稍稍。降意，客气一点、放下点架子。接，交往、往来。⑬⁰董龙：董荣的小名叫“龙”。称人小名，表示轻贱。⑬¹国士：国中才德出众的人。⑬²会有天变：这时正好有天象变异，如日食、月食之类。会，正赶上。⑬³天谴：老天爷要对人类社会进行惩罚。⑬⁴宜以贵臣应之：应该杀死一个大臣来冲抵上天的惩罚。应，回应、冲抵。⑬⁵大司马：指武都王苻安，秦主苻生的叔祖，时任大司马之职。⑬⁶国之懿亲：国家帝王的至亲至美之人。懿，美、崇高。⑬⁷贰于晋：给晋王朝当奸细。贰，二心，居秦而暗通于晋。⑬⁸壬戌：二月二十六。⑬⁹酒监：宴会上临时派定的监督该饮酒而逃避不饮的人。⑭⁰强人酒：强迫人饮酒。⑭¹犹有坐者：意思是一强迫人饮，那时就会出现因不肯饮而该受罚的了。坐，违规该罚。⑭²引弓：弯弓；拉弓。⑭³偃仆：犹今所谓“前仰后合”，纷纷醉倒的样子。偃，向后躺倒。仆，向前摔倒。⑭⁴失冠：都把帽子弄到了地上。⑭⁵大人：头领。⑭⁶将贰于代：想要脱离代国。以刘务桓为首领的匈奴部落，当时活动在今内蒙古的西部地区，在此之前依附于代国。代国是鲜卑族拓跋氏建立的国家，都城盛乐，在今内蒙古和林格尔城北。⑭⁷临河：临近内蒙古河套一带的黄河。⑭⁸招抚段龛诸城：段龛坚守广固未下，故慕容恪先招抚其境内其他城池。⑭⁹己丑：此语有误，二月朔丁酉，无己丑日，疑为乙丑之误。乙丑是二月二十九。⑮⁰以故职还屯阳都：仍为徐州刺史，仍旧率部驻扎于阳都县。阳都县的县治在今山东沂南，为段龛徐州州治的所在地。⑮¹说凉王玄靓：劝说凉王张玄靓归附于秦国。⑮²臣无境外之交：做臣子的无权私自与其他国家的人相来往、有私交。⑮³何以来辱：有何事情来找我。辱，谦辞，意即因来光顾我而使你蒙受耻辱。⑮⁴晋王与君邻藩：我们的晋王苻柳，与你身任凉州牧的张君，都是邻近国家的诸侯。诸侯对皇帝称“藩”，苻柳时称晋王，是秦国的诸侯；张瓘封为张掖郡公，是凉国的诸侯，秦、凉二国相邻，故对二臣以“邻藩”相称。⑮⁵山河阻绝：当时苻柳驻兵蒲阪，在今山西永济西南的蒲州镇，张瓘身为凉国大臣，远在姑臧，也就是今天的甘肃武威，山高水远，故称“山河阻绝”。⑮⁶风通道会：意谓虽然彼此相隔遥远，但通过风云、道路还是可以沟通的。⑮⁷六世：指张轨、张寔、张茂、张骏、张重华、张曜灵。张祚是篡位称王，又是被张瓘等所杀掉的，故将其排除在世数之外。⑮⁸苻征东：指苻柳，时任征东将军。⑮⁹先君：指历代的凉州君主。⑯⁰隳：毁弃；丧失。⑯¹坠失天命：丢掉了上天的任命，已经不再受上天所眷顾。⑯²凉之二王：指张茂和张骏。⑯³北面二赵：曾先后向前赵、后赵称臣。张茂曾向前赵的刘曜称臣，张骏曾向后赵的石勒称臣。旧时帝王接见诸侯大臣，皆面向南坐以接受朝拜。故后世遂以“北面”代指向人称臣。⑯⁴唯知机也：这是一种识时务的表现。机，事物变化的迹象、征兆。⑯⁵自帝河右：在河西自己称帝。⑯⁶曷若：何如；哪里比得上。⑯⁷中州：此谓中原之国，如前赵、后赵等。⑯⁸使车适返：友好谈判的使者的车子刚走。适返，刚刚离去。⑯⁹戎骑已至：侵略的军队已经来到门前。永和二年，张重华嗣位，遣使奉章于石虎，虎继而遣王擢进攻凉州。⑰政化各殊：所推行的政策路线各不相同。⑰秦敦信义：秦国讲究信义。敦，重视、讲究。⑰一概待之：同等对待，不加区别。概，量米粟时刮平斗斛用的木板。⑰张先：原是军阀杜洪的征虏将军，驻守长安。与秦苻菁战于渭北，兵败被擒，遂降于秦。事见本书卷九十八永和六年。⑰杨初：仇池地区的氐族头领。⑰阻兵不服：倚仗武力强盛，不肯归依苻氏势力。阻，倚仗、凭借。⑰先帝讨而擒之：张先的确是被苻健的部将苻菁所擒，但杨初无被苻氏所擒事。⑰罪戾：罪过。⑰宠以爵秩：封给他们很高的爵位。秩，级别、等级。⑰何辱命焉：何劳你来教训我。辱，谦辞，犹言承蒙。⑱文身之俗：古代吴、越一带有断发文身的风俗，即截短头发，身绘花纹，以避水中蛟龙之害。阎负、梁殊引此以说明江南的落后。⑱道污先叛二句：如果中原朝廷的道德沦丧，则江南率先叛乱；如中原朝廷教化隆盛，则江南也是最后归服，极言江南人的生性之坏。⑱主上：指秦主苻生。⑱河右：河西，指张氏凉州政权。⑱可以义怀：可以通过道义的说服使之归附。怀，使之因感恩而接受统治。⑱行人：外交官员。⑱不达天命：看不清天命之所归。⑱三州：指凉州、河州、沙州三州，都在今之甘肃境内。⑱西苞葱岭：向西一直越过葱岭。葱岭在过去是对帕米尔高原和昆仑山、喀喇昆仑山脉西部诸山的总称。⑱东距大河：向东一直到今甘肃、青海东部的黄河沿岸。⑲殽、函：崤山与函谷关。崤山在今河南洛宁北，山分东、西二崤，相距三十五里，十分险峻。函谷关在今河南灵宝北三十里。东自崤山，西至潼关，深险如函，故名函谷。⑲秦、雍：秦州和雍州。秦州的州治即今之甘肃天水市，雍州的州治长安，即今之西安北部。⑲成资：固有的基础；现成的资本。⑲戎旗：军旗，这里即指大兵。⑲不觉易主：不知不觉地这关中地区就成了苻家的天下。苻健以仁义得天下，使百姓未受惊扰事，见本书卷九十八永和六年。⑲赫然奋怒：勃然大怒。⑲控弦：拉弓，拉弓者，这里即指士兵。⑲鼓行而西：擂鼓长驱而进，极言其气势之足，不用一切诡诈的手段。⑲何以待之：如何对待；如何应付。⑲非身所了：不是我可以做主的。身，犹言"我"。了，了断、做主。⑳英睿夙成：聪明才智与生俱来。夙，早、与生俱来。⑳幼冲：幼弱。冲，幼小。⑳居伊、霍之任：处于伊尹、霍光的位置。伊尹、霍光都是以辅佐幼主而闻名的执政大臣。事迹详见《史记·殷本纪》与《汉书·霍光传》。⑳以玄靓之命：假借张玄靓的名义。⑳因玄靓所称官爵而授之：意即秦王苻生按着张玄靓对张瓘的封任又重新任命了一回。⑳卢氏：即今河南卢氏。⑳轵关：关名，关当轵道之险，故名。在今河南济源西北。⑳裴氏堡：在今山西闻喜境内。据吴熙载《资治通鉴地理通解》："裴氏堡，在山西绛州闻喜县。"⑳新兴王飞：苻飞，苻健之子，被封为新兴王。⑳甲首：春秋车战，兵车一乘，马四匹，车上立三人，左执弓，披甲，谓之甲首。这里指披甲的战士。㉑园陵：西晋诸帝的陵墓。陵墓所占地盘叫园，园中墓穴上突起的土山叫陵。㉑章：奏章；向皇帝陈述事由的文书。㉑渭桥：长安城附近渭水上的桥，有三座：其一，中渭桥，本名横桥，在今西安北。秦都咸阳，渭南有兴乐宫，渭北有咸阳宫，因此建桥以通二宫。其二，东渭桥，又名渭桥渡，在今西安东北，汉景帝时建。其三，西渭桥，又名便桥、便门桥，在今咸阳南。㉑③发屋：风卷屋瓦，掀翻屋顶。㉑④推告贼者：推问喊叫有贼的人。推，审问。告，报告、传言。㉑⑤灾异：反常的自然现象，如日食、月食、地震、洪水等，阴阳家们把这些说成是上天对人间帝王的警告。㉑⑥事神：恭敬地侍奉神灵。㉑⑦乃可弭：才可以消除这些可怕的天谴。弭，消除、化解。㉑⑧左冯翊：左冯翊地区的行政长官。左冯翊是长安东部地区的郡名，也是其行政长官的官名，级别与郡太守相同。㉑⑨右扶风：右扶风地区的行政长官。右扶风是长安西部地区的郡名，也是其行政长官的官名，级别与郡太守相同。右扶风与左冯翊、京兆尹三郡合称“三辅”。㉒⓪周成：原是冉闵的部将，冉闵死后一度降晋，后又叛变晋朝，攻占了晋将施逸所驻守的洛阳城。㉒①嗣统：继承皇位。统，帝王的统系。㉒②谤讟：诽谤；怨言。㉒③扇满：散布得沸沸扬扬。㉒④比肩：并肩；一个挨一个。形容路上的行人之多。㉒⑤未足为希：不能再说是人烟稀少。希，同“稀”，少。㉒⑥方当峻刑极罚：我正想实行严厉的法制。峻刑，严刑。㉒⑦复如朕何：看你们又能对我怎么样。㉒⑧潼关：关塞名，在今陕西潼关县境内，地处陕西、河南、山西三省的交界点。㉒⑨继道：在路上络绎不绝。㉓⓪六畜：牛、马、羊、猪、鸡、犬之类。㉓①相聚邑居：都聚集在村镇里，不敢出来。㉓②禳灾：祭祀鬼神以求消灾。㉓③何禳之有：有什么可祭祀祈求的呢。㉓④丙子：七月十二。㉓⑤献怀太子晔：慕容晔，慕容儁之子，献怀二字是谥。㉓⑥顿兵坚城之下：把军队投放在久攻不克的城池之下。顿，投、扔在。㉓⑦力屈威挫：战斗力与勇气消耗殆尽。㉓⑧所乘：所乘隙攻击。㉓⑨鲁阳：即今河南鲁山县。㉔⓪河上：河南洛阳附近的黄河边上。㉔①平乘楼：大船上的楼台。㉔②陆沈：大地像沉没于大海一样地沦陷于他族的统治之下。㉔③王夷甫：王衍，字夷甫，西晋时期的执政大臣，一生尚清谈，不恤国事，致使国事混乱，中原沦丧，是千古历史罪人。事见《晋书》卷四十三。㉔④袁宏：字彦伯，小字虎，初为安西将军谢尚参军，后为大司马桓温府记室，直而不阿，官至东阳太守。撰有《后汉纪》三十卷。传见《晋书》卷九十二。㉔⑤运：国运。㉔⑥作色：面容变色，生气的样子。㉔⑦刘景升：即刘表，字景升，东汉末期人，任荆州刺史多年，因不参与当时的军阀混战，故其所据地区破坏较少，中原人往投之避难者甚众。后病死，其子刘琮遂降于曹操。传见《后汉书》卷七十四下。㉔⑧啖刍豆：平时所吃的草料。㉔⑨负重致远：等需要它拉着车子运送东西到远方去的时候。㉕⓪曾不若一羸牸：还比不上一头瘦母牛。羸，病瘦。牸，母牛。㉕①魏武：指曹操，其子曹丕称帝后，追谥曹操曰魏武帝。曹操入据荆州，在汉献帝建安十三年（公元二〇八年）。㉕②杀以享军：杀了这头废物牛以犒赏士兵。〖按〗桓温讲这个故事，乃是以牛之无用与可憎，以比喻东晋当时那些居高官、享厚禄、尚清谈，而无经世安邦之用的一大群废物。㉕③八月己亥：八月初六。㉕④伊水：今名伊河，源出河南卢氏东南的闷顿岭，东北流往嵩县、伊川、洛阳，至偃师南注入洛河。此时桓温所到达的即洛阳城南的伊水。㉕⑤匿精锐：把他的精锐部队埋伏在……。㉕⑥承：承蒙，对人敬称的常用语。㉕⑦亲帅王师：亲自统率晋军。王师，对晋军的敬称。㉕⑧奉身归命：意即亲身前来归顺。奉，进献、送上。㉕⑨愿敕三军小却：希望你命令你的军队稍稍向后退一点。敕，命令。小却，略退一点。㉖⓪拜伏道左：我将拜伏于道左参见你。古代尊崇右，以左为较低级的位置。㉖①开复中原：收复中原。开复，开拓、收复。㉖②展敬山陵：对先朝的列祖列宗表示敬意。展敬，表示敬意。山陵，以称帝王的坟墓。㉖③无豫君事：和你没有关系；不关你什么事。豫，干系、相关。㉖④无烦使人：没必要让别人向后退。㉖⑤拒水：以伊水为依托。㉖⑥结陈而前：整个军阵山岳般地压了过去。㉖⑦洛阳北山：洛阳城北的北芒山，也写作"北邙山"。㉖⑧许、洛：许昌、洛阳。㉖⑨弘农：县名，县治在今河南灵宝北。㉗⓪神明器宇：神圣英明、器度豪迈。㉗①孙策之俦：孙策一流的人物。孙策，字伯符，孙坚之子，孙权之兄，三国时代东吴政权的奠基者。孙权称帝后，追谥之为长沙桓王。传见《三国志》卷四十六。㉗②太极殿：洛阳皇宫的正殿名。㉗③既而：不久。㉗④金墉城：洛阳城内的小城名，位于洛阳故城的西北隅。㉗⑤己丑：九月二十六。㉗⑥谒诸陵：拜祭西晋历代帝王的陵墓。谒，拜见、拜祭。㉗⑦陵令：管理帝王陵墓的官员，上属太常，其级别相当于县令，负责陵墓的护卫与日常祭扫。㉗⑧颍川：郡名，郡治阳翟，即今河南禹州。㉗⑨河南：郡名，郡治即今洛阳。㉘⓪平阳：古城名，在今山西临汾的西南部。㉘①并州刺史尹赤：尹赤原为姚襄的司马，永和八年，襄败于秦兵，尹赤奔秦。并州的州治晋阳，在今山西太原的西南部。㉘②襄陵：县名，县治在今山西临汾东南的古城庄。㉘③属：僚属；部下。㉘④来求救：来东晋求救，因其所据的青州被燕军所攻故也。㉘⑤琅邪：郡国名，治所开阳，在今山东临沂北。㉘⑥鄟城：侨县名，在今山东沂水县。胡三省注："此非古鄟城县，盖侨县也。"据《资治通鉴地理通释》："此指山东沂州府沂水县。"㉘⑦十月癸巳朔：十月初一是癸巳日。㉘⑧势敌：兵力相当。敌，相等。㉘⑨腹背之患：谓遭受内外夹攻。㉙⓪羁縻守之：稍微宽松地围困着它。羁縻，松松地捆着、拢着。㉙①十围五攻：《孙子兵法·谋攻》云："用兵之法，十则围之，五则攻之。"意思是说，有十倍于敌的绝对优势兵力，就要四面包围，迫敌屈服；有五倍于敌的优势兵力，就要进攻敌人。㉙②济南之战：济水之南的那个战役，即本年年初的淄水之战。济南，济水之南。济水发源于今河南济源，东流经今河南之封丘、山东之菏泽、济南、博兴入渤海。㉙③非不锐：并不是不精锐，指段龛的军队。㉙④凭阻坚城：凭借坚固的城池进行防守。阻，依靠。㉙⑤戮力：努力；合力。㉙⑥尽锐：出动全部精兵。㉙⑦计数日可拔：估计也得用好几天才能攻下。㉙⑧杀：牺牲。㉙⑨有事中原：谓用兵于中原。㉚⓪轻用其死：轻易地牺牲士兵。㉚①高墙深堑：修筑高墙，挖掘深沟，以防止被围之敌的反冲锋，做长久的围困准备。㉚②守：围困。㉚③馈：输送；供应。㉚④婴城：环城；四面防守。㉚⑤樵采路绝：连个上山砍柴、采点野果的小路都没有了。㉚⑥悉众：集中全部兵力。㉚⑦围里：包围圈里。因慕容恪在城外筑成长围，故战于"围里"。㉚⑧屯诸门：牢牢地堵住广固城的各个城门。㉚⑨冲荡：来回冲击。㉛⓪仅而得入：只剩下他一个人逃进城去。⑪气沮：士气低落，军心涣散。⑫莫有固志：没有一点信心。⑬十一月丙子：十一月十四。⑭面缚：两手反绑于身后而面向前，表示投降。⑮并执朱秃：把朱秃也逮捕起来。朱秃原为燕国的青州刺史，永和十年，他杀了慕容翰的儿子慕容钩，南奔段龛。事见本书卷九十九永和十年。⑯具朱秃五刑：让朱秃受遍了各种刑法。具，遍、所有。五刑指墨刑、劓刑、剕刑、宫刑、大辟。一说指甲兵、斧钺、刀锯、钻笮、鞭扑。⑰东莱：郡名，郡治即今山东莱州。⑱齐郡：郡治即今淄博市临淄区。⑲大长秋：官名，皇后的近侍，掌宫中宣命。在西汉，或用宦官，或用士人，东汉后多用宦官。⑳王弥：西晋时东莱（今山东莱州）人，永兴三年（公元三〇六年）率家僮随刘伯根反晋。伯根死，搜集亡散转战青、徐、兖、豫一带，攻杀官吏，人称"飞豹"。永嘉二年（公元三〇八年）攻洛阳，为晋军所败。后归刘渊，任征东大将军。与刘曜、石勒攻破洛阳，回师青州途中，为石勒袭杀。传见《晋书》卷一百。㉑曹嶷：西晋东莱人，初为王弥左长史、镇东将军、青州刺史，与王弥共归刘渊。王弥死，曹嶷附晋，为安东将军、广饶侯、琅邪公。又以建康悬远，与石勒通和。明帝太宁元年（公元三二三年）石虎围广固，嶷降，送至襄国，被杀。㉒深结意分：建立了浓厚的情谊。意分，情分、情谊。㉓大和：和睦、融洽，情绪稳定。㉔下邳：即今江苏邳州，当时为下邳郡的郡治所在地。㉕琅邪：郡名，郡治即今山东临沂。㉖泰山：指泰山郡，郡治在今山东泰安东南。㉗汴城：胡三

【原文】

升平元年（丁巳，公元三五七年）

春，正月壬戌朔㉞，帝加元服㉟。太后诏归政㊱，大赦，改元。太后徙居崇德宫㊲。

燕主儁征幽州刺史乙逸为左光禄大夫。逸夫妇共载鹿车㊳，子璋从数十骑㊴，服饰甚丽，奉迎于道。逸大怒，闭车不与言。到城㊵，深责之，璋犹不悛㊶。逸常忧其败，而璋更被擢任，历中书令、御史中丞。逸乃叹曰："吾少自修立㊷，克己守道，仅能免罪㊸。璋不治节检㊹，专为奢纵，而更居清显㊺。此岂惟璋之忝幸㊻，实时世之陵夷㊼也。"

二月癸丑㊽，燕主儁立其子中山王時为太子，大赦，改元光寿。

省注，“汴”当作“卞”。即卞县县城，在今山东泗水东南五十里。㉘ 五陵：指宣帝司马懿、景帝司马师、文帝司马昭、武帝司马炎、惠帝司马衷五人的陵墓。㉙ 十二月庚戌：十二月十九。㉚ 服缌：身穿孝服。缌即缌麻，是五种丧服中最轻的一种。五种丧服的名称是斩衰、齐衰、大功、小功、缌麻。缌麻是用疏织的细麻布制成孝服，服丧三个月。凡疏远亲属都服缌麻。㉛ 临于太极殿三日：在建康城里的太极殿一连哭吊了三天。临，哭吊。㉜ 廙：王廙，王敦的堂弟。传见《晋书》卷七十六。㉝ 仇池公杨国：前仇池公杨初之子。仇池是地名，在今甘肃成县境内。仇池地区的杨氏是氐族部落的头领。

【校记】

［4］国：原无此字。据章钰校，十二行本、乙十一行本、孔天胤本皆有此字，今据补。［5］二王：据章钰校，十二行本、乙十一行本、孔天胤本皆作“先王”，张瑛《通鉴校勘记》同。［6］继：胡三省注云：“蜀本作‘断’。”［7］段蕴：严衍《通鉴补》改作“蕴”。［8］燕主：原作“燕王”。据章钰校，十二行本、乙十一行本、孔天胤本皆作“燕主”，今据改。〖按〗本卷上下文皆称“燕主儁”。［9］段：原无此字。据章钰校，十二行本、乙十一行本皆有此字，今据补。［10］未行而卒：原无此句。据章钰校，十二行本、乙十一行本、孔天胤本皆有此句，张敦仁《通鉴刊本识误》、张瑛《通鉴校勘记》同，今据补。

【语译】

升平元年（丁巳，公元三五七年）

春季，正月初一日壬戌，东晋为穆帝司马聃举行加冠典礼。皇太后褚氏诏告天下，将把政权交还给皇帝司马聃，颁布大赦令，改年号为升平。皇太后褚氏从皇帝居住的西宫搬到崇德宫居住。

燕主慕容儁征调担任幽州刺史的乙逸回朝担任左光禄大夫。乙逸夫妇共同乘坐着一种用鹿拉的小车，乙逸的儿子乙璋却带着数十名骑兵，全都穿着华丽的服饰，在道旁迎接。乙逸大怒，关闭车门不搭理乙璋。到了蓟城之后，乙逸狠狠地责备了乙璋一通，乙璋仍然不思改悔。乙逸常常担忧乙璋会衰败，而乙璋反而被提升了官职，历任中书令、御史中丞。乙逸遂叹息着说：“我从很小的时候起就开始修身立名，克制自己的欲望，严守正道，也仅仅能够保持不犯错误而已。乙璋不注意俭朴自律，一味地追求奢侈享乐，反而一再地身居要职。这岂止是乙璋有愧于皇帝的宠幸，也是社会政治、社会风气的堕落。”

二月二十三日癸丑，燕主慕容儁立自己的儿子中山王慕容暐为皇太子，在境内实行大赦，改年号为光寿。

太白入东井[349]。秦有司[350]奏："太白罚星[351]，东井秦分[352]，必有暴兵[353]起京师。"秦主生曰："太白入井[354]，自为渴耳，何所怪乎？"

姚襄将图[355]关中，夏，四月，自北屈[356]进屯杏城[357]，遣辅国将军姚兰略地敷城[358]，曜武将军姚益生、左将军王钦卢各将兵招纳诸羌、胡。兰，襄之从兄。益生，襄之兄也。羌、胡及秦民归之者五万余户。秦将苻飞龙击兰，擒之。襄引兵进据黄落[359]，秦主生遣卫大将军广平王黄眉、平北将军苻道、龙骧将军东海王坚、建节将军邓羌将步骑万五千以御之，襄坚壁不战。羌谓黄眉曰："襄为桓温、张平所败，锐气丧矣。然其为人强狠[360]，若鼓噪[361]扬旗，直压其垒[362]，彼必忿恚[363]而出，可一战擒也。"五月，羌帅骑三千压其垒门而陈[364]。襄怒，悉众出战。羌阳不胜[365]而走，襄追之至于三原[366]，羌回骑[367]击之。黄眉等以大众继至，襄兵大败。襄所乘骏马曰黧眉騧，马倒，秦兵擒而斩之，弟苌帅其众降。襄载其父弋仲之柩[368]在军中，秦主生以王礼葬弋仲于孤磐[369]，亦以公礼葬襄。广平王[11]黄眉等还长安，生不之赏[370]，数众辱黄眉[371]。黄眉怒，谋弑生。发觉，伏诛，事连王公亲戚，死者甚众。

戊寅[372]，燕主儁遣抚军将军垂、中军将军虔、护军将军平熙帅步骑八万攻敕勒[373]于塞北[374]，大破之，俘斩十余万，获马十三万匹，牛羊亿万头。

匈奴单于贺赖头帅部落三万五千口降燕，燕人处之代郡平舒城[375]。

秦主生梦大鱼食蒲[376]，又长安谣曰："东海大鱼化为龙，男皆为王女为公。"生乃诛太师、录尚书事、广宁公鱼遵并其七子、十孙。金紫光禄大夫牛夷惧祸，求为荆州[377]。生不许，以为中军将军。引见，调[378]之曰："牛性迟重[379]，善持辕轭[380]，虽无骥足[381]，动负百石[382]。"夷曰："虽服[383]大车，未经峻壁[384]，愿试重载[385]，乃知勋绩[386]。"生笑曰："何其快也[387]？公嫌所载轻[388]乎？朕将以鱼公爵位处公[389]。"夷惧，归而自杀。

金星（太白星）运行到了井宿的位置。秦国有关部门向秦主苻生奏报说：“金星是一颗象征杀伐的星，东井星是秦国的分星，表明京师长安将会有乱军暴动。”秦主苻生说：“太白星进入水井，自然是因为太白星渴了要喝水，这有什么值得大惊小怪的?”

占据襄陵的姚襄谋划夺取关中地区，夏季，四月，姚襄率军从北屈进驻杏城，他派遣担任辅国将军的姚兰率军向敷城一带拓展地盘，派担任曜武将军的姚益生、担任左将军的王钦卢各自率军去招纳那些羌人和胡人。姚兰，是姚襄的堂兄。姚益生，是姚襄的哥哥。羌人、胡人以及秦国的民众归附姚襄的多达五万多户。秦国将领苻飞龙率军攻击姚兰，将姚兰擒获。姚襄率军进驻黄落，秦主苻生派遣卫大将军广平王苻黄眉、平北将军苻道、龙骧将军东海王苻坚、建节将军邓羌率领一万五千名步兵、骑兵抵御姚襄，姚襄坚壁清野不与交战。邓羌对苻黄眉说：“姚襄连续被桓温、张平打败，锐气已经完全丧失。然而姚襄为人争强好胜，如果我们大军擂鼓呐喊挥舞旗帜，径直逼近他的营垒，姚襄一定会愤怒出战，就可以一战将姚襄擒获。”五月，邓羌率领三千名骑兵堵住姚襄的营门布开阵势。姚襄愤怒已极，便集中所有兵力投入战斗。邓羌假装无法取胜而向后退走，姚襄率军随后追赶，一直追到三原，邓羌指挥骑兵掉转马头向姚襄发起攻击。苻黄眉率领大队人马随后赶来，前后夹击，姚襄军被打得大败。姚襄所骑的骏马名叫黧眉䯄，黧眉䯄忽然栽倒，秦兵遂将姚襄擒获、斩首，姚襄的弟弟姚苌率领姚襄的部众向秦国投降。姚襄父亲姚弋仲的灵柩还被姚襄带在军中，秦主苻生按照王爵的礼仪将姚弋仲安葬在孤磐，又用公爵的礼仪埋葬了姚襄。广平王苻黄眉等人返回长安，秦主苻生不但没有奖赏他们，反而数次当着众人侮辱苻黄眉。苻黄眉非常生气，就谋划杀死苻生。事情被发觉，苻黄眉被苻生处死，事情牵连到王爵公爵、皇亲贵戚，很多人因此被杀。

五月十九日戊寅，燕主慕容儁派遣担任抚军将军的慕容垂、担任中军将军的慕容虔、担任护军将军的平熙率领八万名步兵骑兵前往塞北攻打敕勒，燕军大败敕勒，俘虏、斩首了十多万敕勒人，缴获了十三万匹马，缴获的牛羊有亿万头。

匈奴单于贺赖头率领自己部落的三万五千人投降了燕国，燕国人把他们安置在代郡的平舒城。

秦主苻生梦见一条大鱼在吃蒲草，长安城中又有童谣说：“东海大鱼化为龙，男皆为王女为公。”苻生遂诛杀了被封为太师、录尚书事、广宁公的鱼遵和他的七个儿子、十个孙子。担任金紫光禄大夫的牛夷担心大祸临头，便请求朝廷委派自己去担任荆州刺史。苻生不允许，任命他为中军将军。苻生召见了他，跟他开玩笑说：“牛的性情迟缓笨拙，善于驾辕拉车，虽然没有骏马跑得那样快，却很容易地就能拉动重百石的车子。”牛夷说：“虽然能够拉动沉重的大车，却从来没有拉车走过崎岖险峻的道路，我希望试一试更艰难的任务，到那时才能看出我所能建立的功勋。”苻生笑着说：“你这头迟重的牛怎么突然变得快速起来了？你嫌负担的责任太轻吗？我就让你担任鱼遵的职务。”牛夷更加恐惧，回到家中就自杀了。

生饮酒无昼夜，或连月不出。奏事不省[390]，往往寝落[391]。或醉中决事，左右因以为奸，赏罚无准。或至申酉[392]乃出视朝[393]，乘醉多所杀戮。自以眇目[394]，讳言"残""缺""偏""只""少""无""不具"之类，误犯而死者，不可胜数。好生剥牛、羊、驴、马，焊[395]鸡、豚、鹅、鸭，纵之殿前，数十为群。或剥人面皮，使之歌舞，临观以为乐。尝问左右曰："自吾临天下，汝外间何所闻？"或对曰："圣明宰世[396]，赏罚明当，天下唯歌太平。"怒曰："汝媚我也[397]！"引而斩之。他日又问，或对曰："陛下刑罚微过[398]。"又怒曰："汝谤我也[399]！"亦斩之。勋旧亲戚，诛之殆尽，群臣得保一日，如度十年。

东海王坚素有时誉[400]，与故姚襄参军薛赞、权翼善。赞、翼密说坚曰："主上猜忍[401]暴虐，中外离心。方今宜主秦祀[402]者，非殿下而谁？愿早为计，勿使他姓得之。"坚以问尚书吕婆楼，婆楼曰："仆，刀环上人[403]耳，不足以办大事。仆里舍[404]有王猛者[12]，其人谋略不世出[405]，殿下宜请而咨之[406]。"坚因婆楼以招猛，一见如旧友。语及时事，坚大悦，自谓如刘玄德之遇诸葛孔明也。

六月，太史令康权言于秦主生曰："昨夜三月并出，孛星入太微[407]，连东井[408]。自去月上旬，沈阴不雨[409]，以至于今，将有下人谋上之祸。"生怒，以为妖言，扑杀[410]之。

特进、领御史中丞梁平老等谓坚曰："主上失德，上下嗷嗷[411]，人怀异志[412]。燕、晋二方，伺隙[413]而动。恐祸发之日，家国俱亡。此殿下之事[414]也，宜早图之。"坚心然之[415]。畏生趫勇[416]，未敢发。

生夜对侍婢言曰："阿法兄弟[417]亦不可信，明[418]当除之。"婢以告

秦主苻生不分白天黑夜地饮酒作乐，有时一连几个月不出皇宫。大臣所上的奏章他看也不看就搁置起来，经常如石沉大海没有了消息。有时又是在醉酒状态下裁决政事，他身边的人便借机为非作歹，所以奖赏和处罚完全没有了标准。有时已经到了下午三点或七点，苻生才开始登上金殿看大臣们一眼，他在醉意蒙眬中，杀戮了许多人。因为自己瞎了一只眼，所以就忌讳别人说带有“残”“缺”“偏”“只”“少”“无”“不具”等字眼的话，因为犯了这类错误而被诛杀的人多得不可胜数。他还喜欢活剥牛、羊、驴、马的皮，喜欢将活的鸡、猪、鹅、鸭扔进滚烫的水中，褪掉它们身上的毛，然后把它们放在金殿前，数十只为一群，看着它们痛苦地挣扎、奔跑来取乐。有时还把人脸上的皮活活地剥下来，再让他血流满面地唱歌跳舞，苻生亲临观看取乐。苻生曾经问自己身边的人说：“自从我当上秦国的皇帝，你们听到外面的人议论我什么？”有人回答说：“圣明的天子主宰天下，赏罚公平恰当，人们齐声歌颂天下太平。”苻生怒气冲冲地说：“你是在讨好我！”立即命人拉出去斩首。过了一阵子，苻生又问这个问题，有人就回答说：“陛下执行刑罚稍微严厉了一些。”苻生又发怒说：“你在诽谤我！”也被拉出去斩首。那些为国家建立过功勋的老臣旧友以及皇亲国戚，几乎都被他杀光了，群臣能够保全一天，就好像熬过了十年一样。

东海王苻坚一向受到当时人们的赞誉，他与已故姚襄的参军薛赞、权翼关系非常密切。薛赞、权翼就暗中劝说苻坚：“秦主苻生为人猜忌、残忍，生性暴虐，朝廷内外已经与他离心离德。如今适合在秦国做皇帝的人，除去殿下还能有谁呢？希望殿下早点做打算，不要让外姓人把政权夺走。”苻坚便去询问担任尚书的吕婆楼，吕婆楼说：“我，就像一个被挂在刀环上的人，随时都有可能被杀死，恐怕没有能力成就大事。我有一个同乡名叫王猛，他的谋略之高，恐怕是世上不经常出现的，殿下应该把他请来，向他请教。”苻坚便通过吕婆楼将王猛请来，两人一见，就如同老朋友久别重逢一样。谈到对时事的看法时，苻坚非常高兴，自己觉得就像当年刘备遇见了诸葛亮一般。

六月，担任太史令的康权对秦主苻生说：“昨天夜里，天空同时出现了三个月亮，彗星进入太微星座，与东井星相连。从上月上旬以来，天气总是阴沉沉的，却没有下雨，一直到现在都是这样，预示将有地位低下的人要谋害地位尊贵的人。”苻生听了大怒，认为这是妖言惑众，就把太史令康权从高处扔到地上活活地摔死了。

享受特进待遇、兼任御史中丞的梁平老等对东海王苻坚说：“主上苻生的美德完全丧失，全国上下无不怨声载道，人人都有叛离之心。燕国和东晋，全都在寻找机会准备发动战争。恐怕灾祸发生的那一天，家与国会同时灭亡。拯救国家，这是殿下的责任，应该早点做好准备。”苻坚心里认为梁平老的话很有道理。但因为惧怕苻生的勇捷凶猛，所以没敢采取行动。

秦主苻生夜里对服侍自己的宫女说：“清河王苻法和他的兄弟苻坚也不可信赖，明天天亮之后就把他们除掉。”那个宫女把苻生的话告诉了东海王苻坚和苻坚的哥哥

坚及坚兄清河王法。法与梁平老及特进光禄大夫强汪帅壮士数百潜入云龙门[419]，坚与吕婆楼帅麾下三百人鼓噪继进，宿卫将士皆舍仗归坚[420]。生犹醉寐。坚兵至，生惊问左右曰："此辈何人？"左右曰："贼也！"生曰："何不拜之？"坚兵皆笑。生又大言："何不速拜，不拜者斩之！"坚兵引生置别室，废为越王，寻杀之，谥曰厉王[421]。

坚以位让法，法曰："汝嫡嗣[422]，且贤，宜立。"坚曰："兄年长，宜立。"坚母苟氏泣谓群臣曰："社稷事重，小儿[423]自知不能，他日有悔[424]，失在诸君[425]。"群臣皆顿首请立坚。坚乃去皇帝之号，称大秦天王，即位于太极殿，诛生幸臣中书监董荣、左仆射赵韶等二十余人，大赦，改元永兴。追尊父雄为文桓[426]皇帝，母苟氏为皇太后，妃苟氏为皇后，世子宏为皇太子，以清河王法为都督中外诸军事、丞相、录尚书事、东海公，诸王皆降爵为公。以从祖右光禄大夫、永安公侯[427]为太尉，晋公柳为车骑大将军、尚书令。封弟融为阳平公，双为河南公，子丕为长乐公，晖为平原公，熙为广平公，叡为巨鹿公。以汉阳李威为左仆射，梁平老为右仆射，强汪为领军将军，吕婆楼为司隶校尉，王猛为中书侍郎。

融好文学，明辨[428]过人，耳闻则诵[429]，过目不忘；力敌百夫，善骑射击刺，少有令誉[430]。坚爱重之，常与共议国事。融经综内外[431]，刑政修明，荐才扬滞[432]，补益弘多。丕亦有文武才干，治民断狱，皆亚于融[433]。

威[434]，苟太后之姑子也，素与魏王雄友善。生屡欲杀坚，赖威营救得免。威得幸于苟太后，坚事之如父。威知王猛之贤，常劝坚以国事任之。坚谓猛曰："李公知君，犹鲍叔牙之知管仲[435]也。"猛以兄事之。

燕主儁杀段龛，坑其徒三千余人。

秋，七月，秦大将军冀州牧张平遣使请降[436]，拜并州刺史。

清河王苻法。苻法遂与梁平老以及特进、光禄大夫强汪率领数百名壮士偷偷地进入皇宫的正南门云龙门，苻坚与担任尚书的吕婆楼率领自己属下的三百名亲兵擂鼓呐喊紧随其后，皇宫中担任宿卫的将士全都放下手中的兵器投归了苻坚。此时苻生还醉醺醺地躺在寝宫的床上。苻坚的亲兵进入苻生的寝宫，苻生惊奇地问自己身边的人说："这些是什么人?"苻生身边的人回答说："他们是贼人!"苻生说："你们怎么不下拜?"苻坚的亲兵都忍不住笑起来。苻生又大声地说："还不赶紧下拜，不下拜的一律斩首!"苻坚的亲兵把苻生带到别的宫室之中，苻坚将苻生废为越王，不久又将苻生杀死，并根据苻生生前滥杀无辜而给苻生谥号"厉王"。

苻坚将皇位让给自己的哥哥苻法，苻法说："你是父亲的嫡子，而且贤能，这个皇帝应该由你来当。"苻坚说："哥哥年纪大，应该由哥哥来当。"苻坚的母亲苟氏流着眼泪对群臣说："这是事关国家社稷的大事，责任重大，我的儿子知道自己没有能力承担，如果将来办事不当，那错立君主的责任应该由诸位大臣来负。"群臣全都磕头请求立苻坚为皇帝。苻坚遂去掉了皇帝的称号，改称大秦天王，在太极殿即位，诛杀苻生的亲信中书监董荣、左仆射赵韶等二十多人，实行大赦，改年号为永兴。追尊自己的生父苻雄为文桓皇帝，封自己的母亲苟氏为皇太后，自己的妃子苟氏为皇后，世子苻宏为皇太子，任命自己的庶兄清河王苻法为都督中外诸军事、丞相、录尚书事、东海公，其他诸王爵都降级为公爵。任命自己的叔祖父、担任右光禄大夫的永安公苻侯为太尉，任命晋公苻柳为车骑大将军、尚书令。封自己的弟弟苻融为阳平公，苻双为河南公，封自己的儿子苻丕为长乐公，苻晖为平原公，苻熙为广平公，苻叡为巨鹿公。任命汉阳人李威为左仆射，任命梁平老为右仆射，任命强汪为领军将军，任命吕婆楼为司隶校尉，任命王猛为中书侍郎。

苻融喜好文学，他的观察识别能力远远超过了一般人，耳朵听一遍就能背诵出来，眼睛看一遍就不会忘记；力气大得一个人能战胜一百人，又擅长骑马射箭，用戈矛击刺，很小的时候就已经有了很高的名声。苻坚很喜爱他、器重他，经常与他一起磋商国家大事。苻融处理朝廷内外的各种政务，阐明刑法政令，为国家举荐、提拔那些有才能却被埋没的人才，为朝廷做了许多有益的工作。苻坚的儿子苻丕也很有文韬武略，无论是处理民事还是审理诉讼，其才能都仅次于苻融。

左仆射李威，是苟太后姑母的儿子，一向与魏王苻雄关系友善。苻生多次想要杀掉苻坚，都仗着有李威的搭救，苻坚才幸免于难。李威很受苟太后的宠爱，苻坚对待李威就像对待自己的父亲一样。李威知道王猛很贤能，经常劝说苻坚把国家大事交给王猛处理。苻坚对王猛说："李公了解先生，就跟鲍叔牙了解管仲一样。"王猛把李威当作自己的兄长一样对待。

燕主慕容儁将伏顺将军段龛杀死，将段龛的三千多名徒众全部活埋。

秋季，七月，秦国担任大将军、冀州牧的张平派遣使者到建康请求投降，东晋任命张平为并州刺史。

八月丁未[437]，立皇后何氏。后，故散骑侍郎庐江何准[438]之女也，礼如咸康[439]而不贺[440]。

秦王坚以权翼为给事黄门侍郎[441]，薛赞为中书侍郎，与王猛并掌机密。九月，追复太师鱼遵等官，以礼改葬，子孙存者皆随才擢叙[442]。

张平据新兴、雁门、西河、太原、上党、上郡[443]之地，壁垒[444]三百余，夷、夏十余万户，拜置征、镇[445]，欲与燕、秦为敌国[446]。冬，十月，平寇略[447]秦境。秦王坚以晋公柳都督并、冀州诸军事，加并州牧，镇蒲阪以御之。

十一月癸酉[448]，燕主儁自蓟徙都邺。

秦太后苟氏游宣明台[449]，见东海公法之第门车马辐凑[450]，恐终不利于秦王坚，乃与李威谋，赐法死。坚与法诀于东堂，恸哭欧血[451]。谥曰献哀公，封其子阳为东海公，敷为清河公。

十二月乙巳[452]，燕主儁入邺宫，大赦。复作铜雀台[453]。

以太常王彪之为左仆射。

秦王坚行至尚书[454]，以文案不治[455]，免左丞[456]程卓官，以王猛代之。坚举异材[457]，修废职[458]，课农桑[459]，恤困穷[460]，礼百神，立学校，旌[461]节义，继绝世[462]，秦民大悦。

【段旨】

以上为第三段，写晋穆帝升平元年（公元三五七年）一年间的大事。主要写了羌族头领姚襄欲图关中，从山西进入陕西北部，结果被秦将苻黄眉、邓羌等大破于黄落，姚襄被杀，姚襄之弟姚苌率众降秦；写了秦主苻生，对破姚襄有大功的苻黄眉不赏赐反而侮辱，激起了苻黄眉的愤怒，欲杀苻生未成，被苻生反杀，连带被杀者甚众。苻生又因梦大鱼食蒲，而杀了朝廷大臣鱼遵、牛夷；苻生又怀疑欲诛其堂兄弟苻坚、苻法，结果消息走漏，被苻坚、吕婆楼等所灭，苻坚被

八月十九日丁未，东晋皇帝司马聃封何氏为皇后。何皇后，是已故散骑侍郎庐江人何准的女儿，司马聃迎娶何氏为皇后的礼仪，与咸康二年晋成帝司马衍迎娶杜氏为皇后的礼节一样，但没有举行庆贺典礼。

秦王苻坚任命权翼为给事黄门侍郎，任命薛赞为中书侍郎，与王猛一起掌管朝廷机密。九月，追认被苻生枉杀的太师鱼遵等恢复原职，以隆重的礼仪将他们改葬，活着的子孙，全都根据他们的实际才能而授予适当的官职。

张平占据了新兴、雁门、西河、太原、上党、上郡的广大地区，建立的军事据点有三百多处，拥有夷人、汉人总计十多万户，拜官授爵，设置并任命四征、四镇等高级武官，想要与慕容氏所建立的燕国、苻氏所建立的秦国为同等地位的国家。冬季，十月，张平率军侵扰掠夺秦国的边境地区。秦王苻坚任命晋公苻柳为都督并、冀二州诸军事，加授并州牧，镇所设在蒲阪，以此抵御张平的入侵。

十一月十七日癸酉，燕主慕容儁把都城从蓟城迁到了邺城。

秦国皇太后苟氏游览宣明台，看见东海公苻法的府第门前，宾客拜访的车马多得就像车轮的辐条凑集于轴心一样，因此担心苻法势力强大后对秦王苻坚不利，遂与表兄弟李威一起密谋，赐苻法自杀。苻坚与苻法在东堂诀别，苻坚哀痛得口吐鲜血。给苻法的谥号是献哀公，封苻法的儿子苻阳为东海公，另一个儿子苻敷为清河公。

十二月十九日乙巳，燕主慕容儁入住邺城皇宫，实行大赦。重新修复铜雀台。

东晋朝廷任命担任太常的王彪之为左仆射。

秦王苻坚前往尚书台视察，发现各种文书案件十分混乱不整，便免除了担任尚书左丞的程卓的官职，由中书侍郎王猛代替。秦王苻坚注意选拔那些有特殊才能的人，重建或改革不干实事的政府部门，督促、检查农民耕种土地、植桑养蚕，救助贫穷困苦而又无依无靠的人，礼敬各种神灵，设立学校，对坚持操守品节、主持正义的人给予表彰，为已经灭绝世袭的前辈英贤寻找并确立继承人，秦国境内的人都非常高兴。

拥立为大秦天王，其朝廷班底主要有苻融、吕婆楼、王猛等。王猛佐苻坚“举异材，修废职，课农桑，恤困穷，礼百神，立学校，旌节义，继绝世”，使秦民大悦；写了燕主慕容儁遣慕容垂等大破敕勒于塞北，匈奴单于贺赖头率众降燕，居于代郡之平舒城；还写了晋穆帝娶何氏女为皇后，以王彪之主管朝政，秦将张平据山西地区遣使请降于晋，张平又倚其兵力强大欲攻击秦境，秦派苻柳驻兵蒲阪以御之等。

【注释】

㉞正月壬戌朔：正月初一是壬戌日。㉟加元服：行加冠礼。元服，即帽子。古代帝王行加冠礼，意味着已到成年，开始亲自掌管国家大权。㊱诏归政：太后宣告天下把政权交还给皇帝。㊲徙居崇德宫：意即搬出了皇帝居住的西宫。崇德宫是太后居住之处。㊳共载鹿车：共同乘坐着一种鹿拉的小车，以言其简朴，不张扬。㊴从数十骑：带领着几十号人马。从，使跟从、带领。㊵城：指燕都蓟城，今北京市。㊶不悛：不思悔改。㊷修立：修身立名。㊸仅能免罪：才勉勉强强地保持不犯错误。㊹不治节检：不注意俭朴自律。治，讲究、注重。检，自律。㊺而更居清显：反而一再地身居要职。清显，位高而权重的职务。㊻忝幸：有愧于（皇帝的）宠幸。忝，羞辱、愧。㊼时世之陵夷：社会政治、社会风气的堕落。意思是由于整个的社会道德水平低，所以乙璋的问题才不成为问题。㊽二月癸丑：二月二十三。㊾太白入东井：太白即金星，金星运行到了井宿的位置。东井，星宿名，二十八宿之一。㊿有司：主管该项事务的官吏。古代设官分职，各有专司，故称有司。(351)罚星：古人认为太白星主杀伐，故称罚星。参见《晋书·天文志中》。(352)东井秦分：东井是秦国的分星。(353)暴兵：暴乱之兵。(354)入井：进入水井。(355)图：谋划；谋取。(356)北屈：县名，县治在今山西吉县东北二十一里，西距黄河不远。(357)杏城：城名，在今陕西黄陵西南的故邑村。(358)略地敷城：向敷城一带扩展地盘。敷城在今陕西富县附近。(359)黄落：即今陕西铜川市西南的黄堡镇。(360)强狠：争强好胜。(361)鼓噪：击鼓呼叫。(362)直压其垒：我们的大军一直向着他们的营垒压过去。垒，营垒、营盘。(363)忿恚：愤怒。恚，恼怒。(364)压其垒门而陈：堵着他的营门摆开阵势。陈，同“阵”，列阵。(365)阳不胜：假装失败。阳，假装。(366)三原：古地名，在今陕西淳化东的嵯峨山北。(367)回骑：回马；掉转马头。(368)柩：装有尸体的棺材。人死，在床曰尸，在棺曰柩。(369)孤磐：谷名，在今甘肃甘谷县东。(370)不之赏：不对之进行封赏。即“不赏之”。(371)数众辱黄眉：屡次当众侮辱苻黄眉。众，当众。(372)戊寅：五月十九。(373)敕勒：我国古代的北方民族名，也称铁勒。其先臣服于匈奴，至南北朝时为突厥所并。其习多乘高轮车，故北魏时也称之为高车部。(374)塞北：指古长城以北，包括今甘肃、宁夏以及内蒙古的北部地区等。(375)平舒城：即汉代的平舒县县治，在今山西广灵。(376)蒲：植物名，又名甘蒲、香蒲。苻氏，本姓蒲。(377)求为荆州：请求出京城去任地方官，当荆州刺史。前秦政权的荆州州治丰阳，即今陕西山阳。(378)调：调笑；开玩笑。(379)迟重：迟缓笨拙。(380)善持辕轭：意即善于拉车。持，负带。辕，车辕。轭，套牛拉车用于其项的部件。(381)无骥足：没有骏马跑得那样快。(382)动负百石：很容易地就能拉动重百石的车。动，动不动地，以言其容易。(383)虽服：虽能拉动。(384)未经峻壁：没有拉车行过险路。峻壁，峭壁；高耸陡峭的山崖。(385)重载：更艰难的任务，指出任荆州刺史，与晋王朝的桓温一较高低。(386)乃知勋绩：到那时才能看出我所能建立的功勋。(387)何其快也：你这头笨

重的牛怎么突然变得快速起来了。388 所载轻：拉的东西少，意即嫌官小。389 处公：任用你；让你担任。390 奏事不省：群臣上的奏章不看。省，阅、批示。391 往往寝落：经常如石沉大海。寝落，意同“寝格”，被搁置、没有回音。392 申酉：十五时至十七时为申时，十七时至十九时为酉时。申酉，相当于现在的下午三时至七时。393 乃出视朝：才出来看大臣们一眼。视朝，临朝、出见群臣。394 眇目：瞎了一只眼睛。395 焊：用热水脱毛。396 圣明宰世：圣明的天子主宰天下。397 汝媚我也：你是讨好我。398 微过：稍微过头一点。399 汝谤我也：你是诽谤我。400 素有时誉：一向受到当时人们的赞扬。401 猜忍：残忍。402 宜主秦祀：合适在秦国做皇帝，因为只有皇帝才能主持对天地宗庙的祭祀。403 刀环上人：魏晋期间常以刀环筑人，吕婆楼这里是说自己可能随时被苻生所杀。或曰，刀是以锋刃为用，刀环是无用之物，以比喻自己的无能。404 里舍：住在同一里巷，也就是同乡。405 不世出：世间不常出现的人物。406 请而咨之：请他来向他请教。407 孛星入太微：流星出现在太微垣附近。孛，火光四射的样子。太微垣在北斗之南，轸宿和翼宿之北，有星十颗。古人认为这是天子之星（参见《晋书·天文志》）。流星入太微，不利于天子。408 连东井：流星与东井相连。东井是秦地的分星，与流星相连，意味将不利于秦国。409 沈阴不雨：阴云很厚而不下雨。沈，同“沉”。410 扑杀：古代把犯人从高处掷地处死的刑罚。411 嗷嗷：众声嘈杂，形容人们的怨愤。412 异志：叛离之心。413 伺隙：窥测时机；找空子。414 此殿下之事：这是殿下你应该关心、注意的事情，意思是劝他及早动手。415 心然之：心里认为这是对的。416 趫勇：勇捷凶猛。417 阿法兄弟：指清河王苻法，与其弟苻坚。苻法、苻坚都是苻雄之子，苻生的堂兄弟。418 明：天亮之后。419 云龙门：长安皇宫的正南门。420 舍仗归坚：放下兵器，投归苻坚。421 谥曰厉王：《谥法解》：“杀戮无辜曰厉。”422 嫡嗣：苻坚之母苟氏是苻雄的正妻，故称坚“嫡嗣”。423 小儿：指其子苻坚。424 他日有悔：日后如有办事不当。悔，过错。425 失在诸君：这错立君主的责任应由诸位来负。〖按〗苻坚之母大有见识，在此紧要时刻为其子帮了大忙。426 文桓：《谥法解》，“经纬天地曰文；道德博闻曰文；慈惠爱民曰文”，“辟土服远曰桓；辟土兼国曰桓”。427 永安公侯：苻侯。428 明辨：观察识别的能力强。429 耳闻则诵：耳朵听一遍就能念出来。诵，背诵。430 令誉：好名声。431 经综内外：管理朝内朝外的各种事务。经综，综理、总揽。432 扬滞：提拔被埋没的人才。433 亚于融：比不上苻融。亚，次、仅次一等。434 威：李威。435 鲍叔牙之知管仲：管仲、鲍叔牙均为春秋时齐人。管仲少与鲍叔牙相交往，后管仲事公子纠，鲍叔牙事小白。公子纠与小白争为诸侯，被小白打败。小白即位为齐桓公，欲用鲍叔牙为相，鲍叔牙荐管仲。事详《史记·管晏列传》。436 张平遣使请降：张平原为后赵的并州刺史，永和七年降秦，今又来请降晋。437 八月丁未：八月十九。438 何准：成帝时宰相何充之弟，有高名，征为散骑侍郎，何准不就。传见《晋书》卷九十三。439 礼如咸康：迎娶何氏为皇后之礼，与咸康二年成帝迎娶杜皇后的礼节一样，都是具备“六礼”，即“纳采”“问名”“纳吉”“纳征”“请期”“亲迎”六项。440 不贺：

成帝娶杜皇后时除备“六礼”外，还有接受百官的朝贺，这次穆帝娶何皇后，则免去了这一项，以示谦谨。㊶给事黄门侍郎：皇帝的贴身近臣，负责为之起草文件、诏令等事，与中书侍郎等赎宰相之职。㊷随才擢叙：根据才能授予适当的官职。擢，选拔。叙，任用。㊸新兴、雁门、西河、太原、上党、上郡：都是今山西和与之邻近的陕西境内的古郡名，新兴郡的郡治即今山西忻州，雁门郡的郡治即今山西代县，西河郡的郡治即今山西离石，太原郡的郡治晋阳（在今山西太原西南），上党郡的郡治潞县（在今山西长治东北），上郡的郡治在今陕西榆林南。㊹壁垒：营垒；军事据点。㊺拜置征、镇：设置并任命“四征”“四镇”等高级武官。四征指征东、征西、征南、征北四将军；四镇指镇东、镇西、镇南、镇北四将军。㊻为敌国：为同等地位的国家。敌，势均力敌、地位相等。㊼寇略：进攻、侵犯。略，占地。㊽十一月癸酉：十一月十七。㊾宣明台：台名，在长安城。㊿车马辐凑：到其府第宾客的车马之多，有如车轮辐条之集中于轴心。辐凑，也作“辐辏”。[451]欧血：吐血。欧，呕吐。[452]十二月乙巳：十二月十九。[453]复作铜雀台：

【原文】

二年（戊午，公元三五八年）

春，正月，司徒昱稽首归政，帝不许。

初，冯鸯[463]既以上党来降，又附于张平，又自归于燕，既而复叛燕。二月，燕司徒上庸王评[464]讨之，不克。

秦王坚自将讨张平，以邓羌为前锋督护，帅骑五千，军于汾上[465]，平使养子蚝御之。蚝多力趫捷，能曳牛却走[466]，城无高下，皆可超越。与羌相持旬余，莫能相胜。三月，坚至铜壁[467]，平尽众[468]出战，蚝单马大呼，出入秦陈者四五。坚募人生致[469]之，鹰扬将军吕光刺蚝，中之，邓羌擒蚝以献，平众大溃。平惧，请降。坚拜平右将军，以蚝为虎贲中郎将。蚝，本姓弓，上党人也。坚宠待甚厚，常置左右，秦人称邓羌、张蚝皆万人敌。光，婆楼之子也。坚徙张平部民三千余户于长安。

甲戌[470]，燕主儁遣领军将军慕舆根将兵助司徒评攻冯鸯，根欲急攻

铜雀台在邺县城北，原是三国时曹操所建，至石虎时又大力增修，今又重修。㊺尚书：此指尚书台，尚书省的办事衙门，意思如同“丞相府”。㊺文案不治：各种文书案卷混乱而不齐全。㊺左丞：即尚书左丞，与尚书右丞分管尚书省所辖各个部门的事务，有如今时国务院的副长官。㊺举异材：提拔有特殊才干的人。㊺修废职：重建或改革不干实事的政府部门。㊺课农桑：督促、检查发展农业。㊻恤困穷：救济困穷无依的人。㊻旌：表彰。㊻继绝世：为已经灭绝世袭的前辈英贤寻找并建立继承人。《论语·尧曰》有所谓“兴灭国，继绝世，举逸民，天下之民归心焉”。

【校记】

［11］广平王：原无此三字。据章钰校，十二行本、乙十一行本、孔天胤本皆有此三字，今据补。［12］者：原无此字。据章钰校，十二行本、乙十一行本皆有此字，今据补。

【语译】

二年（戊午，公元三五八年）

春季，正月，东晋担任司徒的会稽王司马昱在金殿之上向皇帝司马聃磕头，请求将朝政大权归还给皇帝，晋穆帝司马聃没有同意。

当初，上党人冯鸯已经献出上党，向东晋投降，后来又归顺了张平，之后又归附了燕国，不久又背叛燕国。二月，燕国担任司徒的上庸王慕容评率军讨伐冯鸯，却没能将冯鸯击败。

秦王苻坚亲自率军讨伐张平，秦王苻坚任命邓羌为前锋督，率领五千名骑兵，在汾水沿岸布防，张平派遣自己的养子张蚝率军抵御邓羌。张蚝力大无比、行动敏捷，能拉着牛尾巴使牛倒退，不论城墙有多高，他都能翻越而过。张蚝与邓羌在汾水岸边相持了十多天，谁也没能战胜对方。三月，秦王苻坚率大军抵达铜壁，张平出动了全部军队与苻坚决战，张蚝单人独骑，大声呼喊着杀入秦军的阵地，然后杀出，如此杀进杀出四五次。苻坚募人希望将张蚝生擒活捉，担任鹰扬将军的吕光一下子刺中了张蚝，邓羌遂将张蚝擒获送到秦王苻坚面前，张平的军队立时溃散。张平非常恐惧，向秦王苻坚请求投降。苻坚任命张平为右将军，任命张蚝为虎贲中郎将。张蚝，原本姓弓，上党人。苻坚对张蚝十分宠爱，对他特别优待，经常将他带在自己身边，秦国人称赞邓羌、张蚝都可以力敌万人。吕光，是吕婆楼的儿子。秦王苻坚将张平属地的民众三千多户迁徙到长安。

三月二十日甲戌，燕主慕容儁派遣担任领军将军的慕舆根率军协助司徒慕容评

之，评曰："鸯壁坚，不如缓之。"根曰："不然。公至城下经月，未尝交锋。贼谓国家力止于此，遂相固结[471]，冀幸万一[472]。今根兵初至，形势方振，贼众恐惧，皆有离心，计虑未定，从而攻之，无不克者。"遂急攻之。鸯与其党果相猜忌，鸯奔野王依吕护[473]，其众尽降。

夏，四月，秦王坚如雍，祠五畤[474]。六月，如河东[475]，祠后土[476]。

秋，八月，豫州刺史谢奕卒。奕，安之兄也。司徒昱以建武将军桓云代之。云，温之弟也。访于仆射王彪之，彪之曰："云非不才，然温居上流[477]，已割天下之半，其弟复处西藩[478]，兵权萃于一门[479]，非深根固蒂[480]之宜。人才非可豫量[481]，但当令不与殿下作异[482]者耳。"昱颔之[483]曰："君言是也。"壬申[484]，以吴兴太守谢万为西中郎将、监豫冀并四州诸军事、豫州刺史。

王羲之与桓温笺曰："谢万才流经通[485]，使之处廊庙[486]，固是[487]后来之秀。今以之俯顺荒余[488]，近是违才易务[489]矣。"又遗万书曰："以君迈往不屑之韵[490]，而俯同群碎[491]，诚难为意[492]也。然所谓通识[493]，正当随事行藏[494]耳。愿君每与士卒之下者同甘苦[495]，则尽善[496]矣。"万不能用。

徐、兖二州刺史荀羡有疾，以御史中丞郗昙为羡[13]军司[497]。昙，鉴之子也。

九月庚辰[498]，秦王坚还长安，以太尉侯守[499]尚书令。于是[500]秦大旱，坚减膳彻乐[501]，命后妃以下悉去罗纨，开山泽之利，公私共之[502]，息兵养民，旱不为灾[503]。

王猛日亲幸用事[504]，宗亲勋旧多疾之，特进[505]、姑臧侯樊世本氏

攻打占据上党的冯鸯，慕舆根主张对冯鸯发动猛攻，慕容评说："冯鸯所占据的上党城城池坚固，不如采用长久围困的策略。"慕舆根说："不对，公来到上党城下已经有一个多月的时间了，却未曾与冯鸯军交过战。贼人将会认为燕军的力量不过如此，因而会更加紧密地团结在一起，希望等待哪怕只有万分之一的可乘之机以取得战胜燕军的胜利。现在我所率领的军队刚刚到达，正是士气高涨之时，而贼众心中却更加恐惧，人人都心怀背叛之心，只是还没有下定最后决心，趁现在进行攻击，没有不能取胜的道理。"遂下令紧急攻打。冯鸯与他的党羽之间果然互相产生猜忌，冯鸯逃往野王去投靠吕护，他的部众全部向燕军投降。

夏季，四月，秦王苻坚前往雍城秦汉时期遗留下来的祭祀上帝的五座高台，在这里祭祀五帝。六月，前往河东郡，祭祀后土之神。

秋季，八月，东晋豫州刺史谢奕去世。谢奕，是谢安的哥哥。担任司徒的会稽王司马昱准备任用担任建武将军的桓云接替谢奕的职务。桓云，是征西大将军桓温的弟弟。司马昱就这项决定去征求担任仆射的王彪之的意见，王彪之说："桓云并不是没有才干，然而现在桓温占据着长江上游，他所控制的地盘已经占了国土面积的一半，如果再让他的弟弟在都城的西侧把持一个地区的军政大权，使兵权集中到一个家族，这可不是使国家根基稳固的好办法。对于人才，虽然不好对他的未来做出估计，但起码要使他不与殿下唱反调。"司马昱点头说道："先生说得很对。"二十一日壬申，任用吴兴太守谢万为西中郎将、监司豫冀并四州诸军事、豫州刺史。

东晋右军将军王羲之写信给桓温说："谢万的才具在流辈中确实卓异，可以经邦济世，如果让他在朝廷供职，的确是后起之秀。现在却让他去治理一个兵荒马乱、动荡不安的地区，差不多可以说朝廷是用非其才，也是让谢万去干他根本无法胜任的事情，当然也就没有什么成功可言了。"又写信给谢万说："凭您那种率意而为、办事不瞻前顾后又不拘小节的作风，现在却要勉为其难地去处理那些具体而又琐碎的事务，确实不是您可以应付得了的。然而一般人对世事的看法与处理事物的态度，就是在什么位置就说什么话、做什么事。我希望您能够多与级别低的士卒同甘共苦，那就最好不过了。"然而谢万也没有采纳王羲之的建议。

东晋担任徐州、兖州二州刺史的荀羡生了病，朝廷遂任命御史中丞郗昙为荀羡的军司。郗昙，是郗鉴的儿子。

九月庚辰日，秦王苻坚返回首都长安，他任命担任太尉的苻侯兼任尚书令。此时秦国正遭遇大旱灾，于是秦王苻坚便减少自己的饮食，停止各种娱乐，命令皇后嫔妃以下全都不许穿绫罗绸缎，开放山林湖泽，国家与人民共同享有其中的利益，停止一切军事行动，休养民众，所以秦国虽然遭遇大旱，却没有造成很大的灾害。

秦国王猛越来越受到秦王苻坚的宠爱和信任，权力也越来越大，皇亲国戚以及那些为国家建立过功勋的老臣因此都很嫉恨他，位在特进、被封为姑臧侯的樊世，

豪，佐秦主健定关中，谓猛曰：“吾辈耕之，君食之邪？”猛曰：“非徒使君耕之，又将使君炊之⑯！”世大怒曰：“要当⑰悬汝头于长安城门，不然，吾不处世⑱！”猛以白坚，坚曰：“必杀此老氐，然后百寮可肃⑲。”会世入言事，与猛争论于坚前。世欲起击猛，坚怒，斩之，于是群臣见猛皆屏息⑩。

赵之亡也，其将张平、李历、高昌皆遣使降燕，已而降晋，又降秦，各受爵位，欲中立以自固。燕主儁使司徒评讨张平于并州，司空阳骛讨高昌于东燕⑪，乐安王臧讨李历于濮⑫。阳骛攻昌别将于黎阳⑬，不拔。历奔荥阳，其众皆降。并州壁垒百余降于燕，儁以右仆射悦绾为并州刺史以抚之。平所署征西将军诸葛骧等帅壁垒百三十八降于燕，儁皆复其官爵⑭。平帅众三千奔平阳⑮，复请降于燕。

冬，十月，泰山太守诸葛攸⑯攻燕东郡，入武阳⑰。燕主儁遣大司马恪统阳骛及乐安王臧之兵以击之。攸败走，还泰山。恪遂渡河，略地河南，分置守宰。

燕主儁欲经营秦、晋，十二月，令州郡校实见丁⑱，户留一丁，余悉发为兵，欲使步卒满一百五十万，期⑲来春大集洛阳。武邑刘贵上书，极陈“百姓彫弊，发兵非法⑳，必致土崩之变㉑”。儁善之，乃更令三五发兵㉒，宽其期日，以来冬集邺。时燕调发繁数㉓，官司㉔各遣使者，道路旁午㉕，郡县苦之。太尉、领㉖中书监封奕奏[14]请：“自今非军期严急，不得遣使。自余赋发㉗，皆责成州郡㉘，其群司所遣弹督㉙先[15]在外者，一切摄还㉚。”儁从之。

原本是氐族部落的一个酋长，曾经辅佐秦主苻健平定了关中地区，他对王猛说："我们这一代人耕种的粮食，由你来吃现成的是不是?"王猛说："不但让你耕种粮食，还必须你把粮食做熟了我才吃!"樊世愤怒到了极点，他说："我一定要把你的人头悬挂在长安城门之上，否则的话，我就不活在这个世界上!"王猛把情况向秦王苻坚做了汇报，苻坚说："我一定要杀死这个老氐，然后才能使文武百官安定下来。"正赶上樊世入宫谈论政事，遂与王猛在秦王苻坚面前发生争执。樊世想站起来击打王猛，苻坚大怒，立即将樊世斩首，从此以后，群臣见到王猛，连大气都不敢出。

后赵灭亡的时候，后赵的将领张平、李历、高昌都曾经派使者投降燕国，之后又投降了东晋，再后来又向秦国投降，他们在燕国、东晋、秦国都接受了封爵和官职，却又一心想保持独立状态，不愿意归属任何一方。燕主慕容儁派担任司徒的慕容评进兵并州讨伐张平，派担任司空的阳骛率军前往东燕郡讨伐高昌，派乐安王慕容臧率军讨伐李历所据守的濮城。司空阳骛率军首先攻打由高昌部将所坚守的黎阳，没有攻克。据守濮城的李历逃往荥阳，他的部众全部向燕军投降。并州管辖之下的一百多处军事营垒全部投降了燕国，燕主慕容儁任命担任右仆射的悦绾为并州刺史，以安抚并州的民众。由张平所任命的征西将军诸葛骧等率领一百三十八处堡寨投降了燕国，燕主慕容儁就根据他们原来的官职重新加以任命。张平率领三千名残兵败将逃往平阳，并再次请求投降燕国。

冬季，十月，东晋泰山郡太守诸葛攸率军攻打燕国的东郡，进入武阳。燕主慕容儁派遣担任大司马的慕容恪统帅司空阳骛以及乐安王慕容臧的兵马迎击诸葛攸。诸葛攸战败后从武阳退走，返回泰山。慕容恪趁机渡过黄河南下，侵占了东晋的河南地区，并在河南地区分别设置郡守和县令。

燕主慕容儁想要征服秦国和东晋，十二月，下令各州郡，核实每户现有男丁的人数，规定每户只能留下一名男丁，其余的都被征调服兵役，准备使国家的步兵凑满一百五十万，约定来年春天全部汇集洛阳。武邑人刘贵上疏给燕主慕容儁，他在奏疏中极力陈述"百姓贫穷困苦，已经到了极点，这种每户只留一名男子的征兵规定不合古法，必然引发大规模的农民起义，使国家土崩瓦解"。慕容儁认为刘贵分析得有道理，遂下令改为三个男丁征调二人、五个男丁征调三人出去当兵打仗，并延缓了集结的时间，将原来约定的来年春天改为来年冬季，在邺城集结。当时燕国频繁地征兵征夫，抽取税捐，于是各个官署都纷纷派出使者到各地对征兵征税进行监督、催促，道路之上使者你来我往、纵横交错，郡县无法应付，苦不堪言。担任太尉兼任中书监的封奕奏请："从今往后，如果不是处于战争时期需要紧急传达军令，一律不准派遣使者。军事动员以外的其他征调，都交给州郡的地方长官去办理，各官署早先派遣到地方负责检查与督促的使者，一律召回。"慕容儁批准了封奕的建议。

燕泰山太守贾坚屯山茌[531]，荀羡引兵击之。坚所将才七百余人，羡兵十倍于坚。坚将出战，诸将皆曰："众少，不如固守。"坚曰："固守亦不能免，不如战也。"遂出战，身先士卒，杀羡兵千余人，复还入城。羡进攻之，坚叹曰："吾自结发，志立功名，而每值穷厄[532]，岂非命乎！与其屈辱而生，不若守节而死。"乃谓将士曰："今危困，计无所设，卿等可去，吾将止死[533]。"将士皆泣曰："府君[534]不出，众亦俱死耳！"乃扶坚上马。坚曰："我如欲逃，必不相遣[535]。今当为卿曹[536]决斗，若势不能支，卿等可趣去[537]，勿复顾我也！"乃开门直出。羡兵四集，坚立马桥上，左右射之，皆应弦而倒。羡兵众多，从堑[538]下斫桥，坚人马俱陷，生擒之，遂拔山茌。羡谓坚曰："君父祖世为晋臣，奈何背本不降？"坚曰："晋自弃中华[539]，非吾叛也。民既无主，强则托命[540]。既已事人，安可改节！吾束脩自立[541]，涉赵历燕[542]，未尝易志，君何匆匆相谓降乎[543]！"羡复责之，坚骂[16]曰："竖子[544]，儿女御乃公[545]！"羡怒，执置雨中。数日，坚愤惋[546]而卒。

燕青州刺史慕容尘遣司马悦明救泰山，羡兵大败，燕复取山茌。燕主儁以贾坚子活为任城[547]太守。

荀羡疾笃，征还，以郗昙为北中郎将、都督徐、兖、青、冀、幽五州诸军事、徐、兖二州刺史，镇下邳。

燕吴王垂娶段末柸女，生子令、宝。段氏才高性烈，自以贵姓[548]，不尊事可足浑后[549]，可足浑氏衔之[550]。燕主儁素不快于垂，中常侍涅皓因希旨[551]告段氏及吴国典书令[552]辽东高弼为巫蛊[553]，欲以连污垂[554]。儁收段氏及弼下大长秋、廷尉考验[555]。段氏及弼志气确然[556]，终无挠辞[557]。

燕国泰山太守贾坚率军屯驻在山茌，东晋荀羡率军攻打贾坚。贾坚属下只有七百多人，而荀羡的兵力是贾坚的十倍。贾坚准备率军出战，诸将都说："我们人数太少，不如固守城池。"贾坚说："固守城池也不能免死，还不如出战。"遂率军出战，贾坚身先士卒，杀死荀羡军一千多人，然后返回城里。荀羡率军进前攻城，贾坚叹口气说："我从年轻时起，就立志要建立功名，却总是遭遇困厄，这难道不是命该如此吗！与其遭受屈辱，苟且求生，还不如坚守臣节而死呢。"遂对属下的将士说："如今我们的处境十分危险、困难，我已经没有办法扭转目前的局势，你们可以早早地离开这里，我将留下来战到死。"将士们都哭泣着说："如果您不肯出城逃命，我们众人也愿意留下来跟您死在一起！"遂强行将贾坚扶持上马。贾坚说："我如果想要逃命，就一定不会打发你们走。我现在就去为你们决一死战，如果实在支持不下去，你们就赶紧逃走，不要再顾及我！"遂打开城门向外冲杀。荀羡的军队从四面八方围攻上来，贾坚勒住战马站立在桥头之上，他向左右开弓射击，敌人全都应弦而倒。然而荀羡的军队人数众多，他们从护城河里砍坏桥梁，贾坚连人带马同时落入护城河，被荀羡军生擒活捉，晋军遂占领了山茌。荀羡对贾坚说："你的父亲、祖父，世代都是晋国的臣子，你却为什么忘了自己的根本，不肯向晋国投降？"贾坚说："晋国是自己丢弃了中原地区，而不是我们背叛了晋国。民众既然没有了君主，遇到一个势力强大的政权自然就要投靠他以寄托生命。现在既然已经侍奉了别人，又怎么能改变臣节呢！我自从缴纳束脩拜师求学时开始便有志于自立，我亲身经历了后赵、燕国，从来没有改变过志向，你为什么总是一再地向我说'投降'这两个字呢！"荀羡仍旧责备他，贾坚骂道："小子，竟敢管老子的事情！"荀羡愤怒至极，便把贾坚捆绑投置在雨地里。几天之后，贾坚因忧愤过度而死。

燕国青州刺史慕容尘派遣担任司马的悦明率军前往救援泰山，东晋荀羡的军队被悦明打得大败，燕国重新夺回了山茌。燕主慕容儁任命贾坚的儿子贾活为任城太守。

东晋徐州、兖州二州刺史荀羡病势沉重，朝廷将他征调回京，任命郗昙为北中郎将，都督徐、兖、青、冀、幽五州诸军事，徐州、兖州二州刺史，镇所设在下邳。

燕国吴王慕容垂娶了段氏部落酋长段末柸的女儿为王妃，段氏所生的儿子名叫慕容令、慕容宝。段氏才华极高，性情刚烈，又认为自己姓氏高贵，因而对燕主慕容儁的皇后可足浑氏不太尊敬，不能以礼相待，可足浑氏皇后因此而对其怀恨在心。燕主慕容儁原本就不太喜欢慕容垂，担任中常侍的涅皓遂迎合燕主慕容儁的心思，告发段氏以及在吴王府担任典书令的辽东人高弼，说他们进行巫蛊活动，想用此事把慕容垂牵连进去而加以治罪。慕容儁遂下令将段氏与高弼逮捕起来交与大长秋、廷尉进行审理。段氏与高弼都是那种意志坚强的人，虽然经受了各种严刑拷打，却始终不屈不挠，没有一句认错、屈服的话。于是对他们的拷打逼供就越加残酷，慕

掠治日急[558]，垂愍[559]之，私使人谓段氏曰："人生会当[560]一死，何堪楚毒如此[561]，不若引服[562]。"段氏叹曰："吾岂爱死者耶？若自诬以恶逆[563]，上辱祖宗，下累于王[564]，固不为也！"辩答益明[565]，故垂得免祸，而段氏竟死于狱中。出垂为平州[566]刺史，镇辽东[567]。垂以段氏女弟[568]为继室[569]，可足浑氏黜[570]之，以其妹长安君妻垂，垂不悦，由是益恶之。

匈奴刘阏头[571]部落多叛，惧而东走，乘冰渡河，半渡而冰解，后众[572]悉[17]归刘悉勿祈[573]，阏头奔代。悉勿祈，务桓之子也。

【段旨】

以上为第四段，写晋穆帝升平二年（公元三五八年）一年间的大事。主要写了苻坚自将以讨张平，大破张平于铜壁，张平之子张蚝被秦将邓羌所擒，张平畏惧降秦；写了苻坚于秦地大旱之际能"开山泽之利，公私共之，息兵养民"等等，使"旱不为灾"；写了苻坚倚重王猛，保护王猛不受侵凌的故事；写了燕将慕舆根协助燕将慕容评围攻依违不定之军阀冯鸯于上党，大破之，上党地入于燕；写了燕将慕容评讨降秦之张平于并州，张平大败，逃于平阳，又请降于燕；写了晋将荀羡攻燕之泰山太守贾坚于山茌，贾坚兵少城破被俘，誓死不降，燕将慕容尘派兵往救，大破晋将荀羡于山茌；写了燕将慕容垂一向受燕主慕容儁歧视，慕容儁又利用慕容垂妃段氏之短罗织罪名，欲连及慕容垂，事虽未成，但兄弟之间的矛盾已不可调和；写了晋会稽王司马昱欲任桓温之弟桓云为豫州刺史，王彪之反对，以为不能将权力集中于一门，而改任傲慢腐败的谢万为豫州刺史；王羲之致书谢万，劝他放下架子，与士兵同甘苦，谢万不听，为其日后的失败做了铺垫。

容垂非常怜悯妻子，便私下里派人对段氏说："人生在世总有一死，怎能忍受如此残酷的折磨，不如屈打成招吧。"段氏叹了一口气说："我岂是那种贪生怕死的人？但是如果我委屈地承认了自己犯了这种大逆不道的罪名，不仅对上有辱于祖宗，向下还要连累于你，所以我绝对不会屈服！"在后来的审问中，段氏的答辩更加清楚明白，没有给审判官员留下一点把柄，所以慕容垂得以免祸，而段氏王妃竟然屈死在牢狱之中。燕主慕容儁将慕容垂逐出朝廷，让他去担任平州刺史，镇所设在辽东。慕容垂又娶了段氏的妹妹为继室，可足浑氏下令将她废黜，并把自己的妹妹长安君嫁给慕容垂为王妃，慕容垂心里实在不乐意，可足浑氏皇后对慕容垂就更加憎恶。

匈奴部落酋长刘阏头的部众中，有很多人都背叛了他，刘阏头非常恐惧，遂率领剩余的部众向东方逃走，他们在黄河结冰期踏冰渡河，没想到刚刚有一半人过了黄河，河冰却突然融化，走在后面的部队无法渡河，便都归降了刘悉勿祈，刘阏头逃往代国。刘悉勿祈，是刘务桓的儿子。

【注释】

㊻㊸冯鸯：上党人，于永和十一年驱逐燕国设立的上党太守而自称太守，据安民城请降于晋。事见本卷第一段。464上庸王评：慕容评，被封为上庸王。465汾上：汾水之上。汾水自山西的西北部流来，经太原、临汾、侯马，西折至河津入黄河。466曳牛却走：拉着牛尾使牛倒退。曳，拖、向后拉。却，退行。467铜壁：地名，据吴熙载《资治通鉴地理今释》："铜壁，疑山西汾州府介休县石桐水之壁。"石桐水又名绵水，又名洪山水，在今山西介休东二十里。468尽众：悉众；出动全部人马。469生致：生擒活捉。470甲戌：三月二十。471固结：牢固团结。472冀幸万一：侥幸等待万一的可乘之机以破敌制胜。473吕护：原是魏主冉闵的部将，后降燕，又自立称安国王，失败后，逃到野王自守。野王即今河南沁阳。474祠五畤：到秦汉时代流传下来的五座祭祀上帝的高台举行祭祀大典。此五畤的名称是：鄜畤、吴阳上畤、吴阳下畤、畦畤、北畤。在当时的雍县城南，今陕西宝鸡市凤翔区南二十里。475河东：郡名，郡治在今山西夏县西北。476祠后土：祭祀后土之神。古时称地神或土神为后土，汉武帝立后土祠于河东郡汾阴县的脽丘，在今山西万荣的荣河城北。477上流：都城建康的上游。当时桓温为荆州刺史，镇江陵，在建康的上游。478西藩：在都城的西侧把持一个地区的军政大权。东晋时的豫州州治邾城，在今湖北黄冈西北。因其地处建康的西方，故称"西藩"。479萃于一门：集中到一个家族。480深根固蒂：以比喻巩固皇室的权力而言。481非可豫量：不好对他们的未来做出估计。482作异：作对；唱反调。483颔之：点头同意。颔，下巴，这里用如动词，即点头。484壬申：八月二十一。485才流经通：谓其才具在流辈中确实卓异，可以经邦济世。486处廊庙：意

即在朝廷做官。廊，大殿四周的走廊。庙，太庙。这些都是古代帝王和大臣议论政事的地方。㊽固是：的确是。㊽俯顺荒余：意即让他去管理一个兵荒马乱、动荡不定的地区。俯顺，安抚、稳定。俯，意思同“抚”。㊾近是违才易务：差不多可以说既是朝廷用非其才，也是让谢万去干其所不能胜任的事情。易务，从事其不能胜任的工作。㊾以君迈往不屑之韵：就凭你这种“率性而为，不拘小节”的风度。迈往，率意而为、不瞻前顾后。不屑，不拘细节。韵，风度、风派。㊾俯同群碎：勉强地去做那些具体而琐碎的事情。俯，勉强、勉为其难。群碎，指军中的诸多琐细军务。㊾诚难为意：实在不是你可以应付得了的。为意，用心思。㊾所谓通识：一般人对世事的看法与处理事物的态度。㊾随事行藏：在什么位置就得说什么话、做什么事。《论语·述而》有所谓“用之则行，舍之则藏，唯吾与尔有是夫！”谓出仕为官即实行所学之道，否则便退隐藏道以待时机。后用“行藏”指出世或退隐。㊾每与士卒之下者同甘苦：每与，多与。每，往往、经常。《史记·孙子吴起列传》：“起之为将，与士卒最下者同衣食。”㊾尽善：最好不过。㊾军司：意同“军师”，这里是协助主官总理军中事务的官员。㊾九月庚辰：此语有误，九月朔壬午，无庚辰日。庚辰应是八月二十九。㊾守：兼任。㊿于是：这时。501减膳彻乐：古代帝王遇天灾或天象变异时，常以减膳、撤乐等表示自责。减膳指素食或减少肴馔。彻乐，同“撤乐”，停止声色之乐。502公私共之：国家与百姓私人都可以开采。共，共同分享。503旱不为灾：虽然天旱，但没有造成灾害。504用事：执政；当权。505特进：官名，汉制，凡诸侯功德优胜为朝廷所敬重者，得封此官，位在三公下。通常为闲散职务。魏、晋、南北朝多因之，为本职外的加官。506又将使君炊之：我还要让你给我做熟了（我才吃）。507要当：一定要。508吾不处世：我就不在这个世上活着。509百寮可肃：其他文武百官才能安定。肃，肃静、安定。510屏息：憋住气；不敢大声呼吸。511东燕：郡名，郡治南燕县，在今河南延津东北。512濮：郡国名，郡治濮阳，在今河南范县之濮城东二十里。513黎阳：县名，县治在今河南浚县东北。514复其官爵：恢复其原来的封号与职务，即原任何职，归燕后仍任其职。515平阳：郡名，郡治平阳，在今山西临汾的西南部。516诸葛攸：晋将名，时任泰山太守。泰山郡的郡治在今山东泰安东南。517武阳：县名，县治在今山东莘县的朝城镇西。518校实见丁：统计、核实成年男子的数目。校，核查。见，同“现”，现有。519期：约定时间；定好时间。520发兵非法：以“户留一丁，余悉发为兵”的规定不合古法。521土崩之变：指农民起义。汉代徐乐给汉武帝上书称吴楚七国之乱为“瓦解”，称陈涉、吴广起义为“土崩”，认为“瓦解”危害不会太大，而“土崩”之害最为致命。522三五发兵：即三丁抽二，五丁抽三。523繁数：频繁；次数多而密。524官司：朝廷的各个职能部门、各个办事衙门。525道路旁午：在道路上你来我往，纵横交错。旁午，相互穿插、碰撞的样子，以形容来往的使者之多。526领：兼任。527自余赋发：军事动员以外的其他征调。赋发，赋指敛取钱财，发指征调人力。528责成州郡：交给州郡地方长官去办。529弹督：负责检查与督促的人员。

弹，检查、弹劾。⑸㉚ 摄还：收回；召回。⑸㉛ 山茌：县名，县治在今山东济南市长清区东北。⑸㉜ 穷厄：困厄；灾难。⑸㉝ 止死：留下战死；与城池共存亡。⑸㉞ 府君：也称“使君”，两汉、魏、晋时对太守的敬称。⑸㉟ 相遣：打发你们走。⑸㊱ 卿曹：卿等；你们诸位。卿，敬称对方。曹，辈、类。⑸㊲ 趣去：赶紧逃走。趣，同“促”，速。⑸㊳ 堑：护城河。⑸㊴ 自弃中华：自己扔掉了中原地区。⑸㊵ 强则托命：遇到一个强有力的政权，便只好投靠之以寄托生命。⑸㊶ 束脩自立：从入学读书，便有志于自立。束脩，十条肉干。脩，干肉。古人入学求师必用束脩，故后人遂以“束脩”指入学读书。⑸㊷ 涉赵历燕：贾坚原为后赵的殿中督，赵亡，回乡拥部曲自保。永和六年，被慕容评擒获，燕主儁爱其才，以为乐陵太守。涉，经历。⑸㊸ 君何匆匆相谓降乎：你为什么总是对我说“投降”这两个字呢。匆匆，一再地、总是。⑸㊹ 竖子：骂人语，犹谓“小子”“奴才”。⑸㊺ 儿女御乃公：小子们竟想管老子的事。儿女，小孩子、小子们。御，管、驾驭。⑸㊻ 愤惋：悲愤、叹息。⑸㊼ 任城：郡名，郡治在今山东济宁东南。⑸㊽ 贵姓：名门大姓。段氏与慕容氏均为鲜卑大族，两国原又为抗衡之国，故自以为“贵姓”。⑸㊾ 不尊事可足浑后：对慕容儁的王后可足浑氏不尊敬，不以礼相待。尊事，尊敬、侍奉。⑸㊿ 衔之：对之怀恨在心。551 希旨：迎合慕容儁的心思。552 吴国典书令：吴王慕容垂属下的官员，当时在诸侯王国均置典书令、典祠令和学官令。典书令掌选拔和任免官吏，相当于后代朝廷的吏部尚书。553 巫蛊：一种祈求鬼神以加害于人的巫术。554 欲以连污垂：想把罪名连加到慕容垂头上。污，玷污。555 收段氏及粥下大长秋、廷尉考验：把段妃与高弼交给大长秋与廷尉审问。下，交给。大长秋，主管皇后宫事务的官员。廷尉，主管全国刑狱的最高长官。考验，审问、验证。556 志气确然：意志坚定，气宇轩昂。557 终无挠辞：始终没有一句认错、屈服的话。558 掠治日急：严刑逼供越来越厉害。掠治，用棍棒打人逼供。559 愍：怜悯；同情。560 会当：必有。561 何堪楚毒如此：怎能忍受如此残酷的折磨。楚毒，残酷狠毒，本作“焚炙”，即古代炮烙之刑，这里泛指酷刑。562 引服：认罪；服罪。563 自诬以恶逆：委屈地承认了这种大逆不道的罪名。564 下累于王：向下连累到你。累，牵连。565 辩答益明：辩论、回答得越来越清楚。566 平州：州治即今辽宁辽阳。567 辽东：郡名，郡治在今之辽阳。568 女弟：即妹。569 继室：续娶之妻，也称“续弦”。570 黜：废免不要。571 刘阏头：已故匈奴大人刘务桓之弟。572 后众：因为河冰融解而没有渡河的部众。573 刘悉勿祈：刘务桓之子。

【校记】

［13］羡：原无此字。据章钰校，十二行本、乙十一行本、孔天胤本皆有此字，张敦仁《通鉴刊本识误》同，今据补。［14］奏：原无此字。据章钰校，十二行本、乙十一行本皆有此字，今据补。［15］先：原无此字。据章钰校，十二行本、乙十一行本皆有此字，今据补。［16］骂：原作“怒”。据章钰校，十二行本、乙十一行本、孔天胤本皆作“骂”，今据改。［17］悉：据章钰校，十二行本、乙十一行本皆作“尽”。

【原文】

三年（己未，公元三五九年）

春，二月，燕主儁立子泓为济北王，冲为中山王。

燕人杀段勤[574]，勤弟思来奔。

燕主儁宴群臣于蒲池[575]，语及周太子晋[576]，潸然流涕曰："才子[577]难得。自景先之亡[578]，吾鬓发中白[579]。卿等谓景先何如？"司徒左长史李绩对曰："献怀太子之在东宫[580]，臣为中庶子[581]，太子志业[582]，敢不知之！太子大德有八：至孝，一也；聪敏，二也；沈毅[583]，三也；疾谀喜直[584]，四也；好学，五也；多艺，六也；谦恭，七也；好施，八也。"儁曰："卿誉之虽过，然此儿在，吾死无忧矣。景茂[585]何如？"时太子暐侍侧，绩曰："皇太子天资岐嶷[586]，虽八德已闻，而二阙未补[587]，好游畋[588]而乐丝竹[589]，此其所以为[18]损[590]也。"儁顾谓暐曰："伯阳[591]之言，药石之惠[592]也。汝宜诫之。"暐甚不平[593]。

儁梦赵王虎啮其臂[594]，乃发虎墓[595]，求尸不获，购以百金[596]。邺女子李菟知而告之，得尸于东明观[597]下，僵而不腐。儁蹋而骂之曰："死胡[598]，何敢怖生天子[599]！"数其残暴之罪而鞭之，投于漳水[600]，尸倚桥柱不流。及秦灭燕，王猛为之诛李菟，收而葬之。

秦平羌护军高离据略阳叛，永安威公侯[601]讨之，未克而卒。夏，四月，骁骑将军邓羌、秦州刺史啖铁讨平之。

匈奴刘悉勿祈卒，弟卫辰杀其子而代之。

五月，秦王坚如河东。六月，大赦，改元甘露。

凉州牧张瓘猜忌苛虐，专以爱憎为赏罚，郎中殷郇谏之。瓘曰："虎生三日，自能食肉，不须人教也。"由是人情不附。辅国将军宋混

【语译】

三年（己未，公元三五九年）

春季，二月，燕主慕容儁封自己的儿子慕容泓为济北王，封慕容冲为中山王。

燕国人杀死了段勤，段勤的弟弟段思逃奔东晋。

燕主慕容儁在蒲池大摆宴席款待文武百官，谈话中提到了周灵王的太子姬晋，慕容儁忍不住潸然落泪，慕容儁叹息着说："有才干的儿子很难得。自从景先去世，我的头发已经白了一半。你们认为景先怎么样？"担任司徒左长史的李绩回答说："景先在东宫为太子的时候，我担任太子中庶子，景先太子的雄心大志和未来可能建立的功业，我怎能不知道！太子伟大的品德表现在以下八个方面：第一，非常孝顺；第二，聪慧而又反应敏捷；第三，深沉刚毅；第四，痛恨谄媚奉承，喜欢正直敢言；第五，喜爱读书学习；第六，多才多艺；第七，为人谦虚恭敬；第八，慷慨乐施。"慕容儁说："你虽然赞扬得有些过分，然而，如果我的这个儿子还活着，我就是死了也没有什么值得担忧的了。你觉得景茂如何？"当时皇太子慕容暐就在燕主慕容儁的身旁侍候，李绩说："皇太子自幼聪慧，虽然具备了景先太子的八项美德，然而还有两项缺点没有纠正，那就是喜好打猎、喜好音乐歌舞，这是景茂太子不足的地方。"慕容儁回过头来对太子慕容暐说："李绩的话，是苦口的良药。你要经常告诫自己。"慕容暐认为李绩说了自己的坏话，因此对李绩很不满意。

燕主慕容儁梦见后赵皇帝石虎咬自己的手臂，遂派人去挖掘石虎的坟墓，然而石虎的墓中却没有石虎的尸体，于是悬百金之赏寻找石虎的尸骨所在。邺城的一个女子名叫李菟的知情，便报告了燕主慕容儁，按照李菟提供的线索，在邺城东明观的下面找到了石虎的尸体，尸体僵硬却没有腐烂。慕容儁一面用脚踢着石虎的尸体一面骂道："你这个已死的胡人，竟敢来吓唬活着的天子！"遂列数石虎生前所犯下的种种罪行，用皮鞭抽打石虎的尸体，最后将尸体扔进了漳水，然而尸体竟然靠着桥柱子停了下来，没有被水冲走。等到秦国灭掉燕国之后，王猛为石虎诛杀了告密的女子李菟，并将石虎的尸体收殓起来，重新安葬。

秦国担任平羌护军的高离据守略阳背叛了秦国，秦国永安威公苻侯率军讨伐高离，还没有成功，苻侯就去世了。夏季，四月，秦国骁骑将军邓羌、秦州刺史啖铁率军将高离消灭。

匈奴部落首领刘悉勿祈去世，刘悉勿祈的弟弟刘卫辰杀死了刘悉勿祈的儿子，自己即位。

五月，秦王苻坚前往河东地区视察。六月，实行大赦，改年号为甘露元年。

凉州牧张瓘为人猜忌，凶暴苛刻，实行赏罚全凭自己的爱憎，郎中的殷郇劝谏他，张瓘说："老虎出生三天，自己就会吃肉，用不着别人来教它。"因此人们心中全

性忠鲠[602]，瓘惮之，欲杀混及弟澄，因废凉王玄靓而代之。征兵数万，集姑臧。混知之，与澄帅壮士杨和等四十余骑奄入南城[603]，宣告诸营曰："张瓘谋逆，被太后令[604]诛之！"俄而[605]众至二千，瓘帅众出战，混击破之。瓘麾下玄胪[606]刺混，不能穿甲，混擒之，瓘众悉降。瓘与弟琚皆自杀，混夷其宗族。玄靓以混为使持节、都督中外诸军事、骠骑大将军、酒泉郡侯，代瓘辅政。混乃请玄靓去凉王之号，复称凉州牧。混谓玄胪曰："卿刺我，幸而不伤。今我辅政，卿其惧乎？"胪曰："胪受瓘恩，唯恨刺节下[607]不深耳，窃无所惧。"混义之，任为心膂[608]。

高昌[609]不能拒燕，秋，七月，自白马[610]奔荥阳。

秦王坚自河东还，以骁骑将军邓羌为御史中丞。八月，以咸阳内史王猛为侍中、中书令，领京兆尹。特进、光禄大夫强德，太后之弟也，酗酒豪横，掠人财货子女，为百姓患。猛下车[611]收德，奏未及报[612]，已陈尸于市。坚驰使赦之，不及。与邓羌同志[613]，疾恶纠案[614]，无所顾忌。数旬之间，权豪贵戚，杀戮刑免[615]者二十余人，朝廷震栗[616]，奸猾屏气[617]，路不拾遗。坚叹曰："吾始今知天下之有法也！"

泰山太守诸葛攸将水陆二万击燕，入自石门[618]，屯于河渚[619]。燕上庸王评、长乐太守傅颜帅步骑五万与攸战于东阿[620]，攸兵大败。

冬，十月，诏谢万军下蔡[621]、郗昙军高平[622]以击燕。万矜豪傲物[623]，但以啸咏自高[624]，未尝抚众[625]。兄安深忧之，谓万曰："汝为元帅，宜数接对诸将[626]，以悦其心，岂有傲诞如此而能济事[627]也！"万乃召集诸将，一无所言，直以如意指四坐[628]云："诸将皆劲卒[629]。"诸将益恨之[630]。安虑万不免[631]，乃自队帅[632]以下，无不亲造[633]，厚相亲托[634]。既而

都不拥护他。担任辅国将军的宋混，性情忠贞正直，张瓘很怕他，总想着杀掉宋混和他的弟弟宋澄，然后再废掉凉王张玄靓，自己取而代之。张瓘征调了数万人军队，在姑臧集结。宋混知道消息后，便与弟弟宋澄一起率领着壮士杨和等四十多名骑兵，突然冲入张瓘等所据守的姑臧城南部，向各营士卒宣告说："张瓘想要谋反，我奉了太后的命令前来诛杀张瓘！"不一会儿的工夫，就有两千人站出来支持宋混，张瓘率领手下的部众出来迎战，被宋混打败。张瓘的部将玄胪手持兵器径直刺向宋混，因为宋混身穿铠甲，所以玄胪的兵器没有刺透，结果被宋混活捉，张瓘的部众于是全部向宋混投降。张瓘与他的弟弟张琚全都自杀，宋混夷灭了张瓘的宗族。凉王张玄靓任命宋混为使持节、都督中外诸军事、骠骑大将军、酒泉郡侯，接替张瓘辅佐朝政。宋混遂请求张玄靓去掉凉王的称号，仍旧称凉州牧。宋混对玄胪说："你刺杀我，幸亏没有刺伤。如今是我辅佐朝政，你害怕不害怕？"玄胪回答说："玄胪受张瓘厚恩，只恨当时没有将你刺死，我无所畏惧。"宋混很看重玄胪的义气，便把他作为自己的心腹。

故后赵将领高昌无法抵御燕军的攻打，秋季，七月，他从白马逃往荥阳。

秦王苻坚从河东地区返回京都长安，他任命担任骁骑将军的邓羌为御史中丞。八月，任命担任咸阳内史的王猛为侍中、中书令，兼任京兆尹。位在特进、职务为光禄大夫的强德，是皇太后强氏的弟弟，强德酗酒闹事、豪横凶暴，凭借权势强抢别人的财货、子女，成为百姓的一大祸患。王猛一到京兆尹任上，就立即抓捕了强德，他将奏章呈递朝廷后，没等批复，强德的尸体就已经被陈列在闹市中示众。秦王苻坚派使者骑着马飞速赶来赦免强德，使者赶到的时候，强德早已人头落地。王猛与邓羌二人志同道合，疾恶如仇，审查、处置罪犯，毫无顾忌。几十天的工夫，那些倚仗权势为非作歹的豪强、贵戚，或被杀戮或被处罚免官的就有二十多人，朝廷官员都为之感到震惊恐惧，那些奸险狡猾的恶人则吓得连大气都不敢出，京师治安状况立即好转，出现了路不拾遗的太平景象。苻坚感慨地说："我从今天才知道实行法治的重要！"

东晋泰山郡太守诸葛攸率领二万人水陆联军攻打燕国，他率军从石门穿过，进驻黄河边上的一个小渚。燕国上庸王慕容评、长乐太守傅颜率领五万名步兵、骑兵在东阿与诸葛攸交战，诸葛攸被燕军打得大败。

冬季，十月，东晋皇帝司马聃下诏令担任豫州刺史的谢万率军进驻下蔡，令担任北中郎将的郗昙率军进驻高平，准备反击燕国。豫州刺史谢万骄矜狂放，把谁都不放在眼里，每日里长啸吟咏，自命风流，却从未关心、抚慰过将士。他的哥哥谢安对此深感担忧，就提醒谢万说："你身为元帅，应该经常地接待部下，回答他们提出的各种问题，让他们从心里喜爱你，岂有像你这样态度傲慢、行为怪诞而能够成就事业的！"谢万遂把诸将召集起来，却又无话可说，只是用手中所拿的如意指着诸将说："你们都是精锐的大兵。"诸将对谢万更加痛恨。谢安担心谢万会落得个丧师辱国，身败名裂，于是就亲自出马，上自副将，下至队帅以及下级军官，全都一一

万帅众入涡、颍[635]以援洛阳。郗昙以病退屯彭城，万以为燕兵大盛，故昙退，即引兵还，众遂惊溃。万狼狈单归，军士欲因其败而图之[636]，以安故而止。既至，诏废万为庶人，降昙号建武将军。于是许昌、颍川、谯、沛诸城相次[637]皆没于燕[638]。

秦王坚以王猛为吏部尚书，寻迁太子詹事[639]。十一月，为左仆射，余官如故。

十二月，封武陵王晞子遵为梁王。

大旱。

辛酉[640]，燕主儁寝疾，谓大司马太原王恪曰："吾病必不济[641]，今二方未平[642]，景茂冲幼，国家多难，吾欲效宋宣公[643]，以社稷属汝[644]，何如？"恪曰："太子虽幼，胜残致治[645]之主也。臣实何人，敢干正统[646]！"儁怒曰："兄弟之间，岂虚饰[647]邪？"恪曰："陛下若以臣能荷天下之任[648]者，岂不能辅少主乎？"儁喜曰："汝能为周公[649]，吾复何忧？李绩清方忠亮[650]，汝善遇之。"召吴王垂还邺。

秦王坚以王猛为辅国将军、司隶校尉，居中宿卫[651]，仆射、詹事[652]、侍中、中书令、领选如故[653]。猛上疏辞让，因荐散骑常侍阳平公融、光禄散骑[654]西河任群、处士京兆朱彤[655]自代[656]。坚不许，而以融为侍中、中书监、左仆射，任群为光禄大夫、领太子家令[657]，朱彤为尚书侍郎[658]、领太子庶子[659]。猛时年三十六，岁中五迁[660]，权倾内外[661]。人有毁之者，坚辄罪之，于是群臣莫敢复言。以左仆射李威领护军[662]，右仆射梁平老为使持节、都督北垂[663]诸军事、镇北大将军，戍朔方[664]之西；丞相司马[665]贾雍为云中护军[666]，戍云中之南。

燕所征郡国兵悉集邺城[667]。

登门拜访，深深地表达请他们多加关照、多多帮忙之意。不久，谢万率军进入涡水、颍水，逆流而上救援洛阳。北中郎将郗昙因为有病而撤回到彭城驻扎，谢万以为郗昙撤退是燕军兵力太强盛，所以自己也立即率军返回，不料军队竟然自相惊恐，立时溃散。谢万狼狈不堪，只剩下独自一人逃回，军士本想趁着谢万兵败的机会杀掉谢万，因为谢安曾经一一拜托的情义，才饶过了谢万。谢万跑回京师建康，皇帝下诏，解除谢万的一切职务，将他贬为庶民，将北中郎将郗昙降职为建武将军。于是，许昌、颍川、谯郡、沛郡诸城先后沦陷于燕人之手。

秦王苻坚任命王猛为吏部尚书，不久又提升为太子詹事。十一月，任命王猛为左仆射，其他官职仍然保留。

十二月，东晋皇帝司马聃封武陵王司马晞的儿子司马璲为梁王。

中国全境遭遇大旱灾。

十二月十七日辛酉，燕主慕容儁病情加重，他对担任大司马的太原王慕容恪说："我的病肯定不能痊愈，如今秦国、东晋两个地方还没有平定，景茂年纪还小，国家多难，我想要效法宋宣公，把我们的国家政权交付给你，你认为如何?"慕容恪说："太子虽然年幼，却是能够战胜残暴，使国家获得太平的君主。我是什么人，怎敢扰乱国家的正常统系!"慕容儁大怒说："我们是亲兄弟，难道还会虚情假意，跟你讲客套吗?"慕容恪说："陛下如果认为我能够担负起治理国家的重任，难道就不能辅佐少主治理好国家吗?"慕容儁立即高兴地说："你如果能像周公那样辅佐年幼的周成王治理天下，我还有什么可忧虑的?李绩这个人廉洁公正、忠诚无私，你要好好地对待他。"将吴王慕容垂召回邺城。

秦王苻坚任命王猛为辅国将军、司隶校尉，令他在宫中值夜，担任警卫，仆射、詹事、侍中、中书令、领选职务仍旧保留。王猛上疏推辞，同时举荐担任散骑常侍的阳平公苻融、担任光禄与散骑的西河人任群、京兆地区的隐士朱彤分别接替自己的上述职务。苻坚不同意，苻坚另行任命阳平公苻融为侍中、中书监、左仆射，任命任群为光禄大夫、兼任太子家令，任命朱彤为尚书侍郎、兼任太子庶子。王猛当时年仅三十六岁，一岁之中，已经是五次升迁，权势压倒了朝廷内外的所有官员。如果有人诋毁王猛，秦王苻坚立即就会对其进行惩处，所以文武百官没有人再敢开口说王猛的坏话。苻坚任命左仆射李威兼任护军，右仆射梁平老为使持节、都督北垂诸军事、镇北大将军，戍守朔方郡西部地区；任丞相司马的贾雍为云中护军，戍守云中郡南部地区。

燕国所征调的郡国兵全部聚集到邺城。

【段旨】

以上为第五段，写晋穆帝升平三年（公元三五八年）一年间的大事。主要写了凉州牧张瓘为政苛虐，人心不附，又欲杀宋混、宋澄，废凉王张玄靓而自立，阴谋泄露，被宋混、宋澄所杀，宋混劝张玄靓去凉王之号，仍称晋之凉州牧；写了燕主慕容儁为梦见石虎咬其臂，而掘虎之墓，鞭其尸，而投其尸于漳水；写了燕主慕容儁因病而说欲改立慕容恪为接班人，慕容恪则诚恳表示自己愿做周公，尽力以辅佐太子慕容暐；写了秦主苻坚以王猛为中书令，领京兆尹，强太后之弟横行不法，为百姓患，被王猛陈尸于市，从而使奸猾屏气；写了苻坚将朝廷一切大权都交给王猛，王猛时年三十六岁，一岁之中五迁，“人有毁之者，坚辄罪之”，群臣莫敢复言；写了晋之泰山太守诸葛攸率兵击燕，被燕将慕容评大破于东阿；接着朝廷命谢万、郗昙分头进兵击燕，结果郗昙因病退军彭城，谢万因畏惧燕兵之强，军中矛盾众多，而造成全军溃散，致使许昌、颍川、谯郡、沛郡都落入燕人之手等。

【注释】

574段勤：段末柸之子。永和八年，与弟思降燕。〖按〗段勤被杀与慕容垂妃段氏之死有关，段勤受到牵连。575蒲池：湖水名，在邺都。576周太子晋：即王子乔，姬姓，名晋，周灵王的太子，聪慧而早卒。弟贵立，是为景王。景王死，子朝、子丏争立，周遂乱。参见《左传》昭公二十二年和定公六年。577才子：有才干的儿子。578景先之亡：燕主慕容儁的太子慕容晔，字景先。慕容晔病死于永和十二年，见本卷前文。579中白：犹半白。580献怀太子之在东宫：慕容晔为太子的时候。慕容晔死后谥献怀。在东宫，即指为太子。东宫是太子居住的地方。581中庶子：太子中庶子，太子的属官，职如侍中。晋中庶子职比散骑常侍。582志业：其雄心大志与其未来可建的功业。583沈毅：深沉刚毅。584疾谀喜直：讨厌谄媚奉承，喜欢正直敢言。585景茂：指现时的燕太子慕容暐，字景茂。586岐嶷：峻茂的样子，后多借以形容幼年聪慧。587二阙未补：还有两个缺点没有纠正。阙，同“缺”，缺点。588好游畋：喜欢打猎。589乐丝竹：喜欢音乐歌舞。丝，指弦乐器。竹，指管乐器，这里泛指音乐。590损：亏损；缺陷。591伯阳：指李绩。李绩字伯阳。592药石之惠：像是给病人药物一般的恩惠。药，方药。石，砭石。都是治病所用的东西。后人多以药石比喻规诫、劝谏。593不平：不满意。594啮其臂：咬他的胳膊。啮，咬。595发虎墓：挖开石虎的坟墓。596购以百金：悬百金之赏以寻找石虎之尸骨所在的消息。金，汉时的一金相当于铜钱一万枚。597东明观：台观名，在古邺城的城东。胡三省注曰：“洹水东北流经邺城南，又东分为二水，北经东明观下。”598死胡：已死的胡子，称石虎。石虎本属羯族，当时的人们常把羯族石勒、石虎的后赵，与匈奴人刘渊、刘曜的前赵，统称为“胡人”的政权。⑤⑨⑨怖生天子：吓唬活着的皇帝。⑥⓪⓪漳水：发源于山西境内，东流经当时邺城的西北侧，东北流入古清河。⑥⓪①永安威公侯：苻侯，被封为永安公，威字是谥。⑥⓪②忠鲠：忠贞正直。⑥⓪③奄入南城：突然冲入张瓘等所据的姑臧城南部。据王隐《晋书》，凉州城有龙形，南北七里，东西二里。又据《张骏传》：“骏于姑臧城南筑作五殿，四面各依方色，四时递居之。则南城，张氏所居也。”⑥⓪④被太后令：接受了太后的命令。被，奉、接受。⑥⓪⑤俄而：顷刻之间；工夫不大。⑥⓪⑥玄胪：人名，姓玄名胪。⑥⓪⑦节下：对将军的敬称。节，指将军所持的旌节。节下即指持节将军跟前之人与跟前之地，与敬称人曰“殿下”“阁下”意思相同。⑥⓪⑧心膂：犹心腹、亲信。膂，脊梁骨。⑥⓪⑨高昌：原是石虎的部将，后降晋，又降燕，又自立，此时驻兵东燕，在今河南延津东北。⑥①⓪白马：县名，也是渡口名，在今河南滑县东北。⑥①①下车：从车上下来。后指官吏初到任。语出《礼记·乐记》：“武王克殷反商，未及下车而封黄帝之后于蓟。”⑥①②奏未及报：奏章上去还没等得到苻坚的批复。⑥①③同志：志同道合。⑥①④纠案：审查、处置。⑥①⑤杀戮刑免：或遭杀戮，或被处罚免官。⑥①⑥震栗：震惊恐惧。栗，战栗。⑥①⑦奸猾屏气：奸险狡猾的恶人，都吓得大气不敢出。屏，憋、强忍。⑥①⑧石门：地名，在今山东平阴北。⑥①⑨河渚：黄河边上。渚，水边平地。⑥②⓪东阿：县名，县治即今山东阳谷东北的阿城镇。⑥②①下蔡：县名，县治在今安徽凤台。⑥②②高平：郡国名，郡治昌邑，在今山东巨野南。⑥②③矜豪傲物：骄矜狂放、傲视众人。⑥②④以啸咏自高：以长啸吟咏，自命风流。啸，打口哨。咏，吟咏诗文。自高，自负。⑥②⑤抚众：统领将士。抚，关心、管理。⑥②⑥宜数接对诸将：应该经常地接待部下，回答他们提出的种种问题。⑥②⑦济事：办成事情；完成任务。⑥②⑧直以如意指四坐：只是用手中所拿的如意指着在座的将军们。如意，当时贵族、文人喜欢手持的一种表示“风雅”的器物，相当于现在的“痒痒挠”（或称“老头乐”“不求人”）。梵语叫阿那律。柄端作手指形，用以搔痒，可如人意，因此得名。也有柄端作心字形的。以骨、角、竹、木、玉、石、铜、铁等制成，长三尺左右。古时持以指划，后来和尚讲经时，也持如意，记经文于上，以备遗忘。近代如意，其端多作芝形、云形，不过因其名吉祥，以供玩赏而已。⑥②⑨诸将皆劲卒：你们都是精壮的大兵。劲卒，犹今言“大兵”。⑥③⓪诸将益恨之：古时行伍出身的将领，多忌讳“卒”“兵”等字眼。已经为将，又称之为“卒”，故越发痛恨。⑥③①虑万不免：担心谢万要落得个丧师辱国，身败名裂。⑥③②队帅：犹队主、队长。此句的实际意思是指上自副将，下至队帅的各个高级以及下级军官。⑥③③亲造：亲自登门。⑥③④厚相亲托：深深地表达请他们多加关照、多多帮忙之情。⑥③⑤涡、颍：二水名，涡水从河南太康一带流来，东行经安徽的亳州、涡阳，在安徽怀远入淮河。颍水从河南登封一带流来，经周口、项城，再经安徽的阜阳，至颍上入淮河。⑥③⑥欲因其败而图之：想趁着失败而杀掉谢万。⑥③⑦相次：依次。⑥③⑧皆没于燕：都沦陷在燕人的手里。袁俊德《增评历史纲鉴补》曰：“荒诞如谢万，岂堪元帅之任？谢安素称明达者，乃欲以世俗周旋，思济其美，亦可鄙矣！”⑥③⑨太子詹事：官名，掌太子家的事务。太子庶子、家令等皆属詹事。⑭辛酉：十二月十七。⑭不济：不能痊愈。⑭二方未平：指南有东晋，西有苻秦。⑭效宋宣公：和宋宣公一样，把帝位传之于弟。宋宣公是春秋初期的宋国国君，在位十九年。临死时舍其子与夷而立其弟和，是为宋穆公。⑭以社稷属汝：把我们的国家政权交付给你。⑭胜残致治：战胜凶残，使天下获得太平。⑭敢干正统：怎敢破坏国家的正常统系。干，干扰、破坏。正统，正常的父子相传。⑭岂虚饰：怎么能讲客套。虚饰，虚情假意。⑭能荷天下之任：能担当起治理国家的重任。荷，承当、担任。⑭为周公：像周公那样辅佐年幼的周成王管理天下。周公是周武王之弟，先辅佐周武王灭殷建国，又辅佐周武王年幼的儿子成王管理国家，被古代人传说为最忠心耿耿、大公无私的人。⑮清方忠亮：廉洁公正，忠诚无私。亮，真诚无私。⑮居中宿卫：在宫中值夜，担任警卫。⑮詹事：管理太子宫事务的官员。⑮领选如故：还像过去一样兼管官员任命方面的事。领，兼任。选，选拔、任命官员。⑮光禄散骑：以光禄大夫职务充当散骑常侍。⑮处士京兆朱彤：京兆地区的隐士姓朱名彤。⑮自代：以上述三个人来分别代替自己的上述职务。⑮太子家令：太子宫的管理官员，上属詹事。⑮尚书侍郎：尚书台的官员。尚书台置尚书令、仆射各一人。下属各曹设尚书、左右丞各一人，尚书郎六人。专掌文书诏令的起草，初任时称守尚书郎，满一年称尚书郎，至三年称侍郎。⑮太子庶子：太子宫的管理官员，上属詹事。⑯岁中五迁：一年之中五次提升。指王猛由尚书左丞迁咸阳内史；又迁侍中、中书令，领京兆尹；又迁吏部尚书；不久又迁太子詹事，为左仆射；今又迁辅国将军、司隶校尉。⑯权倾内外：压倒了朝内朝外的所有官员。⑯护军：护军将军的简称。护军将军统领禁军，并主管武官的选任。⑯北垂：北部边疆。垂，今通作“陲”。⑯朔方：郡名，郡治在今内蒙古乌拉特前旗。⑯丞相司马：丞相属下主管武事的司马官。⑯云中护军：云中郡里主管军事的官员。云中郡的郡治盛乐，即今内蒙古和林格尔西北二十里的土城子。⑯悉集邺城：全部聚集到邺城。去年开始征集，至今征集完毕。

【校记】

［18］为：原无此字。据章钰校，十二行本、乙十一行本皆有此字，张敦仁《通鉴刊本识误》同，今据补。

【研析】

本卷写晋穆帝永和十一年（公元三五五年）至升平三年（公元三五九年）共五年间的各国大事，其中占篇幅最多的是写苻氏的前秦。其中所写的苻健之子苻生，其勇敢善战、残忍狂暴完全像是后赵政权的石虎。所不同的是苻生的残忍狂暴为苻坚的上台铺平了道路，从而使前秦政权发展到了五胡十六国的巅峰状态。苻坚政权之所以能获得如此辉煌的胜利，与他能深信不疑地任用王猛有莫大关系。本卷详细地写了苻坚一年里对王猛的五次升迁；写了苻坚对王猛执政的种种维护，和对忌妒、反对王猛之人的严厉打击。苻坚自称他之有王猛，就如同刘备之有诸葛亮。对此，后人的评论不少，郑贤《人物论》引张氏曰：“猛诚将才，古今亦难得者也。”又引南宫靖一曰：“道不拾遗，兵强国富，垂及升平，猛之力也。”袁黄《历史纲鉴补》则提出王猛的缺点说：“以众望，诛苻法而不能救；以辱己，谮樊世而杀之，视开诚布公者又远矣。”袁氏所言，确实有其道理。吴养心对比王猛与苻坚，说：“孔明，天下之遗才，王猛岂其俦匹哉？若论刘玄德之信任，则坚实无愧之矣。”袁俊德则指出苻坚的做法过于片面，认为：“有毁辄罪之，虽因深知其贤，然箝众口而任一人，适自蔽聪明，非正道也。”都有其颠扑不破的合理性。

本卷也用相当的篇幅写了燕国慕容儁政权大规模对中原地区与对北部沿边地区的大力扩张，其各路将领都时有精彩的表现，而特别是对燕国名将慕容恪在围困段龛于广固城时的围而不攻，给人留下了深刻的印象。王夫之《读通鉴论》对此说：“五胡旋起旋灭，而中原之死于兵刃者不可殚计。殚中原之民于兵刃，而其旋起者亦必旋灭。其能有人之心而因以自全者，唯慕容恪乎？故中国之君一姓不再兴，而慕容氏既灭而复起。恪围段龛于广固，诸将请亟攻之，恪曰：‘龛兵尚众，未有离心，尽锐攻之，杀吾士卒必多矣。自有事中原，兵不暂息，吾每念之，夜而忘寐。要在取之，不必求功之速。’呜呼！悱恻之言，自其中发，功成而人免于死，恪可不谓夷中之铮铮者乎？……用兵之杀人也其途非一，而驱人为无益之死者，莫甚于攻城。投鸿毛于烈焰，而亟称其勇以奖之，有人之心，尚于此焉变哉！”

本卷还写了一个重要问题是晋王朝的几股北伐行动，其中包括泰山太守诸葛攸率兵击燕，被燕将慕容评大破于东阿；写了晋王朝命谢万、郗昙两路进兵击燕，结果郗昙因病退军彭城，谢万则因畏惧燕兵之强，引兵回退，造成了全军溃散，致使许昌、颍川、谯郡、沛郡都落入燕人之手。而比较能让人提气的是桓温的破姚襄于伊水，进而攻克洛阳；桓温修复西晋诸陵后，留毛穆之、陈午、戴施等驻守洛阳，自己回师江陵，保持了不败的纪录。其实早在这次出兵前，桓温就多次请求移都洛阳、修复园陵，但掌握在会稽王司马昱、宰相王彪之等一群昏聩无能的贵族权幸手里的东晋朝廷坚持不许。司马昱曾一度想让桓温之弟桓云出任豫州刺史，而王彪之反对，理由是不能让桓家的势力再大了。最后任命的是狂妄而昏庸畏怯的贵族谢万，结果遇敌溃散而回。《晋书》的材料相当一部分取自于《世说新语》，而《资治通鉴》写这段历史又大篇幅地抄自《晋书》，上卷研析已有略述。此外，《历史纲鉴》引尹起莘的《发明》有所谓：“温有经纬之才，倘有英主驱而用之，克复有不难者；唯晋无驾驭之君，故温有跋扈之志。至其经略之功，则不可掩也。”说得也相当精彩。

卷第一百一　晋纪二十三

起上章涒滩（庚申，公元三六〇年），尽著雍执徐（戊辰，公元三六八年），凡九年。

【题解】

本卷写晋穆帝升平四年（公元三六〇年）至海西公太和三年（公元三六八年）共九年间的东晋及各国大事。主要写了燕主慕容儁死，幼子慕容暐继位，太原王慕容恪为太宰，慕容恪“虽综大任，而朝廷之礼，兢兢严谨，……虚心待士，咨询善道，量才授任，人不逾位”；写了燕将吕护攻晋将戴施、陈祐于洛阳，桓温遣庾希、邓遐率军助守；慕容恪欲取洛阳，先招纳四周士民，远近堡坞皆归之。沈充之子沈劲欲改变其父之恶名，上表愿佐陈祐守洛阳，慕容恪、慕容垂等攻陷洛阳，沈劲被杀，燕军遂西略地至崤山、渑池，秦国大震。写了慕容恪病笃，向燕主慕容暐极力推荐慕容垂之才。又分别嘱咐慕容暐之兄弟慕容臧、慕容冲，以及太傅慕容评等，结果慕容评不听，乃以慕容冲为大司马，执掌朝政。时秦国分裂内乱，慕容德以为应乘机伐秦。慕容评胸无大志，只想维持现状；写了秦主苻坚令地方长官举孝悌、廉直、文学、政事，举得其人者赏，非其人者罚。“当是之时，内外之官，率皆称职，田畴修辟，仓库充实，盗贼屏息”；写了秦主苻坚亲临太学，考第诸生经义，并与博士讲论，每月一至。苻坚令苻氏诸公皆延英儒为师傅僚佐，有人延引非类，苻坚遂黜其爵为侯；苻坚之堂兄弟屡起作乱，先有苻腾、苻幼，随后苻柳、苻廋、苻武，以及苻坚之胞弟苻双又同时起

【原文】

孝宗穆皇帝下

升平四年（庚申，公元三六〇年）

春，正月癸巳①，燕主儁大阅②于邺，欲使大司马恪、司空阳骛将之入寇③。会疾笃，乃召恪、骛及司徒评、领军将军慕舆根等受遗诏辅政。甲午④，卒。戊子⑤，太子暐即皇帝[1]位，年十一。大赦，改元建熙。

秦王坚分司隶⑥置雍州，以河南公双⑦为都督雍河凉三州诸军事、

兵，苻坚派王猛、邓羌、杨安、杨成世、毛嵩等分别讨灭之。写了晋穆帝司马聃死，成帝长子司马丕继位，是为晋哀帝。桓温表请移都洛阳，并强制北来之人一律回归江北。孙绰上疏极言其不可；王述知桓温乃故作姿态，并非真心，建议朝廷答应其请，并予勉励；温又请移洛阳钟虡来南，王述对以“方当荡平区宇，旋轸旧京。若其不尔，宜改迁园陵，不应先事钟虡”。桓温只好作罢。写了益州刺史周抚卒，其子周楚代之。梁州刺史司马勋志欲据蜀自立，入蜀围成都，桓温派江夏相朱序率军救之，朱序、周楚遂破杀司马勋；写了晋哀帝辟谷饵药以求长生，因药发不能临朝，不久晋哀帝死，其弟海西公司马奕继位。写了凉之权臣宋混死，其弟宋澄继其任；其后张邕杀宋澄，与张天锡同时辅政；张天锡又杀张邕，其后又弑其主张玄靓，自立为西平公；写了秦将王猛、姜衡、姚苌等率兵讨依违于秦、凉之间的军阀李俨于枹罕，凉州张天锡亦出兵讨李俨，取李俨之大夏、武始二郡，与秦兵相持于枹罕城下。王猛致书张天锡，说明秦兵只为讨叛，不与凉军交战。张天锡遂退兵西归，王猛亦袭取李俨而东归。此外还写了代王什翼犍的种种英明举动，以及其势力日益强大等。

【语译】

孝宗穆皇帝下

升平四年（庚申，公元三六〇年）

春季，正月二十日癸巳，燕主慕容儁在首都邺城大规模地检阅军队，准备派遣担任大司马的慕容恪、担任司空的阳骛率军南下大举进攻东晋。适逢燕主慕容儁已经病势沉重，于是，慕容儁召大司马慕容恪、司空阳骛以及司徒慕容评、领军将军慕舆根等接受遗诏，让他们共同辅佐朝政。二十一日甲午，燕主慕容儁去世。戊子日，太子慕容暐即位为燕国皇帝，年仅十一岁。实行大赦，改年号为建熙。

秦王苻坚将司隶校尉所管辖的一部分地区划分出来，设置为雍州，任命河南公

征西大将军、雍州刺史，改封赵公，镇安定[⑧]。封弟忠为河南公。

仇池公杨俊[⑨]卒，子世立。

二月，燕人尊可足浑后为皇太后。以太原王恪为太宰，专录[⑩]朝政，上庸王评为太傅，阳骛为太保，慕舆根为太师，参辅朝政。

根性木强[⑪]，自恃先朝勋旧[⑫]，心不服恪，举动倨傲。时太后可足浑氏颇预外事[⑬]，根欲为乱，乃言于恪曰："今主上幼冲，母后干政，殿下宜防意外之变，思有以自全。且定天下者，殿下之功也。兄亡弟及[⑭]，古今成法[⑮]。俟毕山陵[⑯]，宜废主上为王，殿下自践尊位[⑰]，以为大燕无穷之福。"恪曰："公醉邪？何言之悖[⑱]也！吾与公受先帝遗诏[⑲]，云何而遽有此议[⑳]？"根愧谢而退。恪以告吴王垂，垂劝恪诛之。恪曰："今新遭大丧，二邻[㉑]观衅，而宰辅自相诛夷[㉒]，恐乖远近之望[㉓]，且可忍之。"秘书监皇甫真言于恪曰："根本庸竖[㉔]，过蒙[㉕]先帝厚恩，引参顾命。而小人[㉖]无识，自国哀已来，骄很[㉗]日甚，将成祸乱。明公今日居周公之地，当为社稷深谋，早为之所[㉘]。"恪不听。

根又言于可足浑氏及燕主暐曰："太宰、太傅将谋不轨，臣请帅禁兵[㉙]以诛之。"可足浑氏将从之。暐曰："二公，国之亲贤[㉚]，先帝选之，托以孤嫠[㉛]，必不肯尔[㉜]，安知非太师欲为乱也？"乃止。根又思恋东土[㉝]，言于可足浑氏及暐曰："今天下萧条，外寇非一，国大忧深，不如还东。"恪闻之，乃与太傅评谋，密奏根罪状，使右卫将军傅颜就内省[㉞]诛根，并其妻子党与。大赦[㉟]。

是时新遭大丧，诛夷狼籍[㊱]，内外恟惧。太宰恪举止如常，人不见

苻双为都督雍、河、凉三州诸军事、征西大将军、雍州刺史，改封为赵公，镇所设在安定。封自己的弟弟苻忠为河南公。

仇池公杨俊去世，他的儿子杨世即位为仇池公。

二月，燕国人尊奉慕容儁的皇后可足浑氏为皇太后。任命大司马、太原王慕容恪为太宰，独揽朝廷政务，上庸王慕容评为太傅，阳骛为太保，慕舆根为太师，全都参与辅佐朝政。

燕国新任太师慕舆根性情朴直而倔强，仗恃自己是上一任皇帝手下有功勋的老臣，心中便有些不服气太原王慕容恪，所以表现在言谈举止上就未免显得有些傲慢无礼。当时皇太后可足浑氏常常干预朝政，慕舆根想趁机夺取政权，于是对慕容恪说："如今主上年纪幼小，他的母亲可足浑氏皇太后又喜欢干预朝政，殿下应该及早预防突发事件，想出自我保全的办法。而且平定天下，完全是殿下的功劳。哥哥去世了，由弟弟来继承皇位，这是自古以来就有的继承法。等将先帝安葬之后，应该把小皇帝慕容暐废掉，封他一个王爵，殿下自己即位为皇帝，为我们燕国谋求无穷无尽的幸福。"慕容恪吃惊地说："您是不是喝醉了？不然怎么会说出如此狂悖、荒谬的话！我与您同时接受了先帝的遗诏共同辅佐幼主，却为何突然说出这样的言论？"慕舆根很惭愧，于是告辞而退。慕容恪将此事告诉了吴王慕容垂，慕容垂劝说慕容恪杀掉慕舆根。慕容恪说："现在国家刚刚遭遇了大丧，秦国、东晋两个强大的邻国都在虎视眈眈寻找机会攻打我们，如果朝廷宰辅之间互相诛杀，恐怕会令全国的人感到失望，不妨暂且先忍耐一时。"担任秘书监的皇甫真对慕容恪说："慕舆根原本是一个见识平庸的卑贱小人，承蒙先帝的过分厚爱，被列入辅政大臣的名单。然而这个小人缺乏见识，自从国家大丧以来，他的傲慢悖拗一天比一天严重，终将构成祸乱。明公今天位居周公的地位，应当为国家社稷深谋远虑，早点为他安置一个所在。"慕容恪没有采纳皇甫真的建议。

慕舆根又对皇太后可足浑氏以及燕主慕容暐说："太宰慕容恪、太傅慕容评将要图谋不轨，我请求率领禁卫军将他们除掉。"皇太后可足浑氏想听从慕舆根。燕主慕容暐说："二位叔父既是皇帝的亲属，又很贤明，先帝挑选他们辅佐朝政，把我们孤儿寡母托付给他们，他们一定不会做这样的事，怎么知道不是太师慕舆根想要谋乱呢？"事态才没有进一步发展。慕舆根又想回到北方的旧都龙城，于是对皇太后可足浑氏以及燕主慕容暐说："如今国家经济萧条，外面的贼寇又不止一家，国家疆域辽阔，值得忧虑的事情很多，不如返回旧都龙城。"太宰慕容恪听到消息，便与太傅慕容评商议，于是给皇帝上了一道密奏，指控慕舆根的罪状，命令担任右卫将军的傅颜趁便在宫中诛杀了慕舆根，连同慕舆根的妻儿以及他的党羽。随后实行大赦。

当时国家新遭大丧，诛杀了慕舆根，受牵连被杀的人很多，朝廷内外人心惶惶。太宰慕容恪从容镇定，举止与平时没有什么两样，人们也没有从他的脸上看出忧愁

其有忧色，每出入，一人步从[37]。或说以宜自严备，恪曰："人情方惧，当安重[38]以镇之，奈何复自惊扰，众将何仰[39]？"由是人心稍定。

恪虽综大任[40]，而朝廷之礼，兢兢[41]严谨，每事必与司徒评议之，未尝专决。虚心待士，咨询善道，量才授任，人不逾位[42]。官属[43]朝臣或有过失，不显其状[44]，随宜他叙[45]，不令失伦[46]，唯以此为贬[47]。时人以为大愧，莫敢犯者。或有小过，自相责曰："尔复欲望宰公迁官邪[48]？"朝廷初闻燕主儁卒，皆以为中原可图。桓温曰："慕容恪尚在，忧方大耳[49]！"

三月己卯[50]，葬燕主儁于龙陵[51]，谥曰景昭皇帝，庙号烈祖。所征郡国兵，以燕朝多难，互相惊动，往往擅自散归，自邺以南，道路断塞[52]。太宰恪以吴王垂为使持节、征南将军、都督河南诸军事、兖州牧、荆州刺史，镇梁国之蠡台[53]；孙希为并州刺史，傅颜为护军将军，帅骑二万，观兵河南[54]，临淮而还，境内乃安。希，泳[55]之弟也。

匈奴刘卫辰遣使降秦，请田内地[56]，春来秋返。秦王坚许之。夏，四月，云中护军贾雍遣司马徐赟帅骑袭之[57]，大获而还。坚怒曰："朕方以恩信怀[58]戎狄，而汝贪小利以败之，何也？"黜雍以白衣领职[59]，遣使还其所获，慰抚之。卫辰于是入居塞内，贡献相寻[60]。

夏，六月，代王什翼犍[61]妃慕容氏卒。秋，七月，刘卫辰如代会葬，因求婚，什翼犍以女妻之。

八月辛丑朔[62]，日有食之，既[63]。

谢安少有重名[64]，前后征辟[65]，皆不就。寓居会稽[66]，以山水文

的面容，每次出入，只有一名侍从步行跟随在他的身旁。有人提醒他应该加强自我保护，慕容恪说："目前正是人心惶恐的时候，我应该用安详稳重的举止使人心安定下来，为什么反要自己惊扰自己，众人还将依靠谁、仰仗谁呢？"如此，人心逐渐安定下来。

燕国太宰慕容恪虽然总揽朝政，大权在握，然而对执行国家的法律规章、对待幼主，总是战战兢兢、小心谨慎，唯恐做错了事、失了礼，每一件事情都要与司徒慕容评商议之后才做出决定，从未独断专行。他虚心对待士人，向他们咨询治理国家的好办法；他注重选拔人才，根据才能授予相应的职务，使人尽其才。自己部下的官属如果有了过失，慕容恪也从不在公开场合当众指出他的毛病，而是根据实际情况，适当地给他另行安排一个职务，不让他扰乱了等级秩序，就是根据这个准则来调整官员的职务。被这样调整了职务的人全都感到非常惭愧，所以没有人敢再轻易犯错。有时偶尔犯有一些小过错，便会责备自己说："你难道也想让太宰大人给你调换个地方吗？"东晋朝廷刚听到燕主慕容儁去世消息的时候，还都以为是收复中原的好机会。只有征西大将军桓温说："燕国太宰慕容恪还活着，我们的忧患恐怕比以往还要大！"

三月初六日己卯，燕国人将燕主慕容儁安葬在龙陵，谥号为景昭皇帝，庙号烈祖。燕主慕容儁在世时从各郡、国征调到邺城的新兵，因为朝廷多难，军心震动，于是便不断有人逃跑回家，从邺城往南，道路上纷纷攘攘的都是逃兵，道路都被他们堵塞了。担任太宰的慕容恪任命吴王慕容垂为使持节、征南将军、都督河南诸军事、兖州牧、荆州刺史，镇所设在梁国的蠡台；任命孙希为并州刺史，任命傅颜为护军将军，率领两万名骑兵，到黄河以南地区向东晋炫耀武力、展示军威，一直抵达淮河才返回，燕国境内全部安定下来。孙希，是孙泳的弟弟。

匈奴部落首领刘卫辰派遣使者投降了秦国，请求从边塞地区进入内地开荒种地，春天来，秋天返回。秦王苻坚答应了刘卫辰的请求。夏季，四月，担任云中护军的贾雍派遣属下司马徐赟率领骑兵袭击刘卫辰，俘获了大量的人口和牲畜，而后返回。秦王苻坚非常愤怒地说："我正要用恩德诚信使那些夷狄归附秦国，你竟然为了贪图小利而破坏了我的这项政策，是什么原因？"遂罢免了贾雍的一切职务，让他以平民的身份代理云中护军的职责，又派遣使者将贾雍所缴获的全部财产归还给刘卫辰，对刘卫辰大加抚慰。刘卫辰遂率领自己的部众迁入塞内居住，每年向秦国进贡不断。

夏季，六月，代王拓跋什翼犍的王妃慕容氏去世。秋季，七月，匈奴部落首领刘卫辰前往代国参加慕容王妃的葬礼，并借此机会向代国求婚，代王拓跋什翼犍把自己的女儿嫁给刘卫辰为妻。

八月初一日辛丑，发生日食，很快就变成了日全食。

东晋谢安在年轻的时候，就很负盛名，朝廷先后多次征聘他出来做官，他都不

籍[67]自娱。虽为布衣，时人皆以公辅期之[68]，士大夫至[69]相谓曰："安石不出，当如苍生何[70]？"安每游东山[71]，常以妓女自随。司徒昱[72]闻之，曰："安石既与人同乐，必不得不与人同忧，召之必至。"安妻，刘惔之妹也[73]，见家门贵盛[74]，而安独静退，谓曰："丈夫不如此也[75]。"安掩鼻[76]曰："恐不免耳[77]。"及弟万废黜[78]，安始有仕进之志，时已年四十余。征西大将军桓温请为司马，安乃赴召。温大喜，深礼重之。

冬，十月，乌桓独孤部、鲜卑没奕干各帅众数万降秦，秦王坚处之塞南[79]。阳平公融谏曰："戎狄人面兽心，不知仁义。其稽颡内附[80]，实贪地利，非怀德[81]也。不敢犯边，实惮兵威，非感恩也。今处之塞内，与民杂居，彼窥郡县虚实，必为边患，不如徙之塞外，以防未然。"坚从之。

十一月，封桓温为南郡公[82]，温弟冲[83]为丰城县公[84]，子济为临贺县公。

燕太宰恪欲以李绩为右仆射，燕主暐不许。恪屡以为请，暐曰："万机之事[85]，皆委之叔父。伯阳一人[86]，暐请独裁[87]。"出为章武[88]太守，以忧卒。

五年（辛酉，公元三六一年）

春，正月戊戌[89]，大赦。

刘卫辰掠秦边民五十余口为奴婢以献于秦，秦王坚责之，使归所掠[90]。卫辰由是叛秦，专附于代。

东安简伯郗昙[91]卒。二月，以东阳太守范汪都督徐、兖、冀、青[2]、幽五州诸军事，兼徐、兖二州刺史。

平阳[92]人举郡降燕，燕以建威将军段刚为太守，遣督护韩苞将兵共守平阳。

方士[93]丁进有宠于燕主暐，欲求媚于太宰恪，说恪令杀太傅评。恪大怒，奏收斩之。

肯就职。寓居于会稽郡，以游山玩水、文章书籍自娱自乐。虽然是平民身份，而当时的人们都估计他日后定能出任三公、宰辅之职，士大夫中有人甚至说："谢安如果不出来做官，国家的事情可怎么办呢？"谢安每次前往东山游览，身边常常带有妓女。担任司徒的会稽王司马昱听说之后，说："谢安既然能够与别人共同分享欢乐，就一定能够与人分担忧患，现在征聘他出来做官，他一定会来。"谢安的妻子，是刘惔的妹妹，她看到自己家门日渐尊贵、权势日盛，只有谢安一个人淡泊退让，于是就对谢安说："大丈夫不应该这个样子。"谢安听了赶紧用手掩住鼻子，说："恐怕最终还得像诸兄弟那样非得出去做官不可。"等到谢安的堂弟谢万被免掉官职之后，谢安才开始有出去做官的志向，当时他已经四十多岁了。担任征西大将军的桓温聘请谢安担任司马，谢安于是应召而往。桓温喜出望外，对他格外礼遇、器重。

冬季，十月，乌桓人独孤部落酋长、鲜卑没奕干部落酋长各率数万部众投降了秦国，秦王苻坚将他们安置在边塞长城以南。阳平公苻融劝阻说："这些戎狄人面兽心，不懂得什么是仁义。他们所以要向秦国磕头、请求内附，目的是贪图塞内肥沃的土地，而不是因为感念大王的恩德。他们不敢侵犯秦国的边境，实际是惧怕秦国强大的军事实力，而不是感激秦国对他们的恩惠。现在把他们安置在边塞之内，与秦国边境的民众混杂居住，他们一旦窥探到郡县的虚实，必然成为边境的祸患，不如把他们迁徙到边塞之外，以防患于未然。"苻坚采纳了苻融的建议。

十一月，东晋朝廷封征西大将军桓温为南郡公，封桓温的弟弟桓冲为丰城县公，封桓温的儿子桓济为临贺县公。

燕国太宰慕容恪想任命李绩为右仆射，燕主慕容暐坚决不同意。慕容恪多次就此事向慕容暐请求，慕容暐说："朝廷的各种政务，都委托给叔父处理。只有李绩这个人的职务，我要自己独自做主。"慕容暐竟将李绩外放为章武太守，李绩忧愤而死。

五年（辛酉，公元三六一年）

春季，正月初一日戊戌，东晋实行大赦。

匈奴部落酋长刘卫辰劫掠了秦国边境地区的五十多名居民充作奴婢献给秦王苻坚，秦王苻坚责备刘卫辰，并责令他把劫掠来的边民都放回去。刘卫辰因此背叛了秦国，归附了代国。

东晋东安简伯郗昙去世。二月，东晋朝廷任命担任东阳太守的范汪都督徐、兖、冀、青、幽五州诸军事，兼任徐、兖二州刺史。

秦国右将军张平所属的平阳人全部投降了燕国，燕国任命担任建威将军的段刚为平阳太守，同时派遣担任督护的韩苞率军与段刚共同守卫平阳。

方士丁进深受燕主慕容暐的宠爱，他还想讨好太宰慕容恪，遂劝说慕容恪杀掉太傅慕容评。慕容恪大怒，立即奏请燕主慕容暐将丁进逮捕、斩首。

高昌[94]卒，燕河内太守吕护并其众，遣使来降，拜护冀州刺史。护欲引晋兵以袭邺。三月，燕太宰恪将兵五万，冠军将军皇甫真将兵万人，共讨之。燕兵至野王[95]，护婴城[96]自守。护军将军傅颜请急攻之，以省大费。恪曰："老贼经变[97]多矣。观其守备，未易猝攻[98]，而多杀[99]士卒[3]。顷攻黎阳[100]，多杀精锐，卒不能拔，自取困辱。护内无蓄积，外无救援。我深沟高垒，坐而守之，休兵养士，离间其党，于我不劳而贼势日蹙[101]，不过十旬，取之必矣，何为多杀士卒，以求旦夕之功乎！"乃筑长围守之。

夏，四月，桓温以其弟黄门郎豁[102]都[4]督沔中七郡[103]诸军事、兼新野、义城[104]二郡太守，将兵取许昌[105]，破燕将慕容尘。

凉骠骑大将军宋混疾甚，张玄靓及其祖母马氏往省[106]之，曰："将军万一不幸，寡妇孤儿将何所托？欲以林宗[107]继将军，可乎？"混曰："臣子林宗幼弱，不堪大任。殿下倘未弃臣门[108]，臣弟澄政事愈于臣[109]，但恐其儒缓[110]，机事不称[111]耳，殿下策励而使之[112]可也。"混戒澄及诸子曰："吾家受国大恩，当以死报，无恃势位以骄人。"又见朝臣，皆戒之以忠贞。及卒，行路[113]为之挥涕[114]。玄靓以澄为领军将军，辅政。

五月丁巳[115]，帝崩无嗣。皇太后令曰："琅邪王丕[116]，中兴正统[117]，义望情地[118]，莫与为比，其[119]以王奉大统[120]。"于是百官备法驾[121]，迎于琅邪第。庚申[122]，即皇帝位，大赦。壬戌[123]，改封东海王奕[124]为琅邪王[125]。秋，七月戊午[126]，葬穆帝于永平陵，庙号孝宗。

燕人围野王数月，吕护遣其将张兴出战，傅颜击斩之，城中日蹙。皇甫真戒部将曰："护势穷奔突[127]，必择虚隙[128]而投之。吾所部[129]士卒

高昌去世，燕国担任河内太守的吕护兼并了高昌的部众，派使者前往东晋的都城建康，向东晋请求投降，东晋朝廷遂任命吕护为冀州刺史。担任了冀州刺史的吕护想率领东晋的军队袭击燕国的首都邺城。三月，燕国太宰慕容恪率领五万人马，担任冠军将军的皇甫真率领一万人马，共同讨伐吕护。燕军抵达野王，吕护环城四面防守。燕国护军将军傅颜请求加紧攻城，以节省大批军费。太宰慕容恪说："吕护这个老贼经历的变乱以及应对突发事件的经验太多了。观察他的防御设施，很难一下子将城攻破，强行进攻反而会增加我军的伤亡。此前攻打黎阳，我们虽然损失了很多精锐，最终也没能攻克黎阳，反而自取其辱。吕护城内没有蓄积，外无救兵。我军深挖沟高筑墙，尽管坐在这里守候，休养我们的士卒，离间吕护的党羽。这样一来，对于我军来说是以逸待劳，对于贼人来说却是越来越艰难，不超过一百天，我们必能取胜，何必要牺牲许多士卒以求得一朝一夕的功劳呢！"遂修筑长长的围墙将吕护团团包围起来。

夏季，四月，东晋桓温任命自己的弟弟担任黄门郎的桓豁为都督沔中七郡诸军事、兼任新野和义城二郡太守，桓豁率领晋军攻击许昌，击败了燕国守将慕容尘。

凉国骠骑大将军宋混病情危重，凉州牧张玄靓及其祖母马氏亲自前往宋混的府第探视，他们对宋混说："将军万一有个好歹，我们孤儿寡母将依靠何人？我们想让你的儿子宋林宗继承你的职位，你觉得可以吗？"宋混说："我儿子林宗既年轻又懦弱，承担不了如此重任。倘若殿下不嫌弃我宋氏一门，还想让我们家里人出任此职，我的弟弟宋澄在处理政事的能力方面倒是胜过我，只是担心他优柔寡断、办事舒缓，没有应对突发事件的能力，殿下在使用他的过程中只要勤加督促鼓励，还是可以的。"宋混又告诫宋澄以及自己的儿子们，他说："我家世代蒙受国家大恩，应当以死报效国家，不要倚仗权势地位而以傲慢无礼的态度对待别人。"宋混还接见了朝廷的官员，都告诫他们要对国家尽职尽忠。等到宋混去世，就连路上的行人都为他感到伤心落泪。凉州牧张玄靓遵照宋混的意愿任命宋澄为领军将军，让他辅佐朝政。

五月二十二日丁巳，东晋皇帝司马聃去世，司马聃没有子嗣。皇太后褚氏下诏说："琅邪王司马丕，他是中兴以来皇位的嫡系继承人，无论是从道德声望还是在皇族中的血缘关系，都没有人能与他相比，就由琅邪王司马丕入继大统。"于是，满朝的文武百官立即备齐法驾前往琅邪王的府邸迎接琅邪王司马丕入宫。二十五日庚申，司马丕登基即皇帝位，东晋实行大赦。二十七日壬戌，改封东海王司马奕为琅邪王。秋季，七月二十三日戊午，将晋穆帝司马聃安葬于永平陵，庙号孝宗。

燕军包围了野王数月之久，吕护派遣部将张兴出城与燕军交战，结果被燕国的护军将军傅颜斩杀，野王城中的情势于是更加危急。燕国冠军将军皇甫真告诫属下的将领说："吕护已经到了山穷水尽的地步，必然要率军突围逃跑，他必定会选择我们防守力量最薄弱的地方作为突破口。我所率领的这支部队大多是老弱残兵，器械、

多羸[130]，器甲不精，宜深为之备。”乃多课橹楯[131]，亲察行夜[132]者。护食尽，果夜悉精锐趋真所部突围，不得出。太宰恪引兵击之，护众死伤殆尽，弃妻子奔荥阳[133]。恪存抚[134]降民，给其廪食[135]，徙士人、将帅于邺，自余各随所乐。以护参军广平梁琛[136]为中书著作郎[137]。

九月，戊申[138]，立妃王氏为皇后。后，濛之女也。穆帝何皇后称穆皇后，居永安宫。

凉右司马张邕恶宋澄专政，起兵攻澄，杀之，并灭其族。张玄靓以邕为中护军，叔父天锡为中领军，同辅政。

张平袭燕平阳，杀段刚、韩苞。又攻雁门，杀太守单男。既而为秦所攻，平复谢罪于燕以求救。燕人以平反覆，弗救也，平遂为秦所灭。

乙亥[139]，秦大赦。

徐、兖二州刺史范汪，素为桓温所恶，温将北伐，命汪帅众出梁国[140]。冬，十月，坐失期[141]，免为庶人，遂废，卒于家。子宁[142]好儒学，性质直，常谓王弼、何晏[143]之罪深于桀、纣。或以为贬之太过，宁曰：“王、何蔑弃典文[144]，幽沈仁义[145]，游辞浮说[146]，波荡后生[147]，使搢绅之徒[148]翻然改辙[149]，以至礼坏乐崩，中原倾覆[150]，遗风余俗，至今为患。桀、纣纵暴一时，适足以丧身覆国，为后世戒，岂能回百姓之视听[151]哉！故吾以为一世之祸[152]轻，历代之患[153]重，自丧之恶[154]小，迷众之罪[155]大也。”

吕护复叛，奔燕。燕人赦之，以为广州刺史[156]。

凉张邕骄矜淫纵，树党专权，多所刑杀，国人患之。张天锡所亲敦煌刘肃谓天锡曰：“国家事欲未静[157]。”天锡曰：“何谓也？”肃曰：“今

铠甲也不精良，所以应该更加严密地进行防守。”于是征集了很多大大小小的盾牌，亲自在夜间进行巡视。吕护军中粮食吃尽，果然在夜间出动所有精锐径直冲向皇甫真的部队，攻势猛烈，企图突破包围，却无法冲出。太宰慕容恪亲自率军赶来攻击吕护，吕护的部众死伤惨重，几乎全军覆没，吕护抛弃了妻儿逃往荥阳。慕容恪安慰抚恤那些向燕军投降的民众，为他们提供粮食，将野王城中的士大夫以及将领强行迁徙到燕国的都城邺城，其余人员随自己的意愿，乐意从事什么就从事什么。任命吕护的参军广平郡人梁琛为中书著作郎。

九月十四日戊申，东晋皇帝司马丕立王妃王氏为皇后。王皇后，是王濛的女儿。穆帝司马聃的皇后何氏被称为穆皇后，居住在永安宫。

凉国担任右司马的张邕嫉恨宋澄专擅朝政，遂起兵攻击宋澄，将宋澄杀死，并灭掉了宋澄的家族。凉州牧张玄靓只得任命张邕为中护军，任命张邕的叔父张天锡为中领军，共同辅佐朝政。

张平率军袭击燕国的平阳，杀死了平阳守将段刚和韩苞。又率军攻击雁门，杀死了雁门太守单男。不久遭到秦军的攻击，张平便又向燕国请罪并请求燕国出兵救援。燕国认为张平是个反复无常的人，所以拒绝救援，张平遂被秦国消灭。

乙亥日，秦国实行大赦。

东晋徐、兖二州刺史范汪，一向被桓温所嫌恶，桓温即将率军北伐，他命令范汪率领自己的部众从梁国出兵。冬季，十月，范汪因为没有按照指定日期到达指定地点而获罪，他被免除了一切职务，成了一介平民，遂赋闲在家，后来死在家中。范汪的儿子范宁，喜好儒家经典，性情质朴耿直，经常说王弼、何晏的罪恶比夏桀、商纣的罪恶还要大。有人认为范宁对王弼、何晏的贬损太过分，范宁说：“王弼、何晏否定并抛弃了儒家的经典文献，贬斥孔、孟的仁义学说，一味地奢谈那些虚浮不实的玄学理论，严重地影响了下一代，致使那些系带垂绅、腰插笏板的各级官僚以及所有的文人士大夫完全改变了从前读儒书、行仁义，讲究修身养性、齐家治国平天下的做法，而变成崇尚虚无、企慕老庄，居官而不任事，甚至醉酒放荡，以致国家礼崩乐坏，中原沦陷于夷狄之手，他们遗留下来的社会风气至今还在危害着社会。夏桀、商纣纵然凶残暴虐，危害只是一时，恰足以导致他们亡国丧身，成为后世的鉴戒，岂能成为改变社会风俗、影响黎民百姓社会观念的力量呢！所以我才认为波及一代人的灾难罪过轻，危害世世代代人的罪过重；造成自身丧命的罪恶小，迷惑整个社会的罪恶大。”

吕护再次背叛东晋，投降了燕国。燕国人不仅赦免了吕护，还任命他为广州刺史。

凉国张邕日渐骄傲，且又荒淫放纵，培植自己的党羽，专擅朝政，滥用刑罚，诛杀了很多人，国人都为此感到担忧。张天锡的亲信敦煌人刘肃对张天锡说：“我们国家的局势恐怕从此要动荡不安了。”张天锡说：“你说的话是什么意思？”刘肃说：

护军[158]出入，有似长宁[159]。"天锡惊曰："我固疑之，未敢出口。计将安出？"肃曰："正当速除之耳！"天锡曰："安得其人[160]？"肃曰："肃即其人也。"肃时年未二十。天锡曰："汝年少，更求其助。"肃曰："赵白驹与肃二人足矣。"十一月，天锡与邕俱入朝。肃与白驹从天锡[161]，值邕于门下[5]。肃斫[162]之不中，白驹继之，又不克。二人与天锡俱入宫中，邕得逸走[163]，帅甲士三百余人攻宫门。天锡登屋大呼曰："张邕凶逆无道，既灭宋氏，又欲倾覆我家。汝将士世为凉臣，何忍以兵相向[164]邪？今所取者[165]，止张邕耳，他[166]无所问！"于是邕兵悉散走。邕自刎死，尽灭其族党。玄靓以天锡为使持节、冠军大将军、都督中外诸军事，辅政。十二月，始改建兴四十九年[167]，奉升平年号[168]。诏以玄靓为大都督、督陇右诸军事、凉州刺史、护羌校尉、西平公。

燕大赦。

秦王坚命牧伯守宰[169]各举孝悌、廉直、文学、政事[170]，察其所举得人[171]者赏之，非其人[172]者罪之。由是人莫敢妄举，而请托[173]不行，士皆自励[174]，虽宗室外戚，无才能者皆弃不用。当是之时[175]，内外之官，率[176]皆称职，田畴修辟[177]，仓库充实，盗贼屏息[178]。

是岁，归义侯李势[179]卒。

【段旨】

以上为第一段，写晋穆帝升平四年（公元三六〇年）、五年（公元三六一年）共两年间的大事。主要写了燕主慕容儁死，幼子慕容暐继位，太原王慕容恪为太宰，专录朝政。慕舆根不服，挑动是非欲为乱，被诛；慕容恪"虽综大任，而朝廷之礼，兢兢严谨，每事必与司徒评议之，未尝专决。虚心待士，咨询善道，量才授任，人不逾位"；桓温有云："慕容恪尚在，忧方大耳"；写了秦主苻坚令地方长官举孝悌、廉直、文学、政事，举得其人者赏，非其人者罚，"当是之时，

“今天的中护军张邕出入朝廷，很像当年的长宁侯张祚。”张天锡吃惊地说：“我本来也怀疑他，只是没敢说出口。我们应该怎么办？”刘肃说：“唯有尽快地把他除掉！”张天锡说：“到哪里去找能办成如此大事的人？”刘肃说：“我就是合适的人选。”刘肃当时年纪未满二十岁。张天锡说：“你年纪太小，还得另外找一个助手才行。”刘肃说：“有赵白驹和我两个人就足够了。”十一月，张天锡与张邕同时入朝。刘肃与赵白驹跟随在张天锡的身后，在朝门碰到了张邕。刘肃举刀砍向张邕，结果没有砍中，赵白驹跟着出手，还是没有把张邕砍倒。二人于是全都跟随张天锡进入皇宫，张邕得以逃走，随后便率领三百多名部众前来攻打宫门。张天锡登上皇宫屋顶大声呼喊说：“张邕凶恶叛逆，多行无道，他已经灭掉了宋氏，又想灭亡我们张家。你们这些将士世代都是国家的臣属，怎么忍心把兵器对准我呢？现在我们要捉拿的，只有张邕一人而已，其他人一律不予追究！”于是跟随张邕而来的人全都一哄而散。张邕自杀而死，张邕的家人、党羽全部被消灭。凉州牧张玄靓任命张天锡为使持节、冠军大将军、都督中外诸军事，辅佐朝政。十二月，开始取消使用西晋愍帝建兴四十九年年号，改用东晋穆帝升平年号。东晋皇帝司马丕下诏任命张玄靓为大都督、督陇右诸军事、凉州刺史、护羌校尉、西平公。

燕国实行大赦。

秦王苻坚下令各州牧、郡守、县令，都要向朝廷举荐有关孝悌、廉直、文学、政事方面的特殊人才，经过考察，如果被举荐的人确实是有用的人才，就对举荐人进行奖赏；如果被举荐的人与举荐所说的情况不相符，就要对举荐人进行惩罚。因此没有人敢随便地向朝廷举荐，而请托、送礼、走后门找关系等现象再也行不通了，知识分子都能勤奋自勉，即使是皇室人员、皇亲国戚，没有真才实学也都被摒弃不用。在那个时期，朝廷内外的官员大多都能称职，农田得以耕种，荒地得以开垦，国库中的粮食储备充盈，盗贼销声匿迹。

这一年，东晋归义侯李势去世。

内外之官，率皆称职，田畴修辟，仓库充实，盗贼屏息”；写了燕之河内太守吕护降晋，慕容恪率兵讨之，围护于野王，筑长围以守之；吕护食尽突围奔荥阳，燕人遂取野王；写了凉之权臣宋混死，其弟宋澄继其任；后张邕杀宋澄，与张天锡同时辅政；张天锡又杀张邕，使其主张玄靓奉行东晋年号；写了晋穆帝司马聃死，成帝长子司马丕继位；写了范汪之子范宁，性质直，以为“王弼、何晏之罪深于桀、纣。……中原倾覆，遗风余俗，至今为患”；写了谢安少有重名，寓居会稽，桓温聘以为司马，深礼重之；等等。

【注释】

① 正月癸巳：正月二十。② 大阅：古代每年举行阅兵称搜，三年阅兵称大阅，五年大规模阅兵称大搜。大阅在这里即泛指大规模地检阅军队。③ 入寇：指南下攻晋。④ 甲午：正月二十一。⑤ 戊子：此语有误，正月甲戌朔，戊子为正月十五，在甲午前，故慕容暐即位恐是戊戌。戊戌是正月二十五。⑥ 司隶：本官名，即司隶校尉，掌纠察京师百官及所辖三辅、三河及弘农七郡，相当于州刺史，治所在长安城内，在今陕西西安的西北部。魏、晋以后，在司隶校尉所属地区置司州。晋之司州辖河南、荥阳、弘农、上洛、平阳、河东、汲郡、河内、广平、阳平、魏郡、顿丘十二郡，治所在洛阳城内。另分司隶所辖置雍州，下辖京兆、冯翊、扶风、安定、北地、始平、新平七郡，治所在长安城内。十六国时，前秦苻健都长安，于雍州置司隶校尉。至苻坚时，又分司隶置雍州。⑦ 河南公双：苻双，苻坚之弟。⑧ 安定：郡名，郡治在今甘肃泾川县北的泾河北岸。⑨ 杨俊：氐族头领，于晋穆帝永和十二年杀杨国自立为仇池公。仇池在今甘肃成县境内。⑩ 专录：独揽。⑪ 木强：朴直而倔强。⑫ 先朝勋旧：从上一任皇帝手下来的有功勋的老臣。⑬ 外事：后宫以外的朝廷之事，即朝廷大政。⑭ 兄亡弟及：哥哥死了，弟弟来继承皇位。及，接续。⑮ 成法：自古已存的继统法，指殷代而言。⑯ 毕山陵：指安葬老皇帝事毕。山陵，帝王的坟墓。⑰ 自践尊位：自己登皇帝宝座。践，登。⑱ 悖：荒谬。⑲ 受先帝遗诏：意即受遗诏共同辅佐幼主。⑳ 云何而遽有此议：怎么忽然说出这样的话来。遽有，突然提出。㉑ 二邻：指东晋与苻秦。㉒ 诛夷：诛杀。夷，平，也是“杀”的意思。㉓ 乖远近之望：违背全国人士的希望。乖，违背。㉔ 庸竖：见识浅陋的卑贱小人。竖，骂人语，小子、奴才。㉕ 过蒙：错误地蒙受；不该蒙受而蒙受。㉖ 小人：指慕舆根。㉗ 骄很：傲慢悖拗。很，通“狠”，悖拗。㉘ 早为之所：及早给他安排个地方，意即动手解决他。㉙ 禁兵：皇帝的警卫部队。㉚ 亲贤：既亲近又贤明。慕容恪、慕容评二人均为慕容儁之弟，慕容暐之叔。㉛ 托以孤嫠：把我们孤儿寡母托付他们。孤嫠，孤儿寡妇。丧父叫孤，丧夫叫嫠。㉜ 不肯尔：不会做这样的事。尔，如此、这样。㉝ 思恋东土：想要回到东北的旧都龙城去。龙城在邺城东北，故称东土。㉞ 就内省：趁便在宫内。㉟ 大赦：古代常于新君即位或国有重大变故时，宣布大赦，以求稳定人心。慕舆根是前朝的勋旧大臣，今忽杀之，恐人心不稳，故行大赦。㊱ 诛夷狼籍：指杀慕舆根连及杀人不少。狼籍，纵横散乱，形容多的样子。㊲ 一人步从：只有一个人跟在身边，极言其内心之平静从容。㊳ 安重：安详稳重。㊴ 众将何仰：大家还能倚靠谁、仰仗谁。仰，指看到信心、看到力量。㊵ 综大任：总揽朝权。㊶ 兢兢：小心谨慎的样子。㊷ 人不逾位：意即各就各位，人尽其才。㊸ 官属：自己部下的僚属。㊹ 不显其状：不当众指出他的毛病。显，曝光。状，过错。㊺ 随宜他叙：根据情况，适当地另外安置其他职务。叙，按次序提升。㊻ 不令失伦：不会让他乱了等级秩序。㊼ 唯以此为贬：就是依据这个准则

来调整官员的职务。㊽尔复欲望宰公迁官邪：你莫非也想让宰相大人给你调换个地方吗。宰公，时慕容恪为太宰，故尊称之为“宰公”。迁官，贬官、降职。㊾忧方大耳：可忧虑的事情正大得很呢。以上两句说明慕容恪能辅幼主，桓温有料敌之明。㊿己卯：三月初六。51龙陵：陵在龙城，因以为名。52道路断塞：指道路上纷纷攘攘充满了乱兵。53蠡台：方位不详，应在今河南商丘附近。54观兵河南：到黄河以南向东晋炫耀武力。观兵，向敌方展示、炫耀武力。55泳：孙泳，慕容皝时代的燕国将领，曾任朝鲜令，带兵抗击石虎的入侵军。事见本书卷九十六咸康四年。56请田内地：请求到内地垦种荒地，以获取粮食。田，用如动词。57袭之：袭击了这些来内地耕种荒地的匈奴人。58怀：使之感恩。意即招抚、招纳。59以白衣领职：以平民的身份代理云中护军之职。60贡献相寻：向秦国之进贡、送礼不断。相寻，相继、接连不断。61什翼犍：鲜卑拓跋氏的首领，国号称代，都城盛乐，在今内蒙古和林格尔城北。62八月辛丑朔：八月初一是辛丑日。63既：很快地变成了日全食。64重名：大名；赫赫的名声。65征辟：朝廷之征与大官之辟。征、辟，都是聘请、聘任的意思。66寓居会稽：谢安祖籍陈郡，后迁于豫章，又迁于会稽。会稽即今浙江绍兴。67文籍：文章、书籍。68以公辅期之：估计他日后定能任三公、辅相之职。69至：有人甚至。70当如苍生何：黎民百姓，也就是整个国家的事情可怎么办哪。71东山：山名，在今浙江绍兴市上虞区南。72司徒昱：司马昱，晋元帝司马睿之子，被封为会稽王，此时在朝廷任司徒，也就是皇帝的首辅。73安妻二句：刘惔，当时的名士。传见《晋书》卷七十五。74家门贵盛：谢氏一门所出的谢尚、谢奕、谢万当时都是镇守一方的国家重臣。75丈夫不如此也：意思是说出身于这样一种家庭的人，不能甘于白衣不仕。76掩鼻：表示轻蔑，不屑一听。77恐不免耳：恐怕免不了还是要走这条路的。是一种很自负的口气。78弟万废黜：其堂弟谢万任豫州刺史率兵北伐被燕军大败的详情，见本书上卷穆帝升平三年。79塞南：约指今内蒙古地区的长城以南。80稽颡内附：磕头至地，请求臣服。81非怀德：不是出于感谢我们的恩德。怀，感念。82南郡公：封号名，公表示爵位，南郡是其封地。南郡的郡治即今湖北荆州。83温弟冲：桓冲，在桓温北伐关中时，桓冲曾大破苻雄于白鹿原。事见本书卷二十一永和十年。84丰城县公：同是公爵，“县公”比“郡公”低一级。丰城县在今江西境内。85万机之事：指整个国家的大事。86伯阳一人：关于李绩个人升迁处置。李绩，字伯阳。李绩曾当面指出慕容暐的两个缺点之事，见本书上卷升平三年。87暐请独裁：请让我自己决定。88章武：郡名，郡治即今河北大城。89戊戌：正月初一。90使归所掠：把劫掠的边民都放回去。91东安简伯郗昙：郗昙是东晋名臣郗鉴之子，被封为东安伯，伯是爵位，东安是封地名，简字是谥。生前任下句范汪所接任的诸项职务。92平阳：郡名，郡治在今山西临汾的西南部，当时属张平。93方士：以侈谈长生之术或以其他各种迷信手段为职业的人。94高昌：原是后赵的将领，赵亡后，据南燕城（今河南延津东北）先降燕，又降晋，又降秦，各受爵位，欲中立以自固。95野王：县名，县治即今河南沁阳。⑯婴城：环城四面。⑰经变：经过的变乱以及应对突发事件的经验。⑱猝攻：一下子就能攻下。猝，突然、立刻。⑲杀：牺牲。⑩顷攻黎阳：前不久的攻黎阳。顷，不久前。黎阳，古城名，也是古黄河渡口名，在今河南浚县东南。不久前的燕将阳骛攻黎阳，见本书卷一百升平二年。⑩日蹙：日困；越来越艰难。蹙，萎缩。⑩黄门郎豁：桓豁，官任黄门郎，是皇帝的侍从官员。⑩沔中七郡：指汉水流域的魏兴、新城、上庸、襄阳、义成、竟陵、江夏七郡。沔中，沔水流域。沔水即今汉水。⑩新野、义城：二郡名，新野郡的郡治即今河南新野。义城，应作“义成”，郡治即今湖北襄阳。⑩许昌：古城名，在今河南许昌东。⑩省：看视。⑩林宗：宋林宗，宋混之子。⑩傥未弃臣门：意即假如您还想让我们家里的人来出任此职。傥，同“倘”，假如。⑩政事愈于臣：处理政务的能力比我强。愈，胜过、超出。⑩儒缓：优柔寡断，办事舒缓。儒，优柔、懦弱。⑪机事不称：随机应变的能力跟不上。⑫策励而使之：在使用的过程中多加督促勉励。⑬行路：路上的行人，以喻那些平素毫无关系者。⑭挥涕：拭泪。⑮丁巳：五月二十二。⑯琅邪王丕：司马丕，晋成帝司马衍之子。晋成帝死时，庾亮以司马丕年少为由，改立了司马衍之弟司马岳，即晋康帝。⑰中兴正统：东晋建国以来的嫡系继承人。因司马丕是晋成帝的嫡长子，晋成帝是晋明帝司马绍的嫡长子，司马绍是晋元帝司马睿的嫡长子，一脉相承，故称“正统”。⑱义望情地：其人的道德声望与其在皇族中的血缘关系。义望，美好的声望。情地，亲情关系上的地位。⑲其：表示命令、祈请的副词。⑳奉大统：承继皇位。大统，帝位的传承系统。㉑法驾：皇帝的车驾。《史记·孝文本纪》之《索隐》引《汉官仪》云：“天子卤簿有大驾、法驾。大驾，公卿奉引，大将军参乘，属车八十一乘；法驾，公卿不在卤簿中，唯京兆尹、执金吾、长安令奉引，侍中参乘，属车三十六乘。”㉒庚申：五月二十五。㉓壬戌：五月二十七。㉔东海王奕：司马丕的胞弟。㉕为琅邪王：顶替司马丕继承琅邪王的传统。㉖七月戊午：七月二十三。㉗奔突：突围逃跑。㉘虚隙：空隙，谓包围圈的薄弱环节。㉙吾所部：我所统领的这部分军队。部，统率、指挥。㉚羸：原指瘦弱，这里即指老弱病残的人多，战斗力不强。㉛多课橹楯：更多地制作了一些大小盾牌。课，督促检查。橹，大盾牌。楯，通“盾”。㉜行夜：巡夜；夜间巡逻。㉝荥阳：古城名，即今河南郑州西北的古荥镇。㉞存抚：安抚。存，抚恤。㉟廪食：官府供给的粮食，这里即指粮食。㊱护参军广平梁琛：吕护的参军广平郡人姓梁名琛。广平郡的郡治在今河北鸡泽东北。㊲中书著作郎：在朝廷主管起草文件的官员。魏明帝太和中，诏置著作郎，隶中书省。晋惠帝元康二年，改隶秘书省。又由于晋武帝时曾以秘书并于中书省，故称中书著作郎。㊳九月戊申：九月十四。㊴乙亥：此语有误，本年九月朔乙未，无乙亥日。乙亥当是十月十二。㊵梁国：晋代的诸侯国名，都城在今河南商丘城南。㊶坐失期：因为没按规定时间到达指定位置而犯罪。㊷子宁：范汪的儿子范宁（《晋书》作“范甯”），字武子，当时著名的学者，长于经学，注《尚书》《论语》，并撰《春秋穀梁传集解》传世。传附《晋书》卷七十五《范汪传》。㊸王弼、何晏：都是三国、西晋时期的玄学家，好老庄，开清谈之风，严重影响到整个时代风气。王弼著有《周易注》《周易略例》《老子注》《老子指略》等。何晏字叔平，著有《道德论》《无名论》《无为论》。⑭蔑弃典文：否定与抛弃儒家的经典文献。⑮幽沈仁义：贬斥孔、孟的仁义学说。幽沈，贬斥使之不能行于世。⑯游辞浮说：指侈谈浮虚不实的玄学理论。⑰波荡后生：严重地影响了后一代。⑱搢绅之徒：指各级官僚与所有的文人士大夫。古代仕宦之人都系带垂绅、腰插笏板，故称官员曰“搢绅”。绅是大带。后代也以“搢绅”泛指朝野一切有身份的人。⑲翻然改辙：改变了从前读儒书、行仁义，讲究修身养性、齐家治国的一套，而崇尚虚无、企慕老庄，居官而不任事，甚或醉酒放荡等等。⑳中原倾覆：指西晋灭亡，中原沦陷。倾覆，翻车、垮台。㉑回百姓之视听：改变黎民百姓对问题的看法。回，改变。视听，犹今所谓固有的思想、信念。㉒一世之祸：波及一代人的灾难。㉓历代之患：影响世世代代的罪恶。㉔自丧之恶：造成自身灭亡的罪过。㉕迷众之罪：迷惑整个社会的罪恶。㉖以为广州刺史：燕无广州，仅以广州刺史的名号授吕护。㉗国家事欲未静：我们国家的局势将要动荡不安了。欲，将要。未静，不安定。㉘今护军：今天的中护军，指张邕。㉙有似长宁：像是当年的长宁侯张祚。㉚安得其人：哪里有能办如此大事的人。㉛从天锡：跟在张天锡身后。㉜斫：用刀砍。㉝逸走：逃走。㉞以兵相向：把兵器对着我。㉟今所取者：现在我们要捉拿的人。取，捉拿。㊱他：其他人。㊲建兴四十九年：“建兴”是西晋愍帝最末的年号，建兴四十九年，即公元三六一年。晋愍帝于建兴五年已死，但凉州张氏一直使用“建兴”的年号至今，表示他们拥护晋王朝，但又不完全承认东晋的小朝廷。㊳奉升平年号：意思是从现在起，凉州开始使用东晋皇帝的年号。㊴牧伯守宰：泛指各级地方官。牧伯，指州刺史。刺史也称“牧”，因其是一方诸侯之长，故也称“方伯”。守，指太守，郡的长官。宰，县令。㊵孝悌、廉直、文学、政事：均为不同类型的人才科目名。悌，弟弟顺从兄长。㊶所举得人：所举荐的确实是人才。㊷非其人：与举荐所说的情况不相符。㊸请托：犹今言“走后门”，找关系。㊹自励：自勉；自己发愤进取。㊺当是之时：当时。㊻率：大概；一般。㊼田畴修辟：土地得以开垦耕种。田畴，田亩、耕种的土地。㊽屏息：憋住气不敢出，这里即指绝迹。㊾李势：蜀地成汉政权的末代君主，桓温于穆帝永和三年灭汉时，李势向桓温投降，被晋王朝封为“归义侯”。

【校记】

［1］皇帝：据章钰校，十二行本、乙十一行本、孔天胤本皆无此二字，张瑛《通鉴校勘记》同。［2］冀、青：据章钰校，十二行本、乙十一行本二字互乙。［3］而多杀士卒：据章钰校，十二行本、乙十一行本皆无此句，张敦仁《通鉴刊本识误》、张瑛《通鉴校勘记》同。［4］都：据章钰校，十二行本、乙十一行本皆无此字。［5］值邕于门下：原无此句。据章钰校，十二行本、乙十一行本、孔天胤本皆有此句，张敦仁《通鉴刊本识误》、张瑛《通鉴校勘记》同，今据补。

【原文】

哀皇帝[180]

隆和元年（壬戌，公元三六二年）

春，正月壬子[181]，大赦，改元。

甲寅[182]，减田租[183]，亩收二升。

燕豫州刺史孙兴请攻洛阳，曰："晋将陈祐弊卒[184]千余，介守[185]孤城，不足取[186]也。"燕人从其言，遣宁南将军吕护屯河阴[187]。

二月辛未[188]，以吴国内史庾希为北中郎将、徐兖二州刺史，镇下邳，龙骧将军袁真为西中郎将、监护豫司并冀四州诸军事、豫州刺史，镇汝南[189]，并假节[190]。希，冰[191]之子也。

丙子[192]，拜帝母周贵人[193]为皇太妃，仪服拟于太后[194]。

燕吕护攻洛阳。三月乙酉[195]，河南太守[196]戴施奔宛[197]，陈祐告急。五月丁巳[198]，桓温遣庾希及竟陵[199]太守邓遐帅舟师三千人助祐守洛阳。遐，岳[200]之子也。

温上疏请迁都洛阳，自永嘉之乱[201]播流江表[202]者，请[6]一切北徙[203]，以实河南[204]。朝廷畏温，不敢为异[205]。而北土萧条，人情疑惧，虽并知不可，莫敢先谏。散骑常侍领著作郎孙绰[206]上疏曰："昔中宗龙飞[207]，非惟信顺协于天人[208]，实赖万里长江画而守之[209]耳。今自丧乱已来[210]，六十余年，河、洛[211]丘墟，函、夏[212]萧条。士民播流江表，已经数世[213]，存者老子长孙[214]，亡者丘陇成行[215]。虽北风之思[216]感其素心[217]，目前之哀[218]实为交切[219]。若迁都旋轸[220]之日，中兴五陵[221]，即复缅成遐域[222]。泰山之安既难以理保[223]，烝烝之思[224]岂不缠于圣心哉？温今此

【语译】

哀皇帝

隆和元年（壬戌，公元三六二年）

春季，正月二十日壬子，东晋实行大赦，改年号为隆和。

二十二日甲寅，东晋开始减轻百姓的田租，由原来的每亩地征收三升米减少为每亩地征收二升米。

燕国担任豫州刺史的孙兴请求率军攻打东晋驻防的洛阳，孙兴说："东晋将领陈祐率领着一千多名老弱残兵，独守一座孤城，很容易攻取。"燕国朝廷听取了孙兴的意见，遂派遣担任宁南将军的吕护屯驻于河阴。

二月初十日辛未，东晋任命吴国内史庾希为北中郎将、徐兖二州刺史，镇所设在下邳，任命龙骧将军袁真为西中郎将、监护豫司并冀四州诸军事、豫州刺史，镇所设在汝南，对庾希与袁真全都授予"假节"的权号。庾希，是庾冰的儿子。

二月十五日丙子，东晋皇帝司马丕尊奉自己的生母周贵人为皇太妃，所使用的仪仗和穿戴的服饰都与皇太后相同。

燕国宁南将军吕护率军攻打东晋统辖之下的洛阳。三月乙酉日，东晋担任河南郡太守的戴施逃往宛城，担任冠军将军的陈祐向朝廷告急。五月二十七日丁巳，桓温派遣庾希以及担任竟陵太守的邓遐率领三千名水军协助陈祐戍守洛阳。邓遐，是邓岳的儿子。

东晋桓温上疏朝廷请求将都城迁往洛阳，同时请求把西晋永嘉之乱后流亡到长江以南的难民，一律迁回北方，以充实河南郡的人口。朝廷惧怕桓温，不敢表达反对的意见。而北方的中原地区，早已没有了往日的繁华，土地荒芜，人烟稀少，一片萧条景象，因此人心惶恐不安，虽然知道不可以那样做，却没有人敢先站出来阻止。担任散骑常侍兼著作郎的孙绰上疏给朝廷说："过去中宗皇帝司马睿在江南建立王朝，不仅仅是其信义与顺从得到了上天与百姓的认可，实际上还有赖于万里长江给南北双方划出了各自防守的界线。现在距离当年的八王之乱、五胡乱华以来，已经过去了六十多年，东都洛阳一带早已成为一片废墟，中原地区一派萧条。士大夫和普通民众流亡江南，也已经过去了好几代，现在还活着的人，当年为人儿子的年轻人已经进入老年，当年为人孙子的小儿已经长大成人，死去者的坟墓已经成行成列。虽然在北风刮起的时候，总免不了要引起对北方故土的思念，然而，眼下北方形势的艰难与以往北伐失败的哀痛，更加令人感到迫切。如果迁都成为既定的事实，车马回转洛阳之日，中兴以来埋在建康附近的五座皇帝陵寝则被远远地抛弃在江南，又将成为当今皇帝所朝思暮想的地方。以理推断，迁都洛阳，与北方民族争高下，很难保证洛阳能像泰山那样稳固平安；而对中兴五陵的深切思念，岂不又将日

举，诚欲大览始终[225]，为国远图[226]。而百姓震骇，同怀危惧[227]，岂不以反旧之乐赊[228]，而[7]趋死之忧促[229]哉？何者[230]？植根江外[231]，数十年矣，一朝顿欲拔之[232]，驱蹙于穷[8]荒之地[233]，提挈万里[234]，逾险浮深[235]，离坟墓[236]，弃生业[237]，田宅不可复售[238]，舟车无从而得，舍安乐之国，适习乱之乡[239]，将顿仆[240]道涂，飘溺[241]江川，仅有达者[242]。此仁者所宜哀矜[243]，国家所宜深虑也。臣之愚计，以为且宜遣将帅有威名资实[244]者，先镇洛阳，扫平梁、许[245]，清壹河南[246]。运漕之路[247]既通，开垦之积已丰，豺狼远窜[248]，中夏小康[249]，然后可徐议迁徙耳。奈何舍[250]百胜之长理，举天下而一掷[251]哉！”绰，楚[252]之孙也。少慕高尚[253]，尝著《遂初赋》[254]以见志。温见绰表，不悦，曰：“致意兴公[255]，何不寻君《遂初赋》[256]，而知人家国事邪[257]！”

时朝廷忧惧，将遣侍中止温。扬州刺史王述[258]曰：“温欲以虚声威朝廷[259]耳，非事实也。但从之[260]，自无所至[261]。”乃诏温曰：“在昔丧乱[262]，忽涉五纪[263]，戎狄肆暴，继袭凶迹[264]，眷言西顾[265]，慨叹盈怀。知欲躬帅三军[266]，荡涤氛秽[267]，廓清中畿[268]，光复旧京[269]，非夫外身徇国[270]，孰能若此？诸所处分[271]，委之高筭[272]。但河、洛丘墟，所营者广[273]，经始之勤[274]，致劳怀也[275]。”事果不行。温又议移洛阳钟虡[276]。述曰：“永嘉不竞[277]，暂都江左。方当荡平区宇[278]，旋轸旧京[279]。若其不尔[280]，宜改迁园陵[281]，不应先事钟虡[282]。”温乃止。

朝廷以交、广辽远，改授温都督并、司、冀三州[283]，温表辞不受[284]。

夜萦绕在陛下的心中？桓温今天的迁都之举，确实是综观前后，为国家利益做出的长远考虑。然而百姓震恐惊骇，都害怕一败涂地，难道不是因为返回故乡的欢乐还很遥远，而死亡的忧虑近在眼前吗？为什么会这样说呢？因为他们将根扎在江南已经几十年了，一旦要将他们连根拔起，驱赶他们前往一片穷荒破落的地方去，还要扶老携幼地跋涉万里之遥，路途之上要翻越险峻的高山、渡过深不可测的溪水河流，离开埋葬在江南的父、祖的坟墓，抛弃了自己所熟悉的赖以谋生的职业，田产屋宅不可能再出售给别人，舟船车辆更无从获得，舍弃了平安快乐的国土，前往那还处在战乱中的故乡，势必困顿、倒毙于路途之上，漂浮、沉溺于河流溪水之中，能够抵达目的地的人肯定是少而又少。这是心怀仁慈的人所应该哀怜，国家应该深思熟虑的。依照我的看法，目前应该派遣那些有威望、有资历、有实际才能的将帅，先往洛阳镇守，扫平梁州、许昌一带，彻底清除黄河以南地区的贼寇，统一黄河以南。全国各地向洛阳运送粮食的道路畅通无阻，开荒垦田的积蓄已经丰富，占领中原地区的少数民族都已经被赶走，中原地区的人民生活基本呈现小康状态，到那时才可以慢慢地商议将都城迁往洛阳之事。为什么要放弃百战不殆的正确路线而不顾，偏要冒毫无把握的风险把整个国家拿来做孤注一掷呢！”孙绰，是孙楚的孙子，他从小就不屑于仕途，希望能当一名隐士，曾经写作了一篇《遂初赋》以表达自己的心志。桓温看了孙绰所上的表章，心里很不高兴地说：“你们替我问问孙绰，为何不把自己的《遂初赋》找出来，按照里面所说的去做一个隐士，而要跑出来过问别人所管的国家大事！”

当时，东晋朝廷上下忧惧，于是便准备派侍中去阻止桓温。担任扬州刺史的王述说：“桓温只不过是想以大话来威吓朝廷群臣罢了，并不是真心想要迁都。尽管随他去办，他什么也办不成。”于是朝廷下诏给桓温说：“自从遭遇那次国破家亡，已经很快地过去了六十年，戎狄肆虐于中原，一代接一代地继续着他们的罪恶活动，回顾已经沦陷多年的旧日都城，感慨悲怆之情不由得盈满胸怀。听说将军准备亲自率领三军，去扫除中原地区的一切妖风邪气，光复旧都，倘若不是将生死置之度外，抱定以身殉国的雄心壮志，谁能够做到这样？你的各项安排，可以委派有能力的僚属去分别进行。只是洛阳一带早已是一片废墟，需要做的事情还很多，开始经营的辛劳，是很让人伤脑筋的。”迁都洛阳之事，桓温果然不再提起。桓温又建议将洛阳城中旧日朝廷与宗庙里所陈列与使用的钟虡全部搬迁到建康来。扬州刺史王述说：“永嘉以来，国力不强，只得暂且把江南建康作为都城。目前我们正要扫平天下，统一全国，将都城迁回旧京洛阳。如果办不到，也应该先把洛阳历任先皇的陵墓迁往江东，而不应该先搬迁钟虡。”桓温于是打消了搬迁钟虡的念头。

东晋朝廷因为交州、广州距离京师建康路途遥远，遂改任桓温为都督并、司、冀三州，桓温上表推辞，不肯接受这一任命。

秦王坚亲临太学，考第[285]诸生经义[286]，与博士[287]讲论，自是每月一至焉。

六月甲戌[288]，燕征东参军刘拔刺杀征东将军、冀州刺史、范阳王友于信都[289]。

秋，七月，吕护退守小平津[290]，中流矢而卒。燕将段崇收军北渡，屯于野王。邓遐进屯新城[291]。八月，西中郎将袁真进屯汝南，运米五万斛以馈洛阳。

冬，十一月，代王什翼犍纳女于燕[292]，燕人亦以女妻之。

十二月戊午朔[293]，日有食之。

庾希自下邳退屯山阳[294]，袁真自汝南退屯寿阳[295]。

兴宁元年（癸亥，公元三六三年）

春，二月己亥[296]，大赦，改元。

三月壬寅[297]，皇太妃周氏[298]薨于琅邪第。癸卯[299]，帝就第治丧，诏司徒会稽王昱总内外众务。帝欲为太妃服三年[300]，仆射江虨启："于礼应服缌麻[301]。"又欲降服期[302]，虨曰："厌屈私情[303]，所以上严祖考[304]。"乃服缌麻。

夏，四月，燕宁东将军慕容忠攻荥阳太守刘远，远奔鲁阳[305]。

五月，加征西大将军桓温侍中、大司马、都督中外诸军、录尚书事，假黄钺[306]。温以抚军司马王坦之为长史[307]。坦之，述之子也。又以征西掾郗超[308]为参军，王珣[309]为主簿，每事必与二人谋之，府中为之语曰："髯参军[310]，短主簿[311]，能令公喜，能令公怒。"温气概高迈，罕有所推，与超言，常自谓不能测[312]，倾身待之[313]，超亦深自结纳[314]。珣，导之孙也，与谢玄[315]皆为温掾，温俱重之。曰："谢掾年四十必拥旄杖节[316]，王掾当作黑头公[317]，皆未易才[318]也。"玄，奕之子也。

以西中郎将袁真都督司、冀、并三州诸军事，北中郎将庾希都督青州诸军事。

癸卯[319]，燕人拔密城[320]，刘远奔江陵。

秦王苻坚亲自前往太学，用儒家经典的义理测试学生，按照成绩评定名次，并与国子博士一起研讨儒家经典，从此之后，每月都到太学来一次。

六月十五日甲戌，燕国担任征东参军的刘拔在信都刺杀了征东将军、冀州刺史、范阳王慕容友。

秋季，七月，吕护被迫退守小平津，不幸被流矢射死。燕国将领段崇集结其残兵败将渡过黄河北上，将军队屯扎在野王。东晋竟陵太守邓遐率军进驻新城。八月，东晋西中郎将袁真率军进驻汝南，为洛阳守军运送了五万斛稻米。

冬季，十一月，代王拓跋什翼犍把自己的女儿献给燕主慕容暐，燕国也把皇室的女儿嫁给什翼犍为妻。

十二月初一日戊午，发生日食。

东晋庾希率军从下邳撤退到山阳，西中郎将袁真率军从汝南撤退到寿阳。

兴宁元年（癸亥，公元三六三年）

春季，二月己亥日，东晋实行大赦，改年号为兴宁。

三月十七日壬寅，东晋皇太妃周氏在琅邪王府邸去世。十八日癸卯，东晋哀帝司马丕前往琅邪王府为自己的生母周氏皇太妃主持丧事，下诏命担任司徒的会稽王司马昱总理朝廷内外政务。司马丕想为皇太妃服丧三年，担任仆射的江彪启奏说："按照礼仪规定，陛下只能穿用疏织细麻布制成的孝服，服丧三个月。"司马丕又想降低服丧等级，为皇太妃穿一年的丧服，江彪说："克制自己的私情，正是为了对先祖统系的尊重。"司马丕于是只为周太妃穿三个月的丧服。

夏季，四月，燕国担任宁东将军的慕容忠率领燕军攻打东晋荥阳太守刘远，刘远放弃了荥阳，逃往鲁阳。

五月，东晋加授征西大将军桓温为侍中、大司马、都督中外诸军事、录尚书事，同时授予其代表得以征伐、生杀大权的黄钺。桓温任用担任抚军司马的王坦之为长史。王坦之，是王述的儿子。又任用担任征西掾的郗超为参军，任用王珣为主簿，遇事必定与这两个人商议，征西大将军府中因此编出这样的话说："多髯的参军，矮个的主簿，能让桓将军喜，能使桓将军怒。"桓温气度高雅豪迈，很少推崇别人，但与郗超谈话时，常常认为自己摸不透郗超的思想，所以对郗超虚心相待，郗超也极力与桓温搞好关系。王珣，是王导的孙子，与谢玄同时充任桓温的掾属，桓温对他们都很器重。桓温曾经说："谢玄四十岁的时候必定能成为拥旄杖节的大将，王珣头发乌黑的时候，就会位列三公，谢玄、王珣都是不可多得的英才。"谢玄，是谢奕的儿子。

东晋任命担任西中郎将的袁真为都督司、冀、并三州诸军事，任命北中郎将庾希为都督青州诸军事。

七月二十日癸卯，燕军攻克了东晋所属的密城，荥阳太守刘远又从鲁阳逃往江陵。

秋，八月，有星孛于角、亢[321]。

张玄靓祖母马氏卒，尊庶母[322]郭氏为太妃[323]。郭氏以张天锡专政，与大臣张钦等谋诛之，事泄，钦等皆死。玄靓惧，以位让天锡，天锡不受。右将军刘肃等劝天锡自立。闰月[324]，天锡使肃等夜帅兵入宫弑玄靓，宣言暴卒[325]，谥曰冲公。天锡自称使持节、大都督、大将军、凉州牧、西平公，时年十八。尊母刘美人[326]曰太妃。遣司马纶骞[327]奉章诣建康请命[328]，并送御史俞归[329]东还。

癸亥[330]，大赦。

冬，十月，燕镇南将军慕容尘攻陈留太守袁披于长平[331]。汝南太守朱斌乘虚袭许昌，克之。

代王什翼犍击高车[332]，大破之，俘获万余口，马、牛、羊百余万头。

以征虏将军桓冲[333]为江州刺史。十一月，姚襄故将张骏[334]杀江州督护赵毗，帅其徒北叛，冲讨斩之。

二年（甲子，公元三六四年）

春，正月丙辰[335]，燕大赦。

二月，燕太傅评、龙骧将军李洪略地河南。

三月庚戌朔[336]，大阅户口[337]，令所在土断[338]，严其法制[339][9]，谓之“庚戌制”。

帝信方士言，断谷饵药[340]，以求长生。侍中高崧谏曰：“此非万乘[341]所宜为。陛下兹事[342]，实日月之食[343]。”不听。辛未[344]，帝以药发，不能亲万机，褚太后复临朝摄政[345]。

夏，四月甲辰[346]，燕李洪攻许昌、汝南，败晋兵于悬瓠[347]。颍川太守李福战死，汝南太守朱斌奔寿春，陈郡太守朱辅退保彭城。大司马温遣西中郎将袁真等御之，温帅舟师屯合肥。燕人遂拔许昌、汝南、陈郡，徙万余户于幽、冀二州，遣镇南将军慕容尘屯许昌。

秋季，八月，有彗星出现在角星、亢星两个星座的附近。

张玄靓的祖母马氏去世，张玄靓遂尊奉生母郭氏为太妃。郭氏因为张天锡独揽朝政，遂与大臣张钦等密谋除掉张天锡，事情泄露，张钦等参与此事的大臣全都被张天锡处死。张玄靓很恐惧，就将自己的权位让于张天锡，张天锡没有接受。担任右将军的刘肃等人便劝说张天锡自立。闰八月，张天锡派刘肃等人率军趁黑夜冲入宫中，杀死了张玄靓，对外宣称张玄靓是暴病身亡，给张玄靓上的谥号是冲公。张天锡于是自称使持节、大都督、大将军、凉州牧、西平公，当时张天锡只有十八岁。张天锡尊奉自己的母亲刘美人为太妃。然后派担任司马的纶骞带着表章前往东晋的都城建康请求东晋朝廷照准、加封自己所称的一系列爵位与官号，同时把御史俞归送回东晋。

九月十一日癸亥，东晋实行大赦。

冬季，十月，燕国镇南将军慕容尘率军前往长平县攻打东晋陈留太守袁披。东晋汝南太守朱斌趁敌人后方防守空虚之机，率军攻打许昌，将许昌攻克。

代王拓跋什翼犍率军袭击敕勒人，将敕勒人打败，俘获了一万多人口，劫掠的马、牛、羊有一百多万头。

东晋任命担任征虏将军的桓冲为江州刺史。十一月，姚襄的故将张骏杀死了担任江州督护的赵毗，率领自己的部众叛变，向北逃走，江州刺史桓冲率军讨伐，将张骏斩首。

二年（甲子，公元三六四年）

春季，正月初六日丙辰，燕国实行大赦。

二月，燕国太傅慕容评、龙骧将军李洪率军攻取黄河以南地区。

三月初一日庚戌，东晋进行大规模的户口普查，不论是江南的本地人还是那些从北方流亡到江南的侨民，一律把户口落实在现在所居住的郡县，并在此地纳税服役，要求严格执行这项规定，人们称这项规定为“庚戌制”。

东晋皇帝司马丕特别相信那些方士的话，不吃五谷，专门吃药，以求长生不老。担任侍中的高崧劝谏司马丕说：“拥有万乘兵车的皇帝不应该做这种事情。陛下如此行为，就像日食、月食一样，出现了污点，全国的人都会知道。”司马丕不听高崧的劝告。三月二十二日辛未，哀帝司马丕因为服用的长生不老药毒性发作，不能亲自处理朝政，皇太后褚氏再次临朝摄政。

夏季，四月二十五日甲辰，燕国龙骧将军李洪率领燕军攻打东晋的许昌、汝南，在悬瓠打败了东晋的军队。东晋颍川太守李福战死，汝南太守朱斌丢弃了汝南逃往寿春，陈郡太守朱辅撤退到彭城据守。大司马桓温派遣西中郎将袁真等率军抵御燕军的进攻，桓温亲自率领水军屯驻在合肥。燕军攻占了东晋的许昌、汝南、陈郡之后，把一万多户居民强行迁往幽州、冀州，同时派镇南将军慕容尘率军镇守许昌。

五月戊辰[348]，以扬州刺史王述为尚书令。加大司马温扬州牧、录尚书事。壬申[349]，使侍中召温入参朝政。温辞不至。

王述每受职，不为虚让，其所辞必于不受[350]。及为尚书令，子坦之白述："故事当让[351]。"述曰："汝谓我不堪邪?"坦之曰："非也，但克让[352]自美事耳。"述曰："既谓堪之，何为复让?人言汝胜我，定不及也。"

六月，秦王坚遣大鸿胪拜张天锡为大将军、凉州牧、西平公。

秋，七月丁卯[353]，诏复征大司马温入朝。八月，温至赭圻[354]，诏尚书车灌[355]止之[356]，温遂城赭圻居之，固让内录[357]，遥领[358]扬州牧。

秦汝南公腾谋反，伏诛。腾，秦主生之弟也。是时，生弟晋公柳等犹有五人。王猛言于坚曰："不去五公，终必为患。"坚不从。

燕侍中慕舆龙诣龙城，徙宗庙及所留百官皆诣邺。

燕太宰恪将取洛阳，先遣人招纳[359]士民，远近诸坞[360]皆归之，乃使司马悦希[361]军于盟津，豫州刺史孙兴军于成皋。

初，沈充之子劲，以其父死于逆乱[362]，志欲立功以雪旧耻。年三十余，以刑家不得仕[363]。吴兴太守王胡之为司州刺史，上疏称劲才行[364]，请解禁锢[365]，参其府事[366]。朝廷许之。会胡之以病不行。及燕人逼洛阳，冠军将军陈祐守之，众不过二千。劲自表[367]求配祐效力，诏以劲补冠军长史，令自募壮士，得千余人以行。劲屡以少击燕众，摧破之。而洛阳粮尽援绝，祐自度不能守，乃以救许昌为名，九月，留劲以五百

五月二十日戊辰，东晋任命担任扬州刺史的王述为尚书令。加授大司马桓温为扬州牧、录尚书事。二十四日壬申，朝廷派侍中召请桓温入朝主持朝政。桓温推辞，没有前往。

担任尚书令的王述每次接受职务任命，从来不虚情假意地进行辞让，如果是他推辞的职务，他就绝对不会接受。等到朝廷任命他为尚书令时，他的儿子王坦之对他说："按照以往的惯例，都应该表示一回辞让。"王述说："难道你认为我胜任不了此项工作吗？"王坦之说："不是这个意思，只是觉得能够表示谦让总是一件美事。"王述说："既然认为我能够胜任，何必还要谦让？人们都说你的才能胜过我，我看还比不上我呢。"

六月，秦王苻坚派遣大鸿胪前往凉州任命张天锡为大将军、凉州牧、西平公。

秋季，七月二十日丁卯，东晋朝廷再次征召大司马桓温入朝主持朝政。八月，桓温奉召东下，已经到达春谷县的赭圻，朝廷又下诏让担任尚书郎的车灌制止桓温入朝，桓温遂在赭圻筑城暂住，他坚决拒绝入朝担任录尚书事的职务，只遥领扬州牧。

秦国的汝南公苻腾谋反，被杀。苻腾，是故秦主苻生的弟弟。当时，苻生的弟弟还有晋公苻柳、淮南公苻幼、魏公苻廋、燕公苻武以及苻腾五个人。王猛对秦王苻坚说："不除掉苻柳、苻幼等五个公爵，最终必定会给国家带来祸患。"苻坚没有听从王猛的意见。

燕国担任侍中的慕舆龙前往旧都龙城，把龙城的宗庙以及留守龙城的文武百官全部迁往邺城。

燕国太宰慕容恪准备率军攻取东晋据守的洛阳，他先派人去洛阳一带招募士民，洛阳附近各个民间自卫坞堡的武装居民全都归附了燕国，然后才派担任司马的悦希率军驻扎于盟津，派担任豫州刺史的孙兴率军驻扎于成皋。

当初，东晋大臣沈充的儿子沈劲，因为自己的父亲跟随王敦谋反而被杀，所以立志要为国家建立功勋以洗刷父亲带给家族的耻辱。当时沈劲已经三十多岁了，因为是叛臣的家属，所以不能进入仕途。担任吴兴太守的王胡之升任司州刺史，他上疏给朝廷，极力称赞沈劲的才能和品德，请求朝廷解除对沈劲的政治禁锢，允许沈劲参与自己刺史府的事务。朝廷批准了王胡之的请求。不巧的是，此时王胡之忽然患病，没能前往司州赴任。等到燕国军队逼近洛阳，只剩担任冠军将军的陈祐守卫洛阳，而陈祐属下的部众不过是不足二千人的老弱病残。沈劲于是给朝廷上疏自荐，请求隶属陈祐，为国效力，朝廷于是下诏，任命沈劲为冠军将军陈祐属下的长史，让他自己招募人马，沈劲招募了一千多人之后，便率领着向洛阳进发。沈劲多次以很少的兵力袭击人数众多的燕军，而且每次都取得了胜利。然而洛阳城中已经是粮食吃尽、外援断绝，陈祐估计自己守不住洛阳，就以救援许昌为名，九月，他留下

人守洛阳，祐帅众而东。劲喜曰："吾志欲致命[368]，今得之矣！"祐闻许昌已没，遂奔新城[369]。燕悦希引兵略河南诸城，尽取之。

秦王坚命公国各置三卿[370]，并余官皆听自采辟[371]，独为置郎中令[372]。富商赵掇等车服僭侈[373]，诸公竞引以为卿[374]。黄门侍郎安定程宪言于坚[10]，请治之[375]，坚乃下诏称："本欲使诸公延选英儒[376]，乃更猥滥[377]如是！宜令有司推检[378]，辟召非其人[379]者，悉降爵为侯，自今国官[380]皆委之铨衡[381]。自非命士[382]已上，不得乘车马，去京师百里内[383]，工商皂隶[384]不得服金银锦绣，犯者弃市。"于是平阳、平昌、九江、陈留、安乐五公皆降爵为侯。

三年（乙丑，公元三六五年）

春，正月庚申[385]，皇后王氏崩。

刘卫辰复叛代[386]，代王什翼犍东渡河[387]，击走之。

什翼犍性宽厚，郎中令许谦盗绢二匹，什翼犍知而匿[388]之，谓左长史燕凤曰："吾不忍视谦之面，卿慎勿泄[11]。若谦惭而自杀，是吾以财杀士[389]也。"尝讨西部叛者，流矢中目。既而获射者，群臣欲脔割之，什翼犍曰："彼各为其主斗耳，何罪！"遂释之。

大司马温移镇姑孰[390]。二月乙未[391]，以其弟右将军豁监荆州、扬州之义城[392]、雍州之京兆[393]诸军事，领[394]荆州刺史，加江州刺史桓冲监江州及荆、豫八郡[395]诸军事，并假节[396]。

司徒昱闻陈祐弃洛阳，会大司马温于洌洲[397]，共议征讨。丙申[398]，帝崩于西堂[399]，事遂寝[400]。

帝无嗣，丁酉[401]，皇太后诏以琅邪王奕[402]承大统，百官奉迎于琅邪第，是日，即皇帝位，大赦。

沈劲率领五百人守卫洛阳，自己则率军东下。沈劲兴奋地说：“我立志要为国捐躯，现在我可以如愿以偿了！”陈祐听到许昌已经陷落的消息，就投奔了新城。燕国悦希率领燕军攻取东晋河南郡所属的各城，全部攻克。

秦王苻坚下令各公爵府都要设置三卿，连同其他官职，都由公爵自行遴选、任命，只有郎中令一个职务由朝廷委任。富商赵掇等所乘坐的车马、身上的服饰，其豪华奢侈程度都超越了国家的等级规定，各公爵都争相任用这些富商作为自己的僚属。担任黄门侍郎的安定人程宪把这一情况向苻坚说了，请求苻坚对赵掇等人予以惩治，苻坚于是下诏说：“我的本意是希望诸位公爵能够借此机会延聘、选拔那些有才学的儒生到自己身边，不料诸公所任用的人员竟然如此的低俗而杂乱！现在就令有关部门进行追究、审查，凡是选拔、任用了不合格的人，一律从公爵降为侯爵，从今以后，诸公国的所有属官一律由朝廷的吏部负责进行选拔和委任。除了接受朝廷任命的官员与有身份的人，一律不准乘车骑马，距离京师方圆一百里以内，凡是从事手工业者、商人与奴隶，都不准佩戴金银饰物，不准穿绸缎衣服，违反者一律斩首示众。”按照这一规定，平阳、平昌、九江、陈留、安乐五位公爵都被降为侯爵。

三年（乙丑，公元三六五年）

春季，正月十六日庚申，东晋司马丕的皇后王氏去世。

匈奴部落酋长刘卫辰又背叛了代国，代王拓跋什翼犍率军从东向西渡过黄河，将刘卫辰打跑。

代王拓跋什翼犍性情宽和仁厚，担任郎中令的许谦偷盗了二匹绢，代王什翼犍知道此事后，就替他隐瞒下来，什翼犍对担任左长史的燕凤说：“我不忍心看许谦的脸，你千万不要泄露。如果许谦因为惭愧而自杀，岂不等于我为了一点财物而杀死了一位士人。”什翼犍曾经亲自率军讨伐西部的叛逆者，被流矢射中了眼睛。后来他抓获了那个射他的人，群臣全都想将那人一点一点地割为碎块，什翼犍说：“他也是为了自己的主人而战斗，何罪之有！”于是将那个人释放。

东晋大司马桓温将镇所从赭圻迁往姑孰。二月二十一日乙未，桓温任用自己的弟弟、担任右将军的桓豁担任荆州、扬州之义成、雍州之京兆诸军事，同时兼任荆州刺史，加授担任江州刺史的桓冲为江州之西阳、谯郡，荆州之江夏、随郡，豫州之汝南、西阳、新蔡、颍川总计八郡诸军事，桓豁、桓冲都为假节。

东晋担任司徒的会稽王司马昱听到陈祐放弃了洛阳的消息，遂前往洌洲会见大司马桓温，与桓温一同商议讨伐燕国之事。二月二十二日丙申，东晋哀帝司马丕在建康宫太极殿的西堂驾崩，讨伐燕国之事便被搁置下来。

晋哀帝司马丕没有子嗣，二十三日丁酉，皇太后褚氏下诏，令琅邪王司马奕承继大统，满朝文武百官遂前往琅邪王府邸奉迎司马奕，当天，司马奕即皇帝位，实行大赦。

秦大赦，改元建元。

燕太宰恪、吴王垂共攻洛阳。恪谓诸将曰："卿等常患吾不攻，今洛阳城高而兵弱，易克也，勿更畏懦而怠惰。"遂攻之。三月，克之，执扬武将军沈劲。劲神气自若，恪将宥[403]之。中军将军慕舆虔曰："劲虽奇士，观其志度[404]，终不为人用。今赦之，必为后患。"遂杀之。恪略地至崤、渑[405]，关中大震，秦王坚自将屯陕城[406]以备之。

燕人以左中郎将慕容筑为洛州刺史，镇金墉[407]；吴王垂为都督荆、扬、洛、徐、兖、豫、雍、益、凉、秦十州诸军事、征南大将军、荆州牧，配兵一万，镇鲁阳[408]。

太宰恪还邺，谓僚属曰："吾前平广固，不能济辟闾蔚[409]，今定洛阳，使沈劲为戮[410]。虽皆非本情，然身为元帅，实有愧于四海。"朝廷嘉劲之忠，赠东阳太守。

臣光曰："沈劲可谓能为[12]子[411]矣！耻父之恶，致死以涤之，变凶逆之族为忠义之门。《易》曰：'干父之蛊，用誉[412]。'《蔡仲之命》[413]曰：'尔尚盖前人之愆[414]，惟忠惟孝。'其是之谓乎[415]？"

太宰恪为将不事[416]威严，专用恩信，抚士卒务综大要[417]，不为苛令[418]，使人人得便安。平时营中宽纵，似若可犯。然警备严密，敌至莫能近者，故未尝负败[419]。

壬申[420]，葬哀帝及静皇后[421]于安平陵。

夏，四月壬午[422]，燕太尉武平匡公封奕[423]卒。以司空阳骛为太尉，侍中、光禄大夫皇甫真为司空，领中书监。骛历事四朝[424]，年耆望重，自太宰恪以下皆拜之。而骛谦恭谨厚，过于少时。戒束[425]子孙，虽朱紫罗列[426]，无敢违犯其法度者。

秦国实行大赦，改年号为建元。

燕国太宰慕容恪、吴王慕容垂率军进攻洛阳。慕容恪对诸将说："你们过去总是担心我不向敌人发动猛烈进攻，如今洛阳城墙虽然高大，而守卫洛阳的军队力量却很薄弱，很容易攻克，因此不许畏敌不前，心生怯懦与怠惰。"遂下令攻城。三月，燕军攻克了洛阳，活捉了东晋守将扬武将军沈劲。沈劲虽然被俘，却神态自若，慕容恪准备赦免他。担任中军将军的慕舆虔说："沈劲虽然是一个难得的奇才，然而观察他的志向和气度，绝对不会为我国所用。现在赦免了他，以后必然成为我们的祸患。"慕容恪于是下令杀死了沈劲。燕国慕容恪大军已经推进到了崤山、渑池，关中大为震动，秦王苻坚亲自率军屯扎在陕城以防备燕军。

燕国朝廷任命担任左中郎将的慕容筑为洛州刺史，镇所设在金墉城；任命吴王慕容垂为都督荆、扬、洛、徐、兖、豫、雍、益、凉、秦十州诸军事、征南大将军、荆州牧，配备一万人军队，镇守鲁阳。

燕国太宰慕容恪返回京师邺城，他对僚属说："我从前打败段龛、攻克广固的时候，没能救活辟闾蔚，如今平定洛阳，又使沈劲被杀。虽然都不是出自我的本意，然而我身为元帅，实在有愧于天下。"东晋朝廷为表彰沈劲对国家的忠诚，追赠沈劲为东阳太守。

司马光说："沈劲可以算得上是一个好儿子了！他对自己父亲参与叛乱的罪行深感耻辱，就用效忠而死来洗刷这种耻辱，把凶恶叛逆的家族改成了忠义之门。《易经·蛊卦》上说：'能改变父亲留下的坏名声，因此受到称赞。'《尚书·蔡仲之命》说：'善于为前人掩盖过失，只有用忠和孝。'所说的就是沈劲这类的事情吗？"

燕国太宰慕容恪担任大军统帅，不讲究威严，专门使用恩德和诚信，抚恤士卒时讲究抓主要问题，不制定酷苛、烦琐的法令，使每个人在军中都感到很随意、很踏实。平时军营之中，军纪很宽松，好像很容易被击败。然而警戒非常严密，敌人根本无法接近，所以从来没有失败过。

三月二十九日壬申，东晋将晋哀帝司马丕以及静皇后安葬于安平陵。

夏季，四月初九日壬午，燕国担任太尉的武平匡公封奕去世。燕国又任命担任司空的阳骛为太尉，接替已故的封奕，任命担任侍中、光禄大夫的皇甫真为司空，兼任中书监。阳骛一连侍奉燕国的慕容廆、慕容皝、慕容儁、慕容暐四代君主，年过六旬，德高望重，上至太宰慕容恪，下及朝中的诸位官员都向他行跪拜礼。而阳骛在为人谦虚恭敬、处事谨慎厚道方面，更超过了自己年少的时候。他管教、约束自己的子孙，即使子孙中已经有不少人官高爵显，也没有人敢违犯他的家法。

六月戊子[427]，益州刺史建城襄公周抚[428]卒。抚在益州三十余年[429]，甚有威惠。诏以其子犍为太守楚[430]代之。

秋，七月己酉[431]，徙会稽王昱复为琅邪王[432]。

壬子[433]，立妃庾氏为皇后。后，冰之女也。

甲申[434]，立琅邪王昱子昌明为会稽王。昱固让，犹自称会稽王。

匈奴右贤王曹毂、左贤王刘卫辰皆叛秦。毂帅众二万寇杏城[435]，秦王坚自将讨之，使卫大将军李威、左仆射王猛辅太子宏留守长安。八月，坚击毂，破之，斩毂弟活，毂请降，徙其豪杰六千余户于长安。建节将军邓羌讨卫辰，擒之于木根山[436]。

九月，坚如朔方[437]，巡抚诸胡。

冬，十月，征北将军、淮南公幼[438]帅杏城之众乘虚袭长安，李威击斩之。

鲜卑秃发椎斤卒，年一百一十，子思复鞬代统其众。椎斤，树机能[439]从弟务丸之孙也。

梁州刺史司马勋为政酷暴，治中、别驾[440]及州之豪右[441]言语忤意，即于坐枭斩之，或亲射杀之。常有据蜀[442]之志，惮周抚，不敢发。及抚卒，勋遂举兵反。别驾雍端、西戎司马隗粹切谏，勋皆杀之，自号梁、益二州牧，成都王。十一月，勋引兵入剑阁[443]，攻涪[444]，西夷校尉毋丘暐弃城走。乙卯[445]，围益州刺史周楚于成都。大司马温表[446]鹰扬将军江夏相义阳朱序[447]为征讨都护以救之。

秦王坚还长安，以李威守太尉[448]，加侍中。以曹毂为雁门公，刘卫辰为夏阳公，各使统其部落。

十二月戊戌[449]，以尚书王彪之为仆射[450]。

六月十六日戊子，东晋担任益州刺史的建城襄公周抚去世。周抚在益州任职三十多年，在益州很有威望，益州人得到周抚不少的恩惠。东晋皇帝司马奕下诏任命周抚的儿子、担任犍为太守的周楚接替周抚为益州刺史。

秋季，七月初七日己酉，东晋皇帝司马奕改封会稽王司马昱复为琅邪王。

初十日壬子，东晋皇帝司马奕封王妃庾氏为皇后。庾皇后，是庾冰的女儿。

八月十三日甲申，东晋皇帝司马奕封琅邪王司马昱的儿子司马昌明为会稽王。司马昱坚决辞让，还是自称会稽王。

匈奴右贤王曹毂、左贤王刘卫辰全都背叛了秦国。曹毂率领二万部众劫掠杏城，秦王苻坚亲自率军讨伐曹毂，他派担任卫大将军的李威、担任左仆射的王猛辅佐太子苻宏留守京都长安。八月，秦王苻坚率领大军进攻匈奴右贤王曹毂，将曹毂打败，斩杀了曹毂的弟弟曹活，曹毂向秦王苻坚请求投降，秦王苻坚将曹毂部落中的豪族以及有影响力的人物一共六千多户强制迁徙到长安。秦国建节将军邓羌率军讨伐匈奴左贤王刘卫辰，在木根山将刘卫辰活捉。

九月，秦王苻坚前往朔方，巡视、安抚那里的胡人。

冬季，十月，秦国担任征北将军、爵位为淮南公的苻幼率领杏城的军队乘虚袭击京师长安，被李威击败、斩杀。

鲜卑部落酋长秃发椎斤去世，享年一百一十岁，秃发椎斤的儿子思复鞬代替他统领部众。秃发椎斤，是鲜卑另一部落首领秃发树机能的堂弟务丸的孙子。

东晋梁州刺史司马勋施政残酷暴虐，在他属下担任治中、别驾的高级僚佐以及梁州的豪族大户，言谈话语之间只要稍微不合他的心意，就立即令人将其从座位上拉出去斩首，有时甚至亲自用箭将其射死。他还常有割据蜀地、独立称王的野心，只是因为惧怕担任益州刺史的周抚，才没敢采取行动。等到周抚一死，司马勋遂起兵谋反。担任别驾的雍端、担任西戎司马的隗粹言辞恳切地劝谏他，他就把他们全都杀死，自称梁、益二州牧、成都王。十一月，司马勋率领军队进入剑阁，攻取涪城，担任西夷校尉的毌丘暐弃城逃走。十五日乙卯，司马勋率军将新任益州刺史的周楚围困在成都城中。东晋大司马桓温上表举荐担任鹰扬将军、江夏相的义阳郡人朱序为征讨都护，率军救援成都。

秦王苻坚返回长安，任命李威代理太尉之职，加授侍中。封曹毂为雁门公，封刘卫辰为夏阳公，依旧让他们统领自己的部落。

十二月二十九日戊戌，东晋朝廷任命担任尚书的王彪之为尚书仆射。

【段旨】

以上为第二段，写晋哀帝隆和元年（公元三六二年）至兴宁三年（公元三六五年）共四年间的大事。主要写了燕将吕护攻晋将戴施、陈祐于洛阳，桓温遣庾希、邓遐率军助守；燕将攻拔许昌、汝南、陈郡，迁万余户于幽、冀。慕容恪欲取洛阳，先招纳四周士民，远近堡坞皆归之。沈充之子沈劲欲改变其父之恶名，上表愿佐陈祐守洛阳，慕容恪、慕容垂等攻克洛阳，沈劲被杀。燕军略地至崤山、渑池，秦国大震；写了桓温表请移都洛阳，并令北来之人一律回归江北。孙绰上疏极言其不可；王述知桓温乃故作姿态，并非真心，建议朝廷答应其请，并予勉励；温又请移洛阳钟虡来南，王述对以"方当荡平区宇，旋轸旧京。若其不尔，宜改迁园陵，不应先事钟虡"。桓温只好作罢；写了益州刺史周抚卒，其子周楚代之。梁州刺史司马勋志欲据蜀自立，入蜀围成都，桓温派江夏相朱序率军救之；写了秦主苻坚亲临太学，考第诸生经义，并与博士讲论，每月一至。苻坚令苻氏诸公皆延英儒为师傅僚佐，有人延引非类，坚遂黜其爵为侯；苻坚之堂兄弟屡有造反，先是苻生之弟苻腾谋反被杀，其后淮南公苻幼欲乘虚袭长安，被守将所斩；写了凉州张玄靓之母欲除张天锡，结果事泄，张玄靓被弑，张天锡自立为西平公；写了晋哀帝辟谷饵药以求长生，因药发不能临朝，太后称制；不久晋哀帝死，其弟海西公司马奕继位。

【注释】

⑱⓪哀皇帝：名丕，字千龄，成帝长子。咸康八年，封琅邪王。公元三六一至三六五年在位。事详《晋书》卷八《哀帝纪》。《谥法》：恭仁短折曰"哀"。⑱①正月壬子：正月二十。⑱②甲寅：正月二十二。⑱③减田租：成帝咸和五年，始丈量百姓田地，每亩国家征收收成的十分之一，即收税米三升。今减税，亩收二升。⑱④弊卒：困弱疲惫之兵。⑱⑤介守：独守。⑱⑥不足取：犹言不堪一击。足，值得。⑱⑦河阴：县名，县治在今河南洛阳东北的黄河南岸。⑱⑧二月辛未：二月初十。⑱⑨汝南：郡名，治所悬瓠城，即今河南汝南。⑲⓪并假节：对庾希、袁真二人都授予"假节"的权号。古代派将出征，有"使持节""持节""假节"三种权号，分别代表着不同程度的生杀之权。⑲①冰：庾冰，庾亮之弟，在成帝、康帝时期曾掌管朝廷大权。⑲②丙子：二月十五。⑲③周贵人：晋哀帝之生母，晋成帝的嫔妃。"贵人"是嫔妃的一种名号。⑲④仪服拟于太后：所使用的仪仗和所穿戴的服饰，都与太后相同。拟，相等、相同。⑲⑤三月乙酉：此语有误，三月朔壬辰，无乙酉日。疑为己酉之误。己酉，三月十八。⑲⑥河南太守：东晋的河南郡太守，河南郡的郡治即今洛阳。⑲⑦戴施奔宛：永和十二年，桓温攻克洛阳后，留戴施镇守洛阳，今畏敌奔宛。宛，古城名，即今河南南阳。⑲⑧五月丁巳：五月二十七。⑲⑨竟陵：晋郡名，郡治

即今湖北钟祥。⑳ 岳：邓岳，原是王敦的部将，王敦失败后，遇赦免罪；后为陶侃将，平郭默有功，为广州刺史。传见《晋书》卷八十一。㉑ 永嘉之乱：指晋怀帝永嘉年间，西晋的都城洛阳沦陷，怀帝被匈奴人所俘，中原沦陷于胡人之手的大事变。“永嘉”是晋怀帝的年号（公元三〇七至三一二年）。㉒ 播流江表：逃难到长江以南。播流，漂泊、流浪。江表，犹言“江外”，长江以南地区。㉓ 一切北徙：一律向北搬迁。㉔ 以实河南：以充实河南郡的人口。桓温上疏建议迁都洛阳，所以要求永嘉之乱流亡到江南的人都迁回河南郡，以充实京师。㉕ 不敢为异：不敢提出反对意见。㉖ 孙绰：字兴公，当时的著名文学家，玄言派诗人，著有《游天台山赋》等。㉗ 中宗龙飞：指晋元帝司马睿在长江以南建立东晋王朝。“中宗”是晋元帝的庙号。人们习惯地用“龙飞”称一个普通人忽然登基做了皇帝。㉘ 信顺协于天人：其信义与顺从得到了上天与百姓的认可。《易大传》曰：“天之所助者顺也，人之所助者信也。”㉙ 画而守之：给作战双方划出了各自防守的界线。画，通“划”，划分界线。㉚ 自丧乱已来：指自八王之乱、五胡乱华以来。㉛ 河、洛：指黄河与洛河流域，即东都洛阳一带。㉜ 函、夏：指函谷关与西京长安一带地区。夏，西周丰、镐与其周围地区。㉝ 已经数世：已经过去了好几代。㉞ 存者老子长孙：还活着的人当年为人子者现已年老，为人孙者也已长大成人。㉟ 亡者丘陇成行：死去者的坟墓，已经成行成列。极言其多。丘陇，也作“丘垄”。小坟叫“丘”，大坟叫“陇”。㊱ 北风之思：指怀念北方故土的心情。古诗有“胡马依北风，越鸟巢南枝”之句，以喻人的思乡之情切。㊲ 感其素心：经常在其心中泛起。素心，经常存在的心思。㊳ 目前之哀：指眼下北方形势的艰难与以往北伐的失败等。㊴ 交切：迫切；急迫。㊵ 迁都旋轸：意指迁回洛阳以后。旋轸，回车，即回归旧都洛阳。轸，车。㊶ 中兴五陵：埋在建康附近的五个东晋皇帝的陵墓，指元帝建平陵、明帝武平陵、成帝兴平陵、康帝崇平陵、穆帝永平陵。㊷ 即复缅成遐域：又立刻成了当今皇帝所朝思暮想的远在异域的东西。缅，思念。㊸ 泰山之安既难以理保：意思是说迁都洛阳，与北方民族争高低，是难以保其必胜的。㊹ 烝烝之思：萦回心头的对中兴五陵的深沉思念。㊺ 大览始终：纵观前后。㊻ 为国远图：为国家做长远打算。㊼ 同怀危惧：都害怕一败涂地。㊽ 反旧之乐赊：打回老家去的美梦过于遥远。赊，遥远。㊾ 趋死之忧促：自寻失败灭亡的痛苦就在眼前。促，紧迫。㊿ 何者：为什么这么说。(231) 植根江外：北方逃到南方来的人都已经在南方扎下根。(232) 一朝顿欲拔之：忽然想把他们都连根拔起。顿，实时、立刻。(233) 驱蹙于穷荒之地：驱赶他们到一片穷荒破落的地方上去。驱蹙，这里意即驱赶。(234) 提挈万里：让他们扶老携幼地颠簸于万里长路。(235) 逾险浮深：跨越险难的高山，渡过深深的大河。(236) 离坟墓：离开新埋在江南的父、祖之坟。(237) 弃生业：抛弃自己所熟悉的谋生的职业。(238) 不可复售：没法再卖给别人。(239) 适习乱之乡：到一个动乱不休的地方去。适，往。习乱，动乱不休。(240) 顿仆：困顿、跌倒。(241) 飘溺：被冲走、被淹死。(242) 仅有达者：只有少数的人能到达目的地。(243) 哀矜：同情；可怜。(244) 资实：有资历、有实际才干。(245) 梁、许：梁国与许昌。梁国的都城在今河南商丘南，许昌古城在今河南许昌东。二城都在洛阳的东南方。㉖清壹河南：扫清和统一整个黄河以南地区。壹，同“一”。㉗运漕之路：全国各地向洛阳运送粮食的道路。陆路运输曰“运”，水路运输曰“漕”。㉘豺狼远窜：占领中原地区的少数民族都已被赶走。㉙中夏小康：中原地区的人民生活呈现小康状态。㉚舍：放弃不顾。㉛举天下而一掷：拿整个国家来孤注一掷，做没有把握的冒险。㉜楚：孙楚，西晋时期的狂傲之士。传见《晋书》卷五十六。㉝高尚：指不屑于仕途，想当隐士。㉞《遂初赋》：孙绰的代表作之一，主旨即侈谈自己蔑弃仕途，追求隐逸的思想情趣。见《昭明文选》。㉟致意兴公：你们替我问问孙绰。㊱何不寻君《遂初赋》：你为什么不按着你写的《遂初赋》去当隐士。寻，沿着、按照。㊲而知人家国事邪：而来过问别人所管的国家大事呢。知，过问。㊳王述：王承之子，王坦之之父。传见《晋书》卷七十五。㊴以虚声威朝廷：以大话威吓朝廷群臣。虚声，大话、虚张声势。威，震慑、使慑服。㊵但从之：尽管随他去办。㊶自无所至：他什么也干不成。㊷在昔丧乱：从前那次国破家亡。㊸忽涉五纪：已经很快地过去了六十年。五纪，六十年。十二年为一纪。从惠帝永兴元年刘渊始乱，至隆和元年已五十九年。㊹继袭凶迹：一代接一代地继续其罪恶活动。㊺眷言西顾：很怀恋已沦陷多年的旧日都城的情景。眷言，回顾的样子。言，语气词。㊻知欲躬帅三军：听说你要亲自统领大军。躬，亲自。三军，古代的大诸侯国有中军、上军、下军三支大军，这里泛指“大军”。㊼荡涤氛秽：扫除一切妖风邪气，指少数民族的统治势力。㊽廓清中畿：肃清中原地区的一切罪恶势力。廓，清除、扫除。中畿，又称王畿，古称天子所领之地。后指京城管辖的地区。据《周礼》古代有九畿，即侯、甸、男、采、卫、蛮、夷、镇、蕃，各五百里。王畿方千里，在九畿之中，故称中畿。㊾光复旧京：收复旧日的都城。㊿非夫外身徇国：倘若不是舍身为国的义士。非夫，倘若不是。外身，舍身。271诸所处分：你的各项安排。处分，处置、安排。272委之高筭：可以委派有能力的僚属去分别进行。委，委派。高筭，智谋高、能力强的人。筭，同“算”。273所营者广：需要做的事情是很多的。274经始之勤：开始经营的辛劳。勤，辛劳。275致劳怀也：是会很让人伤脑筋的，这些就都得麻烦你了。276移洛阳钟虡：把洛阳旧日朝廷与宗庙里所陈列与所使用的钟虡都迁到建康来。钟虡，钟指编钟，虡是悬挂编钟的架子。钟虡为国家重器，故桓温要将它由洛阳移往建康。277不竞：软弱；不强。278方当荡平区宇：我们正要扫平天下，统一全国。区宇，全部国土。279旋轸旧京：返回我们旧日的京城。旋轸，回车、回銮。280不尔：不能这样，指不能返回旧京。281改迁园陵：将洛阳的陵墓迁到建康来。282先事钟虡：先动这些钟虡。事，行事、运作。283改授温都督并、司、冀三州：意思是将偏远的交州、广州收回朝廷，将中原地区的并州、司州、冀州划归桓温管辖。并州的都城晋阳，在今山西太原西南，司州的州治即今洛阳，冀州的州治即今河北衡水市冀州区。284温表辞不受：因当时并州、司州、冀州基本在北方民族的统治下，当这些地区的长官是有名无实，故桓温“表辞不受”。285考第：考试与评定名次。第，成绩的等级。㉘⑥经义：指儒家经典的义理。㉘⑦博士：即国子博士，当时太学里的教官。㉘⑧六月甲戌：六月十五。㉘⑨信都：郡名，郡治即今河北衡水市冀州区。㉙⓪小平津：渡口名，在今河南洛阳市孟津区东北。㉙①新城：县名，县治在今河南伊川西南。㉙②纳女于燕：嫁女于燕王慕容㬂。㉙③十二月戊午朔：十二月初一是戊午日。㉙④山阳：郡名，郡治即江苏淮安。㉙⑤寿阳：县名，即今安徽寿县，当时称作寿春，晋人避讳称作“寿阳”。㉙⑥二月己亥：此语有误，二月朔丁巳，无己亥日。疑为乙亥之误。乙亥是二月十九。㉙⑦壬寅：三月十七。㉙⑧皇太妃周氏：成帝之妃，哀帝的生母。㉙⑨癸卯：三月十八。㉚⓪服三年：服丧三年。古礼，诸侯对天子，或子、未嫁女对父母，媳对公婆，承重孙对祖父母，妻对夫，都服斩衰，服丧三年。参见《周礼·春官·司服》《仪礼·丧服》《礼记·丧服小记》。㉚①应服缌麻：缌麻是丧服名，用疏织细麻布制成的孝服，服丧三月。凡疏远亲属都服缌麻。或者诸侯死，天子也为之服缌衰（缌麻、缌服）。另外过继给别人的男子，父母死，服斩衰三年；而亲生父母死，则降服缌麻，减少服期。参见《周礼·司服》《仪礼·丧服》。江彪认为周氏是哀帝为琅邪王时的生母，不是皇太后（皇太后是穆帝生母褚蒜子），且既为帝，已成为褚后之子，故应对其生母降服缌麻。㉚②降服期：降低为服丧一年。降，谓降低服丧等级。㉚③厌屈私情：抑制个人的私情。厌屈，抑制、压制。私情，指哀帝对生母的私人感情。㉚④上严祖考：是为了对先祖统系的尊重，过继于人就得按过继的章程办。严，尊重、敬重。㉚⑤鲁阳：县名，县治即今河南鲁山。㉚⑥假黄钺：授予黄钺。黄钺是金色的大斧，授予黄钺即授予其征讨大权、生杀大权。㉚⑦长史：诸史之长，大将手下的高级僚属，权任甚重。㉚⑧征西掾郗超：郗超是郗愔之子，东晋名臣郗鉴之孙。征西掾，征西将军桓温手下的僚属。㉚⑨王珣：王导之孙，王洽之子。传见《晋书》卷六十五。㉛⓪髯参军：郗超的两颊多毛，故人戏称曰“髯参军”。胡须之在腮曰须，在颊曰髯。㉛①短主簿：王珣个子矮小，故人戏称曰“短主簿”。㉛②不能测：不能摸透其思想。㉛③倾身待之：虚心对待。倾身，尽心。㉛④深自结纳：尽量搞好关系。㉛⑤谢玄：谢安之侄，谢奕之子。传见《晋书》卷七十九。㉛⑥拥旄杖节：意即为大将。拥，持。旄，杆顶用旄牛尾为饰的旗，作为古代大将出征时的仪仗。杖节，手持旌节。古代大将出征，皇帝授予旌节，作为权力的象征。㉛⑦黑头公：指头未白即身居高位。公，三公，朝廷的最高爵位。㉛⑧未易才：不可多得的人才。㉛⑨癸卯：七月二十。㉜⓪密城：密县县治，在今河南息县东南三十里。㉜①有星孛于角、亢：有流星出现在角、亢两个星座的附近。孛，火光四射的样子，这里即指彗星。角，星宿名，有星二颗，亢，星宿名，有星四颗。角、亢都是二十八宿中的星名，二星的分野是郑国与兖州。㉜②庶母：父亲的侧室，诸子女称之为庶母。郭氏本张玄靓的生母，但因其母非正室，故也得称之为庶母。㉜③太妃：以称父皇遗留下的妃嫔。㉜④闰月：闰八月。㉜⑤暴卒：得暴病而死。㉜⑥刘美人：张骏之妃，张天锡的生母。张天锡是张骏的庶子，张重华的异母弟。㉜⑦纶骞：姓纶名骞。㉜⑧请命：请东晋朝廷照准、加封自己所称的一系列爵位与官号。㉙俞归：东晋的侍御史，穆帝永和三年十月出使凉州。㉚癸亥：九月十一。㉛长平：县名，县治在今河南西华东北。㉜高车：也称“敕勒”，以乘高轮车为俗，故人称之“高车”，当时活动在今蒙古国乌兰巴托的西北方。㉝桓冲：桓温之弟，时为征虏将军。㉞姚襄故将张骏：当年桓温打败姚襄，俘获姚襄的部将张骏、杨凝等，迁之于寻阳，此时张骏等杀赵毗率部北逃。㉟正月丙辰：正月初六。㊱三月庚戌朔：三月初一是庚戌日。㊲大阅户口：大规模地清查、核实户口。㊳令所在土断：意即不论本地人还是外地迁来的人，一律在现时生活的所在郡县落实户口，并在此地纳税服役。西晋末年以来，由于战乱，中原豪族多迁居江南，仍用原来郡籍，形成诸多侨置郡县。桓温实行土断法，以此作为一种加强中央统治，与豪门争夺劳动力，扩大赋役和兵源的手段。㊴严其法制：意即强制严格实行。㊵断谷饵药：不吃粮食，专门吃药。药，指方士炼制的所谓可使人长生不死的丹、散等药物。㊶万乘：指皇帝。周制，天子地方千里，置兵车万乘。故人们遂习惯地以“万乘”称天子。㊷兹事：此事；这种事。㊸实日月之食：实在是像日食、月食似的一个污点。《论语·子张》：“君子之过也，如日月之食焉，过也，人皆见之；更也，人皆仰之。”㊹辛未：三月二十二。㊺褚太后复临朝摄政：褚太后是晋康帝之妻、晋穆帝之母，穆帝初年曾临朝执政；穆帝死后无子，故立穆帝之堂弟为嗣；今哀帝有疾不能临朝，故仍由褚太后摄政。㊻四月甲辰：四月二十五。㊼悬瓠：古城名，一作“悬壹城”，即今河南汝南，东晋、南北朝时为军事要地，置重兵戍守于此。㊽五月戊辰：五月二十。㊾壬申：五月二十四。㊿必于不受：一定不接受。(351)故事当让：从过去的先例上都是要表示一回推辞。(352)克让：能表示谦让。(353)七月丁卯：七月二十。(354)赭圻：古城名，在今安徽芜湖市繁昌区西四十里的赭圻岭下。(355)尚书车灌：尚书郎姓车名灌。(356)止之：让桓温半路上停下来。〖按〗既三番五次地征桓温入朝，当桓温真的来了，又让桓温半路停下来，岂不是故意折腾人，王述等究竟想干什么？无怪乎桓温瞧不起这群废物！(357)固让内录：坚决拒绝入朝任录尚书事的职务。(358)遥领：领有虚名，而不到任管事。(359)招纳：招募；招收。(360)诸坞：各坞堡的武装居民。坞，战乱年代起而筑垒自保的集居民众。(361)悦希：姓悦名希，慕容恪的司马官。司马在军中主管司法。(362)死于逆乱：沈充是跟随王敦作乱的骨干分子，为部将吴儒所杀。事见本书卷九十三太宁二年。(363)以刑家不得仕：因出身于罪人之家，不能居官任职。(364)才行：才能和品德。(365)请解禁锢：解除禁令，允许其进入仕途。禁锢，禁止进入仕途，犹后世的“永不叙用”。(366)参其府事：让其在自己的刺史府内充当僚属。参，加入，协助谋划事务。(367)自表：向朝廷上表自荐。(368)志欲致命：立志为国捐躯。致命，效命、献出生命。(369)新城：县名，在今河南伊川南。(370)三卿：指郎中令、中尉、大农三官。晋制，王国置郎中令、中尉、大农为三卿。苻秦沿用其制。(371)听自采辟：任由诸公自行选任。(372)郎中令：为皇帝或诸侯国君主守卫宫廷门户并统领侍从警卫的官员。(373)僭侈：超越等级规定的奢侈豪华。僭，越分。(374)引以为卿：引以为自己的高级僚属。卿，爵位低于“公”的高级官员。㊲请治之：请求对赵掇予以惩治。㊳延选英儒：延请、选拔有才学的儒生到自己身边。㊴猥滥：低俗而杂乱。猥，曲、低俗。滥，泛滥、良莠错杂。㊵推检：追究；审查。㊶辟召非其人：选拔任用了不合资格的人。辟召，聘请、任用。㊷国官：诸公国的下属官吏。㊸皆委之铨衡：一律由朝廷的吏部进行选任。铨衡，衡量轻重的工具，这里即指掌管官吏选拔和任免的吏部尚书。㊹自非命士：除了接受朝廷任命的官员与有身份的人。命士，受过朝廷赐予仪物、爵位或任命为官职的人。㊺去京师百里内：离京城方圆百里之内。㊻工商皂隶：手工业者、商人与奴隶。皂，奴隶。㊼正月庚申：正月十六。㊽刘卫辰复叛代：刘卫辰是匈奴人，原属苻坚，升平五年因受苻坚责备而降代，今又叛代。㊾东渡河：据《魏书》卷一，此处似应作“西渡河”，即向西渡过黄河，进入今内蒙古鄂尔多斯。㊿匿：隐瞒；不给他张扬。389以财杀士：为了一点财物而杀人。390姑孰：也写作“姑熟”，即今安徽当涂。因当时桓温兼任扬州牧，故可公然东移。391乙未：二月二十一。392荆州、扬州之义城：当初桓宣曾随祖约退屯淮南郡（属扬州），后镇襄阳（属荆州），陶侃便将他们带到襄阳的淮南部曲安置在谷城，置义成郡（故治在今湖北老河口西北）。又在郡下侨置淮南郡的平阿、下蔡二县。这就使本属于荆州的义成郡又统领扬州淮南的平阿、下蔡二县，所以称荆州、扬州之义成。义成取以义成军之意，后人误作“义城”。393雍州之京兆：京兆郡属雍州，当时亦侨置于襄阳，故令桓豁兼管。394领：代理。395江州及荆、豫八郡：桓冲为江州刺史，领西阳、谯二郡太守。今又加监荆州的江夏、随郡，豫州的汝南、西阳、新蔡、颍川，共八郡。396并假节：意谓令桓豁、桓冲皆假节。“假节”是朝廷给予大将的权力与荣宠，最显贵的是“使持节”，其次是“持节”，再次是“假节”。397洌洲：在今江苏南京市江宁区西的长江中。洲可泊舟以避烈风，故名烈洲，又称洌洲。又洲上有山，山形如栗，因此亦称溧洲。398丙申：二月二十二。399西堂：建康宫太极殿有东西堂，东堂接见群臣，西堂为皇帝的就近安歇之处，哀帝即死于此。400事遂寝：指桓温与司马昱所议论的“征讨”事，遂因皇帝之死而搁置。401丁酉：二月二十三。402琅邪王奕：司马奕，晋成帝司马衍之子，晋哀帝司马丕之胞弟。其兄入承大统后，司马奕继任为琅邪王。403宥：宽恕；赦免。404志度：志向、气度。405崤、渑：崤山与渑池。崤山在今河南三门峡市东南，渑池是县名，县治在今河南渑池县西。406陕城：即今河南三门峡市陕州区。407金墉：洛阳城内的小城名，在当时洛阳城的西北部。408鲁阳：古代军事要塞名，即今河南鲁山县。409不能济辟闾蔚：没能救活辟闾蔚。济，救活。不能救辟闾蔚事，见本书卷一百永和十二年。410为戮：被杀。411能为子：能做个好儿子。412干父之蛊二句：能改变父亲留下的坏名声，因此受到称赞。干，匡正、纠正。蛊，食物因腐败而生虫，用以比喻毁坏国家的邪恶之人，即指沈充而言。用，因此。两句出自《易·蛊卦·六五·爻辞》。413《蔡仲之命》：古文《尚书》的篇名。414尚盖前人之愆：善于为先人掩盖过失。尚，表示祈求、劝勉，这里意即“善于”。415其是之谓乎：就是说的沈劲这种事吧。416不事：不需要；不讲究。417务综大要：

讲究的是抓大事、抓大节。⑱不为苛令：不制定酷苛、烦琐的法令。⑲负败：失败。⑳壬申：三月二十九。㉑静皇后：即王皇后，谥曰静。静，《晋书》作“靖”。㉒四月壬午：四月初九。㉓武平匡公封奕：封奕的爵位为公，封地为武平县，谥曰匡。《谥法解》：“贞心大度曰匡。”㉔四朝：指慕容廆、慕容皝、慕容儁、慕容暐四代君主。㉕戒束：管教、约束。㉖朱紫罗列：指官大爵高，服饰华贵。朱紫，指高级官员的朱衣、紫绶。㉗六月戊子：六月十六。㉘建城襄公周抚：周抚的爵位为公，封地是建城郡，襄字是谥。《谥法解》：“因事有功曰襄。”㉙抚在益州三十余年：穆帝永和三年，桓温平蜀，留周抚镇守益州，至今只十九年。大概因东晋在未得益州以前置益州于巴东县，周抚先已为益州刺史；桓温克蜀之后，周抚仍为益州刺史，进镇彭模城（在今四川眉山市彭山区东南），两者相加，故称三十余年。㉚犍为太守楚：周楚，周抚之子，时为犍为太守。犍为郡的郡治即今四川宜宾。㉛七月己酉：七月初七。㉜复为琅邪王：司马昱是晋元帝司马睿之子，元帝即位后，司马昱顶替司马睿继其祖为琅邪王，后改为会稽王。今司马奕入承大统，琅邪王位缺，故又移封司马昱为琅邪王。㉝壬子：七月初十。㉞甲申：八月十三。㉟杏城：县名，县治在今陕西黄陵西北。㊱木根山：山名，在今内蒙古鄂托克旗西南。㊲朔方：郡名，治所临戎县，在今内蒙古磴口北。㊳淮南公幼：苻幼，苻生之弟，苻坚之侄。㊴树机能：鲜卑族另一部落的头领，西晋武帝时曾作乱于凉州。㊵治中、别驾：都是州刺史手下的高级僚佐。治中，全称为治中从事史。由于居中治事，主

【原文】

海西公[451]上

太和元年（丙寅，公元三六六年）

春，三月，荆州刺史桓豁使督护桓罴攻南郑[452]，讨司马勋。

燕太宰、大司马恪，太傅、司徒评稽首归政，上章绶[453]，请归第，燕主暐不许。

夏，五月戊寅[454]，皇后庾氏崩。

朱序、周楚击司马勋，破之，擒勋及其党，送大司马温。温皆斩之，传首建康。

代王什翼犍遣左长史燕凤入贡于秦。

秋，七月癸酉[455]，葬孝皇后[456]于敬平陵。

众曹文书，故名。别驾，以其在刺史属下的地位崇高，随刺史出行时能单独另乘一辆车而得名。㊶豪右：豪强大户。㊷据蜀：意即据蜀独立称王。㊸入剑阁：剑阁是蜀郡北边的县名，县治在今四川剑阁东北的古剑门镇，地形险要，李白曾称它“一夫当关，万夫莫开”。司马勋任梁州刺史，州治即今陕西汉中，离成都不远。而自汉中入成都，必须经由剑阁。㊹涪：蜀县名，即今四川绵阳。㊺乙卯：十一月十五。㊻表：上表举荐。㊼江夏相义阳朱序：义阳郡人朱序，当时任江夏相。义阳郡的郡治即今河南信阳。江夏相是江夏国的行政长官。江夏国的都城在今湖北安陆东南。㊽守太尉：代理太尉之职。㊾十二月戊戌：十二月二十九。㊿仆射：即尚书仆射，尚书令的副职，位同副宰相。

【校记】

[6]请：原无此字。据章钰校，十二行本、乙十一行本皆有此字，今据补。[7]而：原无此字。据章钰校，十二行本、乙十一行本皆有此字，张敦仁《通鉴刊本识误》同，今据补。[8]穷：据章钰校，十二行本、乙十一行本皆作“空”。[9]制：据章钰校，十二行本、乙十一行本皆作“禁”。[10]言于坚：原无此三字。据章钰校，十二行本、乙十一行本、孔天胤本皆有此三字，今据补。[11]卿慎勿泄：原无此句。据章钰校，十二行本、乙十一行本、孔天胤本皆有此句，张瑛《通鉴校勘记》同，今据补。[12]为：原无此字。据章钰校，十二行本、乙十一行本、孔天胤本皆有此字，今据补。

【语译】

海西公上

太和元年（丙寅，公元三六六年）

春季，三月，东晋担任荆州刺史的桓豁派遣担任督护的桓罴率军攻打南郑，讨伐司马勋。

燕国太宰、大司马慕容恪，太傅、司徒慕容评在金殿之上磕头，将朝政大权归还给皇帝慕容暐，同时把朝廷颁发的印章与绶带交还朝廷，请求辞官回归府第，燕主慕容暐没有批准他们的请求。

夏季，五月十二日戊寅，东晋皇后庾氏去世。

东晋朱序与周楚一同率军攻击叛将司马勋，将司马勋所率领的叛军击败，活捉了司马勋和他的党羽，然后将他们押送给大司马桓温。桓温把司马勋以及他的党羽全部斩首，将首级送到京师建康示众。

代王拓跋什翼犍派担任左长史的燕凤为使者前往秦国，向秦国进贡。

秋季，七月初八日癸酉，东晋将孝皇后庾氏安葬于敬平陵。

秦辅国将军王猛、前将军杨安、扬武将军姚苌[457]等帅众二万寇荆州，攻南乡郡[458]，荆州刺史桓豁救之。八月，军于新野[459]。秦兵掠安阳[460]民万余户而还。

九月甲午[461]，曲赦[462]梁、益二州。

冬，十月，加司徒昱丞相、录尚书事[463]，入朝不趋，赞拜不名，剑履上殿。

张天锡遣使至秦境上，告绝于秦。

燕抚军将军下邳王厉[464]寇兖州，拔鲁、高平[465]数郡，置守宰而还。

初，陇西[466]李俨以郡降秦，既而复通于张天锡。十二月，羌敛岐[467]以略阳[468]四千家叛秦，称臣于俨，俨于是拜置牧守，与秦、凉绝。

南阳督护赵亿据宛城[469]降燕，太守桓澹走保新野。燕人遣南中郎将赵盘自鲁阳戍宛。

徐、兖二州刺史庾希[470]以后族故，兄弟贵显[471]，大司马温忌之。

二年（丁卯，公元三六七年）

春，正月，庾希坐不能救鲁、高平，免官。

二月，燕抚军将军下邳王厉、镇北将军宜都王桓袭敕勒[472]。

秦辅国将军王猛、陇西太守姜衡、南安太守南安邵羌、扬武将军姚苌等帅众万七千讨敛岐。三月，张天锡遣前将军杨遹向金城[473]，征东将军常据向左南[474]，游击将军张统向白土[475]，天锡自将三万人屯仓松[476]，以讨李俨。敛岐部落先属姚弋仲，闻姚苌至，皆降，王猛遂克略阳，敛岐奔白马[477]。秦王坚以苌为陇东[478]太守。

夏，四月，燕慕容尘寇竟陵[479]，太守罗崇击破之。

张天锡攻李俨大夏、武始[480]二郡，下之。常据败俨兵于葵谷[481]，天

秦国担任辅国将军的王猛、担任前将军的杨安、担任扬武将军的姚苌等率领着两万人马进犯东晋荆州属下的南乡郡，东晋荆州刺史桓豁率军赶往南乡郡救援。八月，桓豁将军队驻扎于新野。秦军劫掠了汉水北岸的一万多户居民后返回秦国境内。

九月二十九日甲午，东晋朝廷发布特赦令，赦免司马勋叛乱时梁、益二州那些胁从的民众和司马勋的党羽。

冬季，十月，东晋朝廷加授担任司徒的琅邪王司马昱为丞相、录尚书事，入朝时可以不必小步快走，奏报事情、拜见皇帝时不传报姓名，可以佩带宝剑、穿着靴子上殿。

张天锡派遣使者到秦国边境，宣布与秦国断绝交往。

燕国担任抚军将军的下邳王慕容厉率军进攻东晋所属的兖州，攻占了鲁郡、高平等几个郡，并为那里委派了郡守、县令，而后返回。

当初，陇西人李俨献出陇西郡投降了秦国，不久又与张天锡互通使节。十二月，羌人首领敛岐率领着略阳的四千家羌人背叛了秦国，归附于李俨，李俨遂在自己的属地分别选派州牧、郡守，与秦国苻坚、西平公张天锡绝交。

东晋担任南阳督护的赵亿据守宛城投降了燕国，南阳太守桓澹退守新野。燕国派遣担任南中郎将的赵盘从鲁阳前往戍守宛城。

东晋徐州、兖州二州刺史庾希，因为是皇后家族，兄弟数人都身居要职，地位尊贵，权势显赫，大司马桓温对庾氏非常嫉恨。

二年（丁卯，公元三六七年）

春季，正月，东晋庾希因为没有援救鲁郡、高平郡，致使二郡落入燕军之手而遭到指控，被判有罪，免去了官职。

二月，燕国抚军将军、下邳王慕容厉，镇北将军、宜都王慕容桓率军袭击敕勒。

秦国担任辅国将军的王猛、担任陇西太守的姜衡、担任南安太守的南安人邵羌、担任扬武将军的姚苌等率领一万七千人马讨伐背叛了秦国而归附于李俨的羌人首领敛岐。三月，张天锡派遣属下担任前将军的杨遹率军向金城进军，派遣担任征东将军的常据率军向左南进军，派遣担任游击将军的张统率军向白土进军，张天锡则亲自率领三万人马屯扎在仓松，攻打据守陇西的李俨。羌人首领敛岐的部落原先归属姚弋仲，现在听说秦国扬武将军姚苌率军前来，于是全都逃离了敛岐向姚苌投降，秦国辅国将军王猛便占领了略阳，羌人首领敛岐逃往武都的白马。秦王苻坚任命姚苌为陇东太守。

夏季，四月，燕国镇南将军慕容尘率军攻掠东晋所属的竟陵，竟陵太守罗崇击败了慕容尘。

张天锡率军攻击李俨所占有的大夏、武始二郡，将二郡全部攻克。征东将军常据又在葵谷打败了李俨的军队，张天锡率军乘胜进驻左南。李俨非常恐惧，便率军

锡进屯左南。俨惧，退守枹罕[482]，遣其兄子纯谢罪于秦，且请救。秦王坚使前将军杨安、建威将军王抚帅骑二万会王猛以救俨。

猛遣邵羌追敛岐，王抚守侯和[483]，姜衡守白石[484]，猛与杨安救枹罕。天锡遣杨遹逆战于枹罕东，猛大破之，俘斩万七千级，与天锡相持于城下。邵羌禽敛岐于白马，送之。猛遗天锡书曰："吾受诏救俨，不令与凉州战。今当深壁高垒，以听后诏。旷日持久，恐二家[485]俱弊，非良筭也。若将军退舍[486]，吾执俨而东，将军徙民西旋[487]，不亦可乎？"天锡谓诸将曰："猛书如此，吾本来伐叛，不来与秦战。"遂引兵归。

李俨犹未纳秦师[488]，王猛白服乘舆[489]，从者数十人，请与俨相见。俨开门延[490]之，未及为备，将士继入，遂执俨。以立忠将军彭越为平西将军、凉州刺史，镇枹罕。

张天锡之西归也，李俨将贺肫说俨曰："以明公神武，将士骁悍，奈何束手于人？王猛孤军远来，士卒疲弊；且以我请救，必不设备。若乘其怠而击之，可以得志。"俨曰："求救于人以免难，难既免而击之，天下其谓我何？不若固守以老之[491]，彼将自退。"猛责俨以不即出迎，俨以贺肫之谋告，猛斩肫，以俨归。至长安，坚以俨为光禄勋，赐爵归安侯。

燕太原桓王恪言于燕主暐曰："吴王垂，将相之才十倍于臣，先帝以长幼之次，故臣得先之[492]。臣死之后，愿陛下举国以听吴王。"五月壬辰[493]，恪疾笃，暐亲视之，问以后事。恪曰："臣闻报恩莫大于荐贤，贤者虽在板筑[494]，犹可为相，况至亲[495]乎！吴王文武兼资[496]，管、萧之亚[497]，陛下若任以大政，国家可安。不然，秦、晋必有窥窬[498]之计。"言终而卒。

秦王坚闻恪卒，阴有图燕之计。欲觇其可否，命匈奴曹毂发使如

撤退到枹罕据守，同时派自己的侄子李纯前往秦国，向秦国谢罪，并请求出兵援助。秦王苻坚遂派遣担任前将军的杨安、担任建威将军的王抚率领两万名骑兵，会合王猛，救援李俨。

秦国辅国将军王猛派南安太守邵羌率军追赶敛岐，派建威将军王抚守卫侯和，派陇西太守姜衡守卫白石，王猛与前将军杨安率军救援困守枹罕的李俨。张天锡派前将军杨遹前往枹罕城东迎战秦军，被王猛军打败，王猛军俘获、斩杀了张天锡军一万七千人，之后与张天锡在枹罕城下进行对峙。被王猛派去追赶敛岐的邵羌在白马将敛岐擒获，送往王猛大营。王猛写信给张天锡说："我接受了秦王苻坚的诏命，前来解救李俨。秦王并没有让我们与凉州交战，现在我们要深挖战壕，高筑围墙，等候秦王的下一道诏令。在此旷日持久的相持，恐怕秦、凉双方都会筋疲力尽，不是好办法。如果将军肯率军退后，我就带着李俨返回东方，将军可以把这里的居民迁往西方，岂不两全其美?"张天锡对属下诸将说："王猛的书信如此，我的本意也是为了讨伐叛逆的李俨，而不是来与秦国交战。"于是率军而回。

李俨还是不准秦军进入自己的营盘，秦国辅国将军王猛于是换上便装，坐上和平时期才乘坐的车子，后面跟随着几十个随从，到枹罕城门请与李俨相见。李俨打开城门迎接王猛进城，却没有来得及做好防范，秦军将士遂趁机冲入，活捉了李俨。王猛任命担任立忠将军的彭越为平西将军、凉州刺史，镇守枹罕。

在张天锡撤军西归的时候，李俨的部将贺肫对李俨说："凭借明公的神明勇武，将士的骁勇精悍，为什么要等着别人来捆住自己的双手? 王猛率领一支孤军远道而来，士卒疲惫；而且又是我们请来的救兵，必定不会防备我们。如果趁着秦军懈怠的机会攻击他们，一定可以大获全胜。"李俨说："我们请求人家前来解救我们的灾难，灾难解除之后，却要出兵攻打解救我们的人，天下人将会怎样评论我们? 不如固守枹罕城，等他们疲惫不堪的时候，自然会退走。"王猛责备李俨没有快速出城迎接秦军入城，李俨便把贺肫的阴谋告诉了王猛，王猛立即将贺肫斩首，然后带着李俨返回长安。到了长安以后，秦王苻坚任命李俨为光禄勋，赐予他归安侯的爵位。

燕国太原桓王慕容恪对燕主慕容暐说："吴王慕容垂，具有宰相和大将的才能，胜过于我十倍，先帝按照长幼的次序，所以才使我领先享有了更高的职务与爵位，位次在他之前。我死之后，希望陛下将全国的军政大权托付给吴王。"五月壬辰日，慕容恪病情危重，燕主慕容暐亲自前往他的府第探望，向他询问身后之事。慕容恪说："我听说报答大恩，莫过于举荐贤能，贤能的人即使是一个隐遁之士或是地位卑微的人，还可以任用为宰相，何况是自己的至亲呢！吴王文武兼备，属于管仲、萧何一流的人物，陛下如果把国家大政委任给他，国家可以获得安定。不然的话，秦国、东晋必定会伺隙而动，策划灭亡燕国。"说完之后就去世了。

秦王苻坚听到燕国太宰慕容恪去世的消息，心中就有了吞并燕国的想法。为了

燕朝贡，以西戎主簿[499]冯翊[13]郭辩为之副。燕司空皇甫真[500]兄腆及从子奋、覆皆仕秦，腆为散骑常侍。辩至燕，历造[501]公卿，谓真曰："仆本秦人，家为秦所诛，故寄命曹王[502]，贵兄常侍及奋、覆兄弟并相知有素[503]。"真怒曰："臣无境外之交，此言何以及我？君似奸人[504]，得无因缘假托乎[505]？"白暐，请穷治[506]之。太傅评不许。辩还，为坚言："燕朝政无纲纪，实可图也。鉴机识变[507]，唯皇甫真耳。"坚曰："以六州[508]之众，岂得不使有智士一人哉！"

曹毂寻卒，秦分其部落为二，使其二子分统之，号东、西曹[509]。

荆州刺史桓豁、竟陵太守罗崇攻宛，拔之。赵亿走，赵盘退归鲁阳。豁追击盘于雉城[510]，擒之，留兵戍宛而还。

秋，七月，燕下邳王厉等破敕勒，获马牛数万头。

初，厉兵过代地，犯其穄田[511]，代王什翼犍怒。燕平北将军武强公埿以幽州兵戍云中[512]。八月，什翼犍攻云中，埿弃城走，振威将军慕舆贺辛战没[513]。

九月，以会稽内史郗愔[514]为都督徐、兖、青、幽、扬州之晋陵诸军事，徐、兖二州刺史，镇京口[515]。

秦淮南公幼之反也，征东大将军、并州牧、晋公柳，征西大将军、秦州刺史赵公双，皆与之通谋。秦王坚以双，母弟[516]至亲，柳，健之爱子，隐而不问。柳、双复与镇东将军、洛州刺史魏公廋[517]、安西将军、雍州刺史燕公武谋作乱。镇东主簿南安姚眺谏曰："明公以周、邵之亲[518]，受方面之任[519]，国家有难，当竭力除之，况自为难[520]乎！"廋不听。坚闻之，征[521]柳等诣长安。冬，十月，柳据蒲阪[522]，双据上邽[523]，

试探有没有成功的可能，便令匈奴右贤王、雁门公曹毂派使者前往燕国朝见燕主、进献贡品，任命担任西戎主簿的冯翊人郭辩充当副使。燕国司空皇甫真的哥哥皇甫腆、堂侄皇甫奋、皇甫覆都在秦国为官，皇甫腆担任散骑常侍。郭辩到达燕国后，便逐个地拜访燕国的公卿大臣，他对皇甫真说："我本来是秦国人，因为家人都被秦国诛杀了，所以才寄托在匈奴右贤王曹毂手下，你的哥哥、担任散骑常侍的皇甫腆和你的堂侄皇甫奋、皇甫覆，我们之间都是相知很久的老朋友。"皇甫真大怒说："作为臣属绝不允许与境外之人建立私交，你为什么要对我说这些话？看起来你像个奸细，是不是另有企图而假装为副使呢？"遂将情况向燕主慕容暐做了汇报，并请求彻底审查清楚。担任太傅的慕容评没有同意。郭辩返回秦国，对秦王苻坚说："燕国政治混乱，没有人遵守法纪，确实有机可乘。善于观察、分析局势，并能根据形势变化迅速做出反应的只有皇甫真一人而已。"苻坚说："燕国拥有幽州、并州、冀州、兖州、司州、豫州六个州的土地和众多的人口，岂能不让它有一个智士能人！"

曹毂去世，秦国将居住在贰城周围的曹毂的部众一分为二，令曹毂的两个儿子分别统领：贰城以西的两万多落，归曹毂的长子曹玺统领，号称西曹；贰城以东的两万多落归曹毂的次子曹寅统领，号称东曹。

东晋担任荆州刺史的桓豁、担任竟陵太守的罗崇共同率军攻打宛城，将宛城攻克。赵亿逃离宛城，赵盘退回鲁阳。桓豁率军追击赵盘，一直追到雉城，将赵盘擒获，桓豁留下一部分军队戍守宛城，然后率军返回。

秋季，七月，燕国下邳王慕容厉等率军打败敕勒，缴获了数万头牛马。

当初，燕国的下邳王慕容厉出兵攻打敕勒的时候，从代国的领土经过，人马践踏了代国人种有糜子的农田，代王拓跋什翼犍非常愤怒。燕国平北将军、武强公慕容埿率领幽州兵戍守云中。八月，代王拓跋什翼犍率军攻打云中，慕容埿弃城逃走，燕国的振威将军慕舆贺辛战死。

九月，东晋朝廷任命担任会稽内史的郗愔为都督徐、兖、青、幽、扬州之晋陵诸军事，徐、兖二州刺史，镇所设在京口。

秦国淮南公苻幼谋反的时候，秦国征东大将军、并州牧、晋公苻柳，征西大将军、秦州刺史、赵公苻双，都暗中与苻幼订有盟约。秦王苻坚因为苻双是自己的同母弟弟、至亲骨肉，苻柳是先帝苻健的爱子，遂将真相隐瞒起来没有对他们进行追究。苻柳、苻双竟然又与镇东将军、洛州刺史魏公苻廋以及安西将军、雍州刺史燕公苻武密谋作乱。在镇东将军府担任主簿的南安人姚眺劝谏苻廋说："您以古代周公姬旦、邵公姬奭与周成王姬诵那样的骨肉至亲的身份，又是担负镇守一方重任的军政长官，如果国家遇到了危难，还应当竭尽全力为国家排忧解难，怎么反倒自己起来谋反，反对自己的国家政权呢！"苻廋不听姚眺的劝告。苻坚得知苻柳、苻双等人准备谋反的消息，立即下诏征召苻柳等回长安。冬季，十月，苻柳占据了蒲阪，苻

廋据陕城[524]，武据安定[525]，皆举兵反。坚遣使谕之曰："吾待卿等恩亦至[526]矣，何苦而反？今止不征[527]，卿宜罢兵，各定其位，一切如故。"各啮梨[528]以为信，皆不从。

代王什翼犍击刘卫辰，河冰未合，什翼犍命以苇絙[529]约流澌[530]。俄而冰合[531]，然犹未坚。乃散苇于其上，冰草相结，有如浮梁[532]，代兵乘之以渡。卫辰不意兵猝至，与宗族西走。什翼犍收其部落什六七[533]而还。卫辰奔秦，秦王坚送卫辰还朔方，遣兵戍之[534]。

十二月甲子[535]，燕太尉建宁敬公阳骛卒。以司空皇甫真为侍中、太尉，光禄大夫李洪为司空。

三年（戊辰，公元三六八年）

春，正月，秦王坚遣后将军杨成世、左将军毛嵩分讨上邽、安定，辅国将军王猛、建节将军邓羌攻蒲阪，前将军杨安、广武将军张蚝攻陕城。坚命蒲、陕之军皆距城三十里，坚壁勿战，俟秦、雍已平[536]，然后并力取之。

初，燕太宰恪有疾，以燕主暐幼弱，政不在己[537]，太傅评多猜忌，恐大司马之任不当其人[538]，谓暐兄乐安王臧[539]曰："今南有遗晋，西有强秦，二国常蓄进取之志，顾[540]我未有隙耳。夫国之兴衰，系于辅相。大司马总统六军，不可任非其人。我死之后，以亲疏言之，当在汝及冲[541]。汝曹虽才识明敏，然年少，未堪多难[542]。吴王天资英杰，智略超世。汝曹若能推大司马以授之，必能混壹四海[543]，况外寇，不足惮[544]也。慎无冒利而忘害[545]，不以国家为意也。"又以语太傅评。及恪卒，评不能[14]用其言。二月，以车骑将军中山王冲为大司马。冲，暐之弟也。以荆州刺史吴王垂为侍中、车骑大将军、仪同三司。

双占据了上邽，苻廋占据了陕城，苻武占据了安定，他们全都起兵造反。秦王苻坚派使者向他们解释说："我待你们的恩义，也算是至高至厚了，你们何苦还要谋反？我现在取消征召你们回京师的诏令，你们应该罢兵，各自返回自己的镇所，一切还与从前一样。"并将亲口咬过的梨分别送给诸王以作为凭信，然而苻柳等还是拒绝和解。

代王拓跋什翼犍率军攻击匈奴左贤王刘卫辰，当时黄河虽然已经结冰，但还没有合拢，拓跋什翼犍就令士兵把苇草拧成粗大的绳索横放在河面上笼住顺流而下的浮冰。很快地，浮冰就冻结在一起，然而冰面还不够坚固。拓跋什翼犍又让士卒将苇草撒到冰面上，这样，冰与草冻结在一起，就像是架起的一座浮桥，代国兵马就从这样的浮桥上渡过了黄河。刘卫辰没有料到代兵会突然而至，他慌忙带着宗族向西逃走。拓跋什翼犍将刘卫辰部落中十分之六七来不及逃走的人全部俘虏，而后返回。左贤王刘卫辰逃奔秦国，秦王苻坚派兵护送刘卫辰返回朔方，并派军协助他进行防守。

十二月甲子日，燕国担任太尉的建宁敬公阳骛去世。燕国任用担任司空的皇甫真为侍中、太尉，任用担任光禄大夫的李洪为司空。

三年（戊辰，公元三六八年）

春季，正月，秦王苻坚派遣担任后将军的杨成世、担任左将军的毛嵩分别率军讨伐占据上邽的苻双和占据安定的苻武，派遣辅国将军王猛、建节将军邓羌率军攻打占据蒲阪的苻柳，派担任前将军的杨安、担任广武将军的张蚝率军攻打占据陕城的苻廋。苻坚命令攻打蒲阪、陕城的各路人马都要在距离城池三十里远近的地方安营扎寨，坚守营寨而不与叛军交战，等秦州刺史苻双所占据的上邽与雍州刺史苻武所占据的安定被攻克之后，再集中力量攻打苻柳所占据的蒲阪和苻廋所占据的陕城。

当初，燕国太宰慕容恪患病期间，因为燕主慕容暐年纪尚小，还不能自己掌握大权，而太傅慕容评又生性猜忌，担心自己去世后，接替自己担任大司马的人选不合适，于是便对燕主慕容暐的哥哥、乐安王慕容臧说："如今，南方有残留的晋国，西方有强大的秦国，这两个国家都有进取中原的志向，只是因为我们一直没有给他们留下可乘之机罢了。一个国家的兴盛与衰微，关键在于宰辅一级的大臣。大司马一职，负责统领国家的全部武装，必须选择一个非常合适的人来担任。我死之后，如果根据关系亲疏来决定的话，一定会在你和慕容冲之间选择一人。你们虽然都天赋聪明、有见识、有才能，然而年纪太小，还无法对付这个多灾多难的复杂局面。吴王慕容垂天资英明、才能出众，其智谋和胆略，当世没有人能与他相比。你们如果能把大司马的职务推让给他，他一定可以统一天下，何况是外寇的入侵，根本用不着害怕。千万不要因为贪图得到大司马的职位这点小利而忘记了亡国败家的大害，不把国家的利益放在心上。"又把同样的意思告诉了太傅慕容评。等到太宰慕容恪去世之后，慕容评没有按照慕容恪所说的意见去做。二月，任命担任车骑将军的中山王慕容冲为大司马。慕容冲，是燕主慕容暐的弟弟。任命担任荆州刺史的吴王慕容垂为侍中、车骑大将军、仪同三司。

秦魏公廋以陕城降燕，请兵应接[546]。秦人大惧，盛兵守华阴[547]。

燕魏尹范阳王德[548]上疏，以为："先帝应天受命[549]，志平六合[550]。陛下纂统[551]，当继而成之[552]。今苻氏骨肉乖离[553]，国分为五[554]，投诚请援[555]，前后相寻[556]，是天以秦赐燕也。天与不取，反受其殃[557]，吴、越之事[558]，足以观矣。宜命皇甫真引并、冀之众径趋蒲阪，吴王垂引许、洛之兵驰解廋围，太傅总京师虎旅为二军后继，传檄三辅[559]，示以祸福[560]，明立购赏[561]，彼必望风响应，浑壹之期[562]，于此乎在矣！"时燕人多请救陕，因[563]图关中者。太傅评曰："秦，大国也，今虽有难，未易可图。朝廷[564]虽明，未如先帝[565]，吾等智略，又非太宰[566]之比，但能闭关保境足矣，平秦非吾事也。"

魏公廋遗吴王垂及皇甫真笺曰："苻坚、王猛，皆人杰也，谋为燕患久矣。今不乘机取之，恐异日燕之君臣将有甬东之悔[567]矣！"垂谓真曰："方今为人患者必在于秦，主上富于春秋[568]，观太傅识度[569]，岂能敌苻坚、王猛乎！"真曰："然，吾虽知之，如言不用何[570]？"

三月丁巳朔[571]，日有食之。

癸亥[572]，大赦。

秦杨成世为赵公双将苟兴所败，毛嵩亦为燕公武所败，奔还。秦王坚复遣武卫将军王鉴、宁朔将军吕光、将军冯翊郭将、翟傉等帅众三万讨之。夏，四月，双、武乘胜至于榆眉[573]，以苟兴为前锋。王鉴欲速战，吕光曰："兴新得志，气势方锐，宜持重[574]以待之。彼粮尽必退，退而击之，蔑不济[575]矣。"二旬而兴退。光曰："兴可击矣。"遂追之，兴败，因击双、武，大破之，斩获万五千级。武弃安定，与双皆奔上邽，鉴等进攻之。

秦国魏公苻廋献出陕城投降了燕国，并请求燕国出兵接应。秦国人非常恐惧，遂在华阴设重兵进行防守。

燕国担任魏郡太守的范阳王慕容德上疏给燕主慕容暐，他认为："先帝顺应天命而成为帝王，并立志要扫平寰宇、统一中国。陛下继承了大统，就应当继续先帝的未竟之功，以完成统一天下的大业。如今秦国苻氏叔侄之间、兄弟之间互相背离，互相争斗，一个国家已经分裂成了五个独立王国，前来向我们燕国投降并请求救援的一起接一起，这是上天有意把秦国赏赐给我们燕国。上天已经把秦国赐予了燕国，燕国却不接受，不去把秦国灭掉，日后一定会受到上天的责罚，让秦国给燕国带来灾祸，当初吴国不肯灭掉越国，最终反被越国灭掉的教训，就足够引起我们的警惕了。现在应该命令太尉皇甫真率领并州、冀州的兵众径直出兵蒲阪，令吴王慕容垂率领着许昌、洛州的兵马飞速赶往陕城为苻廋解围，令太傅慕容评统领京师的禁卫军作为上述两路兵马的后续部队，然后向三辅地区发布文告，为那里的民众讲清形势、指明出路，明确标出杀掉或俘虏什么样的人，给予什么样的奖赏，他们必然望风响应，天下统一的日子，就在于此了！"当时燕国很多人都主张出兵救援陕城的苻廋，趁机夺取关中，担任太傅的慕容评却说："秦国，是一个实力强大的国家，如今虽然遭遇内乱，但并不容易彻底将它征服。主上虽然英明睿智，却赶不上先帝，我们这些人的智慧和谋略，又比不上已故的太宰慕容恪，我们只要能紧紧地守住边境、保证国内的平安就足够了，平定秦国不是我的事情。"

秦国魏公苻廋又写信给吴王慕容垂和太尉皇甫真说："秦王苻坚、辅国将军王猛都是人中豪杰，他们企图吞并燕国已经很久了。如今不趁机夺取秦国，恐怕日后燕国的君臣将有当年吴国被越国灭掉、吴王夫差准备被流放甬东时那样的悔恨！"吴王慕容垂对太尉皇甫真说："如今能够带给燕国灾祸的只有秦国，主上年纪太轻，观察太傅慕容评的见识与气度，哪里是秦王苻坚与王猛的敌手呢！"皇甫真说："确实如此，我虽然知道，但我们的建议不被人家采纳，又能有什么办法呢？"

三月初一日丁巳，发生日食。

初七日癸亥，东晋实行大赦。

秦杨成世被赵公苻双的部将苟兴打败，毛嵩也被燕公苻武打败，二人全都逃回了长安。秦王苻坚又派担任武卫将军的王鉴、担任宁朔将军的吕光，以及将军冯翊人郭将、翟傉等率领三万人马再次前往讨伐苻双与苻武。夏季，四月，苻双、苻武乘胜率军挺进到榆眉，苻双任命部将苟兴为前锋。武卫将军王鉴主张速战速决，宁朔将军吕光说："苟兴刚刚打了胜仗，部队的士气正在高涨，我们应该谨慎对待。他们一旦粮尽必然会退兵，等到他们撤退的时候再攻击，没有不胜的道理。"过了二十多天，苟兴率军撤走。吕光说："现在我们可以发动进攻了。"遂率军追击，苟兴战败，吕光等趁势攻击苻双、苻武，将两路叛军打得大败，斩首、俘获了一万五千人。苻武丢弃了安定，与苻双一起逃往上邽，王鉴等也率军紧随其后，攻打上邽。

晋公柳数出挑战，王猛不应，柳以猛为畏之。五月，留其世子良守蒲阪，帅众二万西趋长安。去蒲阪百余里，邓羌帅精骑七千夜袭，败之。柳引军还，猛邀击之，尽俘其众。柳与数百骑入城，猛、羌进攻之。

秋，七月，王鉴等拔上邽，斩双、武，宥其妻子。以左卫将军苻雅为秦州刺史。八月，以长乐公丕[576]为雍州刺史。

九月，王猛等拔蒲阪，斩晋公柳及其妻子。猛屯蒲阪，遣邓羌与王鉴等会攻陕城。

燕王公贵戚多占民为荫户[577]，国之户口，少于私家，仓库空竭，用度[578]不足。尚书左仆射广信公悦绾曰："今三方鼎峙[579]，各有吞并之心。而国家政法不立，豪贵恣横[580]，至使民户殚尽[581]，委输无入[582]，吏断常俸[583]，战士绝廪[584]，官贷粟帛以自赡给[585]。既不可闻于邻敌，且非所以为治[586]。宜一切罢断诸荫户，尽还郡县。"燕主暐从之，使绾专治其事，纠擿奸伏[587]，无敢蔽匿，出户[588]二十余万，举朝怨怒。绾先有疾，自力厘校户籍[589]，疾遂亟。冬，十一月，卒。

十二月，秦王猛等拔陕城，获魏公廋，送长安。秦王坚问其所以反，对曰："臣本无反心，但以弟兄屡谋逆乱，臣惧并死，故谋反耳。"坚泣曰："汝素长者，固知非汝心也；且高祖[590]不可以无后。"乃赐廋死，原[591]其七子。以长子袭魏公，余子皆封县公，以嗣越厉王[592]及诸弟之无后者。苟太后曰："廋与双俱反，双独不得置后，何也？"坚曰："天下者，高祖之天下，高祖之子不可以无后。至于仲群[593]，不顾太后，谋危宗庙[594]，天下之法，不可私也！"以范阳公抑为征东大将军、并

晋公苻柳多次出兵向前来征讨的朝廷军挑战，辅国将军王猛就是不肯接战，苻柳于是认为王猛惧怕自己。五月，苻柳留下自己的世子苻良坚守蒲阪，自己亲自率领两万人马准备向西去夺取京师长安。在离开蒲阪一百多里的地方，建节将军邓羌率领着七千名精骑兵在夜间偷袭了苻柳军，将苻柳军打败。苻柳率领着残兵败将返回蒲阪，路上又遭到辅国将军王猛的截击，将他的部众全部俘虏。苻柳只带着几百名骑兵进入蒲阪城，王猛、邓羌于是组织兵力猛攻蒲阪城。

秋季，七月，秦国的武卫将军王鉴等率领朝廷军攻克了上邽，斩杀了叛将苻双、苻武，赦免了他们的妻小。任命担任左卫将军的苻雅为秦州刺史。八月，任命长乐公苻丕为雍州刺史。

九月，秦国辅国将军王猛等攻下了蒲阪，斩杀了晋公苻柳以及他的妻小。王猛将军队屯驻在蒲阪，然后派建节将军邓羌与武卫将军王鉴等率军攻打仍然据守陕城的苻廋。

燕国的王公大臣以及皇亲贵戚私自占有大批的农户，于是形成了向国家缴纳赋税的户数远远少于那些被王公贵族私自占有而不向国家缴纳赋税户数的怪现象，致使国库空虚，财政不足。担任尚书左仆射的广信公悦绾说:“如今三国并立，各自都有吞并对方的野心。而我们燕国的法令规章和政治制度都还没有建立起来，豪门贵族为所欲为、横行不法，导致归于国家所有的户数很少，没有多少人向国家缴纳赋税、粮食，致使做官的领不到每月的薪俸，当兵的得不到国家的粮饷，就连皇帝也需要向人借贷粮食和布帛来维生。这种情况既不能让敌国知道，又不是治理国家的办法。应该取消宗室等豪门世家可以占有一定农户的规定，所有农户完全归属郡县所有。”燕主慕容暐采纳了悦绾的建议，并派悦绾专门负责处理此事，把所有隐秘的坏人全部清查出来，没有人敢再藏匿，清理出的黑户总计有二十多万户，而满朝的文武官员因此都对悦绾充满怨恨和愤怒。悦绾原本就身体有病，自从努力支撑着病体清理、核查户籍，病情于是加重。冬季，十一月，悦绾去世。

十二月，秦国辅国将军王猛等攻克了陕城，抓获了魏公苻廋，并将他押送回长安。秦王苻坚审问苻廋为何谋反，苻廋回答说:“我本来没有谋反之心，只是因为兄弟们屡次密谋叛乱，我害怕受他们牵连而被一齐处死，所以才谋反。”苻坚哭泣着说:“你一向是个忠厚的长者，我原本知道谋反不是出自你的本意；再说高祖也不能断绝了后代。”遂令苻廋自杀，苻坚赦免了苻廋的七个儿子。让他的长子继承了魏公的爵位，其他的六个儿子全都封为县公，令他们分别过继给越厉王苻生以及苻生诸弟兄中没有后代的人。苟太后说:“苻廋与苻双同时谋反，唯独不给苻双留下后代，这是为什么?”苻坚说:“天下，是高祖创建的，所以不能使高祖的后代绝了后。至于我的弟弟仲群，他不顾及太后，阴谋危害宗庙社稷，就要根据国家的法律予以制裁，而不能徇私情!”任命范阳公苻抑为征东大将军、并州刺史，镇所设在蒲阪；任命邓

州刺史，镇蒲阪；邓羌为建武将军、洛州刺史，镇陕城。擢姚眺为汲郡[595]太守。

加大司马温殊礼，位在诸侯王上。

是岁，以仇池公杨世为秦州刺史，世弟统为武都太守。世亦称臣于秦，秦以世为南秦州[596]刺史。

【段旨】

以上为第三段，写海西公太和元年（公元三六六年）至太和三年（公元三六八年）共三年间的大事。主要写了晋将朱序、周楚讨司马勋，司马勋被破杀；写了秦将王猛、杨安、姚苌等寇晋之荆州，攻南乡郡，掳万余户而还；燕军寇晋之兖州，拔鲁、高平数郡，置守宰而还；写了陇西人李俨先依秦，后依凉，又据陇西自立，羌人敛岐原依秦，又叛秦依李俨。秦将王猛、姜衡、姚苌等率兵讨李俨，李俨部下多降姚苌，李俨退守枹罕。凉州张天锡亦出兵讨李俨，取李俨之大夏、武始二郡，与秦军相持于枹罕城下。王猛致书张天锡，说明秦兵只为讨叛，不与凉军交战。张天锡遂退兵西归，王猛亦袭劫李俨而东归；写了燕之大司马慕容恪病笃，向燕主慕容暐极力推荐慕容垂之才，以为他"文武兼资，管、萧之亚"，若委政于他，则国家可安，又分别嘱咐慕容暐之兄慕容臧、其弟慕容冲，以及太傅慕容评等，结果慕容评不听，乃以慕容冲为大司马，执掌朝政，时秦国内乱，慕容德以为应乘机伐秦，慕容评胸无大志，只想维持现状。写了苻坚之堂兄弟苻柳、苻廋、苻武，以及苻坚之胞弟苻双同时起兵作乱，苻坚派王猛、邓羌、杨安、杨成世、毛嵩等分别讨之，最后苻双、苻武被吕光、王鉴所破杀，苻柳被王猛所破杀，苻廋被王猛、邓羌等所擒，大乱全部平定。此外还写了代王什翼犍的种种英明举动，以及其势力日益强大等。

【注释】

㊺①海西公：司马奕，字延龄，成帝次子，哀帝的同母弟。成帝咸康八年，封东海王。穆帝升平五年，改封琅邪王。公元三六六至三七一年在位。被桓温废为海西公。事详《晋书》卷八《海西公纪》。[452]南郑：县名，县治在今陕西汉中东，当时为汉中郡的郡治与梁州的州治所在地。[453]上章绶：把官印与绶带交还朝廷。章，印章。绶，用来系印的丝带。古代常用不同颜色的绶带，标志官位的等级不同。[454]五月戊寅：五月十二。[455]七

羌为建武将军、洛州刺史，镇所设在陕城。擢升姚眺为汲郡太守。

东晋皇帝司马奕给予大司马桓温以特殊的礼遇，使他在金殿上朝见皇帝时的位置在诸侯王之上。

这一年，东晋任命仇池公杨世为秦州刺史，任命杨世的弟弟杨统为武都太守。杨世也向秦国称臣，秦国任命杨世为南秦州刺史。

月癸酉：七月初八。㊺孝皇后：即庾皇后，孝字是谥。㊼姚苌：姚弋仲之子，姚襄之弟，羌族的头领，此时依附苻氏。㊽南乡郡：郡名，郡治在今河南淅川西南的旧淅川城东南。㊾新野：县名，在今河南南阳南。㊿安阳：此语疑误，胡三省以为应作“汉阳”，汉水之北，即今河南之南阳、新野一带地区。461九月甲午：九月二十九。462曲赦：因特殊情况而赦免。意即因司马勋谋反被平定，特赦其党羽与胁从者。463录尚书事：总理尚书省的事务，即任尚书令。录，总管。464下邳王厉：慕容厉，被封下邳王。465鲁、高平：二郡名，鲁郡的郡治即今山东曲阜，高平郡的郡治在今山东微山县西北。466陇西：郡名，郡治在今甘肃陇西县东南。467羌敛岐：羌族的首领名叫“敛岐”。468略阳：郡名，郡治在今陕西省汉中市。469宛城：即今河南南阳，当时为南阳郡的郡治所在地。470庾希：庾冰之子，其妹曾为今皇帝之皇后。471兄弟贵显：庾希之弟有庾袭、庾友、庾蕴、庾倩、庾邈、庾柔等人。庾倩最有才器，最被桓温所深忌。472敕勒：当时活动在今蒙古国境内的少数民族名。473金城：古城名，在今甘肃兰州西北，当时为金城郡的郡治所在地。474左南：县名，上属晋兴郡。晋兴郡的郡治在今青海民和西北。475白土：县名，县治在今青海循化北的黄河北岸。476仓松：县名，县治在今甘肃武威东，十六国后凉改名昌松县。477白马：古城名，当时白马氐族居住的地区，在当时的武都郡（郡治下辨，在今甘肃成县西）境内。旧甘肃武都县东二百四十里有白马关。478陇东：郡名，郡治在今甘肃平凉西北。479竟陵：郡名，郡治即今湖北钟祥。480大夏、武始：二郡名，十六国前凉张骏十八年，分武始、兴晋、广武置大夏郡，治所大夏县，在今甘肃广河县西北。武始郡的郡治狄道，即今甘肃临洮。481葵谷：地名，在今甘肃临夏。482枹罕：县名，在今甘肃临夏东北。483侯和：县名，据吴熙《资治通鉴地理今释》，“侯和在甘肃巩昌府岷州西北”。清岷州即今甘肃岷县。484白石：县名，县治即今甘肃临夏。485二家：指秦、凉双方。486退舍：退兵。487西旋：西归；回师向西。488未纳秦师：不准秦兵进入自己的营盘。489白服乘舆：身穿便衣，乘着和平时期的轿车。白服，白衣，古未仕者穿白衣。舆，平时乘坐的车子，以区别战车而言。王猛白服乘舆，表示以私人身份相见。490延：引；迎接。491固守以老之：坚守城池，使围城之敌陷于疲惫。492先之：领先享有了更高的职务与爵位，位次在他之前。493五月壬辰：此语有误，五月朔壬戌，无壬辰日。“壬

辰”应是六月初二。㊾板筑：筑墙用的工具，同“版筑”。板，夹板。筑，杵。筑墙时，以两板夹土，用杵夯实，使之坚固。相传殷高宗武丁曾举傅说于版筑之间，使之为相，见《孟子·告子下》。后因以“版筑”指隐遁之士或地位低微的人。㊾至亲：慕容垂是慕容儁的弟弟，慕容暐的叔父。㊾兼资：兼备；双全。㊾管、萧之亚：是管仲、萧何一流的人物。㊾窥窬：窥视；伺隙而动。意即打我们的主意。㊾西戎主簿：西戎校尉的副手，是管理西戎少数民族事务的长官。㊿皇甫真：本安定郡（今甘肃泾川北）人，仕于燕。㊿历造：逐个拜访。㊿寄命曹王：寄托在曹毂手下。寄命，使生命有所寄托，这里即“依附”的意思。㊿并相知有素：都是相知很久的老朋友。㊿奸人：奸细；密探。㊿得无因缘假托乎：莫非是假装的使臣吗。因缘，得便而为。假托，假装。㊿穷治：彻底审问清楚。㊿鉴机识变：善于观察局势并迅速做出反应。鉴识，犹明识、明察。机变，随机应变。㊿六州：指燕国统辖的幽、并、冀、司、兖、豫六州。㊿东、西曹：据胡三省注，当时曹毂的部众集中居住在贰城周围。苻坚将贰城以西的两万余落，使毂长子玺统领，号西曹；将贰城以东两万余落，使毂次子寅统领，号东曹。㊿雉城：雉县县城，在今河南南召东南。㊿穄田：种着穄子的农田。穄，也叫糜子，即黍之不黏者。㊿云中：郡名，郡治在今内蒙古托克托东北。㊿战没：战死。没，同“殁”。㊿郗愔：郗鉴之子，郗超之父。㊿京口：今江苏镇江。㊿母弟：同胞弟。㊿魏公廋：苻廋，苻健之子，苻坚之叔。㊿周、邵之亲：像周公姬旦、邵公姬奭与周成王那样的叔叔与侄子的关系。周公姬旦、邵公姬奭都是周武王之弟。邵，也写作“召”。周公、召公的事迹，见《史记》之《鲁周公世家》《燕召公世家》。㊿方面之任：镇守一个地区的军政长官。方面，谓镇守一方、独当一面。㊿自为难：指造反，反对自己的国家政权。㊿征：调；招之使来。㊿蒲阪：县名，县治在今山西永济西，临近黄河。㊿上邽：古城名，即今甘肃天水市，当时为秦州的州治所在地。㊿陕城：陕县县城，在今河南三门峡市西南。㊿安定：安定郡的郡治所在地，也是前秦所置的雍州的州治所在地，在今甘肃镇原东南。㊿至：极；到家。㊿今止不征：我收回调你们进京的命令。㊿啮梨：咬梨极易，比喻亲人离叛，则国力脆弱，极易为敌人所乘。故苻坚咬梨分送诸王以为凭信。㊿苇絙：用芦苇拧成的大绳。㊿约流澌：把河水上的浮冰笼结、固定起来。流澌，初结冰时尚未凝聚在一起的冰块。㊿俄而冰合：很快地冰块就凝结在一起了。㊿浮梁：浮桥。㊿什六七：十分之六七。㊿遣兵戍之：派兵驻扎在他们居住的地方，一方面是监督，一方面是保卫。㊿十二月甲子：疑是“十一月甲子”之误。十一月甲子，即十一月初六。㊿俟秦雍已平：等上邽与安定攻克后。㊿政不在己：大权不在慕容暐手里。㊿恐大司马之任不当其人：担心自己去世后，继任自己为大司马的人品质才干有问题。不当其人，任职的人与其职务不相副。㊿乐安王臧：慕容臧，慕容儁之子，慕容暐之兄。㊿顾：关键在于。㊿汝及冲：你与慕容冲。㊿未堪多难：没法对付这个多灾多难的复杂局面。㊿混壹四海：统一天下。壹，同“一”。㊿不足惮：用不着害怕。㊿冒利而忘害：只顾争利而忘掉危害，指贪于获得大司马的职位。冒利，为利所蔽，为获利而不顾一切。546 应接：接应。547 华阴：县名，县治在今陕西华阴东南。在陕城之西，有潼关之险，是进入关中的门户。548 魏尹范阳王德：慕容德，被封为范阳王，官任魏尹，即魏郡太守。当时燕国的国都在邺城，故魏郡太守又是国家都城的行政长官。549 应天受命：即顺应天命而为帝王。550 志平六合：早就有雄心统一天下。六合，上下四方的范围之内，即全国。551 纂统：继承帝位。552 继而成之：继续先帝的未竟之功，以完成统一天下的大业。553 骨肉乖离：叔侄之间、兄弟之间相互背离，相互争斗。554 国分为五：苻柳据蒲阪，苻双据上邽，苻廋据陕城，苻武据安定，苻坚都长安。555 投诚请援：投降燕国，请求燕国援助。556 前后相寻：一起接一起。相寻，相继。557 天与不取二句：该灭的敌人不灭，日后反而遭受他的祸难。殃，灾祸。558 吴、越之事：春秋末期，吴王夫差在夫椒（今太湖中的西洞庭山）大败越军，而吴王夫差没有及时灭掉越国，后来越王勾践刻苦图强，乘夫差北上与晋国争霸中原之际，一举灭掉了吴国。夫差在灭亡前又向勾践求和。勾践说："昔天以越赐吴，而吴不受；今天以吴赐越，孤敢不听天之命而听君之令乎？"事详《史记》之《吴太伯世家》《越王勾践世家》和《国语》之《吴语》《越语》。559 三辅：指秦都长安与其周边的京兆尹、左冯翊、右扶风三郡地区。560 示以祸福：给那里的军民讲明形势，指出道路。561 明立购赏：明确标出杀掉或俘获什么人，给什么样的赏钱。562 浑壹之期：全国一统的日子。563 因：顺便。564 朝廷：隐称其主慕容暐。565 先帝：指慕容儁。566 太宰：指慕容恪。567 甬东之悔：像当年吴王夫差被越国所灭时所表现的悔恨。勾践败吴后，想不杀夫差，让夫差去居于甬东，享受一百户人家的供奉。夫差说："孤老矣，不能事君王也。吾悔不用子胥之言，自令陷此。"事见《史记·吴太伯世家》。甬东，甬县以东，即今浙江之舟山岛。568 富于春秋：指年纪轻。569 识度：见识与气度。570 如言不用何：意谓我们说话人家不听，那有什么办法呢。如何，奈何。571 三月丁巳朔：三月初一是丁巳日。572 癸亥：三月初七。573 榆眉：县名，县治在今陕西千阳东三十里。574 持重：稳重，指不轻易出战。575 蔑不济：没有不成功，意即一定成功。蔑，无、没有。576 长乐公丕：苻坚的长庶子。577 荫户：躲避在豪族世家门下不向国家缴纳赋税的农户。晋代规定，凡宗室、官员、国宾、先贤之后，皆可按官品等级，占有一定的农户，称作"荫户"。荫户为贵族私人部曲，不编入国家户口。578 用度：指国家的开支。579 三方鼎峙：指燕、晋、秦三方并立。580 恣横：任意横行。581 民户殚尽：归于国家的户口很少。殚尽，净尽。582 委输无入：没有人向国家缴纳租税、粮食。583 吏断常俸：做官的领不到每月的俸禄。584 战士绝廪：当兵的得不到国家的粮食供应。廪，本指粮仓，这里用如动词，意即供应。585 官贷粟帛以自赡给：甚至连皇帝也得向别人借吃的穿的，以使自己存活。官，国家、皇帝。赡，养、供给。586 非所以为治：这不是治理国家的办法。587 纠擿奸伏：把所有隐秘的坏人坏事都清查了出来。纠擿，清查、揭发。588 出户：清查出的黑户口。589 自力厘校户籍：自己努力支撑着清理、核查户籍。厘校，清理、改正。590 高祖：苻健的庙号。苻度为苻健之子。⑸原：赦免。㉜越厉王：即苻生。苻生被推翻后，先被降为越王，后又被杀，谥曰厉。㊂仲群：苻双，字仲群，苻坚的同母弟。⑭谋危宗庙：意即图谋危害国家。宗庙是帝王祭祀祖先的处所，封建帝王把天下据为一家所有，世代相传，故以宗庙作为“王室”“国家”的代称。㊄汲郡：郡治汲县，在今河南卫辉南。㊅南秦州：十六国前秦苻坚置，治所武都县，在今甘肃成县西北。

【校记】

［13］冯翊：原无此二字。据章钰校，十二行本、乙十一行本皆有此二字，张瑛《通鉴校勘记》同，今据补。［14］能：原无此字。据章钰校，十二行本、乙十一行本皆有此字，今据补。

【研析】

本卷写晋穆帝升平四年（公元三六〇年）至海西公太和三年（公元三六八年）共九年间的各国大事。其中比较重大而又值得议论的主要有以下几件。

第一，有关桓温的问题。桓温由于在东晋权势太大，而且其子桓玄后来又曾谋反称帝，所以当时人都由以后的结局反看以前的事情，早早地就给桓温戴上了“奸诈”“不臣”等一系列的帽子。说来也怪，既然晋朝诸名流如殷浩、刘惔等早就看到了桓温脑后的“反骨”，为什么当时的卓越人物诸如郗超、王珣、谢安、谢玄，甚至连王述的儿子王坦之等都云集到桓温部下去给他当幕僚，而且相处得那么和谐、那么知遇，乃至相互吹捧呢？造成当时朝廷与桓温这种过早的相互猜疑、相互对立，究竟对不对？究竟是谁的责任？更为奇怪的是朝廷既然不信任桓温，又三番五次要请他到朝廷任尚书令，等到桓温推辞再三，答应要来了，朝廷又赶忙下令让他在半路打住。不知当时在朝廷掌权的王述究竟是在玩什么拙劣的把戏！其结果不过是让桓温更加瞧不起这群朝廷的窝囊废而已。

桓温前几年的伐秦、入洛，前面已经谈过了，本卷又写到了桓温请求移都洛阳。当时的洛阳地处燕、秦、晋三方争夺的拉锯地区，连桓温自己也不想久驻大兵于此，而只是派了一支小部队象征性地驻守着。现在忽然提出要让皇帝迁都到洛阳去，这当然是不可能的，是耍嘴。而不明底里的朝廷群臣遂惊恐起来，惶惶不可终日；以写《遂初赋》闻名的文人孙绰还居然为此一本正经地给朝廷上书，深论其不可，这些反应都只能让桓温看着暗中发笑。而看透了桓温心思的朝廷重臣王述，建议朝廷尽管顺着桓温说话。当桓温再次提出请移洛阳钟虡到江南来时，王述遂运用其如簧之舌替朝廷回答桓温说：“永嘉不竞，暂都江左。方当荡平区宇，旋轸旧京。若其不尔，宜改迁园陵，不应先事钟虡。”用词之巧，不亚张仪、苏秦，又说得桓温无言可对，遂告罢休。王述在这里其实也是在耍嘴，而丝毫无补于当时的大政大局。

清代王夫之《读通鉴论》论桓温之请移都说："桓温请迁都雒阳，诚收复之大计也。然温岂果有迁都之情哉？慕容恪方遣吕护攻雒，温所遣援者，舟师三千人而止。温果有经略中原之志，固当自帅大师以镇雒，然后请迁未晚。惴惴然自保荆楚，而欲天子渡江以进图天下，夫谁信之？为此言也，特以试朝廷所以答之者。而举国惊忧，孙绰陈百姓震骇之说，贻温以笑。温固曰：'吾一言而人皆震恐，吾何求而不得哉？'夫温以虚声动朝廷，朝廷亦岂可以虚声应之？王述之议亦虚声也。使果能率三吴、两淮之众渡江而向寿、谯，诏温移屯于雒，缮城郭、修坞戍，为战守计，而车驾以次迁焉，温且不能中止；外可以捍燕、秦，而内亦可折温之逆志，乘其机而用吾制胜之策，诚百年一日之会，而晋不能也。燕、秦测之，温谅之，晋不亡者幸耳！慕容恪之沈鸷，苻坚之恢豁，东西交逼以相吞，而唯与温相禁制于虚声，曾不念强夷之心驰于江介也，是足悲也！晋不成乎其为君臣，而温亦不固为操、懿者也。"说得精彩，可惜桓温没有后来刘裕那种气魄，他既不敢与燕、秦做无畏之一搏，也不敢效法曹操、司马懿代晋室以自立。许多人不从这里看问题，而空自赞美孙绰的敢于斥责桓温之无礼，似乎不关大旨。

第二，关于沈劲的表现。沈劲是沈充之子，沈充曾是王敦的亲信，在王敦的叛乱中扮演了重要角色，故而给家族带来了莫大耻辱。其子沈劲志欲为国立功，以湔洗其父的罪过。文章这段故事充满了感情："沈充之子劲，以其父死于逆乱，志欲立功以雪旧耻。年三十余，以刑家不得仕。吴兴太守王胡之为司州刺史，上疏称劲才行，请解禁锢，参其府事。朝廷许之。会胡之以病不行。及燕人逼洛阳，冠军将军陈祐守之，众不过二千。劲自表求配祐效力，诏以劲补冠军长史，令自募壮士，得千余人以行。劲屡以少击燕众，摧破之。而洛阳粮尽援绝，祐自度不能守，乃以救许昌为名，九月，留劲以五百人守洛阳，祐帅众而东。劲喜曰：'吾志欲致命，今得之矣！'"后来城破被俘，被燕人所杀。燕将慕容恪救沈劲未得，感慨地说："吾前平广固，不能济辟闾蔚，今定洛阳，使沈劲为戮。虽皆非本情，然身为元帅，实有愧于四海。"晋王朝也嘉奖沈劲之忠，追赠为东阳太守。司马光对此议论说："沈劲可谓能为子矣！耻父之恶，致死以涤之，变凶逆之族为忠义之门。《易》曰：'干父之蛊，用誉。'《蔡仲之命》曰：'尔尚盖前人之愆，惟忠惟孝。'其是之谓乎？"袁黄《历史纲鉴补》评论说："嵇康为晋文帝所杀，子绍以山涛之荐拜秘书丞，而死于惠帝荡阴之难；沈充助王敦构逆而被杀，子劲以王胡之之荐，自表求助陈祐守洛阳，城陷而遇害。二人并见《忠义传》，其死事一也，君子谓'绍忠以奉父仇，劲忠以雪父耻'，充尤为有子也。"

第三，关于慕容恪。慕容恪是燕主慕容皝之子，其兄是燕主慕容儁，其弟有慕容垂、慕容德等，别的不说，就这慕容儁、慕容恪、慕容垂、慕容德四人，可以说是慕容皝的"四虎"。首先，慕容儁为燕主时，灭了冉闵的魏国，把燕国的国境向西推到了今山西、河南的西部，向南推到了淮河沿线。晋王朝的几次“北伐”，都被燕国所粉碎。王夫之《读通鉴论》称：东晋之所以未被燕国所灭，实在是一种侥幸。慕容儁在位时期，燕国之所以如此强大，关键在于有慕容恪，慕容恪不仅忠心耿耿、大公无私地辅佐慕容儁，执政有方，而且是位军事天才。慕容恪的攻取广固、攻取野王、攻取洛阳，都可以说是古代的经典战役。他既珍惜民命、爱护士兵，又能临事制宜，不墨守成规，从而保证了他的百战百胜，所向无敌。《通鉴》写慕容恪有所谓“太宰恪为将不事威严，专用恩信，抚士卒务综大要，不为苛令，使人人得便安。平时营中宽纵，似若可犯。然警备严密，敌至莫能近者，故未尝负败”。这段文字活像司马迁之写飞将军李广，但慕容恪的整个作为是李广绝对难以望其项背的。当慕容儁去世时，东晋人感到舒了一口气，甚至有人想趁机打燕国的主意。桓温说：“慕容恪尚存，忧方大耳。”慕容恪当其病危时，向燕主慕容暐极力推荐其弟慕容垂，又分别向慕容暐之兄弟以及当时权势最大的慕容评说明任用慕容垂的重要性。可惜慕容暐、慕容评等都不听。如果慕容垂当时被重用，则燕国的政权肯定不会衰落，苻坚的势力不会如此突然膨胀，那时东晋王朝又将难逃此厄了。但慕容垂、慕容德毕竟是英雄，前燕灭后，慕容垂凭着自己的本事又活脱脱地打出了一个“后燕”，慕容德又打出了一个“南燕”。正如俗话所说：是金子就会发光！

卷第一百二　晋纪二十四

起屠维大荒落（己巳，公元三六九年），尽上章敦牂（庚午，公元三七〇年），凡二年。

【题解】

本卷写海西公太和四年（公元三六九年）与太和五年两年间的东晋及各国大事。主要写了桓温率桓冲、袁真等北出伐燕，郗超建议大军直趋燕都邺城，或驻兵于河济，以待来年进兵；桓温不听，率军进抵枋头；燕主与慕容评欲退奔龙城，慕容垂率慕容楷等连续打败晋军；桓温连战不利，粮食匮乏，秦国又出兵助燕，于是焚舟、弃辎重南撤；慕容垂、慕容楷等追击，大破晋军于襄邑、谯县，晋军死者三万人；桓温为掩盖真相，归罪于袁真，袁真愤而据寿春降燕，不久袁真病死，部属拥立其子袁瑾主事，桓温率军破之而围寿春；晋朝直臣孙盛作《晋春秋》，直书桓温的枋头之败，虽遭桓温压抑，最后终于使真相大白于天下；写了慕容垂破晋兵后威名大振，慕容评与燕国太后谋欲杀之，慕容垂率子侄亲信西投苻坚；苻坚对慕容垂倾心接待，信用不疑，而王猛则深知慕容垂"非可驯之

【原文】

海西公下

太和四年（己巳，公元三六九年）

春，三月，大司马温请与徐、兖二州刺史郗愔、江州刺史桓冲、豫州刺史袁真等伐燕[①]。初，愔在北府[②]，温常云："京口酒可饮，兵可用[③]。"深不欲愔居之[④]。而愔暗于事机[⑤]，乃遗温笺[⑥]，欲共奖王室[⑦]，请督所部出河上[⑧]。愔子超为温参军，取视[⑨]，寸寸毁裂。乃更作愔笺[⑩]，自陈非将帅才，不堪军旅，老病，乞闲地[⑪]自养，劝温并领己所统。温得笺大喜，即转愔冠军将军、会稽内史[⑫]。温自领徐、兖二州刺史。夏，四月庚戌[⑬]，温帅步骑五万发姑孰[⑭]。

物”，劝苻坚及早杀之，苻坚不从；写了燕使梁琛受命入秦求救，颇有使者之节，回国后，建议慕容评要严格提防秦国的入侵，慕容评不纳；写了燕向秦国求救时，答应割虎牢以西之地归秦，事后反悔不认账，苻坚大怒，派王猛率军伐燕，燕将慕容筑率洛阳降秦；写了王猛为陷害慕容垂，请慕容垂之子慕容令参其军事，中途派人伪造慕容垂的书信，呼慕容令离秦返燕，慕容令不辨真假，遂率部逃入燕军；王猛遂上表苻坚，叙慕容令“叛逃”事，慕容垂见状出逃，中途被俘获押回，苻坚深谅其情，待之如初；写了王猛二次受命大举伐燕，先破燕军于壶关、晋阳，进而大破慕容评军于潞川，进而包围邺城，邺城内叛，开门纳秦兵，慕容暐逃出邺城后，被追兵捉回，遂率文武降秦，前燕从此告灭；还写了慕容令受骗归燕，燕人不信，最后辗转数地，终被燕人所杀等。

【语译】

海西公下

太和四年（己巳，公元三六九年）

春季，三月，东晋大司马桓温向朝廷请求与担任徐、兖二州刺史的郗愔、江州刺史桓冲、豫州刺史袁真等率军北伐燕国。当初，郗愔在北府京口的时候，桓温就曾经说过：“京口的酒很好，可以喝；京口的军队训练有素、能征惯战，可以使用。”桓温内心实在不希望郗愔在那里任职。然而郗愔的政治嗅觉并不灵敏，看不清桓温思想的苗头，竟然给桓温写信，希望与桓温一起共同辅佐东晋王室，请求允许自己所部驻守到黄河边上。郗愔的儿子郗超当时正在桓温手下担任参军，他拆看了父亲郗愔写给桓温的信后，便把父亲的信撕得粉碎。然后又以父亲郗愔的口气另行写了一封信给桓温，在信中述说自己缺乏将帅的才能，承担不了军旅的重任，年纪又老又有病，请求把自己改派到一个清闲的地方养老，并劝说桓温接管自己所统领的部队。桓温得到郗超替父亲郗愔写给他的这封信后非常高兴，立即擢升郗愔为冠军将军、会稽内史。桓温遂自己兼任了徐、兖二州刺史的职务。夏季，四月初一日庚戌，大司马桓温率领步兵、骑兵总计五万人马从姑孰出发北上，大举讨伐燕国。

甲子[15]，燕主暐立皇后可足浑氏，太后从弟尚书令豫章公翼之女也。

大司马温自兖州[16]伐燕。郗超曰："道远，汴水[17]又浅，恐漕运[18]难通。"温不从。六月辛丑[19]，温至金乡[20]，天旱，水道绝。温使冠军将军毛虎生凿巨野[21]三百里，引汶水会于清水[22]。虎生，宝[23]之子也。温引舟师自清水入河[24]，舳舻[25]数百里。郗超曰："清水入河，难以通运[26]。若寇不战，运道又绝，因敌为资[27]，复无所得，此危道也。不若尽举见众[28]，直趋邺城[29]。彼畏公威名，必望风逃溃，北归辽、碣[30]。若能出战，则事可立决；若欲城邺而守之，则当此盛夏，难为功力[31]，百姓布野，尽为官有[32]，易水以南[33]必交臂请命[34]矣。但恐明公以此计轻锐[35]，胜负难必[36]。欲务持重，则莫若顿兵河、济[37]，控引漕运[38]，俟资储充备，至来夏[39]乃进兵。虽如赊迟[40]，然期于成功[41]而已。舍此二策而连军北上，进不速决[42]，退必愆乏[43]。贼因此势以日月相引[44]，渐及秋冬，水更涩滞[45]。且北土早寒，三军裘褐者少[46]，恐于时所忧[47]，非独无食而已。"温又不从[48]。

温遣建威将军檀玄攻湖陆[49]，拔之，获燕宁东将军慕容忠。燕主暐以下邳王厉为征讨大都督，帅步骑二万逆战于黄墟[50]，厉兵大败，单马奔还。高平太守徐翻举郡来降。前锋邓遐、朱序败燕将傅颜于林渚[51]。暐复遣乐安王臧统诸军拒温，臧不能抗，乃遣散骑常侍李凤求救于秦。

秋，七月，温屯武阳[52]。燕故兖州刺史孙元帅其族党起兵应温，温至枋头[53]。暐及太傅评大惧，谋奔和龙[54]。吴王垂曰："臣请击之，若其不捷，走未晚也。"暐乃以垂代乐安王臧为使持节、南讨大都督，帅征

四月十五日甲子，燕主慕容暐立可足浑氏为皇后，可足浑氏皇后是皇太后的堂弟、现任尚书令的豫章公可足浑翼的女儿。

东晋大司马桓温从兖州率军出发讨伐燕国。在他手下担任司马的郗超对桓温说：“从兖州出兵，路途遥远，汴水又浅，恐怕从水上运送粮草很困难。”桓温对郗超的提醒没有在意。六月辛丑日，桓温率领大军到达金乡，由于天旱，水道断绝。桓温遂派遣冠军将军毛虎生率兵众在巨野挖掘了三百里运河，将汶水引入，使与清水连通起来。毛虎生，是毛宝的儿子。桓温率领水军从清水西行，绕道进入黄河，舰船前后连接，长达数百里。郗超又提醒桓温说：“从清水进入黄河，不仅需逆流而上，而且道路迥远，运输困难。如果燕国坚壁清野不与我们交战，运输粮食的道路一旦断绝，想要夺取敌方的粮秣以供应自己的需要，却又无法得到，那可就危险了。不如率领现有的全部大军，径直前往攻打燕国的京师邺城。燕国畏惧您的威势与声望，必然会望风而逃、四处溃散，向北逃到他们原有的辽河与碣石山一带去。如果能够出来与我们交战，那么立即就可获得胜利；如果他们坚守邺城不与我们交战，当此盛夏之际，他们很难固守成功，而散布在田野之中的百姓，将会全部归我们东晋所有，易水以南的广大地区必定会自行绑起双臂请求向我们投降。只是担心您可能会认为这个计策过于轻举冒进，胜负难以预料。如想采取比较谨慎、稳妥的办法，那就不如沿着黄河、济水一带驻防，控制各条水路向前方运送物资，等到一切军用物资储蓄充足完备的时候，差不多已经到了来年的夏季，那时再开始出击。虽然看起来行动有些迟缓，然而可以预期获得成功。如果放弃这两种策略而挥师北上，进击敌人，却不能速战速决，向后退却，就难以避免失误与遭遇粮运匮乏。燕人凭借着有利的形势，故意拖延时日，于是逐渐进入秋冬，河水水位降低，更加不便于行船。况且北方严寒来得早，三军将士中能有长皮袍或粗毛短褐穿的人很少，恐怕到了那时，所担忧的将不仅仅是没有粮食而已。”桓温还是未听从郗超的意见。

东晋大司马桓温派遣建威将军檀玄率军攻取湖陆，檀玄很快将湖陆攻克，并且活捉了湖陆守将、燕国的宁东将军慕容忠。燕主慕容暐任命下邳王慕容厉为征讨大都督，率领步兵、骑兵两万人前往黄城之墟迎战晋军，结果，慕容厉也被晋军打得大败，单枪匹马逃回。燕国高平太守徐翻率领全郡人投降了东晋。东晋前锋部队邓遐、朱序在林渚打败了燕将傅颜。燕主慕容暐又派遣乐安王慕容臧率领诸军抵御桓温，慕容臧抵抗不住晋军的强大攻势，慕容暐只好派遣担任散骑常侍的李凤向秦国求救。

秋季，七月，东晋大司马桓温率军屯扎在武阳。燕国故兖州刺史孙元率领自己的家族和党羽起兵响应东晋的桓温，桓温遂顺利抵达枋头。燕主慕容暐以及担任太傅的慕容评此时非常恐惧，就打算放弃邺城逃往故都和龙。吴王慕容垂说：“请允许我率军去攻击晋军，如果我不能取胜，那时再走也不晚。”燕主慕容暐遂任用慕容垂取代乐安王慕容臧为使持节、南讨大都督，率领征南将军、范阳王慕容德等以及

南将军范阳王德等众五万以拒温。垂表司徒左长史申胤、黄门侍郎封孚、尚书郎悉罗腾㊿⁵皆从军。胤，钟㊿⁶之子。孚，放㊿⁷之子也。

暐又遣散骑侍郎乐嵩请救于秦，许赂以虎牢㊿⁸以西之地。秦王坚引群臣议于东堂，皆曰："昔桓温伐我，至灞上㊿⁹，燕不救我[1]，今温伐燕，我何救焉？且燕不称藩于我，我何为救之？"王猛密言于坚曰："燕虽强大，慕容评非温敌也。若温举山东⑥⁰，进屯洛邑⑥¹，收幽、冀之兵，引并、豫之粟⑥²，观兵崤、渑⑥³，则陛下大事去矣。今不如与燕合兵以退温，温退，燕亦病⑥⁴矣；然后我承其弊而取之，不亦善乎？"坚从之。八月，遣将军苟池、洛州刺史邓羌帅步骑二万以救燕，出自洛阳，军至颍川⑥⁵，又遣散骑侍郎姜抚报使于燕。以王猛为尚书令。

太子太傅封孚问于申胤⑥⁶曰："温众强士整，乘流直进。今大军⑥⁷徒逡巡高岸⑥⁸，兵不接刃⑥⁹，未见克殄⑦⁰之理，事将何如？"胤曰："以温今日声势，似能有为。然在吾观之，必无成功。何则？晋室衰弱，温专制其国，晋之朝臣未必皆与之同心。故温之得志，众所不愿也，必将乖阻⑦¹以败其事。又温骄而恃众⑦²，怯于应变⑦³。大众深入，值可乘之会⑦⁴，反更逍遥中流⑦⁵，不出赴利⑦⁶，欲望持久，坐取全胜。若粮廪愆悬⑦⁷，情见势屈⑦⁸，必不战自败，此自然之数也⑦⁹[2]。"

温以燕降人段思为乡导⑧⁰，悉罗腾与温战，生擒思。温使故赵将李述徇赵、魏⑧¹，腾又与虎贲中郎将染干津共[3]击斩之。温军夺气⑧²。

初，温使豫州刺史袁真攻谯、梁⑧³，开石门⑧⁴以通水运。真克谯、梁而不能开石门，水运路塞。

五万兵众前往抵御桓温。吴王慕容垂上表请求朝廷派遣担任司徒左长史的申胤、担任黄门侍郎的封孚、担任尚书郎的悉罗腾跟随军队参与军事行动。申胤，是申钟的儿子。封孚，是封放的儿子。

燕主慕容暐又派担任散骑侍郎的乐嵩前往秦国请求出兵相救，答应事情成功之后，燕国将虎牢关以西的土地割让给秦国作为酬劳。秦王苻坚在太极殿东堂召开会议，听取群臣的意见，群臣都说："过去东晋大司马桓温率军攻伐我们秦国的时候，他们的先头部队已经抵达灞上，燕国不肯出兵相救，现在桓温攻伐燕国，我们秦国为什么要去解救燕国呢？而且燕国也没有向秦国称臣，不是秦国的藩属国，我们为什么要救燕国？"辅国将军王猛私下里对秦王苻坚说："燕国虽然强大，太傅慕容评可不是东晋大司马桓温的对手。如果桓温攻取了整个太行山以东地区，将大军推进到洛阳，然后征召幽州、冀州的军队，收取并州、豫州的粮食，向崤山、渑池以西炫耀武力，则陛下的大事去矣。现在不如与燕国联合起来打退桓温的进攻，桓温虽然撤退，而燕国经过如此严重的打击，肯定是已经疲惫不堪了；我军趁此机会攻取燕国，不是很好吗？"秦王苻坚听取了王猛的建议。八月，苻坚派将军苟池、洛州刺史邓羌率领两万人马救援燕国，他们穿过燕国的洛阳，挺进到颍川，又派担任散骑侍郎的姜抚前往燕国的都城向燕主慕容暐报告秦军已经出兵的消息。秦王苻坚任命王猛为尚书令。

燕国担任太子太傅的封孚向申胤询问说："东晋大司马桓温所率领的军队实力强大、训练有素，他们利用河流径直向前推进。如今我们燕国的大军却在黄河北岸徘徊不前，又不与晋军交战，看不出他们将要采取什么能够克敌制胜的办法，你认为事态将如何发展？"申胤说："以今天桓温的声威阵势来看，似乎是能够有一番大的作为。然而在我看来，必定不会成功。什么原因呢？因为晋室势力衰微，桓温专擅晋国的朝政大权，晋国朝中的大臣未必都与桓温同心同德。所以桓温获取灭燕的成功，那是朝臣所不愿意看到的事情，他们必然会采取不合作的态度，从中进行阻挠，使桓温失败。再有，桓温倚仗自己人多势众而心怀傲慢，已经显示出缺少随机应变的能力。他率领大军深入敌境，目前面对燕国有可乘之机，他反而在黄河中徘徊不前，不敢迅速出击以争取胜利，却希望与燕国打持久战，坐在那里等待大获全胜。一旦遇到粮食供应不上，对晋军不利的形势逐渐暴露出来，晋军就会不战自败，这是必然的道理。"

东晋大司马桓温任用向晋军投降的燕国人段思为向导，燕国的尚书郎悉罗腾率军与桓温军交战，活捉了为晋军担任向导的段思。桓温派遣故后赵将领李述率军在故赵国与故魏国一带巡行示威并进行宣传，悉罗腾又与虎贲中郎将染干津一起击杀了李述。桓温军中的士气顿时受挫。

当初，东晋大司马桓温派遣豫州刺史袁真攻取谯郡、梁国，负责在石门开渠，引来黄河之水，以便于大军的漕运。袁真攻占了谯郡、梁国，却无法开凿石门运河，桓温从水路运输粮食的计划于是无法实现。

九月，燕范阳王德帅骑一万、兰台治书[4]侍御史⑧⑤刘当帅骑五千屯石门，豫州刺史李邽帅州兵⑧⑥五千断温粮道。当，佩⑧⑦之子也。德使将军慕容宙⑧⑧帅骑一千为前锋，与晋兵遇。宙曰："晋人轻剽⑧⑨，怯于陷敌⑨⑩，勇于乘退⑨①，宜设饵以钓之⑨②。"乃使二百骑挑战，分余骑为三伏⑨③。挑战者兵未交而走⑨④，晋兵追之，宙帅伏以击之，晋兵死者甚众。

温战数不利，粮储复竭，又闻秦兵将至，丙申⑨⑤，焚舟，弃辎重铠仗，自陆道奔还。以毛虎生督东燕⑨⑥等四郡诸军事，领东燕太守。

温自东燕出仓垣⑨⑦，凿井而饮⑨⑧，行七百余里。燕之诸将争欲追之，吴王垂曰："不可，温初退惶恐，必严设警备，简⑨⑨精锐为后拒⑩⓪。击之未必得志，不如缓之。彼幸吾未至，必昼夜疾趋。俟其士众力尽气衰，然后击之，无不克矣。"乃帅八千骑徐行蹑其后⑩①。温果兼道而进⑩②。数日，垂告诸将曰："温可击矣。"乃急追之，及温于襄邑⑩③。范阳王德先帅劲骑四千伏于襄邑东涧中，与垂夹击温，大破之，斩首三万级。秦苟池邀击温于谯，又破之，死者复以万计。孙元遂据武阳以拒燕，燕左卫将军孟高讨擒之。

冬，十月己巳⑩④，大司马温收散卒，屯于山阳⑩⑤。温深耻丧败，乃归罪于袁真，奏免真为庶人，又免冠军将军邓遐官。真以温诬己，不服，表温罪状，朝廷不报⑩⑥。真遂据寿春叛降燕，且请救，亦遣使如秦。温以毛虎生领淮南太守，守历阳⑩⑦。

燕、秦既结好，使者数往来。燕散骑侍郎太原[5]郝晷、给事黄门

九月，燕国范阳王慕容德率领一万名骑兵、担任兰台治书侍御史的刘当率领五千名骑兵驻守石门，燕国的豫州刺史李邽率领五千名豫州兵截断了桓温运粮的通道。刘当，是刘佩的儿子。范阳王慕容德派遣将军慕容宙率领一千名骑兵充当先锋，慕容宙进军途中遭遇晋兵。慕容宙说：“晋国的军队轻捷剽悍，性情急躁，遇到敌人时，没有胆量冲入敌阵，只有当敌人败退时，他们才鼓足勇气追击敌人，应该假装败退引诱他们出击，而我们在中途设下埋伏以消灭他们。”于是便派出两百名骑兵向前挑战晋军，把其余的骑兵分成三路埋伏起来。负责向晋军挑战的两百名骑兵还没等与晋军交手，就急忙向后撤退，晋军果然随后追击，慕容宙率领埋伏的骑兵奋起攻击，晋军死伤惨重。

桓温与燕军交战，屡次失败，储备的粮食差不多就要吃光了，又听说秦国救援的军队即将来到，九月十九日丙申，桓温下令烧毁了舰船，抛弃了辎重、铠甲、兵器，从陆路向南撤退。桓温任命毛虎生为督东燕等四郡诸军事，兼任东燕太守。

东晋大司马桓温率军从东燕穿过仓垣向南撤退，担心燕军在汴水、济水上游投毒，因此不敢饮用河水，一路之上全靠现打井取水饮用，如此行军七百多里。燕国的诸将都争先恐后地想要追击晋军，吴王慕容垂说：“不能追，桓温刚刚撤退时，心中惶恐，必定会严加戒备，挑选精锐部队作为殿后。此时攻击未必能够取胜，不如再缓一缓。当他们庆幸我们没有随后追赶时，必然会日夜兼程地向南撤退。等到他们的士卒力气消耗得差不多的时候，再攻击他们，没有不大获全胜的道理。”慕容垂于是亲自率领八千名骑兵，跟随在晋国大军之后。桓温果然日夜兼程，加速向南方撤退。过了几天之后，吴王慕容垂告诉诸将说：“现在可以向桓温所率领的晋军发起猛攻了。”于是急行追赶，在襄邑追上了桓温的人马。燕国范阳王慕容德抢先率领四千名精骑兵埋伏在襄邑东边的山涧中，与吴王慕容垂前后夹击桓温，将桓温打得大败，斩杀了三万人。秦国派遣的援救燕国的将军苟池又率军在谯郡截击桓温，再一次将桓温打败，桓温又损失了上万人。燕国故兖州刺史孙元率领自己的家族和党羽投降了桓温后，遂占据了武阳，抵抗燕军，燕国担任左卫将军的孟高率军讨伐孙元，将孙元活捉。

冬季，十月二十二日己巳，东晋大司马桓温招集起残兵败将，屯驻于山阳郡。桓温对此次攻燕的失败，深感耻辱，竟然将罪责推卸到豫州刺史袁真的身上，他奏请朝廷，免除袁真的一切职务，将袁真贬为平民，又奏请朝廷免除了冠军将军邓遐的职务。袁真认为桓温是在诬陷自己，很不服气，就上表列数桓温的罪状，朝廷没有给予答复。袁真遂占据寿春叛变，投降了燕国，并且请求燕军前来救援，同时还派使者前往秦国。大司马桓温任命毛虎生兼任淮南太守，守卫历阳。

燕国、秦国已经结为友好国家，双方多次派遣使者互通往来。燕国担任散骑侍郎的太原人郝晷、担任给事黄门侍郎的梁琛作为燕国的使者相继前往秦国访问。郝晷

侍郎梁琛相继如秦。晷与王猛有旧⑱，猛接以平生⑲，问晷[6]以东方之事。晷见燕政不修而秦大治，知燕将亡[7]，阴欲自托于猛⑩，颇泄其实⑪。

琛至长安，秦王坚方畋于万年⑫，欲引见琛。琛曰："秦使至燕，燕之君臣朝服备礼，洒扫宫廷[8]，然后敢见。今秦王[9]欲野见⑬之，使臣不敢闻命⑭。"尚书郎辛劲谓琛曰："宾客入境，惟主人所以处之⑮，君焉得专制其礼⑯！且天子称'乘舆'⑰，所至曰'行在所'⑱，何常居之有⑲？又春秋亦有遇礼⑳，何为不可乎？"琛曰："晋室不纲㉑，灵祚归德㉒，二方承运㉓，俱受明命㉔。而桓温猖狂，窥我王略㉕，燕危秦孤㉖，势不独立㉗，是以秦主同恤时患，要结好援㉘。东朝㉙君臣，引领㉚西望，愧其不竞，以为邻忧㉛，西使之辱㉜，敬待有加㉝。今强寇既退，交聘㉞方始，谓宜崇礼笃义㉟，以固二国之欢。若忽慢使臣㊱，是卑燕也，岂修好之义乎！夫天子以四海为家，故行曰'乘舆'，止曰'行在'。今海县分裂㊲，天光分曜㊳，安得以'乘舆''行在'为言哉！礼：'不期而见曰遇。'盖因事权行㊴，其礼简略，岂平居容与㊵之所为哉！客使单行㊶，诚势屈于主人㊷。然苟不以礼㊸，亦不敢从也。"坚乃为之设行宫㊹，百僚陪位㊺，然后延客㊻，如燕朝㊼之仪。事毕，坚与之私宴㊽，问："东朝名臣为谁？"琛曰："太傅上庸王评明德茂亲㊾，光辅王室，车骑大将军吴王垂雄略冠世，折冲御侮㊿，其余或以文进，或以武用，官皆称职，野无遗贤。"

与秦国尚书令王猛原本是旧相识，有老交情，王猛就像接待老朋友那样接待郝晷，不断地向郝晷询问东方燕国的情况。郝晷看到自己国家官场腐败、政治混乱的情况越来越严重，秦国却呈现出一派欣欣向荣的景象，预感到燕国不久将亡，心里也打算结交王猛，为自己留一条后路，所以他将燕国内部的一些实情向王猛透露了不少。

燕国担任给事黄门侍郎的梁琛作为使者来到秦国的都城长安，秦王苻坚当时正在万年县打猎，他想立即召见燕国的使者梁琛。梁琛却说："秦国的使者到达我们燕国的时候，我们燕国的君臣都是身穿朝服、备齐礼数，洒扫了宫廷，然后才召见秦国的使节。如今秦王竟然准备在野外接见燕国的使臣，我不敢接受这样的安排。"担任尚书郎的辛劲对梁琛说："宾客进入别国的境内，一切都要听从主人的安排，在接待的礼仪上怎么能由你说了算！而且，臣子不敢指称皇帝，所以就以'乘舆'代指皇帝，皇帝走到哪里，就管哪里叫作'行在所'，由此看来，皇帝何尝有固定的居住地点？再说，《春秋》上也记载有国君在宫廷之外与他国客人的相逢之礼，怎么能说不可以呢？"梁琛说："东晋朝廷的政治没有章法，神灵的福佑给予有德的一方，燕国与秦国正在受到上天的眷顾，都是秉承着天命。而东晋大司马桓温猖狂到了极点，竟然对燕国发动战争，侵犯燕国的领土，燕国一旦灭亡，秦国就要陷于孤立，形势迫使秦国、燕国都不能单独存在，所以秦王苻坚才同情、怜悯燕国当时遭遇的忧患，出兵相救，与燕国建立友好联盟。我们燕国的君臣，正在伸长脖子向西眺望，惭愧自己没有发愤图强、治理好自己的国家，从而使邻国为自己担忧，所以对待秦国派往燕国的使者，总是给予高规格的接待。如今强大的东晋贼寇已经撤退，燕国与秦国间的相互友好访问才刚刚开始，我认为应该提高礼数，加深信义，以巩固两国之间的友好。如果秦国轻视、怠慢了燕国的使臣，就是看低了燕国，岂能达到巩固两国友好关系的目的呢！天子以四海为家，所以天子在路上叫'乘舆'，止宿的地方叫'行在'。如今海内已经四分五裂，上天的光芒分别照耀着不同的地区，怎么能以'乘舆''行在'作为解说呢！《礼记》上说：'没有事先约定时间而相见，称为遇见。'那是因为赶巧遇上而不得不如此的一种权变，所以礼节十分简略，岂是在正常情况之下所应采用的呢！出访的使者独身在外，当然没有主人的势力大。虽然如此，如果主人不按照合适的礼节对待客人，我也不敢服从主人的安排。"秦王苻坚遂在郊外搭建起一座临时的宫殿，在文武百官的陪同下接见了梁琛，与平居无事时友好朝见的礼节一样。秦王苻坚在接见燕国使者的仪式完成之后，又摆下宴席以私人身份宴请梁琛，苻坚向梁琛询问说："燕国著名的大臣是哪一个？"梁琛回答说："首先是担任太傅的上庸王慕容评，他是有才德的皇室至亲，光荣地担负着辅佐王室的重任；还有担任车骑大将军的吴王慕容垂，他的雄才伟略，在当今之世无人能比，打退敌人的进攻，抵御贼寇的欺辱全仰仗吴王之力；其他的大臣，有的人凭借文才被擢用，有的靠武略被擢用，总而言之，每个官员都很称职，民间没有被遗忘的贤才。"

琛从兄奕为秦尚书郎，坚使典客[151]，馆琛于奕舍[152]。琛曰："昔诸葛瑾[153]为吴聘蜀[154]，与诸葛亮惟公朝相见[155]，退无私面[156]，余窃慕之[157]。今使之即安私室[158]，所不敢也。"乃不果馆[159]。奕数来就邸舍[160]，与琛卧起[161]，间问[162]琛东国事。琛曰："今二方分据，兄弟并蒙荣宠，论其本心，各有所在[163]。琛欲言东国之美，恐非西国之所欲闻，欲言其恶，又非使臣之所得论[164]也，兄何用问为[165]？"

坚使太子延琛[166]相见。秦人欲使琛拜太子，先讽[167]之曰："邻国之君，犹其君也，邻国之储君[168]，亦何以异乎？"琛曰："天子之子视元士[169]，欲其由贱以登贵也。尚不敢臣其父之臣[170]，况他国之臣乎？苟无纯敬[171]，则礼有往来[172]，情岂忘恭[173]，但恐降屈为烦[174]耳。"乃不果拜。王猛劝坚留琛[175]，坚不许。

燕主暐遣大鸿胪温统拜袁真使持节、都督淮南诸军事、征南大将军、扬州刺史，封宣城公。统未逾淮[176]而卒。

吴王垂自襄邑还邺，威名益振，太傅评愈忌之。垂奏："所募将士忘身立效[177]，将军孙盖等椎锋陷陈[178]，应蒙殊赏。"评皆抑而不行[179]。垂数以为言，与评廷争[180]，怨隙愈深。太后可足浑氏素恶垂[181]，毁其战功，与评密谋诛之。太宰恪之子楷及垂舅兰建知之，以告垂曰："先发制人，但除评及乐安王臧[182]，余无能为矣！"垂曰："骨肉相残而首乱于国，吾有死而已，不忍为也。"顷之，二人又以告，曰："内意[183]已决，不可不早发。"垂曰："必不可弥缝[184]，吾宁避之于外，余非所议。"

燕国使者梁琛的堂兄梁奕在秦国担任尚书郎，秦王苻坚派专门负责接待客人的典客，将梁琛安排在他哥哥梁奕的住所居住，梁琛拒绝说："过去，东吴的诸葛瑾作为吴国的使节前往蜀汉进行访问，他与自己的弟弟、蜀汉丞相诸葛亮只有在公开场合以官方身份相见，退下之后，从来没有在私下里会过面，我心里暗自仰慕诸葛兄弟的为人。如今却让我顺便到堂兄的私宅居住，这是我所不敢遵从的。"最终也没到堂兄的家中居住。梁琛的堂兄梁奕反而多次到梁琛所住的宾馆探望，有时就陪着梁琛一起住宿，趁便还向梁琛询问一些有关燕国的事情。梁琛说："如今燕国、秦国各自割据一方，咱们兄弟二人同时享有宠信和荣耀，但论起本心，我们都各有所尽忠的主子。我如果赞扬燕国的美好，恐怕不是秦国所希望听到的；如果我宣扬燕国的丑恶，这绝不是一个使臣所应该做的事情，兄长何必要询问这些呢?"

秦王苻坚指使太子苻宏接见燕国的使节梁琛。秦国人想让梁琛向太子苻宏行叩拜大礼，于是就派人先暗示性地提醒他说："邻国的君主，就如同自己国家的君主，邻国的太子，与自己国家的太子有什么不同吗?"梁琛回答说："天子的嫡子称为元子，级别等同于元士，就是为了使他们从低贱逐渐升为高贵。太子应该尊敬其父手下的大臣，不敢把父亲的臣属看作自己的臣子，更何况是别国的臣属呢? 如果不是出自纯粹的尊敬，那么必然要讲究个礼尚往来，从我本心来讲，挺想对秦国太子表示恭敬，只是怕让你们太子降低身份给我还礼增添麻烦。"遂始终没有向秦国太子下拜。秦国尚书令王猛劝说秦王苻坚把梁琛扣留在秦国，苻坚没有同意。

燕主慕容暐派遣担任大鸿胪的温统前往寿春，加授东晋降将袁真为使持节、都督淮南诸军事、征南大将军、扬州刺史，封为宣城公。温统还没有渡过淮河到达袁真驻军的寿春就去世了。

燕国吴王慕容垂从襄邑返回京师邺城，其威望与名声越来越高，担任太傅的慕容评就越加地嫉恨他。慕容垂向燕主慕容暐奏报说："我所招募的将士都能舍生忘死建立功勋，将军孙盖等挫败了敌人进攻的锋芒，攻克了敌人防守坚固的阵地，应该对他们给予特殊的奖赏。"太傅慕容评将慕容垂的提议压制下来而没有对有功之人进行奖赏。慕容垂为此多次请求，并与慕容评在朝廷之上当着众臣的面发生争执，二人之间的矛盾也就越来越深。皇太后可足浑氏一向厌恶吴王慕容垂，遂诋毁慕容垂的战功，并与慕容评一起密谋除掉慕容垂。已故太宰慕容恪的儿子慕容楷以及慕容垂的舅舅兰建得知了消息，赶紧告诉慕容垂说："应该采取先发制人的策略，只要除掉慕容评和乐安王慕容臧，其他人就不会有什么作为了!"慕容垂说："骨肉之间互相残杀而给国家带来祸乱，我就是罪魁祸首，我宁可死，也不忍心那样去做。"不久，慕容楷与兰建又告诉慕容垂说："皇太后可足浑氏除掉你的决心已定，你必须早点动手才行。"慕容垂说："如果骨肉之间的裂痕确实没有办法弥补的话，我宁可逃往国外避难，至于其他的办法，都不在我的考虑之内。"

垂内以为忧[185]，而未敢告诸子。世子令请曰："尊[186]比者[187]如有忧色，岂非以主上幼冲，太傅疾贤，功高望重，愈见猜[188]邪?"垂曰："然。吾竭力致命[189]以破强寇，本欲保全家国，岂知功成之后，返令身无所容。汝既知吾心，何以为吾谋?"令曰："主上暗弱[190]，委任太傅。一旦祸发，疾于骇机[191]。今欲保族全身，不失大义，莫若逃之龙城，逊辞[192]谢罪，以待主上之察，若周公之居东[193]，庶几可以[10]感寤[194]而得还，此幸之大者也。如其不然，则内抚燕、代[195]，外怀群夷[196]，守肥如之险[197]以自保，亦其次也。"垂曰："善!"

十一月辛亥朔[198]，垂请畋于大陆[199]，因微服出邺，将趋龙城。至邯郸[200]，少子麟素不为垂所爱，逃还告状，垂左右多亡叛[201]。太傅评白燕主暐，遣西平公强帅精骑追之，及于范阳[202]。世子令断后[203]，强不敢逼。会日暮，令谓垂曰："本欲保东都[204]以自全，今事已泄，谋不及设[205]。秦主方招延英杰，不如往归之。"垂曰："今日之计，舍此安之[206]!"乃散骑灭迹，傍南山[207]复还邺，隐于赵之显原陵[208]。俄有猎者数百骑四面而来，抗之则不能敌，逃之则无路，不知所为。会猎者鹰皆飞飏[209]，众骑散去。垂乃杀白马以祭天，且盟从者。

世子令言于垂曰："太傅忌贤疾能，构事[210]以来，人尤忿恨。今邺城之中，莫知尊处，如婴儿之思母，夷、夏同之。若顺众心，袭其无备，取之如指掌[211]耳。事定之后，革弊简能[212]，大匡[213]朝政，以辅主上，安国存家，功之大者也。今日之便[214]，诚不可失，愿给骑数人，足以办之。"垂曰："如汝之谋，事成诚为大福，不成悔之何及!不如西

燕国吴王慕容垂内心非常焦虑，却不敢把实情告诉自己的儿子。世子慕容令向慕容垂询问说：“父亲近来脸上常常显露出忧愁的神色，难道是因为主上年纪幼小，太傅慕容评嫉贤妒能，父亲功高望重，就越发受到猜忌吗？”慕容垂回答说：“的确如此。我竭尽全力、豁出性命，打败了强大的贼寇，本来是想要保全国家，哪里料到事情成功之后，反而让我没有了容身之地。你既然知道我的心思，就帮我拿个主意，我该怎么办？”慕容令说：“主上愚昧、怯懦，把大权全都交付给太傅慕容评。一旦祸乱爆发，其速度比强弩射出的箭还快，令人感到惊骇。现在如果想要保全家族和自身，又不违背大义，最好是逃往龙城，然后用最谦卑的言辞，向朝廷谢罪，等待主上的明察，就像当年周公姬旦逃往东方避难一样，希望可以使主上有所感悟，让父亲返回邺城，这是最大的幸运。如果不能如此，那就对内占据燕、代一带地区自立，对外安抚好周边的其他少数民族地区，牢牢守住肥如要塞，以图自保，这是第二条路。”慕容垂说：“你的主意太好了！”

十一月辛亥朔，燕国的吴王慕容垂向燕主慕容暐请求到大陆泽一带打猎，于是趁机改换平民服装偷偷逃离了京师邺城，准备逃往龙城。当他们到达邯郸的时候，慕容垂最小的儿子慕容麟，因为一向得不到慕容垂的喜爱，遂逃回了邺城，将自己的父亲慕容垂等准备逃往龙城的事情向朝廷告发，慕容垂左右的侍从得知消息后，也有很多人叛变、逃跑。太傅慕容评将吴王慕容垂准备逃离邺城前往龙城的事情奏报了燕主慕容暐，慕容暐于是派西平公慕容强率领精骑兵追赶慕容垂，一直到范阳才追上。慕容垂的世子慕容令率人断后，慕容强不敢逼近。恰好太阳落山，慕容令对慕容垂说：“本来准备据守故都龙城，以图能够自我保全，如今我们的意图已经泄露，龙城看来是去不成了，时间紧迫，又来不及做其他的打算。秦王苻坚目前正在招纳英雄豪杰之士，我们不如前往依附于他。”慕容垂说：“到了今天这种地步，除此之外也没有别的地方好去！”于是大家四散分开，消除掉逃亡的痕迹，然后沿着中山国、常山郡的山谷南行，秘密返回邺城，隐藏在后赵的显原陵。不一会儿，有数百名打猎的骑兵从四面八方围拢过来，如果与他们对抗，肯定打不过，如果逃跑，则无路可逃，不知如何是好。此时那些猎人的猎鹰突然纷纷飞走，众骑兵也都四散去追赶。慕容垂遂杀掉一匹白马祭祀上天，并且与跟随他们一起逃亡的侍从订立盟誓。

吴王慕容垂的世子慕容令对父亲慕容垂说：“太傅慕容评嫉贤妒能，自从他制造事端，设计谋杀我们以来，人心无不愤恨。如今邺城之中，没有人知道您的下落，就如同婴儿思念母亲一样，无论是夷人还是汉人，都是如此。如果顺应人心，趁其无备发动袭击，夺取政权就如同用手指画手掌上的纹路一样容易。事情成功之后，革除弊政，选用贤能，匡扶朝政，辅佐皇帝，安定国家，这是最大的一件功劳。今天的有利条件确实难得而易失，千万不要错过，希望拨给我几名骑兵，就完全能把事情办好。”慕容垂说：“按照你的计谋，事情如果成功，确实是天大的幸福，但如

奔，可以万全。”子马奴[215]潜谋逃归，杀之而行。至河阳[216]，为津吏所禁，斩之而济，遂自洛阳与段夫人[217]、世子令、令弟宝、农、隆、兄子楷[218]、舅兰建、郎中令高弼俱奔秦，留妃可足浑氏[219]于邺。乙泉戍主[220]吴归追及于閿乡[221]，世子令击之而退。

初，秦王坚闻太宰恪卒，阴有图燕之志，惮垂威名，不敢发。及闻垂至，大喜，郊迎[222]，执手曰：“天生贤杰，必相与共成大功，此自然之数也。要当与卿共定天下，告成岱宗[223]，然后还卿本邦[224]，世封幽州，使卿去国不失为子之孝[225]，归朕不失事君之忠[226]，不亦美乎！”垂谢曰：“羁旅之臣[227]，免罪为幸[228]。本邦之荣[229]，非所敢望。”坚复爱世子令及慕容楷之才，皆厚礼之，赏赐巨万[230]。每进见，属目观之[231]。关中士民素闻垂父子名，皆向慕[232]之。王猛言于坚曰：“慕容垂父子，譬如龙虎，非可驯[233]之物。若借以风云[234]，将不可复制，不如早除之。”坚曰：“吾方收揽英雄以清四海，奈何杀之！且其始来，吾已推诚纳之[235]矣。匹夫犹不弃言，况万乘[236]乎！”乃以垂为冠军将军，封宾徒侯[237]，楷为积弩将军。

燕魏尹范阳王德[238]素与垂善，及车骑从事中郎[239]高泰等[11]，皆坐免官。尚书右丞申绍言于太傅评曰：“今吴王出奔，外口籍籍[240]，宜征王僚属[241]之贤者显进之[242]，粗可消谤[243]。”评曰：“谁可者？”绍曰：“高泰其领袖[244]也。”乃以泰为尚书郎。泰，瞻[245]之从子。绍，胤之兄[12]也。

秦留梁琛月余，乃遣归。琛兼程而进，比至邺，吴王垂已奔秦。

果不能成功，后悔可就来不及了！不如向西逃往秦国，可保万无一失。”慕容垂儿子的一个负责管马的奴隶准备偷偷逃回邺城，被发觉之后，慕容垂就杀死了那个马奴，然后继续西行。当他们到达河阳时，又被把守渡口的小官吏发觉，禁止他们渡河，慕容垂又杀死了那个小吏，于是渡过了黄河。到达洛阳后，慕容垂便与段氏夫人、世子慕容令、慕容令的弟弟慕容宝、慕容农、慕容隆，以及侄子慕容楷、舅舅兰建、郎中令高弼一起投奔了秦国，只把皇太后强行嫁给自己的王妃可足浑氏留在了邺城。燕国乙泉坞的坞主吴归率众追击慕容垂，一直追到阌乡，被慕容垂的世子慕容令击退。

当初，秦王苻坚听到燕国太宰慕容恪去世的消息，暗中便有谋取燕国的打算，只因为惧怕慕容垂的威名，所以一直没敢发兵。当他听说慕容垂前来投奔的消息，大喜过望，亲自到郊外迎接，他拉着慕容垂的手说：“上天生就英雄豪杰，必定会使他们聚在一起，共同成就伟大的功业，这是自然规律。我一定要与你共同平定天下，到那时，我将前往泰山祭天向上天报告我们的成功，然后让你返回你的故土，世世代代，封于幽州，使你虽然离开了燕国却能保持对自己列祖列宗的孝心，虽然投奔于我却没有失去对故国国君的忠诚，不也是一件美事吗！”慕容垂答谢说：“一个漂泊在外、寄居异乡的人，能够免遭刑罚就已经是很幸运了。封到故土的荣耀，是我所不敢奢望的。”秦王苻坚很爱惜慕容垂的世子慕容令以及侄子慕容楷的才华，对他们都很优待，光是赏赐的财物就有数万万之多。每次朝见，苻坚都会情不自禁地对他们定着眼睛看。关中不论是士大夫还是平民百姓早就知道慕容垂父子的威名，因此都非常仰慕他们。担任尚书令的王猛对秦王苻坚说：“慕容垂父子，就如同水中的蛟龙、山中的猛虎一样，不是可以驯养成能为自己所用的人物。一旦他们遇到风云变化，有了权势、有了时机，就没有人能够控制得住，不如趁早把他们除掉。”苻坚说：“我正在招揽英雄豪杰，以肃清四海，怎么能杀掉慕容垂父子！而且他们刚来的时候，我已经敞开胸怀、诚心诚意地接纳了他们。一个平民百姓说话还要算数，何况我这个大国的君主呢！”于是任命慕容垂为冠军将军，封为宾徒侯，任命慕容楷为积弩将军。

燕国担任魏郡府尹的范阳王慕容德因为一向与慕容垂关系密切，以及被车骑大将军慕容垂任命为车骑从事中郎的高泰等人，都因此受到牵连而被免官。担任尚书右丞的申绍对太傅慕容评说：“如今吴王慕容垂弃国出逃，外面的人对此议论纷纷，应该把吴王僚属中的贤能人物突出地提拔起来，或许可以稍稍地减少一些人们的诽谤。”慕容评问：“哪一个是贤者？”申绍说：“高泰就是其中比较有影响力、有号召力的人物。”于是慕容评便任命高泰为尚书郎。高泰，是高瞻的侄子。申绍，是申胤的哥哥。

秦国将燕国的使者梁琛挽留了一个多月，才允许他返回燕国。梁琛倍道兼程向

琛言于太傅评曰："秦人日阅[246]军旅，多聚粮于陕东[247]，以琛观之，为和必不能久。今吴王又往归之，秦必有窥燕之谋，宜早为之备。"评曰："秦岂肯受叛臣而败和好[248]哉！"琛曰："今二国分据中原，常有相吞之志。桓温之入寇，彼以计相救[249]，非爱燕也。若燕有衅[250]，彼岂忘其本志[251]哉！"评曰："秦主何如人？"琛曰："明而善断。"问王猛，曰："名不虚得。"评皆不以为然。琛又以告燕主暐，暐亦不然之。以告皇甫真，真深忧之，上疏言："苻坚虽聘问相寻[252]，然实有窥上国[253]之心，非能慕乐德义，不忘久要[254]也。前出兵洛川[255]，及使者继至，国之险易虚实，彼皆得之矣。今吴王垂又往从之，为其谋主[256]，伍员之祸[257]，不可不备。洛阳、太原、壶关[258]，皆宜选将益兵，以防未然[259]。"暐召太傅评谋之，评曰："秦国小力弱，恃我为援[260]。且苻坚庶几善道[261]，终不肯[262]纳叛臣之言，绝二国之好，不宜轻自惊扰，以启寇心[263]。"卒不为备。

秦遣黄门郎石越聘于燕，太傅评示之以奢，欲以夸燕之富盛。高泰及太傅参军河间刘靖言于评曰："越言诞而视远[264]，非求好也，乃观衅[265]也。宜耀兵以示之，用折其谋。今乃示之以奢，益为其所轻矣。"评不从，泰遂谢病归。

是时太后可足浑氏侵桡[266]国政，太傅评贪昧[267]无厌，货赂上流[268]，官非才举[269]，群下怨愤。尚书左丞申绍上疏，以为："守宰[270]者，致治之本[271]。今之守宰，率非其人，或武臣出于行伍[272]，或贵戚生长绮纨[273]。既非乡曲之选[274]，又不更[275]朝廷之职。加之黜陟[276]无法，贪惰者无刑

燕国进发，等到达邺城的时候，吴王慕容垂已经投奔了秦国。梁琛对太傅慕容评说：“秦国每天都在操练人马，在陕东积蓄了很多粮食，以我看来，燕国与秦国的友好一定不会长久。现在吴王慕容垂又投奔了秦国，秦国一定会有吞并燕国的阴谋，我们燕国应该早些做好准备。”慕容评说：“秦国怎么可能接纳燕国的叛臣而破坏了两国之间的友好呢！”梁琛说：“如今秦国与燕国分别占据着中原地区，互相都有吞并对方的志向。东晋大司马桓温入侵燕国，秦国是从自身的利害得失考虑，才决定出兵救援燕国，并不是因为爱护燕国。如果燕国有了可乘之机，秦国怎么会忘记固有的吞并燕国的志向呢！”太傅慕容评向梁琛询问说：“秦王苻坚是怎么样的一个人？”梁琛回答说：“英明而又善于决断。”又询问王猛的为人，梁琛说：“名不虚传。”慕容评根本不把梁琛的话当回事。梁琛又把同样的意思报告了燕主慕容暐，慕容暐也不赞同梁琛的看法。梁琛将自己的看法又告诉了太尉皇甫真，皇甫真深感忧虑，遂上疏给燕主慕容暐说：“秦王苻坚虽然不断地派出使节前来燕国进行友好访问，然而确实有暗中窥测燕国之心，他不是那种仰慕恩德、爱好仁义，永远不会忘记两国固有的友好盟约的人。此前率军出兵洛川，后来又不断地派遣使者前来燕国，我们燕国境内的险要地势、情况虚实，秦国已经完全掌握了。如今吴王慕容垂又前往秦国跟随了苻坚，成为为苻坚出谋划策的主谋之人，像古代伍子胥带给楚国那样的灾祸，我们不能不加以防备。洛阳、太原、壶关，都应该挑选精兵良将增加防守，以提防秦国进攻燕国。”燕主慕容暐召见太傅慕容评一起商议此事，慕容评说：“秦国国土面积小而力量弱，完全仰仗我国对它的支援。而且秦王苻坚在外交上多少还是讲究点睦邻友好的，无论如何也不会听信叛臣的言论而断绝了与燕国的友好关系。我们不应该无缘无故地自己先惊慌扰乱起来，以引发秦国进犯燕国之心。”燕国始终没有对秦国进行戒备。

秦国派遣担任黄门郎的石越出使燕国进行友好访问，燕国太傅慕容评竭尽所有，向秦国的使者展示豪华奢侈，想以此夸耀燕国的富庶和强盛。尚书郎高泰以及担任太傅参军的河间人刘靖都提醒慕容评说：“秦国的使者石越说话不着边际，眼神高深莫测，此来不是为了巩固友好，而是来观察燕国的破绽，伺隙而欲有所为。现在应该向他炫耀武力，以摧毁他们的阴谋。如今却向他展示奢华，恐怕更被秦国所轻视。”慕容评还是听不进去，高泰遂宣称有病，辞职回家了。

当时，皇太后可足浑氏妨碍、干扰朝政，太傅慕容评贪财昧利，为了利益不顾一切，而且永远没有满足的时候，于是贿赂公行，金银财货全都从下级流入了上级的口袋，各级官员的任职升迁都不再凭借才能而是全靠贿赂，下层民众人人充满怨愤。担任尚书左丞的申绍上疏给朝廷，申绍认为：“郡守和县宰这两级官员，是使国家达到太平的基础。如今担任郡守县宰的人，大多都不是合适的人选，有的武将来自行伍，有的则是生长于富贵之家的纨绔子弟。他们既不是由郡、县推举出来，又没有在朝廷中担任过任何职务。再加上官员的罢免与升迁没有一定的法制标准，贪

罚之惧，清修[277]者无旌赏之劝[278]。是以百姓困弊，寇盗充斥，纲颓纪紊，莫相纠摄[279]。又官吏猥多[280]，逾于前世，公私纷然[281]，不胜烦扰。大燕户口，数兼二寇[282]，弓马之劲，四方莫及。而比者[283]战则屡北[284]，皆由守宰赋调不平[285]，侵渔[286]无已，行留俱窘[287]，莫肯致命[288]故也。后宫之女四千余人，僮侍厮役[289]尚在其外，一日之费，厥直万金[290]，士民承风，竞为奢靡。彼秦、吴僭僻[291]，犹能条治所部[292]，有兼并之心。而我上下因循[293]，日失其序。我之不修，彼之愿也。谓宜精择守宰，并官省职[294]，存恤兵家，使公私两遂[295]，节抑浮靡，爱惜用度[296]，赏必当功[297]，罚必当罪。如此则温、猛可枭[298]，二方可取，岂特保境安民而已哉！又索头[299]什翼犍疲病昏悖，虽乏贡御[300]，无能为患，而劳兵远戍[301]，有损无益。不若移于并土[302]，控制西河[303]，南坚壶关[304]，北重晋阳[305]，西寇来则拒守，过则断后[306]，犹愈于[307]戍孤城守无用之地也。"疏奏，不省[308]。

辛丑[309]，丞相昱与大司马温会涂中[310]，以谋后举[311]。以温世子熙为豫州刺史、假节。

初，燕人许割虎牢以西赂秦。晋兵既退，燕人悔之，谓秦人曰："行人失辞[312]。有国有家者，分灾救患[313]，理之常也。"秦王坚大怒，遣辅国将军王猛、建威将军梁成、洛州刺史邓羌帅步骑三万伐燕。十二月，进攻洛阳。

大司马温发徐、兖州民筑广陵城[314]，徙镇之[315]。时征役[316]既频，加

赃枉法、怠惰政事的不必担心刑罚会落到自己身上，为政清廉、勤勉的官员也得不到任何表彰、奖赏这样的鼓励。所以导致民穷财匮，盗贼遍地，政治秩序混乱，没有人出来对此进行举发与整顿。还有，官吏虽然人数众多，超过了以往的任何朝代，然而公私事务众多杂乱，官吏却无法胜任这些繁杂的事务。大燕国的人口数量，是秦国与东晋加起来的总和，军事力量之强大，四方都赶不上。而近来却屡战屡败，都是因为郡守县宰赋税征收、差役摊派不公平，侵夺吞没百姓的财物没完没了，被拉去当兵出征的与留在家乡种田的，日子过得都非常艰难，所以没有人愿意为国家舍生忘死地去奋力作战。皇帝后宫中的宫女就有四千多人，那些供驱使的仆役、奴隶还不包括其中，一日的花费，就多达万金，士大夫与平民受这种奢侈之风的影响，全都互相攀比，看谁最能奢侈靡费。秦国苻坚僭称帝号，而吴地的晋国僻居江南一隅，虽然如此，尚且能管理好他们的下属，有兼并别国的心志。而我们燕国上下互相仿效、相互迁就，情形一天比一天严重。我们国家治理得不好，正是秦、晋所希望看到的。我认为应该严格地挑选任用郡守、县宰，精简机构，罢免冗官，安慰抚恤军人家属，使公私双方都满意，双方都得利，节省开支，抑制浮华奢靡，珍惜钱财，节省用度，奖赏必须与功劳相当，惩罚也必须与罪行相符。如此的话，则东晋大司马桓温、秦国尚书令王猛就可以被我们擒来枭首示众，秦国、东晋两个敌国就可以被我们消灭，岂止限于保护边境、安定人民而已呢！再有，鲜卑人索头部落首领拓跋什翼犍既老且病、昏聩狂妄，既没有向燕国进贡方物，又没有能力对我们燕国构成危害，而我们却辛劳士卒到遥远的云中郡去戍边防守，以防范拓跋什翼犍的侵扰，这样做只会给国家带来损失而没有任何好处。不如把这一部分军队转移到并州境内，以控制西河地区，南方可以坚守壶关要塞，北部重点防守晋阳，如果西方的贼寇前来进犯则用来据守，贼寇撤退时可以用来截断他们的殿后部队，这总比派兵戍守云中郡一座孤城、保卫一块无用之地好得多。”奏疏呈递之后，竟然没有人理睬。

十一月二十五日辛丑，东晋丞相司马昱与大司马桓温在涂中相会，商讨以后的北伐行动计划。任命桓温的世子桓熙为豫州刺史、假节。

当初，燕国许诺割让虎牢关以西地区给秦国，作为酬谢。等到东晋兵马撤退之后，燕国人又心生悔意，派人对秦国说：“燕国从未答应割让虎牢以西地区给秦国，是使者当时说错了话，才发生了这样的误会。有国有家的人，相互之间分担一些受灾损失，对受灾一方给予一定的援助，这是人之常情。”秦王苻坚听到燕国说出这样的话，不禁勃然大怒，立即派遣辅国将军王猛、建威将军梁成、洛州刺史邓羌率领三万名步骑兵讨伐燕国。十二月，秦军开始进攻洛阳。

东晋大司马桓温征调徐州、兖州的民众修筑广陵城，把自己的军事指挥部迁到广陵城。由于频繁地征调劳工筑城，再加上瘟疫流行，死亡的人数竟然占到了当时

之疫疠㉛⑰，死者什四五㉛⑱，百姓嗟怨。秘书监太原[13]孙盛㉛⑲作《晋春秋》，直书时事。大司马温见之，怒，谓盛子曰："枋头诚为失利，何至乃如尊君所言㉜⓪！若此史遂行㉜①，自是关君门户事㉜②！"其子遽㉜③拜谢请改之。时盛年老家居，性方严㉜④，有轨度㉜⑤，子孙虽斑白㉜⑥，待之愈峻㉜⑦。至是诸子乃共号泣稽颡㉜⑧，请为百口切计㉜⑨。盛大怒，不许，诸子遂私改之。盛先已写别本，传之外国。及孝武帝㉝⓪购求异书，得之于辽东人，与见本㉝①不同，遂两存之。

【段旨】

以上为第一段，写海西公太和四年（公元三六九年）一年间的大事。主要写了桓温率桓冲、袁真等北出伐燕，郗超建议大军直趋燕都邺城，或驻兵于河济，进行准备，以待来年进兵；桓温不听，率军进抵枋头；燕主与慕容评欲退奔龙城，慕容垂请战，率慕容楷等连续打败晋军；桓温连战不利，粮食匮乏，秦国又出兵助燕，于是焚舟、弃辎重南撤；慕容垂、慕容楷等追击，大破晋军于襄邑、谯县，晋军死者三万人；桓温为掩盖真相，归罪于袁真，袁真愤而据寿春降燕；晋朝直臣孙盛作《晋春秋》，直书桓温的枋头之败，虽遭桓温百般压抑，最后终于使真相大白于天下；写了慕容垂破晋兵后威名大振，慕容评与燕国太后谋欲杀之，慕容垂初欲东奔龙城自保而未果，只好率子侄亲信西投苻坚；苻坚对慕容垂倾心接待，信用不疑，而王猛则深知慕容垂"非可驯之物"，劝苻坚及早杀之，苻坚不从；写了燕使梁琛受命入秦求救，颇有使者之节，回国后，建议慕容评要严格提防秦国的入侵，慕容评不纳；燕臣申绍上书列举燕国的弊政与诸种措施的失宜，执政者亦无人理睬；写了燕向秦国求救时，答应割虎牢以西之地归秦，事后反悔不认账，苻坚大怒，遂派王猛率军伐燕等。

【注释】

①请与徐、兖二州刺史句：时燕国的大将慕容恪死，桓温以为燕国可取，故有此请。②北府：指京口，即今江苏镇江市。晋都建康，以京口为"北府"，历阳为"西府"，姑孰为"南州"。③兵可用：意谓这里的士兵训练有素，能征惯战。④深不欲愔居之：很不愿意让郗愔担任这一职务，因郗愔一心忠于晋室，不与桓温同心。深，甚、很。居，任职。郗愔任徐、兖二州刺史，此二州当时被燕国占领，故东晋此二州的军府设在京

人口的十分之四五，百姓怨声载道。担任秘书监的太原人孙盛于是写了一本《晋春秋》，毫不隐讳地记载了当时发生的事情。大司马桓温看到了孙盛的《晋春秋》之后，非常愤怒，他对孙盛的儿子说："枋头战役，确实是失败了，但何至于像你父亲书中所写的那种样子！一旦让这本史书流传开去，这可是关系到你们家族命运的大事！"孙盛的儿子赶紧向桓温谢罪，请求允许自己的父亲改写这段历史。当时孙盛年老家居，性情方正严肃，有棱角，讲原则，子孙即使到了须发斑白的年纪，孙盛要求他们却越发严厉。这件事情发生之后，孙盛的儿子们全都号啕痛哭，给他磕头，请求他为了全家这一百多口人的命运考虑，改写《晋春秋》。孙盛大怒，就是不肯答应，诸子遂私下里进行了删改。没有想到的是，孙盛此前已经抄写了一个副本，早已流传到国外。等到东晋孝武皇帝司马曜时期搜求天下异书的时候，竟然从辽东人那里购得此书，与当时所流行的删改本不同，于是两种版本同时留存于世。

口。⑤暗于事机：政治嗅觉不敏感，看不清桓温思想的苗头。⑥遗温笺：给桓温写信。遗，给。笺，文体名，给王公大臣所写的书信。⑦共奖王室：共同辅佐晋朝皇帝。奖，扶助。⑧请督所部出河上：请求让自己率所部驻守到黄河边上。河上，黄河边上。⑨取视：拆看。⑩更作愔笺：替他的父亲另写了一封给桓温的信。⑪乞闲地：请求改派到一个清闲的地方。⑫会稽内史：会稽王国的行政长官，位同郡太守。会稽国的都城即今浙江绍兴。⑬四月庚戌：四月初一。⑭发姑孰：由姑孰出发北上。⑮甲子：四月十五。⑯兖州：东晋之兖州州治侨置在今江苏镇江市丹徒区，当时称曰京口。⑰汴水：即汴渠，自今河南荥阳东北接黄河，东南流经今开封南、商丘北，再东南流经今安徽砀山北，至江苏徐州北入泗水。上游又称鸿沟或狼汤渠，中、下游又称汳水、获水。魏晋时为中原通往东南沿海地区的重要水运干道。⑱漕运：水路运输；通过水路运送粮食与人力补给。⑲六月辛丑：此语有误，六月朔庚戌，无辛丑日。疑为"五月辛丑"之误。"五月辛丑"即五月二十二。⑳金乡：县名，县治在今山东嘉祥南。㉑凿巨野：挖渠引巨野泽的水与汴水相通连。巨野泽在今山东巨野北，古时水面南北三百里，东西百余里。㉒引汶水会于清水：意即使清水与汶水通连起来。汶水即今大汶河，源出山东莱芜北，流至今东平西南流注入济水。清水是古济水下游的别名，故道起今山东梁山县，东北流经东阿、平阴、长清、济南、济阳、博兴等县，东流注入渤海。㉓宝：毛宝，东晋名将，在讨伐苏峻叛乱中立有大功。传见《晋书》卷八十一。㉔自清水入河：自清水西行绕道进入黄河。㉕舳舻：船后有舵者曰舳；舻指船头。这里即泛指舰船。㉖难以通运：从清水进入黄河，为逆流，道路又迂回遥远，故言难以通运。㉗因敌为资：指进入敌区，夺取敌方的粮草以供己用。因，依靠、凭借。㉘尽举见众：率领现有的全部大军。

见，同“现”。㉙ 直趋邺城：直扑燕国的首都邺城，在今河北临漳西南。㉚ 北归辽、碣：向北逃到他们固有的碣石山与辽河一带去。碣石山在今河北昌黎附近，辽河在今辽宁境内。燕国旧时的都城曾先后在棘城（今辽宁义县）、龙城（今辽宁朝阳）。㉛ 难为功力：指燕人难以固守成功。㉜ 尽为官有：全部为东晋所有。官，指国家、皇帝。㉝ 易水以南：指整个今北京市以南地区。易水在今河北西部。有北、中、南三支，均源出易县境内，下流注入大清河，再东北流向天津市入海。㉞ 交臂请命：自缚双臂，请求投降。请命，请求给予处治。㉟ 轻锐：轻举冒进。㊱ 胜负难必：没有必胜的把握。难必，难以保证必胜。㊲ 顿兵河、济：驻军于黄河、济水流域，即今河南北部与山东西北部一带地区。㊳ 控引漕运：控制并利用各条水路向前方调送物资。㊴ 来夏：明年夏天。㊵ 虽如赊迟：看起来像是缓慢了一点。赊迟，缓慢、遥远。㊶ 期于成功：希望全胜。期，盼望。㊷ 进不速决：向敌进攻，不能速战速决。㊸ 退必愆乏：向后退却，就要难以避免失误与粮食匮乏。愆，失误。乏，粮食匮乏。㊹ 以日月相引：指故意拖延时间。引，拉长。㊺ 涩滞：河水更浅，更难以行船。㊻ 裘褐者少：能有长皮袍或粗毛短褐穿的人很少。㊼ 于时所忧：到那时该忧虑的问题。㊽ 温又不从：胡三省曰，“郗超之谋略岂常人所及哉？宜桓温重之也。重之而不从其计者，直趋邺城，决胜负于一战，温所不敢；顿兵河、济以待来年，使燕得为备，温亦不为也”。㊾ 湖陆：县名，县治在今山东鱼台东南六十里。㊿ 黄墟：即黄城之墟，在今河南民权北。51 林渚：即故柒城，在今河南新郑东北。52 武阳：即东武阳县，县治在今山东莘县西南朝城镇西四十里。53 枋头：即今河南浚县西南的淇门渡，因当年曹操攻袁尚，曾在这里用枋木做堰，遏使淇水进入白沟，以供运输而得名。54 和龙：即龙城，在今辽宁朝阳，燕国的旧日都城。55 悉罗腾：少数民族人，姓悉罗名腾。悉罗是其部落名，用以为姓。56 钟：申钟。事迹见本书前文卷九十五成帝咸和九年。57 放：封放。事迹见本书前文卷九十九穆帝永和十年。58 虎牢：虎牢关，在今河南荥阳西北之古汜水镇。59 桓温伐我二句：事见本书前文卷九十九穆帝永和十年。60 举山东：占领全部太行山以东地区。61 洛邑：即洛阳。62 引并、豫之粟：收取并州、豫州的粮食。并州指今山西一带地区，豫州指今河南东部一带地区。63 观兵崤、渑：向崤山、渑池以西炫耀武力，意即进攻关中。崤山、渑池县都在今河南之西部。64 病：疲弊。65 颍川：郡名，郡治所许昌，在今河南许昌东。66 申胤：燕国之有学问的官员，曾任给事黄门侍郎。67 大军：敌指燕军。68 逡巡高岸：指在黄河北岸徘徊。逡巡，徘徊不前的样子。69 兵不接刃：指不与晋兵交锋。兵，武器。70 克殄：战胜并消灭敌人。71 乖阻：不合作；唱反调。乖，背离。阻，阻挠。72 恃众：仗恃兵多。73 怯于应变：不敢果断地采取随机应变的行动，如上述郗超之建议攻取邺城。74 值可乘之会：面对燕国有可乘之机。会，时机。75 逍遥中流：指黄河的流水徘徊不前。逍遥，优哉游哉，不思进取的样子。76 不出赴利：不迅速出击争取胜利。77 粮廪愆悬：指军粮供应不上。愆悬，因路远未及时运到。愆，误期。悬，路远。78 情见势屈：不利的方面逐渐暴露。见，同“现”。屈，不利因素。⑲自然之数也：必然的道理。胡三省曰：“温攻秦而不渡霸水，攻燕而徘徊枋头，人皆咎其不进；知彼知己，温盖临敌而方有见乎此也。温之智虽不足以禁暴定功，然其去众人亦远矣。”⑳乡导：即向导，为大军带路的人。㉑徇赵、魏：带兵在今河北南部一带巡游示威并进行宣传。徇，巡行谕告。㉒夺气：丧气；失去信心。㉓谯、梁：谯郡、梁国。谯郡的郡治即今安徽亳州，梁国的都城在今河南商丘南。㉔开石门：在石门开渠，引黄河水以通漕运。石门在今河南荥阳北，临近黄河。㉕兰台治书侍御史：御史中丞的属官，主管为帝王起草文件。㉖州兵：州里的地方武装。燕国的豫州州治许昌，在今河南许昌东。㉗佩：李佩，慕容皝时代的燕国名将，曾在打败石虎、宇文氏部落的战斗中立有大功。㉘慕容宙：慕容皝之孙，慕容德之侄。㉙轻剽：轻捷剽悍，带有浮躁的意思。㉚怯于陷敌：不敢攻入敌阵。陷，攻入。㉛乘退：乘敌方之退而攻击之。㉜设饵以钓之：假装败退以引诱其出击，而中途设伏以消灭之。饵，钓鱼用的鱼食。㉝三伏：三支伏兵。㉞兵未交而走：双方还没有交锋燕军就回头逃走了。㉟丙申：九月十九。㊱东燕：郡名，郡治在今河南卫辉东南。㊲仓垣：古城名，在今河南开封东南，靠近汴水。㊳凿井而饮：汴水、济水皆自北向南流，桓温恐追兵在上流投毒，故凿井而不饮河水。㊴简：选择。⑩后拒：后卫，掩护大军撤退的防卫部队。⑩蹑其后：跟随在其大军的身后。蹑，跟随。⑩兼道而进：应说“兼道而退”，昼夜兼程地向南方撤退。⑩及温于襄邑：在襄邑追上了桓温的军队。襄邑县治在今河南睢县西一里。⑩十月己巳：十月二十二。⑩山阳：郡名，治所在今江苏淮安东南。⑩不报：不答复。⑩历阳：即今安徽和县。⑩有旧：旧时相识，有老交情。⑩接以平生：像接待老朋友一样接待郝晷。⑩自托于猛：在王猛这里留一条后路。⑪颇泄其实：将燕内部的一些实情告诉了王猛。⑫畋于万年：正在万年县打猎。畋，打猎。万年县的县治在今陕西西安市临潼区东北的古城村南。⑬野见：在郊外接见。野，野外、郊外。与在朝廷接见相比，显得不重视、不礼貌。⑭不敢闻命：意即不接受你的这种安排。⑮惟主人所以处之：意即听从主人的安排。惟，一切听从。所以处之，所做的各项安排。⑯专制其礼：在接待的礼仪上怎么能由你说了算。⑰天子称“乘舆”：此处是辛劲偷换概念。群臣不敢指称皇帝，故以“乘舆”敬称之，而不是另有称呼曰“乘舆”。⑱所至曰“行在所”：皇帝走到哪里，就称那个地方叫“行在所”，也简称“行在”。⑲何常居之有：哪里有什么固定的居住地点。⑳遇礼：指国君在宫廷外与他国客人的相逢之礼。如《春秋》隐公四年有所谓“公（鲁隐公）及宋公遇于清”。《公羊传》云：“遇者何？不期也。”杜预注云：“遇者，草次之期，二国各简其礼，若道路相逢遇也。”㉑晋室不纲：晋国的政治没有章法。不纲，没有伦常。㉒灵祚归德：神灵的福佑给予有德的一方。㉓二方承运：秦、燕两方正在受着老天爷的照顾。承运，膺受天命。㉔俱受明命：都是秉承着天命。㉕窥我王略：侵犯燕国的疆土。窥，偷看，隐指侵犯。王略，燕王的封疆。㉖燕危秦孤：燕国一旦灭亡，秦国就要陷于孤立。危，这里隐指被灭。⑫势不独立：一定不能单独存在。⑫要结好援：与燕国建立友好联盟。⑫东朝：指燕国。⑬引领：伸长脖子，形容盼望的殷切。⑬愧其不竞二句：燕国君臣深愧自己的不够强大，从而使得邻国（指秦）为自己担忧。不竞，不强。⑬西使之辱：凡是秦国的使臣到达燕国。辱，谦辞，即指来燕。⑬敬待有加：总是给予高规格的接待。⑬交聘：两国间的相互友好访问。⑬崇礼笃义：提高礼数，加深信义。笃，深厚，这里用如动词。⑬若忽慢使臣：如果你们对我轻视怠慢。⑬海县分裂：中国正四分五裂。中国古代称“赤县神州”，并说其外围有大海环绕，故称“海县”。⑬天光分曜：日光分别照耀着不同区域。以喻全国分裂，各自为政。⑬因事权行：那是赶巧权变的一种做法。权，临机制宜。⑭平居容与：平时无事，逍遥散荡。容与，逍遥散荡的样子，指苻坚不过是在打猎游戏而已。⑭客使单行：出访的使者单独在外。⑭诚势屈于主人：当然是没有你们的势力大。⑭不以礼：不以合适的礼节相待。⑭设行宫：搭建起一座临时的宫殿。⑭百僚陪位：安排一定数量的百官做陪同。⑭延客：引梁琛进见。⑭燕朝：平居无事的友好朝见。燕，安闲。⑭私宴：以私人身份举行的宴会，表示苻坚的礼贤下士。⑭明德茂亲：有才德的亲属。⑮折冲御侮：打退敌人的进攻，抵御寇盗的侵侮。⑮典客：负责接待宾客。典客也是官名，掌管接待少数民族的诸侯来朝等事务。典，掌管。⑮馆琛于奕舍：把梁琛安排在其兄梁奕的住所居住。馆，住宿。⑮诸葛瑾：字子瑜，诸葛亮之兄。三国时期历任吴国的长史、南郡太守。孙权称帝后，任为大将军。传见《三国志》卷五十二。⑮为吴聘蜀：为吴国出使西蜀的刘备政权。⑮惟公朝相见：当时诸葛亮任蜀汉丞相，只有在公开场合以官方身份相见。⑮退无私面：退朝之后，从不以兄弟的身份私下会面。⑮窃慕之：暗中仰慕诸葛兄弟的为人。窃，谦辞。⑮即安私室：就便居住在私人住所。⑮不果馆：没到其兄的住所居住。⑯来就邸舍：前来客馆看望。邸，外出官员临时居住的住所。⑯与琛卧起：陪着其弟一道住宿。⑯间问：乘便而问。间，空隙、机会。⑯各有所在：各有所尽忠的主子。⑯非使臣之所得论：不是我所应该说的。使臣，梁琛自称。⑯何用问为：即何为用问，“为”字倒置即成疑问句式。⑯延琛：邀请梁琛。⑯讽：暗示性地提醒。⑯储君：未来的君主，即太子。⑯视元士：级别相等于“元士”。天子的士称“元士”，天子的嫡长子称元子。视，相等。《礼记·郊特牲》：“天子元子，犹士也，天下无生而贵者也。”⑰不敢臣其父之臣：意即尊敬其父手下的大臣，不把他们看作自己的臣子。⑰苟无纯敬：如果不是出于纯粹的恭敬。⑰则礼有往来：则必然要讲究个“礼尚往来”。指自己拜秦太子，秦太子按礼也应当答拜。⑰情岂忘恭：从自己本心讲，我是挺想对秦太子表示恭敬的。⑰但恐降屈为烦：我是怕让你们太子降低身份给我还礼添麻烦。降屈，降低身份。⑰留琛：把梁琛扣留在秦国。⑰未逾淮：还没有渡过淮水，亦即还没有走到袁真驻军的寿春，即今安徽寿县。⑰忘身立效：意即舍死立功。效，功勋。⑰摧锋陷陈：挫败敌人进攻的锋芒，攻克敌兵防守之坚阵。摧，摧折。陷，攻克。⑰抑而不行：压制而不予行赏。⑱廷争：在朝廷上当众争论。⑱可足浑氏素恶垂：事见本书前文卷一百升平元年。素恶垂，一向讨厌慕容垂。⑱乐安王臧：慕容臧，燕主慕容暐之胞兄。⑱内意：宫里的意思，即太后可足浑氏之意。⑱必不可弥缝：骨肉之间的裂痕一定无法弥补。⑱内以为忧：内心里感到焦虑。⑱尊：对父亲的敬称。⑱比者：近来。⑱愈见猜：越发受到猜忌。⑱致命：忘身；豁出性命。⑲暗弱：愚昧、怯懦。⑲疾于骇机：比强弓上的箭还快。疾，迅速。骇机，突然触发的弓弩，因令人惊骇，故称"骇机"。⑲逊辞：用谦卑的言语。⑲周公之居东：西周成王初即位时年纪幼小，由其叔周公代掌朝政，管、蔡二叔散布流言，说周公图谋篡位，发兵造反；成王对周公的信任也发生动摇，周公只好逃到东方避难。后来成王发现了周公当年请求自己一死以换取武王健康的祷词，深受感动，遂把周公请了回来。事见《史记·周本纪》。⑲感寤：意即使燕王慕容暐能有所感悟。⑲内抚燕、代：对内安定好燕、代一带地区，意即占据燕、代一带地区而自立。燕，指今之北京市与其周围地区。代，指今河北西北部与山西东北部一带地区。⑲外怀群夷：对外安抚好周边的其他少数民族地区。怀，实行好的政策使之感恩。⑲肥如之险：指卢龙塞。肥如是县名，县治在今河北卢龙北。⑲十一月辛亥朔：此语有误，十一月朔丁丑，无辛亥日。辛亥应是十二月初五，"朔"字疑是衍文。⑲畋于大陆：到大陆泽一带打猎。大陆泽又名"巨鹿泽"，在今河北的巨鹿、隆尧、任县三县之间，汇聚太行山区之水，下流注入漳水。《尔雅·释地》列为"十薮"之一。清时分割为南泊、北泊，今已淤为平地。⑳邯郸：古城名，在今河北邯郸之西南部。⑳亡叛：叛变、逃跑。⑳及于范阳：追到范阳时，追上了慕容垂。范阳，郡名，郡治即今河北涿州。⑳断后：为后卫；押后阵。⑳保东都：依托龙城以自保。龙城在邺都东北，故称东都。⑳谋不及设：来不及做别的计划。⑳舍此安之：除了这条路还能到哪里去。安之，何往。⑳傍南山：指沿中山国、常山郡的山谷南行还邺。⑳赵之显原陵：即后赵主石虎的假造墓地。⑳鹰皆飞飏：他们的猎鹰都忽然飞走。飏，飞散而去。㉑构事：制造事端，指策划杀慕容垂之事。㉑指掌：指划手掌之纹，以喻事成之极易。㉑革弊简能：革除弊政，选用能臣。㉑匡：扶之使正。㉑便：指有利的条件。㉑子马奴：慕容垂儿子的管马奴隶。㉑河阳：县名，县治在今河南孟州西三十五里。㉑段夫人：慕容垂前妃之妹。㉑兄子楷：慕容恪之子慕容楷。㉑可足浑氏：可足浑太后之妹。可足浑太后强令慕容垂娶其妹事，见本书卷一百升平二年。㉒乙泉戍主：乙泉坞的坞主。乙泉坞在今河南宜阳西南洛河的北原上，当时属燕。坞是民众结集而居的军事据点名，"戍主""坞主"即该据点的头领。㉒閿乡：乡邑名，即今河南灵宝西北的閿乡城，当时上属湖县。㉒郊迎：到郊外迎接，以示隆重。㉒告成岱宗：统一称帝后到泰山祭天，向上帝报告成功，即所谓"封禅"，是古代帝王在道德、功业都获得完成时的一种壮举。岱宗，即泰山，在今山东泰安北。㉒还卿本邦：意即封你到你的本土燕国一带去。㉒去国不失为子之孝：在离开燕国的时候能保持对自己列祖列宗的孝心。㉒归朕不失事君之忠：虽然归顺于我而不改变对燕国君主的忠诚。㉒羁旅之臣：一个漂泊在外、寄居异乡的小臣。㉘免罪为幸：能够不受责罚就已经是幸运了。㉙本邦之荣：封回故土的荣耀。㉚巨万：大万；万万。即今之所谓"亿"。㉛属目观之：定着眼睛看，表示喜爱、赞赏。属，通"瞩"，注目。㉜向慕：向往、仰慕。㉝可驯：可驯养以为己用。㉞若借以风云：一旦他有了权势、有了时机。风云，以喻对之有利的条件。㉟推诚纳之：敞开胸怀诚意相待。纳，接待。㊱万乘：指万辆兵车，通常即用以指大国之君。㊲宾徒侯：封爵为侯，领地为宾徒县。宾徒县的县治在今辽宁锦州北。㊳魏尹范阳王德：慕容德，慕容垂异母弟。此时为魏郡太守，亦称府尹，是燕国国都邺城所在郡的行政长官。后为南燕政权的建立者。㊴车骑从事中郎：车骑将军属官。垂为燕车骑大将军，以高泰为从事中郎。㊵外口籍籍：外面的人议论纷纷。籍籍，说个不停的样子。㊶王僚属：吴王慕容垂的僚属。㊷显进之：突出地提拔他。㊸粗可消谤：可以稍稍地减少一些诽谤之语。粗可，略可。㊹领袖：衣服的领子和袖口，以比喻有影响、有号召力的人物。㊺瞻：高瞻，慕容廆时代的名臣。传见《晋书》卷一百八。㊻日阅：每天都在操练、检阅。㊼陕东：陕县以东。㊽败和好：破坏友好关系。㊾以计相救：是从其自身利益考虑才救我们。计，权衡利害。㊿有衅：有了可乘之机。衅，间隙。(251)本志：固有的吞并燕国之志。(252)聘问相寻：友好访问往来不断。相寻，一次接一次。(253)窥上国：暗中窥测燕国。古代诸侯称朝廷为上国。(254)不忘久要：不忘记两国固有的友好条约。久要，固有的约定。(255)出兵洛川：指苻坚派苟池、邓羌救燕之事。(256)为其谋主：为其出谋划策。谋主，主谋之人。(257)伍员之祸：伍员，字子胥，原春秋时楚人，因其父兄被楚平王所杀，伍员奔吴，助阖闾夺取王位。阖闾九年（公元前五〇六年），伍员率吴军攻入楚都，差点灭掉楚国。事详《史记·伍子胥列传》。(258)壶关：在今山西长治北。(259)防未然：即提防秦国的进攻燕国。(260)恃我为援：是仰仗我们对他的援助。(261)庶几善道：多少还是讲究点睦邻友好的。庶几，差不多。善道，指睦邻友好而言。(262)终不肯：无论如何也不会。(263)以启寇心：以引发秦国的入侵之心。(264)言诞而视远：说话不着边际，眼神高深莫测。(265)观衅：观察燕国的破绽，伺隙而欲有所动。(266)侵桡：妨碍；干扰。(267)贪昧：贪财昧利。昧利，为利而不顾一切。(268)货赂上流：财货从下往上流，指下级官吏向其上级公开行贿。(269)官非才举：各级官吏都不是凭着才能被提拔的。(270)守宰：郡太守与县令两级官员。(271)致治之本：是使国家达到太平的基础，因为这两级官员最接近百姓，最关系到社会的和谐与稳定。(272)出于行伍：来自军队。古代军队的编制，五人为伍，二十五人为行，故以"行伍"代指军队。(273)生长绮纨：出身于贵族之家。绮纨，两种华贵的丝织品，故用以代指贵族、权豪之家。(274)乡曲之选：地方基层所推荐。乡曲，犹言"乡里""乡邑"。(275)不更：没有经过。(276)黜陟：降职与提升。(277)清修：廉洁、勤勉。(278)无旌赏之劝：得不到表彰、奖赏这样的鼓励。劝，勉、鼓励。(279)莫相纠摄：没有人来举发、整顿。(280)猥多：既不正又众多。(281)纷然：事务众多而混杂的样子。(282)数兼二寇：相当于晋、秦两国的总和。二寇，指晋、秦。(283)比者：近些时候以来。(284)战则屡北：作战则屡败。北，败。(285)赋调不平：

征兵征税不公平。㉘⑥侵渔：侵夺吞没百姓的财物。渔，以渔民捕鱼比喻官府、豪族的掠夺百姓。㉘⑦行留俱窘：被拉去当兵的与留在家乡为农的，日子都非常艰难。㉘⑧莫肯致命：因而不肯为国家奋勇战斗。致命，舍生忘死。㉘⑨僮侍厮役：泛指各种供驱遣的仆役、奴隶。僮，仆人。侍，侍者。厮、役，都是做粗活的佣人。㉙⓪厥直万金：其花费多达万金。直，同“值”。古之“一金”约当铜钱一万枚。㉙①秦、吴僭僻：即秦僭吴僻，意思是秦国虽是僭号称帝，东晋是偏安江南。吴，这里指东晋。㉙②犹能条治所部：还能管好并统领他们的下属。所部，所属。㉙③上下因循：上下相互仿效、相互迁就。㉙④并官省职：精简机构，罢免冗官。㉙⑤两遂：双方满意；双方得利。㉙⑥爱惜用度：意即节省开支。㉙⑦赏必当功：颁发的奖赏必与其功相当。当，副、相称。㉙⑧温、猛可枭：桓温、王猛可以被我们擒来枭首示众。㉙⑨索头：指鲜卑拓跋氏部落，因其生活习惯是编发为辫，故称。㉚⓪虽乏贡御：虽然他们不向我们进献贡品。贡御，意即进贡。㉚①远戍：指燕国派兵到云中郡戍边防守。前燕的云中郡应在今山西的西北边境，具体方位不详。㉚②移于并土：南移到并州境内，并州的州治晋阳，在今山西太原西南。㉚③西河：指今山西、陕西两省中间的那段黄河。㉚④南坚壶关：南方坚守壶关要塞。㉚⑤北重晋阳：北部重点防守晋阳。㉚⑥过则断后：敌军撤退时就斩下它的最后部分。㉚⑦犹愈于：还胜过。㉚⑧不省：不看；不理睬。㉚⑨辛丑：十一月二十五。㉛⓪涂中：地名，指今安徽、江苏滁河流域的滁州、全椒及六合一带地区。㉛①后举：以后的北伐行动。㉛②行人失辞：使臣当时说错了话。行人，外交使者。㉛③分灾救患：给邻居分担一些受灾损失，给予一定的救助。㉛④筑广陵城：在今江苏扬州的周围筑城。㉛⑤徙镇之：把自己的军事指挥部迁到那里。㉛⑥征役：征调筑城的劳工。役，役夫、劳工。㉛⑦疫疠：瘟疫。㉛⑧什四五：十分之四五。㉛⑨孙盛：孙楚之孙，当时著名的历史家，著有《魏氏春秋》《晋春秋》。㉜⓪何至乃如尊君所言：哪里像你父亲所写的那种样子。尊君，你父亲。㉜①遂行：一旦流传开。㉜②自是关君门户事：肯定要关系到你们家族的命运问题，意思是要被灭族。㉜③遽：赶紧。㉜④性方严：性格方正严肃。㉜⑤有轨度：有棱角；讲原则。㉜⑥虽斑白：须发花白，以喻其年老。㉜⑦愈峻：越发严厉。㉜⑧稽颡：磕头碰地。㉜⑨请为百口切计：请为这全家百余口切实考虑。㉝⓪孝武帝：司马曜，会稽王（日后的简文帝）司马昱之子，公元三七三至三九六年在位。㉝①见本：晋王朝所流行现存版本。见，同“现”。

【校记】

［1］救我：据章钰校，十二行本、乙十一行本皆作“我救”，张敦仁《通鉴刊本识误》同。［2］也：原无此字。据章钰校，十二行本、乙十一行本、孔天胤本皆有此字，张敦仁《通鉴刊本识误》同，今据补。［3］共：原无此字。据章钰校，十二行本、乙十一行本、孔天胤本皆有此字，今据补。［4］治书：原无此二字。据章钰校，十二行本、乙十一行本皆有此二字，张瑛《通鉴校勘记》同，今据补。［5］太原：原无此二字。据章钰

校，十二行本、乙十一行本、孔天胤本皆有此二字，张敦仁《通鉴刊本识误》同，今据补。[6]砉：原无此字。据章钰校，十二行本、乙十一行本皆有此字，今据补。[7]知燕将亡：原无此句。据章钰校，十二行本、乙十一行本、孔天胤本皆有此句，张敦仁《通鉴刊本识误》、张瑛《通鉴校勘记》同，今据补。[8]廷：原作“庭”。据章钰校，十二行本、乙十一行本皆作“廷”，今从改。[9]秦王：据章钰校，十二行本、乙十一行本皆

【原文】

五年（庚午，公元三七〇年）

春，正月己亥㉜，袁真以梁国内史沛郡朱宪及弟汝南内史斌阴通大司马温㉝，杀之。

秦王猛遗燕荆州㉞刺史武威王筑书曰：“国家㉟今已塞成皋之险㊱，杜㊲盟津之路㊳。大驾㊴虎旅百万，自轵关㊵取邺都。金墉穷戍㊶，外无救援，城下之师，将军所监㊷，岂三百弊卒所能支也！”筑惧，以洛阳降，猛陈师受之㊸。燕卫大将军乐安王臧㊹城新乐㊺，破秦兵于石门㊻，执秦将杨猛。

王猛之发长安也，请慕容令参其军事，以为乡导。将行，造㊼慕容垂饮酒，从容谓垂曰：“今当远别，卿[14]何以赠我？使我睹物思人。”垂脱佩刀赠之。猛至洛阳，赂垂所亲金熙，使诈为垂使者，谓令曰：“吾父子来此，以逃死㊽也。今王猛疾人如仇，谗毁日深。秦王虽外相厚善，其心难知。丈夫逃死而卒不免，将为天下笑。吾闻东朝㊾比来始更悔悟，主后相尤㊿。吾今还东，故遣告汝。吾已行矣，便可速发。”令疑之，踌躇终日，又不可审覆[351]。乃将旧骑[352]，诈为出猎，遂奔乐安王臧于石门。猛表令叛状[353]，垂惧而出走，及蓝田[354]，为

作“秦主”。[10] 可以：原无此二字。据章钰校，十二行本、乙十一行本皆有此二字，今据补。[11] 等：原无此字。据章钰校，十二行本、乙十一行本皆有此字，张敦仁《通鉴刊本识误》同，今据补。[12] 兄：原作“子”。据章钰校，十二行本、乙十一行本皆作“兄”，张瑛《通鉴校勘记》同，今据改。[13] 太原：原无此二字。据章钰校，十二行本、乙十一行本、孔天胤本皆有此二字，张瑛《通鉴校勘记》同，今据补。

【语译】

五年（庚午，公元三七〇年）

春季，正月二十四日己亥，袁真因为担任梁国内史的沛郡人朱宪以及朱宪的弟弟、担任汝南内史的朱斌暗中与东晋大司马桓温通谋，遂将朱宪、朱斌杀死。

秦国辅国将军王猛写信给守卫洛阳的燕国荆州刺史、武威王慕容筑，王猛在信中说：“秦国现在已经堵塞了成皋的险要之地，截断了盟津一带的南北通道。秦王苻坚亲自统领像猛虎一样的百万雄师，从轵关出发，径直去攻取你们燕国的都城邺城。洛阳的守军已经陷于孤立困乏的绝境，外无援兵，而围攻洛阳的强大部队，是将军亲眼可以看到的，这岂是你手下那区区三百名疲惫不堪的士卒所能抵抗的！”慕容筑非常恐惧，于是献出洛阳，向秦国投降，王猛列好阵势，接受了慕容筑的投降。燕国担任卫大将军的乐安王慕容臧在新乐县筑城，在石门打败了入侵的秦兵，活捉了秦国将领杨猛。

秦国辅国将军王猛从都城长安出发的时候，邀请了慕容垂的世子慕容令担任军事参议，并为大军做向导。临近出发时，王猛又亲自登门拜会慕容垂，与慕容垂一起饮酒，王猛从容地对慕容垂说：“现在就要告别远行了，你赠送我一件什么礼物？使我能睹物思人。”慕容垂立即解下身上的佩刀赠给王猛。王猛到达洛阳后，便贿赂了慕容垂的亲信金熙，让他冒充慕容垂的使者，对慕容令说：“我们父子来到秦国，本来是为了躲避慕容评的迫害。如今王猛忌恨我们就像忌恨仇敌一样，不断地在秦王面前进谗言诋毁我们，而且越来越严重。秦王苻坚虽然表面上待我们恩重如山，其心中如何却很难预料。大丈夫为了逃命出奔国外而最终难逃一死，将会受到天下人的耻笑。我听说近来燕国已经开始悔悟，燕主慕容暐与他的母亲可足浑氏太后已经在互相指责当初不该加害于我。我现在就准备返回祖国，所以派人通知你。我已经上路了，你要赶紧离开王猛返回燕国。”慕容令对此很怀疑，犹豫不决了一整天，又没有办法调查核实。最后只得率领着自己从燕国逃奔秦国时随行的一些骑兵，假称出去打猎，趁机投奔了驻扎于石门的燕国安乐王慕容臧。王猛遂给秦王苻坚上疏，奏明慕容令叛逃的情形，慕容垂大为恐惧，于是率领着自己的家属再度逃亡，当他

追骑所获。秦王坚引见东堂，劳[355]之曰："卿家国失和，委身投朕。贤子[356]心不忘本，犹怀首丘[357]，亦各其志，不足深咎。然燕之将亡，非令所能存，惜其徒入虎口耳。且父子兄弟，罪不相及，卿何为过惧[358]而狼狈如是[359]乎！"待之如旧。燕人以令叛而复还，其父为秦所厚，疑令为反间[360]，徙之沙城，在龙都[361]东北六百里。

臣光曰："昔周得微子[362]而革商命[363]，秦得由余[364]而霸西戎，吴得伍员[365]而克强楚，汉得陈平[366]而诛项籍[367]，魏得许攸[368]而破袁绍。彼敌国之材臣，来为己用，进取[369]之良资也。王猛知慕容垂之心久而难信，独不念燕尚未灭，垂以材高功盛，无罪见疑，穷困归秦，未有异心，遽以猜忌杀之，是助燕为无道而塞来者之门[370]也，如何其可哉？故秦王坚礼之以收燕望[371]，亲之以尽燕情[372]，宠之以倾燕众[373]，信之以结燕心，未为过矣。猛何汲汲[374]于杀垂，至[15]乃为市井鬻卖之行[375]，有如嫉其宠而谗之[376]者，岂雅德[377]君子所宜为哉！"

乐安王臧进屯荥阳，王猛遣建威将军梁成、洛州刺史邓羌击走之，留羌镇金墉，以辅国司马桓寅[378]为弘农[379]太守，代羌戍陕城而还。

秦王坚以王猛为司徒、录尚书事，封平阳郡侯。猛固辞曰："今燕、吴未平，戎车方驾。而始得一城，即受三事[380]之赏，若克殄二寇[381]，将何以加之？"坚曰："苟不暂抑朕心[382]，何以显卿谦光之美[383]！已诏有司[384]，权听所守[385]，封爵酬庸[386]，其勉从朕命[387]！"

们逃到蓝田县的时候，被随后追赶的秦国骑兵拿获。秦王苻坚在太极殿的东堂接见慕容垂，安慰他说："你的家庭与燕国朝廷不和，所以才来投奔我。你的儿子慕容令心里忘记不了自己的根本，仍然眷恋着故国，这也是人各有志，不值得深加责备。然而燕国即将灭亡的事实，不是靠慕容令一个人所能挽救的，只可惜慕容令白白地跳进了虎口。再说，父子兄弟之间，都要对自己的行为负责，有了罪恶，也不会互相牵连，你何必如此过度恐惧，张皇失措到这种程度！"苻坚对待慕容垂仍然像从前那样。燕国人因为慕容令背叛了祖国，现在又返回来，而他的父亲慕容垂仍然在秦国受到秦王苻坚的厚待与尊崇，所以怀疑慕容令是来从事间谍活动的，就把慕容令流放到了沙城，沙城在龙城东北六百里的地方。

司马光说："古代的周朝因为得到了微子启而灭掉了商王朝，嬴秦因为得到由余而称霸西戎，吴国因为得到伍子胥而打败了强大的楚国，汉高祖刘邦因为得到陈平而诛杀了楚霸王项羽，魏武帝曹操因为得到许攸而大破袁绍。那些敌国的人才，前来投靠，为自己效力，他们是进攻敌方、获取胜利最宝贵的人才资源。秦国辅国将军王猛只知慕容垂的心思是时间越久越难以信赖，唯独没有想到燕国还没有消灭，慕容垂才华盖世，功勋盛大，没有罪过却无端遭到猜忌，在走投无路的情况下才投奔了秦国，对秦国没有一点图谋不轨之心，却因为猜忌而突然要把他除掉，这是在帮助燕国除掉贤能而堵塞了所有想来秦国投奔者的门路，这怎么可以呢？所以秦王苻坚才礼遇慕容垂，以获取在燕国人心目中的声望；亲近慕容垂，使燕国人的感情得到满足；宠信慕容垂，以吸引更多的燕国人前来投奔；信任慕容垂，以获得燕国人对秦国的好感，秦王苻坚的这些做法并不过分。王猛为何要急不可耐地将慕容垂父子杀掉，竟然做出像市井小民一样只图眼前利益而不作长远打算的事情来，其实说穿了，就是对慕容垂受到秦王苻坚的宠爱而内心不平，因而就去说人家的坏话，这岂是气度宽宏的君子所应该做的事情呢！"

燕国乐安王慕容臧率军进驻荥阳，秦国辅国将军王猛派遣建威将军梁成、洛州刺史邓羌将慕容臧打退，王猛留下邓羌镇守金墉城，任命担任辅国司马的桓寅为弘农郡太守，代替邓羌戍守陕城，撤军而回。

秦王苻坚任命王猛为司徒、录尚书事，封为平阳郡侯。王猛坚决推辞，他说："现在燕国、吴地的晋国还没有平定，平定天下的军事行动才刚刚开始。刚得到一座城邑，就接受三公的奖赏，如果将两个贼寇全部消灭，那时该奖赏什么呢？"苻坚说："如果我不稍稍放下一点架子，又怎能显示出你谦恭的美德！我已经下令给有关部门，暂且还让你管理原来的事务，加封爵位以酬谢功劳，你还是应该听从我的命令！"

二月癸酉[388]，袁真卒。陈郡太守朱辅立真子瑾为建威将军、豫州刺史，以保寿春，遣其子乾之及司马爨亮如邺请命[389]。燕人以瑾为扬州刺史，辅为荆州刺史。

三月，秦王坚以吏部尚书权翼为尚书右仆射。

夏，四月，复以王猛为司徒、录尚书事，猛固辞，乃止。

燕、秦皆遣兵助袁瑾，大司马温遣督护竺瑶等御之。燕兵先至，瑶等与战于武丘[390]，破之。南顿[391]太守桓石虔克其南城[392]。石虔，温之弟子也。

秦王坚复遣王猛督镇南将军杨安等十将步骑六万以伐燕。

慕容令自度终不得免，密谋起兵，沙城中谪戍士[393]数千人，令皆厚抚之。五月庚午[394]，令杀牙门[395]孟妫。城大[396]涉圭惧，请自效[397]。令信之，引置左右，遂帅谪戍士东袭威德城[398]，杀城郎[399]慕容仓，据城部署[400]，遣人招东西诸戍[401]，翕然[402]皆应之。镇东将军勃海王亮镇龙城，令将袭之。其弟[403]麟以告亮，亮闭城拒守。癸酉[404]，涉圭因侍直[405]击令，令单马走，其党皆溃。涉圭追令至薛黎泽[406]，擒而杀之，诣[407]龙城白亮。亮为之[16]诛涉圭[408]，收令尸而葬之。

六月乙卯[409]，秦王坚送王猛于灞上[410]，曰："今委卿以关东之任[411]，当先破壶关，平上党[412]，长驱取邺，所谓'疾雷不及掩耳'。吾当亲督万众，继卿星发[413]，舟车粮运，水陆俱进，卿勿以为后虑[414]也。"猛曰："臣杖威灵，奉成筭[415]，荡平残胡，如风扫叶。愿不烦銮舆亲犯尘雾[416]，但愿速敕所司部置鲜卑之所[417]。"坚大悦。

秋，七月癸酉朔[418]，日有食之。

秦王猛攻壶关，杨安攻晋阳。

八月，燕主暐命太傅上庸王评将中外精兵三十万以拒秦。暐以秦

二月二十八日癸酉，袁真去世。陈郡太守朱辅拥立袁真的儿子袁瑾为建威将军、豫州刺史，据守寿春，又派自己的儿子朱乾之以及担任司马职务的爨亮前往燕国的都城邺城请求燕王的批准和任命。燕国朝廷任命袁瑾为扬州刺史，任命朱辅为荆州刺史。

三月，秦王苻坚任命担任吏部尚书的权翼为尚书右仆射。

夏季，四月，再次任命王猛为司徒、录尚书事，王猛依旧坚决推辞，秦王苻坚遂不再坚持。

燕国、秦国都派兵援助袁瑾守卫寿春，东晋大司马桓温派遣担任督护的竺瑶等率军抵御秦军和燕军。燕国的军队率先到达，竺瑶等在武丘迎战燕军，将燕军打败。东晋南顿太守桓石虔攻克了寿春的南城。桓石虔，是桓温的侄子。

秦王苻坚又派辅国将军王猛统领镇南将军杨安等十位将领，率领着六万名步骑兵讨伐燕国。

慕容令估计自己最终难逃一死，于是秘密谋划起兵，沙城中因为有罪被发配、流放戍边的士卒有数千人，慕容令都厚待他们、抚慰他们。五月庚午日，慕容令杀死了担任牙门将的孟妫。沙城守将涉圭非常恐惧，遂请求慕容令，表示自己愿意为慕容令效力。慕容令相信了涉圭，便把他留在自己身边，于是率领着这些戍守沙城的士卒向东袭击威德城，杀死了守卫威德城的官员慕容仓，占据了威德城后，给众人分派任务，慕容令派人前往威德城东西各个防守据点招募人员，众人一致响应。燕国镇东将军、勃海王慕容亮镇守故都龙城，慕容令准备率众袭击龙城。慕容令的弟弟慕容麟将消息告诉了慕容亮，慕容亮紧闭城门进行坚守。二十九日癸酉，涉圭趁着在慕容令身边值勤的机会刺杀慕容令，慕容令单人独骑逃走，部下立即全部溃散。涉圭追赶慕容令，一直追到薛黎泽，终于追上了慕容令，将慕容令活捉、杀死，然后前往龙城告知慕容亮。慕容亮为慕容令而杀死了涉圭，然后收殓了慕容令的尸体，将慕容令安葬。

六月十二日乙卯，秦王苻坚亲自到灞上为王猛设宴饯行，苻坚说："我现在把征服函谷关以东地区的重任交付给你，你应当先攻取壶关，平定上党，然后长驱直入攻取燕国的首都邺城，这就是所说的'迅雷不及掩耳'。我将亲自率领一万名兵众，在你之后，披星戴月地兼程而进，用舟船车辆为远征大军运送粮食草料，水路陆路同时进发，你不要担心后方的供应与补给问题。"王猛说："我仰仗陛下的神威，遵照陛下早已拟定好的作战计划，荡平残余的胡寇，就如同秋风扫落叶一样。我不希望劳动陛下亲临前线去经历征战的辛劳，而是希望陛下快点敕令有关部门为燕国俘虏准备好安置场所。"秦王苻坚听了王猛的话，非常高兴。

秋季，七月初一日癸酉，发生日食。

秦国辅国将军王猛率军攻打壶关，镇南将军杨安率军攻打晋阳。

八月，燕主慕容暐命令担任太傅的上庸王慕容评率领朝廷内外所有的三十万精

寇为忧，召散骑侍郎李凤、黄门侍郎梁琛、中书侍郎乐嵩问曰：“秦兵众寡何如？今大军既出，秦能战乎？”凤曰：“秦国小兵弱，非王师之敌。景略常才⑲，又非太傅之比，不足忧也。”琛、嵩曰：“胜败在谋，不在众寡。秦远来为寇，安肯不战！且吾当用谋以求胜，岂可冀其不战而已⑳乎！”暐不悦。

王猛克壶关，执上党太守南安王越，所过郡县，皆望风降附，燕人大震。

黄门侍郎封孚问司徒长史申胤曰：“事将何如？”胤叹曰：“邺必亡矣！吾属今兹㉑将为秦虏。然越得岁㉒而吴伐之㉓，卒受其祸㉔。今福德在燕㉕，秦虽得志㉖，而燕之复建㉗，不过一纪㉘耳。”

大司马温自广陵帅众二万讨袁瑾，以襄城太守刘波为淮南内史，将五千人镇石头㉙。波，隗㉚之孙也。癸丑㉛，温败瑾于寿春，遂围之。燕左卫将军孟高将骑兵救瑾，至淮北，未渡，会秦伐燕，燕召高还。

广汉㉜妖贼李弘诈称汉归义侯势㉝之子，聚众万余人，自称圣王，年号凤凰。陇西㉞人李高诈称成主雄㉟之子，攻破涪城㊱，逐梁州刺史杨亮。九月，益州刺史周楚遣子琼讨高，又使琼子梓潼㊲太守虓讨弘，皆平之。

秦杨安攻晋阳。晋阳兵多粮足，久之未下。王猛留屯骑校尉苟长[17]戍壶关，引兵助安攻晋阳，为地道，使虎牙将军张蚝帅壮士数百潜入城中，大呼斩关㊳，纳秦兵。

辛巳㊴，猛、安入晋阳，执燕并州刺史东海王庄。太傅评畏猛不敢进，屯于潞川㊵。冬，十月辛亥㊶，猛留将军武都毛当戍晋阳，进兵潞川，与慕容评相持。

锐部队抵抗秦军的进攻。燕主慕容暐很为秦兵入侵之事感到担忧，遂召见担任散骑侍郎的李凤、担任黄门侍郎的梁琛、担任中书侍郎的乐嵩，向他们询问说："秦国此次总共出动了多少人马？现在我们已经派出所有精锐部队进行抵抗，秦军能与我军交战吗？"李凤回答说："秦国面积很小，兵力也很弱，肯定不是我们燕国军队的对手。王猛的才能也很一般，比不上太傅慕容评，陛下用不着担忧。"梁琛与乐嵩都说："胜败的关键在于将帅的谋略，而不在于兵众的多少。秦国远来进犯，怎么可能不与燕军交战！再说我们应当把取胜的希望寄托在将帅的谋略上，岂能把获胜的希望寄托在秦军不战自退上呢！"燕主慕容暐很不高兴。

秦国王猛率军攻占了壶关，活捉了燕国上党太守、南安王慕容越，秦军进入燕国领土之后，所经过的郡县，全都望风归降，燕国人非常震惊和恐慌。

燕国担任黄门侍郎的封孚向担任司徒长史的申胤询问说："你认为事情的发展趋势如何？"申胤叹息了一声说："燕国必定灭亡了！我们这些人如今都将成为秦军的俘虏。然而，当年岁星运行到越国的分野，吴国伐灭了越国，最终吴国还是被越国灭掉。如今正当天上的岁星运行到燕国的分野，秦国此次灭燕的欲望虽然能够得逞，然而燕国的重建，不会超过十二年。"

东晋大司马桓温从广陵率领两万人马讨伐袁瑾，桓温任命襄城太守刘波为淮南内史，让他率领五千人镇守石头城。刘波，是刘隗的孙子。八月十一日癸丑，桓温在寿春打败袁瑾，遂趁势包围了寿春。燕国担任左卫将军的孟高率领骑兵前来救援袁瑾，当他到达淮河北岸，还未渡河的时候，恰巧此时秦国出兵攻打燕国，燕国将孟高召回。

东晋益州辖境之内的广汉郡，有一个名叫李弘的贼人，冒充故汉主、投降东晋后被封为归义侯的李势的儿子，聚集起一万多人，自称圣王，改年号为凤凰。又有陇西人名叫李高，冒充成主李雄的儿子，率众攻破了涪城，驱逐了梁州刺史杨亮。九月，东晋益州刺史周楚派遣自己的儿子周琼率军讨伐李高，又派遣周琼的儿子、担任梓潼太守的周虓率军讨伐李弘，他们分别将李高、李弘消灭。

秦国镇南将军杨安率军攻打燕国的晋阳。晋阳城内兵多粮足，攻打了许久也没有攻克。辅国将军王猛遂将担任屯骑校尉的苟长留下守卫壶关，自己亲率大军赶往晋阳协助杨安攻打晋阳城，他令军士挖掘地道直通晋阳城中，然后令担任虎牙将军的张蚝率领数百名壮士从地道潜入晋阳城中，他们大声呐喊着砍开晋阳城的城门栓和锁，将城外的秦军放入城中。

九月初十日辛巳，王猛、杨安率领秦军进入晋阳，活捉了燕国担任并州刺史的东海王慕容庄。燕国太傅慕容评因为惧怕王猛而不敢进军，遂将军队屯扎在潞川。冬季，十月初十日辛亥，秦国辅国将军王猛留下将军、武都人毛当守卫晋阳，自己率领其他将士向潞川进发，在潞川与慕容评展开对峙。

壬戌[442]，猛遣将军徐成觇燕军形要[443]，期以日中，及昏而返。猛怒，将斩之。邓羌请之曰："今贼众我寡，诘朝[444]将战。成，大将也，宜且宥之。"猛曰："若不杀成，军法不立。"羌固请曰："成，羌之郡将[445]也，虽违期应斩，羌愿与成效战[446]以赎之。"猛弗许。羌怒，还营，严鼓勒兵[447]，将攻猛。猛问其故，羌曰："受诏讨远贼，今有近贼[448]，自相杀，欲先除之！"猛谓羌义而有勇，使语之[449]曰："将军止，吾今赦之。"成既免，羌诣猛谢，猛执其手曰："吾试将军耳。将军于郡将尚尔[450]，况国家乎！吾不复忧贼矣！"

太傅评以猛悬军深入[451]，欲以持久[452]制之。评为人贪鄙[453]，鄣固山泉[454]，鬻樵及水[455]，积钱帛如丘陵。士卒怨愤，莫有斗志。猛闻之，笑曰："慕容评真奴才，虽亿兆[456]之众不足畏，况数十万乎！吾今兹破之必矣。"乃遣游击将军郭庆帅骑五千，夜从间道[457]出评营后，烧评辎重，火见邺中[458]。燕主暐惧，遣侍中兰伊让[459]评曰："王，高祖[460]之子也，当以宗庙社稷为忧，奈何不抚战士而榷卖樵水[461]，专以货殖为心[462]乎！府库之积，朕与王共之，何忧于贫！若贼兵遂进[463]，家国丧亡，王持钱帛欲安所置之[464]！"乃命悉以其钱帛散之军士，且趋[465]使战。评大惧，遣使请战于猛。

甲子[466]，猛陈于渭源[467]而誓之曰："王景略受国厚恩，任兼内外[468]。今与诸君深入贼地，当竭力致死，有进无退，共立大功，以报国家。受爵明君之朝[469]，称觞父母之室[470]，不亦美乎！"众皆踊跃，破釜弃粮[471]，大呼竞进[472]。

猛望燕兵之众，谓邓羌曰："今日之事，非将军不能破勍敌[473]。

十月二十一日壬戌，秦国辅国将军王猛派遣将军徐成前往燕军阵前侦察燕军的形势和要害，约定日中时分返回，徐成一直到黄昏时分才回来。王猛不禁大怒，就要将徐成斩首。担任洛州刺史的邓羌为徐成向王猛求情说："如今贼人众多而我军人少，明天一早就要与燕军交战。徐成，乃是一员大将，应该宽恕他。"王猛说："如果不杀掉徐成，就不能维护军法的尊严。"邓羌还是坚决请求王猛饶恕徐成，他说："徐成，是我邓羌本郡的太守，虽然他现在违犯了军令应该斩首，我愿意与徐成一起效力决战，用战功来赎罪。"王猛还是不答应。邓羌怒气冲冲地返回自己的营帐，擂起战鼓集合起军队，准备攻击王猛。王猛质问邓羌为什么要这样做，邓羌回答说："我奉了秦王诏令讨伐远方的贼寇，现在我身边有你这样一个贼，你想自相残杀，所以我要先把你除掉！"王猛认为邓羌为人义气又作战勇敢，便派人对邓羌说："将军快别这样做，我现在就赦免徐成。"徐成被赦免之后，邓羌立即到王猛面前谢罪，王猛拉着邓羌的手说："我是有意在考验将军。将军对于本郡的太守尚且如此有情有义，何况是对国家呢！我不再担心贼寇不能被消灭了！"

燕国太傅慕容评认为秦国辅国将军王猛率领着一支孤军深入燕国境内，就准备用长期相持来拖垮秦军。慕容评为人贪婪、卑俗，他为了发财，竟然令人封锁了所在地的山林和泉水，士卒要想打柴汲水，就得向慕容评交钱才能得到允许，他靠卖柴卖水赚取的钱帛堆积如山。士卒心中充满了怨恨与愤怒，完全丧失了战斗意志。王猛得知这个消息，嘲笑地说："慕容评真是一个奴才，像他这样的人，即使拥有亿兆的兵众都不值得害怕，何况他仅有几十万呢！我现在一定能打败他。"于是派担任游击将军的郭庆率领五千名骑兵在夜间从隐蔽的小道绕到慕容评的营后，放火烧毁了慕容评的粮草辎重，在邺城都可以看见这场熊熊燃烧的大火。燕主慕容暐非常恐惧，立即派担任侍中的兰伊去责备慕容评说："大王，是高祖的儿子，应该为国家社稷的安危担忧，为什么不懂得抚恤士卒，反而垄断性地向士卒卖柴卖水，专门把心思用在做生意赚钱上呢！国家府库中的积蓄，是我与大王共同享有的财富，何必担忧贫穷！如果秦军长驱直入，就这样打了过来，导致国破家亡，大王准备把堆积如山的钱帛安置到哪里去呢！"遂令慕容评把所有钱帛全部散发给全军将士，并督促慕容评出战。慕容评非常害怕，赶紧派使者向王猛下战书。

十月二十三日甲子，秦国辅国将军王猛在渭源列阵誓师，他对全军将士说："我王猛深受国家厚恩，身兼朝廷内外的要职。如今与诸位一起深入贼人境内，应当竭尽力量、拼死作战，只有前进，不许后退，让我们共同建立大功，报效国家。获胜之后，回到朝廷接受国家拜官封爵的重赏，回到家中与自己的父母一道举杯庆贺，尽享天伦之乐，岂不是一件美事哉！"将士们全都踊跃争先，他们砸碎了锅碗瓢盆，抛弃了粮秣辎重，喊杀声震天，向敌军阵地冲去。

王猛望见燕军人数众多，遂对洛州刺史邓羌说："今天这个阵势，除非将军，没

成败之机⑭，在兹一举，将军勉之！”羌曰：“若能以司隶见与⑮者，公勿以为忧。”猛曰：“此非吾所及⑯也，必以安定⑰太守、万户侯相处⑱。”羌不悦而退。俄而兵交⑲，猛召羌，羌寝不应⑳。猛驰就许之㉑，羌乃大饮帐中，与张蚝、徐成等跨马运矛㉒，驰赴燕陈，出入数四㉓，旁若无人，所杀伤数百。及日中，燕兵大败，俘斩五万余人。乘胜追击，所杀及降者又十万余人。评单骑走还邺。

崔鸿㉔曰：“邓羌请郡将㉕以挠法㉖，徇私也。勒兵欲攻王猛，无上㉗也。临战豫求司隶，邀君㉘也。有此三者，罪孰大焉！猛能容其所短，收其所长㉙，若驯猛虎，驭悍马㉚，以成大功。《诗》曰：‘采葑采菲，无以下体㉛。’猛之谓矣！”

秦兵长驱而东，丁卯㉜，围邺。猛上疏称：“臣以甲子之日，大歼丑类㉝。顺陛下仁爱之志，使六州士庶㉞，不觉易主㉟，自非㊱守迷违命㊲，一无所害。”秦王坚报之曰：“将军役不逾时㊳，而元恶克举㊴，勋高前古。朕今亲帅六军，星言电赴㊵。将军其休养将士，以待朕至，然后取之㊶。”

猛之未至也，邺旁㊷剽劫公行㊸。及猛至，远近帖然㊹，号令严明，军无私犯㊺，法简政宽，燕民各安其业。更相谓曰：“不图㊻今日复见太原王㊼。”猛闻之[18]，叹曰：“慕容玄恭㊽信奇士㊾也，可谓古之遗爱㊿矣！”设太牢(511)以祭之。

十一月，秦王坚留李威辅太子守长安，阳平公融镇洛阳，自帅精锐十万赴邺，七日而至安阳(512)，宴祖父时故老(513)。猛潜如安阳(514)谒坚。

有人能够打败眼前这些强大的敌人。成败的关键，在此一举，将军要努力杀敌!”邓羌说:“如果你能答应让我担任司隶这个官，你就不用担心打不赢这场战争。”王猛说:“任命你担任司隶，不是我所能办到的，但我可以担保让你担任安定郡太守，封你为万户侯。”邓羌很不高兴地退了出去。不久，秦军与燕军交战，王猛传令邓羌进帐，邓羌只是躺在床上安睡而不予理睬。王猛立即飞马跑到邓羌的营帐之中，答应任命他为司隶，于是邓羌在营帐之中开怀畅饮之后，才与张蚝、徐成等跨上战马、挺起长矛，径直向燕军阵地杀去，他们杀进杀出四五次，如入无人之境，杀伤了数百名燕军。等到太阳正午的时候，燕军已经被打得大败，秦军俘虏、斩杀了五万多人。又乘胜追击，燕军被杀死以及向秦军投降的又有十万多人。燕国太傅慕容评单人匹马逃回邺城。

崔鸿说:“邓羌为自己所在郡的太守徐成向王猛求情，这是枉法徇私。王猛不同意赦免，邓羌就想要率众攻击王猛，这是目中没有上级。临战之前请求任命自己为司隶，这是对君主进行要挟。有了上述三种过失，罪恶还有比这更大的吗!王猛能够容忍邓羌的短处，发挥他勇敢善战的长处，就像驯服猛虎、驾驭野性十足的烈马，终于成就了大功。就像《诗经·谷风》所写的:‘采蔓菁、采萝卜时，不要因为它们的根不好就把它们全部抛弃不要。’正是对王猛这种用人方式的写照!”

秦军从潞川向东长驱直入，十月二十六日丁卯，包围了燕国的京师邺城。王猛上疏给秦王苻坚说:“臣在二十三日甲子那天，就已经大败燕军。臣顺从陛下仁爱的心愿，使整个燕国所管辖的六州的黎民百姓，在不知不觉间就已经换了主人，除了那些执迷不悟、继续违抗圣命的人之外，其他人丝毫没有受到伤害。”秦王苻坚回复王猛说:“将军率军远征还没有超过三个月，就打败了燕国的首恶元凶，将军功勋之高超过了古人。我现在就亲自统率六军，披星早行，风驰电掣般赶往前线。将军暂且休养将士，等我到达之后，再攻取邺城。”

王猛还没有抵达邺城，而邺城周边的社会秩序就已经陷入混乱，盗贼公开抢劫。等到王猛率领大军抵达后，远近的社会秩序立即安定下来，秦军号令严明，没有私自侵犯百姓利益的事情发生，法令简明，执法宽大，燕国的居民全都安心地从事着各自以往的职业。他们互相议论说:“没想到今天又见到了太原王慕容恪执政的美好时代。”王猛听到之后，叹息了一声说:“慕容恪确实是一个神奇的人，可以称得上是古代圣世所遗留的、今世所罕见的令人敬爱的人物!”于是准备了太牢祭祀慕容恪。

十一月，秦王苻坚命令李威辅佐太子苻宏留守京都长安，令阳平公苻融率军镇守洛阳，苻坚自己亲率十万精锐赶赴邺城，只用了七天就到达了安阳。秦王苻坚在安阳设宴招待自己祖、父苻洪与苻健、苻雄父子屯驻枋头时的一些长辈父老。辅国

坚曰:“昔周亚夫不迎汉文帝[515],今将军临敌而弃军[516],何也?”猛曰:“亚夫前却人主以求名[517],臣窃少之[518]。且臣奉陛下威灵,击垂亡[519]之虏,譬如釜中之鱼,何足虑也!监国[520]冲幼,鸾驾远临[521],脱有不虞[522],悔之何及!陛下忘臣灞上之言[523]邪?”

初,燕宜都王桓帅众万余屯沙亭[524],为太傅评后继。闻评败,引兵屯内黄[525]。坚使邓羌攻信都[526]。丁丑[527],桓帅鲜卑五千奔龙城。戊寅[528],燕散骑侍郎余蔚帅扶余、高句丽[529]及上党质子[530]五百余人,夜,开邺北门纳秦兵,燕主暐与上庸王评、乐安王臧、定襄王渊、左卫将军孟高、殿中将军艾朗等奔龙城。辛巳[531],秦王坚入邺宫。

慕容垂见燕公卿大夫及故时僚吏,有愠色[532]。高弼密[19]言于垂曰:“大王凭祖宗积累之资,负英杰高世之略,遭值迍阨[533],栖集[534]外邦。今虽家国倾覆,安知其不为兴运之始[535]邪?愚谓国之旧人[536],宜恢[537]江海之量,有以慰结其心,以立覆篑之基[538],成九仞[539]之功,奈何以一怒捐之[540],愚窃为大王不取也。”垂悦,从之。

燕主暐之出邺也,卫士犹千余骑。既出城,皆散,惟十余骑从行。秦王坚使游击将军郭庆追之。时道路艰难,孟高扶侍暐,经护二王[541],极其勤瘁[542]。又所在遇盗[543],转斗而前[544]。数日,行至福禄[545],依冢解息[546]。盗二十余人猝至,皆挟弓矢。高持刀与战,杀伤数人。高力极,自度必死,乃直前抱一贼,顿击[547]于地,大呼曰:“男儿穷[548]矣!”余贼从旁射高,杀之。艾朗见高独战,亦还趋贼[549],并死。暐失马步走,

将军王猛秘密地从邺城来到安阳晋见秦王苻坚，苻坚对王猛说："汉代的周亚夫不亲自迎接汉文帝，现在将军身在前方战场，却离开大军而来晋见于我，这是为什么？"王猛说："从前周亚夫压抑帝王的权威而为自己扬名，我的内心实际上很看不起他。再说，我仰仗陛下的威望和神明，攻击即将灭亡的燕国，就如同面对已经被放在锅中烹煮的鱼，何必担心鱼会跑出来伤人呢！留守长安的太子年纪幼小，陛下远离京师、亲临灭燕前线，倘若有什么意外之事发生，后悔哪里来得及呢！陛下把我在灞上对陛下说过的话忘了吧？"

当初，燕国宜都王慕容桓率领一万多名兵众屯驻在沙亭，作为太傅慕容评的后继部队。慕容桓听到慕容评被秦军打败的消息，遂率领部下转移到内黄屯扎。秦王苻坚派洛州刺史邓羌率军进攻信都。十一月初六日丁丑，燕国宜都王慕容桓率领着五千名鲜卑人逃往燕国的故都龙城。初七日戊寅，燕国担任散骑侍郎的余蔚率领着扶余人、高句丽人以及被扣留在邺城充当人质的戍守上党的将士子弟总计五百多人，他们在夜间打开了城门，放进秦军，燕主慕容暐与上庸王慕容评、乐安王慕容臧、定襄王慕容渊、左卫将军孟高、殿中将军艾朗等逃出邺城，准备奔往龙城。初十日辛巳，秦王苻坚进入邺城的皇宫。

慕容垂看见燕国的公卿大夫以及过去自己的僚属，脸上毫不掩饰地流露出愤怒与怨恨。高弼偷偷地对慕容垂说："大王凭借祖宗积累下来的资质，身怀英雄豪杰盖世的谋略，却因为遭逢时运不好而备受困顿挫折，被迫暂且栖身于异国他乡。如今燕国虽然灭亡，又怎知这不是由你重建国家的开始呢？我认为，对待燕国的这些老臣，应该怀有江海一样的度量，安慰他们、接纳他们，使他们的心归附于大王，就像准备用簸箕堆土成山一样，现在要打好基础，才能完成堆积九仞高山的大业，何必因为一时的愤怒就把他们全部抛弃，我认为大王不应该这样做。"慕容垂顿时醒悟过来，因此非常高兴，决心采纳高弼的建议。

燕主慕容暐在逃离邺城的时候，还有一千多名骑兵、卫士相随。等到逃出邺城之后，这些卫士便都各自逃散了，只剩下十多名骑兵还跟随着慕容暐。秦王苻坚派担任游击将军的郭庆率军追赶燕主慕容暐。当时道路艰险难走，左卫将军孟高扶持着慕容暐，还得兼顾着乐安王慕容臧、定襄王慕容渊，极其劳苦艰辛。再加上所到之处，经常遇到土匪的打劫抢掠，需要一面作战一面前进。几天之后，他们走到了福禄地面，便躲进一家坟地，倚靠着一座坟墓，放松休息。突然窜出二十多名盗贼，全都手持弓箭。左卫将军孟高拿着刀就冲上前去与盗贼展开搏斗，杀死杀伤了几个盗贼之后，孟高已经筋疲力尽，估计自己这次非死不可，就径直扑向前去抱住一个盗贼，将强盗打倒在地，他大声呼喊说："男儿的生命已经到了尽头！"其他的贼人从旁边用箭向孟高射去，将孟高射死。殿中将军艾朗看见孟高独自与盗贼决斗，自己也冲上前去，遂与孟高一同被杀。燕主慕容暐丢失了马匹，只能徒步逃走，

郭庆追及于高阳[550]，部将巨武将缚之，暐曰："汝何小人，敢缚天子！"武曰："我受诏追贼，何谓天子！"执以诣秦王坚。坚诘其不降而走之状，对曰："狐死首丘，欲归死于先人坟墓[551]耳！"坚哀而释之，令还宫，帅文武出降[552]。暐称孟高、艾朗之忠于坚，坚命厚加敛葬，拜其子为郎中。

郭庆进至龙城，太傅评奔高句丽，高句丽执评送于秦。宜都王桓杀镇东将军勃海王亮，并其众，奔辽东。辽东太守韩稠先已降秦，桓至，不得入，攻之，不克。郭庆遣将军朱嶷击之，桓弃众单走，嶷获而杀之。

诸州牧守及六夷渠帅[553]尽降于秦，凡得郡百五十七，户二百四十六万，口九百九十九万。以燕宫人、珍宝分赐将士。下诏大赦，曰："朕以寡薄[554]，猥承休命[555]，不能怀远以德，柔服四维[556]，至使戎车屡驾[557]，有害斯民，虽百姓[558]之过，然亦朕之罪也。其大赦天下，与之更始[559]。"

初，梁琛之使秦也，以侍辇[560]荀纯为副[561]。琛每应对[562]，不先告纯，纯恨之，归言于燕主暐曰："琛在长安，与王猛甚亲善，疑有异谋。"琛又数称秦王坚及王猛之美，且言秦将兴师，宜为之备。已而[563]秦果伐燕，皆如琛言。暐乃疑琛知其情。及慕容评败，遂收琛系狱[564]。秦王坚入邺而释之，除[565]中书著作郎，引见，谓之曰："卿昔言上庸王、吴王皆将相奇材，何为不能谋画，自使亡国？"对曰："天命废兴，岂二人所能移[566]也！"坚曰："卿不能见几而作[567]，虚称燕美，忠不自防，反为身祸，可谓智乎？"对曰："臣闻'几者动之微，吉之先见者也[568]。'

秦国游击将军郭庆率军追赶到高阳，追上了慕容暐，郭庆的部将巨武擒获了慕容暐，他准备用绳索将慕容暐捆绑起来，慕容暐说："你是哪里来的小人物，竟敢绑缚天子！"巨武说："我接受秦王的诏令追赶贼人，你算什么天子！"巨武遂将慕容暐押送到秦王苻坚的面前。苻坚责问慕容暐为什么不投降，却要逃跑，慕容暐回答说："狐狸死的时候，脑袋还要朝向自己丘穴的方向，我只不过是想死在先人的坟墓上罢了！"秦王苻坚很怜悯他，便把他释放，让他先回到邺城的皇宫，然后集合文武官员一道出来投降。慕容暐向秦王苻坚述说孟高、艾朗的忠诚事迹，苻坚下令用厚礼将孟高、艾朗收敛安葬，并任命他们的儿子为郎中。

秦国游击将军郭庆率军挺进燕国的故都龙城，本来准备逃往龙城的太傅慕容评，遂改变主意投奔了高句丽国，高句丽人逮捕了慕容评，送交给秦国。故燕国宜都王慕容桓杀死了镇东将军、勃海王慕容亮，兼并了慕容亮的部众之后，逃往辽东。担任辽东太守的韩稠，此前已经投降了秦国，慕容桓来到辽东，却进不了辽东城，率众攻打，又攻打不下。秦国游击将军郭庆派将军朱嶷攻击慕容桓，慕容桓丢下部众，单人独骑逃走，最后被朱嶷抓获、杀死。

故燕国各州牧、郡守以及各少数民族的首领全部向秦国投降，秦国总计夺取了一百五十七个郡、二百四十六万户、九百九十九万人。苻坚把燕国皇宫中的宫女、珍宝分别赏赐给有功的将士。并颁布大赦令说："我寡德少恩，想不到能够上承天命，而我没有能够用恩德怀柔远方、夺取天下，致使多次出兵征讨，贻害苍生，虽然是敌国百官的过错，但也是我的罪过。现在实行大赦，让这些曾经和我作对的官吏、民众一切重新开始。"

当初，故燕担任给事黄门侍郎的梁琛出使秦国的时候，曾经任用担任侍辇的苟纯为副使。梁琛每次与秦王苻坚谈话，事先都没有告诉苟纯，苟纯因此对梁琛怀恨在心，回到燕国后，便对燕主慕容暐说："梁琛在秦国的都城长安，与秦国的辅国将军王猛关系非常亲密友善，我怀疑他一定有不可告人的阴谋。"梁琛又多次称赞秦王苻坚以及王猛的优点，并且说秦国将要出兵攻打燕国，最好做好应对的准备。不久，秦国果然出兵伐燕，一切都像梁琛所说的那样。慕容暐遂怀疑梁琛知道秦国的行动计划。等到慕容评抗秦失败，遂把梁琛投入了监牢。秦王苻坚进入邺城之后，便释放了梁琛，任命梁琛为中书著作郎，并接见了梁琛，苻坚对梁琛说："你过去曾说上庸王慕容评、吴王慕容垂都是可以担当宰相、元帅的奇才，为什么不能筹谋划策，而使自己的国家灭亡？"梁琛回答说："上天已经决定要哪个国家灭亡、让哪个国家兴盛，这岂是上庸王与吴王两个人的力量所能改变的！"苻坚说："你不能见机行事，早日归附秦国，却说了许多赞美燕国的虚假谎话，你对你的国家虽然怀有一片忠心，却不能防范别人对你的陷害，反而给自身带来灾祸，可以算作有智慧的人吗？"梁琛又回答说："我听《易·系辞传下》说'几是事物发展变化的苗头，是未来吉祥或凶

如臣愚暗[569]，实所不及[570]。然为臣莫如忠，为子莫如孝，自非有一至[571]之心者，莫能保忠孝之始终。是以古之烈士，临危不改，见死不避，以徇君亲。彼知几者，心达安危，身择去就，不顾家国，臣就使知之，尚不忍为，况非所及邪！”

坚闻悦绾之忠，恨不及见，拜其子为郎中。

坚以王猛为使持节、都督关东六州[572]诸军事、车骑大将军、开府仪同三司、冀州牧，镇邺，进爵清河郡侯，悉以慕容评第中之物赐之。赐杨安爵博平县侯，以邓羌为使[20]持节、征虏将军、安定太守，赐爵真定郡侯，郭庆为持节、都督幽州诸军事、幽州刺史，镇蓟，赐爵襄城侯，其余将士封赏各有差。

坚以京兆韦钟为魏郡太守，彭豹为阳平[573]太守，其余州县牧、守、令、长[574]，皆因旧以[21]授之[575]。以燕常山太守申绍为散骑侍郎，使与散骑侍郎京兆韦儒俱为绣衣使者[576]，循行[577]关东州郡，观省[578]风俗，劝课[579]农桑，振恤[580]穷困，收葬死亡，旌显[581]节行，燕政有不便于民者，皆变除之。

十二月，秦王坚迁慕容暐及燕后妃、王公、百官并鲜卑四万余户于长安。

王猛表留梁琛为主簿，领记室督[582]。他日，猛与僚属宴，语及燕朝使者，猛曰：“人心不同，昔梁君[583]至长安，专美本朝[584]，乐君[585]但言桓温军盛[586]，郝君[587]微说国弊[588]。”参军冯诞曰：“今三子皆为国臣[589]，敢问取臣之道何先[590]？”猛曰：“郝君知几[591]为先。”诞曰：“然则明公赏丁公而诛季布[592]也。”猛大笑。

秦王坚自邺如枋头，宴父老，改枋头曰[22]永昌，复之终世[593]。甲寅[594]，至长安，封慕容暐为新兴侯。以燕故臣慕容评为给事中[595]，皇甫真为奉车都尉，李洪为驸马都尉，皆奉朝请[596]。李邽为尚书，

象的一种提前表现’。像我这样愚昧的人，不可能做到‘见几而作’。然而最好的臣属是忠臣，最好的儿子是孝子，如果没有始终如一、坚守节操不变的心志，就不可能保证始终是忠臣、孝子。所以古代的烈士，在面对危险时，绝对不会改变自己的节操，在面对死亡时也不会苟且逃生，而是宁愿献出生命以报答君主和双亲。那些能够见几而行的人，心里知道什么是吉什么是凶，所以早就为自己选择了避凶就吉的道路，而置国家的安危于不顾，我即使能够发现事物发展变化的苗头，能够看出未来事情发展的迹象，尚且不忍心那样去做，何况我根本没有这样的能力呢!”

秦王苻坚听说了悦绾的忠诚，对自己没有能够见到他而深感遗憾，遂任命悦绾的儿子为郎中。

秦王苻坚任命王猛为使持节、都督关东六州诸军事、车骑大将军、开府仪同三司、冀州牧，镇所设在邺城，封为清河郡侯，并把慕容评府邸中的物品全部赏赐给了王猛。封赏镇南将军杨安为博平县侯，任命邓羌为使持节、征虏将军、安定太守，封为真定郡侯，郭庆为持节、都督幽州诸军事、幽州刺史，镇所设在蓟城，封为襄城侯，其他将士也都获得了不同程度的提升和奖赏。

秦王苻坚任命京兆人韦钟为魏郡太守，任命彭豹为阳平郡太守，其他的州刺史、郡太守、县令、县长，都让原有的官员担任，只是重新加以任命。任命故燕国常山太守申绍为散骑侍郎，令申绍与担任散骑侍郎的京兆人韦儒同时担任绣衣使者，负责巡行关东各州郡，考察民风民俗，劝勉、督促农民从事农业生产，救济贫困，掩埋无主尸体，表彰那些坚守节操、有品行的人，对故燕国那些不利于百姓的规章制度，全部修改或废除。

十二月，秦王苻坚将故燕主慕容暐以及故燕国皇后、王爵、公爵、文武百官连同鲜卑人一共四万多户迁往秦国的都城长安。

王猛上表给秦王苻坚，请求将梁琛留在自己身边担任主簿，兼任记室督。有一天，王猛与自己的僚属在宴会时谈论到故燕国的使者，王猛说:“人心不同，从前，梁琛先生作为燕国的使者来到长安，专门赞美燕国如何如何好，乐嵩先生只说东晋大司马桓温的军队如何强盛，而郝晷先生则稍微透露一些燕国的弊端。”担任参军的冯诞说:“如今这三位先生都成了秦国的臣子，请问在选用大臣的取向时，以哪一位优先?”王猛说:“郝晷先生能够认清形势，及早归心于秦国，所以郝晷应该优先。”冯诞说:“如此说来，你是奖赏像汉初丁公那样的人物而诛杀季布了。”王猛面对冯诞的迂腐不禁放声大笑起来。

秦王苻坚从邺城前往枋头，宴请祖父时期的老人，并将枋头改名为永昌，表示要全部免除这些老人终身的赋税和徭役。十二月十四日甲寅，秦王苻坚返回长安，他封故燕主慕容暐为新兴侯。任命故燕国太傅慕容评为给事中，任命故燕国太尉皇甫真为奉车都尉，任命故燕国司空李洪为驸马都尉，三人都有资格参加朝请。

封衡为尚书郎，慕容德为张掖太守，燕国平叡为宣威将军，悉罗腾为三署郎，其余封署[23]各有差。衡，裕[597]之子也。

燕故太史黄泓叹曰："燕必中兴，其在吴王乎？恨吾老，不及见耳[598]！"汲郡赵秋曰："天道在燕[599]，而秦灭之[24]，不及十五年，秦必复为燕有[600]。"

慕容桓之子凤，年十一，阴有复仇之志，鲜卑、丁零[601]有气干[602]者皆倾身[603]与之交结。权翼[604]见而谓之曰："儿[605]方以才望自显[606]，勿效尔父不识天命[607]！"凤厉色曰："先王欲建忠而不遂[608]，此乃人臣之节；君侯之言，岂奖劝将来之义[609]乎？"翼改容谢之，言于秦王坚曰："慕容凤忼慨有才器[610]，但狼子野心，恐终不为人用耳。"

秦省雍州[611]。

是岁，仇池公杨世[612]卒，子纂立，始与秦绝。叔父武都太守统与之争国，起兵相攻。

【段旨】

以上为第二段，写海西公太和五年（公元三七〇年）一年间的大事。主要写了王猛奉命伐燕，致书燕将慕容筑，示以形势，慕容筑遂率洛阳降秦；写了王猛出兵伐燕时，请慕容垂之子慕容令参其军事，中途派人伪造慕容垂的书信，呼慕容令离秦返燕，慕容令不辨真假，遂率部逃入燕军；王猛遂上表苻坚，叙慕容令"叛逃"事，慕容垂见状只好出逃，而中途被俘获送回，苻坚深谅其情，待之如初；写了王猛二次受命大举伐燕，先破燕军于壶关、晋阳，大破慕容评军于潞川，进而包围邺城，邺城内叛，开门纳秦兵，慕容暐逃出后，被追兵捉回，遂率文武出降，前燕从此告灭；还写了慕容令受骗归燕，燕人不信，最后辗转数地，终被燕人所杀；以及袁真在寿春病死，部属拥立其子袁瑾主事，桓温率军破之而围寿春；等等。

又任命李邽为尚书，封衡为尚书郎，慕容德为张掖太守，燕国人平叡为宣威将军，悉罗腾为三署郎，其余官员根据原来的级别，都有任命。封衡，是封裕的儿子。

在故燕国担任太史的黄泓感慨地说："燕国一定会得到中兴，大概应在吴王慕容垂的身上吧？遗憾的是我已经老了，来不及看到燕国的复国中兴了！"汲郡人赵秋说："上天还在福佑着燕国，而秦灭了它，用不了十五年，秦国必定被燕国占有。"

故燕国宜都王慕容桓的儿子慕容凤，当时年仅十一岁，心中便暗暗立下为国复仇的大志，鲜卑人、丁零人中有气节有才干的人都真心实意地与慕容凤结交。担任尚书右仆射的权翼看见慕容凤，就对慕容凤说："少年，你应该凭借自己的才气、名望，使自己扬名于天下，千万不要像你的父亲那样不识天命抗秦而自取灭亡！"慕容凤非常严厉地说："我父亲要为燕国效忠，虽然没有达到目的，但是为国效忠乃是人臣应有的节操；先生所说的话，哪里是鼓励后来人忠于秦国的说法呢？"权翼立时改变了自己的态度，向慕容凤道歉，他对秦王苻坚说："慕容凤为人有气节，有才干，但也有狼子野心，恐怕终究不会为秦国效力。"

秦国撤销了雍州的建制。

这一年，仇池公杨世去世，他的儿子杨纂即位，才与秦国断绝关系。杨纂的叔父、担任武都太守的杨统为了与他争夺继承权，竟然率军攻打杨纂。

【注释】

㉜ 正月己亥：正月二十四。㉝ 阴通大司马温：暗中与桓温通谋。㉞ 燕荆州：燕国的荆州州治在洛阳。㉟ 国家：自称秦国。㊱ 已塞成皋之险：已经堵塞了成皋的险要之地。荥阳在洛阳以东，意即已将洛阳东出与燕国本土的联络截断。成皋之险，即虎牢关一带的险要之地。成皋在今河南荥阳西北的大邳山上，其东侧有汜水镇，西有虎牢关，自古为黄河以南的东西交通孔道和战争要塞。㊲ 杜：堵塞；断绝。㊳ 盟津之路：盟津一带的南北通道。盟津是黄河渡口名，在今河南洛阳市孟津区东北，孟县西南，在洛阳城的北部。杜盟津之路，等于说切断了慕容筑北逃的归路。㊴ 大驾：帝王出行的车驾，常用为帝王的代称，这里指苻坚亲自统率大军。㊵ 轵关：要塞名，在今河南济源城南，当时有轵县，地处孟津渡口的东北方。㊶ 金墉穷戍：洛阳城一个孤立困乏的据点。金墉，当时洛阳城西北角的一个小城，这里即代指洛阳。㊷ 将军所监：是你亲眼可以看到的。监，看。㊸ 陈师受之：布好自己的阵式，接受了慕容筑的投降。之所以要"陈师"，盖受降如受敌，必须防变也。㊹ 乐安王臧：慕容臧，慕容儁之子，慕容暐之兄。㊺ 城新乐：在新乐县筑城。新乐城即今河南新乡。㊻ 石门：古邑名，应在今河南荥阳之东北部。㊼ 造：

到……处。㊽逃死：躲避为慕容评所杀。㊾东朝：指燕国。㊿主后相尤：指燕王慕容暐与其母可足浑氏太后已经在互相指责当初加害慕容垂的不对。(351)审覆：调查复核。(352)旧骑：自燕奔秦时随行的骑兵。(353)表令叛状：给苻坚上书报告慕容令叛逃的情形。(354)蓝田：县名，县治在今陕西蓝田西，地处长安城的东南方。(355)劳：安慰；慰劳。(356)贤子：以称慕容令。(357)犹怀首丘：还心念故乡。《礼记·檀弓》有所谓"狐死正丘首"之语，意思是说狐狸临死时必然要让自己的头向着自己的窝，后人遂称不忘故土为"首丘"。(358)过惧：过分害怕。(359)狼狈如是：张皇失措到这种程度。狼狈，张皇失措，无所适从的样子。(360)反间：这里即"间谍""奸细"。(361)龙都：即龙城，又称和龙城、黄龙城，即今辽宁朝阳。(362)微子：名启，商纣王的庶兄。见商将亡，谏纣不听，乃离国出走。周武王伐纣，微子持祭器称臣于周。武王灭商后，封微子于宋，为宋国的始祖。事详《尚书·微子》、《史记》的《殷本纪》及《宋微子世家》。(363)革商命：意即灭掉了商王朝。(364)由余：春秋时戎族的良臣，奉命使秦，受到秦穆公的欣赏。秦穆公用计将其招到秦国，任以为上卿。由余遂帮助秦穆公谋伐西戎，灭国十二，辟地千里，使秦穆公成为西戎地区的霸主。事详《史记·秦本纪》。(365)伍员：字子胥，春秋末期楚国人，因其父兄被楚平王所杀，为给父兄报仇遂逃身到吴国，协助阖闾取得吴国政权后，兴兵伐楚，差点将楚国灭亡。事见《史记·伍子胥列传》。(366)陈平：秦末汉初人，原是项羽的部下，因不受项羽重用而逃归刘邦，成为刘邦手下的重要谋士，在协助刘邦消灭项羽的过程中起了重要作用。传见《史记·陈丞相世家》。(367)项籍：即项羽，名籍，字羽。(368)许攸：字子远，东汉末年人，初为袁绍谋士，因给袁绍设谋而不听，遂改投曹操，为曹军打败袁绍、夺取冀州起了重要作用。事详《三国志》卷十二《崔琰传》，裴松之注引《魏略》。(369)进取：进攻敌方，获取胜利。(370)塞来者之门：堵塞了所有想来投奔者的门路。来者，前来归附者。(371)收燕望：收合燕人之心，在燕人心目中树立起名望。(372)尽燕情：使燕人的感情得到满足。(373)倾燕众：使燕人都倾向秦国。(374)汲汲：急不可耐的样子。(375)市井鬻卖之行：比喻只图眼前利益而不做长远打算。鬻卖，市场上做买卖。(376)嫉其宠而谗之：看到别人受宠而内心不平，于是就去说人家的坏话。(377)雅德：雅量；高尚的气度。(378)辅国司马桓寅：时王猛任辅国将军，桓寅为王猛任司马。司马是将军的高级僚属。(379)弘农：郡名，郡治在今河南三门峡市陕州区。秦原以洛州刺史邓羌镇陕，今邓羌进驻金墉，故以桓寅代驻陕城。(380)三事：亦称"三司"或"三公"，指周代的司徒、司马、司空，以及秦汉时代的丞相、太尉、御史大夫。(381)克殄二寇：指消灭东晋与燕国。克殄，战胜、消灭。(382)暂抑朕心：意即稍稍放下一点我的架子。(383)谦光之美：谦恭的美德。谦光，意即谦恭。(384)已诏有司：已下令告知有关官员。(385)权听所守：暂时还让你管理原来的事务。权，姑且。听，听任、由你。(386)封爵酬庸：加封爵位以奖励功劳。酬，报、奖励。庸，功勋。(387)其勉从朕命：还是请你勉强听从我的命令。其，句首发语词，表示祈请、命令。勉，勉强、姑且。(388)二月癸酉：二月二十八。(389)如邺请命：到邺城请求燕王的批准、任命。㊙武丘：古城名，在今河南沈丘东南。㊱南顿：县名，县治在今河南项城西。㊲南城：寿春南城。㊳谪戍士：因有罪被发配、流放戍边的士卒。㊴五月庚午：此语有误，五月朔甲戌，无庚午日。“五月”应为“四月”之误。四月庚午即四月二十六。㊵牙门：牙门将军的省称，又称牙门将。三国时始置，人数较多。㊶城大：城主；城堡的守将。㊷请自效：请求为之效力。㊸威德城：原为宇文涉夜干所居之城，慕容皝改名威德城。或说在今内蒙古西辽河上源西拉木伦河或老哈河流域一带。㊹城郎：守城官员，意同“城大”“城主”。㊺据城部署：占据城堡后给众人分派任务。㊻诸戍：各个防守据点。㊼翕然：众心一致的样子。㊽其弟：慕容令之弟。㊾癸酉：四月二十九。㊿侍直：趁轮班值勤。直，同“值”，值勤。406薛黎泽：水泽名，或说在今内蒙古西辽河流域。407诣：往；到。408为之诛涉圭：为慕容令而杀了涉圭。409六月乙卯：六月十二。410灞上：指当时长安城东南的灞水西侧高原，历来为驻兵之地。411关东之任：即平定关东地区的任务。412上党：地区名，也是郡名，郡治在今山西壶关东北。413星发：指披星戴月地兼程而行。414勿以为后虑：不用担心后方的供应与补给问题。415奉成筭：按照你预定的计谋从事。筭，同“算”。416不烦銮舆亲犯尘雾：不用劳动您亲临前方战线。銮舆，帝王的车驾，这里即指苻坚。亲犯尘雾，以喻亲临战场。417部置鲜卑之所：安置鲜卑族俘虏即燕国君臣的场所。418七月癸酉朔：七月初一是癸酉日。419景略常才：王猛的才能又甚一般。王猛字景略。常，平常。420已：结束；罢兵。421今兹：如今；现在。422越得岁：岁星运行到越国的分野。岁，岁星，即木星。古人认为岁星所在，其国有福。423吴伐之：吴国进攻越国，事在《左传》昭公三十二年，公元前五一〇年。时为吴王阖闾五年，越国的君主名叫允常。因为这一年岁星运行到星纪，星纪有斗、牛两宿，是越国的分星。故而当时的天文学家史墨说：这对越国有利，对吴国不利，并预言四十年以后越国将灭掉吴国。424卒受其祸：昭公三十二年吴对越国的用兵，虽然取胜，但到吴王夫差二十三年（公元前四七三年），吴国终于被越王勾践所灭。事见《史记·吴太伯世家》《越王勾践世家》。至于天文学者所说的预言，自然是事后的编造与附会。425今福德在燕：意即今年正当岁星运行到燕国的分野，上天保佑燕国。426秦虽得志：秦国即使如愿地灭掉燕国。427复建：重建；重新建立国家。428不过一纪：用不了十二年。古称十二年为一纪。结果慕容垂果然在公元三八四年又建立了后燕。正好相隔十二年。这申胤的夸夸其谈，自然也是后来历史家的编造附会。429石头：石头城，在当时建康城的旁边，今南京清凉山麓，历来为军事重镇。430隗：刘隗，晋元帝时期的执政大臣，被王敦造反所指名讨伐，因之北逃入后赵。传见《晋书》卷六十九。431癸丑：八月十一。432广汉：郡名，郡治在今四川绵竹东南，成都之东北方。433归义侯势：李势，西蜀成汉政权的末代君主，穆帝永和三年被晋将桓温所灭，李势降晋被封为归义侯。434陇西：郡名，郡治即今甘肃陇西。435成主雄：李雄，李特之子，成汉政权的创立者，公元三〇四至三三三年在位。436涪城：今四川绵阳。437梓潼：郡名，郡治即今绵阳。438斩关：砍开城门的栓与锁。439 辛巳：九月初十。440 路川：水名，即浊漳河，流经今山西潞城东北。441 十月辛亥：十月初十。442 壬戌：十月二十一。443 觇燕军形要：侦察燕军的形势要害。觇，偷偷观察。形指军容的外部形态，要指判断内部原因。444 诘朝：明旦；明早。445 羌之郡将：我邓羌所在郡的太守。王充《论衡》中也多称太守为“郡将”。徐成曾为邓羌所在郡的郡守，故羌之曰“羌之郡将”。446 效战：效力决战。447 严鼓勒兵：擂鼓集合军队。448 近贼：身边的贼，指王猛。449 使语之：派人对他说。450 于郡将尚尔：对于一位过去的郡太守竟能有如此情义。尔，如此。451 悬军深入：像空降兵一样地远离本土而深入敌区。452 持久：通过长期相持以拖垮他。453 贪鄙：贪婪、卑俗。454 鄣固山泉：把山林泉水都占据、垄断起来。455 鬻樵及水：又卖薪柴又卖水。456 亿兆：古代以万万为亿，万亿为兆，这里是极言其多。457 间道：隐蔽的小道。458 火见邺中：在邺城内就可以望见这场大火，极言火势之盛。459 让：责备。460 高祖：慕容廆的庙号。461 榷卖樵水：垄断性地卖柴卖水。榷，独木桥，以比喻垄断专卖。462 专以货殖为心：意即一脑门子就想赚钱。货殖，营利、赚钱。463 遂进：长驱直入，就这样地打了过来。464 安所置之：你把这些钱都放到哪里去。465 趋：通“促”，催促。466 甲子：十月二十三。467 渭源：胡三省注以为作“渭源”，于地理形势不合。杜佑《通典》作“潞源”。潞水即今浊漳河，源头在今山西长子西南的发鸠山一带地区。北流经长治、潞城、襄垣等市、县，转东南流经黎城，至河北涉县东南，与清漳河汇为漳河。468 任兼内外：身兼朝内朝外的要职，即出将入相。469 受爵明君之朝：意即获胜后在朝廷获国家重赏。470 称觞父母之室：回家后与父母一道举杯庆贺。称觞，举杯。称，举。471 破釜弃粮：表示决一死战，不胜不归。釜，一种无脚的锅。472 竞进：争相奋进。473 勍敌：强敌。474 成败之机：成败的关键。475 以司隶见与：意即让我当司隶这个官。司隶，即司州刺史，管辖京辅诸郡。476 非吾所及：不是我力所能及；不是我所能办得到。477 安定：郡名，郡治在今甘肃泾川县北的泾河北岸。安定是当时秦国的大郡。478 相处：相安置；相委任。479 俄而兵交：很快双方开战了。俄而，很快地。480 寝不应：只顾安睡而不予理睬。481 驰就许之：飞马赶到他那里答应他的请求。482 运矛：挺矛。483 出入数四：杀出杀入四五次。484 崔鸿：字彦鸾，崔光之侄，北魏时期人，曾奉命修起居注，后修国史，撰《十六国春秋》。原书亡于北宋，今有明屠乔孙、项琳辑本和清汤球本传世。传附《魏书》卷六十七及《北史》卷四十四《崔光传》。485 请郡将：为其所在郡的太守求情。请，求情。486 挠法：枉法；使法律不能公平执行。487 无上：目无上级。488 邀君：对君主进行要挟。489 收其所长：利用他的长处。490 驭悍马：驾驭烈马。491 采葑采菲二句：语出《诗·谷风》。意思是采葑、采菲时不因其根不好而放弃其叶。崔鸿引此比喻王猛能容忍邓羌的过失而用其所长。葑，蔓菁，俗名大头菜。菲，萝卜。无以下体，不要因为它的根不好就将之全部抛弃。492 丁卯：十月二十六。493 大歼丑类：大破燕军。丑类，对燕人的蔑称。494 六州士庶：指整个燕国的黎民百姓。六州，指燕国所辖全部领土。士庶，士大夫与平民。495 不觉易主：没有感觉换了主人，以喻秦军的纪律之好。㊾⑥自非：除非；如果不是。㊾⑦守迷违命：执迷不悟，违抗圣命。命，指秦主苻坚的命令。㊾⑧役不逾时：出征不到三个月。役，出兵。时，季度，即三个月。㊾⑨元恶克举：燕国的元凶首恶已被打败。元恶，指慕容评，燕国的实际掌权者。500星言电赴：意即将披星早行，像电光一样地飞临前线。星言，以喻出发之早。“言”字是语气词，没有意思。“电赴”以喻行军之迅疾。501取之：指攻取邺城。502邺旁：邺城周围。503剽劫公行：兵匪公开地进行抢劫。剽，抢夺。504帖然：安定、顺从的样子。505私犯：指私自侵犯百姓的利益。506不图：没想到。507复见太原王：又见到了太原王慕容恪执政的美好时代。508慕容玄恭：即慕容恪，字玄恭。509信奇士：确实是一位神奇的人。510古之遗爱：古代圣世所遗留的、今世所罕见的令人敬爱的人物。《左传》昭公二十年，孔子听到子产死的消息时，流着眼泪说：“古之遗爱也。”511太牢：供品单位名，祭时用牛、羊、豕各一头，是古代最重的祭礼。512安阳：县名，县治在今河南安阳西南。513祖父时故老：指苻洪与苻健、苻雄父子屯驻枋头时的故旧。514潜如安阳：秘密地来到安阳。515周亚夫不迎汉文帝：周亚夫，汉文帝、汉景帝时的名将，汉初功臣周勃之子。周亚夫驻兵细柳营时，汉文帝前往劳军，守壁门的卫士挡住不让进，并说“军中闻将军令，不闻天子之诏”。文帝只好给周亚夫下令，告诉他说我要进营劳军。周亚夫下令打开壁门，但还不出来迎接。直到文帝至大营前，才见周亚夫全身披挂地迎候，并说“甲胄在身，只能以军礼见”，遂作了一个揖。详情见《史记·绛侯周勃世家》。516临敌而弃军：指身在战场，而离开军队前来谒见。517却人主以求名：压抑帝王的权威，而为自己扬名。却，退，意即压抑。518少之：看不起他。少，蔑视。519垂亡：行将灭亡。垂，近。520监国：指太子苻宏。古时帝王外出，太子留守，代为处理国政，谓之监国。521远临：远临灭燕前线。522脱有不虞：万一出点意外。脱，倘若、如果。不虞，意料不到的事。523灞上之言：即劝苻坚不用亲自出征，只派人准备好如何处理俘虏就行了。524沙亭：又名沙鹿邑、五鹿墟，在今河北大名东。525内黄：县名，县治在今河南内黄西北，在邺城的东南方。526信都：古城名，即今河北衡水市冀州区，在邺城的东北方。527丁丑：十一月初六。528戊寅：十一月初七。529扶余、高句丽：古代东北地区的两个小国名，扶余国的领地在今长春、哈尔滨一带；高句丽的都城丸都，即今之吉林集安。530上党质子：燕国派兵戍守上党，把戍守将士的子弟留在邺城作为人质。531辛巳：十一月初十。532有愠色：有恼怒、怨恨的神情，恨他们招致了燕国的灭亡。533遭值迍阨：正赶上时运不好，困顿受挫。迍阨，也作“迍厄”。534栖集：停留；暂住。535兴运之始：是由你重建国家的开端。536国之旧人：意即对待这些燕国的老臣。537恢：扩大。538立覆篑之基：以堆土为山比喻建立自己的新国家，现在是倒下第一筐土。篑，盛土的竹筐。539九仞：极喻未来的功业之高大。一仞八尺。540捐之：抛弃他们。抛弃人心就是损失自己未来的功业。541经护二王：保护着乐安王臧、定襄王渊。经护，维护、保护。慕容臧与慕容渊是慕容暐的胞兄与胞弟。542勤瘁：劳苦；艰辛。543所在遇盗：经常遇到土匪。所在，经常、到处。544转斗而前：在行进转移中边战边行。545福禄：地名，具体方位不详，约在今河北衡水一带。546解息：休息。解，通“懈”，放松。547顿击：打倒。548穷：到头；已到穷途末路。549趋贼：扑向土匪。550高阳：郡名，郡治在今河北高阳东二十五里。551先人坟墓：慕容氏先人皆埋葬在当时的昌黎，今辽宁义县。552令还宫二句：还邺城之宫，集合燕国文武一道出降。〖按〗前燕自慕容廆开始经营；慕容皝于晋成帝咸康三年奉命称王；慕容儁于晋穆帝永和八年称帝，至慕容暐亡国，共历三十四年。553渠帅：大帅；大头目。554寡薄：寡德少恩。自谦之词。555猥承休命：想不到接受了上天的命令。猥承，曲受、不当受而受。谦辞。休命，美好的命令，即天命。556柔服四维：以德取得天下。柔服，与凭武力战胜相对而言。四维，东、西、南、北的四方之中，即普天之下。557戎车屡驾：多次出兵征讨。戎车，战车。558百姓：指各敌对政权的百官。559与之更始：与这些曾经和我作对的官吏平民重新开始。意即过去的事情一概不究。560侍辇：为慕容暐掌管车驾的官员。561为副：为副使，且对正使起监督作用。562每应对：每次与秦王苻坚谈话。563已而：过后不久。564系狱：下狱；被捆绑于牢狱。565除：任命。566所能移：所能改变。567见几而作：见机行事，意即早日归附秦国。几，事情发展的苗头和预兆。作，行动。568几者动之微二句：《易·系辞传下》，“几者动之微，吉之先见者也。君子见几而作，不俟终日”。意为几是事情变化的苗头，是未来吉祥或凶象的一种提前表现。君子见几行事，一天也不能耽误。569愚暗：愚蠢糊涂。570实所不及：不可能“见几而作”。不及，不可能做到。571一至：始终如一，坚守节操不变。572关东六州：即燕政权原来统辖的六个州。573阳平：郡名，郡治即今河北馆陶，在魏郡的东北方。〖按〗魏郡与阳平郡为燕都邺城的京辅之地，故用秦将充之，其余郡县则多用燕国旧人，以保持其稳定故也。574牧、守、令、长：州刺史、郡太守、县令、县长。大县的长官称令，小县的长官称长。575皆因旧以授之：都让其原有的官员任其职。576绣衣使者：即汉代曾设的“绣衣直指”或“绣衣御史”，简称“绣衣”，是御史大夫的属官，奉朝廷之命，到各郡县视察与调查有关问题。因身穿绣衣，手执斧钺，拥有特殊权力得名。577循行：巡行。578观省：观察；视察。579劝课：鼓励、督促。580振恤：救济。581旌显：表彰。582记室督：公府和军府的高级僚属，主管记录文书，后世多置为记室参军。583梁君：指梁琛。584专美本朝：专门说自己的燕国好。585乐君：指乐嵩。586但言桓温军盛：〖按〗本卷上文叙乐嵩为燕入秦求救事，并未写乐嵩如何说及桓温，《通鉴》此处叙事前后欠照应。587郝君：指郝晷。588微说国弊：即前文所叙之郝晷“阴欲自托于猛，颇泄其实”。589皆为国臣：都已成为秦国之臣。590取臣之道何先：选择大臣的取向以谁为先。591知几：能认清局势，及早归心于秦。592赏丁公而诛季布：言王猛选择大臣的条件与刘邦不同。季布是项羽手下将领，曾多次困窘刘邦。项羽灭亡后，受到通缉。后得到朱家和夏侯婴的帮助，被刘邦赦免，拜为郎中。丁公是季布的同母弟，为楚将，在彭城西追赶刘邦时，放了刘邦。

刘邦得天下后，丁公前去讨赏，被刘邦以“为项王臣不忠”的罪名处死。事详《史记·季布栾布列传》。593 复之终世：免除这些老人终身的赋税徭役。终世，终身、一直到死。594 甲寅：十二月十四。595 给事中：官名，帝王身边的参谋顾问人员，在散骑常侍下，给事黄门侍郎上。596 奉朝请：帝王给老臣的一种待遇，只在春秋两季入朝拜见皇帝。古代诸侯春季朝见天子叫“朝”，秋季朝见天子叫“请”。597 裕：封裕，慕容皝时代的燕国名臣。598 恨吾老二句：黄泓是燕国的老臣，慕容氏之兴，黄泓归之；慕容儁之进取中原，黄泓赞其决。黄泓是一个能预见形势的人。599 天道在燕：上天的福佑在燕国一方。秦国伐燕时，岁星在燕分，燕国是得天助的。600 秦必复为燕有：〖按〗类似这样的预言，必为后人之编造无疑，历史家写之入史，只令人感到厌烦。601 丁零：生活在今俄罗斯贝加尔湖一带的少数民族名。602 气干：气节才干。603 倾身：倾心曲身，极言其佩服归心的样子。604 权翼：苻坚的老臣。605 儿：对年轻人的称呼。606 方以才望自显：正将以才气、名望显露头角。607 不识天命：不识天命之所归在秦，而与之相抗，自取灭亡。608 欲建忠而不遂：欲为燕国尽忠而没达到目的。609 岂奖劝将来之义：这哪里是鼓励后来人忠于秦国的说法呢。610 忼慨有才器：有气节、有才干。忼慨，同“慷慨”。才器，才干与器度。611 省雍州：撤销了雍州的建制。秦国的雍州原在今陕西与甘肃的交界地区，州治在今甘肃泾川县北。现将其撤销归入司隶校尉管辖。612 杨世：杨俊之子，今甘肃武都、成县一带的氐族头领，世代被晋王朝封为仇池公。

【校记】

［14］卿：原无此字。据章钰校，十二行本、乙十一行本皆有此字，今据补。［15］至：原无此字。据章钰校，十二行本、乙十一行本、孔天胤本皆有此字，张敦仁《通鉴刊本识误》同，今据补。［16］之：原无此字。据章钰校，十二行本、乙十一行本、孔天胤本皆有此字，张敦仁《通鉴刊本识误》同，今据补。［17］苟长：胡三省注云：“恐当作‘苌’。”当是。《晋书》卷一百十三《苻坚载记上》作“苟苌”，时人多以“苌”为名。［18］猛闻之：此上原有“王”字。据章钰校，十二行本、乙十一行本、孔天胤本皆无“王”字，张敦仁《通鉴刊本识误》同，今据删。依上下文例，不当有“王”字。［19］密：原无此字。据章钰校，十二行本、孔天胤本皆有此字，张敦仁《通鉴刊本识误》同，今据补。［20］使：据章钰校，十二行本、乙十一行本皆无此字，张瑛《通鉴校勘记》同。［21］以：据章钰校，十二行本、乙十一行本皆作“而”。［22］曰：据章钰校，十二行本、乙十一行本皆作“为”。［23］署：据章钰校，十二行本、乙十一行本皆作“授”。［24］而秦灭之：原无此句。据章钰校，十二行本、乙十一行本皆有此句，张敦仁《通鉴刊本识误》、张瑛《通鉴校勘记》同，今据补。

【研析】

本卷写海西公太和四年（公元三六九年）与太和五年两年间的各国大事。主要写了东晋桓温率军伐燕，被燕军大破于枋头、襄邑、谯城，损兵三万余人；写了秦将王猛两次率大军伐燕，第一次占领洛阳，第二次大破慕容评，进而攻克燕都邺城，燕主慕容暐被俘，遂率燕国文武群臣降秦，燕国被灭两件大事。其中可议论的有如下几点。

第一，关于桓温的伐燕之败。早在燕主慕容儁去世时，东晋就有人以为可以伐燕了，那时的桓温还颇有料事之明，他说："慕容恪尚在，忧方大耳！"殆至慕容恪又死，桓温就误以为伐燕的时机到了，他万万没有想到慕容垂的本事丝毫不在慕容恪之下。这方面的情况慕容恪是极为清楚的，他曾向慕容暐推荐说："吴王垂，将相之才十倍于臣，先帝以长幼之次，故臣得先之。臣死之后，愿陛下举国以听吴王。"临死前又向慕容臧、慕容评等推荐说："吴王天资英杰，智略超世，汝曹若能推大司马以授之，必能混壹四海，况外寇，不足惮也。"这些问题，连苻坚、王猛也都有相当的认识，可惜桓温没有，我们从来没有听他提到过慕容垂。所以在海西公太和四年，桓温就无所深虑地率领桓冲、袁真等起兵伐燕了。郗超曾提出了河流水浅，粮食运输会有问题，桓温不在意；郗超又建议攻其不备，大军直取邺城，桓温又没有这个胆量。于是"舳舻数百里""逍遥中流"，声势不小，但实际上漏洞百出。燕国的有识者深知："晋室衰弱，温专制其国，晋之朝臣未必皆与之同心。故温之得志，众所不愿也，必将乖阻以败其事。又温骄而恃众，怯于应变。大众深入，反更逍遥中流，值可乘之会，不出赴利，欲望持久，坐取全胜。若粮廪愆悬，情见势屈，必不战自败。"这是燕国申胤的预料，精明如慕容垂，焉能不知！于是燕人一方面断晋军粮道，一方面以弱形引诱晋军入其埋伏圈，晋军死者甚众。殆至桓温焚舟、弃辎重，率军南逃时，慕容德又设伏于襄邑东涧，与慕容垂夹击晋军，桓温遂遭惨败，被斩首三万级。这是《通鉴》中第一次有声有色地描写慕容垂。

桓温失败后，封锁失败消息，掩盖事实真相，他委罪于袁真，袁真上表朝廷说明情况，朝廷不敢惹桓温，气得袁真一怒之下率军举寿春城投降了燕国。正直的历史家孙盛写《晋春秋》如实地写出了失败的真相，桓温以"灭族之罪"相威胁，多亏孙盛已预先将副本传到了国外，从而使真相终得大白。《历史纲鉴补》引丁南湖的话说："余观孙盛，桓温之属吏，从温平蜀，封安怀侯；从温平洛，封吴日侯，是温乃盛之所恩也。及盛与温笺，词旨放荡，被槛囹之辱，则温亦盛之仇也。恩仇相准，则私心平而公论出，盛枋头之录必不妄矣。况以温之怒言，如彼其可畏也；诸子之请，如彼其可怜也。盛也不顾身老、不顾家门，而但顾公论，毅然有董狐、齐太史之风，谓之《晋春秋》，宜哉！"

第二，写燕国的权臣慕容评与燕国太后可足浑氏相互勾结，忌恨并欲杀害功勋与谋略盖世的慕容垂，逼得慕容垂无法在国内存身，只好带着几个子侄与贴身的亲信西投秦王苻坚。苻坚一见大喜，一来是慕容垂离开燕国，为秦国消灭燕国提供了便利条件；二来是有慕容垂做帮手，苻坚离统一全国称皇帝的日子就不远了。于是他对慕容垂倾心接待，深信不疑，其情景是很感人的。但其谋士王猛则一再劝导苻坚，说慕容垂“譬如龙虎，非可驯之物”，应及早将其除掉。王猛甚至为陷害慕容垂，还故意在其出征时将慕容垂之子慕容令带在身边，中途他收买一个慕容垂手下的人伪装是慕容垂派他给慕容令送信，要慕容令迅即离秦返燕，慕容令不辨真假，遂率部逃入燕军；王猛遂上表苻坚，叙慕容令“叛逃”事，慕容垂见状出逃，中途被俘获押回，多亏苻坚深谅慕容垂之情，仍待之如初。对此前人多有评论。首先是司马光在本卷中评论说：“王猛知慕容垂之心久而难信，独不念燕尚未灭，垂以材高功盛，无罪见疑，穷困归秦，未有异心，遽以猜忌杀之，是助燕为无道而塞来者之门也，如何其可哉？故秦王坚礼之以收燕望，亲之以尽燕情，宠之以倾燕众，信之以结燕心，未为过矣。猛何汲汲于杀垂，至乃为市井鬻卖之行，有如嫉其宠而谗之者，岂雅德君子所宜为哉！”其次是明代袁黄说：“苻坚是时方有志并吞，以垂才智过人，穷蹙来归，待以不次，亦不失驾驭群雄之略，厥后垂兴坚败，特所以善其后者无策耳。曹操不杀先主，后世未闻议其失计，至坚不杀垂，乃以‘小不忍’论之，则所谓‘以成败论人’者。”（《历史纲鉴补》引）此外还有陈北溪说：“王猛劝苻坚杀垂，范增劝项羽杀季，其忌心一也。盖方其来奔，能以义辞之而不受，亦可以免矣；若听其奔，能驾驭之，则彼虽倔强如屈突通之于唐，皆为吾之用矣。何必仆仆行小人之计，因人归我而杀之乎？纵使杀之，慕容垂虽死，天下其更无慕容垂乎？故以情论之，王猛、范增之欲杀慕容垂、沛公者，人臣之分也；而项羽、苻坚不杀之者，尤有君人之度也。”（《历史纲鉴补》引）说得都很精彩。

第三，《通鉴》写王猛为苻坚在不到五个月的时间里就灭掉了一个庞大的燕国，有些地方写得相当生动。首先是作品写燕将慕容评的贪鄙非常好笑：“太傅评以猛悬军深入，欲以持久制之。评为人贪鄙，鄣固山泉，鬻樵及水，积钱帛如丘陵。士卒怨愤，莫有斗志。猛闻之，笑曰：‘慕容评真奴才，虽亿兆之众不足畏，况数十万乎！吾今兹破之必矣。’乃遣游击将军郭庆帅骑五千，夜从间道出评营后，烧评辎重，火见邺中。燕主暐惧，遣侍中兰伊让评曰：‘王，高祖之子也，当以宗庙社稷为忧，奈何不抚战士而榷卖樵水，专以货殖为心乎！府库之积，朕与王共之，何忧于贫！若贼兵遂进，家国丧亡，王持钱帛欲安所置之！’乃命悉以其钱帛散之军士，且趣使战。评大惧，遣使请战于猛。”再有就是作品写邓羌的性格非常生动、非常可爱：“猛遣将军徐成觇燕军形要，期以日中，及昏而返。猛怒，将斩之。邓羌请之曰：‘今贼众我寡，诘朝将战。成，大将也，宜且宥之。’猛曰：‘若不杀成，军法不立。’羌固请曰：

'成，羌之郡将也，虽违期应斩，羌愿与成效战以赎之。'猛弗许。羌怒，还营，严鼓勒兵，将攻猛。猛问其故，羌曰：'受诏讨远贼，今有近贼，自相杀，欲先除之！'猛谓羌义而有勇，使语之曰：'将军止，吾今赦之。'成既免，羌诣猛谢，猛执其手曰：'吾试将军耳，将军于郡将尚尔，况国家乎！吾不复忧贼矣！'"应该说，这些地方的描写肯定夸张不小，但也正因此，人物的性格非常突出。最后作品写秦军破燕的关键一战说："猛望燕兵之众，谓邓羌曰：'今日之事，非将军不能破勍敌。成败之机，在兹一举，将军勉之！'羌曰：'若能以司隶见与者，公勿以为忧。'猛曰：'此非吾所及也，必以安定太守、万户侯相处。'羌不悦而退。俄而兵交，猛召羌，羌寝不应。猛驰就许之，羌乃大饮帐中，与张蚝、徐成等跨马运矛，驰赴燕陈，出入数四，旁若无人，所杀伤数百。及日中，燕兵大败，俘斩五万余人。乘胜追击，所杀及降者又十万余人。评单骑走还邺。"《通鉴》写到这里，引崔鸿的评论说："邓羌请郡将以挠法，徇私也。勒兵欲攻王猛，无上也。临战豫求司隶，邀君也。有此三者，罪孰大焉！猛能容其所短，收其所长，若驯猛虎，驭悍马，以成大功。《诗》曰：'采葑采菲，无以下体。'猛之谓矣！"崔鸿赞扬王猛的能用人，是很对的；但说邓羌有"三大罪"，不明白写书的人是为了生动而添油加醋，一定要认以为真，就未免有些煞风景了。

《纲鉴》之《发明》归结苻坚灭燕说："坚能用猛，施行有纪，无斩艾屠戮，而灭一大国易如反手；又能就用猛统六州，以安其众，此坚所以独盛于五胡也。"

真是"江山如画，一时多少豪杰"！

卷第一百三　晋纪二十五

起重光协洽（辛未，公元三七一年），尽旃蒙大渊献（乙亥，公元三七五年），凡五年。

【题解】

本卷写简文帝咸安元年（公元三七一年）至孝武帝宁康三年（公元三七五年）共五年间的东晋及各国大事。主要写了秦主苻坚倚任王猛，令王猛管理东方六州的军政大事，并以便宜委任地方官员，王猛推辞不受，苻坚坚定委任；至王猛回朝任职，苻坚又加委王猛“都督中外诸军事”，王猛又力辞，苻坚说“卿之不得辞宰相，犹朕不得辞天下也”。写了王猛病时秦主苻坚亲临看望，亲为祈祷，王猛临死劝苻坚小心谨慎，善始善终，并嘱以“臣没之后，愿勿以晋为图”。写了仇池公杨纂、凉州政权张天锡、陇西鲜卑乞伏司繁、吐谷浑王辟奚，或在秦兵攻击下，或在王猛的驰书晓谕下纷纷归降秦国。而后苻坚又派将军王统、朱肜、徐成等进攻东晋的梁、益二州，晋将败退，蜀人张育、杨光等起兵抗秦，秦国大将杨安、邓羌等破杀张育、杨光等，梁、益二州终被秦国所占；写了秦主苻坚下令秦国官民读经，各级官员凡“学不通一经、才不成一艺”者，皆“罢遣还民”。秦主苻坚为广求民隐，而建立听讼观，五日一临；又下令“增崇儒教，禁老、

【原文】

太宗简文皇帝[①]

咸安元年[②]**（辛未，公元三七一年）**

春，正月，袁瑾、朱辅求救于秦。秦王坚以瑾为扬州刺史，辅为交州刺史，遣武卫将军武都王鉴[③]、前将军张蚝帅步骑二万救之。大司马温遣淮南太守桓伊[④]、南顿太守桓石虔等击鉴、蚝于石桥[⑤]，大破之，秦兵退屯慎城[⑥]。伊，宣之子也。丁亥[⑦]，温拔寿春，擒瑾及辅，并其宗族送建康，斩之。

秦王坚徙关东豪杰及杂夷十五万户于关中，处乌桓于冯翊、北地[⑧]，丁零翟斌[⑨]于新安、渑池[⑩]。诸因乱流移，欲还旧业者，悉听之。

庄、图谶之学”，图谶之学遂绝于秦地。写了桓温因枋头之败而威名大挫，遂采用郗超之谋废掉了东晋的皇帝司马奕，另立会稽王司马昱为帝。写了桓温因猜忌而请诛元帝之子武陵王司马晞，不成，乃迁之于别郡监管；桓温又忌恨殷氏、庾氏二强族，遂罗织罪名，收殷涓、庾倩而杀之。写了桓温又杀废帝三子与其母，贬之为海西县公，废帝遂“专饮酒，恣声色，有子不育，时人怜之”云云。写了简文帝司马昱病死，临死前想将晋政权拱手送给桓温，多亏王坦之、王彪之大力坚持，方使简文帝的儿子司马昌明继立为帝；桓温原希望简文帝能临终禅让，至少也应得一个“依周公居摄故事”，结果二者都未得到。写了桓温病死，死前向朝廷要“九锡”，谢安、王坦之、王彪之三人故意拖延时间，遂使桓温未能得逞。写了桓温临死令其弟桓冲代统其部众，桓冲乃以桓温之子桓玄为嗣，而己辅之。桓冲忠于晋室，不与朝廷的时贤作对，朝权遂由谢安、王彪之、王坦之等执掌等。

【语译】

太宗简文皇帝

咸安元年（辛未，公元三七一年）

春季，正月，袁瑾、朱辅派使者前往秦国请求出兵救援。秦王苻坚于是任命袁瑾为扬州刺史，任命朱辅为交州刺史，派遣担任武卫将军的武都郡人王鉴、担任前将军的张蚝率领两万名步兵、骑兵前往寿春援救袁瑾。东晋大司马桓温派遣担任淮南太守的桓伊、担任南顿太守的桓石虔等率军前往石桥攻击秦国的武卫将军王鉴、前将军张蚝，将秦军打得大败，秦军撤退到慎县县城屯守。桓伊，是桓宣的儿子。十七日丁亥，东晋桓温率军攻占了寿春，擒获了袁瑾、朱辅及其宗族，并将这些人押送京师建康斩首。

秦王苻坚将函谷关以东地区的豪门大族以及各民族十五万户强行迁往关中地区，将乌桓人安置在冯翊郡、北地郡，将丁零首领翟斌所率领的丁零人安置在新安县、渑池县。那些因为战乱而四处流亡的人，如果希望返回故乡重操旧业的，一律允许。

二月，秦以魏郡太守韦钟为青州[11]刺史，中垒将军梁成为兖州[12]刺史，射声校尉徐成为并州[13]刺史，武卫将军王鉴为豫州[14]刺史，左将军彭越为徐州[15]刺史，太尉司马皇甫覆为荆州[16]刺史，屯骑校尉天水姜宇为凉州[17]刺史，扶风内史王统为益州[18]刺史，秦州刺史、西县侯雅[19]为使持节、都督秦晋凉雍州诸军事、秦州牧[20]，吏部尚书杨安为使持节、都督益梁州[21]诸军事、梁州刺史。复置雍州，治蒲阪，以长乐公丕[22]为使持节、征东大将军、雍州刺史。成，平老[23]之子。统，擢[24]之子也。坚以关东初平，守令宜得人，令王猛以便宜简召[25]英俊，补六州守令，授讫[26]，言台除正[27]。

三月壬辰[28]，益州刺史建成定公周楚[29]卒。

秦后将军金城俱难[30]攻兰陵太守张闵子于桃山[31]，大司马温遣兵击却之。

秦西县侯雅、杨安、王统、徐成及羽林左监朱肜、扬武将军姚苌帅步骑七万伐仇池公杨纂。

代将长孙斤[32]谋弑代王什翼犍，世子寔[33]格之[34]，伤胁[35]，遂执斤杀之。

夏，四月戊午[36]，大赦。

秦兵至鹫峡[37]，杨纂帅众五万拒之。梁州刺史弘农杨亮[38]遣督护郭宝、卜靖帅千余骑助纂，与秦兵战于峡中。纂兵大败，死者什三四，宝等亦没，纂收散兵遁还。西县侯雅进攻仇池[39]，杨统[40]帅武都之众降秦。纂惧，面缚[41]出降，雅送纂于长安。以统为南秦州[42]刺史，加杨安都督南秦州诸军事，镇仇池。

王猛之破张天锡于枹罕[43]也，获其将敦煌阴据[44]及甲士五千人。秦王坚既克杨纂，遣据帅其甲士还凉州，使著作郎梁殊、阎负送之，因命王猛为书谕天锡曰："昔贵先公[45]称藩刘、石[46]者，惟审于强弱[47]也。今论凉土之力，则损于往时[48]，语[49]大秦之德，则非二赵之

二月，秦国任命担任魏郡太守的韦钟为青州刺史，任命担任中垒将军的梁成为兖州刺史，任命担任射声校尉的徐成为并州刺史，任命担任武卫将军的王鉴为豫州刺史，任命担任左将军的彭越为徐州刺史，任命担任太尉司马的皇甫覆为荆州刺史，任命担任屯骑校尉的天水人姜宇为凉州刺史，任命担任扶风内史的王统为益州刺史，任命担任秦州刺史、封爵为西县侯的苻雅为使持节、都督秦晋凉雍州诸军事、秦州牧，任命担任吏部尚书的杨安为使持节、都督益梁州诸军事、梁州刺史。再次设立雍州，治所设在蒲阪，任命长乐公苻丕为使持节、征东大将军、雍州刺史。梁成，是梁平老的儿子。王统，是王擢的儿子。秦王苻坚因为关东地区刚刚平定，郡守、县令的人选必须适当，于是便授予王猛全权办理此事，有权根据实际情况加以选拔，任命为故燕国辖下六个州中的郡守和县令，任命之后，再奏报朝廷正式办理任命手续。

三月二十三日壬辰，东晋担任益州刺史的建成定公周楚去世。

秦国担任后将军的金城郡人俱难率军前往桃山攻击东晋担任兰陵太守的张闵的儿子，东晋大司马桓温派兵将秦将俱难击退。

秦国西县侯苻雅、梁州刺史杨安、益州刺史王统、并州刺史徐成以及担任羽林左监的朱肜、扬武将军姚苌一同率领七万名步兵、骑兵攻打仇池公杨纂。

代国将领长孙斤图谋杀掉代王拓跋什翼犍，拓跋什翼犍的世子拓跋寔为保护代王而与长孙斤进行格斗，伤了长孙斤的胸部，于是逮捕了长孙斤，将其杀死。

夏季，四月二十日戊午，东晋实行大赦。

秦国攻打仇池的军队到达了鹫峡，仇池公杨纂率领五万名兵众抵抗秦国的侵略。东晋担任梁州刺史的弘农县人杨亮派遣担任督护的郭宝、卜靖率领一千多名骑兵协助仇池公杨纂，与秦兵在峡中展开激战。杨纂的军队被秦兵打得大败，五万名兵众死了有十分之三四，东晋督护郭宝等也都战死，仇池公杨纂招集起属下的残兵败将逃回了大本营仇池。秦国西县侯苻雅率军进攻仇池，杨统率领武督部众投降了秦国。仇池公杨纂非常恐惧，遂反绑双手出城向秦军投降，苻雅将杨纂送往秦国的都城长安。秦王苻坚任命杨统为南秦州刺史，加授梁州刺史杨安为都督南秦州诸军事，镇所设在仇池。

当初，秦国车骑大将军、冀州牧王猛在枹罕打败凉王张天锡的时候，俘获了张天锡的部将敦煌郡人阴据以及武装士卒五千人。秦王苻坚打败了仇池公杨纂之后，便派阴据率领他部下的士卒返回凉州，派遣担任著作郎的梁殊、阎负一路护送，并借此机会，令王猛写信给凉王张天锡说：“过去，贵先公张茂所以要向前赵主刘曜称臣，张骏所以要向后赵主石勒称臣，就是因为他们能够分辨清楚当时谁的军事实力更强大。现在，论起凉州的实力，则比以往越加衰弱，而说到大秦国的恩德，则不是刘氏所建立的前赵和石氏所建立的后赵所能比拟，将军却与秦国断绝关系而归附

匹㊿，而将军翻然自绝[51]，无乃[52]非宗庙之福也欤？以秦之威，旁振无外[53]，可以回弱水[54]使东流[55]，返江、河使西注。关东既平，将移兵河右[56]，恐非六郡[57]士民所能抗也。刘表[58]谓汉南可保[59]，将军谓西河可全，吉凶在身[60]，元龟不远[61]。宜深筭妙虑，自求多福，无使六世[62]之业一旦而坠地[63]也。”天锡大惧，遣使谢罪称藩。坚拜天锡使持节、都督河右诸军事、骠骑大将军、开府仪同三司、凉州刺史、西平公。

吐谷浑王辟奚[64]闻杨纂败，五月，遣使献马千匹、金银五百斤于秦。秦以辟奚为安远将军、漒川侯[65]。辟奚，叶延[66]之子也，好学仁厚，而[1]无威断[67]。三弟专恣[68]，国人患之。长史锺恶地，西漒羌豪也，谓司马乞宿云曰："三弟纵横[69]，势出王右[70]，几亡国矣。吾二人位为元辅[71]，岂得坐而视之！诘朝月望[72]，文武并会[73]，吾将讨焉。王之左右皆吾羌子，转目一顾，立可擒也。"宿云请先白王[74]，恶地曰："王仁而无断，白之必不从。万一事泄，吾属无类[75]矣。事已出口，何可中变！"遂于坐[76]收三弟，杀之。辟奚惊怖，自投床下[77]，恶地、宿云趋而扶之曰："臣昨梦先王敕臣云：'三弟将为逆，不可不讨。'故诛之耳。"辟奚由是发病恍惚[78]，命世子视连曰："吾祸及同生[79]，何以见之于地下！国事大小，任汝治之。吾余年残命，寄食而已[80]。"遂以忧卒。

视连立，不饮酒游畋者七年，军国之事，委之将佐。锺恶地谏，以为人主当自娱乐，建威布德。视连泣曰："孤自先世以来，以仁孝忠恕相承。先王念友爱之不终[81]，悲愤而亡。孤虽纂业[82]，尸存而已[83]，声色游娱，岂所安也！威德之建，当付之将来[84]耳。"

于东晋，这恐怕不是你家宗庙的福分吧？论起秦国的威势，可以说是无敌于天下，它可以改变弱水的流向，使它掉过头来向东流，也可以使长江、黄河改变向东的流向转为向西灌注。函谷关以东地区已经被秦国平定，下一步就要挥师黄河以西地区，我敢肯定，凉州六郡的民众是抵挡不住秦军的。刘表曾经认为自己所占据的汉水以南的荆州地区，不会被曹操攻克、征服，而将军现在则认为黄河以西地区不会被秦国攻克、征服，今后凉州的出路是光明还是黑暗，都取决于你今天所做出的选择，东汉末年的刘表就是你的前车之鉴。将军应该仔细地进行思考，为自己求得多福，而不要使相传了六世的基业在一天之内就化为乌有。”张天锡非常惶恐，于是赶紧派使者前往长安谢罪，请求归附，做秦国的附属国。秦王苻坚遂任命张天锡为使持节、都督河右诸军事、骠骑大将军、开府仪同三司、凉州刺史、西平公。

吐谷浑王慕容辟奚听到了仇池公杨纂被秦军打败的消息，五月，派遣使者将一千匹好马、五百斤金银献给秦国。秦国任命辟奚为安远将军，封他为漒川侯。慕容辟奚，是慕容叶延的儿子，他勤奋好学，仁慈厚道，但缺少足够的威严和决断力。他的三个弟弟专擅权柄、为所欲为，吐谷浑国的人都很忧虑。担任长史的锺恶地，是西漒部落的豪族，他对担任司马的乞宿云说：“国王的三个弟弟横行霸道、胡作非为，他们的权势已经超过了国王，国家恐怕就要灭亡了。我二人身为辅政国君的主要大臣，岂能坐视不管！明天就是十五，文武百官都要在早朝时分到朝廷聚会，我准备讨伐国君的三个弟弟。国王身边的人都是我们羌人的子弟，只要给他们使个眼色，立刻就可以将他们擒获。”乞宿云请求先禀明国王辟奚，锺恶地说：“国王虽然仁慈，却缺少决断，向他禀报，他肯定不会同意。万一事情泄露出去，我们这些人可就全被灭族了。事情已经说出口，怎么可以中途变卦！”于是，在第二天早朝文武百官都在朝堂之上聚会时，当场将国王辟奚的三个弟弟逮捕、杀死。国王辟奚惊恐万状，竟然从上面的座位上摔了下来，锺恶地、乞宿云赶紧上前将辟奚搀扶起来，对国王辟奚说：“我昨天梦见先王对我说：‘三个弟弟准备发动叛乱，不能不把他们除掉。’所以才杀死他们。”辟奚由于受此惊吓，竟然生起病来，从此精神恍惚，他下令给世子视连说：“我害死了同胞兄弟，还有什么脸面见他们于地下！国家的大小事情，任凭你来处治。我剩下来的几年寿命，只要给我几口饭吃就行了。”终因忧虑过度而死。

慕容视连即位为吐谷浑王，他不饮酒、不打猎达七年之久，军国大事，全都交给辅佐大臣和将领。锺恶地劝谏他，认为国王应该自己寻找快乐，要建立权威、传布恩德。慕容视连哭着说：“我家自从先世以来，一直以仁爱孝敬、忠厚宽恕世代相传。先王因为想到兄弟之间的情谊没有贯彻到底，因此悲伤愤怒而死。我虽然继承了先王的事业，也只不过行尸走肉而已，哪里有安心享受音乐、美色、游猎、犬马等的心思！威望与恩德的建立，只能由日后的儿孙辈去做了。”

代世子寔病伤而卒⑧⁵。

秋，七月，秦王坚如洛阳。

代世子寔娶东部大人贺野干[86]之女，有遗腹子，甲戌[87]，生男，代王什翼犍为之赦境内，名曰涉圭[88]。

大司马温以梁、益多寇，周氏[89]世有威名，八月，以宁州刺史周仲孙监益、梁二州诸军事，领益州刺史。仲孙，光[90]之子也。

秦以光禄勋李俨为河州[91]刺史，镇武始[92]。

王猛以潞川之功，请以邓羌为司隶。秦王坚下诏曰："司隶校尉，董牧皇畿[93]，吏责[94]甚重，非所以优礼名将[95]。光武不以吏事处功臣[96]，实贵之[97]也。羌有廉、李[98]之才，朕方委以征伐之事。北平匈奴，南荡扬越[99]，羌之任也，司隶何足以婴之[100]！其[101]进号镇军将军，位特进。"

九月，秦王坚还长安。归安元侯李俨[102]卒于上邽，坚复以俨子辩为河州刺史。

冬，十月，秦王坚如邺，猎于西山，旬余忘返。伶人[103]王洛叩马[104]谏曰："陛下群生所系[105]，今久猎不归，一旦患生不虞[106]，奈太后、天下何[107]？"坚为之罢猎还宫。王猛因进言曰："畋猎诚非急务[108]，王洛之言，不可忘也。"坚赐洛帛百匹，拜官箴左右[109]。自是不复猎。

大司马温，恃其材略位望[110]，阴蓄不臣之志[111]，尝[112]抚枕叹曰："男子不能流芳百世，亦当遗臭万年！"术士[113]杜炅能知人贵贱，温问炅以己[2]禄位所至[114]。炅曰："明公勋格宇宙[115]，位极人臣[116]。"温不悦。温欲先立功河朔[117]，以收时望[118]，还受九锡[119]。及枋头之败[120]，威名顿挫。既克寿春，谓参军郗超曰："足以雪枋头之耻乎？"超曰："未也。"久

代国世子拓跋寔因为与长孙斤格斗受伤而死。

秋季，七月，秦王苻坚前往洛阳巡视。

代国世子拓跋寔娶东部贺兰部落首领贺野干的女儿为妻，拓跋寔去世的时候，他的妻子已经有孕在身，七月初七日甲戌，生下了一个男孩儿，代王什翼犍为了这个孙儿，实行大赦，并给孙子取名拓跋涉圭。

东晋大司马桓温因为梁州、益州盗贼众多，而周访、周抚、周楚祖孙三代皆著威名于梁州、益州，所以，在八月，任命担任宁州刺史的周仲孙为代理益、梁二州诸军事，兼任益州刺史。周仲孙，是周光的儿子。

秦国任命担任光禄勋的李俨为河州刺史，镇所设在武始。

秦国车骑大将军、冀州牧王猛将攻打潞川的有功之臣上报朝廷，并请求任命邓羌为司隶校尉。秦王苻坚下诏说："司隶校尉的职责范围，是督察与管理包括国都在内的畿辅地区，责任非常重大，不能用来优待礼遇某位名将。汉光武皇帝不让功臣担任行政事务，实际是看重、尊崇这些功臣。邓羌具有廉颇、李牧那样的才干，我正准备把征伐之事交付给他。让他向北平定匈奴人所建立的代国，向南荡平占据着扬州、吴越一带的晋国，那才是邓羌的责任，怎能以司隶校尉的行政事务来麻烦他！就任命邓羌为镇军将军，位在特进。"

九月，秦王苻坚从洛阳返回长安。归安元侯李俨在上邽去世，苻坚任用李俨的儿子李辩为河州刺史。

冬季，十月，秦王苻坚前往邺城，并在西山打猎，一去就是十多天，遂乐而忘返。在他身边表演音乐或各种杂技艺术的乐官王洛拉住秦王苻坚的马头劝谏说："陛下是天下苍生的主心骨，如今却长时间地迷恋于打猎而不返回京师，一旦发生意料之外的灾难，将如何向太后与普天之下的黎民百姓交代呢？"苻坚因为王洛的劝阻而停止了打猎，返回皇宫。车骑大将军王猛趁机向秦王苻坚建议说："打猎确实不是当务之急，王洛的话，请陛下不要忘记。"苻坚于是赏赐给王洛一百匹帛，并提升王洛为官箴左右。从此不再打猎。

东晋大司马桓温倚仗自己的才智谋略和职权威望，便有夺取皇位的野心。他曾经抚摸着自己的枕头叹息着说："男子汉大丈夫，即使不能流芳百世，也应当遗臭万年！"身为术士的杜炅能够预测人的贵贱，桓温便向他询问自己最高的职位可以达到什么程度。杜炅说："你的功勋可以高如天地，职位在人臣中无人可比。"桓温听了很不高兴。桓温原本准备先攻取河朔地区，建立大功，以树立自己在当今社会的威信和声望；回到朝廷，能够获得加授"九锡"的特殊待遇。不料攻打枋头的战役失败，威信和声望不仅没有提升，反而急剧下降。等到攻克了寿春，桓温对担任参军的郗超说："收复寿春，能不能洗刷枋头战役失败的耻辱？"郗超回答说："不能。"过了许久，郗超前往晋见桓温，当晚就住宿在桓温家里，半夜时分，郗超突然问桓温说：

之，超就温宿[121]，中夜，谓温曰："明公都无所虑乎？"温曰："卿欲有言邪？"超曰："明公当[122]天下重任，今以六十之年，败于大举[123]，不建不世之勋[124]，不足以镇惬民望[125]。"温曰："然则奈何？"超曰："明公不为伊、霍之举[126]者，无以立大威权，镇压四海。"温素有心，深以为然，遂与之定议[127]。以帝素谨[128]无过，而床笫[129]易诬，乃言："帝早有痿疾[130]，嬖人[131]相龙、计好、朱灵宝等参侍内寝[132]，二美人[133]田氏、孟氏生三男，将建储立王[134]，倾移皇基[135]。"密播此言于民间，时人莫能审其虚实。

十一月癸卯[136]，温自广陵将还姑孰，屯于白石[137]。丁未[138]，诣建康，讽褚太后[139]，请废帝立丞相会稽王昱，并作令草呈之[140]。太后方在佛屋烧香，内侍启云："外有急奏。"太后出，倚户视奏数行，乃曰："我本自疑此！"至半便止[141]，索笔益之[142]曰："未亡人[143]不幸罹[144]此百忧，感念存没[145]，心焉如割！"

己酉[146]，温集百官于朝堂[147]。废立既旷代所无[148]，莫有识其故典者[149]，百官震栗[150]。温亦色动[151]，不知所为。尚书左仆射王彪之[152]知事不可止，乃谓温曰："公阿衡皇家[153]，当倚傍先代[154]。"乃命取《汉书·霍光传》，礼度仪制[155]，定于须臾[156]。彪之朝服当阶[157]，神彩毅然，曾无惧容，文武仪准[158]，莫不取定[159]，朝廷以此服之。

于是宣太后令，废帝为东海王，以丞相、录尚书事、会稽王昱统承皇极[160]。百官入太极前殿，温使督护竺瑶、散骑侍郎刘亨收帝玺绶。

“你难道就没有什么值得忧虑的事情吗？”桓温反问说：“你是不是有话要对我说？”郗超说：“你肩负着收复中原、复兴国家的重任，如今以六十岁的年纪，却在大举北伐的枋头战役中遭遇了失败，如果再不建立一个举世所无的大功勋，就不可能威慑住全国上下的官员与民众，提高自己的声望。”桓温说：“那该怎么办呢？”郗超说：“你如果不能像伊尹、霍光那样利用职权废掉现在的皇帝，另立一个新皇帝，就不能建立起绝对权威，控制全国。”桓温一向就有这个想法，所以认为郗超说得很对，于是便与郗超一起商定了废掉现任皇帝司马奕，另立会稽王司马昱为皇帝的计划。因为皇帝司马奕一向小心谨慎，从来没有什么过失，而利用夫妻生活方面的事情诬陷人最容易，遂制造谣言说：“皇帝司马奕早就患有阳痿症，他所宠爱的男人相龙、计好、朱灵宝等人都陪着皇帝一道与皇后、嫔妃们过夜，皇帝的两个美人田氏和孟氏因此而生了三个男孩儿，皇帝正准备选择一个立为储君，其他的封为诸侯王，恐怕将要改变皇家的血统，使司马氏的基业被颠覆。”暗中让谣言在民间流传，当时的人谁也搞不清是真是假。

十一月初九日癸卯，东晋大司马桓温从广陵准备返回姑孰，暂时屯扎在白石。十三日丁未，前往建康，他向皇太后褚氏婉转劝谏示意废掉现在的皇帝司马奕，立担任丞相的会稽王司马昱为皇帝，并将事先替褚太后拟定好的一个有关废立的诏令草稿呈递给褚太后。皇太后褚氏当时正在佛堂烧香，宦官向皇太后启奏说：“外面有紧急奏章。”皇太后赶紧走出佛堂，就近靠在门框上将奏章看了几行，就说：“我原本就有这种怀疑！”看到一半的时候就不再往下看了，她令人拿来笔墨，就在桓温拟定好的草稿上又添加了几句说：“我这个未亡人很不幸经历了各种各样令人忧愁的事情，想到活着的人和已经死去的人，我的心里就如同刀割一样！”

十一月十五日己酉，东晋大司马桓温在朝堂之中召集文武百官，宣布了废黜现任皇帝司马奕，另立会稽王司马昱为皇帝之事。废黜皇帝、另立新君，已经是多少年来都没有发生过的事情，没有人知道如何操作这件事的先例，文武百官十分恐惧，一个个浑身颤抖。桓温面对这种场面，也不免因为紧张而改变了神色，不知下面该如何进行。担任尚书左仆射的王彪之知道事情已经无法挽回，便对桓温说：“明公辅佐皇帝，想要效法伊尹废立皇帝，自然应该按照先前有关这类事情的做法去做。”遂令人取来《汉书·霍光传》，于是，废黜现任皇帝司马奕，另立司马昱为皇帝的具体办法，顷刻之间便全部决定下来。王彪之身穿朝服站在殿阶之上，面对着殿下所站立的群臣，神采刚毅而坚定，竟然没有一点畏惧的神色，文武百官一举一动的仪式准则，全都按照王彪之的样子做，满朝文武臣僚因此对王彪之佩服得五体投地。

于是，当场宣布皇太后的诏令，将皇帝司马奕废为东海王，改封担任丞相、录尚书事的会稽王司马昱继承皇位。百官进入太极殿前殿，桓温派担任督护的竺瑶、担任散骑侍郎的刘亨摘下皇帝司马奕身上所佩戴的皇帝玺绶。司马奕改换成平民的

帝着白帢单衣[161]，步下西堂，乘犊车[162]出神虎门[163]。群臣拜辞，莫不歔欷[164]。侍御史、殿中监将兵百人卫送东海第[165]。温帅百官具乘舆法驾[166]，迎会稽王于会稽邸。王于朝堂变服[167]，着平巾帻[168]、单衣，东向流涕，拜受玺绶。是日，即皇帝位，改元[169]。温出次中堂[170]，分兵屯卫。温有足疾，诏乘舆入殿[171]。温撰辞[172]，欲陈述废立本意。帝引见，便泣下数十行。温兢惧[173]，竟不能一言而出。

太宰武陵王晞[174]好习武事，为温所忌，欲废之，以事示王彪之。彪之曰："武陵亲尊[175]，未有显罪，不可以猜嫌之间[176]便相废徙。公建立圣明[177]，当崇奖王室[178]，与伊、周[179]同美。此大事，宜更深详[180]。"温曰："此已成事[181]，卿勿复言。"乙卯[182]，温表："晞聚纳轻剽[183]，息综矜忍[184]，袁真叛逆，事相连染[185]。顷日猜惧[186]，将成乱阶[187]。请免晞官，以王归藩[188]。"从之。并免其世子综[189]、梁王逢[190]等官。

温使魏郡太守毛安之[191]帅所领宿卫殿中[192]。安之，虎生[193]之弟也。

庚戌[194]，尊褚太后曰崇德太后。

初，殷浩卒，大司马温使人赍书[195]吊之。浩子涓不答[196]，亦不诣温[197]，而与武陵王晞游[198]。广州刺史庾蕴，希[199]之弟也，素与温有隙。温恶殷、庾宗强[200]，欲去之[201]。

辛亥[202]，使其弟秘逼新蔡王晃[203]诣西堂[204]叩头自列[205]，称与晞及子综、著作郎殷涓、太宰长史庾倩、掾曹秀、舍人刘强、散骑常侍庾柔等谋反。帝对之流涕，温皆收付廷尉[206]。倩、柔，皆蕴之弟也。癸丑[207]，温杀东海王三子及其母。甲寅[208]，御史中丞[209]谯王恬[210]承温旨[211]，

打扮：头上戴着平民所戴的白帽，身上穿着禅衣，走下了西堂的台阶，坐上一辆牛车出了建康宫的神虎门。群臣叩拜送别，无不唏嘘啜泣、叹息。然后由侍御史、殿中监率领着一百名卫士将被废为东海王的司马奕送往东海王府第。大司马桓温则率领文武百官带着只有皇帝才能乘坐的车驾，前往会稽王府邸迎接会稽王司马昱。会稽王司马昱在朝堂之上更换服饰，头上戴着当时武官所戴的那种平如屋顶的头巾，身上穿着禅衣，面向东方，涕泗横流，下跪磕头，接受了皇帝玺印。当天，即位为皇帝，就是简文帝，改年号为咸安。桓温离开朝堂来到殿前的中堂休息，他调拨军队分别屯扎守卫。桓温有脚病，简文帝司马昱特此下诏令他可以坐着车子进入殿堂。桓温撰写了一篇讲话稿，准备在简文帝司马昱面前陈述自己所以要废掉司马奕而立司马昱为皇帝的本意。而简文帝司马昱在召见桓温时，却泪流不止。桓温战战兢兢，竟然一句话也没有说出来就告辞而出。

东晋担任太宰的武陵王司马晞，喜好研究军事，因而遭到桓温的忌恨，桓温就准备废掉司马晞，于是去咨询王彪之。王彪之说："武陵王司马晞既是皇帝的至亲，又地位尊贵，也没有明显的罪过，不能因为猜忌就将他废掉。明公既然已经拥立了圣明的司马昱为皇帝，就应当维护与提高皇室家族的声望与地位，成为能与伊尹、周公相媲美的贤臣。废立是一件大事，应该更加深思熟虑才行。"桓温说："这是我已经决定下来的事情，你就不要再说了。"乙卯日，桓温上表说："司马晞聚集、结纳了一批勇猛好动的匪类，司马晞的儿子司马综尤其傲慢残忍，袁真叛变的时候，事情就牵连到他们。近日以来疑惧之心强烈，将会成为叛乱的基础。请免除司马晞的职务，让他以武陵王的身份回到他的封地赋闲。"简文帝司马昱只得听从桓温。同时还免去了司马晞的世子司马综以及司马综之弟梁王司马逢等人的官职。

桓温派担任魏郡太守的毛安之率领部下宿卫皇宫。毛安之，是毛虎生的弟弟。

十一月十六日庚戌，东晋尊奉皇太后褚氏为崇德太后。

当初，殷浩去世的时候，大司马桓温派人带着书信前往吊唁。殷浩的儿子殷涓当时既没有还礼致谢，过后也没有前往桓温处答谢，而与武陵王司马晞交往密切。担任广州刺史的庾蕴，是庾希的弟弟，一向与桓温不和。桓温憎恨殷氏、庾氏宗族的势力太强盛，就准备把他们全都赶出朝廷。

十一月十七日辛亥，桓温派自己的弟弟桓秘逼迫新蔡王司马晃前往太极殿的西堂向简文帝司马昱磕头自首，称说自己曾经与武陵王司马晞以及司马晞的儿子司马综、担任著作郎的殷涓、担任太宰长史的庾倩、掾属曹秀以及舍人刘强、散骑常侍庾柔等共同谋反。简文帝司马昱面对着司马晃只是痛哭流涕，桓温下令将司马晃所提到的那些人全部逮捕交付廷尉进行审理。庾倩、庾柔都是庾蕴的弟弟。十九日癸丑，桓温杀死了东海王司马奕的三个儿子以及他们的母亲。二十日甲寅，担任御史中丞的谯王司马恬秉承桓温的旨意，请求依照法律诛灭武陵王司马晞。简文帝司马

请依律诛武陵王晞。诏曰："悲惋惶怛[212]，非所忍闻，况言之哉！其更详议[213]。"恬，承之孙也。乙卯[214]，温重表固请诛晞，词甚酷切[215]。帝乃赐温手诏曰："若晋祚灵长[216]，公便宜奉行前诏。如其大运去矣[217]，请避贤路[218]。"温览之，流汗变色，乃奏废[219]晞及其三子，家属皆徙新安郡[220]。丙辰[221]，免新蔡王晃为庶人，徙衡阳[222]。殷涓、庾倩、曹秀、刘强、庾柔皆族诛，庾蕴饮鸩死。蕴兄东阳太守友子妇[223]，桓豁[224]之女也，故温特赦之。庾希闻难，与弟会稽王[3]参军邈及子攸之逃于海陵陂泽[225]中。

温既诛殷、庾，威势翕赫[226]，侍中谢安见温遥拜。温惊曰："安石，卿何事乃尔[227]？"安曰："未有君拜于前，臣揖于后[228]。"

戊午[229]，大赦，增文武位二等[230]。

己未[231]，温如白石，上书求归姑孰[232]。庚申[233]，诏进温丞相，大司马如故，留京师辅政。温固辞，乃请还镇。辛酉[234]，温自白石还姑孰。

秦王坚闻温废立，谓群臣曰："温前败灞上，后败枋头，不能思愆[235]自贬，以谢百姓，方更废君以自说[236]。六十之叟，举动如此，将何以自容于四海乎？谚曰：'怒其室而作色于父[237]'，其桓温之谓矣！"

秦车骑大将军王猛以六州任重，言于秦王坚，请改授亲贤[238]，及府选便宜[239]，辄已停寝[240]，别乞一州自效[241]。坚报曰："朕之于卿，义则君臣[242]，亲逾骨肉[243]，虽复桓、昭之有管、乐[244]，玄德之有孔明[245]，自谓逾之[246]。夫人主劳于求才[247]，逸于得士[248]。既以六州相委，则朕无东顾之忧，非所以为优崇[249]，乃朕自求安逸也。夫取之不易，守之亦难，苟

昱下诏说："我心中感到十分的悲哀和痛苦，像这样的事情，我实在不忍心去听，何况是非要我说出口呢！请再好好讨论一下。"司马恬，是司马承的孙子。二十一日乙卯，桓温再次上表请求诛杀武陵王司马晞，措辞非常冷酷而严厉。简文帝司马昱遂亲笔写了一封诏书给桓温说："如果晋国的国运还可以延续下去，你就应该遵行前一次的诏令。如果晋国的国运应该在今天灭亡，就请允许我退位，好为贤人让路。"桓温看完司马昱的诏书，不禁汗流浃背，立时改变了脸色，于是奏请撤销司马晞及其三个儿子现有的爵位，贬为平民，连同家属全部流放到新安郡。二十二日丙辰，将新蔡王司马晃贬为庶民，流放到衡阳，殷涓、庾倩、曹秀、刘强、庾柔都被灭族，庾蕴喝毒酒自杀。庾蕴的哥哥、东阳太守庾友的儿媳妇，是桓温弟弟桓豁的女儿，所以桓温特别赦免了庾友一家。庾希听到家人遭到灭族的消息，便与自己的弟弟、担任会稽王参军的庾邈以及儿子庾攸之逃往海陵县的沼泽之中避难。

桓温诛杀了殷氏、庾氏两大家族之后，声威和权势立时隆盛、烜赫起来，担任侍中的谢安看见桓温，在老远的地方就向他下拜。桓温惊奇地问他说："安石，你为什么要这个样子？"谢安说："从来没有君主都向你叩拜了，而臣子只向你作个揖的道理。"

十一月二十四日戊午，东晋实行大赦。给满朝的文武官员各晋爵二级。

二十五日己未，桓温从建康前往白石，他上疏请求离开朝廷，返回自己的军政大本营姑孰。二十六日庚申，简文帝司马昱下诏晋升桓温为丞相，大司马职务依旧保留，让他留在京师辅佐朝政。桓温坚决推辞，仍然请求回到自己的镇所。二十七日辛酉，桓温从白石返回姑孰。

秦王苻坚听到东晋大司马桓温废掉皇帝司马奕，改立会稽王司马昱为皇帝的消息，遂对自己的臣属说："桓温先前在灞上被秦军打败，后来又在枋头被故燕军打败。他不知道此时应该反思自己的过错，向全国百姓谢罪，反而用废立皇帝的方式来宽慰自己。六十岁的老头子，竟然做出如此举动，如何能够得到四海的宽容？俗话说：'对自己的老婆不满，却拿自己的老父亲出气'，说的就是桓温这一类人！"

秦国车骑大将军王猛，因为秦王任命自己为都督关右六州诸军事，觉得责任重大，于是便向秦王苻坚请求另外选任既是王室亲属又有才能的人来担此重任，至于根据实际情况选任地方郡守、县令之事，他已经停止动作，现在只请求到地方担任一个州刺史，来为国家效力。苻坚回复王猛说："我与你之间的关系，从道理上说是君臣关系，而从关系密切的程度上讲，则比至亲骨肉之间的关系还要亲，即使齐桓公之有管仲、燕昭王之有乐毅、刘玄德之有诸葛孔明，我认为我与你的关系已经远远地超过了他们之间的关系。作为君主应该在寻求贤能上多下功夫，一旦得到了贤才之后，便可以放手让他们去做，君主就可以清闲了。我既然已经把关东六州的事务全部交付给你去办，我就再也没有东顾之忧，这不是为了特别优待你才这样做，我实在是为了自己贪图安逸。攻取不容易，守住就更难，如果任用的不是合适人选，

任非其人，患生虑表[250]，岂独朕之忧，亦卿之责也。故虚位台鼎[251]，而以分陕为先[252]。卿未照[253]朕心，殊乖素望[254]。新政俟才[255]，宜速铨补[256]。俟东方化洽[257]，当衮衣西归[258]。”仍[259]遣侍中梁谠诣邺谕旨，猛乃视事[260]如故。

十二月，大司马温奏："废放之人[261]，屏之以远[262]，不可以临黎元[263]。东海王宜依昌邑故事[264]，筑第吴郡[265]。”太后诏曰："使为庶人，情有不忍，可特封王[266]。”温又奏："可封海西县侯。”庚寅[267]，封海西县公。

温威振内外，帝虽处尊位，拱默[268]而已，常惧废黜。先是，荧惑守太微端门[269]，逾月[270]而海西废[271]。辛卯[272]，荧惑逆行入太微[273]，帝甚恶之。中书侍郎郗超在直[274]，帝谓超曰："命之修短，本所不计，故当无复近日事邪[275]？"超曰："大司马臣温方内固社稷[276]，外恢经略[277]，非常之事[278]，臣以百口保之[279]。"及超请急省其父[280]，帝曰："致意尊公，家国之事遂至于此，由吾不能以道匡卫[281]，愧叹之深，言何能谕[282]！"因咏庾阐[283]诗云："志士痛朝危，忠臣哀主辱。"遂泣下沾襟。帝美风仪[284]，善容止[285]，留心典籍，凝尘满席，湛如也[286]。虽神识恬畅[287]，然无济世大略[288]。谢安以为惠帝之流[289]，但清谈差胜[290]耳。

郗超以温故[291]，朝中皆畏事之。谢安尝与左卫将军王坦之共诣超，日旰未得前[292]。坦之欲去，安曰："独不能为性命忍须臾[293]邪？"

秦以河州刺史李辩领兴晋[294]太守，还镇枹罕[295]。徙凉州治金城[296]。张天锡闻秦有兼并之志，大惧，立坛于姑臧[297]西，刑三牲[298]，帅其官

一旦发生意想不到的灾难，岂止是我的忧患，也是你的责任。所以，宁可使朝廷里空着三公之位，而首先关注的是方面大员。你没有理解我的用意，实在与我一向对你的期望相违背。新的政权实行新的政策，都需要有才能的地方官，应该迅速选拔任用。等到关东已经完全接受了秦国的思想教育，社会秩序稳定、风气变好之后，再请你身穿绣有衮龙的礼服荣归长安。”于是派遣担任侍中的梁谠前往王猛的镇所邺城传达秦王的旨意，王猛才又继续行使秦王苻坚授予的特别职权。

十二月，东晋大司马桓温上奏说：“对于被废免而放逐的人，应该放逐得越远越好，而不能让他们为官治理黎民百姓。对于东海王司马奕，应该依照霍光当年处治昌邑王刘贺那样进行处治，在吴郡为他建造一所房子让他住。”崇德太后褚氏下诏说：“将东海王贬为庶民，实在有些不忍心，可以改封他一个别的王爵。”桓温又上奏说：“可以封他为海西县侯。”二十六日庚寅，封废帝司马奕为海西县公。

桓温的威势震动朝廷内外，简文帝司马昱虽然处在一个极端尊贵的位置上，但也只能拱手无言，听从桓温的摆布，并常常担心自己也像海西公司马奕那样遭到废黜。先前火星运行到太微垣的端门附近，这种现象发生后的一个月，当时的皇帝司马奕被桓温废掉，贬为海西县公。十二月二十七日辛卯，火星又逆行进入了太微垣，简文帝司马昱心里非常忌讳。当时担任中书侍郎的郗超正在宫中值班，简文帝司马昱便对郗超说：“我对于寿命的长短原本就不太计较，我所关心的是莫非还要再闹一回前些时曾经发生的事情吗？”郗超回答说：“大司马桓温目前正致力于对内安定国家、稳固政权，对外谋划收复中原，近来发生的那种非常之事绝对不会再发生，我愿意用我全家一百口人的性命担保桓温无此打算。”等到郗超请假回家探望自己的父亲，简文帝司马昱说：“代我向你的父亲致意，国家的事情弄到现在这种地步，都是因为我不能坚持原则进行辅佐、捍卫造成的，内心的愧疚和惋惜，纵有千言万语又岂能说得明白！”遂吟咏了庾阐的一首诗说：“志士痛心朝廷面临的危难，忠臣哀痛君主遭受的羞辱。”于是涕泪交流，沾湿了衣襟。简文帝司马昱有着优雅的仪表和风度，形容举止都很高雅，喜好读书，即使桌子上布满灰尘，也能怡然自得。虽然风度气质恬静旷达，却缺少治国安邦的雄才大略。谢安把他比作是晋惠帝司马衷那样的一种弱智者，只不过在谈玄方面比晋惠帝司马衷略好罢了。

郗超由于党附于桓温，所以满朝的官员都因为惧怕他的势力而对他表现出少有的尊敬。谢安曾经与担任左卫将军的王坦之一同前往郗超的府中拜访，天色已经很晚了，还没有轮到接见他们。王坦之就准备离去，谢安说：“你难道就不能为了保住性命而暂且忍耐一会儿吗？”

秦国让担任河州刺史的李辩兼任兴晋太守，将镇所迁回到枹罕。将凉州的治所迁移到金城。张天锡看出秦国有兼并凉州的企图，心里非常恐惧，于是，便在首都姑臧的西边建筑了一座祭坛，然后宰杀猪、牛、羊作为供品，率领着自己的僚属，

属，遥与晋三公盟。遣从事中郎韩博奉表送盟文，并献书于大司马温，期以明年夏同大举[4]，会于上邽㉙。

是岁，秦益州刺史王统攻陇西鲜卑乞伏司繁㉚于度坚山㉛，司繁帅骑三万拒统于苑川㉜。统潜袭度坚山，司繁部落五万余皆降于统。其众闻妻子已降秦，不战而溃。司繁无所归，亦诣统降。秦王坚以司繁为南单于，留之长安，以司繁从叔吐雷㉝为勇士护军㉞，抚其部众。

【段旨】

以上为第一段，写简文帝咸安元年（公元三七一年）一年间的大事。主要写了秦主苻坚倚任王猛，令王猛管理东方六州的军政大事，并以便宜委任地方官员，王猛请求另任亲贤，自己只任一州，苻坚坚定委任，自称“桓、昭之有管、乐，玄德之有孔明，自谓逾之”；写了秦将苻雅、杨安等进攻仇池，晋兵救之，不胜，仇池公杨纂降秦；王猛又致书凉州政权的张天锡，晓谕利害，张天锡遂向秦国“谢罪称藩”；写了秦将王统攻陇西鲜卑乞伏司繁于度坚山，乞伏司繁降秦；写了秦主苻坚猎于邺之西山，旬余忘返，伶人谏之，苻坚遂自此不复猎；写了桓温遣将破杀占据寿春降秦的袁瑾、朱辅势力；写了桓温枋头之败后威名大挫，郗超为之设谋废掉东晋皇帝司马奕，另立会稽王司马昱为帝；写了司马昱为帝后，整天处于凄凄惶惶之中，担心也一朝被废；写了桓温请诛元帝子武陵王司马晞，未成，温乃迁之于新安郡；桓温又忌殷氏、庾氏二强族，遂罗织罪名，收殷涓、庾倩而杀之；写了桓温又杀废帝三子与其母，欲贬废帝为庶人，未成，乃废之为海西县公等。

【注释】

①太宗简文皇帝：名昱，字道万，元帝司马睿少子。初封琅邪王，徙封会稽王。穆帝即位时，褚太后摄政，司马昱总理政务。历事哀帝、海西公，而无建树，大权一归桓温，故被桓温立为帝。公元三七一至三七二年在位。太宗是他的庙号，简文二字是谥。事迹详见《晋书》卷九《简文帝纪》。《谥法》：“壹德不解曰简”；“道德博闻曰文”。②咸安元年：是年十一月，皇帝司马奕被桓温废为海西公，立司马昱为帝，当年改元咸安，《通鉴》编年，因以新元系之，实际上本卷的前十一个月都是海西公的第六年。③武都王鉴：武都郡人王鉴。武都郡的郡治在今甘肃成县西侧，武都的东北方。④桓伊：桓宣

与东晋的三公遥遥结盟。又派遣担任从事中郎的韩博带着表章以及结盟的文件前往东晋，同时写信给东晋大司马桓温，约定在明年的夏季与东晋共同出兵，在上邽会师伐秦。

这一年，秦国益州刺史王统率军攻击占据度坚山的陇西鲜卑族部落酋长乞伏司繁，乞伏司繁率领三万名骑兵在苑川抗击秦将王统。秦将王统却派出军队秘密地袭击了乞伏司繁的老巢度坚山，乞伏司繁部落的五万多人于是全部投降了王统。乞伏司繁所率领的部众得知家中的妻小已经投降了秦国，所以不战自溃。乞伏司繁没有地方可以投奔，也只好前往王统的军前投降。秦王苻坚任命乞伏司繁为南单于，将他留在长安，任命乞伏司繁的堂叔吐雷为勇士县的护军，监护乞伏司繁的部众。

之子。桓宣是成帝时期人，佐祖逖，拒祖约，守襄阳，皆有功。传见《晋书》卷八十一。⑤石桥：一作石梁。在今安徽寿县北的淝水上。⑥慎城：慎县县城，即今安徽颍上西北的江口镇。⑦丁亥：正月十七。⑧冯翊、北地：二郡名，冯翊郡的郡治即今陕西大荔，北地郡的郡治在今陕西铜川市耀州区。⑨丁零翟斌：丁零族的头领，原属燕国，后归苻坚。⑩新安、渑池：二县名，新安县的县治在今河南渑池县城的东南侧，新安城的西方，渑池县的县治在今渑池县城的西方。⑪青州：州治广固，在今山东淄博东。⑫兖州：州治仓垣，在今河南开封西北。⑬并州：州治晋阳，在今山西太原西南的古城营西古城。⑭豫州：州治洛阳，在今河南洛阳之城东部。⑮徐州：州治彭城，即今江苏徐州。⑯荆州：州治鲁阳，在今河南鲁山县。⑰凉州：州治在今甘肃武威。⑱益州：州治在今甘肃陇西县。⑲西县侯雅：苻雅，苻氏的老臣，在苻生时代曾任右卫将军。⑳秦州牧：秦州地区的军政长官。秦州的州治即今甘肃天水市。㉑梁州：州治即今陕西汉中。晋州治所在今青海乐都东南，雍州治所蒲阪，在今山西永济西南蒲州镇。㉒长乐公丕：苻丕，苻坚之子。㉓平老：梁平老，苻氏的老臣，在苻生时代曾任特进，领御史中丞，被称为"才识明达，令行禁止"。㉔擢：王擢，原晋将，于穆帝永和十年降秦。㉕以便宜简召：根据实际情况加以选拔任命。简召，选拔而召用之。㉖授讫：任命过后。授，任以官职。㉗言台除正：再报告朝廷正式办理任命手续。除正，正式任命。胡三省曰："呜乎，荀卿子有言：'兼并易也，坚凝之难。以苻坚之明，王猛之略，简召英俊以补六州守令，然鲜卑乘乱一呼，翕然为燕，以此知天下之势，但观人心之向背何如耳！'"㉘三月壬辰：三月二十三。㉙建成定公周楚：周楚是周抚之子，继其父任益州刺史，封建成公，定字是谥。《谥法解》："大虑静民曰定。"㉚金城俱难：金城郡人姓俱名难。㉛桃山：山名，在今山东滕州东南。㉜长孙斤：姓长孙，名斤。㉝世子寔：什翼犍的太子，名寔。㉞格之：与之格斗。格，拦击、迎击。㉟伤胁：被长孙斤打伤了肋骨。胁，肋

骨。㊱四月戊午：四月二十。㊲鹫峡：又名塞峡，在今甘肃西和东南。㊳弘农杨亮：杨亮是弘农县人，在晋王朝任梁州刺史。梁州的州治即今陕西汉中。㊴仇池：郡名，郡治即今甘肃成县西北的洛谷镇，当时氐族杨纂政权的大本营所在地。㊵杨统：杨纂之叔，时为杨氏政权任武都太守。武都郡的郡治在今甘肃成县西北侧，武都之东北方。㊶面缚：两手反绑身后，面向前，表示认罪。㊷南秦州：州名，秦在上邽置秦州，仇池在南，故称“南秦州”。㊸王猛之破张天锡于枹罕：事在海西公太和元年，见本书前文卷一百一。㊹敦煌阴据：敦煌人姓阴名据。敦煌是郡名，郡治沙州，即今甘肃敦煌。㊺贵先公：敬称张天锡的先人张茂、张骏等。㊻称藩刘、石：张茂称藩于刘曜，事见本书卷九十二太宁元年；张骏称藩于石勒，事见本书卷九十四咸和五年。㊼惟审于强弱：只看到谁一时的武力强大。审，看清。㊽损于往时：比过去有所减弱。㊾语：谈及；说到。㊿非二赵之匹：不是刘氏的前赵政权和石氏的后赵政权所能比拟。匹，匹敌、对手。51自绝：指凉与秦国断交，而归附于晋。52无乃：这恐怕。53旁振无外：意即天下无敌。旁振，征讨四方、向四方发展。无外，都等于是秦国的领土。54弱水：河水名，源出祁连山北麓，经今甘肃张掖，向北流入今内蒙古境内，为额济纳河。上游今名黑河，下游名弱水。55使东流：让弱水掉过头来向东流，与下句的“返江、河使西注”，都是用来比喻秦国威力无边。56河右：河西，黄河以西，指当时张氏政权所占据的凉州，今之甘肃河西走廊一带地区。57六郡：指张轨初镇河西时的凉州六郡，即武威、张掖、酒泉、敦煌、西郡、西海。58刘表：即东汉末年的荆州刺史刘表。当时的荆州州治是襄阳，今之湖北襄阳。59谓汉南可保：以为自己占据的汉水以南的荆州地区，不会被曹操所攻克、所征服。60吉凶在身：今后出路的光明或黑暗，都在你今天做出的选择。身，你本人。61元龟不远：你可以引为教训的事例就是刚才提到的刘表。元龟，指古代用以占卜吉凶的龟甲，这里用以为“教训”“借鉴”的意思。62六世：指张轨、张寔、张茂、张骏、张重华、张天锡六世。张天锡前尚有张曜灵、张祚、张玄靓三主，均未算在内。63一旦而坠地：指被消灭而言。64吐谷浑王辟奚：当时活动在今青海东部和与之邻近甘肃东南部一带地区的少数民族头领，名叫辟奚。65漒川侯：封之为侯爵，以其当地的河水为名。据吴熙载《资治通鉴地理今释》说，漒川即源出强台山，亦即所谓西倾山的白水。强台山在《北史·吐谷浑传》作西强山。《水经注》和《元和郡县志》作巍台山，今名西倾山，在青海东部和甘肃西南边境。白水即今白龙江，源出西倾山东南麓，东南流至四川广元昭化镇注入嘉陵江。魏、晋时期羌人聚居滑川沿江一带，分西漒羌、东漒羌。66叶延：晋成帝时期活动在今青海东部一带的鲜卑族头领。事见本书卷九十四。67无威断：缺乏足够的威严与决断力。68三弟专恣：有三个弟兄都专权而放纵。69纵横：胡作非为。70势出王右：权势在国王之上。右，此处以右为上。71元辅：辅佐国君的主要大臣。长史和司马都是大将或公府的高级僚属，故也称“元辅”。72诘朝月望：明天就是这个月的十五。诘朝，明早。73文武并会：满朝文武都要前来聚会。《史记·匈奴列传》也记载过这种少数民族常在每月十五进行聚会的习俗。⑭请先白王：请求先禀告羌王辟奚一声。⑮无类：也称“无遗类”，意即被灭门、灭种。⑯于坐：在第二天文武聚会的座席上。⑰自投床下：从上面的座位上跌了下来。投，跌落。⑱恍惚：神志不清。⑲同生：同胞；亲兄弟。⑳寄食而已：给我一口饭吃就行了。寄食，依附他人生活。㉑友爱之不终：指兄弟之间的情谊没有贯彻到底。不终，没有做到底。㉒纂业：继承王业。纂，接续。㉓尸存而已：只要躯体存在就行了，意即居其位而不想做事。㉔付之将来：由日后儿孙辈来做。胡三省曰：“辟奚之死，视连之立，其事非皆在是年，《通鉴》因辟奚入贡于秦，遂连而书之，以见辟奚父子天性仁孝，不可以夷狄异类视之也。”㉕病伤而卒：由于同长孙斤搏斗时受伤而致死。㉖贺野干：鲜卑贺兰部的酋长。㉗甲戌：七月初七。㉘涉圭：即未来的北魏道武帝拓跋珪，北魏政权的建立者，公元三八六至四〇九年在位。事详《魏书》卷二《太祖道武帝纪》。㉙周氏：指周访、周抚、周楚祖孙三代，皆著威名于梁州、益州。㉚光：周光，周访之子，周抚之弟。周光事见本书卷九十三太宁三年。㉛河州：州名，张骏以兴晋、金城、武始、南安、永晋、大夏、武城、汉中八郡为河州，州治枹罕，在今甘肃临夏西南。㉜武始：郡名，张骏所置，郡治狄道，即今甘肃临洮。㉝董牧皇畿：督察与管理包括国都在内的畿辅地区。董牧，管理。皇畿，也称“京畿”，指国家的都城及其附近诸郡，晋代称为“司州”。㉞吏责：其行政官员的职责。㉟非所以优礼名将：不能用来作为优待某位名将的用途。㊱不以吏事处功臣：不让功臣们担任行政方面的职务。处，使……担当。㊲贵之：尊崇他们。贵，尊崇、看重。㊳廉、李：廉颇、李牧，都是战国时期赵国的名将，被后世看作古代名将的代表。㊴扬越：也称“于越”，指我国东南部越族聚居的今之浙江、福建、广东、广西等一带地区，因其在古代属于扬州，故称“扬越”。此处即指东晋王朝。㊵司隶何足以婴之：怎能以司隶校尉的行政事务来麻烦他。婴，干扰、麻烦。㊶其：表示命令、祈请的发语词。㊷归安元侯李俨：归安侯是李俨的封号，元字是谥。㊸伶人：此指在帝王身边表演音乐或各种杂技艺术的乐官。㊹叩马：拦住马头。㊺群生所系：是全国官民的主心骨。系，仰仗、依托。㊻患生不虞：一旦发生意料之外的灾难。患，灾难。㊼奈太后、天下何：那怎么向太后与普天下的黎民百姓交代呢。〖按〗这是汉代袁盎劝阻汉文帝乘车在峻阪驰骋时的用语，见《史记·袁盎晁错列传》，《通鉴》套用之。㊽急务：亟须要做的事。㊾官箴左右：官名，苻坚创置，掌劝谏、补缺、拾遗。㊿材略位望：才智谋略和地位声望。材，通“才”。⑪不臣之志：篡夺皇位的野心。⑫尝：曾经。⑬术士：通常指以各种迷信手段为业的骗子，如巫祝、占卜、降妖捉鬼以及长生之术等。⑭禄位所至：官职所能达到的极限。禄位，指官职。⑮勋格宇宙：犹言功高天地，极言功勋之大。格，至、达到。宇宙，天地。⑯位极人臣：在大臣中无人可比。⑰河朔：泛指黄河以北地区。⑱以收时望：以树立自己在当今社会的威信和声望。时，现时、当世。⑲还受九锡：回朝时能获九锡的殊荣。九锡，皇帝赐予权臣的九种特殊待遇，即：入朝不趋、剑履上殿、赞拜不名、纳陛以登等九项。⑫枋头之败：事见本书上卷太和四年。⑫就温宿：到桓温处过夜。⑫当：担当；掌管。⑫败于大举：失败于大规模的兴兵北伐，即枋头之败。⑫不建不世之勋：如果再不建立一个举世所无的大功勋。⑫不足以镇惬民望：就不可能威慑与满足全国官民的愿望。⑫伊、霍之举：指废掉现有的皇帝，另立一个新皇帝。伊尹是商初大臣，曾一度废掉了商王太甲，而自掌朝政。事见《史记·殷本纪》。霍光是西汉的辅政大臣，昭帝死后，迎立昌邑王刘贺为帝，不久又废掉刘贺，另立了汉宣帝。事详《汉书·霍光传》。⑫定议：制订了废现行皇帝司马奕，而另立会稽王司马昱的计划。⑫素谨：一向言行谨慎。素，一向。⑫床第：指夫妻生活方面的事情。第，床。陈、楚之间谓之第。⑬痿疾：阳痿。⑬嬖人：男宠，受皇帝宠爱的男人。⑬参侍内寝：陪着皇帝一道与皇后、妃嫔们过夜。侍内寝，侍候皇帝睡觉。⑬二美人：皇帝的两个妃子。"美人"是妃嫔的封号名。⑬建储立王：有的将立为太子，有的封为诸侯王。建储，建立储君，即立太子。⑬倾移皇基：将改变皇家的血统，使司马氏的基业被颠覆。⑬十一月癸卯：十一月初九。⑬白石：地名，在今安徽采石矶之西南方。⑬丁未：十一月十三。⑬讽褚太后：向褚太后婉转劝谏示意。⑭并作令草呈之：并事先替褚太后拟定了一个所下命令的草稿，交给褚太后过目。⑭至半便止：读了一半就不往下读了。⑭索笔益之：要过笔来向下接着写道。⑭未亡人：寡妇，这里是褚太后的自称。⑭罹：遭逢；遇上。⑭感念存没：想到活着的与死去的人。"存"指海西公与褚太后自己，"没"指已故的东晋诸帝。⑭己酉：十一月十五。⑭朝堂：正殿左右的百官治事之所。国有大事，均在朝堂会议。⑭旷代所无：多少年来所没有的事情。旷代，隔了多少代。一代为三十年。⑭莫有识其故典者：没有人知道如何具体操作这件事情的先例。故典，先例、以往的做法。⑮震栗：恐惧颤抖。⑮色动：紧张；色变。⑮王彪之：王彬之子，时任左仆射，有如副丞相。⑮阿衡皇家：犹言辅佐皇帝。阿衡，原是官名，位同丞相，这里用如动词，意即辅佐。⑮当倚傍先代：应该按照先前有关这类事情的做法。⑮礼度仪制：即废除现行皇帝司马奕，另立司马昱为皇帝的具体做法。⑮须臾：顷刻之间。⑮当阶：站在殿阶之上，对着殿下所站立的群臣。⑮仪准：一举一动的仪式准则。⑮莫不取定：一切都按着王彪之的样子做。取定，以……的举动为准则。⑯统承皇极：继承皇位。⑯白帢单衣：平民布衣的打扮。白帢，古代未仕者所戴的白帽。单衣，也作"禅衣"，江左人见尊者所穿之服，为仅次于朝服的盛服。⑯犊车：牛车，为王公贵族所乘的一种车。⑯神虎门：当时建康宫的西门。当时本名"神虎门"，唐代人避李渊之父李虎讳，故称"神武门"。⑯歔欷：哀叹抽泣的声音。⑯东海第：当年司马奕为东海王时所居的府第。⑯乘舆法驾：皇帝所乘坐的一种车驾。《史记索隐》引《汉官仪》云："天子卤簿有大驾、法驾。大驾，公卿奉引，大将军参乘，属车八十一乘；法驾，公卿不在卤簿中，唯京兆尹、执金吾、长安令奉引，侍中参乘，属车三十六乘。"⑯变服：更换服饰。⑯平巾帻：一种头巾，又称"平上帻"，因帻上平如屋顶，故名。⑯改元：即改司马奕“太和六年”为司马昱的“咸安元年”。⑰ 出次中堂：到殿前的中堂休息。次，停留、歇息。⑱ 诏乘舆入殿：告诉他可以乘着车子进入殿堂。⑲ 撰辞：写一篇讲话稿。⑳ 兢惧：恐惧。㉑ 武陵王晞：元帝之子，简文帝司马昱之兄。出继武陵哀王喆后。哀王喆是武陵壮王之子，琅邪武王伷之孙，与元帝（亦武王伷孙）为堂兄弟。⑰⑤ 亲尊：既是皇帝的至亲，又地位显贵。⑰⑥ 猜嫌之间：出自怀疑、妒忌的编排。⑰⑦ 建立圣明：已经拥立了圣明的新皇帝。⑰⑧ 当崇奖王室：应该维护与提高皇室家族的声望与地位。崇奖，维护与提高。⑰⑨ 伊、周：伊尹和周公，都是以辅佐帝王闻名的古代圣贤。⑱⓪ 深详：深思熟虑。⑱① 成事：已经决定的事情。⑱② 乙卯：应作“乙巳”。乙巳是十一月十一。⑱③ 聚纳轻剽：集聚了一批勇猛好动的匪类。轻剽，勇猛好动。⑱④ 息综矜忍：其儿子司马综尤其傲慢残忍。息，儿子。⑱⑤ 连染：牵连。⑱⑥ 顷日猜惧：近日以来疑惧之心强烈。⑱⑦ 将成乱阶：将要成为叛乱的基础。⑱⑧ 以王归藩：以武陵王的身份回封地赋闲。⑱⑨ 世子综：司马综。世子，意同“太子”，帝王的接班人。⑲⓪ 梁王逢：司马晞之子，世子综之弟，被封为梁王。⑲① 魏郡太守毛安之：毛安之是东晋名将毛宝之子，毛宝在平定苏峻之乱中有大功。传见《晋书》卷八十一。真正的魏郡在河北南部，当时属秦国所有。东晋的“魏郡”上属于“冀州”，与“徐州”“兖州”“幽州”等许多空名的州郡都侨治于京口，即今江苏镇江。⑲② 宿卫殿中：率领军队日夜在宫中值勤，目的即监视、防范。⑲③ 虎生：毛虎生，毛宝的长子，名穆之，“虎生”是其小字。⑲④ 庚戌：十一月十六。⑲⑤ 赍书：携带着吊唁的信件。⑲⑥ 不答：不还礼致谢。⑲⑦ 不诣温：不到桓温处致谢。⑲⑧ 与武陵王晞游：与……游；与……相交往。⑲⑨ 希：庾希，庾冰之子。⑳⓪ 宗强：家族的势力强大。⑳① 欲去之：想把他们都赶出朝廷。⑳② 辛亥：十一月十七。⑳③ 新蔡王晃：晃父邈本汝南威王司马祐之子。祐祖父汝南成王亮为司马懿的第四子。新蔡庄王确为司马懿弟司马馗的重孙，无子，故以邈嗣新蔡王后。⑳④ 西堂：建康宫太极殿的西堂。⑳⑤ 自列：自首；列举自己的罪状。⑳⑥ 廷尉：国家的最高司法长官。⑳⑦ 癸丑：十一月十九。⑳⑧ 甲寅：十一月二十。⑳⑨ 御史中丞：御史台的主要长官，主管监察弹劾。㉑⓪ 谯王恬：司马恬，谯闵王司马承之孙。㉑① 承温旨：秉承桓温的意旨。㉑② 悲惋惶怛：悲哀痛苦。㉑③ 其更详议：再好好地讨论一下。㉑④ 乙卯：十一月二十一。㉑⑤ 酷切：冷酷而严厉。㉑⑥ 若晋祚灵长：如果晋朝的国运还能延续下去。祚，福，这里指国运。㉑⑦ 如其大运去矣：如果晋王朝就应该在今天灭亡。㉑⑧ 请避贤路：我请求退位，为贤人让路。㉑⑨ 废：废其爵位，降为庶民。㉒⓪ 新安郡：郡名，郡治始新县，在今浙江淳安西北。㉒① 丙辰：十一月二十二。㉒② 衡阳：郡名，郡治湘南县，在今湖南湘潭西六十里。㉒③ 子妇：儿媳。㉒④ 桓豁：桓温之弟。㉒⑤ 海陵陂泽：海陵县的沼泽之中。海陵县治即今江苏泰州。陂泽，水泽。㉒⑥ 翕赫：隆盛、显赫。㉒⑦ 何事乃尔：为何这个样子。㉒⑧ 未有君拜于前二句：从来没有君主都向你叩拜了，而臣子反而只向你作个揖的道理。㉒⑨ 戊午：十一月二十四。㉓⓪ 增文武位二等：给满朝文武官员各晋爵二级。㉓① 己未：十一月二十五。㉓② 求归姑孰：请求离开朝廷，回到他军政大本营所在的姑孰去。当时的姑孰在今安徽当涂。㉝庚申：十一月二十六。㉞辛酉：十一月二十七。㉟思愆：思过。愆，过失、错误。㊱以自说：以宽慰自己。说，同“悦”。㊲怒其室而作色于父：对自己的老婆不满而把气出到父亲的身上。室，指妻子。作色，生气、撒气。㊳请改授亲贤：请另选既是亲属又有贤才的人来担任。亲贤，有才德的亲属。㊴府选便宜：根据实际情况，选任地方守令的事情。这年二月，苻坚曾委令王猛全权任命关东六州地方官员。㊵辄已停寝：我已经停止动作。停寝，停止。㊶别乞一州自效：我请求只当一个州的刺史，来为您效力。㊷义则君臣：从道理上说我们是君臣关系。㊸亲逾骨肉：从关系密切的程度上，则是比至亲骨肉还要亲。㊹桓、昭之有管、乐：齐桓公、燕昭王之有管仲、乐毅。齐桓公在管仲的辅佐下成为诸侯霸主，燕昭王在乐毅的辅佐下打败了强齐。㊺玄德之有孔明：刘备之有诸葛亮。刘备字玄德，诸葛亮字孔明。刘备在诸葛亮的辅佐下建立了蜀汉政权，与魏、吴成三国鼎立。㊻自谓逾之：我认为我与你的关系，远远地超过了他们。㊼劳于求才：应该在搜求人才上多下功夫。劳，劳累、用心。㊽逸于得士：一旦得到贤才，便可以放手叫他们去做，自己就可以清闲了。逸，安闲。《吕氏春秋·士节》有云：“贤主劳于求人，而佚于治事。”王褒《圣主得贤臣颂》有云：“君人者勤于求贤，逸于得人。”㊾非所以为优崇：这不是为了特别优待你。㊿患生虑表：就要出现意想不到的灾难。虑表，意料之外。(251)虚位台鼎：朝廷里空着三公之位。古人称三公为台鼎，如星有三台，鼎有三足。三公是朝廷的最高职位，在周代是司徒、司马、司空；在秦汉是丞相、太尉、御史大夫；在晋朝则是尚书令、中书令、侍中。(252)分陕为先：首先关注的是方面大员，即一些关键地区的军政长官。分陕，指周初派周公与召公分陕而治天下，周公管陕县以东，召公管陕县以西。(253)未照：没有洞悉；没有理解。(254)殊乖素望：实在与我平素对你的期望相违背。乖，背。(255)新政俟才：新的政权与新的政策，都需要有才干的地方官。俟，等待、需要。(256)宜速铨补：应迅速选拔任命。铨，选拔。(257)化洽：思想教育深入普遍，使秩序稳定、风气变好。(258)衮衣西归：即衣锦荣归。衮衣为帝王及上公绣龙的礼服，也称“衮服”。《诗·九罭》：“九罭之鱼鳟鲂，我觏之子，衮衣绣裳。”又曰：“是以有衮衣兮！无以我公归兮！无使我心悲兮！”相传此诗是周公东征胜利后以上公冕服西归，东方人的惜别之作。苻坚以此勉励王猛圆满完成任务。(259)仍：此处用法同“乃”。(260)视事：理事；处理政事。(261)废放之人：被废免放逐的人，此指司马奕。(262)屏之以远：斥逐到荒远之地。屏，同“摒”，斥逐。(263)临黎元：意即为官治民。(264)依昌邑故事：像霍光当年处治昌邑王那样地处治司马奕，指废为庶民。昌邑王名刘贺，汉武帝之孙。昭帝死后，刘贺嗣立为帝，即位后因淫乱无度，在位二十七日被霍光废黜，改封晦昏侯。传见《汉书》卷六十三《武五子传》。(265)筑第吴郡：在吴郡盖一所房子让他去住。(266)可特封王：可以改封他一个别的王爵。(267)庚寅：十二月二十六。(268)拱默：拱手而默然无语，形容任人摆布，毫无实权之状。(269)荧惑守太微端门：火星运行到了太微垣的端门附近。荧惑即火星。太微垣的南藩两星，东称左执法，西称右执法，左、右执法之间叫“端门”。㉗⓪逾月：“荧惑守太微端门”这种现象发生后的一个月。㉗①海西废：皇帝司马奕被废为海西县公。㉗②辛卯：十二月二十七。㉗③荧惑逆行入太微：火星逆行进入了太微垣。古人认为太微是天子之庭，此时荧惑入太微，于天子不利，所以简文帝感到厌恶。参见《晋书·天文志上》。㉗④在直：谓在宫中值班。㉗⑤故当无复近日事邪：莫非还要再闹一回前些天发生的事情吗。故当无复，当时的口语，大致相当于“莫非还要”。近日事，指前些天的司马奕被废。㉗⑥内固社稷：对内稳定朝廷政权。㉗⑦外恢经略：对外谋划收复中原。经略，筹划，指筹划北伐事宜。㉗⑧非常之事：指再次推翻皇帝、图谋篡位等。㉗⑨以百口保之：以全家性命担保桓温无此打算。㉘⓪请急省其父：请假去探望他的父亲。请急，请假。省，探看。㉘①以道匡卫：坚持原则地辅佐、捍卫。㉘②言何能谕：如何能够说得清。㉘③庾阐：字仲初，其母在石勒攻陷项城时死于战乱。庾阐不栉沐、不婚宦、绝酒肉近二十年。仕东晋，为太宰，迁尚书郎，苏峻作乱时，庾阐出依郗鉴，后为散骑常侍。传见《晋书》卷九十二。㉘④美风仪：风度仪表很好。㉘⑤善容止：形容举止都很高雅。㉘⑥凝尘满席二句：座席上积满尘土，仍旧非常愉快。㉘⑦神识恬畅：风度气质恬静旷达。㉘⑧无济世大略：没有治国安邦的思想才干。㉘⑨惠帝之流：像是晋惠帝司马衷那样的一种弱智者。惠帝是武帝司马炎之子，痴呆弱智，致使国家大乱。㉙⓪清谈差胜：在谈玄方面的表现略好。胡三省曰：“清谈无益于国事，谢安当此之时，能立此论，可谓拔乎流俗者也。”㉙①以温故：由于党附桓温。㉙②日旰未得前：天已经很晚了还没有见到人。旰，天晚。㉙③为性命忍须臾：为了活命而忍耐一会儿。胡三省曰：“史言谢安于风流之中能处事应物。”意即比较圆滑。㉙④兴晋：郡名，郡治在今甘肃临夏东侧。㉙⑤枹罕：古城名，在今甘肃临夏的东方。㉙⑥金城：郡名，郡治在今甘肃兰州西北的黄河南岸。秦将凉州治所自天水徙治金城，以逼近姑臧。㉙⑦姑臧：即今甘肃武威，当时凉州张氏政权的都城所在地。㉙⑧刑三牲：杀牛、羊、猪三牲为供品。古称牛、羊、猪三牲为“太牢”，是最丰盛的供品。㉙⑨会于上邽：意即联合伐秦，会师于上邽。上邽即今甘肃天水，当时属秦，是秦州的州治所在地。㉚⓪乞伏司繁：姓乞伏，名司繁，是陇西地区鲜卑部落的头领。㉚①度坚山：山名，在今甘肃榆中境内。㉚②苑川：地名，在今甘肃榆中东北。㉚③司繁从叔吐雷：司繁的堂叔名叫吐雷。㉚④勇士护军：勇士县的护军，主管该县的军事。勇士县是汉代的县名，县治在今甘肃榆中东北。苑川与度坚山即在旧勇士县境内。

【校记】

［1］而：原无此字。据章钰校，十二行本、乙十一行本、孔天胤本皆有此字，张敦仁《通鉴刊本识误》同，今据补。［2］己：原无此字。据章钰校，十二行本、乙十一行本、孔天胤本皆有此字，张敦仁《通鉴刊本识误》同，今据补。［3］会稽王：原脱“王”字。据章钰校，十二行本、乙十一行本、孔天胤本皆不脱，今据补。［4］同大举：原无此三字。据章钰校，十二行本、乙十一行本、孔天胤本皆有此三字，今据补。

【原文】

二年（壬申，公元三七二年）

春，二月，秦以清河房旷㉟为尚书左丞，征旷兄默及清河崔逞、燕国韩胤为尚书郎，北平阳陟、田勰、阳瑶为著作佐郎，郝略为清河相。皆关东士望，王猛所荐也。瑶，骛㊱之子也。

冠军将军慕容垂言于秦王坚曰："臣叔父评㊲，燕之恶来辈㊳也。不宜复污圣朝㊴，愿陛下为燕戮之。"坚乃出评㊵为范阳㊶太守，燕之诸王悉补边郡㊷。

臣光曰㊸："古之人㊹，灭人之国而人悦，何哉？为人除害故也。彼慕容评者，蔽君专政，忌贤疾功，愚暗贪虐，以丧其国。国亡不死，逃遁见禽㊺。秦王坚不以为诛首㊻，又从而宠秩之㊼，是爱一人而不爱一国之人也，其失人心多矣。是以施恩于人而人莫之恩㊽，尽诚于人而人[5]莫之诚㊾，卒于功名不遂㊿，容身无所(321)，由不得其道故也。"

三月戊午(322)，遣侍中王坦之征大司马温入辅(323)，温复辞。

秦王坚诏："关东之民学通一经(324)、才成一艺(325)者，在所(326)郡县[6]以礼送之(327)。在官百石以上(328)，学不通一经、才不成一艺者，罢遣还民。"

夏，四月，徙海西公于吴县(329)西柴里，敕吴国内史(330)刁彝防卫，又遣御史顾允监察之。彝，协(331)之子也。

六月癸酉(332)，秦以王猛为丞相、中书监、尚书令、太子太傅、司隶校尉，特进、常侍、持节、将军、侯如故，阳平公融(333)为使持节、都督六州诸军事、镇东大将军、冀州牧。

庾希、庾邈与故青州刺史武沈之子遵聚众夜入京口城(334)，晋陵太守

【语译】

二年（壬申，公元三七二年）

春季，二月，秦国任命清河郡人房旷为尚书左丞，征聘房旷的哥哥房默以及清河郡人崔逞、故燕国人韩胤为尚书郎，征聘北平人阳陟、田勰、阳瑶为著作佐郎，任命郝略为清河相。以上这些人都是关东有名望的人士，是王猛举荐给朝廷的。阳瑶，是阳骛的儿子。

秦国担任冠军将军的慕容垂向秦王苻坚提议说："我的叔父慕容评，是故燕国中像商朝恶来一样的邪佞之臣。不应该再让他玷污了秦国，希望陛下能够为了故燕国而将他杀戮。"苻坚遂将慕容评调离了秦国朝廷，让他去担任范阳太守，故燕国的亲王于是全都被委任为边郡的地方官。

司马光说："古代的圣帝明王，灭掉了别人的国家，而被灭掉国家的人民反而很高兴，这是什么缘故呢？这是因为给他们铲除了祸害。那个慕容评，蒙蔽燕国的君主、专擅燕国的朝政，他忌恨贤能、妒忌有功之人，既愚昧而又贪婪暴虐，因而导致国家灭亡。国家灭亡之后慕容评不仅没死，反而逃得远远的，最终被秦军擒获。秦王苻坚不仅没有第一个把他杀掉，反而宠信他，给他加官晋爵，这是为了爱一个人而不爱一国之人，因此而失去了太多的民心。所以，苻坚虽然施恩惠于人，而接受恩惠的人并不对他感恩；他诚心诚意对待别人，而他所忠诚对待的人并不对他忠诚，最终无法成就功名，且连容身之所都没有，这是因为他没有遵循古人之道啊。"

三月二十五日戊午，东晋朝廷派遣担任侍中的王坦之前往姑孰征召大司马桓温入朝担任丞相，辅佐朝政，桓温再次推辞。

秦王苻坚下诏说："关东民众中，凡是能够通晓儒家六种经典中的一种、通晓儒家六艺中的一种人，所在的郡县的行政长官都要按照规定的礼节把他们送到朝廷。现在在职的、俸禄在百石以上的官员，学问不能通晓一经、才艺不能通晓一艺的，一律罢官为民。"

夏季，四月，东晋将海西县公司马奕迁徙到吴县的西柴里，下令担任吴国内史的刁彝严加防卫，又派担任御史的顾允负责监督、察看。刁彝，是刁协的儿子。

六月十二日癸酉，秦国任命王猛为丞相、中书监、尚书令、太子太傅、司隶校尉，原来的特进、散骑常侍、持节、车骑大将军、清河郡侯依然如故，阳平公苻融为使持节、都督六州诸军事、镇东大将军、冀州牧。

庾希、庾邈与故青州刺史武沈的儿子武遵聚集起部众在夜间攻入京口城，担任

卞眈逾城奔曲阿[335]。希诈称受海西公密旨诛大司马温，建康震扰，内外戒严。卞眈发诸县兵二千人击希，希败，闭城自守。温遣东海[336]内史周少孙讨之。秋，七月壬辰[337]，拔其城，擒希、邈及其亲党，皆斩之。眈，壸[338]之子也。

甲寅[339]，帝不豫[340]，急召大司马温入辅，一日一夜发四诏，温辞不至。初，帝为会稽王，娶王述从妹为妃，生世子道生及弟俞生。道生疏躁无行[341]，母子皆以幽废[342]死。余三子郁、朱生、天流皆早夭。诸姬绝孕将十年，王使善相者[343]视之，皆曰："非其人[344]。"又使视诸婢媵[345]，有李陵容者，在织坊[346]中，黑而长，宫人谓之"昆仑"。相者惊曰："此其人也！"王召之侍寝，生子昌明及道子。己未[347]，立昌明为皇太子，生十年矣。以道子为琅邪王，领会稽国[348]，以奉帝母郑太妃[349]之祀。遗诏："大司马温依周公居摄故事[350]。"又曰："少子可辅者辅之，如不可，君自取之[351]。"侍中王坦之自持诏入，于帝前毁之。帝曰："天下，傥来之运[352]，卿何所嫌[353]？"坦之曰："天下，宣、元之天下[354]，陛下何得专之！"帝乃使坦之改诏曰："家国事一禀大司马[355]，如诸葛武侯[356]、王丞相[357]故事。"是日，帝崩。

群臣疑惑，未敢立嗣。或曰："当须大司马处分[358]。"尚书仆射王彪之正色曰："天子崩，太子代立，大司马何容得异[359]！若先面谘[360]，必反为所责。"朝议乃定。太子即皇帝位，大赦。崇德太后[361]令，以帝冲幼，加在谅暗[362]，令温依周公居摄故事。事已施行，王彪之曰："此异常大事，大司马必当固让，使万机停滞，稽废山陵[363]，未敢奉令，谨具封还[364]。"事[365]遂不行。

晋陵太守的卞眈翻越城墙逃往曲阿。庾希诈称接受了海西公司马奕的密旨要诛杀大司马桓温，建康城内大为震动，城内城外立即实行戒严。卞眈征调了属下各县的两千兵力攻击庾希，庾希被打败，于是紧闭京口城门进行坚守。大司马桓温派遣担任东海内史的周少孙率军讨伐庾希。秋季，七月初一日壬辰，周少孙攻克了京口城，活捉了庾希、庾邈及其亲属、党羽，并将这些人全部杀戮。卞眈，是卞壶的儿子。

七月二十三日甲寅，东晋简文帝司马昱身患重病，于是赶紧征召大司马桓温入朝辅政，一日一夜连续下发了四道诏书，桓温都进行推辞，不肯前往建康。当初，简文帝司马昱为会稽王的时候，娶了王述的堂妹为王妃，生下世子司马道生和他的弟弟司马俞生。司马道生性格粗暴急躁，没有品行，道生与他的母亲都被废黜、囚禁起来，最终死在囚室中。其余的三个儿子：司马郁、司马朱生、司马天流全都早早夭折。各个姬妾已经将近十年没有生育，当时的会稽王司马昱让看相的人逐个观察所有的妃子，看相的人总是说：“不是能生育的那个人。”又让他观察那些婢女和陪嫁的丫头等，其中有一个名叫李陵容，当时正在王宫的纺织作坊中做事，人长得很黑很高，宫中人都管她叫“昆仑”。看相的人看见李陵容，便吃惊地说：“就是这个人！”会稽王遂召李陵容侍寝，李陵容竟然连续为司马昱生了两个儿子：司马昌明和司马道子。二十八日己未，简文帝司马昱立司马昌明为皇太子，此时司马昌明十岁。封司马道子为琅邪王，兼管会稽王国的事务，让他奉祀皇帝的母亲郑太妃。简文帝司马昱留下遗诏说：“由大司马桓温依照周公摄政的前例回朝辅佐朝政。”又说：“我这幼小的儿子能辅佐就辅佐，如果不能辅佐，桓温可以取而代之。”担任侍中的王坦之亲自手拿诏书进入皇宫，并在简文帝司马昱的面前将那封遗诏撕毁。简文帝说：“天下，是我无意中得到的幸运，失掉它你有什么遗憾呢？”王坦之说：“天下，是宣帝司马懿、元帝司马睿打下的天下，陛下怎么可以擅自拱手送给别人！”简文帝司马昱于是让王坦之改写诏书说：“家国大事一切都由大司马桓温做主，就如同诸葛亮接受刘备遗诏辅佐后主刘禅，王导两次接受遗诏辅佐晋明帝司马绍、晋成帝司马衍那样。”同一天，简文帝司马昱驾崩。

东晋的朝廷大臣都心怀疑惧，不敢拥戴皇太子司马曜即皇帝位。有人说：“这事应该由大司马桓温来安排。”担任尚书仆射的王彪之神情严肃地说：“天子驾崩，皇太子即位，大司马桓温怎么能有异议！如果先去当面请示大司马桓温，必定要受到大司马桓温的责备。”朝廷这才拿定主意。于是皇太子司马曜即位为皇帝，就是东晋孝武帝，实行大赦。崇德皇太后褚氏下令，认为皇帝司马昌明年纪幼小，又是在居丧守孝期间，遂让大司马桓温像当年周公代替周成王以管理国家政权的样子，暂居皇帝之位，处理政务。太后的诏书已经写好，即将施行，尚书仆射王彪之说：“这是非同寻常的大事，大司马桓温一定会坚决辞让，如此一来，反倒会使朝廷的功能停顿，先帝灵柩的安葬工作，也会因此而延误、荒废，所以不敢奉行太后诏令，请允许我将太后的诏令封好后予以退还。”太后让大司马桓温仿效周公代小皇帝摄行政事的旨意遂没有被实行。

温望简文临终禅位于己，不尔便当居摄。既不副所望[366]，甚愤怨，与弟冲书曰："遗诏使吾依武侯、王公故事耳！"温疑王坦之、谢安所为，心衔[367]之。诏谢安征温入辅，温又辞。

八月，秦丞相猛至长安，复加都督中外诸军事。猛辞曰："元相[368]之重，储傅[369]之尊，端右[370]事繁，京牧[371]任大，总督戎机[372]，出纳帝命[373]，文武两寄[374]，巨细并关[375]，以伊、吕[376]、萧、邓[377]之贤，尚不能兼，况臣猛之无似[378]！"章[379]三四上，秦王坚不许，曰："朕方混壹[380]四海，非卿无[7]可委者，卿之不得辞宰相，犹朕不得辞天下也。"

猛为相，坚端拱[381]于上，百官总己[382]于下，军国内外之事，无不由之。猛刚明清肃[383]，善恶著白[384]，放黜尸素[385]，显拔[386]幽滞[387]，劝课农桑，练习军旅，官必当才[388]，刑必当罪。由是国富兵强，战无不克，秦国大治。坚敕太子宏及长乐公丕等曰："汝事王公，如事我也。"

阳平公融在冀州，高选纲纪[389]，以尚书郎房默、河间相申绍为治中、别驾[390]，清河崔宏为州从事[391]、管记室[392]。融年少，为政好新奇，贵苛察[393]。申绍数规正，导以宽和。融虽敬之，未能尽从。后绍出为济北[394]太守，融屡以过失闻[395]，数致谴让[396]，乃自恨不用绍言。

融尝坐擅起学舍[397]为有司所纠，遣主簿李纂诣长安自理[398]。纂忧惧，道卒。融问申绍："谁可使者？"绍曰："燕尚书郎高泰，清辩[399]有

东晋大司马桓温本来指望简文帝司马昱临终之时会将皇位禅让给自己，否则的话，至少也会让自己居于摄政王的位置。不料，自己的两个期望全都落了空，所以非常愤怒，他在写给自己弟弟桓冲的信中说："先帝司马昱在遗诏中竟然让我依照武侯诸葛亮、王导的先例辅政！"桓温怀疑是王坦之、谢安的主意，因此对二人怀恨在心。朝廷以新皇帝司马昌明的名义下诏，令谢安前往姑孰征召大司马桓温入朝辅政，桓温又推辞不就。

八月，秦国丞相王猛从邺城回到京师长安，苻坚又加授他都督中外诸军事。王猛辞让说："丞相责任重大，太子太傅的地位也很尊贵，尚书令的事务繁多，司隶校尉工作沉重，都督中外诸军事掌管着全国的军事大权，同时还兼任着负责接受并传达皇帝命令的中书监、散骑常侍等职务，政务与军务都集中于我一个人之手，大事小事都要向我一个人请示，即使像商朝的伊尹、周朝的吕尚、汉代的萧何与东汉的邓禹那样的贤能尚且不能同时兼任，何况是与他们相差甚远的王猛！"辞让的奏章一连呈递了三四次，秦王苻坚就是不批准，苻坚说："我正要统一四海，除你以外，我找不到可以托付的人选，你不能推辞担任宰相，就如同我不能推辞天子一样。"

王猛担任秦国的宰相，秦王苻坚只管正襟拱手端坐于上，文武百官全都约束自己、规规矩矩地服从于下，无论是军事政治、内政外交，所有军国大事，没有一样不是由王猛定夺。王猛为人刚正、明察、清廉、严肃，善恶分明，将那些在其位而不干实事的官员一律罢免，将那些因失意而隐居民间不得仕进的人才全都提拔到显要的职位，劝导、督促农民努力从事农业生产、种桑养蚕，加强部队建设，积极练兵习武，每个官员的职位都与其才干相适应，所惩罚的一定是证据确凿，量刑公平公正。因此，秦国国富兵强，战无不胜、攻无不克，社会秩序良好。秦王苻坚对皇太子苻宏以及长乐公苻丕等说："你们侍奉王猛，就如同侍奉我一样。"

秦国阳平公苻融在冀州刺史任上，所选用的骨干僚属，都是名重一时的人选：他任命担任尚书郎的房默、担任河间相的申绍为治中、别驾，任命清河郡人崔宏担任州里的从事史，管理众多的文秘人员，负责起草文件，管理文书档案等事务。苻融年纪很轻，处理政事喜欢玩新花样，以严格、烦琐来显示自己的精明。申绍多次对苻融进行规劝，引导他用宽缓、温和的手段处理政务。苻融虽然很敬重申绍，但对申绍的建议也没有完全遵从。后来申绍出任济北郡太守，苻融屡次犯错，传到秦王苻坚的耳朵里，于是苻融多次受到苻坚的批评和指责，苻融才后悔自己当初没有完全听从申绍的意见。

秦国阳平公苻融曾经擅自为兴办学校而建造房舍，因而遭到有关部门的弹劾，苻融于是派担任主簿的李纂前往京师长安替自己向朝廷说明情况、进行申辩。李纂又担忧又惧怕，竟然因为忧思过度而死在了前往长安的路上。苻融便询问申绍说："现在有谁可以为我前往长安？"申绍说："故燕国担任尚书郎的高泰，其人头脑清

胆智，可使也。”先是，丞相猛及融屡辟泰，泰不起。至是，融谓泰曰：“君子救人之急，卿不得复辞！”泰乃从命。至长安，丞相[8]猛见之，笑曰：“高子伯[400]于今乃来，何其迟也？”泰曰：“罪人来就刑[401]，何问迟速！”猛曰：“何谓也？”泰曰：“昔鲁僖公[402]以泮宫发颂[403]，齐宣王[404]以稷下垂声[405]，今阳平公开建学宫，追踪齐、鲁，未闻明诏褒美，乃更烦有司举劾[406]。明公阿衡圣朝[407]，惩劝如此[408]，下吏何所逃其罪[409]乎！”猛曰：“是吾过也。”事遂得释。猛因叹曰：“高子伯岂阳平所宜吏[410]乎？”言于秦王坚。坚召见，悦之，问以为治之本，对曰：“治本[411]在得人，得人在审举[412]，审举在核真[413]，未有官得其人而国家不治者也。”坚曰：“可谓辞简而理博矣！”以为尚书郎。泰固请还州[414]，坚许之。

九月甲寅[415][9]，追尊故会稽王妃王氏[416]曰顺皇后，尊帝母李氏为淑妃。

冬，十月丁卯[417]，葬简文帝于高平陵。

彭城妖人卢悚自称大道祭酒[418]，事之者八百余家。十一月，遣弟子许龙如吴[419]，晨到海西公门，称太后密诏，奉迎兴复[420]。公初欲从之，纳保母谏而止。龙曰：“大事垂捷[421]，焉用儿女子言[422]乎！”公曰：“我得罪于此，幸蒙宽宥，岂敢妄动！且太后有诏，便应官属来，何独使汝也！汝必为乱。”因叱左右缚之。龙惧而走。甲午[423]，悚帅众三百人，晨攻广莫门[424]，诈称海西公还，由云龙门[425]突入殿庭，略取[426]武库甲仗[427]。门下吏士[428]骇愕不知所为。游击将军毛安之闻难，帅众直入云龙门，手自奋击[429]。左卫将军殷康、中领军桓秘[430]入止车门[431]，与安之

晰、善于言辞，又有胆量、有智谋，可以派他为使者。”在此之前，秦国丞相王猛以及阳平公苻融都曾经多次征聘高泰出来做官，高泰都不肯应承。到了这时候，苻融对高泰说：“君子要救人急难，先生这次一定不要再推辞了！”高泰这才接受了苻融的派遣。高泰来到长安，丞相王猛看见高泰之后，便笑着说：“高子伯为何今天才来，怎么这么慢？”高泰回答说：“有罪的人前来接受处置，还问什么快与慢！”王猛惊奇地说：“你说的是什么意思？”高泰说：“春秋时期鲁国的国君鲁僖公因为在泮水兴建学校而受到《诗经·泮水》作者的赞扬，战国时期齐国的国君齐宣王田辟疆由于在齐国都城临淄的稷门兴建学舍，从而扬名于后世，如今阳平公苻融兴建学舍，想要学习齐宣公、鲁僖公，不仅没有听到朝廷下诏公开进行褒奖，反而烦劳有关部门列举罪过而进行弹劾。明公在秦国担任宰相之职，惩罚和奖赏的标准竟然如此颠倒，下面的官吏如何能不犯罪呢！”王猛说：“这是我的过错。”事情遂告化解。王猛叹息地说：“岂能让高子伯这样的高人去给阳平公苻融当下属呢？”便向秦王苻坚举荐高泰。秦王苻坚于是召见了高泰，并非常喜欢高泰，秦王向高泰询问治理国家的根本，高泰回答说：“治国的根本在于得到治国的适当人才，而得到治国人才在于慎重地进行选拔和任用官吏；而慎重地进行选拔和任用，是指认真地进行考核，要名实相符。从来没有官员人选适当而国家治理不好的道理。”苻坚说：“先生的话真可称得上是言辞简练而道理广博深刻了！”遂任命高泰为尚书郎。高泰坚决请求返回冀州，苻坚同意了他。

九月二十四日甲寅，东晋孝武帝司马曜追尊故会稽王妃王氏为顺皇后，尊奉自己的母亲李氏为淑妃。

冬季，十月初八日丁卯，东晋将简文帝司马昱安葬在高平陵。

东晋彭城以妖言惑众的卢悚自称大道祭酒，追随他的有八百多家。十一月，卢悚派遣自己的弟子许龙前往吴县，凌晨时分，许龙等来到海西公司马奕的门前，诈称奉了皇太后的密诏，前来奉迎司马奕回朝廷重登皇位。海西公司马奕最初还真想听从他，后来接受了保姆的劝谏才改变了主意。许龙说：“大事即将成功，怎么能因为女人、小孩子的一句话就放弃了呢！”海西公司马奕说：“我因为犯罪才被放逐到这里，有幸受到了皇帝的宽恕，岂敢再轻举妄动！而且，即使皇太后有诏，也应该派官员前来，怎么会单独派你一个人！你一定是想利用我来谋反作乱。”于是叱令左右将许龙捆起来。许龙惧怕被捉，于是赶紧逃走了。初五日甲午，卢悚率领三百名徒众，在拂晓时分进攻京师建康城的广莫门，诈称是海西公司马奕杀回来了，并由建康宫的云龙门冲入殿庭，夺取了武库中存放的铠甲武器。守卫云龙门的卫士惊骇得不知如何是好。担任游击将军的毛安之听到有人杀入皇宫的消息，立即率领兵众攻入云龙门，亲自与乱贼格斗。担任左卫将军的殷康、担任中领军的桓秘也都率人进入建康宫的止车门，与毛安之合兵一处，并力诛杀，

并力讨诛之，并党与㊷死者数百人。海西公深虑横祸㊸，专饮酒，恣声色，有子不育㊹，时人怜之。朝廷知其安于屈辱，故不复为虞㊺。

秦都督北蕃诸军事、镇北大将军、开府仪同三司、朔方桓侯梁平老㊻卒。平老在镇十余年㊼，鲜卑、匈奴惮而爱之。

三吴㊽大旱，饥[10]，人多饿死。

【段旨】

以上为第二段，写简文帝咸安二年（公元三七二年）一年间的大事。主要写了慕容评降秦后，苻坚委以重任，慕容垂以慕容评为"燕之恶来"，建议苻坚应"为燕戮之"，坚乃将燕之诸王皆移为边郡太守；写了秦王坚下令秦国官民读经，凡"学通一经、才成一艺"者，各所在郡县皆以礼送之朝廷；各级官员凡"学不通一经、才不成一艺"者，皆"罢遣还民"；写了苻融为兴学舍而为朝官所纠弹，苻融派燕国遗臣高泰进京见王猛，说清道理，王猛自责，因叹"高子伯岂阳平所宜吏乎"；写了王猛回朝任职，苻坚又加委王猛都督中外诸军事，王猛力辞，苻坚说"卿之不得辞宰相，犹朕不得辞天下也"；写了庾希、庾邈等袭夺京口城，宣言讨桓温，桓温遣将讨平之；写了简文帝司马昱病死，临死前想将晋政权拱手送给桓温，多亏王坦之、王彪之大力坚持，方使简文帝的儿子司马昌明继立为帝。桓温原希望简文帝能临终禅让，至少也应该得一个"依周公居摄故事"，结果二者都未得到，于是深怀怨恨；写了废帝虽以海西公谪居于吴，仍时有不逞之徒假借其名以生事，妖人卢悚欲迎以为首，多亏保姆谏阻而得免祸；乱党被除，废帝益惧，遂"专饮酒，恣声色，有子不育，时人怜之"等。

【注释】

㉟清河房旷：清河郡人姓房名旷。清河郡的郡治在今河北清河县东南。㊱鹜：阳鹜，燕国慕容皝时代的名臣，深受慕容恪所敬重。传见《晋书》卷一百十一。㊲叔父评：慕容评，为慕容廆之子，慕容皝之弟，于垂为叔父。㊳燕之恶来辈：是燕国的像商朝恶来一样的邪臣。恶来是商纣王手下的邪臣，以多力事纣，善毁谗，纣宠信之以致亡国。事见《史记·殷本纪》。后世用以为邪臣的代表。㊴复污圣朝：再玷污你们秦国，意即不能再收纳这样的人为官。㊵出评：将慕容评调离秦国朝廷。㊶范阳：郡名，郡治即今河北涿州。㊷补边郡：委任为边郡的地方官。㊸臣光曰：〖按〗这是《通鉴》作者司马光对苻

将卢悚及其党羽数百人全部杀死。海西公司马奕非常担心会遭到意想不到的灾祸，所以每天一味地纵情饮酒，沉湎于美色和音乐当中，生下儿子也不敢养活，当时的人都很同情他。朝廷知道司马奕安心于忍受屈辱的日子，所以也就不再担忧他会谋反。

秦国担任都督北蕃诸军事、镇北大将军、开府仪同三司，封爵为朔方桓侯的梁平老去世。梁平老在朔方镇守了十多年，鲜卑人、匈奴人对他是既畏惧又敬重。

东晋的吴郡、吴兴、义兴三郡发生大旱灾，闹饥荒，很多人被饿死。

坚处理慕容评问题所发的议论。因为《通鉴》是写给宋神宗皇帝看的，所以司马光自称“臣光”。⑭古之人：古代的圣帝明王，指商汤、周武王等。⑮见禽：被活捉。禽，同“擒”。⑯不以为诛首：不是第一个先杀了他。诛首，第一个先杀。⑰宠秩之：给他晋官加爵。秩，爵位的级别。⑱人莫之恩：受恩的人不对他感恩。⑲人莫之诚：他忠诚对待的人对他不忠诚。⑳不遂：不成。㉑容身无所：指最后被人所杀。㉒三月戊午：三月二十五。㉓入辅：入朝为丞相。㉔一经：儒家六种经典中的一种。“六经”指《诗》《书》《易》《礼》《乐》《春秋》。㉕一艺：儒家“六艺”中的一种。“六艺”指礼、乐、射、御、书、数。㉖在所：所在地区的行政长官。㉗以礼送之：按规定的礼节把他们送到朝廷。㉘在官百石以上：现任在职的百石以上的官员。在官，现任的官吏。百石，最下层的官吏，如当时的“卒史”，类似今天的“科员”一级。当时大县的县令为六百石，小县的县长为三百石。㉙吴县：县治即今苏州。㉚吴国内史：吴国的行政长官，相当于郡太守，管理吴国的行政。㉛协：刁协，元帝时代的执政大臣，因得罪王氏，被王敦造反所指名讨伐，朝廷兵败后，在逃亡中被杀。传见《晋书》卷六十九。㉜六月癸酉：六月十二。㉝阳平公融：苻融，苻坚之弟，被封为阳平公。传见《晋书》卷一百十四。㉞京口城：即今江苏镇江，当时为晋陵郡的郡治所在地。㉟曲阿：县名，县治即今江苏丹阳。㊱东海：侨郡名，在当时的京口城内。㊲七月壬辰：七月初一。㊳壸：卞壸，东晋的直臣，王敦之乱、苏峻之乱，皆坚定地站在朝廷一方，并为讨苏峻而战死。传见《晋书》卷七十。㊴甲寅：七月二十三。㊵不豫：对帝王重病的讳称。㊶疏躁无行：粗暴急躁，没有德行。㊷幽废：囚禁被废。㊸善相者：善于相面的人。㊹非其人：不是那种能怀孕生子的人。㊺婢媵：丫头、婢女一类的人。媵，陪嫁的婢女。㊻织坊：专为宫中服务的纺织工场或作坊。㊼己未：七月二十八。㊽领会稽国：兼管会稽王国的事务。㊾郑太妃：即会稽太妃，司马昱封琅邪王时，生母郑夫人死；后徙封会稽王，又追号郑夫人为会稽太妃。以道子领会稽国，是让他奉会稽太妃之祀。㊿依周公居摄故事：像当年周公代替成王以管理国家政权的样子，指暂居皇帝之位，处理政务。东汉王充《论衡·谴

告》有所谓"文武之卒，成王幼少，周道未成，周公居摄"。㉛如不可二句：如果小皇帝没有前途，你就干脆自己干。〖按〗司马昱在这里是仿照当年刘备向诸葛亮托孤时的说话方式。㊲傥来之运：无意中得来的幸运。㊳卿何所嫌：（失掉它）你有什么遗憾呢。嫌，憾、不满意。㊴宣、元之天下：是宣帝司马懿与元帝司马睿打下的天下。司马懿被谥为宣帝，是西晋政权的开创者；司马睿被谥为元帝，是东晋政权的开创者。㊵一禀大司马：一概禀告桓温，意即一切都由他做主。㊶诸葛武侯：即诸葛亮，谥曰武，受刘备遗诏，辅佐后主刘禅。㊷王丞相：即王导，两次受遗诏，辅佐明帝司马绍与成帝司马衍。㊸处分：处置；安排。㊹何容得异：怎么能提出不同意见。㊺面谘：当面去问他的意见。㊻崇德太后：即康帝皇后褚蒜子。穆帝时归政，居崇德宫。简文帝即位，尊为崇德太后。㊼谅暗：也写作"亮阴"。天子、诸侯的居丧守孝之称。㊽稽废山陵：延误、荒废为大行皇帝治丧出殡的工作。山陵，以称帝王的坟墓。㊾谨具封还：请允许我将崇德太后的命令予以退回。㊿事：让桓温仿效周公代小皇帝摄行政事的问题。㊱不副所望：不合自己的心愿，没达到自己的要求。副，合。㊲衔：怀恨。㊳元相：丞相。㊴储傅：太子太傅。㊵端右：谓尚书省长官，即尚书令。㊶京牧：京城的行政长官，指司隶校尉。㊷总督戎机：总管全国军事的重任，指都督中外诸军事。㊸出纳帝命：指中书监与常侍的职务。㊹文武两寄：政务与军务都集中于一人之手。寄，委托。㊺巨细并关：大事小事都要向一个人请示。㊻伊、吕：商朝的伊尹与周朝的吕望。吕望，即姜太公，字子牙，辅佐周武王灭殷有大功，尊为师尚父，被封于齐，为齐国诸侯之始祖。传见《史记·齐太公世家》。㊼萧、邓：西汉的萧何与东汉的邓禹。萧何辅佐刘邦灭秦灭项，为古代的著名宰相。事见《史记·萧相国世家》。邓禹辅佐刘秀扫除群雄，建立东汉，为古代著名的辅弼之臣。事见《后汉书·邓禹传》。㊽无似：不肖；没出息。㊾章：文体名，以称大臣给帝王的上书，意思与"表"相同，故古代常以"章""表"二字互用。㊿混壹：统一。㊱端拱：正襟拱手，清静而无所事事的样子。㊲总己：约束自己，规矩服从的样子。总，收敛、约束。㊳刚明清肃：刚正、明察、清廉、严肃。㊴著白：犹分明。著，明显。㊵放黜尸素：罢免那些在其位而不干实事的人。尸素，尸位素餐，在其位而不谋其政。尸位，如尸居位，只受享祭而不做事。素餐，白吃饭、不劳而食。㊶显拔：表彰和提拔。㊷幽滞：指隐居民间或失意不得仕进的人。㊸当才：职位与其才干相适应。当，相当、相适应。㊹纲纪：抓主要工作的人，这里指骨干僚属。㊺治中、别驾：州刺史的两个高级僚属。治中，管理州中诸事。别驾，随刺史出行时，能自己另乘一辆车，以言其地位的与众不同。㊻州从事：州里的从事史，协助刺史分管一个下属郡的事务。㊼管记室：管理众多的文秘人员，负责起草文件，管理文书档案等事。㊽贵苛察：以严格、烦琐显示其精明。㊾济北：郡名，郡治卢县，在今山东济南市长清区东南。㊿闻：闻于秦王苻坚。㊱数致谴让：屡次受到苻坚的批评指责。致，招致。㊲擅起学舍：为兴办学校而盖房子。㊳自理：去为苻融说明情况、进行申辩。㊴清辩：头脑清晰，善于言辞。㊵⓪ 高子伯：高泰，字子伯。㊵① 来就刑：来接受处置。㊵② 鲁僖公：春秋时期的鲁国国君，鲁庄公之子，闵公之弟，公元前六五九至前六二七年在位。㊵③ 以泮宫发颂：因在泮水兴建学舍而受到《诗经·泮水》作者的称赞。泮宫是学舍名，因建于泮水之上而称泮宫。宫成，僖公在此饮酒，诗人作诗以歌颂之，即今流传之《诗经·泮水》。㊵④ 齐宣王：战国时齐国国君，齐威王之子，公元前三二〇至前三〇一年在位。㊵⑤ 以稷下垂声：由于在齐都临淄的稷门兴建学舍，从而扬名于后代。齐宣王喜爱文学之士，于稷门设馆，招驺衍、淳于髡、田骈、接予、慎到、环渊等七十六人，赐第，以为上大夫，不治事而议论，有"稷下学士"之称。事详《史记·田敬仲完世家》。垂声，留下好名声。㊵⑥ 举劾：列举罪过而弹劾。㊵⑦ 阿衡圣朝：意即在秦国充当宰相之职。阿衡，官名，义同宰相，这里用如动词，即充当宰相之职。圣朝，敬称秦国朝廷。㊵⑧ 惩劝如此：竟然如此颠倒地实行惩罚与奖励。㊵⑨ 何所逃其罪：还有什么办法能够不犯罪呢。㊶⓪ 岂阳平所宜吏：怎么能让这种高人去给苻融当下属呢。吏，为之作吏。㊶① 治本：治国的根本。㊶② 审举：慎重地选拔、任用官吏。㊶③ 核真：考核是否属实。㊶④ 还州：返回冀州。㊶⑤ 九月甲寅：九月二十四。㊶⑥ 王氏：即王述从妹。㊶⑦ 十月丁卯：十月初八。㊶⑧ 大道祭酒：大道是其反动会道门的名称。祭酒，犹言"主持""会长"之类，实即该会道门的头目。㊶⑨ 如吴：前往吴县。㊷⓪ 奉迎兴复：接你回去重登皇位。㊷① 垂捷：很快就要成功。㊷② 儿女子言：老娘们、小孩子的话。㊷③ 甲午：十一月初五。㊷④ 广莫门：建康城的北门。㊷⑤ 云龙门：建康宫的宫门。㊷⑥ 略取：掠夺；夺取。㊷⑦ 甲仗：铠甲、兵器。㊷⑧ 门下吏士：谓守卫云龙门的吏士。门下，门前。㊷⑨ 手自奋击：亲自奋力进击。㊸⓪ 桓秘：桓温之弟。㊸① 止车门：建康宫的前门，因官员到此必须下车改为步行，故名。㊸② 并党与：指卢悚与其党羽。㊸③ 横祸：料想不到的灾祸。㊸④ 有子不育：生了孩子也不养活。㊸⑤ 不复为虞：不再担心防备他。虞，虑、担心。㊸⑥ 朔方桓侯梁平老：梁平老是苻氏政权的宿将，被封为朔方侯，桓字是谥。㊸⑦ 在镇十余年：梁平老自穆帝升平三年镇朔方，至此凡十二年。镇，军镇，将军的指挥机关所在地。㊸⑧ 三吴：指吴郡、吴兴、义兴三郡。吴郡的郡治即今苏州，吴兴的郡治乌程（今浙江湖州），义兴郡的郡治即今江苏宜兴。

【校记】

［5］人：此字原脱。据章钰校，十二行本、乙十一行本、孔天胤本皆有此字，张瑛《通鉴校勘记》同，今据补。［6］郡县：原无此二字。据章钰校，十二行本、乙十一行本、孔天胤本皆有此二字，张瑛《通鉴校勘记》同，今据补。［7］无：据章钰校，十二行本、乙十一行本皆作"谁"。［8］丞相：原无此二字。据章钰校，十二行本、乙十一行本皆有此二字，今据补。［9］甲寅：原无此二字。据章钰校，十二行本、乙十一行本、孔天胤本皆有此二字，张敦仁《通鉴刊本识误》、张瑛《通鉴校勘记》同，今据补。［10］饥：原无此字。据章钰校，十二行本、乙十一行本皆有此字，今据补。

【原文】

烈宗孝武皇帝[439]上之上

宁康元年（癸酉，公元三七三年）

春，正月己丑朔[440][11]，大赦改元。

二月，大司马温来朝。辛巳[441]，诏吏部尚书谢安、侍中王坦之迎于新亭[442]。是时，都下[443]人情恟恟[444]，或云欲诛王、谢，因移晋室[445]，坦之甚惧。安神色不变，曰："晋祚[446]存亡，决于此行。"温既至，百官拜于道侧。温大陈兵卫，延见朝士[447]。有位望者[448]皆战慑[449]失色，坦之流汗沾衣，倒执手版[450]。安从容就席，坐定，谓温曰："安闻诸侯有道，守在四邻[451]，明公何须壁后置人[452]邪？"温笑曰："正自不能不尔。"遂命左右撤之，与安笑语移日[453]。郗超常为温谋主，安与坦之见温，温使超卧帐中听其言。风动帐开，安笑曰："郗生可谓'入幕之宾[454]'矣。"时天子幼弱，外有强臣，安与坦之尽忠辅卫，卒安晋室。

温治[455]卢悚入宫事，收尚书陆始付廷尉，免桓秘官[456]，连坐[457]者甚众。迁[458]毛安之为左卫将军。桓秘由是怨温。

三月，温有疾，停建康十四日，甲午[459]，还姑孰。

夏，代王什翼犍使燕凤入贡于秦。

秋，七月己亥[460]，南郡宣武公[461]桓温薨。

初，温疾笃，讽朝廷求九锡[462]，屡使人趣[463]之。谢安、王坦之故缓其事[464]，使袁宏具草[465]。宏以示王彪之，彪之叹其文辞之美，因曰："卿固大才，安可以此示人！"谢安见其草，辄改之，由是历旬不就[466]。

【语译】

烈宗孝武皇帝上之上

宁康元年（癸酉，公元三七三年）

春季，正月初一日己丑，东晋实行大赦，改年号为宁康。

二月，东晋大司马桓温从镇所姑孰前往京师建康朝见晋孝武帝司马曜。二十四日辛巳，孝武帝司马曜下诏令担任吏部尚书的谢安、担任侍中的王坦之前往新亭迎接大司马桓温。当时，建康城里人心惶惶、议论纷纷，有人说桓温此次来京是为了诛杀王坦之和谢安，趁机篡夺晋朝政权，王坦之非常恐惧。谢安神色不变，说道："司马氏所建立的晋朝政权是存是亡，取决于桓温的此次行动。"桓温来到京师，满朝的文武百官全都在道路两旁向他跪倒叩拜。桓温在盛大而严密的戒备之下，接见了在朝的文武官员。那些地位高而又有名望的公卿大臣全都浑身战栗、脸上露出惊恐不安的神色，王坦之此时更是吓得冷汗直流，湿透了内衣，就连手中的朝笏都拿反了。谢安则从从容容地来到自己的位置，坐好之后，便对桓温说："我听说，将自己的封国治理得很好的诸侯，会把防守的重点放在自己封国四周的邻居上，而明公何必要在自己的后院布置兵勇呢？"桓温笑着说："正是因为不能不如此。"遂命令左右将后面的侍卫全部撤去。桓温与谢安笑谈了许久，不知不觉间，日影已经移动。郗超经常做桓温的主谋，在此之前，谢安与王坦之晋见桓温的时候，桓温事先让郗超躺在帷帐之中，以便偷听他们的谈话。恰巧一阵风将帷帐吹开，谢安笑着说："郗先生真可称得上是'入幕之宾'了。"当时孝武帝司马曜年纪幼小、势力又弱，外面又有势力强大的权臣，谢安与王坦之竭尽忠诚，辅佐、守卫着晋室，总算使晋室平安地渡过了难关。

东晋大司马桓温审问妖人卢悚突入皇宫之事，将担任尚书的陆始逮捕，交付司法机关处置，免去了中领军桓秘的职务，因受牵连而被治罪的人还有很多。改任游击将军毛安之为左卫将军。桓秘因为被桓温免官而心怀不满。

三月，东晋大司马桓温患病，在建康停留了十四天，初七日甲午，返回姑孰镇所。

夏季，代王拓跋什翼犍派燕凤前往秦国的都城长安进献贡品。

秋季，七月十四日己亥，东晋南郡宣武公桓温去世。

当初，大司马桓温病势沉重之时，曾经暗示朝廷加授自己"九锡"的特殊待遇，并屡次派人前往朝廷进行催促。而谢安、王坦之则故意拖延时间，他们令袁宏负责起草加授桓温九锡的诏书。袁宏草拟之后拿给担任尚书仆射的王彪之过目，王彪之赞叹袁宏文辞之美，并趁机警告他说："你固然才华出众，但怎能撰写这样的东西，还要拿给人看！"谢安看了袁宏草拟的诏书之后，却多次加以删改，于是，折腾了十

宏密谋于彪之，彪之曰："闻彼病日增，亦当不复支久，自可更小迟回[467]。"宏从之[12]。

温弟江州刺史冲问温以谢安、王坦之所任[468]，温曰："渠等不为汝所处分[469]。"其意以为己存，彼必不敢立异[470]，死则非冲所制。若害之，无益于冲，更失时望[471]故也。

温以世子熙才弱，使冲领其众[472]。于是桓秘与熙弟济谋共杀冲，冲密知之，不敢入[473]。俄顷，温薨，冲先遣力士拘录熙、济[474]而后临丧[475]。秘遂被废弃，熙、济俱徙长沙。诏葬温依汉霍光及安平献王故事[476]。冲称温遗命，以少子玄为嗣，时方五岁，袭封南郡公。

庚戌[477]，加右将军荆州刺史桓豁征西将军、督荆杨[478]雍交广五州诸军事。以江州刺史[13]桓冲为中军将军、都督扬豫江三州诸军事、扬豫二州刺史，镇姑孰，竟陵太守桓石秀为宁远将军、江州刺史，镇寻阳。石秀，豁之子也。冲既代温居任，尽忠王室。或劝冲诛除时望，专执时权，冲不从。始，温在镇，死罪皆专决不请[479]。冲以为生杀之重，当归朝廷，凡大辟皆先上[480]，须报[481]，然后行之。

谢安以天子幼冲，新丧元辅，欲请崇德太后临朝。王彪之曰："前世人主幼在襁褓，母子一体，故可临朝[482]。太后亦不能决事，要须[483]顾问大臣。今上年出十岁，垂及冠婚[484]，反令从嫂[485]临朝，示人主[14]幼弱，岂所以光扬圣德乎[486]！诸公必欲行此，岂仆所制[487]，所惜者大体[488]耳。"安不欲委任桓冲，故使太后临朝，己得以专献替裁决[489]，遂不从彪之之言。八月壬子[490]，太后复临朝摄政。

几天也没有完成定稿。袁宏不知如何是好，便秘密地找王彪之商量，王彪之说："听说大司马桓温的病情一天比一天加重，恐怕也支持不了多久，不妨再稍稍拖延一些时间。"袁宏听从了王彪之的意见。

大司马桓温的弟弟、担任江州刺史的桓冲，向桓温咨询日后让谢安、王坦之担任什么职务，桓温说："他们这些人不归你来安排。"桓温的意思是：只要自己还活着，他们就不敢另搞一套，如果自己死了，桓冲则没有能力控制他们。如果此时害死谢安、王坦之，对桓冲也没有什么好处，反而更会遭到当时社会名流的反对。

大司马桓温因为自己的世子桓熙才能平庸，所以就让桓冲来统领自己的部众。而此时，对桓温心怀不满的桓秘与桓熙的弟弟桓济密谋，准备共同杀死桓冲，桓冲得到密报，因此不敢进入桓温的大本营。不久，桓温去世，桓冲先派遣勇士把桓熙、桓济逮捕起来，然后才进入姑孰哭吊桓温。桓秘遂被废弃不用，桓熙、桓济都被流放到长沙。晋孝武帝司马曜下诏：安葬桓温的规格与排场，就像汉代人安葬霍光、西晋人安葬安平献王司马孚那样。桓冲宣称是桓温的遗命，由桓温最小的儿子桓玄继承桓温的爵位，当时桓玄才五岁，便继位为南郡公爵。

七月二十五日庚戌，东晋朝廷加任担任右将军、荆州刺史的桓豁为征西将军、都督荆杨雍交广五州诸军事。任命江州刺史桓冲为中军将军、都督扬豫江三州诸军事、扬豫二州刺史，镇所设在姑孰，竟陵太守的桓石秀为宁远将军、江州刺史，镇所设在寻阳。桓石秀，是桓豁的儿子。桓冲接替了桓温的职务和权柄之后，却能效忠于晋室。有人劝说桓冲将那些有名望的高官除掉，由桓冲自己专擅朝政，桓冲没有听从。开始的时候，桓温在姑孰镇所，对死罪的判决都由自己裁决而不请示朝廷。桓冲却认为，生杀大权，应该归还朝廷，所以凡是执行死刑，一律先报请朝廷，等到朝廷批准之后再执行。

东晋担任吏部尚书的谢安因为天子司马曜年纪幼小，国家首相桓温又刚刚去世，就准备请出崇德皇太后褚氏临朝主持朝政。担任尚书仆射的王彪之说："前代的晋成帝年幼登基，庾太后临朝称制，晋穆帝也是幼冲继位，所以褚太后二次临朝摄政，因为晋成帝与晋穆帝都是褚太后的亲生骨肉，母子不能分离，所以可以临朝听政。即便如此，太后也不能裁决国家大事，遇事还是要依靠朝中大臣，听取大臣的意见。如今的皇帝年纪已经超过十岁，很快就要举行加冠礼、就要结婚，反而倒要堂嫂临朝听政，显示出皇帝年纪幼小、暗弱无知，这岂是提高当今皇帝道德声望的做法！诸位大臣如果一定要这样做，岂是我所能阻止得了的，所顾惜的是恐怕有损于朝廷大礼罢了。"而谢安的意思是不想把朝政大权交付给桓冲，所以才坚持请出皇太后临朝听政，这样的话，自己就可以在太后跟前先提出参考意见，在决定事情上发挥作用，以达到独揽朝权的目的，因而没有采纳王彪之的建议。八月壬子日，皇太后褚氏再次临朝摄政。

梁州刺史杨亮遣其子广袭仇池，与秦梁州刺史杨安战，广兵败，沮水[491]诸戍皆委城[492]奔溃。亮惧，退守磬险[493]。九月，安进攻汉川[494]。

丙申[495]，以王彪之为尚书令，谢安为仆射[496]，领吏部，共掌朝政。安每叹曰："朝廷大事，众所不能决者，以谘王公，无不立决！"

以吴国内史刁彝为徐、兖二州刺史，镇广陵。

冬，秦王坚使益州刺史王统、秘书监朱肜帅卒二万出汉川[497]，前禁将军毛当、鹰扬将军徐成帅卒三万出剑门[498]，入寇梁、益[499]。梁州刺史杨亮帅巴獠[500]万余拒之，战于青谷[501]。亮兵败，奔固西城[502]，肜遂拔汉中。徐成攻剑门[15]，克之。杨安进攻梓潼[503]。梓潼太守周虓[504]固守涪城[505]，遣步骑数千送母、妻自汉水趣江陵[506]，朱肜邀[507]而获之，虓遂降于安。十一月，安克梓潼。荆州刺史桓豁遣江夏相竺瑶救梁、益，瑶闻广汉太守赵长战死，引兵退。益州刺史周仲孙勒兵拒朱肜于绵竹[508]，闻毛当将至成都，仲孙帅骑五千奔于南中[509]。秦遂取梁、益二州，邛、莋、夜郎[510]皆附于秦。秦王坚以杨安为益州牧，镇成都；毛当为梁州刺史，镇汉中；姚苌为宁州刺史，屯垫江[511]；王统为南秦州刺史，镇仇池[512]。

秦王坚欲以周虓为尚书郎，虓曰："蒙晋厚恩，但老母见获，失节于此。母子获全，秦之惠也。虽公侯之贵，不以为荣，况郎官乎！"遂不仕。每见坚，或箕踞而坐[513]，呼为氐贼[514]。尝值元会[515]，仪卫[516]甚盛。坚问之曰："晋朝元会，与此何如？"虓攘袂[517]厉声曰："犬羊相聚，何敢比拟天朝！"秦人以虓不逊[518]，屡请杀之，坚待之弥厚[519]。

周仲孙坐失守免官，桓冲以冠军将军毛虎生为益州刺史，领建平[520]太守，以虎生子球为梓潼太守。虎生与球伐秦，至巴西[521]，以粮乏退屯巴东[522]。

东晋梁州刺史杨亮派遣自己的儿子杨广率军袭取被秦国占领的仇池，杨广与秦国担任梁州刺史的杨安交战，结果东晋的杨广兵败，沮水沿岸的东晋各军事据点的守军于是全都弃城而逃。梁州刺史杨亮非常害怕，遂撤退到磬险据守。九月，秦国的梁州刺史杨安率军进攻东晋的汉川。

九月十二日丙申，东晋任命担任尚书仆射的王彪之为尚书令，任命谢安为仆射，兼任吏部，二人共同执掌朝政。谢安常常感慨地说："每当朝廷遇到重大事情，众人都没有办法解决的，只要去询问王彪之，无不立刻就能解决！"

东晋任命担任吴国内史的刁彝为徐、兖二州刺史，镇所设在广陵。

冬季，秦王苻坚派遣担任益州刺史的王统、担任秘书监的朱彤率领两万名士卒经由汉川，派遣前禁将军毛当、鹰扬将军徐成率领三万名士卒经由剑门，进入东晋的梁州、益州进行抢掠。东晋担任梁州刺史的杨亮率领一万多名巴地的獠族人进行抵抗，双方在青谷展开激战。东晋梁州刺史杨亮兵败，逃奔西城固守，秦国的秘书监朱彤占领了东晋的汉中。秦国的鹰扬将军徐成率军攻克了剑门。秦国的梁州刺史杨安率军进攻东晋的梓潼。东晋梓潼太守周虓固守涪城，他派遣数千名步兵骑兵护送自己的母亲、妻子等，从汉水乘船奔赴江陵，途中遭到秦国秘书监朱彤的拦截，周虓的老母、妻子等遂被秦军擒获，周虓为了自己的母亲、妻子而向秦将杨安投降。十一月，秦国梁州刺史杨安攻克了梓潼。东晋担任荆州刺史的桓豁派遣担任江夏相的竺瑶率军救援梁州和益州；竺瑶得知广汉太守赵长已经战死的消息，便率军退回。东晋益州刺史周仲孙率军在绵竹抵抗秦将朱彤，听说秦国的前禁将军毛当即将到达成都，周仲孙便率领五千名骑兵逃往南中。秦军于是占领了东晋的梁州和益州，邛都、莋都、夜郎全都归降了秦国。秦王苻坚任命杨安为益州牧，镇所设在成都；任命毛当为梁州刺史，镇所设在汉中；任命姚苌为宁州刺史，镇守垫江；任命王统为南秦州刺史，镇守仇池。

秦王苻坚准备任命周虓为尚书郎，周虓说："我蒙受东晋朝廷的厚恩，只是因为自己年老的母亲被秦国擒获，所以才失节投降了秦国。使我们母子获得保全，那是秦国的恩惠。即使封我为公爵、侯爵，我都不觉得那是一种光荣，何况只是一个郎官呢！"遂坚决不在秦国做官。他见到秦王苻坚，有时竟然伸开两腿，形似簸箕一般坐在那里，把秦王苻坚称为氐贼。有一次正值元旦朝会，苻坚的仪仗队、侍卫队阵容庄严而盛大。苻坚问周虓说："晋朝的元旦朝会，与我这里相比，怎么样？"周虓立即捋起衣袖，声色俱厉地说："一群犬羊聚集在一起，怎么敢与天朝相比！"秦国人因为周虓对秦王不恭敬，屡次请求秦王苻坚将周虓杀死，而苻坚对待周虓越加尊重有礼。

东晋周仲孙因为丢失了益州而获罪，被免掉了官职，桓冲任命担任冠军将军的毛虎生为益州刺史，兼任建平太守，任命毛虎生的儿子毛球为梓潼太守。毛虎生与毛球父子率军讨伐秦国，大军抵达巴西郡的时候，因为粮草接济不上而退回巴东郡屯守。

以侍中王坦之为中书令，领丹杨尹㉓。

是岁，鲜卑勃寒㉔寇[16]掠陇右，秦王坚使乞伏司繁㉕讨之。勃寒请降，遂使司繁镇勇士川㉖。

有彗星出于尾箕㉗，长十余丈，经太微㉘，扫东井㉙，自四月始见，及秋冬不灭。秦太史令张孟[17]言于秦王坚曰："尾、箕，燕分，东井，秦分也[18]。今彗起尾、箕而扫东井，十年之后，燕当灭秦，二十年之后，代当灭燕㉚。慕容暐父子兄弟，我之仇敌，而布列朝廷，贵盛莫二，臣窃忧之，宜翦其魁桀者㉛以消天变㉜。"坚不听。

阳平公融上疏㉝曰："东胡㉞跨据六州，南面称帝。陛下劳师累年，然后得之，本非慕义而来㉟。今陛下亲而幸之，使其父兄子弟森然㊱满朝，执权履职，势倾勋旧㊲。臣愚以为狼虎之心，终不可养，星变如此，愿少留意㊳。"坚报曰："朕方混六合㊴为一家，视夷狄为赤子㊵，汝宜息虑㊶，勿怀耿介㊷。夫惟修德可以禳灾㊸，苟能内求诸己㊹，何惧外患乎！"

二年（甲戌，公元三七四年）

春，正月癸未朔㊺，大赦。

己酉㊻，刁彝卒。

二月癸丑㊼，以王坦之为都督徐兖青三州诸军事、徐兖二州刺史，镇广陵。诏谢安总中书㊽。安好声律㊾，期功之惨㊿，不废丝竹[551]，士大夫效之，遂以成俗。王坦之屡以书苦谏之，曰："天下之宝[552]，当为天下惜之[553]。"安不能从。

三月，秦太尉建宁烈公李威[554]卒。

夏，五月，蜀人张育、杨光起兵击秦，有众二万，遣使来请兵。秦王坚遣镇军将军邓羌帅甲士五万讨之。益州刺史竺瑶[555]、威远将军桓石虔[556]帅众三万攻垫江，姚苌兵败，退屯五城[557]。瑶、石虔屯巴东。

东晋任命担任侍中的王坦之为中书令，兼任丹杨尹。

这一年，陇西鲜卑族部落酋长勃寒率领族众寇掠陇右地区，秦王苻坚派鲜卑单于乞伏司繁率军讨伐勃寒，勃寒请求投降，苻坚遂命乞伏司繁镇守勇士川。

有彗星出现在尾星、箕星的旁边，光芒长达十余丈，经过太微垣，尾巴扫过东井星，从四月份开始出现，一直到了秋冬季节还没有消失。秦国担任太史令的张孟对秦王苻坚说："尾星、箕星的分野是故燕国地区，东井星的分野是秦国。如今彗星出现在尾星、箕星的旁边，又扫过东井星，预示十年之后，燕人将灭掉秦国，二十年之后，代郡地区的拓跋氏又将灭掉燕国。故燕主慕容暐父子兄弟，都是我们的仇敌，竟然让他们布满朝廷，富贵尊荣没人能比，我为此而感到担忧，应当把他们当中那些才能卓越的人除掉，以解除上天对我们的警告与提醒。"苻坚没有采纳他的意见杀戮慕容氏。

秦国阳平公苻融上疏给秦王苻坚说："由东北兴起的鲜卑族慕容氏所建立的燕国，曾经占据了六个州的土地，并且面向南方自称皇帝。陛下劳师动众，经过几年的辛劳才将燕国灭掉而占有了燕国的土地，慕容氏或是被我们俘虏，或是在迫不得已的情况下才向秦国投降，原本不是出于仰慕我们的道德、政教而来归顺。如今陛下却亲近他们、宠信他们，让他们父子兄弟站满朝堂，掌握权柄、履行职权，他们比我们本国的贵族、功臣勋爵的势力还要大。我认为这些怀有虎狼之心的人终究不可能被感化，因此星象的变化才会如此剧烈，希望陛下对他们多加警惕。"秦王苻坚回复说："我正准备统一全国，应当把各个少数民族都看作是自己亲生的儿子，你应该打消这种疑虑，不要对此事耿耿于怀。只有修养自己的品德才可以消除灾祸，倘若自己有容人之量，以诚信对待别人，何必惧怕外部的灾患呢！"

二年（甲戌，公元三七四年）

春季，正月初一日癸未，东晋实行大赦。

二十七日己酉，东晋刁彝去世。

二月初一日癸丑，东晋任命王坦之为都督徐兖青三州诸军事、徐兖二州刺史，镇所设在广陵。孝武帝司马曜下诏令谢安总管中书省的事务。谢安喜好音乐，即使是在穿着丧服、心情极度不好的日子里，他也照常欣赏音乐，那些士大夫便都效仿他，竟然形成了一种社会风俗。王坦之多次写信苦苦劝谏谢安，说："礼仪法度是治理天下的宝器，你不应该破坏它。"谢安没有听从王坦之的劝告。

三月，秦国担任太尉的建宁烈公李威去世。

夏季，五月，秦国属下的蜀郡人张育、杨光起兵反抗秦国的统治，他们拥有两万人众，派遣使者前来东晋请求出兵救应。秦王苻坚派遣镇军将军邓羌率领五万名士兵讨伐张育与杨光。东晋担任益州刺史的竺瑶、担任威远将军的桓石虔率领三万名士卒进攻被秦国占领的垫江，姚苌被晋军打败，撤退到五城屯守。东晋竺瑶与桓

张育自号蜀王，与巴獠酋帅张重、尹万等[19]万余人进围成都。六月，育改元黑龙。秋，七月，张育与张重等争权，举兵相攻，秦杨安、邓羌袭育，败之，育与杨光退屯绵竹。八月，邓羌败晋兵于涪西⑤⑤⑧。九月，杨安败张重、尹万于成都南，重死，斩首二万三千级。邓羌击张育、杨光于绵竹，皆斩之。益州复入于秦。

冬，十二月，有人入秦明光殿大呼曰："甲申、乙酉⑤⑤⑨，鱼羊食人⑤⑥⓪，悲哉无复遗！"秦王坚命执之，不获。秘书监朱肜、秘书侍郎⑤⑥①略阳赵整固请诛鲜卑，坚不听。整，宦官也，博闻强记，能属文⑤⑥②，好直言，上书及面谏前后五十余事。慕容垂夫人⑤⑥③得幸于坚，坚与之同辇⑤⑥④游于后庭，整歌曰："不见雀来入燕室⑤⑥⑤，但见浮云蔽白日⑤⑥⑥。"坚改容谢之，命夫人下辇。

是岁，代王什翼犍击刘卫辰⑤⑥⑦，南走[20]。

三年（乙亥，公元三七五年）

春，正月辛亥⑤⑥⑧，大赦。

夏，五月丙午⑤⑥⑨，蓝田献侯王坦之卒。临终与谢安、桓冲书，惟以国家为忧，言不及私。

桓冲以谢安素有重望，欲以扬州让之，自求外出。桓氏族党皆以为非计，莫不扼腕⑤⑦⓪苦谏[21]，郗超亦深止⑤⑦①之，冲皆不听，处之澹然⑤⑦②。甲寅⑤⑦③，诏以冲都督徐、豫、兖、青、扬五州诸军事，徐州刺史，镇京口，以安领扬州刺史，并加侍中。

六月，秦清河武侯王猛寝疾⑤⑦④，秦王坚亲为之祈南、北郊及宗庙、社稷，分遣侍臣遍祷河、岳诸神。猛疾少瘳⑤⑦⑤，为之赦殊死以下⑤⑦⑥。猛上疏曰："不图陛下以臣之命⑤⑦⑦，而亏天地之德⑤⑦⑧，开辟⑤⑦⑨已来，未之有也。臣闻报德莫如尽言，谨以垂没⑤⑧⓪之命，窃献遗款⑤⑧①。伏惟⑤⑧②陛下威

石虔率军进驻巴东郡。起兵抗秦的张育自称蜀王，与巴地的獠族酋长张重、尹万等一万多人进军包围了成都。六月，自称蜀王的张育改年号为黑龙。秋季，七月，自称蜀王的张育与巴地獠人酋长张重等为了争夺权力而互相攻打，秦国镇守成都的益州牧杨安与镇军将军邓羌率领秦军袭击张育，将张育打败，张育遂与杨光撤退到绵竹坚守。八月，秦国镇军将军邓羌率军在涪城之西打败了东晋的军队。九月，秦国益州牧杨安在成都以南打败了巴地獠人酋长张重与尹万，张重战死，他们的部众被杀死了两万三千人。邓羌乘胜率军攻打张育、杨光据守的绵竹，将张育、杨光全部斩杀。益州再次归入秦国的版图。

冬季，十二月，有人闯入秦国的明光殿大声喊叫说："甲申年、乙酉年，鱼羊吃人，悲伤啊没有一个人留下来！"秦王苻坚下令捉拿此人，却没有捉到。担任秘书监的朱彤、担任秘书侍郎的略阳人赵整坚决请求苻坚诛杀鲜卑人，苻坚仍然不肯听从。赵整，是一个宦官，他学问渊博，记忆力非常好，还能够撰写文章，说话又好直来直去，他上疏给秦王苻坚以及当面劝谏，前后总计有五十多件事。慕容垂的夫人段氏很受秦王苻坚的宠幸，苻坚与段夫人同坐一辆车子在后宫游览，赵整便唱歌讽谏说："看不见麻雀飞到燕子的窝中，只看见一片浮云遮蔽了太阳的光辉。"苻坚神情严肃地向赵整道歉，立即令段夫人下车。

这一年，代王拓跋什翼犍率众攻击匈奴左贤王刘卫辰，刘卫辰向南逃走。

三年（乙亥，公元三七五年）

春季，正月初五日辛亥，东晋实行大赦。

夏季，五月初二日丙午，东晋蓝田献侯王坦之去世。临终之前写信给谢安与桓冲，信中只谈到了自己对国家前途的忧虑，一点也没有谈到个人的私事。

东晋桓冲认为谢安一向深孚众望，就想将扬州刺史让给谢安，自己请求出外镇守。桓氏家族和党羽等认为这是一项错误的决定，无人不对桓冲的这一决定感到失望和惋惜，他们坚决劝阻桓冲不要这样做，郗超也坚决劝阻，桓冲都没有听从，他没有把权位和势力看得很重。五月初十日甲寅，朝廷下诏任命桓冲为都督徐、豫、兖、青、扬五州诸军事，徐州刺史，镇所设在京口；任命谢安兼任扬州刺史，同时加授侍中。

六月，秦国清河武侯王猛病势沉重，已经卧床不起，秦王苻坚就亲自到南郊、北郊以及宗庙、社稷坛进行焚香祷告，祈求王猛病愈，还特意派遣侍臣前往黄河、华山等处，祈求河神、山神保佑王猛早日康复。王猛病情稍见好转，苻坚特此颁布大赦令，凡不是死罪的犯人一律赦免。王猛上疏给秦王苻坚说："没想到，陛下会为了挽救我的生命，而劳心费力地做了许多不需要做的事情，这是开天辟地以来，君主对待臣属从未有过的事情。我听说：报答别人的恩德，没有比把想要说的话毫无保留地说出来更好的了，所以我希望在我生命垂危之际，再恭敬地献出我最后的一

烈[583]振乎八荒[584]，声教[585]光乎六合[586]，九州百郡[587]，十居其七[588]，平燕定蜀，有如拾芥[589]。夫善作者不必善成[590]，善始者不必善终[591]，是以古先哲王[592]，知功业之不易，战战兢兢，如临深谷[593]。伏惟陛下追踪前圣[594]，天下幸甚。”坚览之悲恸。

秋，七月，坚亲至猛第视疾，访以后事。猛曰：“晋虽僻处江南[595]，然正朔相承[596]，上下安和。臣没之后，愿勿以晋为图[597]。鲜卑、西羌[598]，我之仇敌，终为人患，宜渐除之，以便社稷。”言终而卒。坚比敛[599]，三临哭[600]，谓太子宏曰：“天不欲使吾平壹六合邪！何夺吾景略之速也！”葬之如汉霍光故事。

八月癸巳[601]，立皇后王氏，大赦。后，濛[602]之孙也。以后父晋陵太守蕴[603]为光禄大夫，领五兵尚书[604]，封建昌县[22]侯[605]。蕴固辞不受。

九月，帝讲《孝经》[606]，始览典籍，延[607]儒士。谢安荐东莞徐邈补中书舍人，每被顾问，多所匡益[608]。帝或宴集，酣乐[609]之后，好为手诏诗章以赐侍臣，或文词率尔[610]，所言秽杂[611]，邈应时收敛[612]，还省刊削[613]，皆使可观，经帝重览，然后出[614]之。时议[615]以此多邈[616]。

冬，十月癸酉朔[617]，日有食之。

秦王坚下诏曰：“新丧贤辅，百司[618]或未称朕心[619]，可置听讼观[620]于未央南[621]，朕五日一临，以求民隐[622]。今天下虽未大定，权可[623]偃武修文[624]，以称武侯雅旨[625]。其增崇儒教，禁老、庄、图谶[626]之学，犯者弃市。”妙简[627]学生，太子及公侯百僚之子皆就学受业[628]，中外[629]、四

点忠诚。陛下的权威、功业已经震撼了遥远的四面八方，声威和教化已经照耀了全国，中国被划分为九个州一百个郡，陛下已经拥有了其中的十分之七，平定燕国、攻取巴蜀，容易得就像从地上拾起一根小草。然而善于创业的不一定善于守成，善于发端的人未必能有一个好的结局，所以古代的圣王深知创立大业的艰辛，他们都非常恐惧小心，总是战战兢兢，就像面临着深不可测的峡谷、脚下踩着薄冰过河一样。我希望陛下能够学习古代明君的谦虚谨慎，不能掉以轻心，那将是全国人的福分。”秦王苻坚看完王猛的奏章，悲痛万分。

秋季，七月，苻坚亲自来到王猛的府邸探视王猛的病情，并请教王猛身后之事。王猛说：“东晋虽然居于长江以南的偏僻之地，却是继续西晋政权的正统，与西晋的历法纪年一脉相承，全国上下政局稳定、君臣和睦。我死之后，希望不要打东晋的主意，不要把东晋定为攻取的对象。鲜卑族的慕容氏、西羌人姚苌等，才是我们的仇敌，最终将会成为我们的祸患，应该逐渐将他们除掉，以安定国家社稷。”说完便逝世了。苻坚从王猛逝世一直到王猛被装入棺材，前后三次亲自前来哭吊。苻坚对太子苻宏说：“是上天不想让我平定天下、统一全国吧！不然，为什么这么早就夺去了王猛的生命呢！”安葬王猛的规格和礼节，完全依照西汉安葬霍光时的样子。

八月二十日癸巳，东晋孝武帝司马曜娶王氏为皇后，同时实行大赦。王皇后，是王濛的孙女。于是，任命皇后的父亲、担任晋陵太守的王蕴为光禄大夫，兼任五兵尚书，负责统管中兵、外兵、别兵、都兵、骑兵等五兵事务，还封他为建昌县侯。王蕴坚决辞让，没有接受。

九月，东晋孝武皇帝司马曜读《孝经》，皇帝此时才开始浏览各种典籍，延请儒家学者。谢安向皇帝推荐了东莞人徐邈担任中书舍人，孝武皇帝司马曜每次向徐邈求教，都能得到徐邈的指正，因此获益不少。孝武皇帝司马曜有时在举行宴会之后，趁着高兴，往往喜欢亲手写作一些诗赋赏赐给侍从人员，有的文辞很轻率随意，涉及的内容也很芜杂，徐邈总是及时把它们搜集起来带回中书省予以修改，使这些文辞达到可以供人观看的水平，再经过皇帝过目之后，才传出宫外。当时的舆论都对徐邈的这一举动表示赞赏。

冬季，十月初一日癸酉，发生日食。

秦王苻坚下诏说：“国家贤能的宰辅刚刚去世，文武百官处理政务，有的我还不太满意，可以在未央宫南面，设立一个专门用来听取陈情意见的听讼观，我每隔五天驾临一次，以了解民间疾苦。如今天下虽然还没有完全平定，然而大体上也可以暂且停止武备，开展文化教育事业，以符合武侯王猛生前的雅意。我们应该尊崇儒家学说，禁止老子、庄子崇尚虚无的学说，禁止以图录或谶语的方式预测吉凶的图谶之学，违犯的一律绑到闹市斩首示众。”于是慎重地挑选学生，太子苻宏以及公爵、侯爵、文武百官的儿子遂全都到学校听儒学老师讲课，那些担任中军将军、外

禁[630]、二卫[631]、四军[632]长上[633]将士[634]，皆令受学。二十人给一经生[635]，教读音句[636]。后宫置典学[637]以教掖庭[638]，选阉人及女隶[639]敏慧者诣博士授经[640]。尚书郎王佩读谶，坚杀之，学谶者遂绝。

【段旨】

以上为第三段，写孝武帝宁康元年（公元三七三年）至宁康三年（公元三七五年）共三年间的大事。写了桓温入朝，陈兵向群臣示威，群臣惊惧，谢安以理责之，并对桓温的谋士郗超加以讽刺，在关键时刻稳定了朝廷局势；写了桓温病死，死前向朝廷要"九锡"，谢安、王坦之、王彪之三人拖延时间，遂使桓温未能得逞；写了桓温临死令其弟桓冲代统其部众，桓冲乃以桓温之子桓玄为嗣，而己辅之；桓冲忠于晋室，不与朝廷的时贤作对，朝权遂由谢安、王彪之、王坦之等执掌；写了苻坚派将军王统、朱肜、徐成等进攻东晋的梁、益二州，东晋诸将大败，梁、益二州遂陷于秦；蜀人张育自号蜀王、起兵于蜀以抗秦，遣使向晋求援，并进围成都，秦将杨安、邓羌攻蜀，破杀张育、杨光，益州复归于秦；写了秦丞相王猛病时秦主苻坚亲临看望、亲为祈祷，王猛临死劝苻坚小心谨慎，善始善终，并嘱"臣没之后，愿勿以晋为图"；写了秦主苻坚为广求民隐，建立听讼观，五日一临；又下令"增崇儒教，禁老、庄、图谶之学"，有犯令者被苻坚所杀，图谶之学遂绝于秦地等。

【注释】

[439]烈宗孝武皇帝：名曜，字昌明，简文帝的第三子。公元三七三至三九六年在位。事详《晋书》卷九《孝武帝纪》。《谥法》："五宗安之曰孝"；"克定祸乱曰武"。[440]正月己丑朔：正月初一是己丑日。[441]辛巳：二月二十四。[442]新亭：地名，在今江苏南京南的长江边。[443]都下：指建康城里。[444]人情恟恟：犹言人心惶惶。恟恟，恐慌的样子。[445]因移晋室：顺便篡夺晋朝的皇位。[446]晋祚：晋朝政权的命运。祚，福，指皇位继承权。[447]延见朝士：接见朝廷的文武百官。[448]有位望者：指地位高、有名望的公卿大臣。[449]战慑：犹战栗，恐惧、发抖。[450]倒执手版：因惊慌失措，把手版也拿反了。手版，即朝笏。古代官吏上朝或谒见上司时所执，备记事用。[451]守在四邻：把防守的重点放在自己封国的四方邻居，意即做好政治工作，使之归心、拥护自己。《左传》昭公二十三年，楚沈尹戌有所谓："古者天子守在四夷，天子卑，守在诸侯；诸侯守在四邻，诸侯卑，守在四

军将军、前禁将军、后禁将军、左禁将军、右禁将军、左卫将军、右卫将军、抚军将军、卫军将军、镇军将军、冠军将军，以及在皇宫中负责宿卫的将领和士兵，全都让他们到学校去读书。每二十人，就分配给一位精通儒经的学者，教授他们文字的读音、应该在哪里断句等，在后宫之中还设立了名为“典学”的官员专门给宫中的嫔妃与女官讲课，又从宦官和宫女当中挑选出一些机敏聪慧的人到太学里听博士讲授经典。担任尚书郎的王佩违犯规定，阅读谶纬之书，秦王苻坚就杀死了他，从此以后，秦国再也没有人学习谶纬之学。

竟。”谢安引此，意在讥讽桓温不是把保卫自己的工作做到四境之外，而是把兵勇安排到了自己的屋子周围。㊾壁后置人：在后屋、后院布置着兵勇。㊿笑语移日：谈笑风生的说话一直说了很久。移日，日影移动，以言过的时间之久。(454)入幕之宾：原是形容某个僚属受其长官宠信，经常到长官的内室一起谋划众事。幕指内室、卧室。现在正好用此语以嘲弄躲在帐子里的郗超。(455)治：审问。(456)免桓秘官：桓秘为中领军，统禁军，掌宫禁宿卫，对卢悚事负有直接责任，故免秘官。(457)连坐：因受牵连而被治罪。(458)迁：调任；改任。(459)甲午：三月初七。(460)七月己亥：七月十四。(461)南郡宣武公：南郡公是桓温的封号，南郡是封地，郡公是公爵的等级。宣武二字是谥。(462)九锡：传说中古代帝王为尊礼大臣而赐给的九种特殊待遇。西汉末年，王莽始加九锡，为篡位之渐。此后，历代权臣为篡位都沿袭使用。九锡的内容有进殿不趋、赞拜不名、剑履上殿、纳陛以登，此外有车马、衣服等方面的宠赐。(463)趣：意思同“促”，催促。(464)故缓其事：故意拖延不办。(465)使袁宏具草：让袁宏起草诏书。袁宏，东晋有名的才学之士，虽为桓温的僚属，而能正直不屈。著有《后汉纪》。传见《晋书》卷九十二。(466)历旬不就：折腾了十多天也没有定稿。(467)更小迟回：再稍稍拖延一下。小，稍。(468)所任：日后让他们担任什么职务。(469)渠等不为汝所处分：他们不归你来安排。渠等，也称渠辈、渠侬，古吴方言，意为他们。处分，分配、安排。(470)立异：提不同意见，做反对桓温的事。(471)更失时望：更受到当时的社会名流所反对。(472)领其众：统率自己的军队。(473)不敢入：不敢进入桓温的大本营。(474)拘录熙、济：逮捕起桓熙、桓济。拘录，拘捕。录，也是捕捉的意思。(475)临丧：哭丧；吊丧。(476)依汉霍光及安平献王故事：就像汉代人安葬霍光、晋朝人安葬司马懿的弟弟司马孚那样的规格与排场。(477)庚戌：七月二十五。(478)杨：胡三省以为此处“杨”字似应作“梁”。(479)专决不请：自己决定，不请示朝廷。(480)凡大辟皆先上：凡杀人一律先上报朝廷。大辟，处人以死刑。(481)须报：等朝廷批准后。须，等候。报，批准。(482)前世人主幼在襁褓三句：成帝年幼登基，庾太后临朝；穆帝亦幼冲嗣位，褚太

后摄政。均为亲生骨肉，故可以临朝摄政。母子一体，儿子是由母体分出，故二人如一体。㊽要须：还得要倚靠。㊾垂及冠婚：很快就要行加冠礼、就要结婚了。㊿从嫂：堂嫂。褚太后是晋康帝的皇后，康帝是明帝子，元帝孙；孝武帝也是元帝孙，故褚太后是孝武帝的堂嫂。⑱岂所以光扬圣德乎：这是提高当今皇帝道德声望的做法吗。⑲岂仆所制：不是我所能阻挡得了的。仆，王彪之自称的谦辞。制，阻止。⑱所惜者大体：意即有损于朝廷大礼，有害于原则。⑲专献替裁决：意即自己在太后跟前可以提出参考意见，可以在决定某项、否定某项工作上起到作用。专，独揽。献替，建议某项主张与改变某项主张。裁决，在众多建议中选用某一项。⑳八月壬子：此语有误，八月朔丙辰，无壬子日。壬子应是七月二十七。㉑沮水：俗称黑河，源出陕西留坝西，西南流经略阳东，转东南流至勉县注入汉水。㉒委城：弃城。委，丢下。㉓磬险：地名，在今陕西勉县北。㉔汉川：即汉中郡一带地区。㉕丙申：九月十二。㉖仆射：尚书仆射，尚书令的副职，地位如同副丞相。㉗出汉川：经由汉川。㉘剑门：山名，在今四川剑阁县北，即大剑山。㉙梁、益：二州名，梁州的州治即今陕西汉中，益州的州治即今四川成都。㉚巴獠：巴地之獠。獠，民族名，古代对仡佬族的蔑称。㉛青谷：地名，在今陕西洋县东北。㉜奔固西城：逃奔并坚守西城。西城，县名，县治在今陕西安康汉滨区，汉江北岸。㉝梓潼：县名，县治即今四川梓潼。㉞周虓：周楚之孙。㉟涪城：涪县县城，在今四川绵阳东。㊱自汉水趣江陵：由西汉水乘船奔赴江陵。汉水，即西汉水，源出甘肃天水市，东南流，至陕西略阳西北徐家坪注入嘉陵江。趣，向。江陵，当时荆州的州治所在地，在今湖北江陵之西北侧。㊲邀：半路拦截。㊳绵竹：县名，县治在今四川德阳北。㊴南中：地区名，相当今四川南部和云南、贵州地区。㊵邛、莋、夜郎：邛即邛都县，当时越嶲郡的郡治所在地，县治在今四川西昌东南；莋即莋都县，县治在今四川汉源东北；夜郎是县名，县治在今贵州关岭南。㊶垫江：县名，县治即今重庆市西北的合川区。㊷仇池：郡名，郡治在今甘肃成县西。㊸箕踞而坐：坐时伸开两腿，形似簸箕，是一种不讲礼节的坐姿。㊹呼为氐贼：因为苻坚是氐族人，故如此辱骂。㊺元会：皇帝在正月初一举行的令群臣朝拜的聚会，也叫正会。㊻仪卫：仪仗队与卫队。㊼攘袂：捋袖出臂，奋起的样子。㊽不逊：不恭敬；不礼貌。㊾弥厚：越发尊重有礼。㊿建平：郡名，郡治即今重庆市巫山县。㉑巴西：郡名，郡治即今四川阆中。㉒巴东：郡名，郡治即今重庆市奉节。㉓丹杨尹：东晋都城建康所在郡的行政长官，郡治即在建康城内。㉔鲜卑勃寒：鲜卑部落的头领名叫勃寒，当时活动在今甘肃陇西县一带地区。㉕乞伏司繁：当时活动在今甘肃陇西县一带的鲜卑部落头领，姓乞伏，名司繁，后代乞伏氏政权的先祖。事迹详见《晋书》卷一百二十五。㉖勇士川：地名，一名苑川，即今甘肃榆中的大营川地区，汉魏时期的勇士县治在今甘肃榆中东北。㉗尾箕：都是二十八宿中的星宿名，尾宿有星九颗，箕宿有星四颗。尾、箕二宿为燕国及幽州的分星，因此古人认为彗星运行到尾、箕附近，就意味着幽燕地区将有动乱发生。㉘太微：太微垣，古人认为彗星经过太微垣就意味着燕地的战乱将影响到人世朝廷的安危。529 扫东井：彗星的尾巴在井宿的上空扫过。东井是二十八宿中的星宿名，即井宿，因在参宿东，故称东井，是秦国及雍州的分星。彗星扫过东井，古人认为秦国也将被幽燕地区的动乱所波及。530 代当灭燕：代郡地区的拓跋氏将灭掉燕国。《晋书·天文志上》："云中入东井一度，定襄入东井八度，雁门入东井十六度，代郡入东井二十八度。"皆拓跋氏占有地区。张猛是说彗星起燕分而扫秦分，是燕灭秦的征兆。秦被灭后，代再乘天道，反过来灭燕。太元十年，慕容冲破长安，距此十一年；安帝隆安元年，拓跋珪克中山，距此二十三年，正和张说相合。其实这些均为后人据史料附会而成，不可信。531 翦其魁桀者：杀掉他们当中那些有卓越才干的分子。翦，除掉、消灭。532 以消天变：以解除上天对我们的警告与提醒。阴阳五行学者认为天变是上天对人世帝王所提出的警告。533 上疏：给皇帝上书。疏是文体名，意即分条地给皇帝上书说理，与"章表"性质一样。534 东胡：由东北兴起的少数民族，指鲜卑族慕容氏所建立的燕国政权。535 本非慕义而来：他们并不是出于仰慕我们的道德、政教而来归顺，而是走投无路前来暂时避难，或者干脆是被我们俘虏过来的。536 森然：罗列众多的样子。537 势倾勋旧：比我们本国的贵族、功臣的势力还要大。倾，压倒。538 愿少留意：希望您提高警惕。少，意思同"稍"。539 混六合：统一全国。六合，四方上下，指全国。540 视夷狄为赤子：把各个少数民族的人都看成自己的亲生儿子。541 息虑：消除这些多余的疑虑。542 勿怀耿介：不要总是这么"耿耿于怀"。耿介，犹言"耿耿"，内心清楚、不能入睡的样子。543 禳灾：消除灾祸。古代称消除灾祸的祭祷活动作禳。544 内求诸己：意思是自己要能容人，要以诚信对待别人。545 正月癸未朔：正月初一是癸未日。546 己酉：正月二十七。547 二月癸丑：二月初一。548 总中书：总管中书省的工作。王坦之出镇广陵，故由谢安总揽中书省事宜。549 声律：五声六律，指音乐。550 期功之惨：即使在穿着丧服的心情不好的日子里。期、功，都是古代丧服的名称。期，服丧一年。功，指大功和小功，大功服丧九个月，小功服丧五个月。551 不废丝竹：意即照常欣赏音乐。丝竹，弦乐器和管乐器，这里代指音乐。552 天下之宝：治理天下所用的宝器，指儒家的礼仪法度。553 当为天下惜之：意即不应该破坏它。〖按〗王坦之言天下之宝，亦可指谢安其人的高贵，为了天下，应该爱护这个人，不应该让任何不好的东西玷污它。意思是劝谢安要自我珍重。554 建宁烈公李威：李威被封为建宁郡公，建宁郡的郡治即今云南曲靖。烈字是谥。555 益州刺史竺瑶：此语似有误，昔周仲孙为益州刺史，坐失守免官，桓冲以毛虎生为益州刺史。此云"益州刺史竺瑶"与事实不合，竺瑶时为江夏相。556 桓石虔：桓彝之孙，桓温弟桓豁之子。557 五城：县名，县治在今四川中江县东南。558 涪西：涪城之西，即今四川绵阳西。559 甲申、乙酉：甲申是未来的太元九年（公元三八四年）；乙酉是未来的太元十年（公元三八五年）。560 鱼羊食人："鱼羊"合成"鲜"字，指鲜卑，此预言十年后慕容氏将在公元三八四、三八五年起兵攻秦。这些显为后人所依附编造。561 秘书侍郎：晋秘书省有丞、有郎，无侍郎。秦以赵整为秘书郎，内侍左右，故称侍郎。562属文：写文章。属，连缀，连缀文字以成文章。563慕容垂夫人：指段夫人。564同辇：同乘一辆车。辇，帝王所乘之车。565不见雀来入燕室：取“门可罗雀”之意，预言日后将会门庭冷落，来客绝少，至能张罗捕雀。566浮云蔽白日：以喻苻坚被女人段氏所迷。567刘卫辰：当时匈奴族的部落头领，活动在今内蒙古河套南部一带。568正月辛亥：正月初五。569丙午：五月初二。570扼腕：一手握另一手之腕，表示失望、惋惜的样子。571深止：坚决劝阻。572澹然：恬淡、平和的样子，意思是没把权位、势力看得很重。573甲寅：五月初十。574寝疾：病势严重，不能起床。575少瘳：病情稍有好转。576赦殊死以下：凡不是死罪的犯人一律赦免。殊死，斩首之刑。胡三省曰：“身首横分为殊死。”577以臣之命：为了挽救我的生命。578亏天地之德：意即让您费心劳神做许多不需要做的事情。579开辟：开天辟地。580垂没：即将死亡。没，同“殁”，死。581窃献遗款：敬献最后的忠诚。窃，谦辞。遗款，最后的忠诚。582伏惟：犹言“我想”“我认为”。“伏”字是谦辞。惟，想、认为。583威烈：权威、功业。烈，业。584八荒：八方，八方的荒远之地，犹言“宇内”“海内”。585声教：声威教化。586光乎六合：照耀全国。六合，意同于“四海”“九州”“宇内”等。587九州百郡：以称整个的大中国。588十居其七：秦国已经占据了十分之七。589拾芥：俯身拾起小草，形容极其容易。590善作者不必善成：善于开头的人不一定能够最后完成。作，开端。591善始者不必善终：善于发端的人不一定能有好的结局。二句出自乐毅的《报燕惠王书》。详见《史记·乐毅列传》。不必，不一定、不一定能。592哲王：圣明的君主。593如临深谷：语出《诗经·小宛》，“惴惴小心，如临于谷。战战兢兢，如履薄冰”。形容恐惧小心的样子。594追踪前圣：学习古代明君的谦虚谨慎，不能掉以轻心。追踪，追步前人，意即学习、借鉴。595僻处江南：居于长江以南的偏僻之地。596正朔相承：是继续西晋政权的正统，按照西晋的历法依次纪年下来的。正朔，每年正月初一。古时的各个朝代，用哪个月的初一作一年的开始是不同的。如夏朝是用正月，商朝是用十二月，周朝是用十一月，秦朝是用十月。而每个新王朝要用自己的新历法，要用新的月份作为一年的开始，这叫“改正朔”。而东晋是延续西晋的“正朔”一直下来的。597勿以晋为图：不要打晋王朝的主意；不要把晋王朝定为攻取的对象。598鲜卑、西羌：鲜卑指已灭的慕容儁、慕容暐与尚存于苻坚身边的慕容垂、慕容德等；西羌指暂居于苻坚部下的姚苌等人。599比敛：从王猛死到王猛被装入棺材。敛，装遗体入棺。600三临哭：三次亲来哭吊。临，哭丧。601八月癸巳：八月二十。602濛：王濛，晋哀帝司马丕的皇后之父，当时著名的清谈家。传见《晋书》卷九十三。603晋陵太守蕴：王蕴，王濛之子，时任晋陵太守。晋陵的郡治即今江苏镇江市。604五兵尚书：尚书台的官员，统管中兵、外兵、骑兵、别兵、都兵等五兵军事。605建昌县侯：建昌县的县治原在今山西定襄西北，此时只应在侨居镇江的并州治下。606帝讲《孝经》：孝武帝开始读《孝经》。当时司马曜年十岁。讲，讲习、研讨，实际指读。607延：邀请。608匡益：纠正和补益。匡，扶之使正。609酣乐：饮酒、欢乐。⑩率尔：轻率随意。⑪秽杂：犹言“芜杂”，不纯、不精，如禾苗中掺有杂草。⑫应时收敛：及时将其搜集回来。⑬还省刊削：带回中书省予以修改。⑭出：指传出宫外。⑮时议：当时的舆论。⑯多邈：称赞徐邈。多，称道、赞美。⑰十月癸酉朔：十月初一是癸酉日。⑱百司：百官。⑲或未称朕心：有的我还不大满意。⑳听讼观：听取上讼意见的台子。讼，申诉。㉑未央南：未央宫的南侧。㉒民隐：民间的疾苦。㉓权可：大体可以。权，大致，客气的说法。㉔偃武修文：停止武备，修明文教。㉕以称武侯雅旨：以符合武侯王猛生前的雅意。㉖图谶：图箓与谶语，都是靠编造“预言”以蛊惑人心的迷信行业，如前文所说的“甲申乙酉，鱼羊食人”，以及借星象所说的“今彗起尾、箕而扫东井，十年之后，燕当灭秦；二十年之后，代当灭燕”等等，都属这一类。㉗妙简：慎重选择。㉘就学受业：到学校里听儒学老师讲课。㉙中外：官名，指中军将军、外军将军。㉚四禁：官名，指前禁、后禁、左禁、右禁四将军。㉛二卫：官名，指左卫、右卫二将军。㉜四军：官名，指卫军、抚军、镇军、冠军四将军。㉝长上：武官名，掌宿卫。㉞将士：指上述中外、四禁、二卫、四军、长上诸将领及士兵。㉟给一经生：配备一个精通儒经的学者。㊱教读音句：教给人们字的读音，以及读到哪里算一句。㊲典学：这里即指教官。㊳教掖庭：给宫中的妃嫔与女官们讲课。掖庭，宫中两侧的居室，为嫔妃居住的地方。㊴阉人及女隶：指宫殿中的男女奴隶。阉人即太监，也称宦官。女隶，指因家庭犯罪而被没入宫廷为婢的女子。㊵诣博士授经：到太学里听博士讲授经典。

【校记】

［11］己丑朔：原误作“己卯朔”，今据严衍《通鉴补》校正。［12］宏从之：原无此三字。据章钰校，十二行本、乙十一行本、孔天胤本皆有此三字，张敦仁《通鉴刊本识误》、张瑛《通鉴校勘记》同，今据补。［13］以江州刺史：原无此五字。据章钰校，十二行本、乙十一行本、孔天胤本皆有此五字，张敦仁《通鉴刊本识误》、张瑛《通鉴校勘记》同，今据补。［14］主：据章钰校，十二行本、乙十一行本皆作“君”。［15］剑门：原作“剑阁”。据章钰校，十二行本、乙十一行本皆作“剑门”，今据改。［16］寇：此字原无。据章钰校，十二行本、乙十一行本、孔天胤本皆有此字，张敦仁《通鉴刊本识误》同，今据补。［17］张孟：严衍《通鉴补》改作“张猛”。〖按〗《晋书》卷一百十三《苻坚载记上》作“张孟”，不知严校何据。［18］也：原无此字。据章钰校，十二行本、乙十一行本、孔天胤本皆有此字，张敦仁《通鉴刊本识误》同，今据补。［19］等：原无此字。据章钰校，十二行本、乙十一行本、孔天胤本皆有此字，张敦仁《通鉴刊本识误》同，今据补。［20］南走：据文义，此上当有“卫辰”二字。［21］苦谏：原作“固谏”。据章钰校，十二行本、乙十一行本皆作“苦谏”，义长，今从改。［22］县：原脱。据章钰校，十二行本、乙十一行本皆有此字，今据补。

【研析】

本卷写简文帝咸安元年(公元三七一年)至孝武帝宁康三年(公元三七五年)共五年间的各国大事。其中可议论的主要有两方面,其一是苻坚与王猛的君臣知遇,苻坚所实行的种种善政,以及王猛临死对苻坚的谆谆告诫等;其二是桓温因枋头之败威望大减,于是废掉皇帝司马奕,另立会稽王司马昱为帝;司马昱在位二年而死,临死前想把国家政权让于桓温,或请桓温"依周公居摄故事",赖王坦之、王彪之、谢安等运用智慧故意拖延,遂使桓温至死未能如愿。下面依次略作评述。

苻坚与王猛的君臣知遇是被后人作为佳话传颂的。苻坚灭掉燕国后,"以王猛为使持节、都督关东六州诸军事、车骑大将军、开府仪同三司、冀州牧,镇邺,进爵清河郡侯,悉以慕容评第中之物赐之",又"令王猛以便宜简召英俊,补六州守令,授讫,言台除正"。当王猛推辞,请苻坚改授亲贤时,苻坚回答说:"朕之于卿,义则君臣,亲逾骨肉,虽复桓、昭之有管、乐,玄德之有孔明,自谓逾之。夫人主劳于求才,逸于得士。既以六州相委,则朕无东顾之忧,非所以为优崇,乃朕自求安逸也。夫取之不易,守之亦难,苟任非其人,患生虑表,岂独朕之忧,亦卿之责也。故虚位台鼎,而以分陕为先。卿未照朕心,殊乖素望。新政俟才,宜速铨补,俟东方化洽,当衮衣西归。"话是这样说的,日后也是这样做的。当王猛入朝为相时,苻坚又"复加都督中外诸军事"。王猛推辞说:"元相之重,储傅之尊,端右事繁,京牧任大,总督戎机,出纳帝命,文武两寄,巨细并关,以伊、吕、萧、邓之贤,尚不能兼,况臣猛之无似!"章三四上,秦王坚不许,曰:"朕方混壹四海,非卿无可委者,卿之不得辞宰相,犹朕不得辞天下也。"情真语切,确实感人。而王猛的实际表现也的确令人心服:"猛为相,坚端拱于上,百官总己于下,军国内外之事,无不由之。猛刚明清肃,善恶著白,放黜尸素,显拔幽滞,劝课农桑,练习军旅,官必当才,刑必当罪。由是国富兵强,战无不克,秦国大治。"苻坚嘱咐太子苻宏及长乐公苻丕等说:"汝事王公,如事我也。"这样的君臣关系,在古代历史上的确还找不出第二个。《增评历史纲鉴补》之《发明》对此评论说:"坚能用猛,师行有纪,无斩艾屠戮,而灭一大国易若反手;又能就用猛统六州,以安其众,此坚所以独盛于五胡也。"

当王猛卧病在床,苻坚亲临其家问候,并"亲为之祈南、北郊及宗庙、社稷,分遣侍臣遍祷河、岳诸神。猛疾少瘳,为之赦殊死以下"。王猛感动地上书说:"不图陛下以臣之命,而亏天地之德,开辟已来,未之有也。臣闻报德莫如尽言,谨以垂没之命,窃献遗款。伏惟陛下威烈振乎八荒,声教光乎六合,九州百郡,十居其七,平燕定蜀,有如拾芥。夫善作者不必善成,善始者不必善终,是以古先哲王,知功业之不易,战战兢兢,如临深谷。伏惟陛下追踪前圣,天下幸甚。"苻坚看后深感悲恸。"秋,七月,坚亲至猛第视疾,访以后事。猛曰:'晋虽僻处江南,然正朔相承，上下安和。臣没之后，愿勿以晋为图。鲜卑、西羌，我之仇敌，终为人患，宜渐除之，以便社稷。'言终而卒。坚比敛，三临哭，谓太子宏曰：'天不欲使吾平壹六合邪！何夺吾景略之速也！'葬之如汉霍光故事。"像王猛这种生尽其才，死获其哀，虽苻坚未能谨遵其教，王猛死后不久，苻坚的事业遂因淝水之败而顷刻瓦解，但王猛光焰的一生与苻坚前半生的创业，仍是可歌可泣的。如果不以成败论英雄，那么对于王猛与苻坚还都应该看作是古今少有的杰出人物。过去有人批评王猛，说他当年遇到桓温时，不应该不跟着桓温到东晋去，因为只有那样才能算是走上了"正道"。跟着司马氏一群窝囊废就算是走上"正道"了吗？连桓温在东晋都干不成什么大事，王猛去了就能大展宏图？苻坚的事业显然要比曹操更辉煌，苻坚的人格之美，也显然要比曹操、司马懿等更有吸引力。历史给人留下的遗憾，一是王猛去世太早，二是苻坚后来的不量彼己，一意孤行。"善作者不必善成，善始者不必善终"，王猛已经有言在先了。

桓温于枋头之败后，威望大减，如何摆脱困境呢？于是他听用郗超之谋而行废立之事。晋朝的皇帝司马奕，虽说不上是明圣之君，但也说不出有什么令人憎恶的败政。找不到政治问题，就从生活问题下手，"乃言：'帝早有痿疾，嬖人相龙、计好、朱灵宝等参侍内寝，二美人田氏、孟氏生三男，将建储立王，倾移皇基。'密播此言于民间，时人莫能审其虚实"。于是司马奕就以这样的理由被桓温所废了。这当然是一种极不得人心的事体，连北国的秦主苻坚都对之非常反感，说："六十之叟，举动如此，将何以自容于四海乎？谚曰：'怒其室而作色于父'，其桓温之谓矣！"理由是有了，但具体如何操作还有些问题："己酉，温集百官于朝堂。废立既旷代所无，莫有识其故典者，百官震栗。温亦色动，不知所为。尚书左仆射王彪之知事不可止，乃谓温曰：'公阿衡皇家，当倚傍先代。'"这就很奇怪了，在这种凡有正义感都敢怒而不敢言的关头，你王彪之出来逞什么能，出什么风头？当乱臣贼子不知所措，就好好地让他多出一些洋相，给历史、给后人多留一些话柄与谈资不是更好吗？尤其是写历史的人更令人讨厌，他想抓住这个机会来歌颂王彪之的"才学之美"，他说王彪之"乃命取《汉书·霍光传》，礼度仪制，定于须臾"；又说"彪之朝服当阶，神采毅然，曾无惧容，文武仪准，莫不取定，朝廷以此服之"。这难道不是为乱臣贼子解围？岂不是名副其实地为虎作伥？

司马奕被废，会稽王司马昱被立为傀儡。王夫之的《读通鉴论》对司马昱痛恨之极，说："桓温，贼也；简文相其君而篡之，亦贼也"。这就有点似乎不讲理。乱臣贼子要废你，你没法不废；乱臣贼子要立你，你又焉能不立？在此之前的汉灵帝死后，先是皇子刘辩被立为皇帝；董卓看着刘辩不顺眼，废掉了刘辩，改立刘辩的弟弟刘协，刘协也只能乖乖地听命；在此之后的司马德宗，是孝武帝的长子，先被立为皇帝，刘裕嫌他碍事，派人把他杀了，改立其弟司马德文。德文一再请求不干，刘裕不答应，德文只好勉强当了不到两年，还是被刘裕杀了。但简文帝司马昱最没有出息的地方是卑劣得太没有人格。他在位不到二年，得病而死，临死前遗诏让桓温“依周公居摄故事”。又说：“少子可辅者辅之，如不可，君自取之。”侍中王坦之自持诏入，于帝前毁之。帝曰：“天下，傥来之运，卿何所嫌？”坦之曰：“天下，宣、元之天下，陛下何得专之？”帝乃使坦之改诏曰：“家国事一禀大司马，如诸葛武侯、王丞相故事。”他原想将晋朝政权拱手送给桓温，多亏王坦之、王彪之大力坚持，方使简文帝的儿子司马曜继立为帝；桓温本来也是希望简文帝能临终禅让于他，至少也应该得一个“依周公居摄故事”，结果二者都未得到。桓温临死前曾向朝廷要“九锡”，谢安、王坦之、王彪之三人故意拖延时间，遂使桓温至死未能如愿。前人为此事对谢安、王坦之、王彪之等多有颂扬，这当然有其合理的一面，不过当时也还多亏了桓温之弟桓冲在接替桓温的权位、统领了桓温的部众后，能忠于晋室，不与朝廷的时贤谢安等作对，于是晋王朝才出现了转机，出现了将相和睦共事的局面。因此在人们歌颂淝水之捷、歌颂谢氏家族的同时，桓冲的功劳与人品是不应该被忘记的。